PAIX OU GUERRES

*Les secrets des négociations
israélo-arabes – 1917-1997*

Du même auteur

SHAMIR, une biographie, Olivier Orban, Paris, 1991.

Charles Enderlin

Paix ou guerres

*Les secrets
des négociations
israélo-arabes
1917-1997*

Stock

A ma mère

Remerciements

J'ai eu le privilège de recevoir l'aide et les conseils de quelques-uns des principaux acteurs du processus de paix au Proche-Orient, notamment Mordehaï Gazit et Fayçal el Husseini. Ces deux hommes ne se sont jamais rencontrés. Mordehaï Gazit était officier lors des combats du Kastel au cours desquels, en 1948, le père de Fayçal el Husseini, Abdel Kader, a trouvé la mort. Je leur dois des remerciements ainsi qu'aux nombreuses personnalités qui ont accepté, parfois longuement, de répondre à mes questions. Shimon Pérès, Abou Mazen, Hani el Hassan, Yossi Beilin, Ouri Savir, Terje Larsen, Yaïr Hirschfeld, Loba Eliav, Marek Halter,… ainsi que tous ceux qui, pour des raisons évidentes, m'ont demandé de taire leur identité.

Ce travail n'aurait pas été possible sans le dévouement de mes assistants : Ilit Neria, Ezz Saïd, Khaled Abou Aker, Annie Gabaï, Laurence Gozlan, Talal Abou Rahmeh et Cécile Berecz.

Le Choix

«*Le maître de l'avenir est celui qui consent à se laisser transformer. Le sionisme doit prêter attention aux problèmes religieux qu'il porte en lui. Il doit s'élever à la conscience de son histoire, se livrer à la critique de son action et de ses mots d'ordre. Mais de même qu'il ne trouvera pas son salut [...] dans les excès apocalyptiques des Révisionnistes, il ne le trouvera pas davantage dans la "politique de la mystique".*»

Gershom Scholem (*Le Messianisme juif*, 1971).

Journalistes, spectateurs au théâtre de l'Histoire, installés au pigeonnier, nous apercevons à peine le visage de l'acteur. Placés aux premières loges nous entendons parfois le souffleur ou la rumeur venue des coulisses. Rarement on nous autorise à assister à l'écriture de la pièce dont les personnages changent fréquemment de rôle. D'une scène à l'autre, les «planches» du Proche-Orient nous donnent l'impression d'un affrontement permanent entre frères ennemis qui, souvent, se parlent secrètement, se chuchotent des secrets. Des dialogues cachés qui, dans l'instantané de l'événement, deviennent des mystères. Rarement tout se joue sur scène comme en cette soirée du 4 novembre 1995 sur la tribune de la place des Rois-d'Israël à Tel Aviv.

Acteur principal, Yitzhak Rabin assumait un rôle que je ne lui connaissais pas. Le colonel qui avait expulsé les Palestiniens des villes de Lyddah et Ramleh en 1948, le général, chef d'état-major victorieux de la guerre des Six Jours, le Premier ministre qui, en 1975, n'avait pas confiance en Anouar el Sadate, le ministre de la Défense, l'homme de la répression de l'Intifada, fêtait la paix en compagnie de cent mille jeunes Israéliens. Son discours avait les accents d'un message d'adieu :

11

«*J'ai été un militaire pendant vingt-sept ans. J'ai combattu aussi longtemps qu'il n'y avait pas de chances de paix. Je crois que, à présent, une telle chance existe, une grande chance. Nous devons la saisir pour le salut de tous ceux qui sont debout ici et ceux qui ne sont plus, et ils sont nombreux. J'ai toujours cru que la majorité du peuple voulait la paix et qu'il était prêt à en assumer les risques. En venant ici aujourd'hui, vous manifestez avec d'autres, nombreux, qui ne sont pas venus, le véritable désir de paix du peuple et votre opposition à la violence. La violence qui ronge les fondements de la démocratie israélienne. Elle doit être condamnée et isolée.* […] *Il y a des ennemis de la paix qui tentent de nous porter atteinte afin de torpiller le processus de paix. Je dois vous dire, en toute franchise, que nous avons trouvé un partenaire pour la paix parmi les Palestiniens également : l'OLP qui fut un ennemi et qui a cessé de pratiquer le terrorisme. Sans partenaire, il ne peut y avoir de paix.* […]

«*Il s'agit d'une route parsemée de difficultés et de souffrance. Pour Israël, il n'y a pas de chemin sans souffrance, mais la voie de la paix est préférable à celle de la guerre. Je vous le dis en tant qu'ancien militaire, en ma qualité de ministre de la Défense qui voit la douleur des familles de soldats. Pour eux, pour nos enfants et, dans mon cas, pour mes petits-enfants, je veux que ce gouvernement explore chaque ouverture, tout ce qui peut conduire à la paix globale. Même avec la Syrie, il est possible de faire la paix.* […]»

Et puis, une scène étonnante. Rabin, rouge de timidité, chantant tant bien que mal la chanson de la paix. Au début des années 1970, elle était interdite d'antenne sur la radio de l'armée : «*Laisse le soleil se lever et donner la lueur de l'aube. La plus pure des prières ne nous fera pas revenir. Lui, dont la chandelle a été éteinte, et qui a été enterré dans la poussière. Un cri de douleur ne le réveillera pas, ne le fera pas revenir. Personne ne nous ramènera de la fosse sombre, ici, ni le cri de victoire, ni les louanges n'aideront. Alors, chante une chanson de paix, ne chuchote pas une prière, entonne, à pleins poumons, une chanson pour la paix.* […]» On retrouvera le texte ensanglanté dans sa poche.

Pour la première fois depuis la signature de l'accord avec les Palestiniens, le 13 septembre 1993, Rabin voyait une foule lui exprimer son soutien, sa ferveur. Jusque-là la droite et l'extrême droite paraissaient contrôler la rue israélienne. Au cours des derniers mois, les slogans «*Rabin traître*» s'étaient multipliés sur les murs. A Jérusalem, des milliers d'affiches le représentant en keffieh avaient été collées sur les murs, avant d'être remplacées par un autre message : une tête de mort coiffée également d'un keffieh.

La manifestation représentait donc un tournant dans la bataille pour la paix en Israël. Jean Frydman, l'homme d'affaires franco-israélien, l'ami de Pérès et président d'une association de généraux partisans de la paix, l'avait organisée après avoir vu, dans un reportage télévisé sur un meeting de la droite à Jérusalem, des manifestants brandir un portrait de Rabin habillé en SS. Cet ancien résistant avait été scandalisé.

Place des Rois-d'Israël, j'avais l'impression d'assister à une réunion des héros de ce livre auquel je travaillais depuis plusieurs années. Ouri Avnery, l'éternel manifestant de gauche, était là, au premier rang de la foule, ainsi que Méir Amit, l'ancien chef du Mossad, l'homme des contacts avec les Égyptiens en 1966. Plus loin, des militants du mouvement la Paix maintenant agitaient des banderoles, pour la première fois, en présence de Rabin, autrefois leur adversaire. Ils étaient presque tous là.

Mohamed Bassiouny, l'ambassadeur d'Égypte, lui aussi un des principaux négociateurs secrets, prend la parole, suivi par son collègue jordanien et les représentants marocain et tunisien. A une autre époque la présence de ces diplomates arabes aurait été de la politique-fiction. L'histoire d'Israël et du sionisme est à la croisée des chemins qui, ce soir là, passe par cette place de Tel Aviv. L'idéal d'une intégration de l'État juif dans la région, la vision d'un Proche-Orient de paix, préoccupé par la prospérité économique, semblaient sur le point de se réaliser.

Trois coups de feu y ont mis fin. Rabin, blessé, est transporté à l'hôpital. Je reçois un message sur mon *beeper* : «*La prière Poulsa de Noura a été exaucée. Signé : Avigdor Erskine.*» Poulsa de Noura, c'est une prière pour la mort d'un homme. Le 2 octobre à Jérusalem, j'avais filmé une scène d'un autre âge. Avigdor Erskine, un militant d'extrême droite, avait, en compagnie de trois vieillards, lancé une malédiction cabalistique à l'encontre de Rabin, devant le domicile du Premier ministre, et en présence d'une dizaine de policiers désœuvrés : «*Nous déclarons sur ce saint rouleau de la Torah que la condamnation de ce criminel a été prononcée par les Grands d'Israël dans notre génération.*» Trois rabbins, dont deux de Jérusalem, ont rédigé cette prière, m'avait glissé Erskine.

Avant cela, le 18 septembre, à Hébron, devant le caveau des Patriarches, un militant juif religieux m'avait affirmé : «*Le papier* [de l'accord intérimaire avec les Palestiniens] *n'a aucune importance, puisqu'il est signé par des traîtres. La main qui a signé ces accords devra être coupée un jour ou l'autre !*» Cet homme reprenait mot à mot la déclaration du rabbin Kook à Jérusalem en juillet 1967 : «*La main qui signera un accord renonçant à une partie de la terre d'Israël sera coupée.*»

13

L'identité de l'assassin est publiée. Yigal Amir, un étudiant religieux de l'université Bar Ilan. Issu du mouvement nationaliste religieux, a-t-il agi seul ? En est-il le bras armé ? Un Juif religieux ne commet pas un tel acte sans consulter son guide spirituel. L'infraction au commandement «*Tu ne tueras point*» n'est possible que si la victime est considérée comme dangereuse pour la communauté. Au cours des mois précédents, des rabbins du Mouvement des implantations avaient doctement analysé la situation et conclu qu'il y avait certainement matière à discussion…

La mort de Rabin était donc annoncée. De même qu'après la conclusion des accords de Camp David avec l'Égypte le mouvement national religieux avait sécrété un réseau terroriste juif destiné à faire échec à la paix, l'accord d'Oslo avec les Palestiniens a produit Yigal Amir. Une étape est franchie dans l'affrontement entre la vision d'un Israël biblique, du judaïsme de la terre, et celle du sionisme de l'idée, pragmatique, en quête d'un Proche-Orient pacifique. Ces deux Israël se retrouvent face à face.

Quarante-huit heures plus tard, le monde viendra donner raison au Premier ministre qui avait dit à ses concitoyens en 1992 : «*Nous ne sommes plus nécessairement un peuple isolé, et il n'est pas vrai que le monde entier est contre nous. Nous devons nous débarrasser de ce sentiment d'isolement qui nous habite depuis près d'un siècle. Nous devons participer à la marche de paix, de réconciliation et de coopération internationale qui s'étend sur le globe. […]*» Des dizaines de chefs d'État et de gouvernement, les représentants des cinq continents, de la Chine à l'Amérique mais aussi des pays arabes se retrouveront sur le mont Herzl, près de la tombe du fondateur du sionisme pour qui un tel hommage envers un chef de gouvernement de l'État juif aurait certainement constitué la preuve de la réussite de son projet. Tous, exprimant leur soutien à l'Israël de la paix ils accompagneront Rabin dans son dernier voyage. Hussein de Jordanie, les larmes aux yeux, debout devant la tombe de son ennemi devenu ami, pour la première fois dans la Jérusalem que Rabin lui avait prise en 1967. Husny Moubarak, qui n'avait jamais fait le voyage. Ces images-là resteront. Ce sont celles de l'adieu à Rabin et à la voie qu'il avait tracée. Un formidable message de soutien que les électeurs israéliens ne voudront pas relever, huit mois plus tard.

Car, en écho, son successeur, Benjamin Netanyahu nous renvoie l'antithèse : «*Le monde arabe voit toujours en Israël une entité étrangère qui n'a pas le droit d'exister dans cette région. La gauche israélienne vit avec l'illusion que, si on résout le problème palestinien, on résoudra également le conflit israélo-arabe. Je ne partage pas cette opinion [...] Ce conflit arrivera à son terme le jour ou le monde arabe sera certain qu'Israël est là pour y rester ou lorsque les pays arabes qui nous entourent adopteront des régimes démocratiques.»* L'idéologie de la méfiance.

Il est l'héritier de Menahem Begin qui a conclu la paix avec l'Égypte mais lancé la guerre au Liban afin d'y détruire l'OLP, le fils spirituel d'Yitzhak Shamir qui, en marge de la conférence de Madrid, disait à ses proches : *«Les Arabes n'auront rien!»*. L'allié naturel du Likoud, la droite, est Goush Emounim, le mouvement nationaliste, messianique, et aussi le nouveau fondamentalisme juif issu de l'orthodoxie qui, jusque dans les années 1980, ne jouait le jeu de la politique séculaire que pour satisfaire ses intérêts. Car, désormais, à l'intégrisme islamique lui aussi en plein essor depuis la guerre des Six Jours, fait pièce, parfois en allié objectif, un extrémisme religieux juif pas moins intransigeant. Poussés par une foi dévorante, les uns combattent au nom de l'Israël eschatologique, de la Méditerranée au Jourdain, les autres pour la Palestine islamique, sur le même territoire. Leurs ennemis sont ceux qui, arabes, acceptent l'existence d'Israël et, juifs, réclament la fin de l'occupation des territoires palestiniens. L'éthique transcende des religions devenues guerrières.

Dans cette nouvelle donne du conflit, Israël est à un autre carrefour de l'Histoire. Cinq guerres et le meurtre d'un Premier ministre ont conduit les deux principaux mouvements idéologiques du sionisme à l'extrême de leurs logiques. A gauche, le Parti travailliste a entraîné Israël à l'orée du compromis historique avec les Palestiniens et doit décider de la forme de son combat pour la paix. A droite, le Likoud, qui, depuis 1967, a réclamé et mené une politique annexionniste, dispose de la possibilité unique d'empêcher, peut-être pour des générations, la naissance d'un État palestinien. Fin de l'occupation de la Cisjordanie et de Gaza pour la gauche, danger mortel pour les annexionnistes. Le choix est moral avant d'être politique. Il dépasse la région car l'alternative au processus de paix est plus effrayante que jamais, à une époque où les États du Proche-Orient disposent de missiles et d'armes non conventionnelles.

Jérusalem, février 1997.

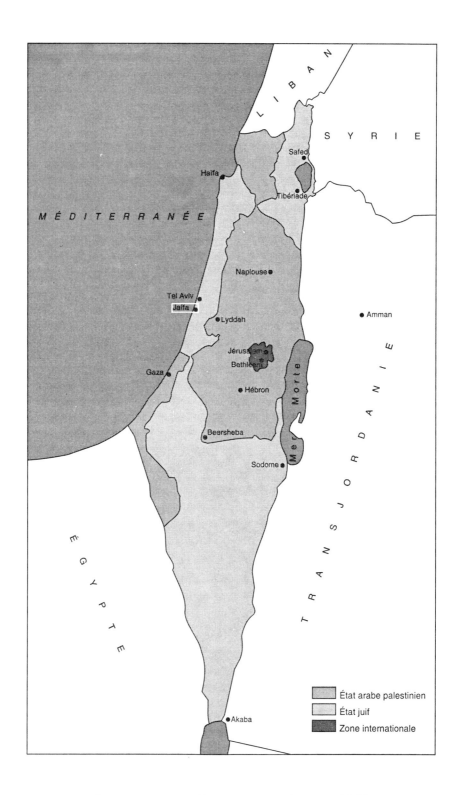

LE PARTAGE DE LA PALESTINE PAR L'ONU EN 1947

CHAPITRE PREMIER

L'État juif

1917-mai 1948

Dimanche 9 décembre 1917. L'aube se lève sur un nouveau Proche-Orient. Quatre siècles de règne ottoman se terminent dans la déroute. Les derniers soldats turcs s'enfuient de Jérusalem. Quelques-uns frappent aux portes en suppliant : « *Vite ! vite ! du pain !* » Des magasins sont pillés. Avant de sauter dans sa voiture et de partir en direction de Jéricho, Izaat Bey, le gouverneur ottoman de Jérusalem, remet au maire, Salim el Husseini, un message griffonné à la hâte : la reddition de la ville. Les Britanniques sont déjà déployés au sud et à l'ouest.

Il est quatre heures du matin, en compagnie de l'un de ses neveux et de deux policiers, el Husseini part à la rencontre des soldats de Sa Majesté ; il passe d'abord par le bâtiment de la colonie américaine[1] pour inviter Hols Lars Larson, le photographe, à se joindre à lui. Le groupe se rend ensuite à l'hôpital italien, où il réquisitionne un drap blanc qu'il attache à un manche à balai. Le maire aperçoit un jeune homme qu'il connaît bien, Menashé Eliashar, le fils d'une famille juive installée à Jérusalem depuis de nombreuses générations avec laquelle il est en excellents termes : « *Viens avec nous*, lui lance-t-il, *tu vas assister à un événement historique !* »

El Husseini est à présent à la tête d'une véritable délégation. Il faut bien cela pour ce descendant de Hussein, le fils du calife Ali et de Fatma, la fille du Prophète Mahomet. Une heure plus tard, dans les faubourgs nord de la ville, il rencontre des Britanniques ; mais il ne s'agit que de deux simples soldats, cuisiniers dans un régiment d'infanterie

---

1. Vingt ans plus tard l'endroit deviendra l'hôtel American Colony, que des générations d'envoyés spéciaux fréquenteront. Eux aussi donneront du fil à retordre aux autorités militaires…

londonien, à la recherche de leur unité. L'idée de recevoir la reddition du berceau du monothéisme ne semble pas les intéresser. Ils se contentent de demander du feu pour allumer une cigarette. Larson immortalise la rencontre sur une plaque photographique. Déçu, le groupe poursuit son chemin. Quelques centaines de mètres plus loin, un cri retentit : «*Stop!*» Deux sergents apparaissent, la baïonnette au canon. Salim el Husseini est ravi : «*Ceux-là ont l'air sérieux!*» Le drapeau blanc est agité. La lettre laissée au maire par le gouverneur turc est présentée aux Britanniques, qui se dérobent : «*Il faut attendre le général...*» Larson propose de faire quelques photographies. Les sergents Sadjwick et Horckomb acceptent de bonne grâce, ce qui inscrira leurs noms dans l'Histoire.

Deux officiers d'artillerie font leur apparition. Ils refusent également Jérusalem, mais promettent de contacter l'état-major. La délégation poursuit ses recherches et tombe sur le colonel Bailey, commandant une brigade d'artillerie. Lui non plus ne veut pas de Jérusalem. Il fait contacter d'urgence son chef hiérarchique, le général Shey, et donne l'ordre à ses troupes de pénétrer dans la ville. Bailey attend en compagnie du maire lorsqu'un autre général fait son apparition, à cheval : Wetson, le commandant de la 180e brigade. Cette fois, el Husseini ne veut pas rater sa reddition. Il agite son drapeau blanc et tend la lettre d'Izaat Bey à Wetson. Celui-ci l'accepte avant de se tourner vers Larson, le seul Européen présent, pour lui demander où il serait possible d'obtenir une tasse de thé chaud. Il est très enrhumé. Le photographe suggère à tout le monde de se rendre vers Shaarei Tzedek, un hôpital juif situé à quelques centaines de mètres. Là, au chaud, a lieu une cérémonie en bonne et due forme, photographiée par Larson. Quelques heures plus tard, à l'entrée de la vieille ville, le général Shey conduira une autre reddition avec plus d'apparat.

Larson développe ses plaques dans la nuit et, le lendemain, va les montrer à Shey pour lui demander l'autorisation de les expédier en Europe par la poste militaire britannique. Le général est terrifié. L'Histoire, pire, peut-être même l'Imperial War Museum à Londres ne connaîtront que des photographies montrant les rencontres du maire avec les cuisiniers et les sergents. Il ordonne la saisie des clichés dont quelques-uns seulement ont survécu[1].

C'est dans la matinée du 11 que le commandant en chef des forces alliées, le général Edmund Henri Hynman Allenby, un descendant de Cromwell, fera son entrée officielle dans Jérusalem avec, à ses côtés,

1. Yaacov Gross, *Jerusalem 1917-18*, Koresh, Jérusalem, 1992.

les représentants des Alliés, des colonels français, italiens et américains. Aux représentants des trois religions, musulmans, chrétiens, juifs, il déclare : «*Nous ne sommes pas arrivés en conquérants mais en libérateurs. Nous voulons ouvrir une nouvelle ère de paix en Terre sainte.*»

PROMESSES, PROMESSES...

Coïncidence, les Juifs fêtent Hanouccah, la commémoration de la victoire des Maccabées sur les occupants grecs. Pour le jeune mouvement sioniste de Theodor Herzl, l'Histoire est en marche. Un mois plus tôt à peine, le 2 novembre, le cabinet de guerre britannique annonçait, dans une lettre adressée par Lord Balfour, le secrétaire au Foreign Office, à Lord Rothschild, le président de la Fédération sioniste britannique, «*qu'il était en faveur de la création en Palestine d'un foyer national pour le peuple juif, qu'il fera de son mieux pour faciliter la réalisation de cet objectif, étant entendu que rien ne devrait être fait pour porter préjudice aux droits civils et religieux des communautés non juives existantes en Palestine ou droits et statuts politiques dont bénéficient les Juifs dans tout autre pays*». Déjà, le 4 juin, Jules Cambon, le directeur général du ministère des Affaires étrangères français, avait écrit à Nahum Sokolov, de l'exécutif sioniste :

«[...] *Vous considérez que, si les circonstances le permettent et si l'indépendance des Lieux saints est sauvegardée, ce serait un acte de justice et de réparation d'assister, avec la protection des puissances alliées, à la renaissance d'une nationalité juive sur la Terre dont le peuple d'Israël a été exilé il y a tant de siècles.*

«*Le gouvernement français qui était entré dans la présente guerre pour défendre un peuple injustement attaqué et qui continue le combat pour assurer la victoire du droit sur la force ne peut qu'éprouver de la sympathie pour votre cause dont le triomphe est lié à celui des Alliés. Je suis heureux de vous donner de telles assurances.*»

Une nationalité juive, disent les Français, un foyer national juif, promettent les Britanniques. Jamais le jeune mouvement sioniste n'a connu de tels succès diplomatiques. Theodor Herzl, son fondateur, est décédé prématurément en 1904, à l'âge de quarante-quatre ans. Son successeur, Haïm Weizmann, est un brillant chimiste d'origine russe installé à Londres, dont la contribution à l'effort de guerre lui a valu l'attention du Premier ministre, Lloyd George. C'est aussi un politicien clairvoyant qui a compris que l'avenir du Proche-Orient dépend plus de la volonté des grandes puissances que des désirs de ses habitants.

La Grande-Bretagne et la France avaient déjà décidé en février 1916 de se partager les restes de l'Empire ottoman dans cette partie du monde. Un accord conclu entre Mark Sykes du Foreign Office et Charles-François Georges-Picot du Quai d'Orsay divisait ainsi la région : une zone A, comportant l'intérieur de la Syrie, Damas, Homs, Alep jusqu'au district de Mossoul à l'est et, à l'ouest, le Liban, serait directement administrée par la France. La zone B, le désert du Neguev en Palestine, la région située à l'est du Jourdain, la Mésopotamie jusqu'à Basra sur le golfe Persique et, à l'est, les secteurs situés entre Haïfa et Saint-Jean-d'Acre seront placés sous contrôle direct des Britanniques. La Palestine avec ses Lieux saints devant passer sous régime international. En publiant la lettre de Lord Balfour, le gouvernement de Sa Majesté faisait donc une promesse contraire à l'accord Sykes-Picot. Mais Londres n'était pas à une inconséquence près… Estimant qu'après tout il vaut mieux laisser cette région proche du canal de Suez sous contrôle britannique, Lloyd George décide de ne pas partager la Palestine avec les Français. Il considère le mouvement sioniste comme un allié, susceptible, le cas échéant, de mobiliser l'importante communauté juive américaine. En plus, il réalise une belle opération qui défie l'imagination : la renaissance du peuple juif biblique fait rêver de nombreux chrétiens. Le Proche-Orient moderne est en train de naître.

PRINCES D'ARABIE

Les Britanniques ont d'autres cartes dans leur manche. Depuis le début des années 1910, ils jouaient un jeu curieux dans la péninsule arabique, accordant une aide financière et militaire à deux princes rivaux. Le jeune émir Abdel Aziz ibn Abdoul Rahman ibn Fayçal el Saoud qui, au début du siècle, avait conquis Riyad, la capitale du Nejd, la province centrale, et Hussein ibn Ali, de la maison des Hachémites, descendants de Fatma, la fille du Prophète Mahomet, chérif de La Mecque, roi du Hejaz. Durant l'été 1915, le haut-commissaire en Égypte, Sir Henry Mac Mahon, avait échangé une dizaine de lettres avec Hussein et ses fils Fayçal et Abdallah, leur promettant un califat sur la péninsule arabique et le croissant fertile, puis, au fil de la correspondance, en excluant une partie de la Syrie et des territoires non définis situés à l'ouest de Damas et d'Alep. Le chérif fera son choix au début du mois de juin 1916 en proclamant la Révolte arabe. Ses fils prendront la tête d'unités bédouines qui mèneront des opérations de guérilla derrière les lignes turques. Fayçal, le plus charismatique des deux hommes, sera rejoint quelques mois plus tard par un jeune agent de Sa Majesté, Thomas Edward Lawrence, le légendaire Lawrence d'Arabie.

En cette fin de l'année 1917, après la prise de Jérusalem, l'offensive d'Allenby marque le pas. Elle ne reprendra qu'en septembre 1918. Les événements en France avaient conduit le haut commandement allié à rapatrier des unités importantes en Europe. Elles seront remplacées par des forces venues d'Inde et de Mésopotamie. De longs mois d'attente durant lesquels le nord de la Palestine, toujours occupé par l'armée turque, est le théâtre d'une féroce répression antijuive.

Haïm Weizmann arrive en Palestine au début d'avril 1918. Il effectue une tournée dans la région et rencontre des nationalistes syriens exilés au Caire qui ne sont pas enthousiasmés par l'idée d'un foyer national juif. Ils lui proposent au contraire une représentation parlementaire proportionnelle qui accorderait «*sa juste place à la majorité arabe*». Sur les conseils de l'état-major d'Allenby, il décide d'aller rencontrer l'émir Fayçal qui, avec ses troupes bédouines et son «conseiller» britannique, Lawrence, campe à l'est de la vallée du Jourdain encore occupée par les forces turques. Le voyage a lieu au mois de juin. Le leader sioniste met dix jours à parvenir à destination. A bord d'un petit vaisseau, il passe par la mer Rouge après avoir emprunté le canal de Suez. Un officier de liaison britannique l'accompagne. Près de Maan, à l'entrée du campement de Fayçal, Lawrence l'accueille et lui prodigue quelques conseils avant sa rencontre avec l'émir le lendemain.

Durant la nuit, il assiste au départ des commandos bédouins, qui vont détruire des éléments de la ligne de chemin de fer du Hedjaz, et reçoivent, de la main à la main, des livres sterling en or, prix de leur alliance avec la Grande-Bretagne. Au petit matin, Fayçal organise en son honneur une brève parade militaire, la première accordée à un leader sioniste, et vraisemblablement la dernière pour des décennies. Puis, sous une tente et en présence de Lawrence, commence la discussion. Dans ses mémoires, Weizmann raconte : «*Je lui ai expliqué les objectifs de ma mission en Terre d'Israël. Notre désir de faire tout notre possible pour effacer les craintes des Arabes* [à notre égard]*, je lui ai exprimé notre espoir qu'il nous tendrait la main, nous accorderait son aide morale si importante. Il m'a posé de nombreuses questions sur le programme sioniste et j'ai découvert qu'il n'était pas du tout ignorant à ce sujet* […] *J'ai souligné le fait qu'il y avait beaucoup de place dans la région et, qu'après un développement intensif, le sort des Arabes serait grandement amélioré par notre travail. L'émir était entièrement d'accord avec moi. Lawrence me l'a confirmé plus tard dans une lettre. Fayçal m'a promis d'envoyer un compte rendu de notre discussion à son père, le chérif Hussein, le juge suprême de ses actes*[1] […]»

1. Haïm Weizmann, *Maassé Ve Maas,* 6e éd., Schocken, Jérusalem, 1962.

Allenby reprend l'offensive le 29 septembre. Trois bataillons de volontaires juifs y participent. L'armée turque, affaiblie, bat en retraite. Zeev Jabotinski, un leader sioniste d'origine russe, avait persuadé Lord Derby, le secrétaire britannique à la Guerre, de créer cette légion juive. A New York, où il vivait depuis que les autorités ottomanes l'avaient expulsé de Palestine, un dirigeant d'un mouvement sioniste-socialiste s'est rendu au consulat de Grande-Bretagne pour se porter volontaire. Il a trente-deux ans et s'appelle David Ben Gourion. Né en Biélorussie, il avait immigré en Palestine en 1906. Paula, la jeune infirmière qu'il vient d'épouser, le regarde partir, désespérée. Elle est enceinte de quatre mois et le couple n'a pas le sou! Le futur Premier ministre de l'État d'Israël ne subira pas le baptême du feu : il n'arrive à Tel Aviv que le 6 novembre. La Turquie a capitulé depuis une semaine.

Le 2 octobre, les troupes alliées font leur entrée à Damas. Une ville musulmane de 300 000 habitants, conquise par des soldats chrétiens! Cela suscitait de profondes craintes au sein de l'état-major britannique. Ne risquait-on pas un soulèvement nationaliste ou islamique? Fayçal sera autorisé à faire son entrée dès le lendemain. Il s'installe à l'hôtel Victoria en compagnie de Lawrence. Allenby, ses officiers et un représentant français viennent dans l'après-midi lui rappeler que la région doit être sous protectorat français. Il ne pourra l'administrer que sous le contrôle de la République et encore, la Syrie seulement, pas le Liban. Il aura un officier de liaison français qui travaillera en coordination avec Lawrence.

Fayçal est furieux. Il n'a pas été informé officiellement des accords Sykes-Picot; il refuse toute tutelle française et explique qu'il n'a que faire d'un pays sans débouché sur la mer. Il savait, certes, que les Arabes n'auraient pas la Palestine, mais espérait recevoir en leur nom au moins la Syrie et le Liban. A l'issue de la rencontre, Lawrence annonce à Allenby, son chef, que la tournure prise par les événements ne lui plaît pas et qu'il n'a aucune intention de servir aux côtés d'un officier français. Il veut prendre les permissions auxquelles il a droit et rentrer à Londres. Autant pour l'Entente cordiale! Fayçal installe un gouvernement provisoire à Damas[1].

---

1. David Fromkin, *A Peace to end all peace*, Penguin Books, Londres, 1991. Voir «The battle for Syria».

VERSAILLES

En France, la guerre se termine le 11 novembre par un armistice. Il ne reste plus qu'à reconstruire un monde saccagé et décider de l'avenir de dizaines de nations et de territoires, parmi lesquels la Palestine, la plus pauvre des anciennes provinces de l'Empire ottoman. Dévastée par la guerre, elle compte 560 000 musulmans et 55 000 Juifs. Les dirigeants de la région se précipitent en Europe, là où les grandes décisions seront prises. Haïm Weizmann et Fayçal se retrouvent à Londres un mois plus tard. Les Britanniques voudraient réaliser l'impossible. Concilier sionisme et arabisme. La quadrature du cercle !

Les contacts préliminaires semblent fructueux. Lawrence, qui fait campagne pour son protégé, le persuade de prononcer quelques phrases diplomatiques en présence de Lord Rothschild : «*Nous demandons la liberté pour les Arabes et nous n'en serons pas dignes si nous ne disons pas aux Juifs : "Bienvenue dans votre foyer" et coopérons avec eux jusqu'à la limite de l'État arabe[1].* »

Ces premières négociations aboutissent à un projet de pacte, le 3 janvier 1919. Un texte fondamental pour les sionistes. La preuve – diront-ils – qu'une entente était possible, à l'origine, entre leur mouvement et les nationalistes arabes. L'émir Fayçal, au nom du royaume arabe du Hedjaz, et Haïm Weizmann représentant l'organisation sioniste, «*conscients des liens anciens et de la parenté existante entre les Arabes et le peuple juif, réalisant que le moyen le plus sûr de concrétiser leurs aspirations naturelles par la plus proche des collaborations pour le développement de l'État arabe et de la Palestine, et désireux de réaffirmer la bonne entente qui existe entre eux*», décident que les relations entre l'État arabe et la Palestine seront régies par la plus cordiale des bonnes volontés. Des agents arabes et juifs dûment accrédités seront échangés entre les territoires respectifs. Fayçal s'engage à donner des garanties pour la mise en application de la déclaration Balfour et accepte l'encouragement de l'immigration juive en Palestine sur une grande échelle. L'organisation sioniste promet d'assister le futur État arabe dans son développement économique.

Au moment de signer, Fayçal, qui se méfie, ajoute quelques lignes au texte : «*Si les Arabes reçoivent ce que j'ai demandé dans mon manifeste du 4 janvier au secrétaire d'État aux Affaires étrangères britannique, j'exécuterai ce qui est écrit dans cet accord. Si des changements*

---

1. Howard Sachar, «The establishment of the mandate», *A History of Israel*, Knopf, New York, 1988.

sont effectués, je ne serai pas responsable si cet accord n'est pas exécuté.» Il veut d'abord que ses revendications territoriales soient satisfaites. Obtenir la Syrie et les territoires transjordaniens, dont les Hachémites voudraient faire un grand État arabe du Hedjaz à Damas, où pourrait ressusciter le califat. Dans sa bataille diplomatique contre la France, Fayçal voudrait le soutien du mouvement sioniste. Mais Weizmann n'a aucune intention de se heurter à la diplomatie française. Cela serait contraire à ses intérêts.

Arabes et sionistes vont en France défendre leurs causes respectives devant les participants à la conférence de Versailles. Le 6 février 1919, Fayçal présente ses revendications : «*L'indépendance pour tous les peuples arabophones d'Asie, au sud de la ligne Alexandrette-Diarbekir [...] Quant à la Palestine, en raison de son caractère universel, elle doit avoir un statut particulier décidé par toutes les parties, en tant qu'enclave des Juifs sionistes.*» Mais, quelques jours plus tard, il déclare au quotidien français *Le Matin* qu'il faudra faire face à de sérieux dangers et conflits si les Juifs entendent créer un État et réclamer une souveraineté. Félix Frankfurter, un sioniste américain, lui réclame des explications. Fayçal lui répond dans une lettre le 3 mars : «[...] *Nous, les Arabes, particulièrement les plus éduqués d'entre nous, considérons le mouvement sioniste avec une profonde sympathie. Notre délégation à Paris connaît les propositions soumises par l'organisation sioniste à la conférence de paix et les considère adéquates et modérées [...] Nous ferons de notre mieux pour les aider : nous souhaitons aux Juifs un cordial retour [...] Nos deux mouvements se complètent mutuellement [...] Le mouvement juif est national et non pas impérialiste [...]*» Plus tard, des personnalités nationalistes arabes démentiront l'existence de cette missive, affirmant qu'il s'agit d'un faux fabriqué par les sionistes.

Haïm Weizmann et sa délégation présentent leur cause aux ministres des Affaires étrangères, le 27 février. Au début, les choses se passent mal. Après de courts exposés, sur le droit historique des Juifs à la Terre d'Israël, sur la question juive en l'absence de foyer national, Sylvain Lévy, un dirigeant juif français à qui le Quai d'Orsay avait demandé de comparaître également, prend la parole. Après avoir salué le travail accompli par le mouvement sioniste, il critique les propositions soumises par Weizmann en rappelant qu'il y a des Arabes en Palestine et accuse les sionistes de réclamer une double nationalité pour les Juifs : celle des pays où ils résident et celle de Palestine. Robert Lansing, le Secrétaire d'État américain, intervient en demandant à Weizmann la signification du terme «foyer national». Le leader sioniste saisit l'occasion pour répondre brillamment aux critiques de Lévy. Les ministres, à l'exception du Français, sont impressionnés et le félicitent[1]. Il a l'impression d'avoir gagné la partie, mais réalise qu'il doit améliorer ses relations avec la France. Pas question de soutenir ouvertement les Hachémites.

FÊTE À DAMAS, ÉMEUTES EN PALESTINE

Déçu, Fayçal quitte l'Europe et regagne la Syrie. Son gouvernement et les chefs du mouvement nationaliste arabe lui ont préparé une grandiose réception à laquelle participent également les diverses communautés chrétiennes de Damas. Les notables saluent celui qu'ils considèrent comme leur futur roi et prononcent des discours particulièrement élogieux. Un certain Abdel Kader Mouzzafar, originaire de Palestine, prend la parole pour critiquer violemment la communauté juive qui, dit-il, n'est pas venue manifester son soutien à Fayçal car elle s'oppose à la libération du peuple arabe. Les Juifs sont des traîtres qui reçoivent leurs instructions du mouvement sioniste à Jérusalem. Des cris retentissent. Un jeune homme appartenant au club national arabe veut prendre la parole, soutenu par ses camarades. Fayçal fait signe : «*Laissez-le parler!*» Le trublion s'appelle Eliahou Sasson. Il a dix-huit ans et il appartient à une vieille famille juive de Damas :

«La communauté juive n'est pas venue parce qu'elle n'a pas été invitée. C'est une atteinte à la solidarité nationale syrienne. Elle n'est pas moins fidèle à l'indépendance et à la souveraineté de la Syrie que les autres communautés. Je demande pour elle l'autorisation de manifester demain dans les rues de Damas. […]»

Fayçal acquiesce et, le lendemain, plus de 5 000 Juifs syriens défilent dans la capitale avec, à leur tête, les Sasson, père et fils. Ils seront reçus officiellement par Fayçal qui, impressionné par le jeune homme, le chargera de publier un journal, *Al Hayat*, prônant l'entente judéo-arabe et qu'il dirigera pendant neuf mois. C'est ainsi que débutera la carrière de celui qui deviendra un des principaux négociateurs du mouvement sioniste, puis de l'État d'Israël, avec les dirigeants arabes et, plus tard, ministre de la Police du cabinet israélien.

En Palestine, l'administration militaire britannique fait face à une agitation croissante. La déclaration Balfour a été mal accueillie par la population arabe qui voyait d'un mauvais œil «*le flot d'immigrants juifs étrangers*». Les journaux antisionistes qui avaient vu le jour avant la guerre haussent de nouveau le ton. Des tracts évoquent le «péril

---

1. *Weizmann, Mivrar Igrot*, Am Oved, Tel Aviv, 1988, p. 180.

juif». «*Aucune nation au monde ne veut d'eux et les Arabes de Palestine doivent se défendre contre la menace sioniste*[1].» Dans cette région du monde, l'attitude de la majorité arabe envers les minorités religieuses et ethniques a, au fil des siècles, varié de la tolérance bienveillante à l'hostilité franche. En ce début de siècle, les pionniers juifs, venus surtout d'Europe orientale, suscitaient méfiance et haine. Étrangers aux coutumes de l'Orient dont ils ne parlent pas la langue, ils font face à une société arabe en pleine crise économique et sociale. Une classe de déshérités a vu le jour : des paysans expulsés des terres vendues aux sionistes par de gros propriétaires terriens habitant souvent hors de Palestine ; des agriculteurs perdant leurs marchés au profit des colonies juives utilisant des techniques plus modernes ; des manœuvres mis au chômage. Les entreprises et les colonies juives font appel en priorité à des travailleurs juifs. D'année en année, avec l'augmentation de l'immigration juive, le nombre d'incidents se multiplie[2].

En février 1920, des groupes d'irréguliers arabes attaquent des colonies juives en Haute-Galilée. Yossef Trumpeldor, un héros de la guerre russo-japonaise et cofondateur de la Légion juive, est tué, le 1er mars, en défendant la position de Tel Haï. Le drame secoue les dirigeants sionistes qui lancent des avertissements aux responsables britanniques. La situation risque encore de se détériorer. Zeev Jabotinski, l'autre fondateur de la Légion juive, organise une milice d'autodéfense à Jérusalem. Le premier congrès arabe national palestinien se réunit dans la vieille ville et envoie un appel à la conférence de Versailles rejetant la déclaration Balfour et réclamant l'indépendance pour la Palestine. Fayçal, lui, a perdu ses illusions. Il finit par suggérer aux sionistes de faire de leur foyer national une province du royaume arabe. Plus tard, en juillet, il leur conseillera de négocier directement avec les Arabes de Palestine.

Les responsables du mandat britannique tentent de calmer l'agitation arabe. Les émeutes de la Pâque 1920 ont fait cinq morts et deux cents blessés chez les Juifs. Malgré cela, Jabotinski est condamné à quinze ans de prison pour avoir violé l'article 58 du Code ottoman qui interdit à quiconque d'armer la population. Il est enfermé dans la forteresse de Saint-Jean-d'Acre. Hadj Amin el Husseini, le leader arabe que les Juifs accusent d'avoir fomenté les troubles, n'est pas inquiété.

---

1. Cité par W. Laqueur, *A History of Zionism*, Schocken, New York, 1972, p. 239.
2. A. Hourani, P. Houry, M. C. Wilson, «The role of palestinian peasantry in the great revolt», *The Modern Middle East*, Tauris Reader, Londres, 1993.

Mandats

En avril, la conférence de San Remo attribue aux grandes puissances les mandats décidés l'année précédente à Versailles. La France reçoit officiellement le Liban et la Syrie, la Grande-Bretagne, la Mésopotamie et la Palestine, ce dernier territoire devant être administré sur la base de la déclaration Balfour. De nombreuses personnalités arabes condamnent ces décisions contraires aux promesses qui leur ont été faites pendant la guerre contre l'Empire ottoman. Lloyd George nomme immédiatement un haut-commissaire civil pour la Palestine, Herbert Samuel, ancien leader du parti libéral, ancien ministre et, surtout, Juif proche du mouvement sioniste. Pour Fayçal, c'est une nouvelle provocation.

Dans le Hedjaz, les affaires des Hachémites ne vont pas mieux. Leur rival, l'émir Fayçal ibn Saoud, a fait alliance avec un mouvement intégriste, l'Ihwan, la Confrérie[1], qui s'étend rapidement dans les tribus de la péninsule arabique. Des milliers d'hommes avaient renoncé à leurs troupeaux de chèvres et de chameaux pour s'adonner exclusivement à la prière. Au nom de la défense du Coran, ils devenaient d'incomparables combattants. Pour eux, les Hachémites avaient commis le péché de faire la guerre à des musulmans – les Turcs – pour le compte d'une puissance chrétienne, la Grande-Bretagne… Le 25 mai, à Turaba, non loin de La Mecque, la capitale de Hussein, une force saoudienne extermine 5 000 soldats hachémites conduits par Abdallah, le frère de Fayçal. Les Britanniques n'ont pas le choix ; ils envoient du matériel et des experts pour renforcer leur allié. Situation paradoxale : Londres est obligé d'accorder une aide supplémentaire aux Hachémites pour qu'ils se protègent d'Ibn Saoud, lui-même également financé par les services de Sa Majesté. Ce ne sont pas les seuls soucis des Britanniques. Le Proche-Orient bouillonne. En Mésopotamie, l'agitation fait tache d'huile. En Égypte, les manifestations antibritanniques se multiplient. Huit Anglais sont assassinés dans un train en mars. Allenby est envoyé au Caire pour mettre un terme à ce qui prend la tournure d'une révolte. Le calme ne reviendra que progressivement, après de longs mois.

Les nationalistes arabes continuent de soutenir Fayçal. En mars 1920, le Congrès national syrien lui offre le trône d'une Grande Syrie comprenant la Palestine. L'initiative surprend Londres et Paris. Fayçal reçoit de sévères avertissements mais n'en tient pas compte. Il permet à des groupes d'irréguliers d'attaquer des objectifs français et chrétiens sur la côte libanaise et fait alliance avec les Turcs kemalistes qui

1. Un mouvement inspiré des théories d'Abdoul Wahab.

27

combattent les Français en Cilicie. Trop, c'est trop ! Le 14 juillet 1920, le général Gouraud, qui commande la garnison de Beyrouth, lance un ultimatum à Fayçal, exigeant notamment la dissolution de ses forces armées. Douze jours plus tard, les Français occupent Damas et le lendemain en expulsent Fayçal et les nationalistes arabes venus participer au grand combat pour l'indépendance. Nombre d'entre eux partent pour la Palestine. Eliahou Sasson est prié, lui aussi, de faire ses valises. Il va à Tel Aviv. Les Français découpent la Syrie. Le Quai d'Orsay joue la carte des minorités. La région de Lattaquieh, tenue par les Alaouites, une secte musulmane, devient un «territoire autonome» sous souveraineté française qui, au fil de l'occupation, se transformera en «État indépendant des Alaouites» puis en «gouvernement de Lattaquieh». Toutes appellations que n'apprécient pas les indépendantistes qui militent encore à Damas. Paris finira par reconnaître la souveraineté de la Syrie sur la région alaouite. Les difficultés de la France en Syrie ne font que commencer.

LES BRITANNIQUES FONT LE POINT

En Palestine, Herbert Samuel, tente de calmer les ardeurs nationalistes d'Hadj Amin el Husseini en le nommant grand mufti de Jérusalem. Ancien étudiant de l'université Al Azhar au Caire, ex-officier de l'armée turque, il avait, après la guerre, milité dans les rangs des nationalistes arabes qui avaient suivi Fayçal à Damas. Jusqu'à la fin des années 1940, ce descendant de la grande famille des Husseini sera la figure de proue du nationalisme arabe palestinien.

Pour les sionistes-socialistes, le défilé du 1er mai 1921 doit être important. Il s'agit de faire acte de présence à Tel Aviv au moment où les autorités britanniques mettent en place les institutions du mandat. Mais le rassemblement est perturbé par un groupe de Juifs communistes qui distribuent des tracts en arabe. Un appel au soulèvement des masses exploitées contre l'impérialisme britannique. Ils sont expulsés de la manifestation officielle et disparaissent en direction de Jaffa. La réaction ne se fait pas attendre. Quelques heures plus tard, des milliers d'Arabes, incités à l'émeute par des imams, attaquent des habitations juives. Les forces de l'ordre interviennent. Il y a 95 morts et 219 blessés graves.

Les dirigeants sionistes comprennent qu'ils ont là un problème fondamental. Jabotinski, qui avait été libéré de prison deux mois plus tôt, propose la création immédiate d'une force armée juive. D'autres, comme Haïm Arlozoroff, font un véritable examen de conscience :

«*Nous ne pouvons pas nous contenter de critiquer le haut-commissaire britannique, une politique de la main de fer est insuffisante. Le mouvement national arabe constitue une force réelle qu'on ne saurait sous-estimer, même s'il ne correspond pas exactement aux critères européens d'un mouvement national. Il ne sert à rien d'adopter une politique de l'autruche. Il faut une réelle politique de paix et de réconciliation*[1]. [...]*»* La question est au centre des débats du Congrès sioniste qui se réunit à Carlsbad en septembre. Le grand philosophe juif allemand Martin Buber est membre de la délégation de son pays. Au nom de l'Union, un des principaux mouvements de la gauche sioniste, il propose au congrès d'adopter une attitude positive à l'égard des ambitions nationales arabes :

«*Le peuple juif qui a été une minorité persécutée pendant deux mille ans dans tous les pays, au moment où il pénètre à nouveau dans l'Histoire mondiale, responsable de son destin, rejette avec force le nationalisme tyrannique dont il a lui même été la victime pendant si longtemps. Nous ne voulons pas revenir sur la Terre d'Israël avec laquelle nous avons des liens historiques et spirituels afin d'en écarter un autre peuple ou pour le dominer [...] Entre nous et le peuple arabe travailleur apparaîtra une profonde solidarité, une communauté d'intérêts réelle qui surmontera toutes les divergences issues de la folie actuelle. [...]*»*

Le Congrès adopte une résolution proclamant «*le désir du peuple juif de vivre avec le peuple arabe dans l'amitié et le respect mutuel et, ensemble,* [de] *développer la patrie commune*». Pour Buber, c'est trop peu. Il accuse Weizmann de se contenter de négocier avec Fayçal.

Entre-temps, les Britanniques ont décidé qu'il était temps de faire le point sur leur politique au Proche-Orient. Une conférence a été organisée le 12 mars 1921 à l'hôtel Sémiramis au Caire, réunissant l'état-major d'Allenby, devenu haut-commissaire en Égypte, Winston Churchill, alors ministre aux Colonies, et leurs conseillers. Premier problème : que faire de la Mésopotamie ? Après quatre jours de débats et, selon la petite histoire, une nuit de discussion entre Churchill et Lawrence, les experts ont décidé d'accorder à Fayçal ce territoire qui s'appellera dorénavant l'Irak. Il parviendra peut être à en calmer les populations. L'année précédente, les bédouins du sud irakien s'étaient révoltés en apprenant qu'ils devaient passer sous le giron britannique. C'est tout de même un fastueux lot de consolation pour l'homme qui a perdu le trône de Syrie. Presque au même moment, la conférence apprend qu'Abdallah est arrivé à Amman, un gros bourg circassien en

1. Cité par W. Laqueur, *A History of Zionism*, Schocken, New York, 1972, p. 241.

Transjordanie. Il raconte aux émissaires britanniques venus aux renseignements que son expédition n'est que médicale : il est là pour soigner une jaunisse. Personne ne le croit… Le 27, Winston Churchill se rend à Jérusalem où il rencontre Abdallah et le persuade d'accepter temporairement le poste de gouverneur de la Transjordanie et donc de renoncer à ses visées militaires sur la Syrie. Une solution idéale. Abdallah s'engage en effet à y faire régner l'ordre, avec ses propres forces et une aide financière britannique. La conséquence, pour les sionistes, est que la Transjordanie est désormais exclue du territoire du Foyer national juif.

Churchill ne s'arrête pas là. Au mois de mai de l'année suivante, il publie un livre blanc sur la Palestine, dont il confirme les limites territoriales, à l'ouest du Jourdain. Pour le reste, le ministre aux Colonies remet les pendules à l'heure : «*Les déclarations selon lesquelles la Palestine doit devenir aussi juive que l'Angleterre est anglaise sont considérées par le gouvernement de Sa Majesté, qui n'a pas de telles intentions, comme irréalisables. Il n'est pas question d'imposer une nationalité juive aux habitants de Palestine dans leur ensemble, mais de promouvoir le développement de la communauté juive. La déclaration Balfour ne signifie pas que la Palestine va être transformée en Foyer national juif mais qu'un tel foyer va y être installé. […] L'immigration juive va continuer mais elle ne doit pas dépasser les capacités économiques du pays à un moment donné […]*» Le mouvement sioniste n'a pas le choix, il accepte la nouvelle politique britannique.

Zeev Jabotinski, qui a déjà goûté des geôles, se méfie de plus en plus des Britanniques. Par ailleurs, il est en désaccord avec les institutions sionistes : il rejette l'idéologie socialiste qui, souvent, les anime. En 1923, à Riga, il crée un nouveau mouvement de jeunesse, le Bétar, acronyme en hébreu de «Trumpeldor, héros de Tel Haï». Depuis deux ans, il dirige son propre parti, l'Union des sionistes révisionnistes. Imprégné des idées de Karl Popper, pour qui la société humaine ne doit pas tendre vers l'égalité entre les individus mais vers un minimum acceptable d'inégalité, Jabotinski propose de créer un nouvel homme juif différent de l'idéal marxiste de la gauche sioniste. Un Juif attaché d'abord à l'idée centrale d'un État juif souverain, ayant reçu un entraînement militaire, effectuant un service national pour la patrie et, surtout, la transformation du Juif du ghetto en aristocrate. Un des signes distinctifs du Bétar, c'est son rituel : parades, manifestations en uniforme, drapeaux en tête. La gauche sioniste verra là une forme de fascisme

DÉFAITE HACHÉMITE

A Amman, les quelques milliers de livres sterling envoyées par Londres se sont très vites révélées insuffisantes et le nouveau pouvoir hachémite est obligé de taxer la population. En deux ans, Abdallah a prélevé autant d'impôts que les Turcs en neuf ans. Au début de l'année 1924, Frederick Hermann Kisch, le directeur du département politique de l'Agence juive, constate que les prix à Amman sont bien plus élevés qu'à Jérusalem. Il se rend compte de cela le 27 janvier, à l'occasion d'une visite officielle dans la capitale transjordanienne, en compagnie du grand rabbin de Palestine, Yaacov Méir. La réception est somptueuse. Des cavaliers escortent la délégation de l'entrée de la ville jusqu'au palais où l'attendent l'émir et son père, le roi Hussein du Héjaz, qui a droit à une bénédiction du rabbin. Les Juifs remettent à leurs hôtes une boîte en argent contenant la traduction en arabe d'une résolution du Congrès sioniste qui s'était tenu l'année précédente : «*Les droits de toutes les communautés en Terre d'Israël sont, à nos yeux, sacrés et égaux, quelles que soient les circonstances. La décision du peuple juif de créer son foyer national est appliquée dans un esprit de bonne volonté et d'une coopération avec leurs frères* arabes [...]» Ému, Hussein déclare que jamais il n'acceptera une discrimination antijuive. Avec Abdallah, la discussion est plus difficile. Kisch lui demande d'intervenir auprès des dirigeants arabes de Palestine pour «*dissiper les malentendus*». L'émir lui répond qu'il a déjà expliqué aux responsables sionistes que leurs actes contredisaient leurs paroles et qu'il les soupçonnait d'avoir des intentions cachées. Après quelques explications, Abdallah conseille à la délégation juive de régler rapidement le problème des droits des Arabes en Palestine. Sinon, leur patience risque de venir à bout. Jusqu'à sa démission en 1931, Kisch aura de nombreuses rencontres avec les princes hachémites, à Amman et à Jérusalem. En 1925, Abdallah demandera même par son intermédiaire un prêt secret à l'Agence juive pour acheter des avions allemands qui pourraient servir à la reconquête de la Syrie occupée par les Français. Les dirigeants sionistes refuseront poliment[1].

A La Mecque, Hussein commet erreur sur erreur. Après l'annonce de l'abolition du califat ottoman par le nouveau gouvernement républicain, il se proclame «calife de tous les musulmans», titre convoité par plusieurs autres souverains arabes. Après tout, disait-il, c'est mon droit et mon devoir en tant que descendant du Prophète et gardien des Lieux

1. F. H. Kisch, *Yoman Eretz Israeli*, Tirtzat, Jérusalem.

31

saints de l'islam. Par la même occasion, Hussein interdit le Hadj, le pèlerinage à La Mecque, à l'Ihwan, la confrérie wahabite, sous le prétexte que ces fanatiques, les principaux alliés de son rival Ibn Saoud, constituent un danger pour les pèlerins étrangers. En juin 1924, les ulémas, les chefs religieux des tribus de l'Ihwan, décident qu'ils ont assez attendu. En quelques jours, 3 000 hommes sont réunis et partent à l'assaut de Taïf, la capitale d'été du Hedjaz, le verrou stratégique de La Mecque et de la route vers la mer Rouge. La bataille est brève : la garnison commandée par Ali, le fils cadet de Hussein, prend la fuite.

Taïf est pillée et en partie détruite. Un témoin racontera que les combattants de l'Ihwan détruisaient tous les miroirs qu'ils découvraient parce qu'ils n'en n'avaient jamais vu auparavant[1]. Après cette défaite, Hussein n'avait plus le choix. Il abdique en faveur d'Ali et s'en va en exil à bord de son yacht. Ali le rejoindra un peu plus tard. Hussein mourra en 1931. L'Arabie est devenue saoudite. Quelques mois avant le décès de son père, à Amman, Abdallah, dans un instant de candeur, dira au colonel Kisch qu'il est *« prêt à quitter la Transjordanie pour retourner dans le Hedjaz. Malheureusement, les dirigeants actuels de cette région de l'Arabie ont créé des barrières religieuses artificielles […] »*. Son frère, Fayçal, est mort à Berne en 1933, après avoir négocié l'indépendance de l'Irak, l'année précédente. Son fils, Rhazi Ier, lui succédera sur le trône.

PREMIER SOULÈVEMENT ARABE

Mur de soutènement de l'esplanade du Dôme-du-Rocher et de la mosquée Al Aqsa, pour les musulmans, vestige sacré du Second Temple pour les Juifs, les pierres hérodiennes du mur des Lamentations à Jérusalem sont, en 1929, au centre d'une nouvelle controverse. Les Arabes soupçonnent les sionistes de vouloir saisir de force ce lieu saint. Les incidents se multiplient. Le 15 août, des jeunes militants du Bétar, drapeau bleu, blanc en tête, manifestent et sonnent le chofar, devant le mur. Deux jours plus tard, un adolescent juif est assassiné par un inconnu. Ses obsèques se transforment en manifestation nationaliste juive. La police britannique intervient à coups de matraque ; 24 Juifs sont blessés.

Le 23 août, après des sermons incendiaires dans les mosquées, des milliers de fidèles musulmans attaquent le quartier juif de la vieille ville de Jérusalem. L'agitation s'étend aux environs de la ville. Les Britanniques

---

1. David Holden and Richard Johns, *The House of Saoud*, Pan Books, Londres, 1982, pp. 83-84.

interviennent avec retard. Dans de nombreux endroits, c'est la Hagannah, la milice secrète, qui prend la défense des propriétés juives. La tension monte également à Hébron, où vit une petite communauté juive de 600 âmes qui n'avait pas souffert lors des émeutes quatre années plus tôt. Le pogrom éclate le lendemain. Quelqu'un avait fait courir la rumeur que des Juifs avaient tué des Arabes à Jérusalem ; 64 Juifs sont assassinés et 54 blessés. La police britannique et de nombreux voisins arabes parviendront à sauver plus de quatre cent quatre-vingts personnes. Les Juifs de Hébron quittent la ville où leurs familles étaient installées depuis des siècles. Ils n'y retourneront qu'après la guerre de 1967.

Dans l'ensemble de la Palestine, le bilan est lourd : 133 Juifs et 116 Arabes ont trouvé la mort[1]. Les Britanniques réagissent en nommant des commissions d'enquête et, très vite, les sionistes découvrent qu'ils n'ont plus le soutien automatique de Londres. Les travaillistes sont au pouvoir, et le ministre aux Colonies est Sidney Webb, Lord Passfield. En mars 1930, il publie un livre blanc. Le document reconnaît la responsabilité des Arabes dans les dernières émeutes, qui toutefois n'ont pas été préméditées, relève la part de responsabilité du mufti Hadj Amin el Husseini et de certaines personnalités arabes. Mais, poursuit le texte, «*la cause fondamentale de la tragédie est le sentiment d'animosité, l'hostilité qu'éprouvent les Arabes à l'égard des Juifs en raison de la déception de leurs aspirations politiques et nationales et de la crainte qu'ils éprouvent pour leur avenir économique[2]...*» Le Colonial Office suspend l'immigration de 3 300 Juifs. Le 20 octobre, un nouveau rapport sur l'immigration en Palestine est publié à Londres :

«*Les Arabes ont été graduellement dépouillés de leurs terres par les achats du Fonds national juif qui ne leur permet pas de trouver du travail sur des terres juives. La Palestine n'a pas la capacité d'absorber un nombre important d'immigrants. Lorsque tous les grands projets industriels seront mis en place, il n'y aura pas place pour plus de 100 000 nouveaux venus, la moitié d'entre eux, des Juifs […]*» Aux Communes, c'est le scandale. L'opposition conservatrice, Churchill et Lloyd George en tête, tire à boulets rouges sur la politique palestinienne du gouvernement qui, sous la pression, fait marche arrière. Les sionistes poussent un soupir de soulagement. Les Arabes, qui croyaient avoir gagné la partie, sont furieux.

La Palestine a changé. En 1922, un recensement effectué par les Britanniques avait trouvé une population composée de 650 000 musulmans,

1. J. Bowyer Bell, *Terror out of Zion, The Fight for Israeli Independance, 1929-1949*, The Academy Press, Dublin, 1977, p. 5.
2. H. M. Sachar, *A History of Israel*, Knopf, New York, 1988, p. 175.

87 000 Juifs, et 73 000 chrétiens. En 1935, il y a 960 000 musulmans et près de 400 000 Juifs. L'immigration juive connaît un nouvel essor après l'arrivée au pouvoir de Hitler en Allemagne : entre 1933 et 1936, 164 000 Juifs arrivent en Palestine. Ils s'installent, pour la plupart d'entre eux, dans les zones urbaines qui, grâce à la judicieuse politique économique du nouveau haut-commissaire, Sir Arthur Wanchope, et aux investissements des Juifs allemands, connaissent un développement sans précédent. Une véritable industrie est en train de se créer, notamment à Haïfa où les Britanniques construisent le terminal de l'oléoduc de Mossoul. En moins de dix ans, Tel Aviv est passée du statut de gros bourg à celui de véritable ville dont la population dépasse largement celle de Jaffa, la ville arabe voisine. Les dirigeants sionistes pensent désormais tenir un langage réaliste lorsqu'ils parlent d'État juif de plusieurs millions d'habitants. Les données du problème ont fondamentalement changé. Les solutions envisageables il y a seulement quelques années ne sont plus de mise. C'est en position de force qu'ils abordent leurs interlocuteurs arabes. Ils représentent une communauté en plein essor économique et politique.

Rencontres

En 1933, le 18e Congrès sioniste, dominé par les travaillistes, élit un nouvel exécutif. David Ben Gourion en fait partie, ainsi que Moshé Shertok, qui transformera son nom en Moshé Sharett lorsqu'il deviendra le premier ministre des Affaires étrangères de l'État d'Israël. Né en Ukraine en 1894, dans une famille sioniste qui a immigré en Palestine en 1906, il a combattu dans les rangs de l'armée turque durant la Première Guerre mondiale et parle parfaitement l'arabe. Il est nommé directeur du département politique de l'Agence juive et recrute de jeunes arabisants comme Eliahou Sasson. C'est le début de nombreuses rencontres discrètes entre des dirigeants sionistes ou leurs émissaires et des dirigeants arabes.

Ben Gourion et Shertok n'acceptent pas la théorie généralement admise par les dirigeants sionistes, selon laquelle les Arabes n'ont aucune raison de s'opposer à l'immigration juive, source de développement économique. Pour eux, la question est avant tout nationale et politique. Ils rencontrent à Jérusalem, Mousa el Alami. Procureur général du gouvernement mandataire, c'est un nationaliste arabe proche de la grande famille des Husseini[1].

« *Je préfère,* dit-il, à ses interlocuteurs juifs, *que le pays reste pauvre*

---

1. David Ben Gourion, *My Talks with Arab Leaders*, Keter, Jérusalem, 1972.

et désert pendant encore cent ans jusqu'à ce que ce soient les Arabes qui puissent le développer et le faire fleurir [...] Les Juifs ne tiennent aucun compte de l'opinion des Arabes qui sont de plus en plus pessimistes. Ils sont progressivement évincés des postes importants et les meilleures régions du pays passent aux mains des Juifs [...]» Ben Gourion intervient : «*N'est il pas possible d'aboutir à un accord de coopération au lieu de rester sur cette haine stérile ? Le fellah arabe ne gagne-t-il pas mieux sa vie, ici plutôt qu'en Transjordanie où, comme dans les autres pays arabes voisins, il n'y a pas de Juifs ?*»

El Alami : «*C'est peut être le cas, mais nous ne voulons pas d'aide extérieure et nous perdons des postes importants.*»

«*Recherchons une plate-forme commune. Y a-t-il une possibilité quelconque pour parvenir à une entente sur la création d'un État juif en Palestine, y compris en Transjordanie ?*» lance Ben Gourion.

«*Pourquoi les Arabes accepteraient-ils ? Les Juifs pourraient peut-être réaliser cet objectif, mais pour quelle raison accepterions-nous ?*» répond el Alami.

Ben Gourion : «*En échange nous pourrions soutenir la création d'une fédération arabe des États voisins et l'alliance de l'État juif avec cette fédération. Ainsi les Arabes de Palestine, même s'ils constituent une minorité, ne seraient pas dans une position minoritaire car ils seraient liés aux millions d'Arabes des pays voisins...*»

El Alami : «*Cette proposition pourrait être examinée, mais que se passerait-il entre-temps ? Les Britanniques proposent la création d'un conseil législatif, en fait une tromperie. Tous les pouvoirs resteraient aux mains des Anglais alors que les représentants élus, juifs et arabes, n'auraient aucun pouvoir, sauf celui de faire des discours. [...] Malgré tout, les Arabes pourraient accepter de participer à ce conseil car ils n'ont rien gagné après leur refus d'un tel organisme il y a douze ans.*»

«*Les Arabes accepteraient-ils l'égalité au sein du conseil ?*» demande Ben Gourion.

«*Absolument pas. Et pourquoi le feraient-ils ? Est-ce que nous ne représentons pas les quatre cinquièmes de la population ? Ne sommes-nous pas la population indigène ? Pourquoi ferions-nous une telle concession ?*»

Ben Gourion insiste : «*Je comprends votre position, peut-être une proposition est-elle envisageable ? Les Anglais ne veulent sûrement pas partager le gouvernement mais, si les Juifs et les Arabes se mettent d'accord et présentent ensemble une telle demande, ils seront obligés de la considérer. Nous, les Juifs, accepterions si nous sommes assurés d'une égalité au sein du gouvernement.*»

«*Pourquoi pas, cela peut servir de base à une discussion*», répond el Alami.

Il est tard, les trois hommes se quittent.

Afin de poursuivre ses contacts, Ben Gourion se tourne vers Judah Magnes, le président de l'université hébraïque de Jérusalem, qui, depuis 1925, dirigeait Brit Shalom (l'Alliance de paix), un groupe d'intellectuels parmi lesquels se trouvent Martin Buber et l'historien Hans Kohn, qui œuvrait pour la création d'un État binational en Palestine. Le mouvement sioniste, tout en les critiquant parfois avec violence, ne pouvait les ignorer. Après les émeutes de 1929, Brit Shalom avait publié un manifeste dans la presse hébraïque : «*Il est clair que sur une terre aussi petite, ni les Juifs, ni les Arabes ne peuvent faire comme s'ils vivaient sur des îles, séparés les uns des autres. Il faut créer des liens d'entente et de coopération*[1].» Magnes avait demandé une réorientation de la politique sioniste «*Les Juifs*, disait-il, *devraient revenir en Palestine non pas en tant qu'envahisseurs suivant la tradition biblique de Joshuah Bin Noun mais conquérir le pays par des moyens pacifiques, le travail, le sacrifice, l'amour* [...].»

Le 18 juillet 1934 Magnes invite Ben Gourion à rencontrer Aouni Abdel Hadi. Celui-ci est un ancien secrétaire de Fayçal à Damas, qui avait également servi Abdallah en Transjordanie avant de revenir en Palestine où il avait fondé, en 1923, la section locale de l'Istiklal (l'Indépendance, en arabe), un petit parti panarabe.

«*Il n'y a pas de justice dans le pays*, lance Abdel Hadi. *Les Juifs y ont introduit la spéculation foncière et les Anglais les aident à déposséder les Arabes.*» La discussion est dure, Ben Gourion parle des techniques modernes d'agriculture qui permettraient aux deux communautés d'améliorer leur niveau de vie. Puis :

«*Évidemment, la question des terres est très importante, pour nous comme pour vous, mais la question principale n'est-elle pas de savoir s'il est possible de réconcilier les objectifs ultimes du peuple juif et du peuple arabe ? Pour nous, c'est l'indépendance du peuple juif en Palestine, sur les deux rives du Jourdain, pas en tant que minorité, mais une communauté de plusieurs millions. C'est possible sur une période de quarante ans si la Transjordanie est incluse. Une communauté de quatre millions de Juifs en plus de deux millions d'Arabes. Le but des Arabes est l'indépendance et l'union de tous les États arabes. S'ils acceptent notre retour sur notre terre nous accepterions de leur accorder notre soutien politique, financier et moral pour permettre la renaissance et l'unité du peuple arabe.*»

1. Haarachatenou, *Davar*, 13 octobre 1929.

Abdel Hadi s'exclame : «*Si, avec votre aide, les Arabes parvenaient à réaliser leur unité, je n'accepterais pas quatre millions mais cinq, six millions de Juifs en Palestine.*» Puis il ajoute, sarcastique : «*Quelles garanties aurions-nous ? Les Juifs en Palestine verraient leur population augmenter de quatre millions alors que les Arabes dans les autres pays resteraient avec les Français et les Anglais […] Pouvons-nous croire en vos promesses ?*»

Ben Gourion explique que la réalisation du sionisme et l'union arabe prendront du temps. Et puis, dit-il, il y a une différence fondamentale entre les liens qui unissent les sionistes et les Arabes à la Palestine. «*Pour nous, cette terre est tout et il n'y a rien d'autre. Pour les Arabes, ce n'est qu'une petite partie parmi de nombreux et grands pays arabes. Même si les Arabes deviennent une minorité en Palestine, ils ne seront pas une minorité sur leur territoire qui s'étend de la côte méditerranéenne au golfe Persique et des montagnes de l'Atlas à l'océan Atlantique. La situation ressemble à celle de la minorité anglaise en Écosse.*» Après trois heures de discussion, Magnes, Ben Gourion et Abdel Hadi se séparent en bons termes.

RÉVOLTE ARABE

De nouveaux incidents ont lieu sporadiquement dans le nord du pays en 1935. En novembre, une patrouille britannique encercle un groupe d'Arabes armés sur une colline près de Jénine. Ils refusent de se rendre et les soldats ouvrent le feu. Quatre hommes sont tués parmi lesquels le cheikh Azzedine el Kassam. Un personnage bien connu des services de police du Proche-Orient. Il avait soixante-quatre ans. Syrien, condamné à mort par les autorités coloniales françaises, il s'était échappé en 1922 de Damas avant de se réfugier à Haïfa où il avait créé une société secrète, l'Ihwan el Kassam. Dès le début des années 1930, ses hommes commettaient des attentats contre des cibles juives et britanniques. L'année précédant sa mort il avait proposé au mufti Hadj Amin el Husseini de préparer une révolte arabe. Ses fidèles resteront à la tête du combat contre les forces mandataires et le sionisme. El Kassam deviendra une figure emblématique de la lutte des musulmans palestiniens pour la grande union arabe. Au début des années 1990, le Hamas donnera son nom au commando armé qui s'attaquera à Israël.

En avril 1936, après des mois de tension c'est à nouveau l'explosion. Des groupes d'irréguliers arabes lancent des attaques contre des objectifs juifs. Onze civils juifs sont assassinés. Le 25 est créé le Haut Comité arabe sous la direction d'Hadj Amin el Husseini. Il lance un appel à la grève générale et présente ses exigences à l'administration britannique : arrêt immédiat de l'immigration juive, interdiction des ventes de terres aux Juifs, création d'un gouvernement national arabe. La Révolte des Arabes de Palestine a commencé.

Ben Gourion a rendez-vous le 22 avril avec George Antonius, un dirigeant arabe palestinien de confession grecque orthodoxe. Les deux hommes se sont déjà rencontrés. Proche d'Hadj Amin el Husseini, Antonius est un des principaux idéologues et porte-parole de la cause du nationalisme panarabe. En 1938, il publiera un brûlot, *Le Réveil arabe*, qui aura un immense succès. La discussion se déroule à Jérusalem, au domicile d'Antonius, sur le mont des Oliviers. Ben Gourion est accompagné par Magnes qui, lui-même, a eu de nouveaux entretiens avec plusieurs leaders arabes.

Ben Gourion : «*Existe-t-il des dirigeants arabes en faveur d'une entente avec les Juifs ?*»

«*Non*, répond Antonius. *Les dirigeants arabes importants pensent que les Juifs ne s'intéressent absolument pas à l'opinion des Arabes ni à leurs besoins. Certains penseurs estiment que les Arabes ne sauraient ignorer la question juive et se demandent s'il y a une possibilité d'entente.*» Pour sa part, il pense qu'on peut diviser les sionistes en trois catégories : «*Ceux qui veulent un centre spirituel* [juif en Palestine]. *Avec eux une entente est possible. Les Arabes ne leur sont pas hostiles. Le deuxième veut qu'il y ait deux peuples, juif et arabe, en Palestine qui deviendrait un État binational. Le troisième constitue la majorité des sionistes. Il veut faire entrer en Palestine le plus de Juifs possible en ne tenant nullement compte des Arabes* […] *depuis les événements d'Allemagne ils disent :* "*Nous n'avons pas d'autre solution que la Palestine, nous devons y venir aussi nombreux que possible.*" *Avec ceux-là nous ne pouvons nous entendre. Ils veulent un État à cent pour cent juif et les Arabes resteraient sur le bord de la route.*»

Ben Gourion : «[…] *Croyez-vous qu'on puisse envisager ici un centre spirituel juif ?*»

Antonius : «[…] *Les Juifs ont déjà bien davantage. Quatre cent mille Juifs ce n'est plus un centre spirituel.*» Et, après quelques minutes de discussion, Antonius rappelle que, en 1935, plus de soixante-cinq mille immigrants juifs sont entrés dans le pays. «*Dans le cadre restreint de la Palestine, il n'y a aucune possibilité de solution. Même pour vous, il n'est pas souhaitable de limiter le problème à la Palestine.* […] *Il faut discuter de la Syrie, des monts du Taurus jusqu'au désert du Sinaï* […] *La question primordiale pour nous, Arabes de Syrie aussi bien que de Palestine, est l'unité de la Syrie jusqu'au Sinaï. Nous formons un seul pays.*»

Antonius, en réponse à une question de Ben Gourion, explique que si Juifs et Arabes étaient unis avec l'accord de la Grande-Bretagne, celle-ci pourrait obliger la France à quitter la Syrie. L'idée paraît intéressante au leader sioniste. Pendant le reste de la soirée, il examine avec son hôte la place que pourrait occuper la communauté juive de Palestine dans la Grande Syrie fédérée. Un canton autonome, sur le modèle suisse ou un État au sein d'une union comme l'Amérique ? Quelle sera l'importance de l'immigration juive ? Une nouvelle rencontre a lieu la semaine suivante. Elle ne conduira à aucun accord et les trois hommes ne se reverront plus. La grève arabe se durcit et les affrontements s'étendent à la Galilée. Ces idées d'accord étaient-elles autre chose qu'un simple exercice de gymnastique intellectuelle entre ennemis ? Sans doute. Les dirigeants arabes de Palestine n'étaient pas disposés à envisager une entente permettant une immigration juive illimitée, condition à laquelle Ben Gourion ne voulait en aucun cas renoncer.

De Tulkarem, à la fin du mois d'août, Fawzi el Kaukji, un Irakien, ancien officier de l'armée turque à la tête d'un groupe armé, mène des opérations de guérilla contre des localités agricoles juives. Il finit par se heurter à des unités britanniques et Londres envoie 20 000 soldats en renfort. Kaukji se replie. Le 11 octobre, le Haut Comité arabe se rend compte de son infériorité militaire et renonce à la grève générale. Le cessez-le-feu est loin d'être total. Pendant trois ans, le terrorisme arabe se poursuivra en Palestine.

Pour ne pas envenimer leurs relations avec le gouvernement mandataire, les dirigeants de la communauté juive de Palestine adoptent une politique de retenue. Les militants de la Hagannah doivent se contenter d'assurer exclusivement la protection rapprochée des villages et des quartiers juifs où ils sont déployés, en aucun cas lancer des opérations de représailles antiarabes. Ce n'est qu'au cours de l'été que la Hagannah a décidé de former des groupes mobiles pour, le cas échéant, porter secours à des localités isolées. Recrutés parmi les jeunes des kibboutzim et des mouvements socialistes, ils deviendront le noyau des commandos de choc de la milice juive d'autodéfense et, plus tard, de l'armée israélienne.

VERS LE PARTAGE ?

La première phase de la révolte se termine en octobre 1936 sur un bilan très lourd : 80 Juifs, près de 200 Arabes et 30 Britanniques tués, un millier de blessés. Londres nomme une nouvelle commission d'enquête, dirigée par Lord Robert Peel, avec pour mission d'établir les causes de l'agitation et, pour cela, d'examiner les revendications des Juifs et des Arabes. Un rapport est publié en juillet 1937. Celui-ci rejette la plupart des accusations arabes sur l'attribution aux Juifs des meilleures terres mais conseille de réduire les futurs achats de terres par les sionistes pour, avant tout, calmer les craintes de la population arabe. Il suggère également de réduire à 12 000 par an pendant cinq ans le nombre d'immigrants juifs autorisés à s'installer dans le pays. Surtout, la commission présente pour la première fois un projet de solution politique : diviser la région en cantons autonomes juifs et arabes. Les sionistes devraient recevoir la plaine côtière et la Galilée, les Arabes le reste de la Palestine et la Transjordanie. La Grande-Bretagne conservant sous son mandat une enclave comprenant Jérusalem et Bethléem ainsi que des bases militaires sur le lac de Tibériade et le golfe d'Akaba.

Ben Gourion et Weizmann ne sont pas mécontents. Pour la première fois, la puissance mandataire envisage une solution territoriale permettant une souveraineté juive sur une partie de la Palestine. Le problème des frontières sera, pensent-ils, résolu ultérieurement. Jabotinski et l'ensemble de son mouvement révisionniste sont, eux, catastrophés : la Grande-Bretagne avait déjà amputé la Terre d'Israël de la Transjordanie, elle veut à présent lui retirer Jérusalem et le Neguev. Ils proclament leur refus absolu du plan Peel. Le Haut Comité arabe rejette lui aussi les propositions de la commission, tout en prenant bonne note de l'intention britannique de créer un État arabe palestinien. El Husseini a désormais le soutien de plusieurs gouvernements arabes alors que d'autres alliances pointent à l'horizon. L'Italie et l'Allemagne, dans leur propagande officielle, tirent à boulets rouges sur « *l'impérialisme britannique et son agent, le sionisme* ». Les pays de l'Axe ont ouvertement pris position en faveur des revendications arabes. En mai 1937, à plusieurs reprises, des drapeaux allemands et italiens sont brandis lors de manifestations arabes antibritanniques en Palestine. Les actes de violence reprennent, sporadiquement.

RÉVOLTÉS

Au printemps 1937, le Bétar crée son organisation armée clandestine indépendante : l'Irgoun Tsvaï Léoumi (l'Organisation militaire nationale) ou, selon ses initiales en hébreu, l'Etzel. Le 30 avril, Jabotinski expédie de Johannesburg ses premières instructions : « *Si les émeutes reprennent et si la tendance à attaquer les Juifs recommence, ne modérez plus !* » A Tel Aviv, Jérusalem, Haïfa les militants s'entraînent au maniement des armes et à la pose de bombes. Les instructeurs viennent souvent de Pologne où ils ont suivi secrètement une formation offerte par la junte antisémite polonaise qui voudrait se débarrasser de sa minorité juive en l'envoyant combattre en Palestine[1].

Fin septembre, la Révolte arabe devient une insurrection armée en bonne et due forme. Après l'assassinat, à Nazareth, d'un haut fonctionnaire par des irréguliers arabes, les autorités mandataires promulguent une série de décrets d'exception. Hadj Amin el Husseini parvient à s'enfuir au Liban. Il est officiellement recherché.

Le Comité arabe pour la défense de la Palestine se réunit à Damas et décide de convoquer un congrès à Bludan, une station estivale sur la côte syrienne. Le 8 septembre, 400 délégués venus de plusieurs pays arabes et de Palestine votent une motion déclarant que « *la Palestine fait partie de la patrie arabe, et que les Arabes ont le droit et le devoir de la défendre. L'État juif envisagé constitue une grave menace et une base étrangère contre le monde arabe* ». Secrètement, les délégués palestiniens et syriens se réunissent et décident de poursuivre les attaques contre les Juifs et contre les Arabes collaborateurs des Britanniques. Une trentaine de combattants partent pour la région de Jénine et de Naplouse où un important stock d'armes et de munitions a été constitué sous la responsabilité du mufti[2].

En Palestine, l'état-major décide la formation d'unités spéciales de combat juives sous la direction d'un capitaine écossais, Orde Wingate. Il recrute ses hommes parmi les policiers auxiliaires juifs, en fait, pour la plupart des membres de la Hagannah. L'organisation profite de l'occasion pour prouver sa bonne volonté aux Britanniques et fournir une véritable formation militaire à ses militants. Wingate se nomme deux adjoints, juifs palestiniens. Des jeunes nés en Palestine, dans des localités agricoles collectivistes, prototypes du nouvel homme juif que voulaient créer les pionniers socialistes du début du siècle. Moshé Dayan, qui, à vingt-trois ans, s'est illustré dans la garde de villages de Galilée. A vingt et un ans, Yigal Allon, lui, est déjà considéré comme un futur chef, politique et militaire.

En juillet 1938, à Mankabad, en plein désert égyptien, d'autres jeunes hommes rêvent également de libération ; mais eux veulent lutter contre le colonialisme britannique. Après avoir passé brillamment l'examen final de l'Académie militaire royale du Caire, le sous-lieutenant Gamal Abdel Nasser, que ses camarades surnomment Jimmy, a été affecté au cinquième bataillon de cette place militaire de Haute-Égypte

---

1. Charles Enderlin, *Shamir*, Olivier Orban, Paris, 1991.
2. A. W. Kayyali, *Histoire de la Palestine, 1896-1940*, L'Harmattan, Paris, 1985, p. 239.

située à quelques kilomètres de Beni Mor, le village qui l'a vu naître vingt ans auparavant. Il se lie d'amitié avec deux jeunes officiers qui s'appellent Anouar el Sadate et Zakariah Mohieddine, qui ont appris à respecter ce grand gaillard taciturne. Le soir, au pied du Jebel el Shérif, en mâchonnant des cannes à sucre, ils se jurent fidélité, parlent du pays malade, de révolution. Ce sera le noyau du mouvement des Officiers libres qui, quatorze ans plus tard, renversera la monarchie égyptienne. Leurs chefs voient d'un mauvais œil ces longues palabres nocturnes et veilleront à disperser le groupe.

GARIBALDI ET LA PALESTINE

L'Irgoun passe à l'action le 4 juillet 1938. Tôt le matin, entre Tel Aviv et le quartier arabe de Jaffa, les militants attaquent à l'arme à feu et à la grenade des autobus et des véhicules transportant des civils arabes. Un jeune homme de vingt-trois ans commande un de ces groupes. Il est arrivé de Pologne trois années auparavant et s'appelle Yitzhak Yzernitzky. Sous le nom de Shamir, il deviendra, quarante-cinq ans plus tard, Premier ministre de l'État d'Israël. Mais, en ce jour de 1938, il revient bredouille après avoir fait le guet pendant des heures, les poches de son imperméable bourrées de grenades, deux pistolets dans les mains. L'autobus transportant des postiers arabes qu'il devait attaquer n'est pas apparu.

Au terrorisme arabe répond désormais un terrorisme juif tout aussi impitoyable. L'Irgoun réussit des attentats particulièrement sanglants. En quelques jours, ses bombes font 73 morts et des centaines de blessés arabes. Pour Ben Gourion, les attentats de l'Irgoun signifient la remise en cause de sa politique de coopération avec les Britanniques. Les sionistes socialistes condamnent les actes commis par les «gangs juifs» et décident de renforcer la collaboration de la Hagannah avec les autorités mandataires. Ben Gourion déclare : «*Les Anglais veulent savoir quelle force nous créons et qui sont les Juifs qui viennent en Palestine, s'ils peuvent leur faire confiance. Si les Anglais découvrent que nous aussi lançons des bombes, ils ne nous laisseront pas immigrer*[1].» Avec l'aide active des institutions juives, la police britannique déclenche une nouvelle vague d'arrestations parmi les responsables du mouvement révisionniste. Des dizaines de personnalités de droite sont placées en détention administrative, sans procès, grâce à des lois d'exception qui

---

1. Cité par David Niv, *Maarakhot Ha Irgoun Tsvaï Haleoumi*, Mossad Klauzner, Tel Aviv, 1981, p. 82.

serviront, après la guerre de 1967, à neutraliser de nombreux dirigeants de l'OLP.

L'Irgoun poursuit ses opérations et organise des représailles après chaque attaque lancée par des hommes d'Hadj Amin el Husseini. Le 26 août, dans le souk de Jaffa, l'explosion d'une bombe fait 24 morts et 35 blessés. Persuadée que les autorités britanniques sont complices, la foule arabe tente d'incendier l'Anglo Palestine Bank. Quelques jours plus tard, l'organisation accepte un cessez-le-feu négocié par la Hagannah. Les politiques du mouvement révisionniste craignent des réactions encore plus violentes des Britanniques mais les militants ne l'entendent pas de cette oreille. Au congrès mondial du Bétar qui s'ouvre le 11 septembre à Varsovie, Jabotinski fait face à ses détracteurs. Deux orateurs l'attaquent de front. Menahem Begin, le jeune chef de la section polonaise, prononce un plaidoyer passionné en faveur du sionisme militaire. «*Cavour*, dit-il, *n'aurait jamais libéré l'Italie sans Garibaldi.*» Jabotinski, sentant que son autorité est remise en question, riposte : «*Garibaldi n'affrontait pas une autre nation en Italie, en Irlande les catholiques vivent sur la terre de leur patrie. Les conditions* [de notre combat] *sont différentes de celles des Irlandais et des Italiens. Si vous pensez qu'il n'y a pas d'autre voie à l'exception de celle proposée par M. Begin et que vous avez des armes, vous vous suicidez* […]» Begin deviendra Premier ministre de l'État d'Israël. En 1979, il signera la paix entre l'État juif et l'Égypte.

En Europe, la situation des Juifs se détériore rapidement. Le 29 septembre, Chamberlain et Daladier concluent les accords de Munich. Le 1er octobre, la Wehrmacht occupe une partie de la Tchécoslovaquie et, neuf jours plus tard, la communauté juive allemande subit le pogrom de la nuit de Cristal : 500 synagogues sont incendiées, 50 000 Juifs sont conduits dans des camps de concentration. En Palestine, des journées de jeûne et de prière sont organisées en signe de solidarité avec les Juifs allemands. L'Agence juive demande au gouvernement britannique d'autoriser l'immigration en Palestine de 10 000 enfants juifs d'Allemagne et d'Autriche. La réponse est négative. Le ministre aux Colonies, Mac Donald, informe le cabinet de Sa Majesté qu'il est certes possible, du point de vue économique, d'accueillir en Palestine autant de réfugiés juifs, mais qu'un tel geste risque de torpiller les nouveaux pourparlers judéo-arabes qui doivent s'ouvrir à Londres.

Les négociations ont lieu à l'hôtel Saint James en mars 1939. Les dirigeants sionistes découvrent vite que leur poids politique s'est considérablement allégé. La communauté juive mondiale est très affaiblie et la Palestine juive n'a pas voix au chapitre. Mac Donald explique tout de go à Haïm Weizmann que «*la présence britannique au Proche-Orient dépend surtout du bon vouloir des Arabes*». La guerre avec l'Allemagne nazie paraît imminente. Le conflit sera mondial et Londres entend confirmer ses alliances avec les pays arabes. C'est l'échec, la conférence se termine sans le moindre accord. Chamberlain et Mac Donald publient le 17 mai un nouveau «Livre blanc sur la Palestine». L'immigration est réduite à 10 000 Juifs par an pendant cinq ans, plus un contingent exceptionnel de 25 000 réfugiés juifs. Après, toute nouvelle immigration devra obtenir l'approbation préalable des Arabes. Les ventes de terres aux Juifs sont interdites dès à présent. Les portes de la Palestine se ferment devant le judaïsme européen. Rien ni personne ne le sauvera.

LE RÊVE ET LA RÉALITÉ

L'Irgoun organise quelques manifestations et des attentats contre des objectifs arabes et britanniques mais, très vite, l'organisation est démantelée. Son état-major est appréhendé à Tel Aviv alors qu'il examine la dernière idée de Jabotinski, une révolte armée juive, en Palestine, avant la fin de l'année. Un débarquement en force sur la plage de Tel Aviv auquel Jabotinski entend participer en personne. Pendant ce temps, à Jérusalem, l'Irgoun monterait à l'assaut de l'hôtel King David, le siège du gouvernement mandataire, afin d'y faire flotter le drapeau d'Israël pendant vint-quatre heures. Le temps de proclamer à l'étranger un gouvernement juif en exil. Le numéro deux de l'Irgoun, Avraham Stern, est contre. Ce que propose Jabotinski est prématuré et risque de torpiller son projet de conquête militaire de la Palestine par 40 000 combattants juifs armés et entraînés en Pologne qu'il prépare pour l'année suivante. Conduits au commissariat de Tel Aviv, ils y apprennent que les troupes de l'Allemagne nazie viennent de franchir la frontière polonaise. La Seconde Guerre mondiale commence.

Après plusieurs semaines de détention, David Raziel, le chef de l'Irgoun, négocie un cessez-le-feu avec les Britanniques. Il considère que l'ennemi est allemand et italien. Les Juifs de Palestine se mobilisent. Leur industrie, leur économie soutiendra l'effort de guerre. 140 000 hommes et femmes se portent volontaires dans l'armée britannique. Mais l'administration mandataire décide que les circonstances se prêtent à une remise au pas. L'immigration juive en Palestine est interdite. Des navires transportant des réfugiés viennent s'échouer sur les côtes, dans les ports, ou sont interceptés en mer. Les soldats de Sa Majesté les arrêtent pour les expulser ensuite. Des milliers de Juifs d'Europe sont ainsi refoulés. Mac Donald, le ministre britannique des Colonies, explique aux Communes :

«Il est impossible d'accepter ces personnes car les arguments qui interdisent l'immigration légale sont d'autant plus valables pour l'immigration illégale que nous sommes en temps de guerre. Des espions ennemis peuvent se cacher parmi eux.»

Les responsables de l'ordre en Palestine décident de neutraliser les organisations armées juives. Les unités antiguérillas de Wingate sont dissoutes et plusieurs dizaines de combattants jetés en prison. Parmi eux, Moshé Dayan, condamné à dix ans de prison. Accusé de détention illégale d'armes, il a été appréhendé en compagnie d'une quarantaine de jeunes qui participaient à un cours d'officiers de la Hagannah. Wingate lui-même a été muté hors de Palestine. Un nouveau décret restreint les ventes de terres aux Juifs à 5 % seulement du territoire mandataire. L'Agence juive lance un appel à la grève générale. Des manifestations sont organisées dans les principales villes juives. La foule attaque des bâtiments publics. L'agitation cesse avec la formation d'un nouveau cabinet britannique. Chamberlain est remplacé par une vieille connaissance des sionistes et des Arabes : Winston Churchill.

Une des premières propositions de règlement du conflit palestinien soumise au nouveau Premier ministre est formulée en septembre 1939 par Sir John Philby, explorateur et agent de Sa Majesté en Arabie Saoudite. Son plan est simple : l'ensemble de la Palestine serait attribué aux Juifs qui, en échange, remettraient 20 millions de livres sterling à Ibn Saoud pour permettre l'absorption dans son royaume des Arabes palestiniens. Le souverain serait alors à la tête d'un grand royaume arabe. Philby en parle à Haïm Weizmann qui trouve l'idée intéressante. Churchill est mis au courant et donne son accord. Vers la fin de l'année 1940, Philby présente son projet à Ibn Saoud qui l'écoute avec patience puis refuse de poursuivre la discussion. L'affaire ne sera à nouveau évoquée que trois années plus tard. Après une rencontre avec Weizmann, Roosevelt accepte d'envoyer un émissaire à Ryad, le colonel Harold Hoskins, un vétéran du Proche-Orient. Il rencontre Ibn Saoud en août et lui rappelle le plan Philby. C'était une erreur. Le souverain s'emporte, et déclare qu'il déteste Weizmann pour lui avoir proposé un pot-de-vin en échange de la Palestine. Ibn Saoud et sa cour sont résolument antisionistes.

AVRAHAM STERN, LE MUFTI ET ANOUAR EL SADATE

L'Irgoun finit par éclater au début de 1940. L'alliance avec les Anglais, ce n'est pas l'idée que se fait Stern du combat pour la création de l'État juif. Avec quelques dizaines de militants, parmi lesquels

Yitzhak Shamir, qui n'a encore qu'une fonction subalterne, il quitte l'organisation révisionniste et fonde son propre mouvement clandestin, l'Irgoun B, qui deviendra plus tard, le Lehi, acronyme hébreu de Combattants pour la liberté d'Israël. Il en définit la base idéologique dans un texte intitulé «Les 18 principes de la renaissance». Une vision eschatologique du judaïsme et du sionisme :

«Le peuple d'Israël est un peuple élu. Sa patrie est la terre d'Israël dans les frontières définies par la Torah, du Nil à l'Euphrate, c'est là qu'il renaîtra. Il faut mettre en valeur le désert pour accueillir des millions d'immigrants. Le problème des étrangers en terre d'Israël [N.d.A. : les Arabes palestiniens] *sera réglé dans le cadre d'échanges de population* […] *La reconstruction du Troisième Temple sera le symbole de l'ère de la Rédemption complète* […]»

Stern se cherche des alliés dans sa lutte contre la Grande-Bretagne. Il croit en trouver en l'Allemagne nazie et envoie Haïm Loubentschik, un de ses proches, contacter Otto von Hentig, le délégué du Troisième Reich à Beyrouth. La rencontre a lieu au début du mois de janvier 1941. Le compte rendu de l'entretien sera retrouvé après la guerre dans les archives de la chancellerie allemande. Il s'agit d'un rapport envoyé le 11 à von Papen, l'ambassadeur nazi à Ankara :

L'envoyé de Stern avait expliqué à von Hentig : «*Qu'une communauté d'intérêts est possible entre les tendances vers l'ordre nouveau en Europe selon la conception allemande et les aspirations nationales réelles du peuple juif représentées par l'Irgoun B. Qu'une collaboration est possible entre la nouvelle Allemagne et le mouvement national populaire hébreu renaissant. La création de l'État juif historique sur une base nationale et totalitaire, allié du Reich allemand, correspond au maintien et au renforcement des intérêts futurs allemands au Proche-Orient. Sur ces bases l'Etzel propose au gouvernement du Reich allemand de participer activement à la guerre au côté de l'Allemagne à condition que les aspirations du mouvement de libération* [juif] *soient reconnues* […]»

En juin, sur le chemin du retour, Loubentschik est arrêté par les Britanniques à Damas. Détenu en Syrie, puis en Palestine, il sera transféré en 1944 dans un camp en Érythrée où il mourra de maladie. Stern fera, quelques mois plus tard, une autre tentative pour contacter les pays de l'Axe. Son émissaire, Nathan Yelin Mor, sera intercepté par l'Intelligence Service avant même d'arriver à Beyrouth. Le minuscule Groupe Stern est rapidement neutralisé. Shamir et plusieurs dizaines de militants sont appréhendés et emprisonnés près de Haïfa. Stern est abattu par la police britannique en janvier 1942.

Le Reich semble aller de victoire en victoire. Depuis son débarquement en Libye en janvier 1941, Rommel progresse, ce qui inquiète considérablement les Alliés. La communauté juive renforce sa collaboration avec les Britanniques. Les militants de la Hagannah sont libérés de prison. Moshé Dayan perd un œil au cours des combats qui opposent les Alliés aux forces de Vichy au Sud-Liban. Au même moment, l'Irak risque de basculer dans le camp nazi. Rhazi Ier était mort d'un accident en 1939; son fils, Fayçal II, ne pouvant lui succéder en raison de son jeune âge, le pouvoir est assuré par un régent. En mars, après des semaines d'agitation, Rashid Ali, une personnalité proallemande, avait renversé le gouvernement légitime. Des appareils de la Luftwaffe utilisent déjà les aéroports irakiens. L'état-major britannique propose à Raziel de mener une opération de commando en Irak afin de détruire les réserves de carburant de l'aviation allemande. Avait-il le projet d'assassiner Hadj Amin el Husseini qui se trouvait également à Bagdad aux côtés de Rashid Ali ? La question restera sans réponse. En mai, il est tué en territoire irakien au cours d'un bombardement.

Hadj Amin el Husseini, le mufti, est en cavale. Recherché par les Britanniques, il s'était réfugié à Beyrouth, d'où il s'est également échappé. En 1941 il est à Bagdad, dans l'antichambre du régime pronazi puis, après le retour du régent et du Premier ministre Nouri Saïd, il est accusé d'avoir incité la foule au pogrom, le 1er juin; 179 Juifs avaient trouvé la mort. Le mufti s'enfuit à Téhéran puis à Istanbul et enfin à Rome. Il a définitivement choisi son camp : l'Axe. Le 27 octobre, il rencontre Mussolini, avant de partir pour Berlin dix jours plus tard. Dans ses mémoires, il expliquera : «*L'Allemagne était considérée comme notre amie puisque ce n'était pas un pays impérialiste, et qu'elle n'avait pas porté atteinte à un seul État arabe ou musulman dans le passé. Elle combattait nos ennemis impérialistes et sionistes et, après tout, les ennemis de notre ennemi étaient nos amis. J'étais certain qu'une victoire allemande sauverait complètement notre pays de l'impérialisme et du sionisme […] Je n'ai pas coopéré avec l'Allemagne par foi en l'Allemagne ou au nazisme. Je n'accepte pas ces principes […]*[1]. » Hadj Amin est reçu par Hitler le 28 novembre. Celui-ci lui promet son soutien mais ne prend pas d'engagements définitifs sur l'avenir du Proche-Orient.

Avraham Stern et le mufti ne sont pas les seuls à s'être trompés dans leur analyse de la scène politique mondiale. Au Caire, Anouar el Sadate, devenu capitaine, complote. Le compagnon de Gamal Abdel Nasser au sein de l'organisation des Officiers libres a été muté dans une unité de

---

1. Cité par Zvi Elpeleg, *The Grand Mufti Hadj Amin el Husseini,* Frank Cass, Londres, 1993, p. 65.

transmissions. Il a des entretiens secrets avec Hassan el Banna, le guide suprême des Frères musulmans, qui le met en relation avec Aziz Pacha el Masri, l'ancien chef d'état-major de l'armée égyptienne, révoqué à la demande des Britanniques en raison de ses sympathies proallemandes. «*La défaite guettait Albion. L'Égypte se devait de profiter de ces conjonctures favorables*[1]», écrit Sadate. Il prépare l'évasion d'el Masri vers les forces de l'Axe, en Irak puis en Libye, en sous-marin ou en avion. Tous ces projets échoueront. En juin 1942, deux émissaires allemands viennent le contacter au Caire. L'un deux, Hans Appler, parle l'arabe couramment. Sa mère avait épousé en secondes noces un magistrat égyptien. Les agents nazis s'installent sur le Nil, dans la maison flottante d'une danseuse. L'émetteur radio est caché dans le hall.

Les services de renseignements de la Hagannah au Caire repèrent vite ces apprentis espions. Une certaine Nathalie passe l'information au commandant Sansum de l'Intelligence Service. Appler et son ami sont arrêtés. Ils refusent de parler et risquent le peloton d'exécution. Mais Winston Churchill, de passage au Caire, apprend l'affaire et décide d'interroger lui-même les deux hommes. Il leur promet la vie sauve en échange d'aveux complets. Anouar el Sadate est placé sous les verrous. Il ne s'évadera de prison qu'en novembre 1944.

L'événement politique est ailleurs et passe presque inaperçu. En novembre 1942, alors que depuis une dizaine de mois ils ont des informations sur l'ampleur du massacre des Juifs en Europe orientale – Thomas Mann avait parlé de «chambres à gaz» au début de l'année –, les responsables du mouvement sioniste se réunissent à Biltmore, aux États-Unis, pour définir leur politique. Ils votent un programme qui les guidera durant les cinq années à venir : «*Les portes de la Palestine doivent être ouvertes, l'Agence juive étant responsable du contrôle de l'immigration et investie de l'autorité nécessaire à la construction du pays. La Palestine devait être un État juif intégré aux structures du nouveau monde démocratique.*» C'est la position de David Ben Gourion, entérinée plus tôt par la Fédération sioniste américaine.

BEGIN ENTRE EN GUERRE, SHAMIR FAIT TUER UN MINISTRE

Les Alliés ont débarqué en Afrique du Nord. La menace allemande s'est éloignée de la Palestine, toujours quasiment interdite à l'immigration juive. Les chefs de l'Irgoun décident de reprendre leurs opérations

---

1. Cité par Georges Vaucher, *Gamal Abdel Nasser et son équipe*, Julliard, Paris, 1959, t. 1, p. 123.

contre les Britanniques. En décembre 1943, ils nomment à leur tête Menahem Begin, l'ancien chef du Bétar de Pologne, arrivé à Tel Aviv quelques mois plus tôt avec l'armée polonaise d'Anders. Il attendait, pour reprendre ses activités clandestines, d'être officiellement démobilisé ! Le 1er février, l'Irgoun proclame, dans un tract, sa révolte contre le mandat britannique. Dès le 12, des commandos font sauter les bureaux des services d'immigration à Jérusalem, Tel Aviv et Haïfa. La campagne de l'Irgoun va s'intensifier. Les patrons du Groupe Stern sont enchantés. Ils ne sont plus seuls à affronter l'occupant anglais. L'organisation avait été reconstituée l'année précédente par Yitzhak Shamir qui, après s'être évadé de prison, avait réussi à **en extraire** Nathan Yelin Mor. Avec Israël Eldad, un intellectuel, d'origine polonaise lui aussi, les trois hommes constituaient le « centre » du Lehi. Animés par une haine profonde de l'occupant, ils mèneront un combat sans pitié contre les Britanniques, et seulement contre eux. A cette époque, Shamir ne le sait pas encore, toute sa famille a été exterminée par les nazis en Pologne orientale.

Vers la fin du mois d'octobre 1944, au Caire, le commandant Sansum rencontre à nouveau Nathalie, par hasard, dans une boîte de nuit. Elle lui glisse une phrase : « *Une importante personnalité britannique va être assassinée !* » Surpris, l'officier demande des détails. Elle lui révèle que les assassins sont des Juifs et l'assure que la Hagganah n'a rien à voir dans cette affaire[1]. L'Intelligence Service renforce la sécurité de Lord Moyne, alors ministre britannique des Colonies. Nathalie s'appelle en fait Yolande Harmer. Sous la couverture de l'agence de presse UPI, elle est une des responsables du service de renseignements de la Hagannah dans la capitale égyptienne.

Le lundi 6 novembre 1944, lorsque la limousine de Lord Moyne arrive à Gezira devant sa résidence, deux hommes font irruption, pistolet au poing. L'un d'eux tire sur l'aide de camp du ministre et le tue, l'autre ouvre le feu sur le ministre des Colonies. Il mourra dans la soirée à l'hôpital. Les assaillants sont capturés quelques centaines de mètres plus loin par un policier égyptien. Ce n'est que le lendemain qu'ils reconnaîtront avoir agi pour le compte du Lehi[2]. Ils s'appellent Eliahou Beit Tsouri et Eliahou Hakim. Yitzhak Shamir les a personnellement choisis pour cette mission.

Les chefs sionistes sont inquiets. Deux jours plus tôt à Londres, Haïm Weizmann avait promis à Winston Churchill de rechercher une solution

---

1. Benyamin Gepner, post-scriptum à la version hébraïque de l'ouvrage de Gerald Frank, *The Deed*, Reshafim, Tel Aviv.
2. Gerald Frank The Deed, traduit de l'hébreu par Aviva Beit Tsouri, édité par B. Gepner, Reshafim, Tel Aviv. J. Bowyer Bell, *Terror out of Zion, op. cit.*

acceptable après la guerre. Le Premier ministre britannique avait parlé d'une immigration en Palestine d'un million et demi de Juifs en dix ans et de cent mille orphelins dans l'immédiat. Lord Moyne était un ami personnel de Churchill. Celui-ci déclare aux Communes : «S*i les rêves du sionisme se réalisent en la fumée du pistolet d'un assassin et si son idéal produit des gangsters dignes de l'Allemagne nazie, nombreux seront ceux qui comme moi devront reconsidérer la position qu'ils ont adoptée depuis longtemps* [envers la cause sioniste] [1].» Weizmann promet que «*les Juifs de Palestine feront tout pour extraire le mal qui s'est infiltré parmi eux*». En novembre, David Ben Gourion déclare la guerre au terrorisme juif : «*Toute personne suspectée d'appartenir à l'Irgoun ou au Groupe Stern devra être licenciée de son lieu de travail, exclue de son lieu de résidence. Il faut aider la police dans ses opérations contre le terrorisme.*» Des dizaines de militants de l'Irgoun sont capturés et remis aux Britanniques. Le Lehi n'est presque pas inquiété. Les deux Eliahou sont pendus au Caire le 22 mars 1945. Une date importante pour le Proche-Orient : c'est ce jour-là qu'est créée la Ligue arabe. Son secrétaire général, Azzam Pacha, est un ami personnel de Yolande, laquelle fournira une quantité phénoménale d'informations au service de renseignements de la Hagannah.

L'Allemagne capitule le 8 mai. En Europe, la guerre est terminée. Les Juifs de Palestine découvrent les images des camps de la mort. 2 800 000 Juifs exterminés par les nazis en Pologne, 1 300 000 en URSS, 200 000 en Hongrie, 210 000 dans les pays baltes, 150 000 en Roumanie, 217 000 en Tchécoslovaquie, 160 000 en Allemagne, 110 000 en Hollande, 65 000 en Grèce, 83 000 en France, 65 000 en Autriche, 60 000 en Yougoslavie, 10 000 en Italie. Des centaines de milliers de survivants sont dans des camps de personnes déplacées un peu partout en Europe. C'est la plus grande tragédie subie par le peuple juif depuis des millénaires. Les responsables sionistes sont persuadés qu'un arrangement politique va permettre la création d'un État juif dans le nouvel ordre mondial. Ils ne croient plus aux promesses des conservateurs de Churchill. Seuls quelques milliers d'immigrants juifs sont autorisés à pénétrer en Palestine.

La victoire des travaillistes de Clement Attlee en juillet 1945 se révèle une immense déception pour les sionistes. Ben Gourion réclame l'admission immédiate en Palestine de 100 000 réfugiés juifs. George Hall, le nouveau ministre des Colonies, n'en veut pas plus de 1 400 et encore, à condition que les Arabes soient d'accord ! Ernest Bevin, qui vient d'arriver à la tête du Foreign Office, entend conserver de bonnes

---

1. H. M. Sachar, *A History of Israel, op. cit.*.

relations avec le monde arabe. Mais l'Agence juive a un nouvel allié à Washington. Harry Truman a succédé à Roosevelt à la Maison-Blanche et il est prosioniste. Dès la fin août, il écrit à Attlee pour lui demander d'accepter immédiatement le transfert de 100 000 Juifs européens en Palestine. Londres répond en proposant d'envoyer 35 000 survivants des camps de la mort en Afrique du Nord.

DES ENFANTS EN PREMIÈRE LIGNE…

Les responsables britanniques commencent à perdre leur sang-froid. Ils savent que leur politique est un désastre vis-à-vis de l'opinion publique mondiale. Aux Communes, à la mi-novembre, Bevin annonce la création d'une commission d'enquête anglo-américaine et promet l'octroi de 1 500 permis d'émigrer supplémentaires, «*si les Arabes sont d'accord*». Une goutte d'eau dans la mer ! Le même jour, Bevin lance à des journalistes : «*Si les Juifs veulent se placer en tête de la queue, ils risquent de susciter des réactions antisémites un peu partout dans le monde […]. Ils seraient bien employés à la reconstruction de la Pologne et de l'Allemagne.*»

Toutes choses répétées mot pour mot aux responsables de la communauté juive convoqués le soir même à Jérusalem par John Shaw, le secrétaire général du gouvernement mandataire. Il leur lance un avertissement solennel : «*Toute violence sera réprimée par la force.*» La délégation lui répond que le peuple juif n'acceptera jamais une telle politique. Le lendemain, c'est la grève générale. Des meetings réunissent des milliers de personnes ; 30 000 personnes manifestent violemment dans le centre de Tel Aviv et attaquent des bureaux de l'administration mandataire. Débordées, les autorités font appel aux parachutistes qui, finalement, parviennent à imposer le couvre-feu. Six Juifs ont été tués par balles, il y a 86 blessés parmi les manifestants, 12 chez les forces de l'ordre.

La rupture est consommée entre la communauté juive de Palestine et les Britanniques. Les médecins constatent que 18 blessés juifs ont entre huit et seize ans et 14 entre seize et vingt ans. Une proportion d'enfants qui suscite des commentaires divers. Une certaine presse britannique évoque «*ces sionistes qui envoient leurs enfants manifester alors qu'eux restent à la maison[1]*». Le *Palestine Post* réclame une enquête en bonne et due forme et *Davar*, l'organe de la centrale syndicale juive, publie un dessin qui lui vaudra une interdiction de paraître pendant une semaine. Il représente deux médecins dans un hôpital où sont soignés

---

1. Daphne Trevor, «Under The White Paper», *The Jerusalem Press*, 1948.

des enfants blessés, l'un disant à l'autre : «*Bons tireurs, ces Anglais! Des cibles si petites, ils ne les ratent pas!*»

Ben Gourion décide de changer de stratégie. Il autorise Moshé Sneh, le chef d'état-major de la Hagannah, à négocier avec l'Irgoun et le Groupe Stern qui, depuis un mois, coordonnaient leurs attaques antibritanniques. Un accord est conclu début octobre. La Hagannah s'engage dans la lutte militaire contre le pouvoir britannique. L'Irgoun et le Groupe Stern promettent de ne lancer que les opérations décidées par le commandement commun qui prend le nom de Mouvement de résistance hébreu[1]. Un comité politique composé de sept personnalités de l'Agence juive – des travaillistes!, notamment Sneh et Lévy Shkolnick qui, sous le nom de Lévi Eshkol, deviendra des années plus tard le Premier ministre de l'État d'Israël – devra donner le feu vert à chaque opération. Il sera surnommé le comité des «X». Le commandement proprement dit est formé du chef d'état-major de la Hagannah, Moshé Sneh, qui sera le patron, et d'un second représentant de la milice travailliste, l'Irgoun et le Groupe Stern envoyant chacun un délégué. Le MRH lance une série d'attaques contre des objectifs militaires britanniques. Pour les soldats de Sa Majesté, la Palestine devient intenable.

Le 1er mai 1946, la commission anglo-américaine dépose ses conclusions. Il faut admettre en Palestine, le plus rapidement possible, 100 000 réfugiés juifs. Bevin refuse et, le 17 juin, le MRH fait sauter tous les ponts reliant le pays aux États voisins. Cette fois, les autorités mandataires décident que la coupe est pleine. Elles déclenchent l'opération «Agatah» le 29 juin. Il s'agit de museler la Hagannah et le Palmah. 2 718 personnes sont placées en détention. Une trentaine de caches d'armes sont découvertes. A Tel Aviv, les parachutistes arrêtent un certain Yitzhak Rabin. Il est le commandant adjoint d'un bataillon du Palmah et se trouve à la maison, en convalescence d'un accident de moto. Conduit à un camp d'internement près de Latroun, il voit Moshé Shertok emmené sur une automitrailleuse par les bérets rouges. Des personnalités juives de premier plan sont sous les verrous. Rabin, lui, sera détenu à Rafah jusqu'à sa libération en novembre. Le futur Premier ministre de l'État d'Israël a vingt-quatre ans. A Jérusalem, les archives secrètes de l'Agence juive sont saisies et transportées à l'hôtel King David où se trouvent le secrétariat du gouvernement mandataire et l'état-major britannique. Les chefs de l'Intelligence Service sont ravis. Ils trouvent parmi les documents la preuve de la collusion entre la Hagannah, l'Irgoun, le Lehi et les patrons de l'Agence juive.

---

1. Menahem Begin, *Bemahteret,* Hadar, Tel Aviv, t. 3, p. 1.

LE KING DAVID

Le 1er juillet 1946, la Hagannah demande à l'Irgoun de déclencher l'attaque qu'elle prépare depuis des mois : faire sauter le King David. L'opération avait été approuvée quelques semaines plus tôt par le comité des «X». Mais Moshé Sneh a des difficultés au sein de sa propre organisation. Haïm Weizmann est contre les opérations armées. Sneh soumet le problème aux «X». Il est mis en minorité et démissionne. L'opération contre le King David est repoussée, mais pas pour longtemps. Selon des proches de Begin, le Palmah demande à l'Irgoun d'accélérer les préparatifs[1].

Le 22 juillet, un camion s'arrête dans la rue du Consulat-de-France, devant l'aile nord de l'hôtel. Deux hommes en descendent, maîtrisent les gardiens; 6 combattants se précipitent et neutralisent les 35 personnes qui se trouvent dans le sous-sol et les rassemblent sous bonne garde dans la cuisine. Rapidement, des bidons de lait contenant chacun 50 kilogrammes de TNT sont transportés du camion vers le café Regency, à l'extrémité sud du sous-sol. Le chef de l'opération libère les prisonniers en leur conseillant de prendre la fuite. Il sort de l'hôtel et lance un pétard dans la rue pour avertir deux militantes qu'elles peuvent téléphoner au King David, au consulat de France et à la rédaction du *Palestine Post* : «*Attention, le King David va sauter!*» Des coups de feu retentissent. Des militaires britanniques ont remarqué les saboteurs. Il y a un bref échange de tirs. Deux militants sont blessés. Ils parviennent à s'enfuir. L'un d'entre eux décédera dans la soirée. A 12h 35, vingt minutes après la pose des détonateurs, quinze minutes après le premier avertissement, douze minutes après les coups de feu, c'est l'explosion. L'aile sud de l'hôtel s'effondre. Pendant plus de vingt-quatre heures, le génie de la 6e division aéroportée déblaie les débris pour tenter de retrouver les survivants. Il y a 91 morts, juifs, arabes, britanniques, et plus de 70 blessés… Le scandale. La Hagannah, extrêmement embarrassée, demande à l'Irgoun de revendiquer l'attentat. Menahem Begin accepte.

Le général Barker, le nouveau commandant en chef en Palestine, fulmine. Il publie un ordre interdisant à tout militaire de pénétrer dans un local appartenant à un Juif, restaurant, café, hôtel, magasin,

---

1. Cette version, apparemment la plus crédible, est tirée du compte rendu d'une rencontre entre les anciens chefs des mouvements clandestins qui s'est déroulée en 1966. Moshé Sneh, Menahem Begin, Haïm Landau, Yitzhak Shamir, Nathan Yelin Mor y ont participé, ainsi que Riftin, qui était membre du comité des «X». Stern, Tel Aviv, 1986. Voir également D. Niv, *op. cit.*, Ha Mered, 1944-1946.

appartement… Le texte est resté dans les annales du conflit : «*J'ai conscience du fait que ces mesures représentent une difficulté supplémentaire pour la troupe mais je suis certain que […] les soldats les comprendront. Il faut frapper les Juifs de la manière que cette race déteste le plus, en les frappant à la poche et en leur montrant notre dédain*[1].»

L'état-major déclenche l'opération «Requin». L'identité de chacun des 170 000 habitants de Tel Aviv doit être contrôlée. Le 30 juillet, le couvre-feu est imposé sur la ville. La fouille commence, maison par maison. En quatre jours, 787 suspects sont appréhendés, notamment un certain rabbin Shamir, vite identifié comme étant Yitzhak Shamir, un des chefs du Groupe Stern. Après un bref séjour dans une prison de Jérusalem, il est déporté en Érythrée[2].

ABDALLAH ET LA PALESTINE ARABE

C'est le 12 août qu'Eliahou Sasson reprend contact avec l'émir Abdallah. L'entretien se déroule dans son palais d'été à Chouneh, à l'est de Jéricho. D'entrée de jeu, le souverain jordanien demande des nouvelles de Moshé Shertok, toujours emprisonné à Latroun, et annonce à Sasson que les Britanniques lui ont transmis un message destiné aux dirigeants sionistes :

Pourraient-ils faire cesser le terrorisme du mouvement de résistance hébreu ? Les autorités mandataires ont décidé de l'écraser sans pitié et à tout prix de même qu'ils réprimeront toute résistance arabe.

«*Ils devraient : accepter de participer sans condition à la conférence sur le Proche-Orient qui devrait se tenir à Londres; cesser les "intrigues" qu'ils mènent aux États-Unis contre la Grande-Bretagne; comprendre les difficultés auxquelles se heurtent les Britanniques au Proche-Orient arabe en raison de la propagande et des ambitions soviétiques; faire confiance à la Grande-Bretagne car en fin de compte ils* [les sionistes] *obtiendront satisfaction. Toute pression supplémentaire est contre-productive. Par exemple, l'immigration illégale.*»

Et l'émir d'expliquer à l'émissaire sioniste que le projet de fédération qui doit être examiné à Londres est bien plus favorable aux Juifs que ne l'était le plan Peel en son temps. «*Il ne vous garantit pas un État mais permet l'immigration immédiate de cent mille Juifs et ne vous ferme pas la porte du Neguev.*» Il révèle que l'idée de fédération vient en fait

1. Daphne Trevor, «Under The White Paper», *art. cit.*, p. 229.
2. Major R. D. Wilson, *Cordon and Search, with the 6th Airborne division in Palestine*, Aldershot, Gale and Polden, 1949.

des Irakiens. Lui-même est en faveur du partage de la Palestine, dont il voudrait que la partie arabe soit intégrée à son royaume, la Transjordanie. La Syrie rejoindrait ensuite cette union, qui constituerait plus tard une fédération avec l'Irak. La partie juive de la Palestine y serait rattachée ultérieurement, dans un cadre fédéral ou d'une alliance avec la fédération jordano-irakienne.

«*Avez-vous discuté de cela avec les Britanniques ?* demande Sasson.

– *Oui, ils préfèrent discuter de ce plan de fédération ultérieurement, après la résolution du problème de la Palestine sur cette base [...] et puis ils tiennent compte de l'attitude éventuelle des autres États arabes afin que les conflits saoudo-hachémite et égypto-hachémite ne compliquent pas encore plus la situation.*

– *Les Arabes de Palestine accepteront-ils ce plan fédéral ?*

– *Non. Mais il faut tout faire pour qu'ils finissent pas accepter.*

– *Pourquoi les sionistes devraient-ils l'accepter ?*

– *D'abord pour ne pas fermer définitivement devant vous les portes de la partie arabe de la Palestine, ce qui limiterait vos possibilités d'expansion. Pour ne pas contribuer à la création d'un huitième État arabe, extrémiste et hostile, dirigé par vos ennemis jurés : les Husseini. Il vaudrait mieux que vous parliez de la création d'un État juif dans deux ou trois ans, lorsque votre nombre se sera accru d'encore deux à trois cent mille âmes [...] Et puis, pour permettre à la Grande-Bretagne d'améliorer vos relations avec vous [...].*

– *Je ne comprends pas votre position. Êtes-vous en faveur d'une solution fédérale ou du partage ?*

– *Pour l'heure je suis pour ce que préfèrent les Britanniques. Mais si vous croyez que vous pouvez obtenir l'accord de la Grande-Bretagne, des États-Unis, de l'ONU en faveur du partage, je vous soutiendrai ainsi que l'Irak, même si cela signifie une scission au sein de la Ligue arabe [...].*»

Les deux hommes conviennent d'un nouveau rendez-vous à Shouneh la semaine suivante. Le temps pour Sasson d'obtenir la réponse de ses chefs à trois questions d'Abdallah : quel plan les dirigeants sionistes favorisent-ils ? Acceptent-ils de cesser les actes de violence contre les Britanniques ? Acceptent-ils de soutenir pleinement et entièrement le projet d'Abdallah ? Il a besoin de 25 000 livres palestiniennes pour préparer les prochaines élections en Syrie, la seconde étape de son projet.

Au moment où Sasson se lève pour prendre congé, son hôte lui serre la main et lui dit :

«*J'ai aujourd'hui soixante-six ans. Mes années sont comptées. Vous n'avez pas de leader arabe réaliste comme moi dans le monde arabe tout entier. Deux voies vous sont ouvertes : établir un lien avec moi, œuvrer en commun ou renoncer à moi. Si vous choisissez la première, faites-le sans hésitation et vite, chaque instant compte. Si vous choisissez la seconde, que Dieu soit avec vous [...] Remettez mes cordiales salutations à Moshé Shertok. Je suis désolé de sa détention, mais tel est le destin d'un dirigeant fidèle à sa cause. La prison est une étape vers la libération de son peuple[1].»*

Sasson parvient à contacter son patron et reçoit ses instructions. Il a rendez-vous avec Abdallah, le 19 août 1946. Mais, sur la route de Shouneh, une aventure désagréable l'attend. Au point de passage entre la Palestine et la Jordanie, les policiers jordaniens et britanniques lui infligent une fouille en règle accompagnée de questions embarrassantes. Il a beau expliquer qu'il a rendez-vous avec l'émir, les gabelous font mine de ne pas le croire et veulent savoir pourquoi il emporte autant d'argent : 15 000 livres palestiniennes, contribution de l'Agence juive à l'opération qu'Abdallah prépare en Syrie. Il repasse finalement la frontière avec une somme moins importante. Arrivé à destination, Sasson raconte à son hôte ce qui s'est passé et les deux hommes décident d'observer plus de discrétion dans leurs rapports. La liaison se poursuivra par l'intermédiaire d'un émissaire d'Abdallah qui se trouve à Jérusalem afin de recruter des partisans à son projet, que Sasson appelle : «Séparer. Rassembler». En d'autres termes, le partage de la Palestine et l'annexion de la partie arabe à la Jordanie[2].

Abdallah montre à son invité une lettre qu'il a envoyée à l'ambassadeur de Grande-Bretagne et dans laquelle il affirme que Shertok et les patrons de l'Agence juive n'ont aucun lien avec le terrorisme antibritannique. Les Juifs, avait-il écrit, n'iront pas à la conférence de Londres, aussi longtemps que leurs chefs seront sous les verrous.

Sasson, comme le lui a demandé Shertok, réclame plus de détails sur la manière dont l'émir imagine le partage de la Palestine, notamment le tracé des futures frontières. Sa réponse est évasive : *« Il est trop tôt pour en parler. Il faut d'abord obtenir un accord sur le principe et ensuite discuter des détails. Il n'est pas question pour l'instant d'évoquer un changement des frontières [mandataires] [...] »*

Comme son interlocuteur insiste, il ajoute :

«Ne soyez pas égoïstes. Ne réclamez pas uniquement ce qui est de votre intérêt. Examinez le problème sous l'angle de l'Orient arabe dans son ensemble et ses complications, pas seulement dans le cadre étroit de la Palestine.» Et Abdallah raconte que *«les ministres arabes des*

---

1. Eliahou Sasson, *Be Derekh le Shalom, Mihtavim ve Sihot,* Am Oved, Tel Aviv, 1978, pp. 367-368.

2. *Ibid.,* pp. 370-371. Voir aussi Avi Shlaim, *The Politics of Partition*, Oxford University Press, New York, 1990.

Affaires étrangères, qui viennent de se réunir à Alexandrie, ont décidé, sous la pression du mufti el Husseini, d'exiger l'application du Livre blanc britannique de 1939. Dans ce cadre, la minorité juive en Palestine aurait une autonomie interne alors qu'une certaine immigration serait possible. Les pays arabes accepteraient alors, comme tous les États démocratiques, d'apporter leur contribution à la résolution du problème des réfugiés juifs en Europe. Cela, le mufti et ses gens pourraient l'accepter secrètement [...]. Les Arabes de Palestine n'ont toujours pas accepté de se rendre à la conférence de Londres. Ils exigent des Britanniques qu'ils invitent officiellement le mufti et il n'en n'est pas question. Le mufti, dit le souverain jordanien, est un obstacle important sur la voie vers la paix [...]. Il est notre ennemi, à nous et à vous. Il faut l'éliminer...». Sasson ne répond pas. Abdallah poursuit : «*Vous devez vous opposer à tout projet de solution et accepter uniquement le plan "Séparer. Rassembler" et faire tout afin d'y parvenir. C'est uniquement de cette manière qu'il sera possible d'amener les Anglais à imposer une solution fédérale. Ce serait tout bénéfice. Bien entendu, les Juifs n'obtiendraient pas entièrement satisfaction mais cela permettrait d'écarter l'opposition des Arabes palestiniens à toute solution [...] et, en attendant, assurerait l'immigration de cent mille Juifs tout en vous rapprochant du monde arabe.*»

Cinq années plus tard, Abdallah tombera sous les balles d'un assassin envoyé par le mufti.

VERS LE PARTAGE

Les responsables du mouvement sioniste refusent de participer à la conférence de Londres. Comme prévu, les Arabes palestiniens boycottent également la rencontre, qui ne réunit que des diplomates britanniques et des représentants de pays arabes. C'est encore l'échec. L'influence d'Hadj Amin el Husseini se fait à nouveau sentir, depuis quelques mois, au Proche-Orient. Il est réfugié au Caire, d'où il dirige l'offensive diplomatique arabe contre les sionistes, après avoir échappé aux Britanniques en Allemagne l'année précédente, grâce à l'aide des services français.

En février 1947, de plus en plus dégoûté de la Palestine, où il est prisonnier du cycle infernal de la répression et du terrorisme, le gouvernement britannique décide de confier le dossier à l'ONU. Le 13 mai, une commission d'enquête impartiale est mise sur pied, l'Unscop. Elle devra soumettre des propositions de règlement à l'Assemblée générale. L'Irgoun et le Groupe Stern poursuivent leurs attaques alors que la

Hagannah et le Palmah organisent l'immigration illégale de milliers de Juifs européens. En juillet, l'affaire de l'*Exodus* est une catastrophe médiatique pour Bevin. Ce navire transportant 4 500 survivants des camps de concentration a été intercepté par la Navy et Londres décide de renvoyer ses passagers à leur port d'origine : Port-de-Bouc, près de Marseille. Le porte-parole du gouvernement français, François Mitterrand, annonce : «*Les passagers ne seront pas contraints de descendre à terre, et des secours immédiats seront fournis à ceux qui voudront demeurer sur notre sol.*» La France donnera l'asile aux Juifs mais ne les forcera pas à débarquer contre leur volonté. Les réfugiés refusent de débarquer de leurs navires-prisons qui restent ancrés pendant près de trois semaines au large des côtes françaises avant de repartir pour l'Allemagne. Les anciens déportés sont internés dans des camps en secteur britannique. Pour l'Unscop, c'est une preuve supplémentaire de la nécessité de trouver une solution rapide au problème des centaines de milliers de réfugiés juifs, entassés dans des camps en Europe.

Tous les interlocuteurs juifs de la commission lui répètent inlassablement qu'il n'y a d'autre solution que la création d'un État juif indépendant. Le Haut Comité des Arabes palestiniens commet, lui, l'énorme erreur tactique de boycotter l'Unscop. Il annonce que toute décision en faveur d'un partage de la Palestine conduirait à un bain de sang et mettrait en danger les communautés juives installées dans les pays arabes. Les représentants de la Ligue arabe et diverses personnalités rencontrées à Beyrouth tiendront le même langage.

L'Unscop termine ses travaux fin août 1947. La commission propose la création d'un État arabe indépendant comprenant la Galilée occidentale, les collines du centre de la Palestine – à l'exception de Jérusalem et de Bethléem, qui devraient être sous contrôle international –, au sud, les territoires allant du petit port d'Ishdoud (Ashdod) jusqu'à la frontière égyptienne. Les Juifs recevraient le reste. Les deux États resteraient liés économiquement pendant dix ans sous le contrôle d'un comité judéo-arabe. Les sionistes, déçus par les limites territoriales qu'on veut leur imposer, acceptent malgré tout le plan de partage. L'important est que le principe d'un État souverain soit acquis, avec une immigration juive illimitée. La question des frontières peut être réglée plus tard. Les responsables juifs savent qu'ils peuvent compter sur Abdallah et l'attitude intransigeante des Arabes qui refusent les propositions de l'Unscop. L'Assemblée générale de l'ONU devra se prononcer sur le principe du partage de la Palestine.

GOLDA MÉIR

Il est urgent de connaître les intentions d'Abdallah. Shertok est à New York et c'est Golda Méir qui s'appelait encore Meyerson, la directrice par intérim du département politique de l'Agence juive qui va s'en charger. Née en Russie, elle a quarante-neuf ans. Sa famille a émigré aux États-Unis en 1906, avant de partir en 1921 pour la Palestine, où elle a fait carrière dans les institutions sionistes. Eliahou Sasson et Ezra Danine, un jeune arabisant, contactent les jordaniens. Ce n'est pas simple. L'émir n'a pas l'habitude de négocier avec des femmes. On lui explique qu'en raison de l'importance des problèmes, les dirigeants sionistes lui envoient une responsable de premier plan. La rencontre a lieu à Naharayim, dans la maison d'Avraham Daskal, l'adjoint d'Avraham Rutenberg, le directeur de la station d'électricité installée sur le Jourdain. Les deux hommes maintenaient d'excellentes relations avec l'émir. Le rendez-vous est organisé par Mohamed Zoubati, le secrétaire d'Abdallah. L'entretien se déroule le soir du 17 septembre. La Ligue arabe vient de décider, le jour même, d'envoyer des armes et des combattants renforcer les Arabes de Palestine et menace de déclencher les hostilités si les Nations unies approuvent le principe du partage.

Après les politesses d'usage, Abdallah invite Golda Méir à lui rendre visite ultérieurement dans son palais à Amman. Puis il entre dans le vif du sujet :

«Azzam Pacha, le secrétaire de la Ligue arabe, m'a rendu visite. Je le considère comme le meilleur du groupe, celui qui comprend les choses. Ibn Saoud, Kawatli, le roi Farouk – tous étaient contre moi – mais j'ai tenu bon. A présent tous ont constaté que j'étais le plus fort. Le Conseil de la Ligue arabe m'a critiqué. Je leur ai dit franchement que je voulais la paix, pas la guerre. Ils ont répondu que le problème de la Palestine était le plus important. Je leur ai dit que j'étais d'accord mais que je n'avais pas renoncé à l'idée de la Grande Syrie. J'ai l'intention de prendre la parole lors de la cérémonie de départ du futur ambassadeur de Jordanie au Pakistan. J'évoquerai mon projet d'une union orientale comprenant la Grande Syrie.

«Il n'y a pas de conflit entre les Arabes et les Juifs. Le conflit est entre les Arabes et les Britanniques qui vous ont amenés ici. A présent ils s'en vont et nous laissent face à face. La confrontation est mauvaise pour nous. [...] J'accepte le partage [de la Palestine] mais à condition que cela ne se passe pas d'une manière honteuse pour moi face au monde arabe lorsque je le défendrai. Je vous propose une république juive autonome sur une partie de la Palestine, au sein du royaume

jordanien, qui s'étendrait des deux côtés du Jourdain, une armée, une économie, un parlement communs.»

Et Abdallah de demander à ses interlocuteurs quelle serait leur réaction s'il décidait d'occuper la partie arabe de la Palestine.

Golda Méir : «*Nous ne serions pas contre cette initiative, surtout si elle ne nous gêne pas dans la formation de notre État* […] *et si vous annoncez que votre objectif est la paix et un arrangement dans cette région jusqu'à ce que l'ONU parvienne à faire démarrer des négociations.*»

Abdallah, apparemment surpris par cette réponse : «*Je ne veux pas ce territoire pour l'intégrer à mon pays et je ne veux pas créer un nouvel État arabe qui gênerait mes projets et permettrait aux Arabes de me monter* [comme on monte un cheval]*; je veux être le cavalier.*»

Ses interlocuteurs lui suggèrent de faire les choses différemment, par le biais, par exemple, d'un plébiscite où son influence se ferait sentir. L'émir rejette la proposition et demande : «*Pour quelle raison êtes-vous en faveur d'une force internationale et ne faites-vous pas confiance aux Britanniques ?*»

Golda Méir : «*Les Britanniques s'en vont et nous n'avons pas confiance en leurs ultimes initiatives* [avant leur départ].»

Abdallah : «*Voulez-vous que je leur parle et essaie de les persuader que tout se passe bien ?*»

«*Non merci*», répond Golda Méir.

Abdallah propose de déployer la force internationale à la frontière syro-libanaise ainsi, dit-il : «*Les Arabes n'oseront pas l'attaquer, quant à moi, je veillerai à la seule frontière arabe de Palestine. Je vous promets qu'il n'y aura pas d'accrochages et vous suggère de réagir par la force à toute initiative du mufti* [Hadj Amin el Husseini]*, d'ailleurs, il est temps qu'il disparaisse. J'ai annoncé à tous les pays* [arabes]*, y compris à l'Irak, que je n'autoriserais pas leurs armées à passer par la Transjordanie vers la Palestine. Je ne collaborerai pas à un plan* [militaire] *dont je ne serais pas le commandant suprême, responsable des armes, des munitions et des véhicules. De toute manière, ce n'est pas la guerre qu'il faut mais un compromis. Des rumeurs me sont parvenues, sur des provocations que préparerait le mufti pour susciter des accrochages entre l'armée jordanienne et les Juifs à l'aide de provocateurs déguisés en soldats jordaniens. Je ferais échouer ce complot et, de toute manière, il faudrait me transférer le mufti, je saurais m'en occuper* […].»

Abdallah minimise les informations sur une invasion arabe de la Palestine et les complots du mufti. Que pense-t-il d'un accord en bonne et due forme avec les Juifs si une entente est possible dans les domaines politique, économique et même de défense? «*Bien sûr!*» répond-il en demandant un projet écrit. Puis, avant de se séparer de la délégation juive : «*Ne faites pas attention aux déclarations dures que je pourrais faire après la décision de l'ONU, j'y serai obligé.*» Un nouveau rendez-vous est pris, pour après le vote des Nations unies[1].

Les sionistes, qui savent qu'ils ne sont pas prêts à un affrontement militaire de grande envergure, tentent d'éviter la guerre. Le 14 octobre, deux émissaires de l'Agence juive, Abba Eban et David Horowitz, rencontrent Azzam Pacha à Londres. Le rendez-vous a-t-il été pris par l'intermédiaire de Yolande Harmer? C'est probable. Les Juifs proposent à leur interlocuteur des garanties contre tout expansionnisme du futur État d'Israël et suggèrent un pacte régional de développement économique. «*C'est trop tard*, réplique Azzam Pacha. *Tout leader arabe qui reviendrait au Caire ou à Damas porteur d'un accord avec les sionistes serait assassiné dans l'heure. Nous ne représentons plus le nouveau monde arabe. Mon fils et les étudiants qui incendient des voitures et lapident les ambassades occidentales sont les Arabes qui, aujourd'hui, font la politique. Le Moyen-Orient devra trouver sa propre solution comme l'Europe vient de le faire, par la force.*»

GUERRE CIVILE

Le 29 novembre 1947, après de difficiles tractations, l'Assemblée générale de l'ONU approuve finalement le partage de la Palestine. Les Arabes réagissent immédiatement après le vote : un autobus transportant des Juifs est attaqué près de Jérusalem, il y a sept morts. Ces coups de feu marqueront le début d'une confrontation militaire judéo-arabe. Dans le centre commercial, dans la vieille ville de Jérusalem, aux abords du quartier Manshiya à Tel Aviv, à Haïfa, en Galilée, c'est l'affrontement. En de nombreux endroits la Hagannah sort de la clandestinité et se déploie sur des positions défensives, souvent assistée par l'Irgoun. Les Juifs lancent des contre-offensives. Les Britanniques laissent faire, Londres vient d'annoncer que le mandat prendra fin le 14 mai 1948. En deux semaines, 93 Arabes sont tués ainsi que 84 Juifs et 7 Anglais pris entre deux feux. C'est le début d'un nouveau chapitre sanglant de l'histoire de la Palestine.

L'embrasement. En janvier 1948 se déroule la première attaque en

---

1. Ezra Danine, *Tsioni Be Kol Tnaï*, Kidoum, Jérusalem, 1987, p. 185. Golda Méir, *My Life,* Dell, New York, 1975, p. 207. Avi Shlaim*, op. cit.*, p. 95. Voir aussi Archives sionistes 25/4005.

règle contre une localité juive. L'Armée de libération arabe commandée par Fawzi el Kaukji échoue dans sa tentative de conquérir le kibboutz Kfar Szold en Haute-Galilée. Quelques semaines plus tard, la même unité lance une offensive contre la région d'Etzion, près de Bethléem, où se trouvent quatre villages juifs. L'attaque échoue. Simultanément, dans le nord, une autre brigade qui a repris du service harcèle les lignes de communication juives. Le tout accompagné d'attentats sanglants. Le 7 janvier, deux déserteurs britanniques conduisent une voiture piégée rue Ben-Yehouda en plein cœur de la Jérusalem juive. L'explosion fait 52 morts. Une autre bombe, en mars, tue 11 employés de l'Agence juive. L'Irgoun et le Lehi ripostent par d'autres voitures piégées. Fin mars, le secteur d'Etzion est encerclé, la plupart des routes conduisant à Jérusalem, au Neguev ainsi qu'en Galilée sont coupées par les forces arabes.

Début avril, les combats font rage en Galilée occidentale et aux abords de Jérusalem. Le Palmah parvient à prendre le village de Kastel qui contrôle l'entrée occidentale de la ville. Les Arabes le reprennent dans la nuit. Le lendemain, le 7, Shaltiel, le commandant en chef de la Hagannah à Jérusalem, envoie un message aux responsables locaux de l'Irgoun et du Lehi. Il confirme qu'ils peuvent tenter de s'emparer du village de Deir Yassin à l'ouest et les met en garde contre la destruction des maisons de la localité, ce qui entraînerait la fuite de la population et l'arrivée de forces étrangères, peut-être jordaniennes. Les deux chefs préparent la prise de Deir Yassin par une unité composée d'hommes de leurs organisations respectives.

Au cours de la nuit suivante, plusieurs combattants arabes sont tués en tentant de s'infiltrer dans les lignes juives du Kastel. Mordehaï Gazit, un jeune officier, vérifie leurs papiers. L'un d'entre eux a un permis de conduire libanais au nom d'Abd el Soleim. Il était également porteur de documents importants. Gazit en informe son chef, Ouzi Narkiss. Dans la nuit, les forces arabes font un effort pour reprendre le corps. Il s'agit en fait d'Abd el Kader el Husseini. La nouvelle de sa mort plonge dans le deuil la communauté arabe. Ses combattants quittent leurs positions pour assister à ses funérailles. Le fils cadet d'Abdel Kader s'appelle Fayçal. Avec sa mère il est réfugié au Caire. Trente-cinq ans plus tard, il sera le représentant officieux de l'OLP à Jérusalem et un des principaux négociateurs palestiniens avec Israël. Mordehaï Gazit deviendra haut fonctionnaire. Il sera directeur général de la présidence du Conseil de Golda Méir et de Yitzhak Rabin, puis ambassadeur à Paris. Ouzi Narkiss atteindra le grade de général. Il commandera la région militaire centre en 1967 et dirigera la conquête de Jérusalem-Est.

Quarante-huit heures plus tard, l'Irgoun et le Groupe Stern

lancent leur assaut contre Deir Yassin, un faubourg arabe du sud-ouest de la ville. Les assaillants se heurtent à forte résistance. Ils progressent maison par maison. Le commandant juif décide que ce genre d'assaut est trop coûteux. Il donne des ordres et les sapeurs commencent à faire sauter les maisons une par une. Les hommes du Groupe Stern et de l'Irgoun tirent sur tout ce qui bouge. En début d'après-midi, les derniers combattants arabes sont tués. Les survivants sont placés dans des camions et conduits vers la vieille ville. Des responsables de la Hagannah arrivent sur place et découvrent le massacre. Le premier bilan est de 250 tués ; des femmes et des enfants sont morts criblés de balles, des cadavres auraient été mutilés. Un jeune officier du Palmah accouru sur les lieux, Méir Païl, racontera que les résidents juifs de la localité voisine de Givat Shaül criaient aux assaillants juifs : «Assassins, assassins!» Les institutions juives condamnent le massacre. Ben Gourion envoie un message de condoléances à l'émir Abdallah. Menaham Begin et Nathan Yelin Mor prendront la défense de leurs combattants et démentiront les faits[1].

Le cri de «*Deir Yassin*» deviendra un signe de ralliement pour les combattants arabes, le signal d'autres carnages. Il retentira lors de l'attaque d'un convoi vers le mont Scopus, six jours plus tard : 77 médecins et infirmières de l'hôpital Hadassah de Jérusalem seront massacrés. Les forces britanniques assistent au drame sans intervenir. Elles doivent partir dans quelques jours.

RÉFUGIÉS ARABES

Ces massacres, l'extension du conflit et la perspective d'une guerre à grande échelle accélèrent encore le départ des Arabes palestiniens des régions les plus touchées par les combats. Et, dans le cadre du plan «Dalet» de défense des localités juives, décidé au mois de mars, la Hagannah prévoit, entre autres mesures tactiques, la neutralisation, voire la destruction totale, des villages arabes qui menacent les lignes de communication juives. Un objectif militaire diversement interprété selon les secteurs mais qui, au fil des mois, se traduira par la disparition d'un grand nombre de villages et d'agglomérations arabes : «*Il faut encercler les localités arabes, procéder à des perquisitions à la recherche d'armes et de forces irrégulières ; si ces opérations se heurtent*

---

1. Voir : Marius Schattner, *Histoire de la droite israélienne*, Editions Complexe, Paris, 1991. Yelin Mor, *op. cit.* M. Begin, *Ha Mered* (trad. anglaise : *The Revolt*, Steimatzky), *op. cit.* Également, Bowyer Bell, *Terror out of Zion*, *op. cit.*

à une résistance, il faut détruire les forces hostiles et expulser du pays les habitants du village. Si les forces de la Hagannah ne se heurtent à aucune résistance, il faut désarmer les villageois et mettre en place une garnison. Des villages hostiles sont destinés à la destruction par l'incendie, les explosifs et le minage des ruines […] Des villages qu'il est impossible de contrôler en permanence […][1].»

Après avoir, dans un premier temps, encouragé le départ des femmes, des enfants et des vieillards, les responsables arabes ont commencé, début mai, à lancer des appels aux populations de Palestine pour qu'elles ne prennent pas la fuite. En vain. Le 17 avril, après une attaque de la Hagannah et du Palmah contre les positions arabes de la vieille ville de Tibériade, et le refus des forces juives d'accepter un cessez-le-feu temporaire, les unités britanniques encore déployées dans le secteur procèdent à l'évacuation des habitants arabes. Seuls quelques édiles juifs tentent d'empêcher ce drame.

A Haïfa, depuis décembre, 20 000 à 30 000 Arabes qui en avaient les moyens étaient déjà partis vers des régions plus sûres, au Liban, en Syrie, en Transjordanie. A la mi-avril, il restait encore dans la ville près de 50 000 habitants arabes. Dans la nuit du 21 au 22, la Hagannah parvient à percer les défenses arabes. Des membres du Comité national arabe demandent au commandant en chef britannique de négocier un cessez-le-feu. Selon l'histoire officielle de la 6e division aéroportée : *«Le commandant en chef a contacté les leaders juifs qui ont accepté des pourparlers sous l'égide britannique. Ils ont présenté leurs conditions qui, compte tenu de l'ampleur de leur victoire, étaient honnêtes et raisonnables. Il s'agissait de désarmer tous les Arabes alors que les Arabes étrangers et les [volontaires] européens de l'Armée de libération arabe seraient placés sous une garde britannique. Après de longues discussions, les leaders arabes, craignant les conséquences pour eux d'une reddition aussi totale, ont annoncé qu'ils ne pouvaient pas garantir l'observance de la trêve et se sont retirés. Cela n'a pas empêché les Juifs de prendre le contrôle des secteurs de la ville qui n'étaient pas occupés par les Britanniques. C'est alors que s'est créé un énorme problème de réfugiés arabes. La majorité de la population a paniqué. Des milliers de personnes se précipitant vers le port d'où elles ont été évacuées vers Acre. Durant la fuite, les réfugiés ont été attaqués par les avant-postes juifs […] [2].»* Il ne reste plus que quelques milliers d'habitants arabes à Haïfa.

1. Cité par Benny Morris, *The Birth of the Palestinian Refugee Problem, 1947-1949*, Cambridge University Press. Édition hébraïque : Am Oved, Tel Aviv, 1991, pp. 94-96.

2. Major R. D. Wilson, *Cordon and Search, with the 6th Airborne division in Palestine*, *op. cit.*, p. 193.

C'est le 25 avril à l'aube que l'Irgoun déclenche son offensive contre Jaffa, au sud de Tel Aviv, où vivent encore 60 000 Arabes. L'opération n'était pas prévue par le plan Dalet, mais Menahem Begin veut montrer à la Hagannah qu'il dispose d'une force combattante dont elle doit tenir compte. Le bombardement au mortier subi par la ville suscite rapidement la panique parmi la population civile. C'est l'exode. Dans le quartier d'Al Ajami, Abdel Magid Abed Rabo, un grossiste en fruits et légumes, décide de partir lui aussi. Espérant revenir à la fin des combats, il cache les bijoux de la famille dans un placard qu'il ferme à double tour. Puis, avec son épouse, ses quatre filles et ses trois fils, il part pour la Jordanie. C'est le début de l'exil pour la famille Abed Rabo. Le fils cadet, Yasser, deviendra un leader du mouvement palestinien.

A l'intérieur de la bande de Gaza, la Hagannah tente de dégager le kibboutz Kfar Darom, attaqué par des unités de volontaires des Frères musulmans, venus d'Égypte. Parmi les assaillants, un jeune homme de dix-neuf ans se fait remarquer par son courage[1]. Il s'appelle Abdel Raouf el Koudwah. Il est né au Caire de parents palestiniens proches de la famille el Husseini ; son père est originaire de Khan Younes, dans la bande de Gaza. Des décennies plus tard, sous le nom de Yasser Arafat, chef de l'OLP, il dira à son biographe, Alan Hart : «*J'étais encore très jeune mais, en raison des relations de ma famille avec la direction palestinienne, j'ai eu la possibilité de découvrir la cause réelle de notre tragédie […] La vérité est que nous avons été trahis par les régimes arabes et, je regrette de le dire, par les Britanniques qui ont travaillé dur pour créer l'État juif[2].*» Kfar Darom, évacué par ses défenseurs israéliens, tombera aux mains des Égyptiens durant le mois de juin.

VERS LA GUERRE

La fin du mandat britannique est proche. La perspective d'une invasion arabe paraît de plus en plus certaine et, pour les dirigeants sionistes, il est vital de connaître l'attitude d'Abdallah. La Jordanie, dont l'armée est la mieux entraînée du monde arabe, va-t-elle participer aux combats ? L'émir permettra-t-il aux forces irakiennes de passer par son territoire ? A la demande de Ben Gourion, Avraham Daskal contacte Mohamed Zoubati, qui, lui, organise une rencontre avec le roi à Amman, en compagnie d'Avraham Rutenberg.

1. Tous les biographes de Yasser Arafat ne sont pas d'accord sur sa présence à Gaza à cette époque. Voir : Christophe Boltanski et Jihan el Tahri, *Les Sept Vies de Yasser Arafat*, Grasset, Paris, 1997.
2. Alan Hart, *Arafat*, Sidgwick & Jackson, New York, 1994, p. 53.

L'entretien se déroule au domicile de Zoubati. Abdallah paraît très fatigué et déprimé. Il se plaint que l'Agence juive ne lui a pas envoyé d'émissaire depuis longtemps et explique qu'il peut difficilement rencontrer Golda Méir après le massacre de Deir Yassin. Les deux hommes finissent par le persuader d'accepter un entretien avec la responsable sioniste. Mais il refuse que le rendez-vous ait lieu à Naharayim. Il ne faut surtout pas que des soldats ou des officiers de la Légion arabe apprennent qu'il a des contacts avec des dirigeants juifs. Tout cela doit se passer discrètement, à Amman.

Golda Méir et Eliahou Sasson ne peuvent quitter Jérusalem assiégée. Ben Gourion décide de les faire venir en avion, mais le Piper Cub qu'il envoie ne peut transporter qu'un passager. Comme les conditions météorologiques sont déplorables, seule Golda Méir parvient à Tel Aviv, le 10 mai, quatre jours avant la date fatidique de la proclamation de l'indépendance de l'État d'Israël. C'est Ezra Danine qui l'accompagnera. Ils parviennent à Naharayim le lendemain. Zoubati vient les chercher à la tombée de la nuit. Les vitres de sa voitures sont recouvertes de rideaux noirs. C'est déguisés en arabes qu'ils effectuent le trajet de 180 kilomètres jusqu'à Amman.

Voici, rédigé par Danine, le compte rendu de la rencontre d'Amman :

«*Golda me demande : "Tu as peur ?" Je lui réponds : "J'ai vu la mort en face des dizaines de fois, alors, une fois de plus… Mais toi, pourquoi fais-tu ce voyage ? – S'il y a la moindre chance, même la plus infime, pour sauver la vie d'un de nos gars en Israël, j'y vais !"* »

Après trois heures de route, ils arrivent à la maison de Zoubati, où Abdallah les rejoint quelques minutes plus tard, pâle et tendu. Danine traduit.

Golda : «*Avez-vous rompu la promesse que vous m'avez faite* [de ne pas combattre] ?

Abdallah : «*Lorsque j'ai fait cette promesse je pensais être maître de mon propre destin et faire ce que je croyais être juste. Avec le temps, il s'est passé des choses. Il y a eu l'affaire de Deir Yassin. Et puis, j'étais seul alors mais à présent je suis un parmi cinq. Je n'ai pas le choix.*»

Golda et Danine comprennent que les autres sont l'Égypte, la Syrie, le Liban et l'Irak : «*Nous savons que vous êtes cinq, mais nous vous avons toujours vu seul, face aux autres.*»

Golda : «*Nous avons un grand projet. Nous proclamerons notre État au moment précis où les Britanniques quitteront* [la Palestine].»

Abdallah : «*Pourquoi êtes-vous aussi impatients ? Qu'est-ce qui presse ?*»

Golda : «*Vous pensez qu'attendre deux mille ans c'est se presser ?*»

Abdallah, après avoir réfléchi : «*Je sais que mon destin risque d'être tranché dans les prochains jours. Mais que puis-je faire ? Je ne suis pas seul. Les choses ne dépendent pas uniquement de moi !»*

Dans sa version de la conversation, Golda Méir raconte qu'elle a répété à plusieurs reprises, sans menacer : «*Vous devez savoir que notre force militaire est sans commune mesure avec ce qu'elle était il y a trois à cinq mois. Nous sommes prêts à respecter les frontières en temps de paix mais, si la guerre nous est imposée, nous nous battrons partout.*»

Abdallah : «*Vous ferez votre devoir... Je crois toujours que les Juifs retournent en Orient pour y apporter la lumière, au contraire des chrétiens qui viennent pour régner.*»

Golda : «*Ne comprenez-vous pas que nous sommes vos seuls alliés dans cette région ? Les autres sont tous vos ennemis.*»

Abdallah : «*Oui, je le sais mais que puis-je faire ? Cela ne dépend pas de moi. Pourquoi n'attendez-vous pas quelques années ? Renoncez à votre exigence d'immigration illimitée. Je prendrai le contrôle de l'ensemble du pays, vous serez représentés dans mon Parlement. Je vous traiterai bien, il n'y aura pas de guerre.*»

Golda : «*Croyez-vous vraiment que nous avons fait cela pour être représentés dans un Parlement étranger ? Vous connaissez nos aspirations. Si vous ne pouvez pas nous offrir plus que cela, il y aura une guerre que nous gagnerons. Peut-être une nouvelle rencontre entre nous sera-t-elle possible après la guerre, lorsqu'il y aura un État juif.*»

Danine : «*Vous comptez sur vos blindés comme les Français sur leur ligne Maginot, et nous les écraserons comme le fut la ligne Maginot...*»

Abdallah : «*Je sais que vous nous frapperez mais vous ferez votre devoir. C'est le destin.*»

Golda, qui n'avait pas compris cet échange en arabe : «*N'oublie pas que tu parles au roi !*»

La conversation approche de sa fin. Le roi se lève et, avec ses invités, se dirige vers la table où un repas a été préparé. Golda, énervée, ne veut pas manger, mais Danine lui explique que la tradition bédouine veut que l'on honore son hôte en remplissant son assiette.

Abdallah se dirige vers Danine : «*Ezra ! Cette fois tu ne m'as pas aidé.*»

Danine : «*Comment voulez-vous que je vous aide ?*»

Abdallah : «*Tu es d'ici, tu peux les influencer...*»

Danine : «*J'ai une chose à vous demander. Pourrais-je venir vous voir après la guerre ?*»

«*Bien sûr ! Viens me voir...*»

Le groupe se dirige vers la voiture de Zoubati. Danine poursuit : «*Lorsque vous êtes à la mosquée, et que vos sujets viennent embrasser votre vêtement, vous êtes sans protection. Quelqu'un peut tenter de vous attaquer. Vous devriez renoncer à cette coutume.»*

Abdallah : «*Je ne deviendrai pas le prisonnier de ma garde. Je suis né bédouin, libre. Si on veut me tuer, qu'on me tue…*» Golda Méir notera dans son rapport que le souverain avait l'air particulièrement fatigué et déprimé[1].

Sur le chemin du retour, les deux Israéliens voient les unités blindées irakiennes se déployer dans le secteur de Mafrak. Ils regagnent les lignes juives sans encombre. Ont-ils compris le message que voulait faire passer Abdallah? Ce n'est pas sûr. Le souverain entendait faire comprendre à ses interlocuteurs qu'il n'avait désormais pas le choix : sous la pression arabe, il devait participer à la guerre. Mais, auparavant, il désirait apparemment conclure un accord avec les Juifs pour limiter l'ampleur des combats. Golda Méir avait surtout noté dans son attitude un reniement de sa précédente promesse de ne pas attaquer l'État juif. Elle comprenait toutefois son impuissance face aux événements.

Le 14 mai 1948, à 16 heures, se termine l'aventure commencée en décembre 1917 par le général Allenby. Les Britanniques s'en vont. L'histoire de leur séjour en Palestine est celle d'un demi-échec. Sir Alan Cunningham, le dernier haut-commissaire britannique, a quitté son palais de Jérusalem pour se rendre à Haïfa, à bord du croiseur *Euralyus*. La Palestine ne fait plus partie du Commonwealth. La promesse faite par Lord Balfour s'est réalisée. Après une nuit d'hésitation et de débats, les chefs de l'Agence juive ont pris leur décision. David Ben Gourion réunit le Conseil populaire juif au musée de Tel Aviv. D'une voix émue, il proclame l'indépendance de l'État d'Israël. Aux Juifs de la Diaspora et aux Arabes de Palestine il déclare :

«*L'État d'Israël sera ouvert à l'immigration juive et au rassemblement des exilés; il développera le pays pour le bénéfice de tous ses habitants; il se fondera sur la liberté, la justice et la paix telle que l'envisageaient les Prophètes d'Israël; il assurera la complète égalité de droits politiques et sociaux à tous ses habitants, quels que soient leurs religion, conscience, langage, éducation et culture; il veillera à la sauvegarde des Lieux saints de toutes les religions, et sera fidèle aux principes de la charte des Nations unies. […] Nous lançons un appel – au moment où nous subissons une offensive déclenchée depuis des mois – aux habitants arabes de l'État d'Israël pour qu'ils préservent la paix et participent à la construction de l'État sur la base d'une citoyenneté pleine et égale et une représentation proportionnelle dans ses institutions provisoires et permanentes. Nous tendons la main à tous les États*

1. Archives sionistes, dossier Meyerson. Voir aussi dossier Danine.

voisins et à leurs peuples en une offre de paix et de bon voisinage, et leur lançons un appel pour qu'ils établissent des liens de coopération et d'aide mutuelle avec le peuple juif souverain sur sa propre terre. L'État d'Israël est prêt à assumer sa part dans un effort commun pour l'avancement du Moyen-Orient dans son ensemble. ». Peu après minuit, les États-Unis reconnaîtront le nouvel État. L'URSS fera de même trois jours plus tard.

CHAPITRE 2

Guerre et négociations

mai 1948-avril 1949

La cérémonie terminée, Ben Gourion se rend à l'état-major. Il est en désaccord avec les chefs de l'armée. Le nouveau Premier ministre de l'État d'Israël veut lancer une offensive près du fort de Latroun pour dégager la route de Jérusalem, mais les militaires lui répondent qu'ils n'en n'ont pas les moyens. Il décide de ne pas insister et rentre se coucher. A une heure du matin, on le réveille : Truman a reconnu l'État juif. A quatre heures trente, nouvel appel téléphonique. On demande à Ben Gourion de participer à une émission radio destinée aux États-Unis. Il part immédiatement pour le studio de la Hagannah. Des explosions retentissent pendant son intervention : l'aviation égyptienne bombarde Tel Aviv. L'émission prend une tournure dramatique. Le petit aéroport de Sdé Dov est touché. Un hangar est en flammes. Quelques blessés sont conduits à l'hôpital. Venu examiner les dégâts, Ben Gourion constate que les voisins sortent en pyjama pour, curieux, assister à la scène et note : «*Ils tiendront!*» Quelques heures plus tard, il fait le compte de ses forces : la jeune armée du nouvel État ne dispose que de 30 573 hommes et femmes[1].

C'est la guerre. Le ministre égyptien des Affaires étrangères informe le Conseil de sécurité que les forces armées de son pays ont commencé à pénétrer en Palestine «*pour y rétablir la loi et l'ordre*». La Ligue arabe publie un long communiqué annonçant que les gouvernements arabes «[...] *sont obligés d'intervenir en Palestine afin d'aider ses habitants à retrouver la paix, la sécurité, la justice et la loi, afin d'empêcher une effusion de sang* [...]».

L'exode de la population arabe se poursuit. A Jaffa, après la première

---

1. David Ben Gourion, *Yoman Milhama*, ministère de la Défense, Tel Aviv, pp. 427-428.

attaque de l'Irgoun le 25 avril, les Britanniques avaient pris le contrôle de la ville pour empêcher sa chute et la fuite en masse de ses habitants. Les derniers postes de défense arabes à l'est de Jaffa, les villages de Salamé, El Hiryeh et Sakyeh, sont tombés aux mains de la Hagannah sans combattre et leur population s'est enfuie. La ville est complètement encerclée. Le jour du départ des Britanniques, la veille de la proclamation de l'indépendance d'Israël, Salah Khalaf qui, des années plus tard, prendra le nom de guerre d'Abou Iyad, a raconté le départ en exil de sa famille, à bord d'un bateau, sous les obus tirés par l'artillerie juive. Avec ses parents et ses quatre frères et sœurs, il deviendra un réfugié à Gaza : «*Rétrospectivement*, écrira-t-il en 1978, j*e pense que mes compatriotes ont eu tort de faire confiance aux régimes arabes et, en tout cas, d'avoir laissé le champ libre aux colonisateurs juifs. Ils auraient dû tenir bon, coûte que coûte. Les sionistes n'auraient pu les exterminer jusqu'au dernier homme. D'ailleurs, pour beaucoup d'entre nous, l'exil a été pire que la mort*[1].» Le 18 mai 1948, David Ben Gourion visite Jaffa conquise. Il écrit dans son journal de guerre : «*Je ne pouvais pas comprendre : comment les habitants de Jaffa ont-ils quitté cette ville*[2]*?*»

Dans le nord, les Syriens lancent une offensive destinée à désenclaver Nazareth, avant de poursuivre en direction de Haïfa. A l'est, les Irakiens se déploient en Cisjordanie, dans le secteur de Jenine et de Gesher. Dans le sud, deux colonnes égyptiennes avancent. L'une, longeant la côte en direction de Tel Aviv, arrive à Ishdoud, tandis que l'autre parvient à Ramat Rahel, au sud de Jérusalem. La Légion arabe jordanienne occupe des territoires de la Palestine arabe, s'installe à Ramallah et pénètre dans Jérusalem-Est. A l'ouest, une unité bloque la route de Jérusalem à Latroun avant Bab El Ouad.

Le 28 mai 1948, le quartier juif de la vieille ville de Jérusalem tombe aux mains des Jordaniens, commandés par Abdallah el Tall, un jeune officier promu par Abdallah quelques semaines plus tôt. La reddition est négociée par l'intermédiaire du Comité international de la Croix-Rouge et de Pablo de Azcárate, le représentant des Nations unies. Trois cents hommes en âge de combattre sont conduits en captivité, pendant que les vieillards, les femmes et les enfants partent sous la protection des soldats jordaniens rejoindre les lignes israéliennes. Pour la première fois depuis des millénaires, pas un seul Juif ne se trouve à l'intérieur des murailles de la vieille ville de Jérusalem. Les deux grandes synagogues sont détruites à l'explosif.

---

1. Abou Yiad, *Palestinien sans patrie*, Fayolle, Paris, 1978, p. 32.
2. Voir Benny Morris, *Naissance du problème des réfugiés arabes palestiniens*, Am Oved, Tel Aviv. 1991.

Le même jour, Folke Bernadotte arrive au Caire. Ce comte suédois a été nommé médiateur du conflit au Proche-Orient par le Conseil de sécurité deux semaines plus tôt. Il a pour mission «*de rétablir la sécurité des populations, d'assurer la protection des Lieux saints et de promouvoir la paix*». Membre de la famille royale suédoise, il était devenu président de la Croix-Rouge de son pays après avoir organisé en février 1945 une opération de sauvetage de déportés des camps de concentration encore sous contrôle nazi[1].

Son premier objectif est de négocier une trêve d'un mois. Les Israéliens en ont besoin. La population juive de Jérusalem-Ouest n'a plus que trois jours de réserves de nourriture. L'armée israélienne termine le percement d'une route qui contourne Latroun et permettra d'approvisionner la ville. Les Égyptiens sont à Ishdoud, à une quarantaine de kilomètres de Tel Aviv. A l'est, ils sont parvenus à Bethléem, à cinq kilomètres de Jérusalem. Tous les territoires de la Palestine arabe sont aux mains des forces arabes.

Le 10 juin, dans un discours radiodiffusé, Ben Gourion annonce aux Israéliens que la politique étrangère du gouvernement provisoire se fonde «*sur une entente avec les Nations unies et qu'il a donc décidé d'accepter la décision du Conseil de sécurité*». La trêve entre en vigueur le lendemain. Israël commence immédiatement à réorganiser et à équiper son armée. Du matériel militaire acheté à l'étranger, les mois précédents, est acheminé par mer et débarqué de nuit sur la côte, alors qu'un véritable pont aérien clandestin amène de Tchécoslovaquie des dizaines de milliers de fusils, des milliers de mitrailleuses et même des chasseurs de combat.

LES GUERRES DES JUIFS

A Paris, le gouvernement de Georges Bidault, qui a décidé d'accorder une aide aux mouvements juifs les plus extrémistes, fait livrer gratuitement par l'armée française à l'Irgoun de Menahem Begin, des fusils, des millions de cartouches, des mortiers, des obus, des centaines de tonnes d'explosifs. A Port-de-Bouc, l'arsenal est transporté à bord d'un navire acheté aux États-Unis, l'*Altalena*[2]. Le départ est loin d'être discret puisqu'il est annoncé par les agences de presse. Son arrivée en

---

1. Amitsour Ilan, *Bernadotte in Palestine, 1948*, Mac Millan, 1989.
2. Shmouel Ariel, entretien avec l'auteur, Jérusalem, 1990. Voir également : Shlomo Nakdimon, *Altalena*, Idanim, Jérusalem, 1978 et Elie Tabin, *Hazit HaShniah*, Yedihot Aharonot, Tel Aviv, 1973.

Israël constituera une violation flagrante de la trêve. Les négociations avec le gouvernement provisoire échouent. Ben Gourion est très vite persuadé que l'Irgoun veut ces armes à des fins séditieuses.

L'*Altalena* arrive le 20 juin au large de Tel Aviv et débarque quelques immigrants. Les discussions entre l'Irgoun et le gouvernement se poursuivent dans une atmosphère de méfiance. Le lendemain, un accrochage entre l'Irgoun et des unités de l'armée composées de combattants venus du Palmah fait 6 morts et 18 blessés parmi les hommes de Begin. Les forces gouvernementales ont 2 tués et 6 blessés. Begin monte à bord et, quarante-huit heures plus tard, sur les ordres de Ben Gourion, un jeune lieutenant-colonel du nom d'Yitzhak Rabin fait tirer au canon sur l'*Altalena* : 8 passagers sont tués et une trentaine sont blessés. Le chef de l'Irgoun parvient à s'échapper. Ben Gourion a gagné. Il incarne la seule légitimité israélienne. Il n'y a pas d'autre armée que celle de l'État. L'état-major du Palmah, qui souhaite conserver son indépendance, sera dissous.

Quelques mois plus tard, Begin transformera les restes de l'Irgoun en parti politique, le Hérout (Liberté), qui s'intégrera à la vie parlementaire israélienne. Un homme sera chargé par Ben Gourion de suivre de près les activités des «sécessionnistes» du Groupe Stern et de l'Irgoun : Isser Harel, l'ancien patron des services de renseignements de la Hagannah, qui devient le chef de la sécurité intérieure puis, plus tard, du Mossad, les services spéciaux.

Du Caire, Yolande Harmer fait parvenir un message à Asher Ben Nathan, un diplomate israélien en poste en Europe. Les réseaux mis en place par la Hagannah sont, écrit-elle, durement touchés par la vague d'arrestations qu'a lancée la police égyptienne. Elle parvient à garder des contacts importants, notamment avec deux membres influents du cabinet royal. Mais sa situation personnelle est de plus en plus précaire. Les diplomates libanais avec qui elle sortait régulièrement préfèrent l'éviter. Il s'agit de Takhieddine el Solh, consul au Caire et futur Premier ministre, et de Charles Malik, futur représentant du Liban à l'ONU. Ce dernier dira plus tard qu'elle fut le seul amour de sa vie[1]. En juin, apparemment après une dénonciation des Frères musulmans, elle est arrêtée et emprisonnée.

Au début du mois de juillet, Sasson arrive à Paris en compagnie de deux employés des Affaires étrangères israéliennes, Ziama Divon et Touvia Arazi. Leur objectif : «*Établir des liens avec les pays arabes pour mieux comprendre et suivre les processus politiques qui s'y déroulent,*

---

1. Dahlia Karpel, *Ha sodot ha Afélim shel Yolande*, Haaretz. 11 décembre 1992, p. 36. Également, témoignage de Jo Golan, 1995.

contacter les gouvernements arabes en vue de négociations directes pour aboutir à une solution pacifique du conflit, établir des liens avec l'opposition dans les pays arabes pour gêner leurs efforts de guerre. Renouveler des liens avec des dirigeants et des milieux arabes afin d'y faire circuler des idées permettant de préparer le terrain en vue d'une entente et d'un accord de paix entre Juifs et Arabes[1].»

Le 7 juillet, deux jours avant l'expiration du cessez-le-feu, le président du Conseil de sécurité, l'ambassadeur d'Ukraine, invite «*le représentant d'Israël*» et non pas «*l'envoyé de l'Agence juive*» à prendre place à la table du Conseil. Cette nouvelle dénomination provoque un incident : le représentant du Comité supérieur arabe annonce qu'il ne participera pas au débat aussi longtemps que la présidence du Conseil emploiera le terme de «représentant d'Israël»… Israël accepte une prolongation de la trêve. La Ligue arabe refuse, contre l'avis d'Abdallah et de Glubb Pacha, le commandant britannique de la Légion jordanienne, qui considérait ce refus comme une folie. L'opinion publique arabe voulait une victoire. Elle y croyait après les premiers succès remportés par ses armées.

EXPULSION

Le 10 juillet, sur les ordres du général Yigal Allon, le commandant du secteur centre, le colonel Moshé Dayan, à la tête de son 89e bataillon mécanisé, perce les défenses arabes à Lydda, à l'est de Tel Aviv, près de l'aéroport. Glubb Pacha a décidé de ne pas défendre ce secteur. Il estime qu'il n'a pas les forces nécessaires pour tenir à la fois Ramallah, Jérusalem et Latroun. Les combats durent à peine quelques heures. Le lendemain c'est Ramleh, la ville voisine, qui tombe aux mains de Tsahal. En tout, 50 000 Arabes palestiniens sont sous occupation israélienne. La suite des événements fait l'objet d'une controverse entre historiens. Selon la version officielle israélienne, des habitants de Ramleh auraient ouvert le feu sur des soldats israéliens après la reddition de la ville. Les chefs militaires auraient ensuite décidé d'en expulser la population, considérant qu'elle s'était rebellée. L'histoire que rapporte Yitzhak Rabin est toute différente. En 1979, la censure israélienne en a interdit la publication dans son autobiographie. Il y raconte comment, en compagnie d'Allon, il demande à Ben Gourion ce qu'il doit faire des civils arabes de Lydda et de Ramleh. Le Premier ministre répond par un geste de la main que les deux hommes ont interprété comme signifiant :

---

1. Shmouel Cohen-Shani, *Mivtsah Paris*, Ramot, Tel Aviv, 1994. p. 75.

«*Expulsez-les!*» A l'époque, cela ne pouvait avoir qu'une seule signification. Rabin et Allon estiment qu'ils ne peuvent pas laisser une telle population hostile sur leurs arrières. Et puis, un aussi grand nombre de réfugiés représentera une charge supplémentaire pour l'armée jordanienne, donc un avantage tactique non négligeable pour Israël. L'opération commence avec la population de Lydda, qui effectue le trajet à pied. Rabin explique que le départ ne s'est pas effectué volontairement : «*Il n'était pas possible d'éviter l'usage de la force et de tirs de semonce pour obliger les habitants à franchir la vingtaine de kilomètres qui les séparaient de la Légion Voyant cela, les notables de Ramleh ont accepté d'être évacués volontairement à condition que des autobus soient mis à leur disposition […] Les militaires qui ont participé à l'expulsion ont grandement souffert. La brigade Yiftah qui a effectué l'opération comprenait des soldats venus de mouvements de jeunesse, où on leur avait inculqué des valeurs comme la fraternité internationale et l'humanisme. L'expulsion allait au-delà des concepts auxquels ils étaient habitués […][1].*» Selon des témoins arabes, des dizaines de personnes, des enfants, des vieillards, des femmes enceintes sont morts au cours de cette expulsion.

La nouvelle de la défaite, l'arrivée massive des réfugiés suscite la colère de la population palestinienne. Des manifestations antijordaniennes vite réprimées éclatent à Ramallah et à Naplouse. Ailleurs, l'équilibre des forces commence à basculer en faveur d'Israël. Le 16 juillet, Nazareth est conquis. Les irréguliers arabes de Kaukji sont repoussées hors de la Basse-Galilée. Le corridor de Jérusalem est élargi mais les Israéliens ne parviennent pas à prendre le fort de Latroun, bien défendu par la Légion jordanienne. Dans le sud, la route vers le Neguev israélien est rouverte mais l'armée égyptienne tient la plupart de ses positions. Le 18 juillet c'est à nouveau la trêve, ordonnée par le Conseil de sécurité trois jours plus tôt.

L'ASSASSINAT DE BERNADOTTE

Dès le 27 juin, Bernadotte a soumis des propositions de son cru pour régler le conflit : non pas deux États indépendants en Palestine, mais une union entre le royaume de Jordanie, qui absorberait la partie arabe, et l'État juif. Jérusalem passerait sous la souveraineté arabe, la ville juive ayant droit à une municipalité séparée. Des prin-

---

1. David K. Shipler, «Israel bars Rabin from relating '48 eviction of Arabs», *New York Times*, 23 octobre 1979. Voir aussi Benny Morris, *1948 and After*.

cipes que ni les Juifs ni les Arabes n'acceptent. En Israël, l'opposition du Groupe Stern est la plus virulente. Ses chefs ne savent pas que Moshé Sharett, le ministre des Affaires étrangères, a déjà rejeté l'initiative. Ils accusent le gouvernement provisoire d'être sur le point de brader Jérusalem. L'organisation, qui dispose encore d'unités indépendantes à Jérusalem, lance des manifestations contre l'aristocrate suédois. En août, à Tel Aviv, Israël Eldad et Yehoshouah Zettler, qui dirigent le mouvement à Jérusalem, présentent à Nathan Yelin Mor et Yitzhak Shamir leur projet d'assassiner le médiateur de l'ONU. Selon Eldad, l'opération est approuvée. Shamir examine même les détails opérationnels[1].

Bernadotte revient de Syrie le 17 septembre. Il se rend à Government House, dans la zone démilitarisée, au sud de Jérusalem. A 17h 30 il repart pour un rendez-vous dans la ville juive. Le convoi est bloqué par une Jeep. Trois hommes en uniforme kaki, apparemment des soldats israéliens, s'approchent des voitures. L'officier de liaison israélien crie : « *Ça va! C'est Bernadotte!* » Un des assaillants passe le canon de sa mitraillette par la fenêtre de la Chrysler. Il vide un chargeur sur Bernadotte et le colonel français Sérot qui est à ses côtés. Ils sont tués sur le coup. Le troisième passager, le général suédois Age Lundström, est indemne. Sur le terrain, l'opération était dirigée par Zettler.

Dans la soirée, l'attentat est revendiqué par une organisation inconnue, le Front de la patrie qui, dans un tract, dit combattre tous ceux qui « *gêneront la libération de la patrie, de Jérusalem sa capitale et la rédemption de la nation…* ». Personne ne s'y trompe, c'est le Groupe Stern. Ben Gourion doit à la fois prouver à la communauté internationale que son gouvernement n'a rien à voir dans cette affaire et régler une fois pour toutes la question des organisations armées dissidentes. A Jérusalem, Moshé Dayan, qui commande le secteur, fait arrêter 184 combattants du Lehi. A Tel Aviv, la police investit les dernières bases et les bureaux de l'organisation. La radio est saisie. Deux jours plus tard, Ben Gourion promulgue un décret interdisant les « organisations terroristes ». Le Groupe Stern est hors la loi ! Le texte est confirmé trois jours plus tard à l'unanimité par l'assemblée législative qui l'intègre au Code pénal israélien. Le 5 août 1986, le gouvernement dirigé par le Premier ministre Shimon Pérès ajoutera deux articles à cette loi de 1948, interdisant tout contact avec les organisations terroristes, en l'occurrence l'OLP, et réprimant les faits de racisme. Ainsi, paradoxalement, cette loi qui a été utilisée contre le Lehi le sera également contre l'OLP.

Les unités de l'Irgoun encore actives à Jérusalem reçoivent un

---

1. Israël Eldad, entretien avec l'auteur, 1990.

ultimatum d'Yigael Yadin, le chef d'état-major adjoint. Les combattants du mouvement de Begin ont vingt-quatre heures pour rejoindre Tsahal et prêter serment à l'État. Passé ce délai, ils subiront les conséquences de leur refus. Les chefs du Lehi sont retournés dans la clandestinité. A Haïfa, Yelin Mor est arrêté le 29 septembre. Shamir a trouvé une planque à Tel Aviv.

BEN GOURION VEUT LA CISJORDANIE, JÉRUSALEM ET LE NEGUEV

Les chefs du Groupe Stern ne savent pas que le meurtre du médiateur aura une conséquence énorme pour l'avenir de l'État d'Israël et la région. L'attentat a eu lieu au moment où Ben Gourion voulait persuader ses ministres de voter la reprise de la guerre, à la veille de la réunion à Paris de l'Assemblée générale de l'ONU. Israël présente sa candidature et des résolutions sur le conflit israélo-arabe doivent y être adoptées. Moshé Sharett va conduire la délégation israélienne. La tâche qui l'attend s'annonce très difficile après l'assassinat de Bernadotte, dont les propositions ont désormais valeur de testament.

En attaquant le verrou sur la route de Jérusalem que constitue le fort de Latroun, tenu par les forces d'Abdallah, Ben Gourion voudrait déclencher un embrasement sur tous les fronts pour progresser vers Ramallah et Naplouse, parvenir vers l'embouchure du Jourdain, au nord de la mer Morte, conquérir l'ensemble de la ville de Jérusalem, et peut-être progresser vers la poche sud, qui contient Bethléem et Hébron. La réunion du gouvernement provisoire a lieu le 26 septembre 1948. Pour préparer le terrain, Ben Gourion a fait venir une délégation d'habitants de Jérusalem, conduite par le gouverneur militaire Dov Yossef. Les Hiérosolymitains évoquent leurs souffrances et demandent aux ministres de rejeter le plan d'internationalisation de la ville proposé par Bernadotte. Après le départ de ces invités commence le débat, peut-être un des plus dramatiques depuis la proclamation d'indépendance du jeune État. Les dirigeants israéliens doivent décider du destin du pays en choisissant entre la bataille politique pour conserver les acquis territoriaux ou la reprise de la guerre afin de réaliser de nouvelles conquêtes.

Sharett fait un tour d'horizon diplomatique. La situation est difficile. Les Américains et les Anglais veulent donner aux Arabes de Palestine les territoires situés dans le Neguev, au sud d'une ligne Negba/Gat. «*Abba Eban a évoqué trois points avec Mac Neil du Foreign Office : les localités* [israéliennes] *du nord du Neguev* [un accès au] *golfe d'Eilat, Akaba, et la mer Morte. Mac Neil lui a répondu : "Je pense que vous* n'avez de soutien que pour le premier point. Face à cela, il y a la compensation[1] *de la Galilée dans son ensemble, et puis il y a d'autres compensations politiques. C'est-à-dire que nous aurions immédiatement la reconnaissance* de jure *par l'ensemble du monde occidental. Je suppose qu'après* [nous pourrons avoir] *un prêt. Au contraire* [si nous refusons], *toutes les délégations à l'ONU refuseront de nous recevoir aux Nations unies au cours de cette session. Il vaudrait même mieux ne pas présenter notre candidature. Ce serait* [pour nous] *une grande défaite. Si nous acceptons, tout se fera automatiquement."* » Sharett expose le problème de la poche que Kaukji et ses forces tiennent toujours en Galilée, puis il ajoute : «*Nous faisons face à beaucoup de difficultés dans cette bataille. L'affaire du Neguev est difficile, l'affaire de Jérusalem est difficile de même que celle des réfugiés* [arabes]. *Mais nous vivons à l'heure de la création. Au moment de la formation du pays, il vaut mieux faire face à de grandes difficultés maintenant plutôt que de souffrir par la suite pendant des générations.*» Et d'évoquer la question du sud du Neguev et la présence éventuelle de pétrole dans cette région. «*Je ne propose pas de décider en fonction de cela, mais, lorsque l'on examine les choses de près et que l'on cherche, on découvre des choses et nous devrons donner des comptes à notre histoire si nous ne faisons pas une guerre* [diplomatique] *difficile et preuve d'une grande résistance à ce propos. Ce ne sera pas facile* […] *Mon opinion est que Jérusalem doit faire partie de l'État juif* [et dans le même souffle] *un statut international pour la vieille ville. Il ne faut pas dire que nous sommes prêts à donner une partie aux Arabes, seulement, s'il y a une forte exigence, accepter qu'il y ait une partie aux Arabes avant de céder et de faire un compromis sur un statut international pour Jérusalem dans son ensemble.* […]

– *Quelle est votre position au sujet de la partie arabe de la Palestine?* demande un ministre.

– *Je dois reconnaître que je fais face à un dilemme car on ne peut se contenter aujourd'hui d'une position de principe simple. Lorsque c'était possible j'ai utilisé la formule selon laquelle nous devons préférer un État arabe séparé en Terre d'Israël* [Palestine] *orientale mais, le jour ou j'ai préparé mon communiqué, l'affaire de la prochaine formation du gouvernement du mufti à Gaza a été publiée et j'ai senti que, si j'écrivais noir sur blanc que nous préférons un gouvernement arabe séparé en Terre d'Israël plutôt que l'annexion par Abdallah, l'impression qui en ressortira sera qu'il vaut mieux le gouvernement du mufti à l'annexion par Abdallah et, cela, je ne pouvais pas* […]»

---

1. Le terme compensation a été mal transcrit dans le procès-verbal original.

Après s'être ainsi exprimé, Sharett quitte la réunion car il a un rendez-vous important. Il confie son vote par écrit au secrétaire du gouvernement.

Ben Gourion intervient :

«[…] *A propos du Neguev, un argument : c'est le seul territoire accordé à l'État où nous avons non seulement des possibilités d'implantation mais aussi un peu d'espace. […] C'est le seul endroit dans le pays où on peut rouler sur cent kilomètres en largeur et en longueur. […] Je ne suis pas d'accord avec* [l'idée] *que seules les relations* [internationales] *feront la décision.*

«*Je propose de commencer la bataille, même si cela risque de susciter des combats dans tout le pays, je ne le regretterai pas. […] Le destin de Jérusalem ne se décidera pas à Jérusalem mais à l'extérieur de la ville – selon moi, à Latroun. Je suis entièrement d'accord avec les membres de la délégation que nous venons de recevoir. Le judaïsme a parlé par leur bouche. Une faute est commise ici. Nous n'y avons pris garde mais, comme si de rien n'était, nous enlevons Jérusalem et ses cent mille Juifs des limites de l'État juif pour les remettre aux goyim. Nous avons deux types de goyim, les Arabes et les chrétiens. Je ne sais lesquels sont les meilleurs. Si je devais choisir entre eux, je choisirais le monde chrétien. Mais je n'ai pas le choix. La Terre d'Israël est dans cette partie du monde où il y a beaucoup d'Arabes et nous devrons, dans la mesure où cela dépendra de nous, trouver une voie vers les Arabes, une voie vers un accord, un compromis. Mais – et la délégation l'a dit ici – Jérusalem doit être juive et elle ne le sera pas sans la conquête de Latroun. […]*

«*Il faudra se battre, tranchée par tranchée. Pour cela, il faudra une force non négligeable, mais c'est possible. Nous avons étudié la chose à l'état-major. Je veux que vous sachiez, si nous prenons la décision : il faudra une force suffisante ; cela risque d'entraîner une contre-attaque arabe dans l'ensemble du pays ou sur tout le Triangle et c'est la reprise de la guerre ; il est possible que cela soit considéré comme une provocation contre l'ONU, peut-être encore plus flagrante car elle se déroule au moment où se réunit l'Assemblée générale. […]*»

Ben Gourion énumère une série de provocations arabes à Latroun et dans ses environs. Il poursuit :

«*D'après moi, l'attaque contre Latroun n'est pas seulement justifiée du point de vue moral mais également nécessaire du point de vue politique. Bien entendu, il est possible qu'après coup les Nations unies nous disent : retournez, et la loi sera avec l'ONU. Alors, de deux choses l'une : auront-ils la force de nous obliger à nous retirer ? Nous n'affronterons pas une force plus puissante. Depuis le premier instant j'étais certain que nous pouvions faire face à une armée arabe. Nous ne pourrons pas affronter une armée américano-européenne. Mais, si on nous ramène de force, nous retournerons. Je ne crois pas que cela arrivera. Nous recevrons des lettres, encore des lettres […] Nous avons un argument : à l'encontre de la trêve, de leur accord, ils ont assoiffé Jérusalem. Et nous ne ferons rien ?* […]

«*[…] Je ne crois pas que nous pouvons nous battre contre le monde entier. Je suis en faveur de ce plan car la chose est juste. Je ne crains pas des conséquences difficiles bien qu'il soit impossible de prévoir. Que feront les autres ? Avec quelle énergie agiront-ils contre nous, jusqu'où seront-ils prêts à aller ? Quelle sera la réaction de l'Amérique ? On ne peut que tenter de deviner. Je prends en compte qu'il y aura une réaction, même très forte. Il y aura des discours violents contre nous, peut-être également une réaction par la force et on nous obligera à nous retirer. Eh bien, nous nous retirerons mais je ne crois pas que ce sera le cas.* […]

«*Dans le Sud, si la guerre éclate, nous percerons une voie vers le Neguev et détruirons le verrou égyptien entre le Sud et le Nord. Autre conséquence, si la guerre éclate nous pourrons infliger un coup définitif aux forces* [arabes] *dans le Triangle, repousser la frontière orientale loin vers l'intérieur* […], *nous pouvons élargir la vallée de Jezreel loin vers le sud, peut-être jusqu'à Naplouse ; et nous pouvons élargir le corridor de Jérusalem au moins jusqu'à Ramallah pour que la ligne Bir Naballah-Ramallah soit entre nos mains. Cela transformera la situation de Jérusalem car la question de Jérusalem n'est pas seulement juridique. Sans corridor vers Jérusalem – pas seulement une route ou l'ONU et les Arabes nous laissent circuler mais un véritable territoire continu, peuplé par des Juifs, avec une force juive, économique et militaire, de l'eau –, nous n'assurerons pas l'avenir de Jérusalem, qui est aujourd'hui une île coupée de toute localité juive.* […]

«*Voici ce que je propose d'ajouter à nos* [décisions en vue de l'Assemblée générale de l'ONU] *à Paris : donner l'ordre à l'état-major de préparer une opération contre Latroun, de telle manière que s'il y a une réaction* [arabe] *dans l'ensemble du pays nous y soyons prêts. C'est possible et, je le crois, ce ne souffre aucun retard.*»

Les ministres ont parfaitement compris où Ben Gourion veut les mener :

«*Je suis contre l'idée d'attaquer à Latroun maintenant car ce n'est pas la bataille de Latroun*», déclare Moshé Shapira «*c'est une bataille pour tout le pays. De Latroun*, répond Ben Gourion, *nous passerons au Triangle, du Triangle au Sud et tout ira bien. Le plan est très bien mais s'il était possible de mener toujours les armées selon les plans dans toutes les guerres du monde, il n'y aurait jamais de vaincus. Il y a une inconnue dans cette guerre et, comme il est possible de vaincre, il est possible d'être vaincu. Je me demande si c'est le bon moment pour relancer la guerre en Eretz Israël et donner à M. Shertok comme bagage pour Paris la bataille de Latroun ? […] Je m'y oppose pour deux raisons : je ne crois pas que nous ayons la force* [nécessaire] *pour commencer une guerre généralisée en Eretz Israël et je pense que cela pèsera sur le combat politique à Paris […]»*

Shapira s'excuse, il est appelé par un autre engagement. Il laisse son vote par écrit.

«*Cette affaire est loin d'être terminée*, intervient le ministre David Remez. *Nous ne parviendrons pas à nous justifier si pendant la session de l'ONU, sur laquelle nous nous reposons, nous déclenchons une guerre dans une telle situation. […] Des participants affirment qu'une telle initiative militaire, après l'assassinat de Bernadotte, par des Juifs ferait d'Israël un paria parmi les nations.*»

Ben Gourion revient à la charge

«*[…] Nous avons deux possibilités : une décision de l'ONU ou une opération militaire de notre part. A propos d'une décision de l'ONU, il y a aussi deux éventualités. Qu'elle reste sur le papier ou qu'elle soit accompagnée d'une force* [d'intervention]. *Si elle reste sur le papier, les Arabes refuseront et nous ferons face à la même situation. Leurs armées ne quitteront pas le pays. Je dois* [vous] *rappeler que la trêve actuelle risque de nous briser plus qu'autre chose, et pas seulement pour des raisons financières. […] Si nous avions la possibilité d'obtenir le minimum par un accord avec les Arabes je le ferais car je crains la militarisation de la jeunesse dans notre pays. Je la vois déjà dans l'âme des enfants ; je n'ai pas rêvé à un tel peuple et je n'en veux pas. […] Si, dans la situation actuelle, nous maintenons une armée de 100 000 hommes, cela nous détruira. Notre économie et notre jeunesse seront détruites. […]*»

Ben Gourion soumet au gouvernement la proposition de réagir militairement à toute provocation arabe dans la région de Latroun. Il ne dit pas aux ministres que des unités sont en route vers Jérusalem.

Le ministre David Remez a compris la manœuvre et demande :

«*"Et s'il n'y a pas de violations de la trêve par les Arabes, est-ce que les violations passées seront considérées comme suffisantes pour déclencher l'opération ?*

«*– Bien sûr*[1]*!"*» répond Ben Gourion.

La proposition est rejetée par sept voix contre cinq. Moshé Sharett a

1. ANI, procès-verbal de la réunion du gouvernement provisoire, 26 septembre 1948.

voté contre. Ben Gourion est profondément déçu. Il appelle Yigael Yadin pour annuler l'opération. A Zeev Sherf, secrétaire du gouvernement, le Premier ministre explique qu'il avait l'intention de laisser une enclave arabe autour de Naplouse et de confier la vieille ville de Jérusalem, après sa conquête, à l'ONU, qui assurerait ainsi la gestion des Lieux saints musulmans et chrétiens. «*J'estimais*, dira Ben Gourion, *que la plupart des Arabes de Jérusalem, de Bethléem et de Hébron s'enfuiraient comme l'avaient fait ceux de Lydda, Jaffa, Haïfa, Tibériade et Safed. Nous aurions contrôlé la majeure partie du pays jusqu'au Jourdain […][1].*» Ce n'est qu'au début des années 1960 qu'il révélera cet épisode et le vote du gouvernement en ajoutant : «*Il y a de quoi se lamenter pendant des générations[2] !*»

ISRAËL-ÉGYPTE À PARIS

A Paris, Sasson décide de renouer des liens avec des personnalités égyptiennes. Il fait parvenir une lettre au chef de cabinet de Farouk, Abdel Hadi Pacha. «*Les Juifs*, explique-t-il, *n'ont pas tenté de rapprochement avec la Transjordanie et ils voudraient parvenir à une entente avec le monde arabe dans son ensemble.*»

Le 21 septembre 1948, Kamel Riad, un envoyé du cabinet royal, arrive à Paris. Il informe le diplomate israélien qu'il a pour mission d'examiner les possibilités d'un accord séparé entre Israël et l'Égypte et raconte en détail les différends qui opposent la coalition irako-jordanienne à l'Égypte, la Syrie et le Liban au sujet de l'annexion de la partie arabe de la Palestine par Abdallah. Kamel Riad – qui, officiellement, n'est qu'un agent de sécurité de la délégation égyptienne à l'ONU – explique que le soutien de son pays au mufti Hadj Amin el Husseini est destiné à empêcher la formation d'un bloc hachémite. Dès le lendemain, Sasson soumet à son interlocuteur un projet d'accord qu'il envoie au Caire après consultation avec des diplomates de la délégation égyptienne à l'ONU. C'est le premier projet d'accord de paix entre Israël et un pays arabe :

«*1. L'Égypte considérera la formation de l'État d'Israël comme un fait accompli. Elle cessera de lutter contre Israël et d'appuyer les autres États arabes dans leur lutte contre Israël.*

«*2. Israël respectera le régime actuel en Égypte et n'appuiera aucun*

---

1. Cité par Michael Bar Zohar, *Ben Gourion*, Am Oved, Tel Aviv, t. 2, p. 823.
2. Michael Bar Zohar, *op. cit.*, p. 824. Voir aussi *Journal de Ben Gourion.* du 26 septembre 1948 et B. G., *Be Medina*, p. 288.

élément, ni à l'intérieur, ni à l'extérieur de l'Égypte, qui tenterait d'ébranler ce régime ou de comploter contre lui.

«3. L'Égypte s'engagera à évacuer son armée de Palestine tant de la partie arabe que de la zone de Jérusalem.

«4. Lors de l'évacuation de ses troupes, l'Égypte s'engagera à :

«a. ne pas conclure d'accord avec les forces militaires arabes ou autres permettant à celles-ci d'occuper les régions évacuées par les troupes égyptiennes ;

«b. remettre à l'armée israélienne les régions juives actuellement occupées par les troupes égyptiennes ;

«c. remettre les régions arabes évacuées aux habitants arabes de ces régions.

«De son côté, Israël s'engagera à ne pas occuper les régions évacuées sauf dans les cas suivants :

«a. si une autre force arabe tente les occuper ;

«b. si les habitants de ces régions essaient d'attaquer leurs voisins juifs ou de troubler leur vie journalière.

«5. Israël s'engagera à accepter n'importe quelle décision que les habitants arabes de la partie arabe de la Palestine prendront quant à l'avenir politique de cette partie […].

«6. L'Égypte s'engagera à aider les réfugiés arabes de Palestine qui se trouvent actuellement sur son territoire […].

«De son côté, Israël s'engagera à :

«a. prêter son concours à l'Égypte afin d'obtenir une aide financière internationale pour l'établissement de ces réfugiés […] ;

«b. examiner les demandes de compensation soumises par ces réfugiés qui ont des biens personnels en Israël ;

«c. examiner les demandes individuelles de retourner en Israël dans les cas exceptionnels.

«7. L'Égypte et Israël s'engageront à se donner les garanties nécessaires contre l'expansion territoriale de l'un aux dépens de l'autre […].

«8. L'Égypte et Israël s'engageront à ne pas conclure d'alliance politique avec un pays tiers, qu'il soit occidental ou oriental, si cette alliance porte atteinte aux intérêts de l'autre […].

«9. L'Égypte et Israël s'engageront à coordonner leur commerce, leur agriculture de façon à éviter toute concurrence, soit dans les marchés locaux, soit dans les marchés étrangers […].

«[…]

«12. Israël s'engagera à entrer dans la Ligue arabe [si elle change de nom et s'appelle Ligue orientale].

«13. Israël sera prêt, si on le lui demande, à mettre à la disposition de l'Égypte, pour une période limitée, un nombre spécifique de

techniciens qui aideront l'Égypte à développer son économie, son industrie, ses finances, etc.

«*14. L'Égypte et Israël s'engageront à veiller à ce que la minorité juive en Égypte et la minorité arabe en Israël jouissent de tous leurs droits* […][1].»

En réponse, les Égyptiens acceptent d'évacuer les régions juives qu'ils occupent mais refusent de laisser le contrôle des secteurs arabes de Palestine où se trouve leur armée à Israël. Ils proposent neuf modifications au texte de Sasson et posent des questions : «*Les Israéliens accepteraient-ils de faire de Haïfa un port franc relié par un corridor à la partie arabe de Palestine ? Il faut définir et expliquer les limites de l'expansion territoriale d'Israël, ainsi que l'importance de l'immigration juive. Donner des assurances au sujet de Jérusalem et des Lieux saints. Et surtout : est-il possible d'envisager un pacte secret de lutte contre le communisme au Proche-Orient[2] ?*»

Le 30 septembre, nouvel entretien avec Kamel Riad, qui a le feu vert de Hassan Youssef, le directeur adjoint du cabinet royal au Caire. Sasson comprend que les Égyptiens voudraient annexer la partie sud de la Palestine arabe – surtout Gaza – pour qu'elle ne tombe pas aux mains des Jordaniens qui pourraient en faire une base britannique. C'est la raison principale du soutien accordé par Le Caire au gouvernement palestinien formé par Hadj Amin el Husseini. La Palestine arabe n'aurait plus de débouché sur la mer et devrait utiliser le corridor menant à Haïfa. Le statut des Lieux saints musulmans de Jérusalem intéresse l'Égypte au plus haut point. En tant qu'État arabe et musulman, elle ne peut accepter que les saintes mosquées soient sous le contrôle des Juifs. Depuis la création d'Israël, les Égyptiens craignent l'expansion territoriale de l'État juif, sa puissance économique et la pénétration communiste. Kamel Riad répète qu'il ne s'agit pas encore d'une négociation en bonne et due forme mais uniquement de définir les positions respectives.

Geste égyptien envers Israël : Yolande Harmer est libérée de prison et autorisée à partir pour Paris en compagnie de son fils Gilbert. Dès son arrivée, début octobre, elle a un long entretien avec Moshé Sharett et rejoint l'équipe de Sasson. Sa santé est précaire. Les mois de détention et une tumeur qui sera opérée quelques semaines plus tard font qu'elle ne pèse plus que quarante kilos. Son premier rapport confirme l'analyse de Sasson : «*L'Égypte voudrait conclure une paix séparée avec Israël.*

---

1. *Israel Documents*, octobre 1948-avril 1949, t. 2, doc. n°8, p. 23.
2. *Ibid.*, p. 26.

Farouk craint une alliance israélo-hachémite[1].» Sous la direction de Sharett, les Israéliens répondent aux observations égyptiennes. *«L'occupation par l'Égypte de territoires palestiniens ne doit être que temporaire. Israël se réserve le droit de soulever à nouveau la question au cours des pourparlers, accepte le principe d'un droit de transit, par le port de Haïfa, pour les denrées provenant de pays arabes voisins. Une zone franche pourrait y être établie. Pas question de limiter l'immigration juive en Israël. L'État juif ne revendique aucune autorité exclusive sur la vieille ville de Jérusalem, y compris les Lieux saints. La vieille ville pourrait être administrée conjointement par Israël et les États arabes voisins ou placée sous un contrôle international.»*

Sasson poursuivra ces discussions jusqu'au début du mois de novembre. Il aura même une rencontre secrète avec Hussein Heykal Pacha, le président du Sénat égyptien. Mais sans résultat. Le gouvernement israélien ne voulait pas laisser l'Égypte annexer la bande de Gaza dans son ensemble, seulement la partie sud de ce territoire, comprenant notamment la ville de Rafah. Par ailleurs, les chefs militaires voulaient réaliser leur principal objectif sur le front sud : assurer une continuité territoriale entre Israël et l'Égypte, conquérir Gaza et l'ensemble du Neguev. Mais surtout, Ben Gourion donnera la priorité aux négociations avec Abdallah lorsque ce dernier renouera le contact avec Israël.

Le 9 octobre, au cours d'une tournée d'inspection, Ben Gourion rencontre Yigal Allon, devenu responsable du front sud. Le jeune général lui propose une grande opération destinée à briser l'armée égyptienne dans le Neguev. D'emblée, l'idée plaît à Ben Gourion. Il serait possible, par la suite, de remonter vers le nord pour prendre Hébron et Bethléem, puis Jérusalem, en coupant la route de Jéricho. C'est l'occasion d'exécuter le vaste projet de conquête rejeté par son gouvernement quelques semaines plus tôt. Il est persuadé que, cette fois, l'armée israélienne aura l'avantage sur les forces arabes, mal approvisionnées, mal commandées et, surtout, divisées. Abdallah est occupé par son projet d'annexer la Palestine et par son bras de fer avec Hadj Amin el Husseini.

---

1. Yolande Harmer sera rapatriée en Israël où, vengeance de l'establishment israélien qui n'appréciait pas ses liens avec des diplomates arabes, elle sera mise à l'écart et nommée directeur adjoint du protocole aux Affaires étrangères. Cette femme exceptionnelle décédera d'un cancer en février 1957. Son fils, Gilbert de Boton, fera une carrière brillante dans la finance à Londres.

CONSEIL NATIONAL PALESTINIEN À GAZA

C'est le 27 septembre, que le mufti a quitté secrètement Le Caire où il était surveillé par la police de Farouk, pour se rendre à Gaza. Il n'y restera que huit jours avant d'être ramené *manu militari* dans la capitale égyptienne. Le temps de réunir un Conseil national palestinien composé de plus de quatre-vingts personnalités venues des territoires qui n'étaient pas sous contrôle transjordanien ou irakien. Les membres de ce premier CNP ont l'impression d'écrire l'Histoire. Ils proclament le droit à l'indépendance de la Palestine arabe, de la mer à la Transjordanie, de la Syrie et du Liban à l'Égypte. C'est-à-dire qu'Israël doit disparaître de la région. Les délégués choisissent le drapeau de la Palestine : l'emblème de la grande révolte arabe de 1916. Le mufti est élu président. Le gouvernement provisoire constitué au Caire deux semaines plus tôt est confirmé dans ses fonctions. Jamal el Husseini est ministre des Affaires étrangères, Raja el Husseini tient le portefeuille de la Défense. Anouar el Nousseibeh est secrétaire du cabinet, dont est également membre Aouni Abdel Hadi. Les réunions se déroulent, dans des conditions épouvantables et sans la moindre aide des autorités égyptiennes, dans une école réquisitionnée pour l'occasion et qui n'est même pas branchée au réseau électrique.

Tout cela, Abdallah n'en veut absolument pas. Dès le 1er octobre il réunit un congrès palestinien à Amman, sous la direction de Souleiman Taaji el Farouki de Ramallah, et fait adopter une résolution déclarant que «*Le gouvernement provisoire constitué à Gaza contredit la volonté des Arabes palestiniens et la Transjordanie et la Palestine forment une seule et même entité géographique* [...][1].». La répression hachémite et la situation militaire sur le front sud placent les partisans du mufti dans une position de plus en plus précaire.

LES «DIX PLAIES» DE YIGAL ALLON

Le 15 octobre 1948, peu de temps après en avoir informé les observateurs de l'ONU, l'armée israélienne envoie un convoi vers le Neguev. Les camions doivent passer par le croisement de Karatyia, ouvert six heures par jour au terme des accords de cessez-le-feu. Les Égyptiens commettent l'erreur d'ouvrir le feu. Les Israéliens ont-ils également incendié un de leurs véhicules pour aggraver encore l'incident? C'est

---

1. Zvi Elpeleg, *The Grand Mufti*, Frank Cass, Londres, 1993, pp. 104-109.

possible. En tout cas, les Casques bleus sont obligés de constater la responsabilité égyptienne dans cette affaire. C'est le *casus belli* qu'attendait Yigal Allon. Il déclenche l'opération «Dix Plaies» destinée à conquérir le Neguev. L'aviation israélienne bombarde Rafah alors que la jeune marine coule le navire amiral de la flotte égyptienne, l'*Émir-Farouk*, au large de Gaza. Le 21 octobre, Beersheva est prise; Bet Govrin l'est une semaine plus tard, puis Ishdoud – qui deviendra Ashdod –, le 28, et Majdal – la future ville d'Ashkelon –, le 6 novembre.

Trois bataillons égyptiens, soit quatre mille hommes, sont encerclés par les forces de Yigal Allon à Falouja, dans le Neguev. Les renseignements israéliens ont capté les échanges de messages radio entre le commandant de la poche, le colonel Sayyid Taha, et ses chefs à Gaza. Le général commandant en chef ordonne de faire retraite vers l'ouest. Taha répond que c'est impossible. Ses réserves d'essence et de munitions sont presque épuisées et il a appris, par les radios étrangères, que Majdal, au nord-ouest, est tombé. Il réclame une aide militaire importante ou une solution politique. La réponse est peu encourageante : «*Pour l'honneur de l'armée égyptienne, battez-vous jusqu'à la dernière cartouche!*»

Côté israélien, une compagnie du 54ᵉ bataillon se fait remarquer au combat. L'état-major décide de lui accorder une distinction en lui donnant un nom : «Les renards de Samson». Un caporal de vingt-quatre ans a été blessé au feu. Il s'appelle Ouri Avnéry. Journaliste, il découvrira bien plus tard qu'au cours d'une offensive il s'était trouvé à quelques dizaines de mètres de Gamal Abdel Nasser. Dans le 52ᵉ bataillon, un peu plus à l'est, un jeune capitaine de vingt-cinq ans l'accompagnera dans ses rencontres avec les responsables de l'OLP, quelques dizaines d'années plus tard[1]. Son nom est Mattitiahou Peled. Il deviendra général et dirigera la logistique de Tsahal lors de la guerre des Six Jours. Curieux instant dans l'histoire de la région. Yasser Arafat est également à Gaza, à quelques kilomètres de là. Il est furieux. Les troupes égyptiennes ont désarmé les unités des Frères musulmans avec qui il combat. Un peu plus loin, on trouve Yitzhak Rabin et Yigal Allon, face à Gamal Abdel Nasser...

NASSER À FALOUJA

Allon décide de contacter les chefs de la poche de Falouja. Un accord local permettrait peut-être d'éviter une effusion de sang. Le capitaine Yerouham Cohen, officier de renseignements, se porte volontaire. A partir de là, les versions diffèrent du tout au tout. Gamal Abdel Nasser,

---

1. Témoignage d'Ouri Avnery, 1996.

qui était un des protagonistes, racontera, quelques années plus tard :

«*Le 24 octobre, une auto blindée israélienne s'approche des lignes égyptiennes, hissant un drapeau blanc. Un mégaphone clame : "Un officier israélien désire rencontrer un officier égyptien." Je décidai de me rendre moi-même au-devant du parlementaire […] Je sautai dans la Jeep comme j'étais. Je portais un pantalon militaire et un pull-over de laine kaki. Deux officiers de mes camarades m'accompagnèrent ainsi qu'un sergent portant un tommy-gun. […] Nous nous arrêtâmes en face de l'auto blindée. Les officiers qui l'occupaient nous regardaient avec étonnement. Soudain l'un d'eux sortit sa tête du capot de la voiture et nous dit, orgueilleusement, en anglais :*

«*"Je suis l'assistant du commandant général de cette région et suis chargé de vous exposer votre situation. Vous êtes assiégés de tous les côtés et nous vous invitons à capituler." Je lui répondis, les nerfs très calmes : "Nous connaissons fort bien notre situation, mais nous ne capitulerons pas." J'ajoutai, sans aucun trouble dans la voix : "Nous défendons, ici, l'honneur de notre armée."*

«*L'officier ennemi commença à parler en arabe, puis il se reprit en anglais, en se départant de son attitude orgueilleuse du début. Il m'exposa, de nouveau, la situation dans laquelle nous nous trouvions. Je lui répondis : "Vous vous fatiguez inutilement : nous refusons de nous rendre." Il me regarda fixement, et me dit d'un air mécontent : "Ne voudriez-vous pas consulter votre commandant?" Je lui répliquai : "C'est là une question qui ne comporte aucune discussion."*

«*De nouveau, il me fixa durement. Il y eut un silence, puis nos regards se croisèrent. Soudain je sentis qu'il renonçait à son masque d'orgueil.*

«*Il me dit, d'un ton bas et poli : "Nous désirons vous présenter une demande humaine.*

«*— En quoi consiste-t-elle ? lui dis-je.*

«*— Nous désirons retirer les corps de nos soldats tombés au cours du dernier engagement. Vous savez, ajouta-t-il, sur le même ton modéré et poli, que les parents des victimes désirent enterrer leurs fils. Avez-vous quelque objection à cela?"*

«*Je lui dis en le regardant fixement : "Nous consentons à vous donner satisfaction sur ce point."*

«*Pendant notre retour vers nos positions, les officiers de la Jeep éclatèrent de rire. Nous comparions le début de la rencontre avec sa fin. Orgueil et prétention en nous demandant de nous rendre; modération et politesse en réclamant les corps de leurs soldats morts sur le front*[1]. »

---

1. Cité par Georges Vaucher, *Gamal Abdel Nasser et son équipe*, Julliard, Paris, 1959, vol. 1, p. 215.

L'histoire que raconte Yerouham Cohen est totalement différente[1]. Il affirme être parti seul en Jeep vers les lignes égyptiennes. Devant la position d'Irak El Manshieh, il rencontre trois hommes qui se tiennent derrière les barbelés. Ils saluent Cohen et se présentent. Ce sont deux capitaines et un commandant qui s'appelle Gamal Abdel Nasser. L'Israélien commence par féliciter ses interlocuteurs pour la détermination avec laquelle les soldats égyptiens ont défendu une position capturée la veille à grand-peine par Tsahal. Nasser s'inquiète du sort de son ami, qui commandait les forces égyptiennes et dont il est sans nouvelles. Cohen le rassure : «*Il est prisonnier et en bonne santé. Je l'ai rencontré il y a quelques heures. Il demande que vous informiez sa famille. Cela dit, le commandant du front israélien voudrait s'entretenir avec votre général égyptien.*»

Nasser : «*Vous nous proposez une telle rencontre pour nous demander de nous rendre?*»

Cohen : «*Au cours de cette rencontre, chaque partie tentera d'expliquer à l'autre l'utilité et les dommages que susciterait la poursuite des combats dans cette région.*»

Après une longue discussion, les Égyptiens décident qu'un des capitaines portera la proposition israélienne à Sayyid Taha. En attendant son retour, la conversation porte sur la météo, l'agriculture, l'économie, puis la crise sociale en Égypte et, finalement, la guerre. Que fait l'armée égyptienne aussi loin de sa frontière ? Nasser préfère ne pas aborder ce genre de question avec l'ennemi : «*Je connais notre situation. En cet instant, nous ne nous battons pas pour des gains territoriaux mais pour sauver l'honneur de l'armée égyptienne.*»

Sayyid Taha accepte le principe d'un entretien avec son homologue israélien. La rencontre a lieu quarante-huit heures plus tard dans le kibboutz Gat, à un kilomètre et demi des lignes égyptiennes. Gamal Abdel Nasser y participe. Yitzhak Rabin, qui a été nommé chef des opérations à l'état-major de la région sud, est là, lui aussi. Pour des raisons de sécurité Cohen présente Yigal Allon sous son nom de guerre : Yeshayahou Bergstein.

Allon ouvre la discussion. Il s'adresse à Sayyid Taha :

«*Colonel! Permettez-moi de vous faire part de l'excellente impression que m'a faite la capacité de combat de vos courageux soldats. Nous avons dû faire de gros efforts pour conquérir la forteresse d'Erak el Souweidan et de la moitié de la poche mais nous n'avons pas eu de grosses pertes.*

---

1. Yerouham Cohen, *Le Or Ha Yom*…, Amikam, Tel Aviv, 1969, p. 198.

– *Merci beaucoup, monsieur*, répond Taha. *Je dois dire que vos soldats se distinguent par leur bravoure. Ils nous ont mis dans une situation assez difficile.*

– *N'est-ce pas tragique que deux parties, qui n'ont en fait aucune raison de se battre, s'entre-tuent sans pitié ?*

– *C'est effectivement tragique, mais ainsi va le monde. C'est le destin, monsieur, et nous ne pouvons y échapper.*

– *J'espère que vous avez relevé le fait que cette guerre nous a été imposée. Elle se déroule sur notre terre et pas en Égypte. Je pense que le sort des armes a été décidé en notre faveur et qu'il vaudra mieux avancer rapidement vers la fin de la guerre.*

– *C'est exact. mais en tant qu'officier je n'ai pas d'autre choix que d'obéir aux ordres de mon gouvernement.* »

Allon insiste sur le point auquel il sait les Égyptiens particulièrement sensibles :

« *Remarquez quand même que pendant que la majorité de votre armée est bloquée par une guerre sans espoir en Terre d'Israël, votre pays est contrôlé par l'armée britannique dont nous nous sommes débarrassés il n'y a pas longtemps. Ne pensez-vous pas que vous êtes les victimes d'un complot de l'impérialisme et de ses alliés en Égypte ?*

– *Vous avez réussi à expulser les Britanniques. Dans peu de temps nous les sortirons d'Égypte !*

– *Mais comment le ferez-vous si toute votre armée est bloquée ici, après une grande défaite et à la veille d'une défaite définitive ? Ne feriez-vous pas mieux de retourner en Égypte pour vous occuper de vos affaires au lieu de participer à une aventure dans un pays qui n'est pas le vôtre ?*

– *Aussi longtemps que mon gouvernement m'ordonnera de combattre ici, je combattrai. S'il m'ordonne de faire la paix, je ferai la paix. S'il m'ordonne de rentrer en Égypte combattre les Britanniques, je le ferai comme il se doit.* […] »

Gamal Abdel Nasser intervient :

« *Puis-je poser une question au commandant israélien ?*

– *Faites, s'il vous plaît. Si votre question ne concerne pas un secret militaire, vous aurez une réponse.*

– *L'insigne que vous portez sur le revers de la chemise… n'est-ce pas l'insigne du Palmah ?*

– *En effet. Vous un êtes un bon officier de renseignement. C'est l'insigne du Palmah.* »

Nasser, comme s'il se parlait à lui-même :

« *Maintenant je comprends la raison de notre défaite. Le Palmah et son chef sont arrivés sur le front.* […] »

Égyptiens et Israéliens ne parviennent pas à un accord. Ils font néanmoins honneur à la nourriture du kibboutz avant de se quitter sur une poignée de main. Cohen a poursuivi ses rencontres régulières avec Abdel Nasser, discutant de la situation sociale en Égypte, des kibboutzim et aussi des raisons pour lesquelles les autres forces armées arabes ne sont pas venues à l'aide de la poche de Falouja. Nasser s'énervait en montrant du doigt les collines de Hébron où était déployée la Légion arabe d'Abdallah : «*Ils sont si proches, juste là-bas…*»

En Galilée, les combats ont repris le 22 octobre. Kaukji a lancé une offensive en direction de la position de Manara, infligeant de lourdes pertes aux Israéliens, qui lanceront une contre-offensive le 28. En quelques jours, les forces arabes sont expulsées de l'ensemble de la Galilée. Des unités israéliennes franchissent même la frontière libanaise pour envahir des villages proches de la rivière Litani. Un cessez-le-feu local entre en vigueur le 31 octobre.

ABDALLAH ENTRE EN SCÈNE

Le 9 novembre, à Paris, Sasson reçoit la visite d'Abdul Majid Haidar, l'ambassadeur de Transjordanie à Londres, qui lui remet un message d'Abdallah. Le roi espère que les arrangements permettant le passage de convois israéliens vers l'enclave du mont Scopus à Jérusalem sont satisfaisants. Il propose de renforcer le cessez-le-feu, de faire baisser la tension sur le front irakien dans le nord de la Cisjordanie, et annonce qu'il ne s'oppose pas aux négociations israélo-égyptiennes mais rejette l'annexion de Gaza par l'Égypte. Il voudrait un accès à la mer par ce territoire qu'il revendique. Le lendemain, nouveau visiteur, Abdel Ghani el Karmi, le secrétaire personnel du roi. Sa tendance à parler beaucoup avait conduit les Israéliens à le considérer comme un agent, auquel ils avaient donné comme nom de code : le Vendangeur. Il confirme à Sasson la volonté du roi d'entamer rapidement des négociations avec Israël. Les Transjordaniens et les Irakiens veulent un arrêt rapide de la guerre. Abdallah demande à Israël de permettre le retour à Lydda et à Ramallah des habitants de ces villes qui acceptent l'existence d'Israël et ont exprimé leur loyauté envers le royaume hachémite. Ben Gourion refuse mais accepte le principe de pourparlers avec Abdallah. Le Premier ministre israélien préfère parvenir à un accord avec les Transjordaniens plutôt qu'avec les Égyptiens, à qui il voudrait ne pas laisser Gaza. En outre, le problème du Neguev n'est pas réglé.

Sur une proposition d'Elias Sasson, un axe de communication direct est mis en place à Jérusalem où le cessez-le-feu est fragile. Dans une salle du palais du gouverneur, sous l'égide des Nations unies, les gouverneurs militaires israélien et transjordanien se rencontrent le 29 novembre. Moshé Dayan fait la connaissance de son homologue, Abdallah el Tall. Après quelques séances de négociations stériles, l'officier israélien décide de faire un pas en avant. Il propose à el Tall une discussion seul à seul dans une pièce attenante. A la surprise des Casques bleus, le Jordanien accepte. Les deux hommes parviennent rapidement à un accord et annoncent la mise en place d'une ligne de téléphone directe reliant leurs QG respectifs, destinée à éviter les malentendus[1]. Le 30 novembre 1948, Dayan et el Tall signeront un accord de cessez-le-feu «*complet et sincère*» à Jérusalem.

Abdallah estime que le moment est venu d'annexer formellement la Cisjordanie. La bande de Gaza est isolée, les supporters du mufti ne peuvent pas se rendre en Palestine arabe. Hadj Amin el Husseini est au Caire, donc neutralisé. Les gouverneurs militaires transjordaniens, avec l'aide des émissaires du roi, rassemblent les notables de Jérusalem-Est, Hébron, Naplouse, Ramallah… Le 1er décembre s'ouvre, à Jéricho, la seconde conférence palestinienne – appelé ensuite Congrès de Jéricho – présidée par le cheikh Mohamed Ali el Jabari de Hébron, qui avait déserté les rangs du mufti. Dans son discours d'ouverture, il rejette la légitimité de ses anciens associés et, propose, étape importante vers l'unité arabe, que la Palestine arabe soit intégrée au royaume. Une mission que le congrès doit confier à Abdallah. Une résolution est adoptée qui stipule notamment que la Palestine arabe doit être remise à Abdallah en échange de sa promesse de libérer l'ensemble de la Palestine. Le roi est furieux, il n'est prêt à accepter aucune condition. Le texte est corrigé après quelques jours. Cette fois, il est question d'unifier la Palestine et la Transjordanie en un Royaume arabe hachémite. Quelques délégués seulement votent contre l'annexion de la Palestine arabe par Abdallah, notamment un avocat chrétien du nom d'Aziz Boulos Shehadeh. Né à Bethléem en 1912, après ses études de droit il s'était installé à Jaffa, d'où il s'était enfui avec sa famille. A Ramallah, il avait rejoint le bureau des réfugiés arabes.

A Gaza, après quelques semaines d'existence, le gouvernement provisoire d'Hadj Amin el Husseini disparaît. Ses membres, craignant d'être capturés par l'armée israélienne, retournent au Caire. Plusieurs ministres passent purement et simplement à l'ennemi. Anouar el Nousseibeh prête serment d'allégeance à Abdallah qui le nomme député

---

1. Avi Shlaim, *The Politics of Partition*, *op. cit.*, p. 256. Voir aussi Moshé Dayan, *Story of my Life*, Steimatzky, Jérusalem, 1976, p. 101.

du parlement jordanien. Aouni Abdel Hadi est devenu ambassadeur de Jordanie au Caire. La bande de Gaza est sous régime militaire égyptien et le restera jusqu'en 1967. Les 14 000 passeports palestiniens distribués par le gouvernement du mufti ne seront qu'une curiosité historique.

Le 11 décembre 1948, sous la pression des Américains, la 3e Assemblée générale des Nations unies adopte la résolution 194, créant une «Commission de conciliation pour la Palestine» constituée de trois membres et qui assumera les fonctions du médiateur assassiné, Bernadotte. Ce texte stipule que la protection et l'accès aux Lieux saints, y compris Nazareth, se fera sous la supervision des Nations unies, qu'en raison «*de son association avec trois religions, Jérusalem et ses environs* […] *sera placé sous le contrôle des Nations unies*» et, article auquel Israël s'oppose, l'ONU décide également que «*les réfugiés souhaitant regagner leurs foyers et vivre en paix avec leurs voisins devraient être autorisés à le faire le plus tôt possible. Des dédommagements devraient être payés pour les biens abandonnés par ceux qui choisiraient de ne pas revenir* […]».

Le 11 décembre 1948, de retour de Paris, Elias Sasson rencontre secrètement Abdallah el Tall, qui est mandaté par Abdallah. La discussion se poursuivra par la ligne de téléphone directe. Le roi, annonce l'officier transjordanien, est prêt à un armistice dans les règles et voudrait entamer des négociations de paix en bonne et due forme. Il voudrait une semaine de délai pour consulter son allié, le régent irakien, et décider quel sera son négociateur. Puis, personnellement, il désire connaître l'opinion de Sasson, qui fut le conseiller de son frère, sur les mesures qu'il pourrait prendre afin d'appliquer les résolutions du Congrès de Jéricho. Sasson répond immédiatement : «*Israël n'a pas d'objection à l'application des résolutions de Jéricho* [N.d.A. : l'annexion de la partie arabe de la Palestine]. *Il devrait agir rapidement pour placer ses amis et ses ennemis devant un fait accompli, mais sans prendre de position définitive sur l'avenir de Jérusalem.* […] *Le roi devrait obtenir rapidement le retrait des forces irakiennes de Palestine et leur remplacement par des unités transjordaniennes* […]» Quelle serait l'attitude de la Transjordanie en cas de reprise des hostilités sur le front sud ? El Tall répond immédiatement : «*Frappez-les tant que vous voulez. Nous resterons neutres* […]» Abdallah répond, quarante-huit heures plus tard, par l'intermédiaire d'el Tall, qu'il a l'intention d'appliquer rapidement les résolutions de Jéricho et que la vieille ville de Jérusalem doit revenir à la Transjordanie, la ville occidentale à Israël.

Sasson était allé trop loin en annonçant au souverain qu'Israël ne s'opposait pas à l'annexion de la Cisjordanie. Ben Gourion est contre.

Le 19, Sasson écrit à Sharett qui se trouve encore à Paris : «*Discussion samedi avec Ben Gourion. Nous n'avons pas réussi à obtenir son accord, même tactique, au plan d'Abdallah au sujet de l'annexion [...] Il semble qu'il ait certains plans militaires avant d'entamer toute discussion sérieuse avec le roi*[1].»

De fait, l'état-major israélien prépare deux offensives. Dans le Neguev, pour tenter d'en expulser les Égyptiens puis, plus tard, dans le Triangle, le secteur de Tulkarem, là où il n'y a qu'une dizaine de kilomètres entre les lignes arabes et la Méditerranée. Cette dernière opération pouvant attendre, Ben Gourion est en faveur de négociations avec Abdallah, même s'il refuse pour l'heure l'annexion de la Palestine arabe par la Transjordanie. «*Un État arabe en Palestine occidentale serait*, dit-il, *moins dangereux qu'un État lié à la Transjordanie et peut-être demain à l'Irak*[2].»

Le 22 décembre, l'artillerie israélienne ouvre le feu sur la bande côtière tenue par les Égyptiens dans le Sud, alors que des unités d'infanterie tentent de couper les lignes de communication entre Gaza et Rafah. C'est une diversion. La véritable offensive se déroule au sud. En six jours, Tsahal parviendra à conquérir El Auja, une enclave égyptienne sur la frontière internationale. Le 28, les Israéliens font une tentative pour capturer la position d'Irak El Manshieh, aux abords de la poche de Falouja. Nasser dirige la défense. Il fait bombarder ses propres lignes. L'opération échoue, Tsahal laisse sur le terrain des dizaines de tués et cinq prisonniers.

Ailleurs, les forces israéliennes ont plus de succès, franchissent la frontière mandataire et pénètrent en Égypte. Dans la nuit du 28, des chars attaquent la position d'Abou Agueila, un croisement stratégique sur la route d'El Arish, qu'ils atteindront deux jours plus tard. Ralph Bunche, le médiateur des États-Unis, annonce qu'Israël empêche les observateurs des Nations unies de se déployer dans le Neguev. Le 31, le représentant américain en Israël remet à Ben Gourion une mise en garde de Truman : «*Si Israël ne se retire pas du territoire égyptien, l'administration américaine réexaminera sa position envers l'entrée de l'État juif au sein de l'ONU et aussi la nature de ses relations avec Israël.*» Il rappelle que la Grande-Bretagne exige également un retrait israélien. Elle a un pacte de défense avec l'Égypte. On ne joue pas avec la principale puissance mondiale et le gouvernement décide, le 2 janvier 1949, d'ordonner à Tsahal de revenir du côté israélien de la frontière. Dans l'après-midi du 7, au moment où les combats devaient

---

1. «Sasson à Sharet», *Israel Documents*, *op. cit.*, t. 2, doc. n° 266, p. 306.
2. Cité par Avi Shlaim, *The Politics of Partition*, *op. cit.*, p. 262.

cesser, l'armée britannique envoie cinq Spitfire survoler la ligne de front. La jeune aviation israélienne entre en action et abat les appareils de Sa Majesté.

RHODES

Yigal Allon tente un ultime effort pour réaliser son objectif d'encercler l'armée égyptienne dans la bande de Gaza. Il parvient à couper la route Rafah-El Arish, en territoire égyptien. Les combats se poursuivent encore vingt-quatre heures. Le Caire dépose une plainte auprès de l'ONU et des États-Unis en annonçant que l'Égypte ne participera pas à la conférence d'armistice qui doit avoir lieu dans l'île de Rhodes. Le retrait des troupes israéliennes d'Égypte se déroule contre l'avis d'Allon qui, en signe de protestation, refuse de faire partie de la délégation israélienne.

Il s'oppose à toute négociation avec l'Égypte, avant la conquête de la bande de Gaza dans son ensemble. Ce territoire, estime-t-il, devrait tomber rapidement aux mains des Israéliens. Pressé de partir pour Rhodes, il décide finalement d'envoyer à sa place Yitzhak Rabin. Mais l'impétrant n'a aucune envie de participer à cette aventure diplomatique. Allon le persuade de faire malgré tout le voyage : *«Ta présence fera peut-être échouer la conférence ou, au moins, empêchera les Égyptiens de nous extorquer de trop grandes concessions* […][1].*»*

La délégation israélienne, qui a fait le voyage à bord d'un Dakota des Nations unies, arrive à l'hôtel des Roses dans l'après-midi du 12. Elle passe devant les Égyptiens qui sont déjà là, dans le lobby, au rez-de-chaussée. Personne ne se salue. Ralph Bunche rencontre d'abord les Israéliens. Il établit les règles du jeu. Pas de procès-verbal, cela risquerait de figer les uns et les autres sur leurs positions et d'alourdir encore les négociations. Les relations avec la presse seront assurées par un porte-parole des Nations unies qui, avant de les diffuser, fera approuver ses communiqués par les deux parties. Il définit deux notions de base. L'armistice est : *«la liquidation de la guerre au niveau militaire»*, la paix étant : *«la liquidation de la guerre au niveau politique»* [2].

Le premier exercice diplomatique israélo-arabe commence. Six semaines de psychothérapie de groupe. Très vite, Égyptiens et Israéliens se rendent compte qu'ils n'ont d'autre choix que de se parler. Médiateur génial, Ralph Bunche les encouragera à déjeuner et dîner

---

1. Yerouham Cohen, *Le Or Ha Yom…*, *op. cit.*, p. 253.
2. «Rencontre R. Bunche-délégation israélienne», *Israel Documents*, *op. cit.*, t. 3, p. 10.

ensemble, à s'affronter au billard. Lorsque Abdel Moneim Mostafa, le principal conseiller politique égyptien, aura la grippe, Walter Eytan et Eliahou Sasson lui feront une visite de courtoisie en lui offrant une boîte de chocolats[1]. La même technique de médiation sera utilisée moins de trente ans plus tard. Ce sera le président des États-Unis, Jimmy Carter, qui enfermera Anouar el Sadate et Menahem Begin à Camp David pour les pousser à conclure un accord.

Bunche convoque les deux parties pour leur première séance de travail le lendemain. Il ne fait pas de présentations. Égyptiens et Israéliens se font face, séparés par une table étroite. Le médiateur et chaque chef de délégation prononcent une brève déclaration. Un ordre du jour est ensuite établi. Eliahou Sasson entend Ismaïl Shariin, numéro deux de la délégation égyptienne et futur beau-frère du roi Farouk, dire en arabe au colonel Seif Eddine, son chef : «*Il faut d'abord qu'on demande aux Juifs de rendre Jenine et Bir Aslouj.*» Sasson réalise que les Égyptiens ne connaissent pas la situation sur le terrain. Jenine est aux mains des forces irakiennes.

Après la réunion, Sasson retourne dans sa chambre. Il appelle Shariin au téléphone : «*Ralph Bunche ne nous a pas présentés, je suis Elias Sasson, je vous ai entendu parler de Jenine… Sachez que nous n'occupons pas ce secteur. Visiblement, vous n'avez pas de cartes. Voulez-vous vous rendre ridicules au cours d'une séance officielle ?*»

Shariin, surpris, lui demande quelques minutes de réflexion avant de le rappeler pour lui suggérer de venir rencontrer le colonel Seif Eddine. La rencontre a lieu une demi-heure plus tard dans la chambre de ce dernier, sans que ni Bunche ni Walter Eytan ne soient avertis. Après quelques minutes de discussion, le chef de la délégation égyptienne, visiblement ennuyé, propose à son interlocuteur israélien : «*Allez voir votre chef, Walter Eytan, et suggérez-lui que nous tenions des réunions préparatoires, en alternance, dans ma chambre ou dans la sienne. Et chaque fois que nous parviendrons à un accord nous demanderons une réunion officielle de la conférence pour l'approuver[2].*»

Le 14, après une longue session de l'assemblée constituante à huis clos la veille, Moshé Sharett câble à sa délégation, à Rhodes[3] : «[…] *Vous devez ouvrir les négociations en exigeant le départ de l'armée égyptienne de l'ensemble du territoire* […] *ceci est une exigence absolue, un engagement parlementaire* […] *Le roi* [Abdallah] *a invité*

---

1. Entretien de l'auteur avec Walter Eytan, 1994.
2. Témoignage de Moshé Sasson recueilli par l'auteur, 1995. Avi Shlaim raconte une histoire identique, dans *The Politics of Partition, op. cit.*, p. 279. M. Sasson affirme ne pas en être la source.
3. «Sharett à la délégation israélienne», *Israel Documents, op. cit.*, t. 3, doc. n° 9, p. 23.

nos gens à lui rendre visite dimanche à Shouneh [...] A cet effet Elias doit rentrer immédiatement [...]»

De retour à Jérusalem, le 16 janvier 1949 en début d'après-midi, Sasson téléphone au directeur général du ministère des Finances, «Doudik» Horowitz, dont le fils est prisonnier des Transjordaniens. Il lui dit : «*Tu veux ton fils, alors, va ouvrir ton coffre et ramène-moi des dollars.*» Puis il prend deux uniformes des Casques bleus dans un placard. Sa femme lui demande pour qui est le second uniforme. «*C'est pour Moshé Dayan*», lui répond Elias.

Il part ensuite retrouver Dayan. A son retour, tard dans la nuit, il raconte à son fils[1] :

«*Abdallah el Tall devait nous rencontrer à la porte Mandelbaum pour nous conduire chez le roi. J'ai dit à Dayan : "Il faut trouver le moyen de donner de l'argent à Tall. Je voudrais que ce soit toi qui fasses ce geste. Il commande son secteur de Jérusalem, et toi aussi. Après, vos relations seront différentes." Dayan m'a répondu qu'il n'était pas prêt, en principe, à donner de l'argent à un Arabe. J'ai suggéré un compromis : c'est moi qui propose la somme à Abdallah el Tall, et, s'il accepte, Dayan devra sortir les billets de sa poche et les remettre à l'officier transjordanien.*

«*Nous retrouvons Abdallah el Tall comme prévu. Dans la voiture, j'entame la discussion avec lui, pendant qu'il conduit : "Je vais rencontrer le roi, je vais lui demander les prisonniers. Je sais que je n'aurai pas de problèmes avec lui, il me les donnera. J'en ai avec toi. Vous sortez d'une guerre difficile... Je veux que les prisonniers arrivent le plus vite possible et je voudrais que vous affrétiez des camions, des cars de touristes s'il le faut, au marché noir si nécessaire. Le prix m'importe peu. Je payerai tous les frais.*

«*– C'est cher."*

«*Je calcule avec Tall le prix des locations et nous déterminons une somme. Dayan sort l'argent et le glisse dans la poche du Transjordanien. En arrivant près de Jéricho, Tall se tourne vers moi : "Elias! Inutile de parler des détails techniques avec le roi.*

«*– Non! non! C'est entre nous. Mais j'ai un problème. Je suis certain que le roi te demandera qu'elle sera la réaction des amis britanniques.*

---

1. Témoignage de Moshé Sasson recueilli par l'auteur, 1995.

« – *Non! Je suis sûr qu'il n'y aura pas de problème. Je lui répondrai que tout va bien!*" »

L'entretien avec le roi a lieu à Shouneh. Shawkat As Sati, son médecin personnel, y assiste. Abdallah annonce aux Israéliens que tous les gouvernements arabes ont décidé de négocier des armistices à Rhodes. Lui-même voudrait que se poursuivent les négociations secrètes entre Tall et Dayan. Il propose également de maintenir un contact direct. Sasson évoque la présence des forces irakiennes dans le nord de la Cisjordanie. Le roi explique qu'il voudrait les remplacer par des unités de son armée. Il annonce son intention de négocier un traité de paix en bonne et due forme, après la conclusion de l'armistice. « *Cela devrait être public, à Jérusalem avec*, dit-il, *une cérémonie d'ouverture à Shouneh.* » Les négociations israélo-égyptiennes sont évoquées. Le souverain transjordanien émet l'espoir qu'Israël ne permette pas à des forces égyptiennes de rester en Palestine. Sasson lui répond que des policiers égyptiens pourraient être déployés à Gaza. Abdallah l'en dissuade fortement : les Égyptiens n'ont rien à faire à Gaza, de même que les Syriens n'ont rien à faire dans le nord de la Galilée. Le départ des Égyptiens de Gaza permettra de liquider le gouvernement du mufti. En outre, Gaza constitue la seule ouverture de la Transjordanie vers la Méditerranée.

Les Israéliens sont invités à un dîner offert par le roi. La discussion porte sur les récentes élections en Israël et les dirigeants du pays, à qui Abdallah envoie des salutations par l'intermédiaire de Sasson. Apprenant que Golda Méir est devenue ambassadeur à Moscou, il s'exclame : « *Laissez-la là-bas!* » Dayan perd patience. Il ne comprend pas pourquoi Sasson n'évoque pas la question des prisonniers. Mais l'ancien conseiller de Fayçal d'Arabie, au moment de prendre congé, en recevant son accolade, glisse la main dans la ceinture du roi. Selon la tradition bédouine, cela signifie que l'on demande une faveur au cheikh. Abdallah lève les bras :

« *Ya Elias, s'il te plaît, ne demande que ce qui est possible!*

– *Que ce qui est possible! Les prisonniers. Vous les nourrissez, les hébergez! Et finalement, vous nous les donnerez. Donnez-les-nous maintenant.* »

Le roi se tourne vers Abdallah el Tall :

« *Et que dirons nos amis* [anglais] ?

– *Il n'y a pas de problème*, répond Tall.

– *Tu les as*, dit le roi.

– *Encore une seule chose*, insiste Sasson. *Je voudrais qu'en ma présence vous donniez l'ordre à Abdallah el Tall de les libérer rapidement.*

– *D'accord. Libère-les rapidement…* »

CRISE À RHODES

A Rhodes, Eytan et Shiloah, un arabisant des Affaires étrangère israéliennes, poursuivent les négociations en l'absence de Yadin et de Sasson. Le 17 janvier, ils aboutissent à un accord avec les Égyptiens. Falouja sera évacué une semaine plus tard. L'opération sera effectuée sous le contrôle d'observateurs des Nations unies et durera cinq jours[1]. Walter Eytan annonce la bonne nouvelle dans un télégramme codé adressé à Ben Gourion, Sharett, Dori et Yadin – le chef de l'état-major et son adjoint. La réaction n'est pas celle qu'il attendait. Sharett lui envoie un câble dès le lendemain matin : «*Accord contraire à nos instructions dont l'élément invariable est de ne pas entreprendre évacuation complète avant conclusion de l'armistice. Pas vu encore le Premier ministre mais imagine réaction...*»

Yadin revient en catastrophe à Rhodes et découvre que ses collègues diplomates n'ont pas tout lâché. La délégation envoie des télégrammes très urgents à Ben Gourion et Sharett : «*Falouja ne sera évacué qu'après un accord sur le cessez-le-feu [...] Le QG de l'ONU assure que personne ne sortira de Falouja avant la signature de l'accord [...][2].*». Bunche n'a que six jours pour empêcher une crise majeure. Il faut conclure l'accord avant le 24 janvier. Très vite, il se rend compte qu'il ne parvient pas à rapprocher les positions. Il convoque l'une après l'autre les délégations dans son bureau et leur montre des plats en céramique qu'il a fait faire dans une poterie locale et qui portent l'inscription «Rhodes. Négociations d'armistice. 1949».

«*Regardez ces beaux plats! Si vous parvenez à un accord, chacun d'entre vous en rapportera un à la maison. Sinon, je les casserai sur vos têtes[3]!*»

Et le médiateur de soumettre aux deux parties des propositions destinées à combler le fossé. Le 21, Eytan tire la sonnette d'alarme. Il écrit à Sharett, Ben Gourion et Dori pour leur dire qu'il ne sera peut-être pas possible de rester intransigeants :

«*[...] Nous pouvons maintenir nos exigences et, ainsi, accepter la responsabilité de l'échec des négociations. Nous estimons tous qu'il faut maintenir nos exigences mais je doute que cela sera possible jusqu'au bout [...][4].*»

Yadin est revenu d'Israël le même jour avec, en poche, la décision

1. «Armistice. Eytan à D. Ben Gourion, M. Sharett, Y. Dori, Y. Yadin», *Israel Documents*, *op. cit.*, t. 3, doc. n°21, p. 33.
2. «Armistice», *ibid.*, t. 3., doc. n°s 24 et 25, p. 35.
3. Walter Eytan, *The First Ten Years*, p. 33.
4. *Israel Documents*, *op. cit.*, t. 3, doc. n° 37, p. 51.

d'annuler l'évacuation de la poche de Falouja. Les militaires égyptiens et israéliens viennent de comprendre qu'il y a un malentendu : les militaires israéliens attendaient en somme qu'on leur donne le calendrier de l'évacuation des forces égyptiennes du Neguev. Le colonel Seif Eddine se lève et réclame la restitution de Beersheva aux Égyptiens, qui entendent y installer un gouverneur militaire. Les Israéliens savent que la perte de la ville n'a pas encore été divulguée par les médias égyptiens. Yadin s'énerve : «*Avant de vous restituer Beersheva, il faudra vous rendre le soleil et les étoiles!*»

En tapant du poing sur la table, il laisse échapper un crayon qui heurte Seif *Eddine* à la tête. Les deux hommes semblent sur le point d'en venir aux mains lorsqu'un officier égyptien évite l'incident en interpellant Yadin : «*Je voudrais poser une question. Le général Yadin a parlé du soleil et des étoiles. Pourquoi n'a-t-il pas évoqué aussi la lune[1] ?*»

L'assistance éclate de rire. Yadin s'excuse. La tension se dissipe mais le problème est loin d'être réglé. Les Israéliens refusent toujours de permettre l'évacuation de Falouja. Bunche craint l'échec qui pourrait avoir des conséquences désastreuses pour l'ensemble du processus de paix. Les Israéliens commencent à comprendre qu'ils doivent accepter un compromis. De Washington, le 23, Eliahou Elath, le représentant israélien aux États-Unis, envoie un câble à Sharett :

«*A ce qui paraît être étape cruciale des négociations à Rhodes, prends la liberté de suggérer un compromis raisonnable avec les Arabes, sinon, inévitable dépendance croissante envers la Commission de conciliation composée inamicale Turquie, incertaine France et États-Unis hésitants. Accord direct avec Arabes renforcera prestige d'Israël et facilitera plus proches relations avec peuples asiatiques impressionnés par sincérité nos intentions pacifiques. Accord direct avec Arabes, même si partiel et incomplet nous donnera un avantage dans nos discussions avec Britanniques et facilitera encore nos relations avec le Département d'État et organisations américaines avec des intérêts au Proche-Orient [...][2].*»

Les Égyptiens n'ont pas plus intérêt à rompre les pourparlers. Ils doivent sauver leurs forces à Falouja et à Gaza et craignent une reprise des combats pour laquelle ils ne sont pas prêts. Le 24, un accord est conclu. En échange de la proclamation formelle d'un cessez-le-feu, deux jours plus tard, les Israéliens autorisent le passage de convois de nourriture et de médicaments vers Falouja. L'évacuation ne pourra avoir lieu qu'après la conclusion d'un armistice.

---

1. Yigael Yadin, *Yediot Aharonot*, 21 janvier 1966, entretien avec Yossef Evron.
2. «Eilath à Sharett», *Israel Documents*, *op. cit.*, t. 3, doc. n° 41, p. 63.

Sur le terrain, c'est la détente. Yerouham Cohen a repris ses contacts avec Gamal Abdel Nasser. Il lui demande l'autorisation d'envoyer un aumônier militaire dire des prières sur les tombes des soldats tués lors de l'offensive contre Irak El Manshieh. Le rabbin Shlomo Goren est reçu par le jeune commandant égyptien qui lui montre l'endroit où 75 soldats juifs sont enterrés en lui disant : «*Rabbin! Vos hommes se sont battus avec courage. Nous leur avons donné la sépulture que méritent des soldats[1]!*» En juin 1967, après la conquête de la vieille ville par Tsahal, Shlomo Goren sonnera le chofar devant le mur des Lamentations à Jérusalem. Il deviendra plus tard Grand Rabbin d'Israël.

Les pourparlers sont suspendus quarante-huit heures, dans l'attente des premières élections législatives en Israël, le 25 janvier. Le Mapaï de Ben Gourion remporte 46 sièges ; le Mapam – la gauche socialiste – 19 ; l'opposition de droite – le Hérout de Menahem Begin –, les sionistes généraux et le mouvement progressiste ont 42 députés, en comptant les 2 sièges qu'obtient le Groupe Stern conduit par Nathan Yelin Mor. Ben Gourion forme une coalition gouvernementale deux semaines plus tard, avec les religieux modérés.

A Rhodes, la délégation israélienne a repris les discussions dans une atmosphère plus propice. L'affaire de Falouja étant à peu près réglée, il reste à déterminer le tracé de la ligne d'armistice. Les Égyptiens ne veulent pas quitter la bande de Gaza et les Israéliens refusent d'abandonner la petite enclave d'Auja qu'ils occupent sur la frontière internationale entre le Neguev et le Sinaï. Sous la pression des Américains, Ben Gourion, Sharett et Eytan ont tendance à faire des concessions que les chefs militaires refusent. Bunche parvient à obtenir quelques progrès en soumettant aux parties des projets d'armistice.

Le 9 février, Eliahou Sasson, qui est revenu à Rhodes, organise une rencontre entre Yigael Yadin et les deux conseillers politiques de la délégation égyptienne, Omar Lutfi et Abdel Moneim Mostafa. Après une conférence du colonel israélien, ils lui demandent d'écrire à Sharett afin que Sasson ne parte pas pour l'Europe comme prévu. Les Égyptiens répètent qu'après la conclusion de l'accord d'armistice leur pays a l'intention de parvenir à une paix qui conduira à une coopération dans tous les domaines : politique, militaire, économique[2]. Yadin regagne Tel Aviv pour des consultations le lendemain, laissant son adjoint Yitzhak Rabin diriger les discussions militaires. Le jeune colonel se sent isolé et il écrit à son chef et ami, Yigal Allon :

«[…] *A part Yadin et moi-même, tous les membres de la délégation*

---

1. Robert St. John, *The Boss*, McGraw-Hill, New York, 1960. p. 81.
2. «Sasson à Sharett», *Israel Documents, op. cit.*, t. 3, doc. n° 118, p. 221.

sont prêts à accorder de nouvelles concessions aux Égyptiens, même à Oujah, à Rafah [...] rien que pour aboutir à un accord. Yigael Yadin a regagné Israël et je suis le plus élevé en grade ici. Le gouvernement pourrait décider une concession que je serais obligé de proposer, contre mon avis [...]»

Allon lui répond, le 15 février : «[...] *Je ne crains pas une menace militaire des Égyptiens s'ils restent uniquement dans la bande côtière (sans Oujah bien sûr!), en raison de la division qui règne dans* [les rangs arabes], *notamment avec les Transjordaniens, mais si j'examine les risques éventuels (et je pense qu'il faut le faire) je considère la situation avec crainte. D'une part la bande côtière* [N.d.A. : la bande de Gaza], *qui est aux mains des Égyptiens, de l'autre la présence transjordanienne dans les monts de Hébron constituent une menace permanente pour le Neguev, et donc pour l'avenir du pays et son indépendance. Si les forces ennemies, aujourd'hui divisées, faisaient alliance elles pourraient lancer une offensive en tenaille [...] Je sais que tu n'as pas la possibilité d'influencer les décisions qui seront prises, ma situation est identique. [...] Parfois je me dis que je devrais écrire à Ben Gourion ou à Sharett, mais je renonce immédiatement à cette idée. Ils savent certainement tout cela. L'atmosphère est empoisonnée et ils n'acceptent pas de suggestions contraires à leurs opinions, influencées par les liens politiques et des pressions extérieures.»*

Rabin parvient à regagner Israël la veille de la signature de l'accord d'armistice sans apposer sa signature sur le document. Lorsqu'il arrivera au QG du front sud, Yigal Allon réunira ses officiers pour leur dire : «*L'accord de cessez-le-feu a sauvé l'armée égyptienne d'une défaite définitive et nous avons perdu la bande de Gaza. L'accord n'apportera pas la paix car, si les Égyptiens avaient voulu la paix, ils l'auraient négociée immédiatement, sans arrangement intérimaire. L'accord de cessez-le-feu conduira à une nouvelle guerre avec l'Égypte[1].*»

Le gouvernement israélien acceptera finalement la démilitarisation du secteur d'El Auja et l'accord d'armistice sera signé à Rhodes le 24 février 1949. Les Égyptiens, qui ont exigé qu'Eliahou Sasson appose également sa signature sur le document, font venir par avion spécial des pâtisseries du célèbre café cairote Groppi. Bunche organise une petite fête au cours de laquelle il distribue les fameux plats en céramique…

Lors de l'évacuation de la poche de Falouja, qui se terminera le 1er mars, Nasser donne l'accolade à Yerouham Cohen en lui disant : «*J'espère te revoir comme ambassadeur d'Israël en Égypte[2]!*»

---

1. Cité par Yerouham Cohen, *Le Or Ham Yom...*, *op. cit.*, p. 255.
2. *Ibid.*, p. 218.

L'Israélien gardera quelques souvenirs de ses rencontres avec celui qui deviendra le «Raïs» : des photographies et une lettre de remerciements pour un cadeau qu'il avait envoyé à l'occasion de la naissance de son fils.

ISRAËL-LIBAN

Les Libanais, qui ne voulaient surtout pas être les premiers Arabes à signer un armistice avec l'État juif, n'attendaient que la conclusion de l'accord israélo-égyptien pour élever le niveau des pourparlers militaires qui avaient commencé à Nakoura dans la zone démilitarisée, sur la côte, au Sud-Liban, le 14 janvier. Israël avait, dans le cadre du cessez-le-feu, accepté d'évacuer cinq villages libanais. Bunche, qui reste à Rhodes pour les négociations avec la Transjordanie, envoie un de ses adjoints, Henri Vigier, un diplomate français.

La première rencontre a lieu le 1er mars. Vigier remet aux délégués un projet d'accord, une copie du texte qui vient d'être signé à Rhodes et qui a été adapté à la situation libanaise. Les Israéliens sont mécontents. Cela ne correspond pas du tout à leur stratégie. Le lendemain, Sharett envoie, à ce propos, un message urgent à Shiloah qui est déjà à Rhodes pour les négociations avec la Transjordanie qui doivent s'ouvrir le 4. Il lui demande d'expliquer la position israélienne à Bunche :

«[...] *Nous considérons la frontière nord dans son ensemble. Nous n'accepterons le principe de transformer la ligne de cessez-le-feu en frontière internationale que si cela concerne l'ensemble du front. Nous ne pourrons pas nous retirer du Liban à l'est si les Syriens ne se retirent pas de notre territoire le long du Jourdain et à l'est du lac de Tibériade. Pour votre information, les Syriens ne se trouvent pas seulement sur notre territoire près de Tsemah mais sur les rives du lac au sud et au nord d'Ein Gev et sur les rives du Jourdain, du lac jusqu'à Mérom. Cela, alors que la frontière entre la Syrie et la Palestine[1] laisse le lac de Tibériade dans son ensemble dans le territoire israélien. Si les Syriens quittent notre territoire, nous serons prêts à évacuer le Liban et à accepter la ligne de cessez-le-feu comme frontière internationale, à l'exception de quelques légères rectifications nécessaires pour des raisons topographiques [...] Notre position sur un accord unique* [avec le Liban et la Syrie] *est destinée à faire pression sur le Liban ou à forcer la Syrie à accepter des négociations ou à renoncer aux territoires que nous occupons [...][2].*»

---

1. Sharett emploie le terme «Eretz Israël», traduit ici par «Palestine», signifiant le territoire mandataire.
2. «Sharett à Shiloah», *Israel Documents, op. cit.*, t. 3, doc. n° 162, p. 291.

En d'autres termes, Israël tente de réaliser par la diplomatie ce qu'il n'a pas réussi à obtenir par les armes, sur le terrain. Les négociations se poursuivront jusqu'à ce que Ben Gourion décide de se contenter d'un armistice avec le Liban. Shabtaï Rosenne, le conseiller juridique du ministère des Affaires étrangères qui a participé aux rencontres de Rhodes puis à celles de Nakoura en a fait une étude comparative pour Eliahou Sasson à Paris :

« […] Il y a deux différences entre les négociations avec le Liban et avec l'Égypte. Au cours de la première étape des discussions avec l'Égypte il n'y a presque pas eu de contacts directs entre les deux délégations ce qui a suscité une situation difficile jusqu'à ce que tu reviennes et reprennes l'initiative. Avec le Liban ce n'est pas le cas. Vigier participe à toutes les conversations mais il fait à peine plus que présider les séances. Nous ne devons pas nous lancer dans des débats difficiles avec les représentants de l'ONU avant que nos demandes soient présentées à l'autre partie. Au contraire, avant chaque séance commune, nous avons une courte réunion, sans négociation, avec les représentants de l'ONU pour présenter notre position. Au cours des séances elles-mêmes, la discussion avec l'autre partie est directe, sans intervention exagérée de la présidence. Je dois noter qu'à mon avis Vigier penche pour les Libanais plus que pour nous mais cela ne se fait pas sentir au cours des débats. […]

« La seconde différence est que ces négociations avec le Liban ne se déroulent pas en terrain neutre, mais sur la frontière, ce qui signifie qu'une des délégations est l'hôte et qu'elle doit donc se comporter selon les règles de l'hospitalité. Cela crée une atmosphère amicale et agréable propice aux conversations privées sur toutes sortes d'affaires courantes. […]

« Au cours de ces négociations avec les Libanais, le médiateur a commis la même erreur qu'à Rhodes en proposant un projet d'accord sans savoir à l'avance quelle sera la réaction des deux parties. […] Je crois que les Libanais comprennent aujourd'hui que nous ne signerons pas de traité avec eux aussi longtemps que nous n'obtiendrons pas le territoire israélien occupé actuellement par les Syriens. Nous comprenons que pour des raisons de prestige les Libanais ne signeront pas d'accord nous offrant un droit même très limité dans le temps à conserver leur territoire[1].*»*

Les négociations israélo-jordaniennes se sont ouvertes le 4 mars à Rhodes. Moshé Dayan est l'adjoint de Réouven Shiloah. En face, la délégation envoyée par Abdallah est conduite par un certain colonel

---

1. «Rosenne à Sasson», *Israel Documents, op. cit.,* t. 3., doc. n° 169, p. 309.

Ahmed Sudki el Jundi. Mais les dés sont pipés. Les Transjordaniens n'ont aucun pouvoir de faire des concessions. Ils agissent exclusivement sur instructions de leur gouvernement et, lorsque le télégramme d'Amman leur parvient, brouillé, ils suspendent les pourparlers en attendant des instructions plus claires.

Le premier jour, la discussion commence mal. El Jundi refuse de se lever pour être présenté à Shiloah qui, furieux, informera l'officier transjordanien qu'il ne pourra pas poursuivre la discussion dans ces conditions. Des télégrammes urgents sont envoyés à New York, Amman et Jérusalem. Sharett répond à sa délégation : «*Informez Bunche que si les Transjordaniens continuent de se comporter d'une manière aussi impolie nous cesserons les négociations jusqu'à ce que nous soyons certains qu'ils aient appris les leçons élémentaires du comportement civilisé.*» En fait, selon Dayan, il y avait un malentendu. El Jundi croyait que la cérémonie formelle de présentation des chefs de délégation aurait lieu après la séance de pourparlers. Il s'excuse[1]. Tout cela n'a que très peu d'intérêt : les véritables négociations sont secrètes et se déroulent à Jérusalem et à Shouneh ; et les Israéliens ne sont pas pressés. Ils veulent d'abord rectifier leurs lignes dans le sud du Neguev.

Le 5 mars 1949, Yigal Allon reçoit le feu vert. Il déclenche l'opération «Fait accompli». Deux brigades font route vers le petit village d'Oum Rashrash sur la mer Rouge. Les ordres sont stricts : «*Pas de combat ! En cas d'accrochage avec une unité ennemie, rompre le contact !*» Ben Gourion ne veut surtout pas remettre en question l'armistice avec l'Égypte, ni rompre les négociations avec la Transjordanie. Il craint également un nouvel incident diplomatique avec les Britanniques et les Américains. Le 10, les unités de Tsahal atteignent leur objectif et découvrent que les forces jordaniennes qui s'y trouvaient s'étaient retirées la nuit précédente.

Abdallah envoie un message inquiet à Sharett :

«*Je regrette beaucoup ce qui est arrivé et ce qui risque d'arriver dans le Neguev, le Wadi Araba et les environs d'Akaba. Nous avons envoyé nos gens à Rhodes dans l'espoir de trouver chez vous la même bonne volonté. La répétition de ce genre d'événement complique les efforts pour régler le différend par la conservation du droit à l'arbitrage. Il ne faut donc pas s'attendre à de bons résultats […][2].*»

Sharett répond le lendemain au souverain en l'assurant que les forces israéliennes n'ont nulle part pénétré à l'intérieur du territoire transjordanien. «*Sa Majesté sait parfaitement que le territoire situé entre la*

1. Moshé Dayan, *Story of my Life*, op. cit., p. 110.
2. «Abdallah à Sharett», *Israel Documents*, op. cit., t. 4, doc. n° 211, p.380.

Transjordanie et l'Égypte est sous la souveraineté d'Israël. S'il y a des mouvements militaires dans cette région, y compris entre la côte trans-jordanienne et la côte égyptienne, ils sont parfaitement légaux et ne sauraient être considérés comme l'expression d'intention hostile à l'égard d'un pays voisin […][1].» La poussière retombe sur ce qui aurait pu être un nouveau champ de bataille. La veille au soir, à Rhodes, Transjordaniens et Israéliens ont signé un accord de cessez-le-feu en bonne et due forme. Les négociations d'armistice se poursuivent. Oum Rashrash deviendra le port israélien d'Eilat.

A Nakoura, les choses ont progressé. Ben Gourion a fini par renoncer à son exigence de négocier simultanément un accord sur le retrait israé-lien du Liban et un départ des troupes syriennes du territoire de l'État juif. Depuis le 19 mars, il sait que Damas accepte de négocier un armis-tice avec Israël. Quatre jours plus tard, l'accord d'armistice est signé. La ligne de cessez-le-feu entre les deux pays devient une frontière poli-tique. Le colonel israélien Makleff remercie les représentants des Nations unies et s'adresse aux Libanais : «*[…] Il n'y a jamais eu de querelle entre le Liban et Israël et je ne vois aucune raison pour qu'il y en ait à l'avenir. […] J'ai grandement apprécié la relation personnelle qui s'est établie entre moi-même et le colonel Salem, ainsi qu'entre les membres des deux délégations. Je suis certain que cela est de bon augure. Le gouvernement israélien considère que cet accord est hono-rable et est déterminé à faire son possible pour qu'il soit exécuté dans son esprit et d'une manière satisfaisante. Ce n'est que par la compré-hension mutuelle et une coopération honnête que nous pouvons assurer la paix dans cette partie du monde.*»

Le chef de la délégation libanaise, le colonel Salem, lui répond briè-vement :

«*Je remercie la délégation israélienne en particulier pour l'esprit de compréhension qu'elle a montré au cours des négociations. […] L'accord d'armistice signé aujourd'hui sera appliqué s'il y a de la compréhension et de la bonne volonté des deux côtés […]*»

En l'absence de Sharett qui se trouve à New York, c'est Walter Eytan qui a répondu, le 15 mars, au message envoyé par Abdallah, après l'opération israélienne à Oum Rashrash :

«*[…] Nous sommes heureux de constater que la situation dans le Neguev est calme et qu'il n'y a eu aucun incident entre nous et les forces de Sa Majesté. Pour autant que cela dépende de nous, la situa-tion restera ainsi et je peux vous promettre que les rumeurs selon les-quelles nous aurions l'intention d'envahir la Transjordanie sont sans*

---

1. «Sharett à Abdallah», *Israel Documents, op. cit.*, t. 4, doc. n° 215, p. 384.

fondement. Aussi longtemps que les deux parties respectent mutuelle-ment leur souveraineté, il n'y a pas place pour des craintes ou des inci-dents regrettables [...] *Au sujet du différend sur le départ des forces irakiennes* [du secteur du Triangle en Cisjordanie] *et leur remplacement par des unités de la Légion jordanienne, nous avons déjà annoncé au médiateur des Nations unies que nous considérerions une telle mesure comme une violation du cessez-le-feu. Nous ne l'accepterons pas aussi longtemps qu'il n'y aura pas un accord à ce sujet. Nous estimons que sur la base d'une compréhension mutuelle il sera possible de parvenir à une entente. Une telle discussion n'appartient pas aux pourparlers d'armistice à Rhodes, mais nous sommes prêts à rappeler le colonel Dayan afin qu'il discute des arrangements appropriés avec le repré-sentant de Sa Majesté à Jérusalem* [...][1].»

Celui qui raconte le mieux le reste de cette histoire est Walter Eytan lui-même. Le 24 mars, il expédie un télégramme de victoire à Sharett. Israël récupère la région de Wadi Ara, la partie occidentale du Triangle, sans tirer un coup de feu :

«*Cher Moshé,*

«*Le moment est venu de vous donner un rapport cohérent sur les évé-nements de ces derniers jours.*

«*Après une rencontre préliminaire entre Moshé Dayan et Abdallah el Tall, jeudi, la semaine dernière, Dayan a été invité chez le roi samedi soir (19.3.49), en compagnie de quelqu'un parlant bien l'arabe litté-raire. J'ai envoyé Fati (Yehoshafat Harkabi) dont l'arabe s'est avéré à la hauteur de l'occasion. A leur arrivée à Shouneh ils ont trouvé le roi en compagnie de visiteurs et ont donc été conduits au domicile de son médecin où on leur a offert un repas royal. Après dîner, le roi a télé-phoné et leur a demandé de venir. Je ne tenterais pas de décrire la conversation dans le détail (elle était pleine de "sionisme" de la part du roi). L'essentiel était que le roi accepte, si nous consentions à lais-ser la Légion arabe prendre le contrôle* [du territoire] *que doivent aban-donner les Irakiens, de nous laisser Wadi Ara et les collines qui sont au sud-est, ainsi que la première ligne de collines du sud de Maanit jus-qu'à Budrus. En échange, il voudrait que cet accord reste secret et contienne une clause qui lui permette de sauver la face, dans le cas où il serait divulgué, affirmant qu'Israël a accordé à la Transjordanie des territoires équivalents ailleurs.* [...] *Dayan a annoncé que l'idée pro-posée par le roi semblait bonne et il a été décidé qu'Abdallah el Tall obtiendrait l'accord de Glubb et se rendrait à Beyrouth informer le Premier ministre et le ministre des Affaires étrangères de la décision du*

---

1. «Eytan à Abdallah», *Israel Documents, op. cit.*, t. 4, doc. n° 226, p. 417.

roi (ils s'y trouvent pour rencontrer la Commission de conciliation). Abdallah el Tall devait donner à Dayan l'accord définitif avant lundi, 18 heures […]

«Lundi soir, tard, Abdallah el Tall a informé Dayan que tous, de son côté, étaient prêts à signer un accord sur la base de ce qui avait été décidé à Shouneh. Il a demandé qu'une délégation israélienne vienne le lendemain soir.

«Hier soir donc, à 19 heures, nous avons rencontré Son Excellence Falah el Madadha, le ministre transjordanien de la Justice et ministre de la Défense par intérim, ainsi que Hussein Siraj, sous-secrétaire d'État aux Affaires étrangères et Abdallah el Tall. Son Excellence a commencé par un discours "sioniste" à la manière du roi, citant des proverbes comme : "Votre proche voisin vous est plus cher qu'un frère éloigné." […] Après que j'ai (adéquatement, je l'espère) répondu, nous nous sommes mis au travail pendant six heures. Son Excellence, qui a envoyé ses bons souvenirs à diverses connaissances juives (surtout de la classe commerçante), et le sous-secrétaire d'État, qui m'a révélé avoir été champion de basket-ball d'Amman n'ont pas pris une part active aux débats consacrés surtout au tracé de la ligne sur une carte. Je ne rentrerai pas dans les détails sinon pour dire que vers une heure nous sommes parvenus à un accord.

«Il a été décidé que le texte et la carte seront amenés à Amman aujourd'hui pour être approuvés par le roi car, selon Abdallah el Tall, le roi n'avait jamais réalisé qu'il devrait renoncer à un territoire aussi important. (De fait, et cela a été souligné durant toutes les discussions, depuis la visite de Dayan à Shouneh samedi soir, le roi n'est pas tant intéressé par les territoires que par les villages, c'est-à-dire l'aug-mentation en nombre des réfugiés. Il apparaît que la ligne dont nous avons décidé le tracé hier soir laisse quelque trente villages, y compris plusieurs importants dans notre secteur, et Abdallah el Tall pensait que le roi serait plutôt horrifié en découvrant cela.) Abdallah el Tall devait nous téléphoner cet après-midi pour nous informer du rejet ou de l'ac-cord du roi. Il y a deux heures il nous a téléphoné pour nous dire que le roi était d'accord et nous inviter à Shouneh ce soir pour fêter et signer […][1].»

L'accord est paraphé le 24 mars en présence d'un officier britan-nique, le colonel Coaker, qui était le chef d'état-major de Glubb Pacha. Abdallah el Tall avait en effet expliqué aux Israéliens que le roi et ses ministres ne comprenant pas grand-chose à la lecture des cartes, il fal-lait un militaire côté transjordanien. Une semaine plus tard, toujours à

---

1. «Eytan à Sharett», *Israel Documents, op. cit.*, t. 3, doc. n° 248, p. 468.

Shouneh, le texte fera l'objet de quelques amendements. Les Jordaniens tenteront d'obtenir des Israéliens que les nouvelles lignes dans le secteur central du front laissent sur leur territoire trois localités évacuées par les Irakiens : Baka El Garbyieh, Umm El Fahem et Taybeh. Là encore, la meilleure description de cette péripétie est celle que nous donne Walter Eytan, dans le rapport qu'il fait le 3 avril à Sharett qui se trouve à New York :

«[...] *Nous avons repoussé avec force cette demande jordanienne et nous avons réussi. Mais, Yadin et moi-même sommes tout à fait conscients du droit des Jordaniens d'adopter une telle position. Après tout, nous discutions de l'avenir de villages dont la population est entièrement arabe et qui sont situés en territoire sous contrôle arabe. Ce ne sont pas des villages que nous possédons mais que nous allons recevoir si notre accord avec les Jordaniens est conclu. En dépit de toutes les garanties et de toutes les belles phrases, il était clair, tant pour les Jordaniens que pour nous, que les habitants de ces villages risquaient de devenir des réfugiés dès que les Irakiens se retireraient, et peut-être même avant [...] Ceux qui laissent tomber ces villageois arabes ce sont, bien entendu, les Jordaniens, mais cela ne rend pas la chose plus agréable. Nous sommes des partenaires de cet accord et nous serons – pas les Jordaniens – blâmés pour ses conséquences [...][1].*».

L'accord d'armistice est signé à Rhodes le 3 avril. A l'issue de la cérémonie, Ralph Bunche offre à chacun des négociateurs un bol en céramique de Rhodes. Il ne sait pas que c'est aux Israéliens et aux Jordaniens qui participaient aux discussions secrètes de Shouneh qu'il aurait dû en offrir.

---

1. «Eytan à Sharett», *Israel Documents, op. cit.*, t. 4. 1949. doc. n° 267, p. 500.

CHAPITRE 3

Négociations et meurtre
mars 1949-juillet 1951

Damas. La nuit du 29 mars 1949. Accompagné de quelques soldats, un colonel pénètre dans le Grand Quartier général. La sentinelle lui présente les armes. Au même moment d'autres unités militaires se déploient aux points névralgiques de la capitale, occupent les ministères de la Défense, des PTT et la radio nationale. A six heures du matin, un communiqué est diffusé sur les ondes : le colonel Husni el Zaïm a pris le pouvoir[1]. Le gouvernement est renversé, le Parlement dissous. Le nouveau dictateur se nomme président, Premier ministre, ministre des Affaires étrangères et de l'Intérieur. A la légation américaine, le major Stephen Meade pousse un soupir de soulagement. Tout s'est bien passé. Assistant de l'attaché militaire, il est en fait le chef de l'antenne de la CIA. Depuis plusieurs semaines, il prodiguait des conseils à el Zaïm sur la manière de réaliser son coup d'État. Du point de vue américain, l'affaire est excellente. Le colonel syrien a promis de conclure une alliance militaire avec les États-Unis, de faire de son pays une place forte contre l'expansionnisme soviétique et de supprimer la cinquième colonne communiste en Syrie[2].

Ralph Bunche informe Shabtaï Rosenne, le conseiller juridique des Affaires étrangères israéliennes, que les nouveaux dirigeants syriens veulent poursuivre les négociations d'armistice avec Israël, mais demandent de les reporter au début de la semaine suivante. Elles devaient débuter le lendemain à Metoulla, en Haute-Galilée. Les Israéliens sont embarrassés. Ils risquent d'être les premiers à reconnaître le nouveau gouvernement syrien[3]. Ben Gourion n'hésite pas

1. Edouard Saab, *La Syrie ou la Révolution dans la rancœur*, Julliard, Paris, 1968, p. 45.
2. Miles Copeland, *The Game of Nations*, Weidenfeld & Nicholson, Londres, 1969, p. 60.
3. «S. Rosenne à W. Eytan, R. Shiloah, Y. Yadin, M. Maklef», *Israel Documents*, *op. cit.*, t. 3, doc. n° 273, p. 511.

longtemps : Husni el Zaïm est une vieille connaissance des services israéliens qui, depuis le mois de novembre 1948, le considéraient comme le candidat éventuel pour des contacts secrets et une éventuelle opération en Syrie[1]. Pour cela il fallait de l'argent et Israël n'en avait pas ; enfin, ni Moshé Sharett ni Ben Gourion ne voulaient se lancer dans une telle aventure.

La première séance de négociation a lieu le 5 avril 1949 sous une tente, près de Mishmar Hayarden dans le no man's land. Henri Vigier, préside, assisté par William Riley, le général américain qui commande les observateurs des Nations unies au Proche-Orient. Le lieutenant-colonel Makleff dirige la délégation israélienne, qui comprend notamment Shabtaï Rosenne. En face, les Syriens sont conduits par le lieutenant-colonel Fouzi Selou [2]. Salah Tarazi est le conseiller juridique. La discussion porte d'abord sur les lettres d'accréditation présentées par les deux parties. Celle des Syriens est signée par Husni el Zaïm, en tant que commandant en chef des forces armées syriennes. Rosenne ne manque pas de demander si la délégation syrienne a le pouvoir de négocier au nom du gouvernement ou de l'armée syrienne. Tarazi lui répond qu'un accord d'armistice a toujours un caractère militaire. Le problème est surmonté. Les pourparlers porteront uniquement sur le tracé des lignes d'armistice et la rédaction de l'accord. Là encore, les événements importants se dérouleront en coulisse.

L'Israël qui s'apprête à entamer des négociations de paix, sous la houlette des Nations unies, a profondément changé. Ce n'est plus le minuscule État juif proclamé par Ben Gourion à peine un an plus tôt. A présent, il occupe non seulement la totalité des territoires qui lui avaient été attribués par la résolution de l'ONU sur le partage de la Palestine – à l'exception de la région en litige avec les Syriens – mais aussi la Galilée occidentale et la totalité du Neguev. Son armée est devenue une force combattante de 100 000 hommes, bien équipée et bien commandée par des hommes jeunes, issus du système éducatif créé dans les années 1930. Ces nouveaux officiers formeront la prochaine génération de leaders du pays. Ils sont, pour la plupart, directement issus du leadership sioniste : Yitzhak Rabin est le fils d'une des fondatrices de la Hagannah ; Ezer Weizman, pilote, est le neveu de Haïm Weizmann, devenu président de l'État ; Moshé Dayan est le fils d'un responsable travailliste ; grand archéologue, le père de Yigael Yadin est un des responsables de l'université hébraïque de Jérusalem.

1. Itamar Rabinovitch, *The Road Not Taken*, Oxford University Press, New York, 1991, pp. 99-102. Voir notamment la lettre de Shimoni à Arazi du 2 novembre 1948, citée p. 101.
2. Le procès-verbal officiel orthographie ainsi le nom de <u>Faouzi</u>.

Ils deviendront généraux, ministres, chefs de gouvernement, voire président de l'État...

La population du pays change rapidement avec l'arrivée en masse des réfugiés juifs d'Europe et le début de l'immigration des Juifs des pays arabes : 123 999 immigrants en 1948 et, depuis le début de l'année 1949, 72 350, sans compter les dizaines de milliers d'anciens détenus juifs qui attendent encore dans des camps à Chypre[1]. Ils viennent combler les pertes énormes de la guerre d'Indépendance : 4 017 militaires et plus de 2 000 civils pour une population d'un peu plus de 600 000 habitants ! Il faut passer rapidement à la construction du pays, dont l'économie est sinistrée. Le rationnement des denrées de base est toujours en vigueur et certaines couches de la population vivent dans une pauvreté extrême. Mais Israël ne démobilise pas. Pas encore, car une reprise des combats n'est pas exclue. L'état-major poursuit la préparation de plans d'offensive. Dans les négociations qui vont s'ouvrir avec les pays arabes, l'objectif d'Israël est de conserver ses acquis territoriaux : les territoires attribués à l'État juif en 1947 et les régions de la Palestine arabe conquises les mois précédents, régler le problème de Jérusalem en retrouvant, sinon le quartier juif de la vieille ville, au moins un accès au mur des Lamentations et à l'enclave du mont Scopus.

Le monde arabe est sous le choc de sa défaite. La catastrophe qui s'est abattue sur les Arabes de Palestine, l'arrivée de centaines de milliers de réfugiés en Syrie, au Liban, en Égypte et en Transjordanie contribuent encore à l'instabilité de ces pays. La population du royaume hachémite a presque triplé avec l'annexion, encore officieuse, de la Cisjordanie et l'arrivée des réfugiés palestiniens qui ont renforcé l'opposition à la politique d'Abdallah.

Le 7 avril 1949, les trois membres de la Commission de conciliation nommée par l'ONU rencontrent David Ben Gourion à Tel Aviv. Le principe d'une réunion avec les représentants des pays arabes est acquis ; ce sera à la fin du mois, en terrain neutre, en Suisse. Pour le reste, la discussion est difficile. La commission demande un geste israélien avant la rencontre. Ben Gourion refuse et met les points sur les «i» au sujet de la question des réfugiés : «*Il n'y aura de solution que dans le cadre d'un règlement de paix. A mon avis, il est de l'intérêt des Arabes comme du nôtre que la plus grande partie des réfugiés s'installent dans les pays arabes. Nous apporterons notre contribution dans le cadre du règlement de paix. A propos de Jérusalem : nous acceptons sans aucune opposition une internationalisation des Lieux saints, mais nous nous opposons à ce que Jérusalem dans son ensemble soit placé*

---

1. Ben Gourion, *Yoman Milhama*, *op. cit.*, pp. 919 et 959.

sous contrôle de l'ONU. C'est-à-dire : les Lieux saints à l'ONU, Jérusalem à Israël[1].»

ISRAËL VEUT GAZA

Mark Ethridge, le représentant américain, a l'impression d'avoir des problèmes de communication avec les Israéliens. Le 18 avril, il se rend en cure à Tibériade, chez Ben Gourion. Il a la surprise d'entendre celui-ci faire une offre à laquelle il ne s'attendait pas. Le Premier ministre évoque d'abord Jérusalem, explique qu'il a l'intention de faire de la ville la capitale d'Israël et un centre mondial de tourisme, d'horlogerie et de taille de diamants. Au sujet du problème des réfugiés arabes, il répète qu'«*Israël ne peut accepter leur retour sur son territoire pour des raisons économiques et de sécurité. Israël contribuera au règlement de cette question en accordant des compensations pour les terres arabes, permettra le retour de certains réfugiés dans le cadre de la réunion des familles, et aidera à l'installation des réfugiés ailleurs en envoyant des experts et des techniciens*». Puis, il poursuit : «*A propos d'un règlement territorial, Israël n'a pas l'intention de renoncer à une part quelconque du Neguev. Il veut faire fleurir ce désert. La Jordanie n'aura pas de corridor vers la Méditerranée parce que cela couperait Israël en deux. La Jordanie pourrait avoir une zone franche à Tel Aviv, à Haïfa ou ailleurs, avec un droit de passage vers la Méditerranée. L'actuelle bande de Gaza pourrait devenir autonome comme le Luxembourg [sic !]. Si l'Égypte ne veut pas de Gaza en raison des réfugiés qui s'y trouvent, Israël pourrait l'accepter et permettre à ces réfugiés de retourner dans leurs foyers[2].*» La diplomatie américaine mettra plusieurs semaines à comprendre l'importance de cette nouvelle proposition israélienne. Ben Gourion l'évoquera de nouveau quatre jours plus tard, au cours d'un débat interne avec les responsables des Affaires étrangères :

«*L'essentiel est de parvenir à la paix avec deux États : l'Égypte et la Transjordanie. Nous n'avons pas à proposer à l'Égypte ce que nous pouvons donner à la Transjordanie, mais nous pouvons l'aider à parvenir à une réelle indépendance. Pour l'Égypte, il est important d'obtenir une aide américaine et de ne pas dépendre uniquement de l'Angleterre. Nous pouvons donc offrir à l'Égypte une coopération économique. De toute manière, il faudra beaucoup d'énergie pour*

---

1. *Israel Documents, op. cit.*, t. 2, doc. n° 479, p. 555.
2. *FRUS*, 1949, t. 6, p. 926. Également : Mordechai Gazit, «Ben Gourion's 1949 Proposal to Incorporate the Gaza Strip with Israel. Studies», in *Zionism*, t. 8, n° 2 (1987).

parvenir à un accord. Au sujet de Gaza nous ne devons pas nous presser. Nous pouvons accepter toutes sortes de propositions. Nous avons le temps […] Quant à la Transjordanie, nous avons à présent des intérêts communs, ce serait bien de parvenir à un arrangement avec la Transjordanie, même pour une certaine période.»

Réouven Shiloah : *«La question de Gaza sera évoquée au cours des conversations avec la Transjordanie et avec l'Égypte. Nous devrons l'aborder dès les premières conversations à Lausanne.»*

Ben Gourion : *«J'ai dit que, si on nous remettait Gaza, nous ne refuserions pas et, évidemment, nous la recevrons avec tous ses habitants. Nous ne les expulserons pas.»*

Moshé Sharett : *«[…] Les conquêtes territoriales nous ont enivré de victoires mais nous devons aborder les problèmes sous l'angle de la population, pas seulement du territoire. Je m'oppose à l'idée d'un condominium sur la bande de Gaza aussi longtemps que je ne suis pas prêt à absorber 150 000 Arabes. Aujourd'hui, je n'y suis pas prêt, s'il n'y a pas une possibilité pour que la population de Gaza se dissolve dans les pays voisins. Il ne faut pas nous presser […][1].»*

Ben Gourion est donc prêt à accepter l'intégration de Gaza à l'État d'Israël. Cela pour des raisons d'abord stratégiques : il ne veut pas laisser l'armée égyptienne à soixante kilomètres de Tel Aviv. Par ailleurs, en absorbant les réfugiés qui s'y trouvent, il espère régler ce problème, éloigner les pressions américaines qui commencent à s'exercer sur Israël. Il commet une seule erreur : il n'y a pas à Gaza 150 000 Arabes palestiniens mais plus de 350 000 ! Ce chiffre, lorsqu'ils en prendront connaissance, calmera l'ardeur des dirigeants israéliens pour Gaza. En attendant, le 3 mai, Sharett, qui est contre l'intégration de Gaza, met la question au vote en réunion de gouvernement. Mais les ministres suivent Ben Gourion et adoptent une motion acceptant *«l'annexion de Gaza et de tous ses habitants si cela est proposé à Israël»*.

LAUSANNE

L'activité diplomatique se passe à Lausanne, où les parties ont été convoquées par la Commission de conciliation pour la Palestine. Cette fois, pas question de loger les délégations sous le même toit. Les Israéliens sont à l'hôtel Beau Rivage, sur les rives du Léman, les Arabes à l'autre bout de la ville, au Lausanne Palace. Dès leur arrivée, le

---

1. «Ben Gourion et Sharett au cours d'une consultation politique au ministère des Affaires étrangères», *Israel Documents, op. cit.*, t. 2, doc. n° 505, p. 585.

27 avril, les Israéliens ont un entretien difficile avec Mark Ethridge, le représentant américain à la Commission : «*Vous vous êtes assez dérobés! Donnez-nous vos positions précises sur la question des réfugiés, de Jérusalem et des frontières*[1].» Et Walter Eytan d'expliquer que «*l'attitude d'Israël à l'égard de la question des réfugiés dépendra de la notion de règlement global et de la paix* [telle que la Commission la définira]». Il sait que les Américains veulent une solution le plus vite possible. La crise risque de faire le jeu des Soviétiques au moment où le blocus de Berlin se poursuit. L'OTAN, qui a vu le jour trois semaines plus tôt, n'a pas besoin d'une extension de l'affrontement est-ouest au Proche-Orient, où la masse de réfugiés arabes constitue un élément déstabilisateur. Le 29 avril, Truman écrit à Ethridge : «*Je suis dégoûté par la manière avec laquelle les Juifs abordent le problème des réfugiés*[2] […].» Il n'est pas encore au courant de la proposition de Ben Gourion d'annexer Gaza à Israël. Le Département d'État mettra un mois à prendre la mesure de la proposition israélienne.

Côté arabe, le front est uni. Les différentes délégations affirment que la question de la Palestine les concernent d'une manière égale et qu'elles doivent donc être considérées comme une seule partie. Pas de négociations séparées sur des aspects spécifiques du conflit. Cela n'empêchera pas les chefs des délégations jordanienne, égyptienne et libanaise de rencontrer séparément, en secret, les négociateurs israéliens. Dès le 3 mai, Sasson a un entretien discret avec Faouzi el Moulki, le ministre de la Défense jordanien, à l'hôtel des Trois-Couronnes à Vevey. Les deux hommes se contentent de faire un tour d'horizon. Les discussions importantes se déroulent dans la vallée du Jourdain.

SHARETT À SHOUNEH

Le 5 mai dans la soirée, Sharett, Dayan et Yehroshavat Harkabi, un jeune lieutenant-colonel des renseignements militaires, arabisant, sont conduits à Shouneh par Abdallah el Tall. Le roi Abdallah les reçoit en compagnie de son Premier ministre, Toufik Aboul'Oudah. Après les salutations d'usage, c'est le repas. Une dizaine de personnes sont installées autour de la table. La conversation porte sur la politique internationale. Personne n'évoque le conflit israélo-jordanien. Pas encore… Ces rencontres suivent un cérémonial bien défini. Il faut écouter le roi déclamer des poèmes ou accepter une partie d'échecs avec lui.

1. «G. Avner à Sharett», *Israel Documents, op. cit.*, t. 4, doc. n° 1, p. 3.
2. *FRUS, op. cit.*, t. 6, p. 957.

Abdallah affirme que la Chine n'a jamais été membre de la Société des nations. Sharett oublie qu'on ne contredit pas un souverain : «*Mais, Votre Majesté, vous avez tort. La Chine a été membre de la SDN!*» Abdallah, se renfrogne et change de sujet. Sur le chemin du retour, Dayan demandera à Sharett en quoi l'opinion du roi sur la Chine était importante. «*Mais la Chine était à la SDN!*» répondra Sharett[1].

Le premier point enfin abordé concerne l'affaire de Wadi Ara, qui n'est toujours pas réglée. Il faut préparer le tracé des nouvelles lignes de démarcation dans le secteur du Triangle après le retrait irakien. Selon les cartes, les terres cultivées de certains villages devraient passer sous contrôle israélien. Dayan suggère de laisser avancer les forces israéliennes dans les secteurs où il n'y a pas de controverse ; ailleurs, la commission conjointe devrait permettre de trouver des solutions. Abdallah semble satisfait. Il explique longuement la nécessité de parvenir à la paix, d'y préparer l'opinion publique. Sharett lui répond qu'Israël veut la paix et que c'est la raison pour laquelle il est important de régler les problèmes en suspens. Et de citer la question de l'accès à l'enclave israélienne du mont Scopus, ainsi que l'affaire du fort de Latroun, tenu par les Jordaniens et qui bloque toujours la route de Jérusalem à l'ouest. Le roi intervient et demande si Israël a l'intention de ne s'attacher qu'à des problèmes précis, et s'il ne faudrait pas plutôt discuter de la paix dans son ensemble et parvenir à un règlement global. Sharett ajoute qu'il faudrait d'abord construire les murs d'un tel accord en donnant des solutions aux questions en suspens, puis construire le toit de la paix.

Le Premier ministre jordanien demande s'il peut parler franchement et interpelle Sharett : «*En fait, vous n'êtes intéressés qu'à la solution des problèmes dont vous pouvez tirer profit. Lorsque vous aurez obtenu ce que vous voulez, le reste vous importera peu […]*»

Sharett : «*Ce n'est pas exact. Nous sommes entrés sur la scène des négociations alors qu'elle était éclairée par les projecteurs de la paix, qui est notre but ultime vers lequel nous devons avancer progressivement. Certains problèmes doivent être réglés dans le cadre de la commission conjointe, dont les travaux doivent reprendre immédiatement. La logique voudrait que nous terminions d'abord l'ordre du jour de la commission puis passions à Lausanne. Mais ce n'est pas une condition, les deux discussions peuvent se dérouler simultanément. Cela dit, des progrès entre nous, à Lausanne, ne risqueraient-ils pas de se heurter aux difficultés de la coordination interarabe ?*»

Toufik Aboul'Oudah répond en déclarant avec force que la Jordanie ne se considère pas liée par les positions des autres délégations arabes.

---

1. Moshé Dayan, *Story of my Life*, *op. cit.*, p. 109.

«*Nous sommes prêts*, dit-il, *à faire la paix avec vous pour le bien de notre pays même si les autres États arabes ne le sont pas.*»

«*De toute manière*, répond Sharett, *nous avons l'intention de mener des négociations séparées avec chaque État* […] *A propos de Jérusalem par exemple, nous ne négocierons pas avec l'Égypte, la Syrie ou le Liban mais uniquement avec le roi* [de Jordanie]*!*»

Aboul'Oudah : «*Acceptez-vous la résolution de l'ONU de novembre 1947 sur le partage de la Palestine, ou avez-vous l'intention de ne négocier que sur la base des faits accomplis ?*»

Sharett : «*Cette résolution a perdu de sa force et la base réaliste pour les négociations, ce doit être la situation qui a été créée.*»

Aboul'Oudah : «*Si tel est le cas, alors le monde arabe n'a rien à discuter avec vous et il n'y aura pas la paix.*»

Moshé Sharett tente de calmer le Premier ministre jordanien, dont la colère monte. Il lui explique que la résolution de novembre 1947 était fondée sur des hypothèses qui ne se sont pas réalisées : «*Que le partage se fasse par des voies pacifiques; que la partie arabe de Palestine accepte de créer un État indépendant; que les deux parties acceptent une alliance économique comme le prévoit la résolution. Tout cela ne s'est pas réalisé, il y a eu une guerre et la situation a changé du tout au tout. Il est impossible de revenir en arrière. Je ne dis pas que dans cette situation le monde arabe n'a rien à négocier avec nous. Il ne peut avoir un intérêt à maintenir la situation actuelle, sans règlement définitif car cela signifie l'anarchie* […][1].»

Aboul'Oudah demande si cela signifie qu'il n'y aura pas de changements de frontières. Des rectifications favorables aux deux parties peuvent être envisagées, répond Sharett. Abdallah intervient et rappelle que, comme les Israéliens, il est entré en guerre contre son gré. «*Durant toute la durée des opérations militaires*, dit-il, *mes forces n'ont pas franchi les frontières de l'État arabe définies par l'ONU, ce qui a valu la colère des autres pays arabes. Le seul endroit où il y a eu un accrochage, c'est Jérusalem, où la responsabilité en revient à Israël.*» Israéliens et Jordaniens décident de renouveler les débats de la commission militaire conjointe.

DIALOGUE ISRAÉLO-PALESTINIEN À LAUSANNE

Les Israéliens n'évoquent pas d'autres contacts qu'ils mènent à Lausanne avec une délégation dont nul n'attendait l'arrivée : trois représentants palestiniens, élus le 17 mars, par un Congrès des réfugiés

---

1. «Sharett à Abdallah», *Israel Documents*, *op. cit.*, t. 4, doc. n° 15, p. 33.

à Ramallah, auquel avaient participé cinq cents délégués. Le groupe est conduit par Nimer el Hawari, l'ancien chef d'une organisation arabe paramilitaire opposée aux Husseini et qui n'avait pas participé à la guerre. Ses adjoints étaient Yahyiah Hamouda et surtout Aziz Shehadeh, un avocat chrétien qui s'était enfui de Jaffa l'année précédente.

Ils s'adressent à Eliahou Sasson qui décide de poursuivre la discussion, mais le plus discrètement possible. Il fait venir son fils, Moshé, – il est également né à Damas – devenu jeune diplomate à l'ambassade d'Israël à Paris, afin d'entamer les discussions avec les représentants des réfugiés. Les conversations se déroulent quotidiennement à bord du bateau-mouche qui fait le tour du Léman[1]. Il fait son rapport à son père et à Walter Eytan qui demande l'avis de Sharett sur l'avenir de la partie arabe de la Palestine.

La réponse ne se fait pas attendre. Le ministre des Affaires étrangères câble à son représentant à Lausanne : « *Si nous soutenons un État arabe indépendant, nous devrons lutter pour éviter le partage de novembre 1947. Aimerais avoir le meilleur des deux mondes mais pense que risqué d'essayer[2].* »

Quelques jours plus tard, c'est Sasson qui revient à la charge :

«Au cours d'une conversation avec Hawari, nous avons eu l'idée suivante : mobiliser la délégation des réfugiés pour qu'ils demandent à la Commission et aux délégations, y compris à la délégation israélienne, de ne pas examiner pour l'heure le problème des réfugiés afin de permettre à Hawari et ses collègues de se rendre en Israël afin de discuter de la question avec notre gouvernement. Cela permettrait : a) de renforcer notre prestige dans le monde arabe et sur la scène internationale par la visite d'une délégation arabe dans notre pays ; b) repousser pour quelque temps le débat sur les réfugiés prévu à l'Assemblée générale de l'ONU à Lake Success ; c) faire pression sur la Commission de conciliation et les délégations arabes pour qu'elles s'occupent entre-temps d'autres problèmes ; d) permettre à la délégation de réfugiés d'examiner la situation en Israël et de se rendre compte par elle-même qu'il est objectivement impossible de ramener tous les réfugiés. Hawari et ses amis sont apparemment prêts à œuvrer dans cette direction. Ils sont persuadés qu'il est possible de faire échec aux projets de la Transjordanie et transformer la région du Triangle en une zone autonome liée à Israël [...][3].»

Inviter une telle délégation en Israël ? « *Surtout pas* », répond Sharett deux jours plus tard. « *Elle découvrira qu'il existe un grand nombre de*

---

1. Témoignage de Moshé Sasson, recueilli par l'auteur, 1995.
2. «Sharett à Eytan», ANI, 2447/1, 4 mai 1949. Cité par Avi Shlaim. *Collusion Across the Jordan. Israel's Palestinian Option*, p. 493.
3. «Sasson à Sharett», *Israel Documents*, *op. cit.*, t. 4, doc. n° 12, p. 28.

villages désertés, des terres désertées. Et le prestige international que nous pouvons retirer d'une telle affaire ne sera que temporaire, puis, lorsque nous renverrons la délégation les mains vides, produira une déception, de l'amertume, et de la colère [...][1]. »

Curieusement, dans ce télégramme, daté du 10 mai 1949, Moshé Sharett conseille à Sasson d'utiliser Hawari et sa délégation pour contribuer à la réalisation d'un plan d'installation des réfugiés en Syrie. Proposition qui ne sera officiellement transmise à Israël que huit jours plus tard par l'intermédiaire du général Riley. En l'absence d'autres preuves, on ne peut que spéculer sur les liens de Husni el Zaïm, le dictateur syrien, avec les services israéliens. Il aurait eu des contacts avec Sasson à Paris en 1948, par l'intermédiaire d'activistes kurdes auxquels il était lié par ses origines[2].

10h30, le 12 mai, Walter Eytan signe au nom d'Israël une « *déclaration de principe* », soumise par la Commission de conciliation. Une heure plus tard l'Égyptien Abdel Moneim Mostafa, le Jordanien Faouzi el Moulki, le Libanais Fouad Ammoun puis le Syrien Adnan el Atassi en font de même. Le premier paragraphe de ce texte déclare que pour réaliser les objectifs de la résolution des Nations unies du 11 novembre 1948, la Commission soumet comme document de travail la carte du partage de la Palestine de novembre 1947. Le second paragraphe affirme que les délégations sont d'accord pour coopérer avec la commission « *étant entendu que l'échange de vues concernera les ajustements territoriaux nécessaires à la réalisation des objectifs susmentionnés* ».

Pour les Arabes, cela signifie qu'Israël reconnaît le plan de partage de 1947 et doit donc se retirer des territoires de la Palestine arabe qu'elle occupe. Pas du tout, répondent les Israéliens. Ce texte, disent-ils, n'est qu'un instrument de procédure mais dont l'acceptation par les délégations arabes équivaut à une reconnaissance de l'État d'Israël. Il faut dire que les diplomates israéliens admettront plus tard qu'ils n'avaient pas beaucoup de choix. Ils ont agi sous la pression américaine, au lendemain de l'admission d'Israël aux Nations unies.

EL ZAÏM PROPOSE

Le 10 mai, Bunche fait parvenir à Ben Gourion un message dans lequel il exprime son inquiétude sur l'avenir des négociations israélo-

1. « Sharett à Sasson », ANI, 130.02/2441/9.
2. Itamar Rabinovitch, *The Road Not Taken*, op. cit., p. 101. Voir également Avi Shlaim, *Journal of Palestinian Studies*, op. cit.

syriennes et lui demande d'accepter le principe d'une rencontre avec Husni el Zaïm afin, écrit le médiateur américain, «de discuter de la ligne d'armistice et de tout autre sujet concernant la paix entre les deux pays[1]». Le Premier ministre répond par la négative deux jours plus tard :

«[...] *Je crains que sans un retrait* [syrien] *il n'y aura pas de progrès dans les négociations d'armistice. Dans l'intérêt de la paix qui, comme vous le savez, est très proche de mon cœur, je dois répéter que, si les Syriens n'acceptent pas de se retirer de toutes les parties de notre territoire qu'ils ont occupées lors de leur agression délibérée contre notre pays, les chances de paix ne sont pas bonnes. Je suis prêt à rencontrer le colonel Zaïm afin de promouvoir la paix entre les deux pays, mais je ne vois aucune utilité à une telle rencontre aussi longtemps que les représentants de la Syrie aux négociations d'armistice ne déclarent, sans équivoque, que leurs forces sont prêtes à se retirer sur les territoires d'avant la guerre* [...][2].». C'est la première et dernière fois qu'un chef d'État syrien proposera une rencontre à un Premier ministre israélien ; et cela, par l'intermédiaire d'un diplomate américain, sous l'égide des Nations unies !

El Zaïm ira encore plus loin. Déjà, le 29 avril, un délégué syrien aux négociations d'armistice avait proposé une rencontre avec Husni el Zaïm. La question avait été examinée le lendemain au cours d'une consultation à laquelle ont participé Sharett et Rosenne. Il a été décidé d'y envoyer Shiloah et Yadin, étant entendu qu'ultérieurement, l'éventualité d'un entretien à un niveau plus élevé, avec Sharett ou avec Elias Sasson, pourrait être envisagée[3].

Le rendez-vous a lieu le 5 mai, dans le secret, à Rosh Pina, en Haute-Galilée, organisée par Vigier et Riley. Ils avaient annoncé aux Israéliens que les Syriens enverraient deux membres de leur délégation, mais porteurs de propositions nouvelles pour les négociations officielles du lendemain. Mais, là aussi, les envoyés d'el Zaïm viennent les mains vides. Vigier estime que l'échec incombe aux Israéliens qui, dit-il, auraient dû envoyer Sharett. Les Américains font pression et laissent entendre que pour eux le Jourdain et le lac de Tibériade forment une frontière naturelle, ce que refusent bien entendu les Israéliens. Ils ne renonceront pas aux sources d'eau vitales pour leur économie.

A Damas, el Zaïm poursuit ses entretiens avec les responsables de l'ambassade des États-Unis et, le 17 mai 1949, à l'issue de la huitième séance de négociations, dans le no man's land, le général Riley

---

1. «Mohn à Ben Gourion», *Israel Documents*, *op. cit.*, t. 3, doc. n° 300, p. 550.
2. «Shiloah à Bunche», *ibid.*, t. 3, doc. n° 303, p. 562.
3. «Rosenne à Robinson», *ibid.*, t. 3, doc. n° 296, p. 545.

demande à s'entretenir en privé avec Shabtaï Rosenne : «*Je dois vous transmettre*, lui dit-il, *une information confidentielle qui m'a été remise de source officieuse. Husni el Zaïm veut résoudre le problème syro-israélien par des voies honorables et pacifiques afin de se consacrer entièrement à la résurrection et au développement de la Syrie. D'autre part, il craint qu'un jour il y ait un nouveau coup d'État en Syrie qui ramènerait les politiciens au pouvoir. Ces derniers critiqueraient les actions d'el Zaïm, notamment au sujet des négociations avec Israël. Il voudrait que les Israéliens l'aident à trouver une solution pour sortir avec honneur de l'impasse. [...] Et propose donc que la Syrie annonce, dans le cadre des discussions de Lausanne, qu'elle est prête à absorber 300 000 réfugiés arabes palestiniens. Dans le cadre de cette confé-rence, il faudrait trouver une solution au problème des frontières*[1].»
Curieusement, la première réaction de Rosenne est négative. Il envoie toutefois un compte rendu à Ben Gourion, à Sharett ainsi qu'à Abba Eban à New York qui, immédiatement, lui répond : «*Envoyer explica-tions raisons pour lesquelles nous ne sommes pas impressionnés par perspective Syrie absorbant 300 000. Le fait qu'il a présenté proposi-tion par Riley – avec transmission à Washington – de Syrie prête à accepter réinstallation importante me semble d'une grande impor-tance*[2].»
Le 24, réunion du gouvernement à Tel Aviv. Moshé Sharett explique pourquoi la paix avec la Transjordanie est importante pour l'État d'Israël :

«*Cela peut briser le front arabe et surtout elle se ferait sans qu'il soit question d'un retour des réfugiés. L'option d'un État arabe supplémen-taire en Terre d'Israël signifierait un retour au partage de la Palestine, ce qui est une possibilité aussi longtemps qu'il n'y aura pas la paix avec Abdallah. [...] Un accord avec la Transjordanie éloignerait la perspective d'un nouveau partage et il y a même une possibilité pour que Kalkilyah et Tulkarem soient à nous [...] A Jérusalem,* [dans le cadre d'un accord] *nous devrions recevoir une partie de la vieille ville et Abdallah, une partie de la ville neuve. Il y aura des services en commun et un contrôle de l'ONU sur les Lieux saints. [...]*

«*Et puis, il y a la possibilité que nous entrions en contact avec Zaïm pour discuter clairement de l'avenir. De fait, il y a eu un contact de sa part, que nous n'avons pas pris au sérieux. Il a attendu une personna-lité de son rang, pensant à Ben Gourion; nous avons envoyé des émis-saires de haut rang et lui, deux personnes sans pouvoirs. Rien n'est*

---

1. «Rosenne à Ben Gourion et Sharett», *Israel Documents, op. cit.*, t. 3, doc. n° 310, p. 581.
2. «Eban à Rosenne», *ibid.*, t. 3, doc. n° 312, p. 584.

sorti de la rencontre. *A présent, les gens de l'ONU nous disent qu'il est prêt à une nouvelle rencontre, à un règlement comprenant les éléments suivants : a) cessez-le-feu sur les lignes existantes. C'est-à-dire qu'il ne se retirera pas sur la frontière internationale ; b) dans trois mois, la paix sur la base de la frontière internationale.*

«*Et c'est pour moi l'essentiel, si tout est vrai, cela nous a été transmis par un homme responsable qui ne nous a jamais trompés, le général Riley, l'Américain [...] Zaïm est prêt à recevoir chez lui 300 000 réfugiés. C'est presque trois fois plus que ce qu'il a [en Syrie] actuellement. Il est non seulement prêt à intégrer les réfugiés qu'il a chez lui mais également à amener le reste d'autres pays.*

«*– "En échange de quoi ?"* » demande un ministre.

Sharett : «*Qu'on le finance. Il ne réclame pas de l'argent juif mais voudrait qu'on l'aide aux Nations unies, qu'on l'aide aux États-Unis. [...] En général, c'est un homme qui semble prêt à parler de toutes sortes de grands changements. Il est possible que ce ne sont que des stratagèmes de sa part, mais il est possible de transformer des stratagèmes en réalité. [...] Pour nous, c'est une chose formidable. Certains d'entre nous imaginent déjà que nous recevrons Gaza et que nous transférerons ensuite ses réfugiés en Syrie [...]*[1].» Sharett est prêt à rencontrer Zaïm, qui envoie son message à Israël par un autre canal : René Busson, le directeur général de la Banque Syrie-Liban. Maurice Fischer, le représentant israélien à Paris, rencontre ce dernier le 3 juin. Voici ce qu'il rapporte de leur entretien :

«*D'après Busson, le plus grand désir de Husni el Zaïm est d'arriver à une entente avec Israël. "Mais (me dit-il) vous devez comprendre qu'il faut lui laisser la possibilité d'un petit succès de prestige. Si vous ne pouvez pas lui faire une petite concession territoriale, cherchez dans un autre domaine. Husni el Zaïm est préoccupé par le problème de la Grande Syrie. Il m'a dit que les Anglais ne cessent de le menacer [...] Il n'y a plus de problème des réfugiés. Je viens de mettre sur pied un long rapport pour le gouvernement français qui prévoit l'établissement des réfugiés en Syrie avec une puissante participation financière française. Husni el Zaïm est d'accord. Nous avons des exemples dans l'histoire qui prouvent que de telles entreprises sont pratiquement réalisables. Je rappelle seulement l'établissement de villages le long du canal de Suez et le long du canal de Panama [...]*[2].*"*»

Les contacts entre Syriens et Israéliens, par l'intermédiaire de Vigier et de Riley, en vue d'organiser une rencontre entre Sharett et Adil

---

1. ANI, procès verbal de la réunion du gouvernement israélien du 24 mai 1949.
2. «Fischer-Busson», *Israel Documents, op. cit.*, t. 4, doc. n° 54, p. 91.

Arslan ou avec Zaïm n'aboutissent pas. Le dictateur syrien ne veut pas d'un autre interlocuteur que Ben Gourion. Mais le Premier ministre israélien n'entend pas bouger avant d'avoir pris connaissance des dernières propositions de compromis de Ralph Bunche, et cela bien qu'Abba Eban lui ait câblé de New York : «*Bunche et Riley toujours persuadés que rencontre Zaïm-Ben Gourion pourrait produire premier traité de paix entre Israël et un État arabe*[1].»

LES AMÉRICAINS SE FÂCHENT

Tout paraît bloqué. Les Américains sont exaspérés. Ils tapent du poing sur la table. James Mac Donald remet un message de Truman à Ben Gourion :

«[…] *Le gouvernement d'Israël ne devrait avoir aucun doute sur le fait que le gouvernement des États-Unis attend qu'il prenne des mesures responsables et positives au sujet des réfugiés palestiniens et que, loin de soutenir les revendications excessives d'Israël sur d'autres territoires en Palestine, le gouvernement des États-Unis estime nécessaire qu'Israël offre des compensations territoriales pour les territoires qu'il voudrait acquérir au-delà des frontières de la résolution du 29 novembre 1947* […] *Le gouvernement d'Israël doit être conscient que l'attitude qu'il a assumée jusqu'à présent à Lausanne doit inévitablement conduire à une rupture de ces discussions* […] *Si le gouvernement d'Israël continue de rejeter les principes de base établis par la résolution de l'Assemblée générale du 11 décembre 1948 et le conseil amical offert par le gouvernement des États-Unis dans le seul but de faciliter une paix véritable en Palestine, le gouvernement des États-Unis regrettera d'être forcé de conclure qu'une révision de son attitude envers Israël sera inévitable*[2].»

Ben Gourion répond avec colère : «*Le Département d'État, dans son attitude envers Israël, ne tient pas compte de deux éléments. Israël n'a pas vu le jour à la suite du plan de partage des Nations unies mais grâce à ses sacrifices, à sa victoire sur le champ de bataille, acquise sans l'aide de l'ONU ni des États-Unis. Et puis*, dit-il, *les réfugiés arabes sont en puissance des ennemis d'Israël, leur retour sans accord de paix mettrait en danger la sécurité d'Israël.*»

Pendant ce temps, à Lausanne, Walter Eytan fait une nouvelle tentative pour apaiser les esprits en répétant la proposition israélienne

---

1. «Eban à Sharett», *Israel Documents*, *op. cit.*, t. 3, doc. n° 324 et 325, pp. 594, 595.
2. «Mac Donald à Ben Gourion», *ibid.*, t. 4, doc. n° 42, p. 75.

d'annexer Gaza. Il envoie le 29 mai, à Claude de Boissanger, le président en exercice de la Commission de conciliation, une lettre qui, quelques décennies plus tard, pourra paraître hallucinante :

«[…] *La bande de Gaza ne peut et ne doit pas constituer une entité économique indépendante. Pour vivre, elle doit être rattachée à l'une des entités économiques et politiques proche de ses frontières. C'est-à-dire, l'Égypte et Israël. La bande de Gaza est séparée de l'Égypte proprement dite par le désert du Sinaï. Par rapport à la vallée du Nil, c'est une île séparée du continent par une mer de sable […]. La distance ne permet pas à l'Égypte d'en être un marché naturel pour les produits agricoles de la région. Tous les liens naturels de Gaza sont, au nord et à l'est, avec Israël.*

«*Ma délégation, en proposant que Gaza et sa population arabe soient incorporées à Israël, a conscience des difficultés que cela représenterait pour Israël, particulièrement dans les sphères sociale et économique […] L'incorporation à Israël ferait plus que toute autre chose pour donner un espoir de reconstruire leurs vies aux personnes actuellement regroupées à Gaza […]*[1].»

Eytan avait eu, deux jours plus tôt, un entretien avec Ethridge, au terme duquel le diplomate américain avait noté avec satisfaction : «*Israël veut de plus en plus la bande de Gaza […]*[2].» Le 4 juin, pour tenter de sortir de l'impasse, le Département d'État informe la délégation américaine à Lausanne qu'il est désormais en faveur de l'octroi à Israël de la bande de Gaza dans le cadre d'un règlement territorial définitif, étant entendu que cela devrait être négocié avec le plein accord du gouvernement égyptien. A la fin du mois, Jefferson Patterson, le chargé d'affaires américain au Caire, se voit confier la mission de proposer le marché aux Égyptiens. Au ministre des Affaires étrangères, il exprime d'abord le profond désappointement du gouvernement des États-Unis face à l'attitude négative de l'Égypte à l'égard du problème des réfugiés et demande à son interlocuteur de considérer la proposition israélienne d'annexer Gaza comme la base de négociations urgentes. La réaction du chef de la diplomatie égyptienne est presque violente. «*Je ne l'ai jamais vu réagir avec autant de force et de mépris face, je cite, "au fait que le gouvernement d'une grande nation comme les États-Unis puisse participer à un projet aussi honteux"* […].» Et Patterson de suggérer à ses supérieurs à Washington «*que l'Égypte pourrait adopter une attitude différente si le Département d'État lui proposait une compensation territoriale suffisante pour assurer un lien terrestre entre*

---

1. «Eytan à de Boissanger», *Israel Documents, op. cit.*, t. 4, doc. n°41, p. 74.
2. Mordechai Gazit, *art. cit.*, voir note 2, p. 114.

l'Égypte et la Jordanie[1]». Ce rejet ne surprend aucunement Eliahou Sasson. Le 1er juin il avait eu un entretien secret avec Abdel Moneim Mostafa dans un restaurant de Lautrey près de Lausanne. Le jour même il avait câblé à Sharett :

«*A ce stade, les États arabes ne sont pas prêts à conclure des accords de paix avec Israël. […] Les États arabes ont décidé de n'accepter aucun tracé de la frontière israélienne dépassant les frontières de novembre 1947. Si Israël demande par exemple la Galilée occidentale, il devra donner une compensation territoriale ailleurs. L'Égypte, non seulement, ne renoncera pas à la région de Gaza, mais exigera le sud du Neguev, sur une ligne Majdal (Ashkelon)-mer Morte. […] Les Américains*, dit Abdel Moneim Mostafa, *comprennent cette position qu'ils promettent de soutenir. Les Égyptiens rejettent le plan […] concernant Gaza et ses réfugiés. La position des États arabes au sujet des réfugiés est purement tactique. La question ne les presse pas car ils savent qu'Israël n'acceptera qu'un faible nombre d'entre eux et puis, il existe des plans américains de développement du Proche-Orient […]*[2].»

Pour qui travaille le temps? Faut-il temporiser ou, au contraire, se presser d'aboutir à un accord? En Israël, Ben Gourion et Sharett n'ont pas la même réponse. Au cours d'une réunion de gouvernement, le 29 mai, les deux hommes s'affrontent à coups feutrés :

Ben Gourion : «*Le temps œuvre en notre faveur pour trois éléments importants : les réfugiés, les frontières et Jérusalem. Plus le temps passe et plus on s'habitue aux frontières actuelles de l'État d'Israël et pas à celles de l'ONU […] L'État n'a pas été créé selon la loi de l'ONU qui n'a rien fait pour cela et les Arabes ne peuvent donc pas exiger de nous les frontières d'un État arabe. A Lausanne, ils l'exigent […] Plus le temps passe, plus nous* [fortifions] *les frontières actuelles, surtout si nous nous y installons, créons des localités, faisons venir des immigrants, notre position dans ces frontières se renforcera. Quelqu'un connaissant la situation actuelle ne peut pas parler sérieusement de l'annexion de Jaffa à un État arabe. A propos des réfugiés* [arabes], *ils continuent, par leur présence, d'exercer une pression morale sur l'ONU; mais malgré cela, là aussi le temps travaille en notre faveur de même que* [sur le terrain] *à Jérusalem. […] Cela ne doit pas nous empêcher de chercher à aboutir à un accord de paix […]*»

Sharett : «*Le temps travaille contre nous. […] A priori, dans le cas des réfugiés, il est évident que d'une certaine manière le temps nous est*

---

1. *FRUS, op. cit.*, t. 6 p. 1228, 2 juillet. Voir aussi : Neil Caplan, «A Tale of Two Cities», *Journal of Palestine*, t. XXI, n° 3, p. 5.
2. «Sasson à Sharett», *Israel Documents, op. cit.*, t. 4, doc. n° 48, p. 86.

favorable, car lorsque les gens s'habituent à la pensée qu'ils sont là-bas et ne reviendront pas dans leur pays, cela sert [...] *Mais, d'autre part, de même que nous n'arrivons pas à nous habituer à l'idée que jamais nous ne pourrons visiter le mur des Lamentations, si les Juifs découvraient qu'ils doivent s'habituer à cette idée, il y aurait une véritable tempête dans le monde juif. C'est la même chose chez les réfugiés arabes. Mon sentiment est qu'ils n'ont pas encore commencé à s'habituer à l'idée qu'ils ne retourneront pas. Une idée trop choquante pour eux.* [...] *S'ils commencent à s'y habituer, cela risque de susciter une explosion dans la région et une pression sérieuse sur l'Amérique, par contrecoup, une pression sur nous* [...][1].»

SASSON DÉPRIME

Sharett donne le feu vert à Eliahou Sasson pour qu'il poursuive les contacts avec les réfugiés arabes à Lausanne. Une décision qu'il explique ainsi aux membres du gouvernement :

«*Les réfugiés accusent les délégations arabes de spéculer avec leur problème.* [...] *Ils savent que* [seul un petit nombre pourra retourner]. *Ils nous soumettent toutes sortes de propositions de grande envergure : que nous annoncions que nous sommes prêts à des pourparlers directs avec eux ; que nous invitions une ou plusieurs délégations de réfugiés à venir négocier en Israël ; qu'ils créent un mouvement parmi les réfugiés, demandant l'annexion de l'ensemble de la* [Palestine] *par Israël. En fait, ce qui se cache derrière tout cela, c'est l'idée de nous amener à prendre des engagements envers eux.* [En fait, pour nous], *les discussions que nous menons avec les réfugiés signifient que nous détachons leur problème des négociations de paix* [...][2].»

Des instructions insuffisantes pour Eliahou Sasson qui, le 13, soumet des propositions à Sharett. Il est inquiet :

«*Toutes nos activités à Lausanne, en Amérique et en Israël semblent dirigées vers la prochaine Assemblée générale de l'ONU en septembre, mais il ne faut pas s'en contenter si nous voulons la paix. D'autant plus que cela ne nous approchera pas de la paix pendant les deux années à venir* [...] *au contraire, cela risque d'unir à nouveau le monde arabe contre nous* [...] *La décision de l'Angleterre de renouveler ses livraisons d'armes à la Jordanie et à l'Irak, l'augmentation du budget militaire égyptien* [...], *le fait que la Syrie évite de signer un accord d'armistice, le renforcement de son armée ; tout cela en est la preuve.*

---

1. ANI, procès verbal de la réunion du gouvernement israélien du 29 mai 1949.
2. *Ibid.*, procès verbal de la réunion du gouvernement israélien du 7 juin 1949.

Pour autant que je comprenne la situation et sur la base de mes discussions avec les Arabes, les conditions minimales pour réaliser la paix actuellement sont les suivantes :

« 1) Accepter l'annexion du Triangle par la Jordanie après quelques rectifications de frontières de-ci, de-là.

« 2) Renoncer complètement aux régions de Gaza et de Rafah et accepter leur annexion par l'Égypte ou la Jordanie.

« 3) Dans le cas où les deux, ou seulement Gaza, seraient annexés par la Jordanie, accepter la mise en place d'un corridor qui relierait la région au royaume jordanien.

« 4) Accepter le partage de Jérusalem entre nous et la Jordanie avec un contrôle international des Lieux saints.

« 5) Accepter une rectification de frontière avec la Syrie.

« 6) Accepter le retour progressif de cent mille réfugiés en divers endroits d'Israël.

« 7) Offrir des dédommagements aux [réfugiés palestiniens] *anciens propriétaires terriens qui pourraient revenir en Israël.* […]»

Et d'expliquer à Sharett que ces conditions ne sauraient rendre la situation actuelle encore plus difficile. Israël ne renonce à rien de ce qu'il a déjà, ne s'engage pas à des concessions qui mettraient en danger son existence ou freineraient son développement. «*La paix à ces conditions serait un réel acquis, un succès et nous apporterait le soutien du monde entier,* poursuit Sasson. *Les possibilités d'accord séparé avec la Jordanie ou un autre pays arabe sont faibles sans des concessions importantes* [de notre part]. *La Jordanie quittera Lausanne avec l'acceptation de ses exigences par le monde arabe et l'Occident, et n'aura plus besoin de notre accord. Il faut donc décider rapidement ce qui est préférable : la paix tout de suite ou la poursuite de la lutte, c'est-à-dire des années supplémentaires d'état d'urgence, d'isolement, d'instabilité, de fortes pressions extérieures et peut-être également d'opérations militaires*[1].»

Sharett lui répond par une volée de bois vert, deux jours plus tard :

«Je ne sais pas qui t'a mis dans la tête l'illusion que nous imaginons que la paix viendra de la prochaine Assemblée générale de l'ONU. Tout le problème est que l'affaire des négociations de paix avec les États arabes ne repose que sur des mots alors que l'Assemblée générale est un fait bien réel et que nous devons nous y préparer. Cela ne veut pas dire que nous y plaçons beaucoup d'espoir et préférons un accord immédiat à des négociations directes. Le contraire est vrai et si nous n'avons pas progressé sur la voie directe ce n'est pas parce que

1. ANI, « Sasson à Sharett », 2442/5.

nous avons tout misé sur l'ONU. Renforçons-nous l'un l'autre et ne discutons pas pour rien.

«Quant à tes propositions, j'accepte les suivantes : 1, 2, 4, et 7. Je rejette 3 et 5. Au sujet de la 3, j'ai informé Walter Eytan qu'il était possible d'envisager de laisser [à la Jordanie] *un accès à Gaza, mais il ne faut pas accepter un corridor qui signifierait une souveraineté jordanienne sur le territoire et scinder notre pays en deux. A propos de la 5, je crois que tu ne réalises pas que donner à la Syrie le contrôle de la frontière du Jourdain et des lacs fera voler en éclats nos espoirs d'irrigation. Ce que l'Angleterre n'a pas donné à la France, son alliée, nous ne l'offrirons en aucun cas à Zaïm. Le n° 6 : il ne faut en aucun cas se lier à un chiffre, au contraire, il faut réduire autant que possible. Yossef Weitz te tuera pour cette trahison[1].»*

Cette dernière remarque de Moshé Sharett est intéressante. Yossef Weitz est le directeur du Fonds national juif. Depuis 1948, sa principale occupation est la destruction des villages arabes abandonnés et le transfert des terres aux Juifs, étant entendu que tout retour des réfugiés palestiniens est exclu. Une activité à laquelle il avait associé pendant quelques mois Eliahou Sasson et Ezra Danine[2].

La lettre de Sharett ne calme pas la déprime de Sasson. Le jour même, il envoie une autre missive à son ami Shmouel Divon, surnommé Ziama, au département du Moyen-Orient du ministère des Affaires étrangères, à Jérusalem. Un examen de conscience aux accents parfois dramatiques. Celui qui fut le conseiller de Fayçal d'Arabie est en désaccord total avec le gouvernement israélien.

«Mon cher Ziama, bonjour,

«Vous n'avez pas idée combien je regrette d'être venu à Lausanne. Bien sûr, la ville est très belle. L'hôtel où nous sommes logés – Beau-Rivage – est très luxueux. Il en est de même pour le temps... Mais, comme vous le savez, nous ne sommes pas venus ici pour admirer la beauté de la ville [...] Nous sommes venus ici pour un seul but, réaliser la paix avec les États arabes. Mais cela fait deux mois que nous sommes là et nous n'avons pas progressé d'un seul pas vers cet objectif tant désiré et il n'y a aucune chance pour que nous progressions à l'avenir, même si nous décidons de rester encore plusieurs mois. Chaque jour qui passe renforce chez nous, chez les Arabes et au sein de la Commission de conciliation le sentiment que les discussions de Lausanne sont stériles et mènent à l'échec. [...]

---

1. ANI, «Sasson à Sharett», 2442/7.
2. Benny Morris, *Yossef Weitz and the Transfer Committees, 1948-1949*, Middle East Studies, 1986.

« *Premièrement : les Juifs estiment qu'ils peuvent obtenir la paix sans* [payer] *un prix* [quelconque]. *Ils veulent obtenir l'abandon par les Arabes de tous les territoires occupés aujourd'hui par Israël; l'accord des Arabes pour que tous les réfugiés soient absorbés par les pays; des corrections aux frontières actuelles, au centre, au sud et dans le secteur de Jérusalem, uniquement en faveur d'Israël; que les Arabes renoncent à leurs biens et propriétés en Israël en échange de dédommagements* […] *qui seront payés par les Juifs – s'ils le sont un jour! – pendant des années, après la conclusion d'un accord de paix; la reconnaissance* de facto *et* de jure *par les Arabes de l'État d'Israël dans ses nouvelles frontières; l'accord des Arabes pour l'établissement immédiat de relations diplomatiques et économiques entre leurs États et Israël. Etc.*

« *Deuxièmement : les Arabes comprennent* [malgré tout] *qu'Israël est désormais un fait établi, etc.* […] *mais* [ils] *se demandent pourquoi, avec de telles conditions, ils se presseraient à reconnaître l'État d'Israël. L'Égypte, par exemple, affirme que la reconnaissance d'Israël renforcerait non seulement l'État juif mais aussi ses deux voisins hachémites, le plus proche – le royaume de Transjordanie –, le plus lointain – l'Irak; et remettrait ainsi en question l'équilibre des forces dans le monde arabe – un fait négatif pour au moins quatre pays : l'Arabie Saoudite, la Syrie, l'Égypte et le Liban. La situation pourrait être entièrement différente s'il était possible de créer un État arabe indépendant pour la seconde partie de* [la Palestine]. [*N.d.A.* : Sasson, comme le voulait l'usage en hébreu, utilise le terme « Terre d'Israël ».] *Mais l'élément qui l'empêche aujourd'hui est Israël. Par ses positions et ses exigences actuelles, Israël transforme la seconde partie de la Palestine en* [élément] *inutile, si ce n'est pour l'annexion par un des États voisins, c'est-à-dire : la Transjordanie. La seule porte de sortie pour l'Égypte, dans ce labyrinthe, est de ne pas accepter Israël, ne pas le reconnaître et de maintenir la situation actuelle tout en espérant se renforcer militairement, économiquement, scientifiquement afin de faire face à toute menace venant d'Israël seul, de Transjordanie ou d'Irak, ou des trois réunis.*

« *Ce n'est qu'un exemple parmi des dizaines que j'entends de la bouche du chef de la délégation égyptienne, Abdel Moneim Mostafa, chaque fois que je le rencontre et que j'essaie de le persuader de changer sa position. Il en de même lorsque je rencontre les Libanais ou les Palestiniens qui conseillent la délégation syrienne.* […]

« *Quant aux réfugiés – en fait, ce sont les boucs émissaires. Personne ne leur accorde la moindre attention. Personne n'écoute leurs exigences, leurs explications, leurs propositions. En dépit de cela, toutes les parties utilisent leur problème à des fins qui n'ont presque aucun rapport avec les ambitions des réfugiés eux-mêmes. Par exemple, tous les pays arabes exigent le retour des réfugiés, mais en fait, aucun, à l'exception du Liban, n'y est intéressé. La Transjordanie et la Syrie veulent garder les réfugiés qui se trouvent sur leurs territoires afin de profiter de l'aide américaine ou internationale [...]. L'Égypte veut laisser en l'état le problème des réfugiés encore quelques années afin d'empêcher toute stabilité en Transjordanie et en Israël [...] En fait, la question des réfugiés n'est pas une pression pour l'Égypte. Tous les réfugiés sous sa souveraineté sont concentrés dans la région de Gaza et sont soutenus pour l'heure par des organismes internationaux. Qu'ils meurent, qu'ils vivent, que leur nombre augmente ou diminue, cela ne change rien pour ce pays retardé, féodal et surpeuplé, habitué à ce genre de pauvreté, de pénurie, de mortalité, etc.*

«Les pays arabes ne sont pas les seuls à ne pas prêter attention aux explications et aux propositions des réfugiés, nous non plus ne les écoutons pas. Ce n'est pas que nous n'y sommes pas intéressés, mais parce que nous avons décidé de ne pas leur permettre de retourner dans notre État, quoi qu'il advienne. Je ne démens pas que j'ai été un des éléments à l'origine de cette décision, que j'ai soutenue. Je ne le regrette pas, je n'en n'ai pas honte. L'intégration des réfugiés dans les pays arabes et non en Israël serait, selon moi, la meilleure garantie possible d'une paix sincère et durable avec les Arabes. Cette position ne devrait pas nous empêcher d'utiliser les réfugiés pour une certaine opération qui pourrait être bonne pour eux et pour nous. Un exemple : parmi les propositions qu'ont apportées les représentants des réfugiés à Lausanne, il en est une qui concerne la possibilité d'annexer à Israël des parties arabes de Palestine – le Triangle, les régions de Hébron et de Gaza, Jérusalem, etc., à deux conditions :

«a) qu'Israël accepte d'intégrer une partie des réfugiés à l'intérieur de ses frontières actuelles, 100 000, par exemple;

«b) qu'Israël accepte d'accorder l'autonomie administrative aux régions arabes qui lui seraient annexées.

«En plus de ces deux principes, il faudrait qu'Israël s'engage à aider les réfugiés dans leur combat jusqu'à la victoire, c'est-à-dire :

«– à les aider à comparaître devant l'Assemblée générale de l'ONU, en septembre. Exiger le départ de toutes les forces arabes de Palestine et ouvrir des négociations entre eux et Israël sur la question de la Palestine dans son ensemble;

«– à les aider à s'organiser, à se révolter, à former des bandes armées qui rendraient la vie difficile à tout pouvoir arabe dans leur région, qu'il soit égyptien, syrien ou transjordanien;

«*– à garantir aux organisateurs et aux révoltés l'asile en Israël dans le cas où ils échoueraient* […][1].»

L'idée est originale. Eliahou Sasson propose en somme au gouvernement israélien de créer une «Organisation de libération de la Palestine arabe». Une initiative qui a peu de chances de voir le jour. Ni les réfugiés arabes ni le gouvernement israélien ne peuvent l'accepter. Divon, après réception de cette missive, en enverra la copie, douze jours plus tard, à Ben Gourion et à Sharett. Ils ne réagiront pas. Ces idées de Sasson ne seront pas évoquées au cours des débats qui se dérouleront en Israël durant les deux premières semaines de juillet, pendant la suspension des travaux de la conférence de Lausanne.

Le 5 juillet 1949, le gouvernement israélien examine une proposition de Moshé Sharett d'annoncer publiquement qu'Israël est prêt à autoriser le retour de 100 000 réfugiés arabes, y compris les 25 000 déjà acceptés et 10 000 dans le cadre de la réunification des familles. Il s'agit, dit le ministre des Affaires étrangères, d'alléger ainsi les pressions américaines. Ben Gourion est contre. «*Ce chiffre de 100 000 ne satisfera*, dit-il, *ni les Américains ni les Arabes, ne rapprochera pas la paix et constituera même une menace pour la sécurité du pays avec l'arrivée d'un aussi grand nombre de réfugiés ; cela ne fera qu'entraîner d'autres pressions sur Israël.*» Pour éviter que Ben Gourion ne soit mis en minorité, Sharett suggère un compromis : les diplomates israéliens vont d'abord tester auprès des Américains l'utilité d'une tel geste. Si effectivement cela permet de détourner sur les Arabes les pressions de Washington, Israël annoncera qu'il accepte d'absorber un tel nombre de réfugiés après la conclusion de la paix avec les États arabes.

Le 19 juillet, la conférence de Lausanne reprend officiellement ses travaux. Les Américains ont l'impression que cette fois les choses pourraient avancer. Israël annonce officiellement qu'il est prêt à accepter un certain nombre de réunifications de familles et puis, en coulisse, le Département d'État a des informations encourageantes de Syrie. Husni el Zaïm a procédé à un remaniement ministériel. Le ministre des Affaires étrangères, Adil Arslan, qui avait fini par annoncer son opposition à tout contact avec les Israéliens, est remplacé par Muhsin Barazi, d'origine kurde, comme le dictateur. Barazi reçoit également la présidence du conseil. Enfin, Ralph Bunche, le médiateur, est parvenu à faire avancer les négociations en vue d'un armistice israélo-syrien en proposant de démilitariser les territoires en litige. L'accord est signé solennellement le 20 juillet 1949, sous une grande tente, entre Mahanaïm et

---

1. L'original est aux ANI, 3749/2. La lettre est reproduite dans *Israel Documents*, *op. cit.*, t. 4, pp. 135-137.

Mishmar Hayarden. Le chef de la délégation syrienne, le colonel Faouzi Selou, serre la main de son homologue israélien, le lieutenant-colonel Mordehaï Makleff. L'atmosphère est chaleureuse. Selou écrit en arabe, sur une page de l'accord : «*J'espère que ce traité se développera et apportera une paix définitive entre mon pays et l'État d'Israël.*»

A Tel Aviv, Moshé Sharett explique aux députés de la commission des Affaires étrangères la position d'Israël au sujet des réfugiés :

«*Au début, notre position était la suivante : nous ne sommes pas responsables de ce problème. Nous sommes intéressés à la solution du problème et sommes prêts à apporter notre aide. Nous sommes prêts à contribuer à l'installation des réfugiés dans d'autres pays en payant pour les terres abandonnées. Nous sommes prêts à permettre l'installation d'une partie de ces Arabes en Israël, mais uniquement dans le cadre d'une paix globale et d'une solution globale du problème. [...] Nous sommes arrivés à une étape où nous avons vu la nécessité du stratagème* [d'annoncer] *que nous serions prêts, dans certaines conditions, à augmenter notre contribution afin de détourner sur les Arabes les pressions que nous subissons. [...] S'il est clair que le débat sur les réfugiés fait partie du débat sur la paix nous serons prêts à augmenter notre contribution. L'exécution dépendant de la réalisation d'un règlement de paix. [...] Cette décision a été influencée par le fait que nous avons accepté de recevoir la bande de Gaza. Ainsi nous espérions obtenir un certain nombre d'avantages importants : étendre le territoire de l'État d'Israël; compléter la bande côtière; le désert sera la frontière entre nous et l'Égypte, éloigner la menace qui pèse sur Tel Aviv et le sud du Neguev, éloigner la possibilité d'un déploiement des Jordaniens et des Anglais devant et derrière nous*[1].»

A Lausanne, la Commission de conciliation est informée le 3 août de la proposition israélienne d'accueillir 100 000 réfugiés. Les Américains font grise mine. Ils considèrent qu'Israël fait marche arrière. L'État juif avait proposé beaucoup plus en voulant annexer Gaza. Au cours de consultations privées, les délégations arabes rejettent l'offre israélienne en la qualifiant de «propagande». La Commission tentera, en vain, d'obtenir d'Israël qu'il propose un chiffre plus important. Le reste des débats de la conférence de Lausanne ne sera qu'un futile exercice diplomatique qui n'aboutira qu'à un seul résultat concret du point de vue d'Israël : l'établissement de relations diplomatiques avec la Turquie, négocié par Eliahou Sasson au cours de conversations privées avec le représentant turc à la commission, Hussein Yalçin.

Sasson continue de recevoir des informations encourageantes de

---

1. ANI, commission des AE du 1ᵉʳ août 1949.

Damas. Boissanger l'informe, début août, de la teneur d'une conversation entre un diplomate français et Husni el Zaïm. Le dictateur syrien lui a dit qu'il était prêt, à certaines conditions, à ignorer l'opinion publique dans son pays et dans le monde arabe et à conclure une paix séparée avec Israël. A quelles conditions ? Des rectifications de frontières, a dit le dictateur syrien qui, sur une carte, a tracé une ligne jusqu'au Jourdain et le long du lac de Tibériade. La Syrie est toujours prête à absorber un grand nombre de réfugiés, à la condition qu'elle reçoive un important soutien financier international qui lui permettrait de développer ses ressources naturelles et qu'Israël absorbe également une partie importante de ces réfugiés.

Sasson envoie le même jour une lettre à Barazi, le Premier ministre syrien :

« [...] *J'affirme catégoriquement que tout ce que la presse arabe propage au sujet des prétendues intentions d'expansion d'Israël est dénué de tout fondement. Je propose à Votre Excellence d'entamer, dans le plus grand secret, des conversations directes et non officielles avec Israël au sujet de toutes les questions qui intéressent spécialement nos deux pays. A mon avis, des conversations pareilles contribueront au progrès du travail de la Commission de conciliation et à ses chances de succès* [...][1].»
Et de proposer une rencontre avec le représentant syrien à Lausanne, Adnan Atassi, et avec un autre émissaire syrien, en Europe ou à la frontière israélo-syrienne. Sasson se dit également prêt à aller à Damas.

Il n'aura jamais de réponse car, le 13 août 1949, Husni el Zaïm et Muhsin Barazi, sont arrêtés par une poignée d'officiers et de soldats. C'est un nouveau coup d'État. Ils sont conduits sur un terrain vague près de la prison de Mezzé. Zaïm reconnaît le général Sami Hennaoui, qui vient de le renverser. Quelques rafales de mitraillette. Hennaoui donne lui-même le coup de grâce à l'homme qui l'a nommé chef d'état-major. Barazi est enterré sur place. La dépouille d'el Zaïm disparaîtra. Pro-irakien, le nouveau dictateur remet le pouvoir aux civils, et leur fixe un objectif : l'alliance avec Bagdad. Le 19 décembre, à quelques jours de la date fixée pour l'union des deux armées, un nouveau putsch a lieu, le troisième en neuf mois. Hennaoui et ses sbires sont arrêtés et expulsés. Le pouvoir est confié au général Faouzi Selou, un ancien de Saint-Cyr qui, en fait, obéit à un autre officier francophile : Adib Chichakli, ennemi des Hachémites. Il restera à la tête de l'État syrien pendant quatre ans avant d'être, lui aussi, renversé.

A Amman, début août, Abdallah a fini par avoir vent des contacts de Hawari avec les Israéliens à Lausanne. L'existence même de cette orga-

1. «Sasson à Barazi», *Israel Documents, op. cit.*, t. 4, doc. n° 185, p. 295.

nisation de réfugiés met en question la reconnaissance par l'État juif de son annexion de la Cisjordanie. Il ordonne la fermeture du bureau des réfugiés à Ramallah et l'arrestation de plusieurs collègues de Hawari. Le dirigeant palestinien est de plus en plus isolé à Lausanne. Les délégations arabes, sous la pression des envoyés du mufti, refusent de le rencontrer et il n'a même pas de quoi payer sa facture d'hôtel. Eliahou Sasson, apprenant cela, décide de le rencontrer. Il lui donne quelques centaines de francs pour régler ses dettes et lui dicte une lettre destinée au délégué jordanien, Faouzi el Moulki. Hawari menace de demander l'intervention de la Commission de conciliation et de s'adresser à la presse internationale si les mesures prises contre son organisation en Jordanie ne sont pas immédiatement annulées. Quelques jours plus tard, Hawari apprendra que ses amis ont été relâchés et son bureau rouvert.

Au cours des mois suivants, il préparera divers projets avec Eliahou Sasson. La constitution d'une autorité palestinienne en exil qui représenterait également les réfugiés au Liban, en Égypte, en Syrie, et constituerait une opposition à l'annexion de la Palestine arabe par Abdallah. La création d'une région autonome dans le nord de la Cisjordanie, le Triangle étant alors annexé par Israël. Toutes choses qui n'ont aucune chance d'aboutir. L'idée de la création d'un mini-État palestinien, satellite d'Israël n'est, au mieux, qu'un exercice intellectuel. Il aurait fallu une intervention militaire israélienne pour en conquérir le territoire, ce que n'envisagent ni Ben Gourion ni Sharett[1]. Pour eux, il n'y a pas d'option palestinienne. Et puis, Hawari n'a pas l'envergure nécessaire pour un tel projet. Après Lausanne, il regagnera Ramallah, où il aura maille à partir avec les autorités jordaniennes. L'année suivante il apparaîtra avec sa famille au point de passage de Rosh Hanikra, à la frontière libanaise, pour demander l'asile en Israël. Hawari s'installera à Nazareth où, devenu citoyen israélien, il sera nommé juge de paix[2]. Aziz Shehadeh, lui, restera en Cisjordanie. Opposant au régime, il fera de la prison, passera quelques mois au Liban pour, finalement, revenir à Ramallah, où les Israéliens le retrouveront en juin 1967.

REPRISE DES NÉGOCIATIONS AVEC ABDALLAH

Fin août 1949, Abdallah est en visite officielle à Londres. Il a un rendez-vous discret avec une vieille connaissance israélienne, avec qui il avait des liens avant la guerre de 1948 : Moshé Novomeysky, qui

---

1. Avi Shlaim, *Collusion accross the Jordan, Israel's Palestinian Option*, *op. cit.*
2. Témoignage de Moshé Sasson recueilli par l'auteur.

voudrait l'autorisation des Jordaniens pour reprendre les activités de la Société d'exploitation de potasse de la mer Morte dont il est le directeur. Les deux hommes parlent également d'une reprise des négociations secrètes israélo-jordaniennes. Le roi présente ses exigences territoriales. La restitution de Lydda, Ramleh, Beersheva, des territoires à l'ouest d'Akaba. «*J'ai besoin de telles concessions pour justifier des contacts avec Israël*», dit-il. Novomeysky informe les dirigeants israéliens de cette conversation qui n'aura de suite qu'en novembre. Cette fois, Abdallah annonce qu'il est prêt à discuter des «frontières de la paix» et qu'il n'a pas l'intention de réclamer Jaffa, Lydda et Ramleh mais exigera un corridor vers la mer.

Ce message, le souverain jordanien l'envoie également par le canal des Américains. De New York, le 21 novembre, Abba Eban informe Walter Eytan : «*Abdallah a dit à Riley, de passage à Amman, qu'il est prêt à faire un effort sérieux pour parvenir à une paix séparée avec Israël. Il est contre l'internationalisation de Jérusalem dans son ensemble, seulement des Lieux saints. Abdallah va réclamer un port franc à Haïfa, la bande de Gaza avec un libre passage par Beersheva, Israël recevant un port franc à Akaba et la possibilité d'exploiter les gisements de potasse de la mer Morte*[1].»

Compte tenu de l'impasse dans laquelle se trouve la conférence de Lausanne, la reprise des négociations avec la Jordanie est de très bon augure. Eliahou Sasson dit à Ben Gourion qu'une paix avec les Jordaniens ouvrira la voie à une paix avec l'Égypte et le Liban. Le Premier ministre définit la position d'Israël dans ces pourparlers : «*Réclamer le quartier juif de la vieille ville de Jérusalem, du mont Sion au mur des Lamentations ; une continuité territoriale jusqu'au mont Scopus. Israël étant prêt, en échange, à offrir des territoires dans le sud de Jérusalem ; la totalité du secteur occidental de la mer Morte jusqu'au secteur d'exploitation de potasse ; le bassin de Latroun ; l'annexion à Israël de Naharaïm sur le Jourdain en échange de territoire ailleurs. Israël acceptera également : le transfert par l'Égypte à la Jordanie de Gaza ; un libre passage, sans souveraineté, de Transjordanie à Gaza ; une zone franche dans le port de Haïfa avec passage par Israël. Nous poserons comme conditions qu'aucune base ne soit accordée, en Cisjordanie, à une puissance quelconque ; que le traité entre la Transjordanie et la Grande-Bretagne ne s'applique pas à la Palestine occidentale ; que ce territoire ne soit pas annexé par une autre État dans le cas d'une union entre la Transjordanie et la Syrie ou l'Irak*[2].»

---

1. «Eban à Eytan», *Israel Documents*, op. cit., t. 4, doc. n° 424, p. 638.
2. Cité par I. Rabinovitch, *The Road Not Taken*, op. cit., p. 123.

Sasson et Réouven Shiloah se rendent à Shouneh le 26 novembre. Abdallah est heureux de retrouver son vieil ami. «*J'aurais préféré*, lui dit-il, *qu'Elias intervienne à une étape ultérieure des discussions, pour aider les politiciens lorsqu'ils s'embrouilleront. […] Je voulais la paix, mais j'ai été obligé de faire la guerre. Le monde arabe ne fait pas son devoir dans la guerre comme dans la paix. J'ai sauvé la situation dans la guerre, je le ferai dans la paix […]*» Puis, s'adressant à nouveau à Sasson, il lui demande pourquoi il part pour Ankara, où il vient d'être nommé représentant d'Israël : «*Je pars car je suis déçu des Arabes puisque les perspectives de paix s'éloignent. Ce sont les Arabes qui sont responsables de mon départ.*»

Abdallah accepte la réponse, remercie ses invités d'être venus et les laisse seuls avec Samir el Rifaï, ancien Premier ministre et son proche conseiller. Celui-ci commence par analyser la situation dans la région :

«*Vous pouvez obtenir l'aide de l'Amérique mais vos besoins sont immenses. Vous ne pourrez continuer d'être entourés par un monde hostile qui ne vous a jamais aimé et dont la haine à votre égard augmente en raison de son échec au cours de la guerre. Le monde arabe parle de vous détruire. Aujourd'hui il est faible, mais demain il pourrait se renforcer. Vous resterez toujours une minorité* [dans la région] *en dépit de l'immigration* [juive]. *Il est donc de l'intérêt d'Israël qu'il y ait la paix. En dépit de ce que disent les Arabes, la Transjordanie vous reconnaît comme une réalité, un fait accompli. L'intérêt de la Transjordanie veut également la paix. Mais pour que le roi soit à même de faire la paix, il faut que ce soit une paix honorable qu'il puisse présenter comme un acquis au monde arabe. Le roi est prêt à s'engager sur une paix séparée mais cela ne doit pas porter atteinte à son honneur. […] Je propose de diviser en trois les sujets des conversations : les problèmes politiques comportant des arrangements territoriaux ; les problèmes économiques, y compris Naharaïm (la station électrique sur le Jourdain), l'extraction de la potasse ; le problèmes des réfugiés, faut-il les faire revenir ou non, leur payer des dédommagements, etc. […]*»

Samir el Rifaï explique à ses interlocuteurs qu'ils devraient renoncer au Neguev pour laisser à la Transjordanie une continuité territoriale jusqu'à Gaza. «*Ce n'est qu'un désert*, dit-il, *qui n'est pour vous qu'une question de prestige, sans bénéfices économiques. […] Si vous avez besoin d'une sortie sur la mer Rouge, nous sommes prêts à vous donner un port franc à Akaba en échange d'un port franc à Haïfa. Et puis, il vaut mieux que vous n'ayez pas de frontière commune avec l'Égypte. Le monde arabe considère que votre présence dans le Neguev interrompt sa continuité territoriale de Casablanca à l'Afghanistan et constitue une atteinte grave à ses intérêts. […]*»

Pas du tout, répondent poliment les diplomates israéliens, le «*Neguev n'est pas pour nous une question de prestige, nous avons perdu suffisamment de victimes pour le conquérir.* […] *Nous comprenons qu'un passage vers la mer est essentiel pour la Transjordanie et nous sommes prêts à ce que Gaza lui soit attribué, mais un tel arrangement ne peut se fonder sur des concessions territoriales israéliennes dans le Neguev. Il faut trouver une solution pour que la Transjordanie ait accès à Gaza sans porter atteinte au contrôle du territoire par Israël.* […] *Et puis, l'Égypte est-elle d'accord pour transférer Gaza à la Transjordanie.*» ?

Samir el Rifaï préfère ne pas répondre. Les diplomates israéliens expliquent : «*Avec toute notre amitié pour la Transjordanie, nous ne sommes pas prêts à entrer en conflit avec notre voisin, l'Égypte, et nous ne serons pas au côté de la Transjordanie si elle entre en conflit avec l'Égypte au sujet de Gaza.*»

Samir el Rifaï : «*Sans continuité territoriale, l'accord me paraît impossible.*»

«*Nous sommes prêts à poursuivre les discussions en tenant compte de la nécessité d'un accès à la mer, mais si cela implique une concession territoriale de notre part, il n'y aura pas de base pour les négociations.*»

Le négociateur jordanien accepte la formule : «*Les deux parties sont prêtes à engager des conversations en tenant compte de la nécessité pour la Transjordanie d'avoir un accès à la mer. Les deux parties chercheront une formule qui permettra un tel accès sans porter atteinte aux intérêts vitaux d'Israël.*»

JÉRUSALEM

Pendant qu'Israéliens et Jordaniens négocient, les Nations unies prennent l'initiative. A Lake Success, aux États-Unis, le 9 décembre, l'Assemblée générale adopte la proposition australienne d'internationalisation de Jérusalem soumise par la Commission de conciliation pour la Palestine :

«[…] *Jérusalem devrait être placée sous un régime international permanent qui devrait préparer des garanties appropriées pour la protection des Lieux saints, à l'intérieur et à l'extérieur de Jérusalem* […] *: 1) La ville de Jérusalem sera un* corpus separatum *sous un régime international et administrée par les Nations unies. 2) Un conseil d'administration sera désigné afin de décharger les responsabilités de l'autorité administrative* […].» Ce régime devrait s'appliquer aux territoires inclus dans les limites actuelles de la municipalité de Jérusalem, plus les localités et villages avoisinants : Abou Dis, Bethléem, Ein Karem, Motsa, Shouafat. La résolution est votée par 38 délégués contre 14 et 7 abstentions[1].

Quarante-huit heures plus tard, Ben Gourion, furieux, fait adopter par son gouvernement une série de décisions qui seront présentées le lendemain à la Knesset : le vote de l'ONU ne change rien à la position israélienne au sujet de Jérusalem. Le gouvernement israélien est persuadé que l'initiative de l'ONU est irréalisable. Le transfert des ministères de Tel Aviv à Jérusalem se poursuit. Le gouvernement demande au Parlement de s'installer à Jérusalem.

Le 14 décembre 1949, Ben Gourion écrit dans son journal :

«*Je suis monté ce matin à Jérusalem pour y installer* [la présidence du Conseil] *et ainsi transférer le gouvernement à Jérusalem. Au cours des dernières années j'ai dû faire face à des décisions douloureuses et difficiles* […] *mais je ne sais pas si j'ai jamais dû prendre une décision aussi difficile : à l'encontre de l'ONU, faire face au monde catholique, soviétique, arabe. Après avoir mûrement réfléchi, j'ai décidé que nous devions prendre tous les risques et nous opposer à l'ONU, pas seulement en paroles mais en actes. Le transfert du gouvernement à Jérusalem avant que le conseil d'administration international ait le temps de commencer ses activités.* […]

«*L'internationalisation de Jérusalem retire 100 000 Juifs de l'État d'Israël.* […] *Mais Jérusalem c'est aussi la ville de David. Si la Terre d'Israël est au centre du peuple hébreu, Jérusalem en est le cœur.* […]

«*Si nous mettons l'ONU en échec ici, nous liquidons la question des frontières et on ne nous demandera pas d'absorber des réfugiés. Notre succès à propos de Jérusalem nous dispensera de tous les problèmes internationaux autour de l'État d'Israël.*

«*Réussirons-nous ? Peut-être. Nous avons des alliés et nos actes déterminent leur position. Il y a Abdallah. Bien sûr, il est le prisonnier des Anglais, mais pour les autres peuples arabes il est un facteur décisif. Il détruit l'unité arabe et pourrait entraîner avec lui notre pire ennemi au sein du monde arabe, l'Irak. Si Abdallah n'a pas de force, ceux qui sont derrière lui en ont : les Anglais.*

«*C'est l'ironie de l'histoire, mais c'est un fait qu'il faut utiliser à notre avantage : dans ce conflit avec l'ONU, la Grande-Bretagne est notre alliée, en silence, sans qu'il soit nécessaire d'en discuter. Elle soutient Abdallah, qui est avec nous.* […] *Nous avons l'aide d'Abdallah. Puisqu'il est installé à Jérusalem, il ne faut pas l'ignorer et*

---

1. *Israel Documents, op. cit.*, t. 4, p. 693.

les conversations qui se déroulent actuellement avec lui sont d'une grande aide. [...][1].»

La résolution sur l'internationalisation de Jérusalem restera lettre morte.

VERS UN ACCORD

A Shouneh, Jordaniens et Israéliens se sont rencontrés les 1er et 8 décembre pour, cinq jours plus tard, parvenir à la rédaction d'un texte qu'Abdallah préfère ne pas appeler «Projet d'accord de paix» mais «Questions politiques et changements territoriaux». Israël retrouverait le quartier juif de la vieille ville jusqu'au mur des Lamentations et le libre passage vers l'enclave du mont Scopus. Les Jordaniens obtiennent en échange une continuité territoriale vers Bethléem. La rive occidentale de la mer Morte jusqu'à l'usine de phosphates, au nord, revient à l'État juif. Celui-ci accorde aux Jordaniens un corridor allant de Hébron à Gaza, leur donnant ainsi un accès à la Méditerranée, à trois conditions : interdiction d'y installer un dispositif militaire, libre passage pour la circulation israélienne en plusieurs endroits, et engagement formel de ne pas inclure le corridor dans le traité anglo-jordanien.

Le 23 décembre, Sasson et Shiloah proposent à Abdallah et Rifaï une bande de terrain de trois kilomètres de long sur la côte méditerranéenne, à laquelle pourrait s'ajouter la moitié de la zone démilitarisée au nord de Gaza, qu'Israéliens et Égyptiens ont décidé de se partager. Soit quelques kilomètres de plus. Le corridor reliant cette région à la Jordanie passant par le territoire israélien ferait entre cinquante et soixante mètres de large. Les Jordaniens sont furieux. Rifaï fait remarquer qu'Israël «*n'offre en tout et pour tout qu'une route menant à des dunes, à une plage désertique sans valeur économique. Pour justifier la conclusion d'un accord séparé entre Israël et son royaume, Abdallah doit recevoir des concessions territoriales substantielles*». Le ton monte. Le roi tente de calmer ses négociateurs mais Sasson lance :

«*Même si Israël signe la paix avec la Jordanie, il devra conserver une armée importante pour faire face à d'éventuelles menaces venant d'autres pays arabes. Des concessions importantes ne pourront pas êtres faites à la Jordanie, si ce n'est dans le cadre d'un règlement global. La Jordanie n'est pas la clé de la paix avec le monde arabe...*»

Abdallah réagit avec colère. Il ne s'attendait pas à une telle remarque de la part de celui qu'il considère comme son ami. Il n'imaginait pas

---

1. Journal de Ben Gourion, Archives de Tsahal, Tel Aviv, 14 décembre 1949.

que les Israéliens accorderaient aussi peu d'importance à un accord avec la Jordanie. C'est l'échec. Sasson et Shiloah prennent congé de leur hôte après avoir décidé de poursuivre les négociations, mais sans fixer de date précise. Le roi suggère que Samir el Rifaï aille à Jérusalem rencontrer David Ben Gourion mais le Premier ministre israélien a pour principe de ne pas participer directement aux négociations avec les Arabes.

Plus tard, Dayan affirmera – à tort – que les Britanniques avaient conseillé à Abdallah de ne pas conclure une paix séparée avec Israël. En fait, l'impasse est due à la fois aux difficultés intérieures auxquelles le souverain hachémite fait face et à l'attitude d'Israël. Le gouvernement jordanien risque de ne pas approuver un accord avec Israël. Et puis les Israéliens ne peuvent accepter la création d'un corridor large de quelques kilomètres, comme le réclame Samir el Rifaï, qui couperait leur pays en deux. Leur interprétation des exigences jordaniennes les rend extrêmement méfiants[1]. Les chefs de l'armée répètent à Ben Gourion de ne pas prendre de risques inutiles. Pour eux, la guerre d'indépendance n'est pas terminée et Israël doit se préparer à une reprise des combats.

Le 1er janvier, l'ambassadeur des États-Unis en Israël, James Mac Donald, informe Sharett que Farouk est prêt à des négociations avec Israël sur le tracé définitif des frontières entre les deux pays, sans attendre les prochaines élections en Égypte. Le principal conseiller de Farouk l'avait annoncé à l'ambassade des États-Unis au Caire, trois jours plus tôt. Sharett demande au diplomate américain de répondre aux Égyptiens qu'Israël est d'accord. Le 6, Mac Donald annonce à Sharett que les Égyptiens acceptent une rencontre à Genève. «*Le secret*, dit-il, *doit être absolu car Azzam Pacha, le secrétaire général de la Ligue arabe, est opposé à toute négociation directe en dehors de la Commission de conciliation sur la Palestine. Si l'affaire* [est divulguée], *l'Égypte se mettra à l'abri.*» Le rendez-vous aura lieu le mois suivant.

Le 23 janvier 1950, sixième rencontre à Shouneh. Abdallah a envoyé son ministre de la Défense, Faouzi el Moulki, et Samir el Rifaï, rencontrer les deux émissaires israéliens. Dayan et Shiloah expriment l'espoir qu'il sera possible de surmonter les difficultés. «*Puisque la dernière rencontre en décembre a débouché sur une impasse, nous proposons*, disent-ils, *de commencer une discussion sur Jérusalem avec l'intention d'aboutir à un accord global qui concernerait tous les problèmes en*

---

1. Moshé Dayan, *Story of my Life, op. cit.*, pp. 114-115. Avi Shlaim, *Collusion…*, *op. cit.*, p. 529. Itamar Rabinovitch, *The Road Not Taken, op. cit.*, p. 529.

suspens entre Israël et la Transjordanie. Nous ne pourrions que perdre par une négociation limitée à Jérusalem. Les Lieux saints se trouvent, pour la plupart, sous contrôle transjordanien et la résolution [de l'ONU] sur leur internationalisation porte plus atteinte à la Transjordanie qu'à Israël.»

Dayan : *«Théoriquement, il est possible de parvenir immédiatement à un accord sur Jérusalem mais ce serait insuffisant. La situation actuelle de cessez-le-feu ne permet pas d'apaiser les appréhensions de ceux qui craignent pour la sécurité des Lieux saints. Seule la paix donnera une garantie de stabilité. Le partage de Jérusalem représentera une reconnaissance de notre part de l'annexion de la partie arabe de Palestine par le royaume de Transjordanie. Le gouvernement d'Israël aura des difficultés à faire passer une telle initiative. Le public voudra connaître la contrepartie […]»*

Shiloah : *«Je vous interromps. Vous savez parfaitement que nous n'avons jamais accepté ces frontières. Je croyais que nous pourrions discuter amicalement et franchement afin d'aboutir à un accord réaliste. Il faudrait donc cesser les tours de passe-passe diplomatiques, sinon, nul ne sait où nous aboutirons […]»*

La tension baisse. Le repas est servi. Shiloah demande à Dayan d'exposer les idées israéliennes sur le partage de la ville.

«La ligne de cessez-le-feu doit nous servir de point de départ. Il faut la rectifier pour satisfaire les intérêts vitaux des deux parties. Les intérêts vitaux d'Israël sont : a) le quartier juif de la vieille ville et le mur des Lamentations; b) le mont Scopus. Nous aimerions introduire quelques autres rectifications à la ligne actuelle, mais elles sont moins essentielles que les deux que je viens de citer et sans lesquelles il n'y a pas de solution.»

Les Israéliens insistent : *«Il est possible d'aboutir à un accord. Nous avons déjà évoqué tout cela lors de nos rencontres en décembre. Il n'y a pas de divergence au sujet du quartier juif et du mur des Lamentations. Une réciprocité est possible au sujet de la route reliant Jérusalem à Bethléem, que nous vous laisserons, ainsi que l'accès au mont Scopus […]»*

Samir el Rifaï : *«Effectivement nous étions d'accord. Mais, comme nous avons percé une nouvelle route vers Bethléem, celle que vous nous proposez n'a pas grande importance […]»*

Les Israéliens félicitent les Jordaniens et rappellent qu'eux aussi ont percé une route qui contourne le verrou de la Légion arabe à Latroun.

Faouzi el Moulki soulève à nouveau le problème de Talbyeh, Katamon, Baka et de la colonie grecque – les quartiers arabes de la nouvelle ville de Jérusalem, conquis par les Israéliens en 1948. Dayan et Shiloah répondent qu'au cours des rencontres précédentes les représentants israéliens avaient répété qu'il n'était pas question de restituer ces territoires : «*Nous sommes prêts*, disent-ils, *à payer des dédommagements aux propriétaires et à participer à la construction de nouveaux quartiers à la place en secteur transjordanien [...]*»

Samir el Rifaï annonce que tout cela est inacceptable. Rendez-vous est pris pour la semaine suivante[1], le 30 janvier. Cette fois, sous la pression de son gouvernement, Abdallah fait participer à la négociation, aux côtés de Faouzi el Moulki et de Samir el Rifaï, un autre ministre, Khulusi Khayri, originaire de Ramallah; preuve que les Palestiniens exercent une influence croissante dans la politique jordanienne.

Dayan et Shiloah ont une mauvaise surprise. D'entrée de jeu, Faouzi el Moulki présente une carte de partage de Jérusalem préparée en 1945 par William Fitzgerald, le doyen des juges britanniques en Palestine. Tous les quartiers arabes du sud de la ville, occupés par Israël, ainsi que des terrains dans le centre, devraient passer sous la souveraineté jordanienne. «*Ce serait un partage juste*, dit el Moulki, *qui permettrait le retour dans leurs domiciles des réfugiés arabes et éviterait les complications provenant de la présence en secteur juif de propriétés arabes et le contraire [...]*»

«*Vous ignorez complètement la réalité et vous tentez de refaire l'histoire comme s'il n'y avait pas eu de guerre*, rétorque Shiloah. *Votre attitude ne peut faire avancer les négociations. Ce n'est qu'en tenant compte et en acceptant la réalité sur le terrain comme base des discussions qu'il sera possible, par des concessions réciproques et de la bonne volonté, d'aboutir à un règlement efficace.*»

Dayan poursuit : «*Du point de vue d'Israël, un règlement définitif du problème de Jérusalem ne peut être conclu que sur la base d'une de ces trois voies :*

«*– Des échanges de territoires fondamentaux. C'est-à-dire, restitution à la Transjordanie de tous les quartiers arabes du sud de Jérusalem; en échange, Israël devrait recevoir un territoire de surface équivalente (même s'il n'est pas bâti) dans le nord de la ville, afin de réaliser une continuité territoriale entre la Jérusalem juive et le mont Scopus.*

«*– Par un dédommagement financier des* [propriétaires arabes] *des quartiers du sud de Jérusalem, sans que cela soit lié au problème des dédommagements mutuels pour l'ensemble du pays. Dommages de guerre, compensations immobilières, etc.*

---

1. ANI, «La sixième rencontre de Shouneh», 23 janvier 1950, 2453. Reproduite également dans *Israel Documents, op. cit.*, t. 5, p. 40. Voir : Avi Shlaim, *Collusion..., op. cit.*, p. 558.

«– *Par une compensation territoriale limitée de notre part en échange du quartier juif de la vieille ville et d'un accès au mont Scopus, afin que les dédommagements financiers à Jérusalem fassent partie du débat général sur les revendications financières mutuelles.*

«*Toutes ces propositions de solution comportent la condition fondamentale que le quartier juif passe sous notre souveraineté, jusqu'au mur des Lamentations et qu'un arrangement satisfaisant soit trouvé pour l'accès au mont Scopus. Aucun gouvernement israélien ne pourra conclure un accord de paix définitif qui laisserait sous une occupation étrangère le lieu le plus saint de l'héritage biblique du peuple juif, et cela, à quelques centaines de mètres seulement de sa frontière.*»

Khulusi Khayri répète qu'il n'y aura pas d'accord sans restitution des quartiers arabes du sud de Jérusalem. Dayan répond que, dans ce cas, il n'y aura pas de règlement. Abdallah intervient pour calmer tout le monde. Khayri et son peuple étant responsables de la guerre, il est de leur devoir, dit-il, de trouver une solution.

Les Jordaniens rejettent tout échange de territoire important dans le nord de Jérusalem. Cela placerait la route de Naplouse sous la souveraineté israélienne. El Moulki montre à ses collègues une feuille de papier rédigée, dit-il, par des «conseillers», apparemment des officiers britanniques de la Légion arabe, qui affirment que cet axe de communication est indispensable pour assurer la défense de l'ensemble de la Cisjordanie.

El Rifaï lance une autre suggestion : «*Le gouvernement israélien accepterait-il une combinaison des deux autres propositions? C'est-à-dire une compensation territoriale et financière pour les quartiers qui ne seraient pas restitués aux Arabes?*»

Les Israéliens laissent entendre que cela ne sera pas possible. La séance est terminée, il est trois heures du matin. Dayan et Shiloah repartent vers Jérusalem[1].

Nouvelle rencontre, le 3 février. Cette fois, à Jérusalem-Ouest, au domicile d'Avraham Biran, un haut fonctionnaire israélien. Samir el Rifaï et Faouzi el Moulki sont venus sans Khulusi Khayri, ce que Shiloah et Dayan considèrent comme de bon augure.

Le ministre jordanien ouvre la discussion :

«*Le gouvernement jordanien a longuement examiné le compte rendu de la dernière rencontre avec vous. Il a été informé de vos demandes : souveraineté sur le quartier juif de la vieille ville de Jérusalem et le mur*

---

1. ANI, «La septième rencontre de Shouneh», 30 janvier 1950, 2453. Reproduite également dans *Israel Documents*, *op. cit.*, t. 5, p. 75. Voir : Avi Shlaim, *Collusion…*, *op. cit.*, pp. 558-559.

des Lamentations, un accès satisfaisant à vos institutions sur le mont Scopus. Afin de faciliter nos débats, le gouvernement jordanien a décidé de répondre favorablement à certaines de vos demandes. Il est prêt à vous accorder un libre passage, honorable, au mur des Lamentations mais refuse absolument de vous restituer le quartier juif. Au sujet du mont Scopus, nous permettrons d'accéder à vos institutions à condition que le secteur soit considéré comme étant placé sous la souveraineté jordanienne. »

Les Israéliens, déçus, rejettent la proposition d'el Moulki :

« Nous pensions que nos négociations devaient mener à un règlement global et à une solution définitive du problème de Jérusalem. Ce que vous nous présentez n'est qu'une étape de l'application de l'article 8 de l'accord d'armistice de Rhodes, au terme duquel il faut régler dans les plus brefs délais le problème du libre accès aux Lieux saints et au mont Scopus. Le gouvernement israélien apprécie beaucoup votre volonté à appliquer cet article 8, ce qu'il aurait d'ailleurs fallu faire depuis longtemps ; mais nous ne pensons pas que cela permettra de repousser l'ONU et les autres puissances qui veulent l'internationalisation de Jérusalem, ce à quoi Israël s'oppose. Même le plan du diplomate français Garreau qui préside la commission de l'ONU pour Jérusalem nous offre plus : un accès libre au mur des Lamentations et au mont Scopus, avant même que nous ayons commencé à négocier. […]

« Nous ne sommes absolument pas prêts à accepter, même par allusion, que le secteur du mont Scopus puisse être considéré comme un territoire conquis par les Jordaniens. Pour nous, ce territoire est aussi israélien que Tel Aviv ou la Jérusalem juive. Toute tentative de la Légion arabe d'y pénétrer serait considérée comme une violation grave du cessez-le-feu pouvant entraîner une reprise des hostilités […][1]. »

C'est de nouveau l'impasse. Avant de regagner les lignes jordaniennes, el Moulki promet de vérifier auprès de son gouvernement si des compensations pourraient être offertes aux Israéliens en échange de concessions territoriales.

Le même jour, Moshé Sasson, qui est membre du département du Proche-Orient des Affaires étrangères, rencontre Abdel Ghani el Karmi, le Vendangeur. Ce conseiller d'Abdallah lui fait un compte rendu de la situation à Amman :

« Plusieurs éléments empêchent la conclusion d'une paix entre les deux pays : la composition actuelle du gouvernement jordanien et

---

1. « Rencontre Shiloah, Dayan, Moulki », *Israel Documents*, *op. cit.*, t. 5, doc. n° 73. p. 98.

notamment les Palestiniens qui en font partie ; le souci du roi de ne pas conclure une paix qui décevrait les réfugiés. Parmi ces derniers, certains désirent retourner en Israël, d'autres voudraient que leurs terres qui se trouvent en Israël dans le secteur du Triangle soient annexées à la Cisjordanie, d'autres, enfin, demandent des dédommagements. […]»

El Karmi lance une idée qu'il dit n'avoir pas encore soumise à Abdallah : «*Un accord de paix serait signé sur la base des lignes existantes, tous les problèmes en suspens seraient ensuite résolus par des commissions* ad hoc.» «*Pourquoi pas!*» répond Moshé Sasson.

Après quelques jours d'attente, les Israéliens apprennent qu'Abdallah est furieux de n'avoir pas reçu d'eux une nouvelle proposition de rendez-vous. Ils se renseignent et découvrent qu'el Rifaï est alité. C'est donc seul que Faouzi el Moulki a présenté au roi le rapport sur la dernière rencontre en lui disant – ce qui est faux – que ce sont les Israéliens qui doivent décider de la date. Pour sortir de l'impasse, Shiloah écrit une lettre à el Rifaï en exprimant sa surprise de ne recevoir aucun message d'Amman. La réponse ne tarde pas. Dayan et Shiloah sont invités à Shouneh le 17 février.

Seuls el Rifaï et Abdallah sont là pour les recevoir. Ils s'excusent pour l'incident puis, avant le repas, le roi prend congé de ses invités et les laisse seuls avec son conseiller. Samir el Rifaï propose de faire le point sur les négociations afin de décider s'il est possible de parvenir à un accord, ou d'accepter le fait que les conditions ne s'y prêtent pas à l'heure actuelle, et, dans ce cas, suspendre les pourparlers pour les reprendre à une date ultérieure. Les Israéliens acceptent. El Rifaï ouvre le débat en affirmant qu'à son avis il est impossible, en dépit de leur bonne volonté, de surmonter le fossé qui sépare les deux parties. Il comprend les mobiles d'Israël derrière ses exigences minimales, en particulier sa demande de restitution du quartier juif de la vieille ville de Jérusalem. «*Mais*, dit-il, *l'actuel gouvernement jordanien est composé de gens incapables de comprendre cette demande. Ils ne pourront en aucun cas approuver l'accord global qui comprend une concession de la part de la Jordanie. Ce faisant, ils commettent peut-être une lourde erreur, mais le fait est qu'ils sont là aujourd'hui et ce sont eux qui devront approuver l'accord. Bien entendu, il est possible de changer de gouvernement ; mais si les ministres actuels sont limogés, ils se présenteront en héros devant le peuple et dans la situation qui sera créée, aucun autre n'acceptera de siéger au gouvernement.*

«*L'exigence minimale de la Jordanie est de recevoir un accès à la mer dans la région de Majdal* [Ashkelon], *relié à Gaza, et un corridor de deux kilomètres de large sous souveraineté jordanienne* [reliant ce secteur à la Cisjordanie] […]»

A cet instant, Abdallah pénètre dans la pièce. Il demande aux négociateurs de poursuivre la discussion jusqu'à ce qu'ils parviennent à un accord ou à une impasse. «*A ce moment-là*, dit-il, *je viendrai vous rejoindre pour vous soumettre une nouvelle idée qui, je crois, pourrait nous mener à une solution; mais d'abord il faut que vous fassiez un effort pour examiner toutes les possibilités* […]»

A 23 heures, après un long débat stérile, el Rifaï informe le roi que les deux parties veulent, certes, la paix, mais qu'il est impossible de surmonter les obstacles qui se trouvent sur la voie vers un accord.

Abdallah : «*Je suis désolé par l'échec des efforts pour trouver un compromis. Mais je pense qu'il ne faut pas renoncer, je suis persuadé qu'en fin de compte nos deux peuples auront des relations pacifiques normales. Pour l'heure, il semble qu'ils n'ont pas réussi à se libérer de leur amertume et de leurs sentiments de méfiance mutuelle qui sont la conséquence inévitable de la guerre et de l'effusion de sang. Afin que les deux parties puissent discuter des choses d'une manière objective, il faut une étape intermédiaire entre la guerre et la paix. L'armistice est insuffisant. Il faut des arrangements temporaires pour une période de quelques années qui, sans régler d'une manière définitive les problèmes difficiles qui opposent les deux peuples, rapprocheront les cœurs et créeront une atmosphère plus favorable. Les deux parties se réclament mutuellement des concessions qui pourraient être considérées comme une reddition ou une trahison. Mais s'il y avait une atmosphère de bon voisinage, chaque peuple considérerait les concessions différemment. Je propose donc qu'au lieu de conclure un accord de paix définitif nous signions pour l'instant un accord de non-belligérance pour une période de cinq ans, comprenant les éléments suivants :*

«*– Des garanties complètes des deux pays à l'ONU pour la sécurité des Lieux saints.*

«*– Les lignes de cessez-le-feu resteraient en place, pour une période de cinq ans.*

«*– Les relations commerciales et économiques entre Israël et la Jordanie seront rétablies et développées pendant une période de cinq ans.*

«*– Des commissions d'experts seront mises sur pied pour examiner les questions en suspens et préparer des propositions en vue de la solution définitive.*

«*– Les habitants de Jérusalem qui ont perdu des biens d'un côté ou de l'autre de la ligne de cessez-le-feu pourront demander des dédommagements. De même, les propriétaires terriens seront autorisés à passer les lignes ou à donner pouvoir à des représentants pour négocier une compensation.*

«*Un tel accord, s'il est conclu, nous permettra de repousser le danger de l'internationalisation de Jérusalem.* […]»

Dayan et Shiloah répondent que cette proposition du roi est importante et encourageante mais qu'avant de donner une réponse, ils doivent la communiquer à leur gouvernement. Abdallah explique qu'il ne soumettra ses idées à son gouvernement que si Israël en accepte les grands principes.

«*En raison de son importance, pourriez-vous nous donner votre proposition par écrit ?*» demande Shiloah.

«*Je vais vous la dicter !*» lance Abdallah à Samir el Rifaï. Celui-ci se dérobe. Visiblement, il ne veut pas se compromettre en laissant une trace écrite de sa participation à ces négociations secrètes avec l'État juif, auxquelles il s'oppose. Shiloah se porte volontaire et prend la dictée[1]. Les Israéliens regagnent Jérusalem avec l'impression d'avoir accompli un gigantesque pas en avant.

Quatre jours plus tard, Shiloah et Dayan envoient un émissaire chez Samir el Rifaï pour l'informer que le gouvernement israélien leur a donné pouvoir de continuer les négociations sur la base de la proposition d'Abdallah. La réponse qu'ils reçoivent les surprend : el Rifaï leur fait dire que si Israël n'est pas prêt à de nouveaux compromis, il est inutile de préparer une nouvelle rencontre. Les Israéliens comprennent qu'Abdallah n'est certainement pas au courant de l'attitude de son conseiller et envoient deux lettres, l'une au roi et l'autre à Samir el Rifaï. Dès le lendemain, ils sont invités à revenir à Shouneh.

Abdallah accueille les deux hommes avec le sourire. Il est satisfait de l'accord de principe d'Israël et propose que la rencontre soit consacrée à un examen, article par article, du projet d'accord de non-belligérance. Faouzi el Moulki et Samir el Rifaï sont là.

Les Israéliens demandent d'abord des explications sur la réponse négative qui leur a été envoyée au nom de Samir el Rifaï : «*Nous ne nous serions jamais permis de nous adresser directement au roi,* explique Shiloah, *mais il fallait que nous ayons la certitude que notre réponse était arrivée à la bonne adresse et que le refus de poursuivre les négociations ne venait pas d'éléments étrangers hostiles à la paix entre les deux pays* […]»

Abdallah se fâche : «*Je ferai couper la main de celui qui tentera de saboter les négociations. Qui était l'émissaire ?*»

Samir el Rifaï qui, pâle et silencieux, avait suivi l'échange, intervient : «*Il n'y a pas eu d'intervention étrangère ni de tentative de saboter les pourparlers. Apparemment, l'émissaire n'a pas compris la position*

---

1. ANI, «Neuvième rencontre à Shouneh», 17 février 1950, 2408.

israélienne et l'a mal transmise. J'ai cru comprendre que les Israéliens voulaient relancer la discussion sur Jérusalem et j'ai donc répondu qu'il n'y avait pas matière à une nouvelle rencontre, mais dès que j'ai su que les Israéliens étaient prêts à examiner la proposition de Sa Majesté, j'ai accepté le principe d'un rendez-vous […]»

Après le repas, la discussion commence. Le roi, qui n'avait pas gardé de copie de la proposition qu'il avait dictée à Shiloah lui demande de la lire afin qu'el Moulki en prenne connaissance. Au cours d'une deuxième lecture, des corrections sont apportées à certains articles. Abdallah se tourne ensuite vers le maire d'Amman qui assistait à la rencontre et lui demande de préparer des copies afin que chaque délégation en ait un exemplaire. Sa tâche terminée, l'homme soumet les papiers au roi. Celui-ci est d'excellente humeur et demande à el Rifaï et à el Moulki de parapher le texte. Ils s'exécutent de mauvaise grâce[1].

La réunion suivante a lieu le 28 février 1950. Les Israéliens présentent leur projet d'accord de non-belligérance mais sont surpris de recevoir des mains de Faouzi el Moulki un nouveau texte jordanien qui ne comprend pas quelques éléments importants proposés par Abdallah. Le projet ne fait pas état d'une coopération économique. Dayan et Shiloah expliquent qu'ils n'ont aucune intention de conclure une seconde édition, peut-être encore plus mauvaise, de l'accord de Rhodes :

«Au début des négociations nous avons fait un effort sincère pour aboutir à un règlement de paix définitif. Mais nous nous sommes rendu compte que l'heure d'un tel accord n'était pas venue et nous avons accepté la proposition du roi de conclure un accord intérimaire. […] Nous avons été influencés par les explications de Sa Majesté qu'il est difficile à deux parties qui se sont affrontées au cours d'une guerre, après une effusion de sang, de passer subitement à la paix. […] Votre texte ne comporte pas les deux éléments qui ont persuadé notre gouvernement d'accepter la proposition de votre roi : la non-belligérance pendant cinq ans et l'établissement de relations commerciales.»

Faouzi el Moulki : «*Vous ne comprenez pas l'essence de notre texte. Le gouvernement jordanien lui aussi est en faveur d'une étape intermédiaire vers la paix, mais il estime qu'il est préférable à ce stade de ne pas limiter la non-belligérance dans le temps. Il est également en faveur de liens économiques et commerciaux mais, pour diverses raisons, préfère ne pas les inclure dans un accord écrit. Je vous assure qu'il a l'intention d'établir de telles relations le plus tôt possible […]*»

Les Israéliens n'acceptent pas ces arguments. Les Jordaniens proposent de reprendre les discussions après leurs elections prévues pour le

---

1. ANI, «Dixième rencontre à Shouneh», 24 février 1950, 2408.

mois d'avril. Shiloah annonce qu'il est inutile de continuer dans ces conditions. «*Pour prévenir toute mésentente*, dit-il, *je vais laisser une note au roi.*» Samir el Rifaï et Faouzi el Moulki déclarent que la délégation israélienne ne peut pas partir ainsi. Ils insistent pour réveiller Abdallah. Le souverain hachémite, qui n'avait pas pris connaissance du texte soumis par son gouvernement aux Israéliens, entre dans une rage folle, devant ses visiteurs embarrassés. «*Visiblement*, lance-t-il, *j'ai plus d'influence sur les Israéliens que sur mon propre gouvernement! Mon projet était le résultat d'une longue réflexion et j'ai l'intention de le maintenir.* [...] *L'alternative à un accord, c'est la guerre, et la Jordanie n'y est pas prête.*» Puis, s'adressant à ses ministres, il leur intime l'ordre de signer ou de démissionner et demande aux deux délégations de revenir négocier le vendredi suivant. En prenant congé des Israéliens, Abdallah demande à Shiloah de tenir compte des difficultés de la Jordanie et de revoir le projet d'accord israélien[1].

ÉCHEC

A Amman, c'est la crise. Le Premier ministre, Toufik Aboul'Oudah, démissionne le 2 mars. Il refuse tout accord avec les Israéliens. Il est en désaccord total avec Abdallah, qui demande à Samir el Rifaï de former un nouveau cabinet. Mais les politiciens jordaniens opposent un front uni à leur roi, qui est obligé de demander à Aboul'Oudah de retirer sa démission.

Les négociations israélo-jordaniennes ne sont plus un secret. En janvier 1950, après s'être querellé avec le roi et les chefs de la Légion arabe, Abdallah el Tall s'est réfugié en Égypte, où il divulgue certains documents qui lui avaient été confiés, accusant Abdallah d'être un traître à la cause arabe, un laquais des sionistes. La presse, syrienne et égyptienne, publie des attaques violentes contre le souverain hachémite. Les choses ne s'arrangent pas lorsque, le 1er mars 1950, le *New York Times* affirme, en première page, que Moshé Sharett a soumis au gouvernement israélien un projet de traité de non-agression avec la Jordanie. Il y a également des fuites sur l'éventuelle reprise des relations commerciales entre les deux pays et, le 6 mars, le Premier ministre syrien menace au cours d'une conférence de presse de fermer sa frontière avec la Jordanie si Amman adopte une telle initiative.

---

1 «Projet d'accord de non-belligérance», *Israel Documents*, *op. cit.*, t. 5, doc. n° 112, p. 146. «Sharett à Eban», *ibid.*, doc. n° 126, p. 174. Avi Shlaim, *Collusion...*, *op. cit.*, p. 544.

Le gouvernement égyptien ne monte pas au créneau. Pas cette fois. Il a des contacts secrets avec Israël. Comme prévu, à Genève, Abdel Monem Mostafa a eu le 27 février un long entretien avec Abba Eban et Gidéon Raphaël, un autre diplomate israélien. Les dés sont pipés : les services de renseignements israéliens ont réussi à mettre la main sur la correspondance des jours précédents entre Abdel Moneim Mostafa et ses supérieurs au Caire. Il exprimait des doutes sur les intentions pacifiques d'Israël, dont la position ne pourrait être changée que par la force. Le ministère égyptien des Affaires étrangères lui avait donné pour instruction de refuser des négociations directes et toute nouvelle rencontre avec des représentants israéliens. Malgré tout, le rendez-vous est maintenu, car Le Caire voudrait savoir s'il y a de nouveaux développements[1].

Pas question de faire la moindre allusion à ces informations secrètes. Cela risquerait de griller une source. Eban ouvre la conversation en transmettant à son interlocuteur les salutations d'Eliahou Sasson, de Walter Eytan et de Réouven Shiloah. Puis il se lance dans un exposé sur les changements intervenus dans la région depuis les dernières conversations secrètes israélo-égyptiennes :

«[…] *Le monde arabe ne gagne rien en* [retardant] *le début de négociations avec Israël. L'effondrement économique d'Israël que le monde arabe attend n'a et n'aura pas lieu. Au contraire, il est fort possible que nous soyons parvenus au sommet de nos difficultés et que, avec le temps, les choses se stabilisent. Le rythme de l'immigration va s'adapter à des conditions normales, les immigrants déjà arrivés vont être intégrés, nos horizons financiers vont s'élargir. […] La situation actuelle, fondée sur les accords de cessez-le-feu, va se stabiliser. Le monde va s'accoutumer à cette réalité et toute tentative pour la changer sera considérée futile et imaginaire. […] La pression américaine au sujet du Neguev et des réfugiés n'a pas porté ses fruits. Cette pression n'a pas ramené un seul réfugié en Israël et n'a pas retiré un seul dounam*[2] *du territoire israélien. Actuellement, cette pression a complètement cessé et le gouvernement américain refuse de soutenir toutes les revendications arabes sur le compte d'Israël. Dans ces conditions, il est impossible de comprendre pourquoi l'Égypte tarde à faire la paix. […]*»

Abdel Monem Mostafa : «*Je ne démens pas la plupart de vos affirmations. J'appartiens à une certaine école qui s'était opposée à la guerre en Palestine, dont l'objectif était d'empêcher la création de l'État d'Israël. L'intervention arabe a échoué face au fait accompli de*

---

1. Itamar Rabinovitch, *The Road Not Taken, op. cit.*, p. 187.
2. Unité de mesure utilisée en Palestine mandataire. Toujours en vigueur en Israël. Un dounam équivaut à 1 000 mètres carrés ou 10 ares.

l'existence d'Israël. Je suis même prêt à penser qu'il pourrait en résulter quelque chose de positif pour le Proche-Orient. J'accepte la suggestion qu'il faudrait faire disparaître le plus vite possible les conséquences de l'aventure égyptienne en Palestine. Oui, une aventure, car elle ne provenait pas des besoins politiques de l'Égypte. Mais, malgré cela, une question demeure : comment persuader l'Égypte qu'il est nécessaire et que cela vaut la peine de faire un pas supplémentaire vers la paix ? Il faut déterminer si nous avons des principes de base communs.»

Et le diplomate égyptien d'expliquer qu'il entend évoquer avant tout le principe de la continuité territoriale du monde arabe interrompue par la présence israélienne dans le Neguev. Il s'agit, selon lui, du principal objectif de la politique égyptienne. Eban et Raphaël lui répondent que, dans le cadre d'un accord, Israël serait certainement prêt à trouver une solution qui empêcherait les transports arabes d'être coupés. La présence d'Israël dans le sud du Neguev ne saurait menacer les intérêts de l'Égypte ou son intégrité territoriale. Et il n'est pas question de renoncer à sa souveraineté dans cette région.

Abdel Monem Mostafa : «*Pour l'Égypte, la question aiguë n'est pas l'avenir de la région de Gaza mais le sud du Neguev. L'Égypte n'a aucune intention de renoncer à Gaza. Les réfugiés concentrés dans cette région ne sont pas un fardeau puisque l'ONU en supporte le poids financier ; et puis ils constituent une carte politique importante. L'Égypte peut donc se contenter pendant longtemps de l'accord de cessez-le-feu avec Israël. Si Israël veut la paix, qu'il en paie le prix* […]*[1].»* Les trois hommes se quittent en évoquant la possibilité d'autres rencontres plus détaillées. En fait, ils ne se verront plus.

Eban et Raphaël analysent ce qu'ils viennent d'entendre et parviennent à la conclusion que les Égyptiens ne veulent pas parler de paix en d'autres termes que des propositions concrètes : le contexte territorial, les réfugiés ; et cela en dépit de la position qui vient de leur être présentée. Ils écrivent à Moshé Sharett :

«[…] *Nous devons admettre que toute discussion avec l'Égypte doit nécessairement concerner les réfugiés de la bande de Gaza. Si nous ne sommes pas prêts à en discuter, nous ne serons certainement pas prêts à discuter un accord de paix entre Israël et l'Égypte jusqu'à un règlement global qui n'est pas en vue. Dans ce cas nous devons cesser de réclamer des pourparlers directs et laisser le* statu quo [ce qui signifierait] *que l'Égypte conserverait Gaza et utiliserait les réfugiés comme une arme politique* […]*[2]»*

---

1. *Israel Documents*, *op. cit.*, t. 5, doc. n° 125, p. 170.
2. *Ibid.*, doc. n° 118, p. 158.

Sharett, qui est toujours opposé à l'annexion de Gaza par Israël, le prend mal. Il a visiblement l'impression que ses deux diplomates ont adopté la proposition de Ben Gourion et leur répond par une volée de bois vert :

«[...] *Nous avons évité d'exiger des négociations directes alors que les pays arabes présentaient d'autres conditions que nous refusions – et refusons toujours –, comme par exemple un retour en masse de réfugiés et l'évacuation de territoires qui n'étaient pas inclus dans le plan de partage de 1947. Par quelle logique devrions-nous donc accepter d'avance ces conditions au sujet de la bande de Gaza et renoncer à nos déclarations sur notre volonté d'accepter des négociations de paix ? [...] Où installerez-vous ces 210 000 réfugiés de Gaza ? Comment adapterez-vous l'administration et la vie du pays à l'absorption de ces réfugiés ? Quel responsable de l'implantation acceptera une telle mission ? Quel sera le destin du pays tout entier après que sa minorité arabe atteindra les 450 000 âmes ?*

«La réponse est claire : c'est impossible. Même si le fait est que de cela dépend la paix avec l'Égypte, on ne peut transformer l'impossible en possible. Quel sera le destin de ces réfugiés ? L'avenir le dira, mais en attendant il vaut mieux que tous ceux qui s'occupent du problème abandonnent toute illusion[1].*»*

Les Israéliens attendent une réponse définitive des Jordaniens à leur dernière proposition. La rencontre prévue pour le 3 mars a été repoussée à deux reprises en raison de la crise gouvernementale à Amman, où le gouvernement refuse toujours le texte proposé par Abdallah. Finalement, Shiloah et Dayan se rendent à Shouneh le 7 mars. Le roi les reçoit en compagnie de Faouzi el Moulki, le ministre de la Défense, et Saïd el Moufti, qui détient le portefeuille de l'Intérieur. Abdallah, l'air grave, déclare qu'il espérait, au cours de cette rencontre, parvenir à la conclusion d'un accord. «*Mais, à mon grand regret, la chance ne nous a pas souri. De nombreux obstacles, externes et internes, se sont accumulés sur notre voie et nous devons ralentir le rythme. Il ne faut pas interpréter ce ralentissement comme une rupture mais comme une interruption temporaire. Je me sens obligé de souligner qu'il n'y a pas cette fois de divergence d'opinions entre moi et mon gouvernement et je voudrais que Faouzi el Moulki vous lise la décision du gouvernement.»*

El Moulki : «*Il n'y a jamais eu de divergences entre le cabinet et Sa Majesté au sujet des bases d'un accord* [avec Israël], *seulement parfois au sujet du rythme* [des négociations] *et de l'appréciation des obstacles. [...] Le gouvernement jordanien m'a donné le pouvoir de vous*

---

1. «Sharett à Eban et Raphaël», *Israel Documents*, *op. cit.*, t. 5, doc. n° 129, p. 176.

lire cette déclaration officielle : "Lors de notre dernière rencontre je vous avais présenté notre projet d'accord fondé sur ce que Sa Majesté avait proposé [...]. Il en manquait le passage sur la coopération éco-nomique et commerciale car la situation juridique et la réalité en empê-chent la réalisation à l'heure actuelle jusqu'à l'élimination de tous les obstacles. Telle est notre opinion, fondée sur les ordres et directives de Sa Majesté. La situation n'a pas changé, si ce n'est l'existence d'intrigues et de mensonges lancés par nos ennemis contre nos intentions et nos objectifs. Étant donné que des élections se déroulent actuellement, nous ne considérons pas qu'il serait sage et utile [de négocier] *dans cette atmosphère pleine d'intrigues, ce qui ferait le jeu de nos ennemis. Nous estimons donc que la bonne voie est de repousser nos discussions jus-qu'à la fin de nos élections. [...] Nous espérons qu'alors le contact sera renouvelé dans le même esprit et les mêmes aspirations que nous avons montrés dans le passé et que je confirme maintenant*[1]. »

Profondément déçus, Shiloah et Dayan regagnent les lignes israéliennes. Abdallah est dans une position de plus en plus difficile. La Ligue arabe se réunit au Caire et examine la question des relations avec Israël. Le 1er avril, le représentant jordanien est obligé de voter avec les autres délégations une résolution interdisant toute négociation avec Israël sous peine d'expulsion de la Ligue. Pour les Israéliens, cette apparente volte-face du roi n'est pas surprenante à dix jours des élec-tions en Jordanie et au moment où il prépare l'annexion formelle de la rive ouest du Jourdain. Cela n'empêche pas le souverain hachémite d'envoyer des messages rassurants aux Israéliens et d'expliquer à ses visiteurs occidentaux que le Proche-Orient a changé. Le 9 avril 1950, à Boissanger, de passage à Amman, le roi explique :

« [...] *que les États arabes sont intervenus en Palestine pour chasser tous les Juifs; maintenant, ils ont conclu des armistices avec l'État d'Israël et ils ont fini par accepter le partage de la Palestine. C'est l'Égypte qui a été le premier pays à conclure un tel accord, et cela sans consulter les autres pays arabes. Ensuite, ces derniers l'ont suivie. L'Égypte n'a pas de frontière commune avec Israël. [...] Entre le Liban et Israël et entre la Syrie et Israël, tout va bien. Ces pays entretiennent même des rapports économiques sous des formes plus ou moins régu-lières. Le résultat est que la Jordanie est restée seule en face des Juifs avec le fardeau le plus lourd. Dans ces conditions, elle ne peut faire autre chose que de tâcher de s'entendre avec eux. [...] La Jordanie demande toujours un accès à la Méditerranée, à Gaza, avec une voie de communication à travers le Neguev, ce qu'Israël n'est pas disposé à lui*

---

1. *Israel Documents, op. cit.*, t. 5, doc. n° 130, p. 178.

accorder. *L'alternative pourrait être une zone franche dans le port de Haïfa. Les États arabes s'opposent à cette solution parce qu'elle ferait du tort à Beyrouth. La baie d'Akaba entière doit appartenir à la Jordanie qui serait prête, en échange, à accorder à Israël une zone franche dans le port d'Akaba. La Jordanie veut avoir une frontière commune avec l'Égypte. [...] Le roi est tout à fait contraire [sic!] à l'idée du retour des réfugiés en Israël pour y vivre sous l'autorité des Juifs. Les autres États arabes ne devraient pas insister pour qu'ils rentrent "dans leurs foyers". Ils devraient seulement avoir le droit d'entrer en Israël pour régler la question des indemnités. Ce qu'il faut, c'est qu'ils soient compensés pour la perte de leurs propriétés [...][1]».*

La position d'Abdallah est claire : il ne réclame pas le retour d'un seul réfugié – au contraire de la Ligue arabe – mais seulement le versement rapide de compensations qui réduirait la tension au sein de la population de son royaume. Il veut un accord avec Israël pour assurer un développement économique accéléré à son royaume, avec un accès à la Méditerranée. Boissanger répétera cette conversation, mot pour mot aux Israéliens.

Le 11 avril, ce sont les élections en Jordanie. Le nouveau Parlement représente les populations des deux rives du Jourdain. Des partisans d'Abdallah sont élus, notamment Anouar el Nousseibeh, mais aussi de nombreux adversaires à tout accord avec Israël. Saïd el Moufti est nommé Premier ministre. Il forme un cabinet composé de cinq ministres palestiniens et de cinq transjordaniens, ces derniers occupant les ministères clés, avec Faouzi el Moulki à la défense et Mohamed Choureiki aux Affaires étrangères. Le 13, le Conseil de la Ligue arabe confirme son intention d'expulser tout État membre qui négocierait avec Israël et vote une résolution qui signifie une reconnaissance *de facto*, mais pas *de jure*, de l'annexion de la Cisjordanie par Abdallah.

Les menaces venant du Caire n'empêchent pas le vieux roi de préparer une reprise des négociations avec les Israéliens. Le 21, Abdel Ghani el Karmi va rencontrer Moshé Sasson à son domicile à Jérusalem-Ouest. Le fils d'Elias lui lit un message du cabinet Ben Gourion : «[...] *Israël ne reconnaît pas l'annexion* [de la Cisjordanie] *et, de son point de vue, le statut des régions arabes situées à l'ouest du Jourdain reste à déterminer.*» Et Sasson d'expliquer que son gouvernement pourrait changer d'attitude si un accord venait à être conclu entre les deux pays[2].

Le 24 avril, les deux chambres du nouveau Parlement jordanien votent l'union entre la Transjordanie et la Palestine arabe, la Cisjordanie :

---

1. ANI, rapport confidentiel de Boissanger daté d'Amman, 10 avril 1950.
2. *Ibid.*, Moshé Sasson, «Rencontre avec el Karmi», 2447.

«[…] *au sein d'un seul État, le Royaume hachémite de Jordanie avec, à sa tête, le roi Abdallah Ibn el Hussein, sur la base constitution-nelle d'un gouvernement représentatif et les droits et devoirs de ses citoyens.* [Le Parlement] *réaffirme son intention de préserver la totalité des droits arabes sur la Palestine et de les défendre par tous les moyens légaux* […]».

Abdallah a atteint son objectif. Le plan qu'il préparait depuis la fin de la Seconde Guerre mondiale s'est réalisé. Son royaume est devenu la grande Jordanie. Il entend à présent reprendre les pourparlers avec Israël. Le soir du 27, Shiloah et Dayan arrivent à Amman. Cette fois, la rencontre a lieu au domicile de Mohamed Zoubati, le gérant de ses pro-priétés. Abdallah prend ses précautions. Son arrivée est discrète. Pour le reste de sa cour, il effectue une visite impromptue chez son conseiller, en se rendant chez son épouse. Abdel Ghani el Karmi assiste à l'entre-tien. Abdallah est de bonne humeur. Il est satisfait du résultat des der-nières élections.

«*Mon peuple*, dit-il, *me soutient dans mes efforts de paix, seuls les politiciens constituent un obstacle. A ce propos, mes ennuis dans le passé venaient du gouvernement et de mes ennemis au sein de la Ligue arabe. Mon gouvernement, aujourd'hui, est bien meilleur que le précé-dent, tout en n'étant pas très courageux. Je dois être le seul dirigeant audacieux du Proche-Orient et je remercie Dieu de m'avoir aidé jus-qu'à présent. Vous avez bien entendu suivi les attaques des États de la Ligue arabe contre moi. Ils me menacent également de sanctions et pas seulement en raison de l'annexion de la Cisjordanie mais surtout de ma volonté de paix.* […] *Je compte sur votre amitié pour vous tenir à mes côtés s'ils exécutent leurs menaces. En particulier* [s'ils déclenchent] *une guerre économique contre mon royaume. Je suis toujours totale-ment en faveur de l'accord entre nous. Ne croyez pas les fausses rumeurs selon lesquelles je serais revenu sur ma parole* […]»

Les deux Israéliens remercient le roi et le félicitent pour son succès électoral et sa position ferme face à la Ligue arabe. Ils lui demandent la permission d'exprimer franchement la position de leur gouvernement au sujet de l'annexion de la Cisjordanie par la Transjordanie :

«[…] *C'est une mesure unilatérale que nous ne pouvons accepter. Notre position à cet égard dépendra dans une large mesure du type d'accord qui sera conclu entre nos deux pays. Nous ne pouvons en aucun cas dissocier les deux problèmes. Nous sommes heureux d'en-tendre Sa Majesté réaffirmer sa position* [à l'égard de la paix] *et son intention d'accélérer les pourparlers, mais nous voudrions des réponses plus précises sur le rythme des négociations et leur contenu. Selon des rumeurs qui nous sont parvenues, certains ministres de votre nouveau gouvernement, notamment le Premier ministre et le ministre des Affaires étrangères, ont mis la non-signature d'un accord avec Israël comme condition à leur participation au cabinet [...] Selon d'autres rumeurs, Sa Majesté, elle-même, aurait décidé de renoncer à certains articles de l'accord que nous avons déjà paraphé. [...]»*

Abdallah dément ces rumeurs avec force : «*Le Premier ministre et le ministre des Affaires étrangères soutiennent mes aspirations et mes projets. Quant à ma position, elle n'a changé en rien. Je soutiens toujours chaque lettre de l'accord que j'avais moi-même dicté. Depuis nos dernières discussions, j'ai de plus en plus la certitude qu'il n'y a d'autre voie que celle d'un accord, c'est surtout la seule solution au problème des réfugiés. C'est la raison pour laquelle j'accorde beaucoup d'importance à l'article concernant les dédommagements à verser aux réfugiés anciens propriétaires terriens, etc.; il s'agit de liquider une fois pour toutes les éléments qui pourraient pousser les réfugiés à vouloir revenir en Israël. [...] J'ai décidé de quitter la Ligue arabe. Je ne sais pas quand, cela dépendra de considérations tactiques. [...] Le représentant britannique à Amman, Sir Alec Kirckbride, est venu me voir ce matin. Au nom de son gouvernement, il m'a encouragé à poursuivre les négociations avec vous afin de parvenir à accord. Il m'a conseillé de préparer le terrain parmi les membres du gouvernement afin d'assurer le succès des pourparlers. J'ai besoin de temps pour "monter" mon gouvernement. On ne peut mener un cheval sans lui mettre une selle et un mors. Pour cela, j'ai besoin d'une dizaine de jours [...]»*

Aux Israéliens qui réclament une date plus précise, Abdallah répond : «*Vous n'avez pas besoin de vous tenir debout devant moi, une cravache à la main, pour faire pression. Je brandis moi-même la cravache. Ma volonté de paix n'est pas inférieure à la vôtre. [...] Selon des informations secrètes qui me sont parvenues, dans certains milieux syriens et égyptiens on prépare mon assassinat, mais cela ne me fera pas reculer.*»

La fin de la conversation est consacrée aux problèmes de sécurité sur la frontière sud des deux pays où les accrochages entre Jordaniens et Israéliens sont de plus en plus fréquents. Le roi exprime sa confiance en Moshé Dayan qui est le responsable militaire israélien de ce secteur. Il promet de nommer un représentant qui viendra négocier une solution[1].

En regagnant Israël, Shiloah et Dayan apprennent qu'à Londres le Foreign Office vient de reconnaître *de jure* l'État d'Israël et l'annexion de la Cisjordanie par le royaume hachémite.

---

1. «Rencontre Shiloah, Dayan-Abdallah à Amman», *Israel Documents*, *op. cit.*, t. 5, doc. n° 213, p. 300.

Abdallah avait, une fois de plus, mal jugé le rapport des forces au sein de son gouvernement et de son Parlement qui, dans les circonstances actuelles, ne veulent pas entendre parler de négociations avec Israël. La tension à la frontière va monter au fil des mois. A la fin du mois d'août, des soldats israéliens traversent le Jourdain pour prendre possession d'un lopin de terre à Naharaïm. Les Jordaniens réagissent avec violence et portent l'affaire devant le Conseil de sécurité des Nations unies. Le secteur, pourtant, avait été offert à Israël par Abdallah lors des négociations de Rhodes. Finalement Amman retirera sa plainte.

Le 1er octobre, après une médiation britannique, Walter Eytan se rend à Amman pour une rencontre avec le roi qui rejette la responsabilité de la dernière crise sur son Premier ministre et son ministre des Affaires étrangères qui, dit-il : *«lui font la vie difficile»*. Abdallah explique qu'il était absent lors de l'affaire de Naharaïm et ne savait pas qu'une telle concession avait été faite à l'époque. *«Je n'avais pas vu la carte»*, dit-il avant de demander aux Israéliens de lui restituer le territoire en litige, *«comme faveur personnelle»*. Eytan repartira avec l'impression qu'Abdallah désire toujours la paix mais qu'il doit d'abord mettre de l'ordre dans son royaume.

Dans les mois qui suivent, les chefs militaires israéliens mènent une politique de plus en plus activiste. Le 3 décembre, dans le désert de l'Arava, Tsahal passe à l'action pour déloger une unité de la Légion arabe venue occuper un tronçon de route construit par les Israéliens en territoire jordanien. Il n'y a pas de victimes et, en attendant l'enquête de la commission d'armistice, les Jordaniens se retirent. Le soir même, un avion israélien survolera le palais d'Abdallah à basse altitude. Une manœuvre d'intimidation qui rendra furieux le souverain hachémite. Au mois de mars, après une décision de la commission d'armistice en leur faveur, les Jordaniens récupéreront les territoires en litige.

Les contacts secrets reprendront quelques mois plus tard. Shiloah continue de rencontrer régulièrement des personnalités jordaniennes. Sharett demande à Moshé Sasson d'accompagner l'émissaire israélien. Le jeune homme a vingt-quatre ans. *«Moïse*, lui dit Sharett, *il y a des questions que Réouven ne peut pas poser au roi sans paraître insolent, mais toi, en raison de ton jeune âge, tu peux le faire... N'oublie pas.»*

La première rencontre à laquelle participe Sasson junior a lieu à Amman, dans l'appartement de Zoubati, où trône, dans le salon, le symbole de la richesse et du progrès de l'époque : un réfrigérateur. A Jérusalem, les Sasson utilisent encore une glacière et des blocs de glace. Samir el Rifaï, en présence du roi, explique qu'avant d'en venir à l'application du fameux accord, «Questions politiques et changements territoriaux», paraphé dix mois auparavant, il faut appliquer tous les articles de l'accord d'armistice restés jusqu'alors lettre morte. Cela permettra peut être de progresser, d'aboutir à une atmosphère plus favorable. Les discussions vont se poursuivre, par intermittence, à Shouneh et à Amman.

Les diplomates étrangers de passage trouvent Abdallah de plus en plus déprimé. A un Américain, membre de la commission de conciliation, il dit, le 27 juin :

«*Je suis un vieil homme. Je sais que mon pouvoir est limité. Je sais que mon propre fils, Talal, me déteste. Je sais que mon propre peuple se méfie de moi en raison de mes efforts de paix. Je sais aussi que je pourrais conclure un accord de paix si seulement j'avais un peu d'aide et d'encouragement. Il ne me reste pas beaucoup de temps et je ne veux pas mourir le cœur brisé[1].*»

Le 18 juillet 1951, el Karmi, vient à Jérusalem-Ouest rencontrer Moshé Sasson. Il propose une nouvelle rencontre avec le roi et – c'est nouveau – avec des membres de son gouvernement, des députés et des sénateurs. Sasson aura ainsi, pour la première fois depuis la rupture des négociations l'année précédente, l'occasion de présenter la position israélienne à des personnalités jordaniennes de premier plan. Il s'agit notamment d'expliquer l'arrangement qui devrait permettre aux Juifs de disposer d'une voie d'accès au mur des Lamentations dans la vieille ville. Cela doit se passer deux jours plus tard, jeudi soir, au domicile du journaliste, à Jérusalem-Est. Quelques heures avant de se rendre au point de passage Mandelbaum, Sasson reçoit un coup de téléphone. Le rendez-vous est annulé. L'emploi du temps d'Abdallah est trop chargé ; mais la rencontre du vendredi soir avec Shiloah est maintenue[2].

Le roi quitte Amman comme prévu dans l'après-midi du 20. Il passe la nuit chez les Nashashibi, une grande famille hiérosolymitaine, proche des Hachémites. Le lendemain, après une courte visite à Naplouse, Abdallah se rend à la mosquée El Aksa pour y participer aux prières du vendredi. Des soldats de la Légion arabe sont déployés partout, au point que le roi se tourne vers le commandant du régiment et lui lance : «*Ne m'emprisonne pas !*» Il critique la garde d'honneur qui présente les armes sur l'esplanade : «*Ce n'est pas approprié en ce lieu sacré.*» Son petit-fils, Hussein, se trouve à quelques pas derrière lui.

Au moment où Abdallah pénètre dans la mosquée, un homme bouscule les gardiens. Il a un pistolet à la main et tire sur le roi qui s'effondre, mort. L'assassin est abattu par les gardes du corps. Une balle

1. *FRUS*, *op. cit.*, 1951, t. 5, p. 735. Cité par Mordehaï Gazit, «The Israel-Jordan Negociations», *Journal of Contemporary History*, vol. 23, 1988, p. 409.

2. Témoignage de Moshé Sasson recueilli par l'auteur, 1995.

ricoche sur une médaille que porte Hussein. Il n'est pas blessé. Le leader arabe le plus proche d'Israël a disparu. L'homme qui a tenté inlassablement pendant deux décennies, contre l'avis de ses gouvernements et en dépit de l'opposition de son opinion publique et du reste du monde arabe, celui qui a tout essayé pour aboutir à un accord avec le mouvement sioniste, n'est plus. Les données du conflit au Proche-Orient ont changé.

CHAPITRE 4

Révolutions et relations

août 1951-mars 1962

L'assassin, un certain Moustafa Ashou, était un militant palestinien proche du mufti. Quatre complices présumés sont arrêtés et condamnés à mort. Parmi eux, un médecin de la famille Husseini, qui clame son innocence. Il sera pendu l'année suivante. Abdallah el Tall, qui est installé au Caire depuis sa démission de la Légion arabe, est accusé d'être impliqué dans le complot. Le colonel jordanien rejette ces accusations avec force. Condamné à la peine capitale par contumace, il sera gracié quatre ans plus tard.

Le 25 juillet 1951, le gouvernement Ben Gourion examine la situation. Moshé Sharett ouvre la réunion par un exposé sur la situation en Jordanie. Il ne connaît pas encore l'identité des suspects :

«[…] *Je ne peux dire de quel type d'assassinat politique il s'agit. Nous devons toujours prendre l'hypothèse la plus mauvaise. C'est-à-dire qu'il s'agirait d'un meurtre préparé sur les ordres du mufti. Abdallah était son ennemi juré et, pour lui, ce n'est pas seulement la disparition d'un ennemi, cela lui libère la place.*

«*Pour comprendre ce meurtre il faut examiner les transformations* [subies par la Jordanie]. *La ville d'Amman est passée d'environ 40 000 habitants à 170 000. La majorité de la population est palestinienne. Pour l'ensemble du royaume, le rapport des forces est le suivant : 750 à 800 000 Palestiniens, 300 à 350 000 Jordaniens. Il faut dire que la plupart des Jordaniens sont des sauvages, semi-nomades, alors que les Palestiniens sont ruraux, avec un pourcentage important d'intellectuels et de personnes assez à l'aise du point de vue économique. En Jordanie le centre de gravité s'est déplacé* [vers les Palestiniens]. *[…]*

«*La popularité du mufti a considérablement baissé ces dernières années, mais son influence n'a certainement pas disparu, au contraire.*

161

[...] *Le roi Abdallah n'a pas occupé dans le cœur du peuple une place équivalente à celle du mufti. [...] Ces derniers temps, un réseau clandestin lié au mufti a été mis en place* [en Jordanie]. *De nombreuses attaques que nous subissons à la frontière ne sont pas le fait de simples infiltrés mais des actes prémédités, planifiés par ce réseau. Vous savez qu'il y a eu un acte de sabotage grave contre la ligne de chemin de fer qui aurait pu se terminer par une grande catastrophe. Par miracle, il ne s'est rien passé, mais le sabotage était tellement grave que nous avons été obligés d'interrompre pendant quelque temps la liaison ferroviaire entre Jérusalem et Lod. Il est certain que cela n'a pas été commis par la Légion* [arabe] *bien que nous la considérions comme responsable de ce sabotage. La Légion ne fait pas son travail, comme il arrive que nos forces* [ne gardent pas la frontière avec vigilance]. *Tout indique que ce sabotage a été commis par le réseau.»*

Et Moshé Sharett examine l'éventualité d'une arrivée du mufti en Jordanie :

«Cela voudrait dire qu'il reviendrait à Jérusalem, à la Mosquée, qui est l'instrument de son influence dans le monde musulman ; et nous pouvons nous imaginer ce qu'il se passera [...]» Ben Gourion annonce que l'armée a pris des mesures d'alerte pour parer à toute éventualité[1]. Le Proche-Orient traverse une période d'instabilité : le Premier ministre libanais, Riad el Solh, est assassiné ; en Syrie, les coups d'État se succèdent et en Égypte, l'agitation fait tache d'huile.

Binyamin Aktsin, un professeur de sciences politiques bien connu, demande un rendez-vous urgent au Premier ministre. Il lui propose d'entamer des négociations avec la Grande-Bretagne. *«Il faudrait*, dit-il, *profiter de la mort d'Abdallah pour expulser les Égyptiens du Sinaï, où les Britanniques pourraient installer des bases militaires. A l'est, Israël occuperait la Cisjordanie, la Transjordanie étant offerte aux Anglais ou à la Syrie.»* Le Premier ministre trouve l'idée intéressante. Il décide de ne pas s'adresser directement à Londres, mais de faire intervenir une importante personnalité juive : Sir Isaiah Berlin. Le célèbre philosophe, invité à venir d'urgence à Jérusalem, répond qu'il ne peut pas faire le voyage. Ben Gourion envoie donc Réouven Shiloah à Londres, avec pour mission de contacter Berlin et un ami d'Israël qui occupe un poste important dans les services spéciaux britanniques. Shiloah regagne Israël après quelques jours, avec une réponse négative : *«Il n'y a pas encore de changement véritable au Foreign Office. On ne nous déteste plus comme par le passé, mais il y a une volonté de réconciliation avec les Arabes. Au sein de l'armée britannique, la*

---

1. ANI, procès verbal du gouvernement, 25 juillet 1951.

situation est meilleure. Les généraux sont furieux contre l'Égypte. Ils savent que les Arabes n'ont pas de puissance militaire. Ils évoquent dans le même souffle la Turquie et Israël, mais il n'y a pas de changement fondamental[1].»

A Amman, le Premier ministre jordanien Toufik Aboul'Oudah annonce au chargé d'affaires américain que son pays ne poursuivra pas la politique d'Abdallah vers une «Grande Syrie» et abandonnera l'idée d'une paix séparée avec Israël. De ce point de vue, dit-il, la Jordanie suivra l'Égypte et la Ligue arabe[2]. La page est tournée. Six mois plus tôt, Eliahou Sasson écrivait à Shiloah et à son fils Moshé : «*La Jordanie est le pays arabe qui penche le plus vers une paix avec Israël, mais c'est également le pays qui a le plus de revendications – que nous ne pouvons admettre. Et puis, la Jordanie dépend d'un vieil homme courageux et bien intentionné mais qui n'est pas indépendant. Il n'a pas la liberté de diriger ni de contrôler les affaires de son État* […][3].»

Le fils aîné d'Abdallah, Talal, ne succédera pas immédiatement à son père, car il subit un traitement médical à l'étranger. Quelques officiers de la Légion arabe intriguent pour placer sur le trône Naëf, un demi-frère de Talal, qui est nommé régent. La reine mère intervient, des unités bédouines sont déployées à Amman, le prétendant au trône s'enfuit et, le 6 septembre, Talal est proclamé roi de Jordanie. Son fils, Hussein, est envoyé parfaire son éducation à Harrow, une «public school» britannique.

Sous l'impulsion de son Premier ministre, Aboul'Oudah, le roi met en place une constitution qui accorde plus de pouvoirs au gouvernement et au Parlement. Il signe, au grand dam des Israéliens, le pacte de défense commune de la Ligue arabe. Mais, après quelques mois, sa santé mentale se détériorera à nouveau, paralysant la direction du royaume.

La situation économique en Israël est épouvantable. 240 000 immigrants sont arrivés en 1949, 170 000 en 1950. Ils seront 175 000 à la fin de 1951. Près de 100 000 personnes vivent dans des camps de toile, soit 10 % de la population du pays. Les denrées de base sont rationnées. Les dons, l'aide des Juifs de l'étranger, sont insuffisants pour assurer une relance économique. Israël avait présenté, le 12 mars 1951, une demande auprès des quatre puissances alliées occupant l'Allemagne. Jérusalem voudrait recevoir un milliard cinq cents millions de dollars de compensation pour les biens juifs pillés par les nazis.

---

1. Michael Bar Zohar, *Ben Gourion*, Am Oved, Tel Aviv, 1977, t. 2, p. 907.
2. *FRUS*, 1951, t. 5, p. 990.
3. *Israel Documents*, *op. cit.*, 2408/13, 12 janvier 1951. Cité par Mordechaï Gazit, *The Israel Jordan Peace Negociations*, *op. cit.*

Pas sur le compte du budget de l'administration alliée de l'Allemagne, répondent les Alliés en leur suggérant de s'adresser à Conrad Adenauer. Ben Gourion écoute le conseil et, le 27 septembre 1951, le chancelier déclare devant le Bundestag que son pays versera des dédommagements à Israël. Le 6 décembre, Nahoum Goldmann, qui sert d'intermédiaire, reçoit l'engagement du gouvernement de Bonn : la base de négociations sera de un milliard de dollars, comme l'exige Israël. Ben Gourion soumet la question au cabinet et à la Knesset, le 7 janvier 1952. C'est la tempête. Menahem Begin lance des milliers de manifestants en colère à l'assaut de la Knesset. L'affrontement avec la police fait 92 blessés parmi les policiers et 36 parmi les manifestants. Après un débat dramatique, la proposition du gouvernement d'accepter les compensations allemandes est votée par 61 voix contre 50. L'accord avec l'Allemagne fédérale est signé un mois plus tard. Bonn livrera à Israël, sur une période de douze ans, des biens d'équipement, des produits industriels, pour 715 millions de dollars. Cela, au moment où le Proche-Orient subit une nouvelle transformation. L'Égypte, le plus grand pays arabe, connaît une révolution.

COUP D'ÉTAT AU CAIRE

Le 20 juillet 1952, le colonel Saroite Okacha reçoit un coup de téléphone de son beau-frère, rédacteur en chef du journal *Al Misri*. Le ministre de la Guerre va démissionner pour être remplacé par un proche du roi, qui devrait ordonner immédiatement l'arrestation des responsables des cellules clandestines des Officiers libres qui préparent la prise du pouvoir. Il avertit immédiatement Gamal Abdel Nasser, le chef de la conjuration. Promu colonel après son séjour en Égypte, ce dernier enseignait à l'Académie militaire du Caire. Dans la nuit du 21 au 22 commence une course de vitesse entre le pouvoir et les conjurés qui parviennent, avec 30 soldats, à occuper l'état-major. Le putsch est déclenché. Anouar el Sadate, en permission de son unité casernée à Rafah, accourt prendre en charge les transmissions. Des unités venues d'un peu partout en Égypte se déploient dans la capitale. A 3 h 30, dans la nuit du 23, une automitrailleuse vient chercher celui que les révolutionnaires ont décidé de mettre à la tête du pays : le général Mohamed Naguib, le chef de l'armée de terre, un héros de la guerre de 1948. Le coup d'État a réussi.

Quatre jours plus tard, le Conseil de la Révolution lance un ultimatum à Farouk pour qu'il abdique immédiatement en faveur de son fils, le prince héritier Ahmed Fouad. Le souverain n'a pas le choix.

A 18 heures, revêtu de l'uniforme blanc d'amiral, il monte à bord du yacht royal, accompagné de la reine Narriman et du nourrisson, Ahmed Fouad. A Naguib, venu prendre congé, le roi lance : «*Ce que vous m'avez fait, je m'apprêtais à vous le faire.*» Ainsi s'achève le règne de la dynastie créée en 1805 par Méhémet Ali. Farouk part en exil, un an et une semaine jour pour jour après la disparition d'Abdallah de Jordanie.

Les dirigeants israéliens accueillent avec satisfaction le nouveau pouvoir en Égypte. La confrontation avec l'État juif ne semble pas être la principale priorité de Naguib. Le 22 août, Moshé Sharett convoque l'ambassadeur des États-Unis à Tel Aviv, Monnett Davis. Il l'informe des contacts secrets que Shmouel Divon, le chargé d'affaires israélien, mène à Paris avec son homologue égyptien, Ali Shaouki, et Abdel Rahman Tsadek, l'attaché de presse qui appartient, semble-t-il, aux Officiers libres : «*Le gouvernement israélien a décidé de proposer à l'Égypte une rencontre entre des représentants des deux pays. Cette proposition*, poursuit Sharett, *sera remise directement aux Égyptiens par Divon, à Paris. Si Le Caire répond par l'affirmative, Israël laissera aux Égyptiens le choix du lieu de la rencontre.*» Davis suggère que l'ambassadeur des États-Unis au Caire soit mis dans le secret. Sharett refuse.

Le lendemain, à Paris, Divon se rend au domicile de Shaouki et lui présente l'initiative israélienne. C'est le début d'un dialogue qui durera plusieurs années mais n'aboutira à aucun résultat concret. Au Caire, Naguib multiplie les déclarations apaisantes. Le 24 août, on analyse, à Jérusalem, une information publiée par le quotidien *Al Misri*. Naguib a dit à une délégation d'habitants de la bande de Gaza :

«*Il ne faut pas séparer l'Égypte de la Palestine. Je souhaite que l'État d'Israël soit indépendant et revienne à sa splendeur passée. Nous ne négligeons pas le problème de la Palestine, il est, pour nous, sur le même plan que le problème de l'Égypte et du Soudan*[1].»

Le 17 septembre 1952, le ministère des Affaires étrangères à Jérusalem envoie un long télégramme secret aux ambassades d'Israël à l'étranger :

«*Nous considérons d'un bon œil le nouveau régime égyptien. Sa priorité c'est la solution des problèmes sociaux et la corruption en Égypte. [...] L'élimination de Farouk et de son désir de vengeance est une bonne chose. Bien entendu, il peut y avoir le même sentiment revanchard chez Naguib et ses officiers mais ils rejettent la responsabilité*

---

1. ANI, 137. Voir aussi, dans le même dossier les déclarations de Naguib à des journalistes turcs relevées et analysées par E. Sasson, alors ambassadeur à Ankara.

de la guerre sur l'ancien régime et sa corruption. De plus, ils savent qu'il serait dangereux pour l'Égypte d'affronter Israël. Au sujet d'Israël, les réactions publiques de Naguib ont été modérées. Pour la première fois, dans ce pays misérable, on n'essaye pas de détourner le peuple de ses misères par des déclarations flamboyantes contre des ennemis imaginaires. […] Nous ne sommes pas émus outre mesure des manifestations de soutien de la nouvelle Égypte envers la Ligue arabe. Naguib a limogé Azzam qui était l'esprit de la lutte contre Israël dans la Ligue arabe. […] Nous devons nous opposer le plus possible au réarmement de l'Égypte. Seul un pays qui est pour la paix avec Israël et le déclare peut recevoir des armes afin d'étendre son influence […][1].»

La commission interministérielle des affaires arabes examine la question des relations avec l'Égypte. Les participants soumettent trois formules possibles pour établir des contacts avec l'Égypte : «*Par l'intermédiaire des Américains; par l'intermédiaire de l'ambassadeur d'Égypte à Paris, ou en utilisant les services d'Abdel Rahman Tsadek. Naguib répond de manière fuyante et donne des assurances vaines aux Américains. […] Il faut démontrer aux Américains que Naguib les mène par le bout du nez et les induit en erreur. Shmouel Divon, le chargé d'affaires israélien à Paris, se mettra en rapport avec Tsadek et lui fera part de la déception qui envahit les cercles pro-égyptiens en Israël. […][2].*»

SYRIE - ISRAËL

Sur la frontière israélo-syrienne, après dix-huit mois de calme, la situation est extrêmement tendue depuis qu'Israël a entrepris des travaux d'irrigation sur la rive occidentale du Jourdain, près du lac du Houleh, en février 1951. Les incidents armés sont de plus en plus nombreux. En avril de la même année, sept soldats israéliens avaient été tués à El Hammah, au sud du Golan. En mai, des combats en règle ont opposé les deux armées à Tel El Moutilah, une colline située dans le secteur israélien. 69 Syriens et 25 Israéliens y ont trouvé la mort. Tout cela n'empêche pas les belligérants de tenir un dialogue secret, en marge de la commission de contrôle de l'armistice. Dans un premier temps, des réunions informelles se déroulent sur le pont des Filles-de-Jacob, à partir du 13 novembre 1951, puis alternativement de part et

1. ANI, 4081/A, 17 septembre 1952.
2. ANI, 4081/A, 1 décembre 1952.

d'autre de la ligne de démarcation. La proposition d'établir de telles relations venait du colonel américain Samuel Taxis, le président de la commission pour le compte des Nations unies.

Les discussions portent d'abord sur un échange de prisonniers, les infiltrations syriennes en territoire israélien, et le problème de la pêche sur le lac de Tibériade. Plus tard, sur la question de la zone démilitarisée. Côté syrien, la délégation est conduite par le colonel Hassan Jdid ; les Israéliens, eux, sont commandés par le lieutenant-colonel Shaul Ramati. Le 17 avril 1952, l'entretien a lieu dans la maison abritant les douanes syriennes, à l'est du pont des Filles-de-Jacob. Le 24 avril, les Syriens viennent dans le village de Rosh Pina. Pour la première fois, quelques accords sont conclus. Les deux parties vont collaborer pour lutter contre une éventuelle invasion de sauterelles. Quelques vols d'orthoptères ont été repérés en Irak et en Jordanie. Du bétail syrien saisi par les Israéliens et israélien saisi par les Syriens sera échangé. Le colonel Ramati propose un accord de principe sur la mise en liberté de tout avion et de ses passagers qui ferait un atterrissage d'urgence d'un côté ou de l'autre de la frontière. Jdid n'est pas contre, mais doit consulter Damas.

Le 1er mai, Jdid annonce que quelques vols de sauterelles sont arrivés en Syrie et que les insectes ont tous été détruits. Il déclare que le président Chichakli est contre le principe d'une réunification des familles juives. Il ne permettra donc pas le départ de Juifs de Syrie. Pas question d'un accord sur les atterrissages d'urgence d'avions : «*Vous voulez commencer ainsi, avec les bateaux, puis ce seront les avions, ensuite le bétail, ensuite les gens, puis, lentement, par des accords partiels, vous voulez aboutir à une paix. La Syrie ne veut pas la paix et donc s'oppose à tout cela.*» Les Israéliens comprennent que Damas entend continuer les discussions informelles afin de tenter de régler quelques problèmes concrets, mais ne veut pas améliorer le niveau des relations entre les deux pays.

Le 10 septembre, pour la première fois, les pourparlers se déroulent dans la ville israélienne de Safed, que les Syriens ont l'occasion de visiter. Le seul résultat de ce dialogue est un accord sur un échange de navires pénétrant, pour une raison ou pour une autre, dans les eaux territoriales d'une des parties. Le 30 novembre, un caboteur syrien, l'*Ahmed*, est intercepté au large de Naharya. Les Israéliens n'acceptent de le relâcher que si les Syriens s'engagent à en faire de même à l'avenir. Le colonel Jdid accepte.

En octobre, Syriens et Israéliens décident de tenir des discussions secrètes à un niveau plus élévé. Le 9 octobre 1952, à l'hôtel Shoulamit à Rosh Pina, se déroule la première de ces rencontres. Ben Gourion avait nommé une délégation importante : le général Moshé Dayan, Yossef Tekoah, conseiller juridique des Affaires étrangères et deux militaires, le commandant Arié Friedlander et Shaul Ramati. La discussion est relativement brève. La délégation syrienne, les colonels Hassan Jdid, Taoufik Chatila et un diplomate ne sont autorisés qu'à évoquer les affaires concernant l'accord d'armistice. Dayan déclare qu'Israël est prêt à discuter de tout problème soulevé par les Syriens, mais seulement dans le cadre d'un accord politique signifiant un progrès réel vers la paix.

Après deux heures d'entretien, Dayan déclare au colonel Taxis que tout cela n'est pas décourageant ; que la délégation israélienne comprend qu'il sera impossible de forcer les Syriens à négocier un accord de paix ou un pacte de non-agression, et que la seule possibilité pour progresser est de négocier l'avenir de la zone démilitarisée.

La seconde rencontre a lieu trois mois plus tard. Comme les huit autres rencontres à haut niveau qui se tiendront jusqu'au 27 mai 1953 à Rosh Pina, elle n'aboutira à rien. A partir de la sixième rencontre, Moshé Dayan, qui n'y croit plus, se fera remplacer par Yehoshafat Harkabi, des renseignements militaires. A l'issue de la septième rencontre, le commandant Yitshak Modaï, un des représentants israéliens à la commission d'armistice, fera un rapport critiquant la manière de négocier de la délégation israélienne : «*Le seul fait de soulever certains problèmes pousse les Syriens à une attitude extrémiste. Il serait possible d'aboutir à un accord sur certains problèmes si l'autre n'avait pas été soulevé avec une telle force. Selon lui, les Syriens veulent parvenir à une répartition de la zone démilitarisée, mais les deux parties ont des attitudes extrêmes et ces négociations ont peu de chances d'aboutir. Une interruption permettrait peut-être de refroidir l'attitude syrienne, notamment en ce qui concerne le problème de l'eau.*» Ce ne sera pas le cas[1].

Le 12 août 1952, le prince Hussein de Jordanie reçoit, à Harrow, une lettre qui lui est ainsi adressée : «Sa Majesté le roi». Il comprend que son père a fini par abdiquer. Il aura dix-sept ans dans trois mois. Deux jours plus tard, la population jordanienne lui fait un accueil enthousiaste. Son oncle, le chérif Nasser, et son cousin Zaïd Ben Chaker le persuadent de terminer son éducation par un séjour à Sandhurst, l'école de guerre britannique. Le jeune souverain repart pour la Grande-Bretagne en septembre. Il assumera ses fonctions de roi le 2 mai 1953, le jour même où son cousin Fayçal montera sur le trône d'Irak.

---

1. Les travaux d'Arié Shalev sont la principale source d'informations sur ces négociations israélo-syriennes : *The Israel-Syria Armistice Regime*, JCSS Studies, Tel Aviv, 1993. *Chitouf Péoula Betsel Imout*, Maarakhot, Tel Aviv, 1989.

ISRAËL – ÉGYPTE À PARIS

A Paris, les contacts secrets israélo-égyptiens se poursuivent. Les Israéliens ont compris que Gamal Abdel Nasser est l'homme fort de la junte au pouvoir au Caire. Le 12 mai 1953, de Paris, Divon envoie un rapport à Réouven Shiloah à Tel Aviv :

«*Abdel Rahman Tsadek m'a informé qu'Abdel Nasser lui avait donné l'ordre de transmettre sa réponse au dernier message reçu d'Israël et datée d'avril, et, en raison d'un retard de la poste diplomatique, n'est arrivé à Paris que ces jours-ci. Le texte est imprimé sur du papier à lettres à en-tête du Conseil de la Révolution et porte la signature de l'adjoint de Naguib, Gamal Abdel Nasser : "Israël doit faire preuve de compréhension envers l'attitude du gouvernement égyptien qui fait face à son opinion publique et à celle des autres pays arabes. Nous devons construire progressivement notre politique envers Israël afin de parvenir aux meilleurs résultats possibles. Dans la situation actuelle, nous évitons les déclarations belliqueuses contre Israël comme première étape dans cette direction. Je répète mon assurance que nous n'avons aucune intention agressive envers Israël et je constate avec satisfaction que le gouvernement israélien a accepté notre parole sur la base d'une confiance mutuelle."*»

Le lendemain, Shiloah écrit à Moshé Sharett : «*Nous avons des contacts avec Abdel Rahman Tsadek depuis la fin janvier. Il est en fait le représentant à Paris du Conseil de la Révolution égyptien. Il nous a posé les questions suivantes : le Conseil de la Révolution voudrait connaître notre définition du terme "politique agressive". Le Conseil de la Révolution nous a informés secrètement qu'il considère utile de maintenir officiellement en l'état les relations existantes entre l'Égypte et Israël dans les domaines politique et économique, cela compte tenu de la situation de l'Égypte à l'intérieur comme à l'extérieur. […] L'Égypte adoptera la position de l'ensemble des États arabes contre le versement de dédommagements par l'Allemagne fédérale à Israël, mais si nous aboutissons au début d'une coopération et d'une entente, l'Égypte ne gênera pas l'application de cet accord germano-israélien. Si des problèmes devaient voir le jour, nous pourrons nous adresser au Conseil de la Révolution par l'intermédiaire de Tsadek. Cela concerne également le passage de navires par le canal de Suez.*»

Shiloah passe ensuite à l'analyse de ses contacts avec l'Égypte. Il pose deux questions à son ministre : «*Pouvons-nous aider l'Égypte dans les domaines économique, financier et politique ? Pouvons-nous l'aider dans sa revendication traditionnelle d'un départ des forces britanniques de son territoire, par notre presse, par l'opinion publique ?*

«*Le Conseil de la Révolution demande fermement que nous observions le secret sur ces contacts. Leur divulgation entraînerait leur interruption.*»

Tsadek a également informé Divon que le Conseil de la Révolution avait décidé d'établir ce contact après de longues discussions : «*Le problème qui préoccupe Gamal Abdel Nasser est la sincérité de notre offre de coopérer avec l'Égypte et les pays arabes et notre capacité à le faire, notamment dans le domaine économique. Par exemple, en achetant du coton et d'autres produits égyptiens; en utilisant notre influence aux États-Unis. [...] La principale préoccupation du Conseil de la Révolution en politique étrangère est le problème du départ des Britanniques d'Égypte. Toute aide de notre part est de ce point de vue très importante. [...] Toute exigence de notre part, d'annulation du boycott d'Israël par les pays arabes serait irréaliste. Tsadek estime que toute politique agressive de notre part sera inacceptable pour le Conseil de la Révolution. Si nous ne sommes pas prêts à prendre des risques et à faire un geste prouvant notre bonne volonté aux sceptiques, il ne sera pas possible de progresser dans nos relations, qui risqueraient de faire marche arrière.*».

Après des consultations avec David Ben Gourion et Moshé Sharett, Shiloah donne pour instruction à Divon de transmettre le message suivant à Tsadek : «*Nous accueillons avec satisfaction l'établissement d'un contact permanent pour lequel Divon sera notre représentant autorisé. Nous regrettons que le gouvernement égyptien ne soit pas prêt pour l'heure à changer la politique hostile déclarée des États arabes. Nous espérons que cette décision n'est que temporaire. Notre exigence d'un changement de cette politique agressive concerne un tournant fondamental dans les relations entre les deux pays. Toutefois, même si l'Égypte considère nécessaire de poursuivre sa politique de non-paix avec Israël, nous considérons qu'elle devrait éviter des manifestations ouvertement agressives* :

«*Elle doit cesser les infractions aux accords de cessez-le-feu et aux résolutions du Conseil de sécurité concernant les atteintes à la circulation maritime vers Eilat et dans le canal de Suez*[1].

«*Le gouvernement égyptien devrait cesser ses déclarations sur la poursuite de l'état de guerre [...].*

---

1. Le Conseil de sécurité des Nations unies avait, le 1er septembre 1951, voté une résolution demandant à l'Égypte de ne pas empêcher le passage des navires israéliens par le canal de Suez, «considérant que le régime d'armistice avait désormais un caractère permanent et qu'aucune des parties ne pouvait se considérer en état de belligérance et exiger un droit de perquisition ou de saisie pour un motif légitime d'autodéfense».

«Au sujet de notre aide pour un départ des Britanniques d'Égypte : nous comprenons les Égyptiens et, dans la mesure où il y aurait une amélioration dans les relations entre nos deux pays, nous utiliserions toute notre influence aux États-Unis et ailleurs, en faveur de l'indépendance de l'Égypte. Quant à une aide économique, il ne faut pas oublier que le boycott arabe et la guerre économique qu'ils mènent contre nous est en contradiction avec cette demande mais, malgré cela, nous sommes prêts à entamer des discussions en vue de l'achat immédiat d'une quantité importante de coton et d'autres produits égyptiens. Notre proposition est que, de leur côté, ils ne gênent pas le passage des pétroliers, ce qui d'ailleurs ne représente aucune perte pour eux. Nous sommes prêts à commander immédiatement pour cinq millions de dollars de coton et à envisager un accord sur plusieurs années. Nous proposons à nouveau une rencontre secrète entre des représentants autorisés des deux parties.»

Quelques jours plus tard, David Ben Gourion, dans une lettre à Sharett, analyse ce dialogue avec Abdel Rahman Tsadek : *«En fait, ce qu'il dit, c'est la chose suivante : nous les Égyptiens, nous continuons nos attaques contre Israël avec les autres peuples arabes, et Israël doit prouver sa bonne volonté à notre égard en achetant du coton et en mobilisant son influence aux États-Unis en notre faveur.*

«Il faut expliquer à l'autre partie les deux points suivants :

1) Nous ne serons prêts à mobiliser notre influence politique en faveur des revendications égyptiennes sur le canal de Suez que si nous obtenons l'engagement formel d'un libre passage par le canal de Suez de navires israéliens et à destination d'Israël.

2) Aussi longtemps qu'une paix ne sera pas établie entre nous et l'Égypte, nous nous opposerons aux livraisons d'armes à l'Égypte.»

David Ben Gourion est sceptique. Il n'est pas le seul. Eliahou Sasson, qui suit ces négociations de près, écrit au patron des Affaires étrangères à Jérusalem. Il a le sentiment que Gamal Abdel Nasser veut en fait endormir Israël. Les discussions se poursuivent. Le 30 juillet, Shiloah fait dire à Tsadek qu'il est toujours prêt à se rendre en Égypte. Il n'aura pas de réponse[1]

Dans la nuit du 13 octobre 1953, une jeune Israélienne et ses deux enfants en bas âge sont assassinés par des infiltrés dans leur maison de Yahoud, une localité du Sud. Depuis l'indépendance, 124 civils israéliens ont trouvé la mort au cours d'attentats de ce genre. L'émotion est intense au sein de la population. L'échelon politique approuve une proposition d'opération de représailles présentée par l'état-major. L'objectif sera le village jordanien de Kibyeh. Le raid est confié au commando 101,

---

1. ANI 2410/1/2.

une unité formée quelques années plus tôt et commandée par un jeune officier du nom d'Ariel Sharon. Il a vingt-sept ans. En moins d'une heure, appuyé par une compagnie de parachutistes, les hommes du commando prennent le contrôle du village et font sauter les maisons l'une après l'autre. Ils sont persuadés que tous les habitants jordaniens ont pris la fuite. En fait, des femmes et des enfants sont cachés et n'osent pas donner signe de vie. Le bilan est énorme : 69 morts, soit la moitié des femmes et des enfants. Les soldats israéliens affirmeront qu'ils n'avaient pas la possibilité de vérifier maison par maison si des civils s'y trouvaient encore. C'est la tempête politique. David Ben Gourion, pour essayer de calmer l'opinion publique internationale, explique que le raid a été réalisé par des habitants d'une localité israélienne récemment attaqués par des fedayins.

Une explication que personne n'accepte. Le Premier ministre convoque Ariel Sharon à son bureau. Il croit que le commando 101 est formé d'anciens de l'Irgoun et du Groupe Stern, mais découvre qu'il a affaire à un jeune officier brillant, originaire de la Hagannah et du mouvement travailliste. David Ben Gourion est fatigué. Depuis trois mois, il prend des vacances intermittentes. Le temps de réfléchir. Début novembre, sa décision est prise : il va s'installer au cœur du Neguev, dans un nouveau kibboutz : Sdé Boker. Le 2 novembre, ignorant les appels de ses amis, du parti politique, des commentateurs de la presse, il remet sa lettre de démission au président de l'État et s'en va le 7 novembre. Selon Michael Bar Zohar, son biographe, lorsque l'on demandera à Zeev Sharef pourquoi Ben Gourion a décidé de quitter la vie politique en 1953, il répondra : «*Le Messie parut, il rassembla les exilés d'Israël, triompha de tous les peuples voisins, conquit la Terre d'Israël, puis fut obligé de prendre place dans une coalition avec les divers partis politiques[1].*» La vie politique israélienne est épuisante. Moshé Sharett devient président du Conseil, tout en gardant le portefeuille des Affaires étrangères.

EAUX

Dwight Eisenhower rêve toujours de parvenir à un règlement impartial entre Israël et ses voisins arabes. Le président des États-Unis soutient l'idée d'Eric Allen Johnston, le président de la Motion Picture Association. Il a visité divers pays du Proche-Orient dans le cadre d'une mission de recherche de projets, en quête d'investissements, et proposé au chef de l'exécutif une mise en valeur planifiée des eaux du Jourdain : une gigantesque réalisation technique qui ferait coopérer Israël et ses

1. Michael Bar Zohar, *Ben Gourion*, Fayard, Paris, 1978, p. 302.

ennemis et qui conduirait à une prospérité commune et permettrait d'employer de nombreux réfugiés arabes.

Eisenhower nomme Johnston ambassadeur itinérant le 16 octobre 1953. Trois jours plus tard, les Nations unies publient «*un projet de développement et de distribution des ressources hydrauliques du bassin du Jourdain*», élaboré par une firme de Boston et qui reprenait un projet préparé par Lowdermilk en 1945. L'émissaire américain arrive à Beyrouth le 21 octobre. La presse arabe prédit que sa mission débouchera sur un échec. Le plan Johnston prévoit un investissement de cent vingt et un millions de dollars. Un prélèvement des eaux du Hasbani, du Banyas, et du Yarmouk. De l'énergie hydroélectrique serait produite à partir de barrages situés sur le Hasbani et le Yarmouk. Israël recevrait un peu moins de 60 % de l'eau du bassin du Jourdain. Plus de deux cent mille réfugiés arabes pourraient s'installer sur de nouvelles terres agricoles en Jordanie.

La Ligue arabe présente un contre-projet qui reconnaît la nécessité de partager les eaux du Jourdain avec Israël, mais établit une répartition différente : soixante mille hectares pour la Jordanie, douze mille pour la Syrie, trente-cinq mille pour le Liban et seulement vingt-trois mille pour Israël, qui refuse. Ce premier voyage de Johnston se solde par un échec. Il effectuera de nouvelles visites dans la région durant l'été 1954 et au début de 1955, sans succès[1].

ISRAËL – LIBAN

Les Israéliens ont des contacts secrets, non seulement avec les Égyptiens, mais aussi avec les Libanais, en particulier les maronites. L'Église libanaise a eu une attitude favorable envers l'État juif, qui a veillé à lui restituer la plupart de ses biens en Galilée après la guerre de 1948. A Ankara, Eliahou Sasson reçoit régulièrement des personnalités venues de Beyrouth. Dans son kibboutz de Sdé Boker, David Ben Gourion suit ce dialogue de près et, le 27 février 1954, écrit à Sharett pour lui faire part de ses idées et conseils :

«*Lors de mon départ du gouvernement j'ai décidé de ne pas intervenir et de ne pas exprimer une opinion sur les affaires politiques courantes car je pense qu'il ne faut pas que je fasse quoi que ce soit qui gêne le gouvernement.* [...]» Ben Gourion explique que le grand Liban créé par les colonisateurs français n'est pas viable. Un «petit Liban» maronite pourrait être l'allié d'Israël :

---

1. Philippe Rondot, *Les Projets de paix arabo-israéliens,* thèse, École des Hautes Études en sciences sociales, Paris, 1980.

«*Il est évident que le Liban est le lien le plus faible au sein de la Ligue arabe. Les autres minorités dans le monde arabe sont musulmanes; à l'exception des coptes, l'immense majorité des Égyptiens forme un seul bloc, de la même peau, la même religion, la même langue et la minorité chrétienne ne porte pas réellement atteinte à l'unité politique de la nation. Ce n'est pas le cas pour les chrétiens au Liban. Ils constituent une majorité au sein du Liban historique, avec une tradition et une culture différentes par rapport aux autres nations de la Ligue. Même au sein des frontières élargies, les musulmans ne sont pas libres de leurs actes, même s'ils constituent une majorité (et je ne sais pas si tel est le cas). L'établissement d'un État chrétien serait donc naturel, avec des racines historiques, et recueillerait le soutien de forces importantes au sein du monde chrétien, catholique et protestant. En temps normal, la chose est presque impossible, d'abord en raison du manque d'initiative et de courage des chrétiens; mais à une époque de troubles, de révolution ou de guerre civile, les gens changent et le faible se découvre héros. Il est possible (et il n'y a pas de certitude en politique) que l'heure soit venue de susciter la création d'un État chrétien dans notre voisinage. Sans notre aide, sans une initiative ferme de notre part cela ne se fera pas; je considère qu'il s'agit de l'objectif principal ou, au moins, l'un des objectifs principaux de notre politique étrangère. Il faut investir des moyens, du temps, de l'énergie, agir par toutes les voies pouvant entraîner un changement fondamental au Liban. Il faut mobiliser Eliahou Sasson […] et d'autres orientalistes. S'il faut de l'argent, il ne faut pas économiser les dollars, même s'ils risquent d'être perdus. Il faut se concentrer sur cet objectifs de toutes nos forces. Il faut peut-être faire venir immédiatement Réouven Shiloah. Ceci est une occasion historique à ne pas rater […][1].*»

Sharett répond quelques jours plus tard. Il s'oppose au projet de Ben Gourion: «*D'abord, je dois rappeler un principe qui a toujours été le mien. […] Il est inutile de tenter de réveiller de l'extérieur un mouvement inexistant. On ne peut raviver un souffle de vie que lorsqu'il existe déjà. Il est impossible de donner vie à un corps qui n'en n'a aucun signe. Pour autant que je sache, il n'y a pas aujourd'hui au Liban de mouvement ayant l'intention de transformer ce pays en État chrétien où le pouvoir serait aux mains de la communauté maronite. C'est mon impression depuis quelques années. Il est possible que ce slogan ait été lancé dans le passé et que certaines personnalités et certains cercles l'aient repris. Celui qui viendra aujourd'hui de l'extérieur relancer l'idée d'un Liban chrétien agitera du vent. Et ce n'est pas surprenant.*

---

1. Moshé Sharett, *Yoman*, t. 7, Maariv, 1978, p. 2397.

[…] *Les chrétiens ne constituent pas une majorité au Liban. Il ne sont pas unis, ni du point de vue communautaire, ni du point de vue politique. La minorité orthodoxe au Liban se tourne vers ses frères en Syrie. Elle n'est pas prête à se battre pour un Liban chrétien. Au contraire, l'idée d'une union avec la Syrie ne suscite pas, chez elle, d'opposition. En effet, dans le cadre d'une telle union, l'importance des orthodoxes au Levant augmenterait. Numériquement il y a plus d'orthodoxes en Syrie qu'au Liban et, en tout, ils sont plus nombreux que les maronites. Ces derniers, pour la plupart, soutiennent les mêmes dirigeants depuis des années et ont abandonné tout rêve d'un Liban chrétien pour se consacrer à une alliance avec les musulmans. Ces dirigeants sont parvenus à la conclusion que, historiquement, ils devaient accepter un moindre mal, partager le pouvoir avec les musulmans, entrer dans la Ligue arabe en espérant que cet arrangement fera oublier aux musulmans libanais l'envie d'une union avec la Syrie et renforcera leur volonté d'une indépendance libanaise.*

«*Cela veut dire que la majorité des maronites avec leurs dirigeants actuels verraient dans toute tentative de réduire le territoire libanais et le renforcement de leur communauté une subversion contre leur statut au Liban, leur sécurité, leur existence au Liban. Une telle initiative serait pour eux un désastre : en détruisant la coopération entre chrétiens et musulmans du Liban actuel, en jetant les musulmans dans les bras de la Syrie* [on] *signerait en fin de compte un arrêt de mort pour la communauté chrétienne qui perdrait son identité au sein du grand État musulman.*

«*Et puis un tel projet d'État chrétien n'est-il pas fondé sur la séparation du Liban des provinces, où la démographie penche en faveur de l'islam : Tyr, la Békaa libanaise, la ville de Tripoli ? Ces populations renonceraient-elles à leur appartenance au Liban et à leurs liens politiques et économiques avec Beyrouth ? La Ligue arabe, pour sa part, renoncerait-elle à une telle présence dans ce secteur oriental de la Méditerranée* […] *alors qu'elle a déjà perdu son statut dans le sud de la Méditerranée orientale avec la création d'Israël ? Et qui dit que la Syrie ne serait pas entraînée dans la guerre sanglante qui ne manquera pas d'éclater après une telle tentative[1] ?* […]»

La tentation d'intervenir au Liban ne disparaîtra pas pour autant. Ce dialogue entre Ben Gourion et Sharett pourrait se dérouler vingt-huit ans plus tard, lors de la guerre que Menahem Begin et Ariel Sharon déclencheront au Liban afin de transformer la carte géopolitique du Proche-Orient.

1. Moshé Sharett, *Yoman, op. cit.*, p. 2399.

CHUTE D'UN RÉSEAU

Le soir du 23 juillet 1954, à l'entrée du cinéma Rio, à Alexandrie, une bombe explose, blessant légèrement l'homme qui la transportait. Il est arrêté. C'est un jeune Juif égyptien du nom de Philippe Nathanson. Durant la nuit, les services de sécurité égyptiens lancent un coup de filet et appréhendent le reste du réseau : un médecin, Moshé Marzouk, une jeune femme, Marcelle Ninio, et plusieurs Juifs égyptiens : Shmouel Azzar, Victor Lévy, Robert Dassat, Méir Zafran, Méir Meyouhass, Élie Yaacov et Azzar Cohen. Un autre suspect, Yossef Cremona, est également arrêté. Il meurt au cours de l'interrogatoire. En fait, il n'avait pas de lien avec le groupe. Un autre agent israélien, Max Bennet, est également mis sous les verrous. Le réseau avait commis des attentats le 2 juillet à Alexandrie en plaçant des charges dans des boîtes aux lettres et, le 14, en déposant des bombes, sans faire de victimes, contre les centres culturels américains au Caire et à Alexandrie.

L'objectif de cette opération israélienne était, en créant une atmosphère d'insécurité en Égypte, de retarder la signature de l'accord sur le retrait des troupes britanniques de la zone du canal de Suez. Une stupidité que Moshé Sharett n'avait pas approuvée. Une enquête rapide permet de déterminer que l'ordre d'activer le réseau égyptien a été donné par Binyamin Gibly, le chef des renseignements militaires. Il affirme avoir agi sur les instructions du ministre de la Défense, Pinhas Lavon, qui dément formellement. Qui est responsable de ce fiasco, qui a donné un tel ordre criminel ? Ces questions vont hanter la politique israélienne pendant des années. Ce que l'on appelle l'«affaire» commence. Une commission d'enquête est mise sur pied.

Le 28 septembre 1954, le cargo israélien *Bat Galim* jette l'ancre dans Port-Taoufik. Il transporte de la viande éthiopienne et du bois à destination du port de Haïfa. Les officiels égyptiens font bon accueil à ses dix hommes d'équipage, leur souhaitent même la bonne année à l'occasion du nouvel an juif. Le bateau pénètre dans le canal de Suez pour être arraisonné quelques heures plus tard par les douanes égyptiennes. Ses marins sont, à tort, accusés d'avoir tiré sur des pêcheurs égyptiens. C'est Moshé Sharett qui a eu l'idée d'envoyer le *Bat Galim* dans le canal de Suez. Il pense que la saisie du navire permettra à Israël de déposer une nouvelle plainte devant le Conseil de sécurité et ainsi d'attirer l'attention de l'opinion publique internationale sur l'interdiction faite à Israël d'emprunter le canal de Suez à l'encontre de la résolution du Conseil en 1951. Déjà, le 31 octobre 1952, les Égyptiens avaient saisi le *Rimfrost*, un cargo norvégien qui passait par le canal, transportant également de la viande éthiopienne à destination d'Israël. Le Conseil de la Révolution, qui négociait le départ des troupes britanniques d'Égypte, ne voulait pas que la question du libre passage dans le canal de Suez soit soulevée ; ainsi, devant le Conseil de sécurité, le 6 janvier 1953, le délégué égyptien avait annoncé que l'arraisonnement du *Rimfrost* était une erreur.

L'accord entre Le Caire et Londres sur le retrait des forces de Sa Majesté est signé le 19 octobre, à Alexandrie. Alors que Nasser harangue la foule, un homme ouvre le feu dans sa direction. Le colonel n'est pas touché. L'assassin est maîtrisé. Nasser revient au micro et lance : «*Gardez vos places ! Rappelez-vous que si quelque chose m'arrive, la Révolution continue parce que chacun de vous est un Gamal Abdel Nasser !*» Le tout est enregistré et rediffusé à plusieurs reprises par la radio nationale.

Le suspect avoue appartenir à la confrérie des Frères musulmans. En une semaine plus de cinq mille militants intégristes sont mis sous les verrous. Un tribunal révolutionnaire est mis en place. Le colonel Anouar el Sadate siège parmi les juges. Nasser décide de profiter de cette agitation et de sa popularité pour se débarrasser de Naguib. Quelques éléments de l'enquête vont permettre d'établir un lien entre l'entourage du général-président et les Frères musulmans. Le 14 novembre 1954, Abdel Hakim Amer se rend au palais Abdine pour dire au chef que les Officiers libres avaient décidé trois ans auparavant qu'il devait partir. Naguib ne discute pas : il signe sa lettre de démission et part en résidence surveillée.

Le 18 décembre 1954, de Paris, Gidéon Raphaël informe Moshé Sharett que l'intermédiaire égyptien a été reçu, au Caire, par Nasser en présence de trois ministres, et qu'il lui a donné l'ordre de se rendre à Paris pour remettre aux Israéliens le message suivant : «*Le Conseil de la Révolution n'a aucune intention belliqueuse envers Israël mais voudrait parvenir à un accord par la voie pacifique et non par la guerre.*» Nasser a dit à son envoyé que : «*Même si l'affaire du* Bat Galim *a été montée de toutes pièces par les Égyptiens, l'opinion publique en Égypte a vu, là, l'expression d'une agression israélienne.* […]»

Le 31 décembre 1954, Divon envoie à Sharett la réponse qu'il a reçue de Nasser : «*J'ai demandé à mon émissaire spécial de vous transmettre une réponse verbale aux questions mentionnées dans vos lettres. Je suis extrêmement heureux que vous réalisiez les efforts faits de notre part pour conduire notre relation vers une solution pacifique. J'espère qu'ils rencontreront de votre part des efforts similaires pour parvenir aux résultats que nous recherchons pour le bénéfice de nos deux pays.*» Le lendemain, l'équipage du *Bat Galim* est remis en liberté après trois mois de captivité en Égypte. Le 4 janvier 1955, l'Égypte interdit officiellement le canal de Suez aux navires israéliens.

A Jérusalem, la commission d'enquête sur l'«affaire» dépose ses conclusions : elle n'a pas réussi à déterminer la vérité. Binyamin Gibly continue d'affirmer que Pinhas Lavon lui a donné l'ordre d'activer le réseau égyptien. Pinhas Lavon, le ministre de la Défense, l'accuse de mentir et parle d'un complot dirigé contre lui, auquel participerait notamment Moshé Dayan. Les relations entre Sharett et le ministère de la Défense se détériorent. Ben Gourion reçoit des personnalités de son parti à Sdé Boker. Il leur déclare que Lavon doit démissionner. Le procès des espions israéliens, qui s'est ouvert au Caire en décembre, se termine le 27 janvier par deux condamnations à mort. Il y a six peines de prison très lourdes. Jérusalem lance une campagne internationale pour que les condamnés ne soient pas exécutés. Un député britannique, des personnalités juives se rendent en Égypte pour tenter d'intervenir auprès de Nasser. La réponse est négative. A ses interlocuteurs, le président égyptien explique qu'il ne peut faire condamner les Frères musulmans et gracier des terroristes sionistes.

CIA - MOSSAD

Cela n'empêche pas la CIA, alors bien implantée au Caire, de préparer des négociations secrètes israélo-égyptiennes. L'homme qui dirige l'opération est Kermit Roosevelt. Il a persuadé Isser Harel, le chef du Mossad qu'il sera possible d'envoyer un émissaire israélien rencontrer Gamal Abdel Nasser au Caire. Le 21 janvier 1955, Moshé Sharett, informé par Harel accepte. Il discute de la proposition, par téléphone, avec Ben Gourion qui est à Sdé Boker. Les deux hommes décident : ce sera l'ancien chef d'état-major Yigael Yadin, en congé d'études à Londres, qui fera le voyage[1].

Cinq jours plus tard, Sharett fait remettre à un agent du Mossad, une lettre qui doit être portée à Yadin. La missive comprend des instructions sur son voyage au Caire et une liste des sujets qui doivent être discutés après avoir été présentés aux Américains, responsables de la rencontre. Les Israéliens proposent l'établissement d'une voie terrestre entre les deux pays qui permettrait un passage entre la Jordanie et l'Égypte par Eilat, ainsi qu'un accord sur une participation israélienne à l'absorption des réfugiés de Gaza sur le compte des dédommagements qu'ils devraient recevoir. Mais Moshé Sharett attend de savoir si Gamal Abdel

---

1. Moshé Sharett, *Yoman, op. cit.*, t. 3, p. 675.

Nasser va gracier les condamnés du Caire. Le 28, il envoie un message urgent à Londres afin que son émissaire attende avant de remettre à Yadin l'enveloppe destinée contenant ses instructions pour son voyage en Égypte. Ce dernier ne sait même pas qu'une telle mission lui est confiée.

Le 31 janvier, Moshé Marzouk et Shmouel Azzar sont pendus dans leur prison du Caire. Sharett décide de refuser l'initiative de la CIA[1]. Yadin poursuit, sans interruption, ses études d'archéologie. En Israël, Lavon démissionne le 17 février. Ben Gourion décide de le remplacer au ministère de la Défense.

Fin février 1955, l'administration américaine et le gouvernement britannique collaborent dans la mise au point d'un plan de paix secret pour le Proche-Orient. Evelyn Shuckburgh qui fut le secrétaire privé d'Anthony Eden avant de devenir un des responsables du Foreign Office et Francis Russell, l'ancien conseiller aux Affaires politiques de l'ambassade des États-Unis à Tel Aviv, soumettent à leur patron respectif le plan Alpha. Un document qui comporte plusieurs centaines de pages. Ils proposent notamment de créer deux triangles de territoires dans le sud du Neguev, se touchant sur la retour de l'Aravah. Il s'agit de permettre à Israël un accès à Eilat et un libre passage entre l'Égypte et la Jordanie. Pour les Britanniques, il s'agit de retrouver l'influence qu'ils avaient perdue au Proche-Orient, surtout auprès des nations arabes. A cet effet, la bonne volonté d'Israël leur était moins importante. Les discussions et les initiatives diplomatiques du plan Alpha n'aboutiront à aucun résultat[2].

Le 10 février 1955, Moshé Sharett écrit dans son journal qu'un nouveau message du Mossad est arrivé de Washington : « [La CIA] *a repris ses efforts en vue d'une rencontre avec Nasser. Ce dernier considère que les condamnations du Caire n'ont absolument pas liquidé les possibilités d'une telle rencontre. Il est persuadé que nous comprenons que dans les circonstances actuelles et avec sa meilleure volonté, il ne pouvait agir autrement. Dans tous les cas, il veut que nous sachions que les pendaisons le mécontentent et qu'elles ont été exécutées contre son avis. Il ne faut pas que nous le considérions comme responsable. Il est toujours prêt à une rencontre et la balle est dans le camp d'Israël. Les Américains nous poussent à accepter. Ils ont été favorablement impressionnés par notre proposition d'ordre du jour qu'ils considèrent comme modérée et positive. J'ai décidé avec Teddy Kollek d'envoyer pour l'instant une réponse négative. Nous dirons que Nasser, par son*

---

1. Moshé Sharett, *Yoman, op. cit.*, t. 3, pp. 683, 692, 697.
2. Mordechai Bar-On, *The Gates of Gaza*, Saint Martin's Press, New York, 1994, p. 83.

comportement, a démontré soit qu'il n'a pas la force de tenir ses engagements, soit que ses paroles ne reflètent pas ses intentions véritables. Dans tous les cas, il n'est pas pour nous une partie à la négociation. Dans cette situation, nous ne voyons pas l'utilité d'une rencontre qui ne peut que se terminer par un échec et ne fera que servir les intérêts de Nasser. [...]. S'il est sincère, il réagira d'abord à nos propositions et nous verrons ensuite si cela vaut la peine de continuer.»

Le 22 février, Moshé Sharett met la dernière main à la proposition qui sera soumise à la CIA, en vue d'une rencontre avec Nasser. Le Premier ministre répète ses deux conditions : la restitution du *Bat Galim* et l'octroi d'un statut de détenu politique aux condamnés du Caire. «*Nous verrons ce qu'il sortira de cette aventure*[1]», écrit Sharett dans son journal intime.

REPRÉSAILLES À GAZA

Cinq jours plus tard, David Ben Gourion, qui a été confirmé par la Knesset, revient prendre place à la table du gouvernement, cette fois, en qualité de ministre de la Défense. Il demande à parler seul au Premier ministre. Le général Moshé Dayan, le chef d'état-major, l'accompagne. L'armée propose de lancer une opération de représailles à Gaza après l'assassinat d'un jeune Israélien près de Tel Aviv par des Palestiniens venus des lignes égyptiennes, deux jours plus tôt.

L'objectif du raid sera une base militaire à l'entrée de la ville de Gaza. Il ne devrait pas y avoir plus d'une dizaine de tués parmi les soldats égyptiens, explique Dayan. Sharett considère qu'il n'a pas le choix ; il approuve l'opération. L'attentat s'est déroulé trente kilomètres à l'intérieur du territoire israélien et le public réagit avec colère. L'opération est dirigée par le lieutenant colonel Ariel Sharon, qui a obtenu le commandement de la brigade de parachutistes à laquelle le commando 101 a été intégré.

Sharett ne connaîtra le bilan exact de l'opération que le 1er mars à 7 heures du matin : 8 morts et 8 blessés israéliens. Les Égyptiens ont résisté. La base a finalement été détruite à l'explosif. Une première estimation fait état d'une quinzaine de tués égyptiens. Plus tard, dans la journée, ce chiffre sera corrigé : 37 tués et 28 blessés égyptiens. Les Casques bleus font une enquête. Ils rejettent l'explication israélienne qu'il s'agirait d'une réaction spontanée d'une patrouille de Tsahal à des tirs venus de Gaza.

---

1. Moshé Sharett, *Yoman, op. cit.*, p 792. Le *Bat Galim* sera officiellement intégré à la marine égyptienne en août 1956.

Durant l'après-midi, Moshé Sharett prend le temps d'assister à une réception à Jérusalem. Une adolescente, Yael Dayan, la fille du chef d'état-major, l'interpelle : «*Moshé, tu es le Premier ministre... Dis-moi, qu'est-ce qui se passe dans notre pays ? 37 personnes sont mortes. Ce n'est pas nécessaire... Pas du tout.*». Le Premier ministre la regarde avec surprise. Plus tard, il écrira dans son journal : «*J'ai gardé le silence. Je ne lui ai pas dit : "Demande à ton père !"* »

Au Caire, le raid est accueilli avec colère par la population. Des manifestants défilent en réclamant des armes. L'Union des étudiants palestiniens mène le mouvement. Cette association est dirigée depuis 1952 par Yasser Arafat et Salah Khalaf qui prendra le nom de guerre d'Abou Iyad. Au terme d'une grève de la faim, Nasser accepte de recevoir une délégation conduite par Khalaf. Le président égyptien accepte de lever toutes les restrictions sur le déplacement des Palestiniens entre Gaza et l'Égypte ; il décide également d'ouvrir des camps d'entraînement de fedayins. Il leur parle surtout du pacte de Bagdad, conclu le 24 février entre la Turquie et l'Irak auxquels viendront se joindre l'Iran, le Pakistan et la Grande-Bretagne. Ce traité crée une organisation défensive dirigée contre l'URSS mais représente pour Nasser un retour de l'impérialisme occidental au Proche-Orient. Il n'a pas réussi à obtenir une décision de la Ligue arabe condamnant ce pacte.

Dans le Neguev, les attaques anti-israéliennes se multiplient. Une des plus graves se déroule le 24 mars dans le village de Patish. Des Palestiniens attaquent une noce à l'arme automatique et à la grenade. Il y a un mort et une vingtaine de blessés. Ben Gourion, furieux, veut lancer une opération militaire de grande envergure pour conquérir Gaza. Sharett s'y oppose. Le ton monte entre les deux hommes. Le 26 juillet, le Mapaï conduit par Ben Gourion remportera les élections. Il redeviendra Premier ministre le 12 août, Sharett restera aux Affaires étrangères.

NASSER VOYAGE

C'est en avril que Gamal Abdel Nasser s'est rendu à l'étranger, pour la première fois. Après de longues hésitations il a accepté de se rendre à la réunion au sommet des pays non alignés à Bandoeng, en Inde. Il s'était d'abord assuré qu'Israël ne participait pas à cette rencontre internationale, il avait ensuite fait arrêter quelques militants communistes afin d'envoyer un message aux pays de l'Est : chef de file du nationalisme arabe et égyptien, il entendait conserver son indépendance. Faisant alliance avec Nehru, l'Indonésien Soekarno et le Birman Nu,

Nasser défend l'idée du non-alignement. Bandoeng fait de lui un leader du tiers monde.

De retour au Caire, il entame des négociations secrètes avec l'URSS par l'intermédiaire du rédacteur en chef de la *Pravda*, Dimitri Chepilov. Le 27 septembre 1955, au cours de l'inauguration d'une exposition consacrée à l'armée égyptienne, il lance une petite phrase qui, dès qu'ils en prennent connaissance, secoue les responsables israéliens. Nasser : «*Nous avons signé la semaine dernière un accord commercial avec la Tchécoslovaquie aux termes duquel ce pays nous fournira des armes contre du coton et du riz.*»

A Tel Aviv, les renseignements militaires découvrent qu'il s'agit d'une centaine de chasseurs Mig 15, de 48 chasseurs-bombardiers Iliouchine 28, de 230 chars, de centaines de pièces d'artillerie, d'installations radar, de vedettes lance-missiles, de 6 sous-marins. L'équilibre des forces est en train de changer au Proche-Orient. Israël n'a qu'une cinquantaine de chasseurs à réaction et un peu plus de 130 chars, du matériel obsolète par rapport à l'armement que Nasser doit recevoir. Ben Gourion est persuadé que les Égyptiens seront prêts à attaquer d'ici l'été 1956. Il le dit à l'ambassadeur des États-Unis à Tel Aviv et lui demande des armes.

LE «MÉDIATEUR»

Dwight Eisenhower décide de tenter une nouvelle médiation secrète entre Israël et l'Égypte. Il charge un ami personnel de cette mission : Robert Anderson, ancien secrétaire adjoint à la Défense qui part pour le Proche-Orient avec, dans ses bagages, des carottes et des bâtons. Si Nasser fait preuve de bonne volonté, il aura une aide économique et un soutien politique très importants, sinon, une nouvelle détérioration de ses relations avec l'Amérique. Ben Gourion reçoit également une mise en garde : un manque de souplesse aurait des conséquences graves sur les relations entre les deux pays, au contraire, des concessions pourraient être récompensées[1]. Le soir du 17 janvier 1956, Anderson rencontre Nasser au Caire. Kermit Roosevelt et Zakariah Mohieddine assistent à l'entretien.

L'émissaire américain commence par expliquer au Raïs qu'il ne peut, simultanément, «*maintenir une armée importante et réaliser un grand effort de développement économique et cela, en dépit des bonnes condi-*

---

1. Michael. B. Oren, *The Origins of the Second Arab-Israeli War*, Frank Cass, Londres, 1992, p. 122.

tions du contrat d'armement avec les Tchèques. Toute dépense en matériel militaire est un gaspillage et la meilleure chose serait de ne pas utiliser les armes».

Nasser exprime son inquiétude face à la tension qui existe entre la Syrie et Israël. Il critique le pacte de Bagdad. Selon lui, une création britannique dirigée contre l'indépendance des pays arabes. Anderson lui répond que les États-Unis n'en font pas partie et qu'il devrait considérer ce qui est arrivé aux pays qui ont rejoint l'URSS. Le dirigeant égyptien répète qu'il désire la paix. La tension à la frontière provient, dit-il, des réfugiés. Il y a deux problèmes : le rapatriement et le versement de dédommagements.

Anderson : «*Israël est un petit pays dans une position très spéciale et avec des possibilités limitées.*»

Nasser : «*Je ne suis pas intéressé par les chiffres mais par le principe du libre choix* [des réfugiés, entre le droit au retour et des dédommagements pour les biens perdus].»

Anderson : «*Pensez-vous à un pourcentage précis de réfugiés ?*»

Nasser : «*Non. Je ne peux pas parler au nom de tous les pays arabes. Il pourrait y avoir des difficultés de ce point de vue avec la Syrie et la Jordanie qui n'ont pas de gouvernements stables. Un problème important est l'absence de continuité territoriale entre les pays arabes.* [L'occupation du Neguev par Israël] *sépare l'Afrique de l'Asie.* […]»

Hassanein Heykal, le journaliste et confident de Nasser, a publié une version différente de la rencontre : l'émissaire américain a remis au numéro un égyptien deux projets de lettres. L'une, une missive qu'il devrait envoyer à Eisenhower, décrivant notamment les problèmes existants entre Israël et l'Égypte; l'autre, un texte que Nasser devait envoyer à la Banque mondiale au sujet du financement du haut barrage d'Assouan. Les Égyptiens n'ont pas apprécié les formules de la missive au président des États-Unis. Surpris par une phrase au sujet du maintien «*d'une bande de terrain sous souveraineté arabe et permettant le maintien d'un lien entre les Arabes d'Asie et d'Afrique* […]». Nasser a demandé des explications. Il s'agissait apparemment de construire un gigantesque pont à deux étages dans le sud du Neguev, pour relier le Sinaï et la Jordanie. La partie supérieure étant arabe, Israël conserverait la partie inférieure. Le numéro un égyptien n'a pas résisté à la tentation de demander : «*Et si l'un de nos soldats se mettait à uriner, il le ferait sur les Israéliens qui seraient en bas. Est-ce que cela ne déclencherait pas une guerre ?*» Selon Heikal, ces longues discussions égypto-américaines n'ont mené à aucun résultat. Nasser a refusé les documents que lui a proposés Anderson. Les conditions pour un prêt de deux cents millions de dollars de la Banque mondiale étaient telles que l'Égypte ne pouvait que se tourner vers un autre bailleur de fonds[1].

Le 23, Anderson est à Jérusalem où, pendant deux jours, il a de longs entretiens avec Ben Gourion et Sharett :

Ben Gourion : «*La principale question est de savoir si* [Nasser] *a une volonté de paix. Il vous a dit qu'il veut la paix. Je ne veux pas en douter mais, la seule possibilité de le savoir, ce serait que les deux parties se rencontrent pour discuter des problèmes qui les concernent. […] S'il a une volonté de paix, les incidents aux frontières doivent cesser, nos représentants devraient se rencontrer ensuite. Je comprends son désir de secret et, de notre part, nous l'observerons. Même s'il n'y a pas de résultats personne ne connaîtra cette affaire. Mais comment pouvons-nous progresser vers la paix sans nous rencontrer ? Ce ne doit pas être nécessairement Nasser et moi. Sharett serait peut-être mieux indiqué. Nous avons eu des contacts dans le passé et cela n'a jamais été divulgué […] Quant à la continuité territoriale* [entre l'Égypte et la Jordanie], *elle n'a jamais existé à l'exception d'une courte période lorsque Ibrahim Pacha a conquis la Palestine et la Syrie puis, s'est retiré. Si la paix est conclue, il y aura une totale coopération entre Israël et l'Égypte et le libre passage pour les deux parties. […]*»

Le 31 janvier après un nouvel entretien avec Nasser, Anderson est de retour à Jérusalem :

Sharett : «*Lorsque Nasser a évoqué l'incident de Gaza, avez-vous compris qu'il croyait qu'il s'agissait de représailles après l'exécution* [des condamnés israéliens au Caire] *?*»

Anderson : «*Je ne peux pas dire avec précision qu'il croit que l'affaire de Gaza a pour origine le procès* [du Caire], *mais, fondamentalement, c'est ainsi qu'il voit les choses.*»

Sharett : «*Si l'opération de Gaza a été pour lui une surprise, sur quoi fonde-t-il son attitude ? Dans ma missive, il y avait l'avertissement que si la peine de mort était exécutée, cela susciterait choc et indignation. Je vous ai expliqué les raisons de l'opération à Gaza. Pourquoi pensait-il que nous ne réagirions pas ?*»

Anderson : «*Il croyait que la réaction prendrait la forme d'une vive protestation et un appel au droit international, mais pas que cela conduirait à des incidents. Je lui ai répété que l'affaire de Gaza n'était pas liée au retour de M. Ben Gourion au ministère de la Défense. Vous vouliez que Nasser comprenne cela. Il m'a dit qu'effectivement c'est ce qu'il comprenait. […]*

«*J'ai dit à Nasser que le nombre de victimes dans l'incident de Gaza*

---

1. Mohamed H. Heikal, *Suez*, Deutsch, Londres, 1986, pp. 93-94.

vous a choqué. Je ne serais pas honnête si je ne vous disais pas que l'affaire de Gaza a été [pour lui] *douloureuse. Il a dit que la détérioration sérieuse de la situation a commencé avec cet événement. Jusqu'alors, le public en Égypte ne s'intéressait pas à la Palestine.* [..]»

La dernière visite d'Anderson à Jérusalem a lieu le 9 mars. Sa mission a échoué :

Ben Gourion : «[…] *Nasser parle de dangers. Nous, nous ne sommes pas en danger d'être assassinés. Si nous faisons la paix avec Nasser, certains cercles au sein de notre peuple ne l'aimeront pas et nous traiteront de traîtres. Mais il n'y aura pas de danger, et même si c'était le cas, nous n'aurions pas peur.* […] *A l'exception du Herout, même les Sionistes généraux* [une formation modérée de droite] *affirment que plus nous attendrons, plus le danger grandira : l'Égypte se renforce et la seule solution, disent-ils, est de la prendre de vitesse.* […].

«*S'il n'y avait pas de danger, cela nous serait égal, mais les Mig, les Iliouchine et les tanks Staline sont* [livrés en masse] *en Égypte* [en provenance du] *bloc soviétique ; de même que des chars Centurion de Grande-Bretagne, et les chars américains qui atteignent l'Arabie Saoudite peuvent être transférés en Égypte car Amer est le commandant suprême des deux armées. Vous avez la promesse de Nasser de ne pas attaquer. Il est peut-être sincère, peut-être non.* […] *Supposons qu'il est sincère. N'a-t-il pas dit qu'il craignait pour sa vie et, s'il a peur, ne fera-t-il pas la guerre ? Il a dit à son peuple qu'Israël doit être détruit ; il ne risquera pas sa vie pour tenir la promesse qu'il vous a faite. Notre existence même est en danger. Nasser veut gagner le temps dont il a besoin. Dans quatre mois il sera plus fort que maintenant. Trois cents Égyptiens se trouvent dans les pays du bloc soviétique où ils s'entraînent au maniement des Mig et des missiles et il y a des experts soviétiques en Égypte.* […]

«*Nous ne pouvons nous empêcher de voir la guerre se rapprocher, inévitablement, comme dans une tragédie grecque. Je ne crois pas en la notion grecque de destin et, donc, je vous ai aidé bien que votre mission ne soit pas logique. Au pire, nous serons détruits ; au mieux, si nous gagnons – ce qui est possible –, le travail que nous avons effectué en huit ans sera effacé.*

«*Nous ne pouvons compter uniquement sur la promesse de Nasser qu'il ne nous attaquera pas. Il a reconnu devant vous qu'il n'est pas son propre maître*[1].»

---

1. Ben Gourion, *My Talks with Arab Leaders, op. cit.*, pp. 274 à 325. Voir aussi Ben Gourion à Maariv. 2.7.71 ; 9.7.71 ; 16.7.71 ; 23.7.71.

Après le départ d'Anderson, Ben Gourion adresse une lettre personnelle à Eisenhower. Il demande une aide militaire des États-Unis : «[…] *Seules des armes défensives et surtout des avions comme l'Égypte en reçoit de Russie nous donneront un sentiment de sécurité et serviront de dissuasion contre une attaque. Dans notre cas, comme ailleurs où l'indépendance nationale et la démocratie sont en danger, la paix dépend d'une capacité à l'autodéfense.* […]» Eisenhower avait rejeté publiquement l'idée qu'Israël puisse parvenir à un équilibre des forces avec le monde arabe.

LA FRANCE

Ben Gourion réalise qu'il ne parviendra pas à acheter des armes aux États-Unis. Il envoie Shimon Pérès, le jeune directeur général du ministère de la Défense, en mission en France. Depuis quelques mois, les relations entre les deux pays sont au beau fixe. Pérès a déjà réussi à acquérir des avions de combat Mystère français. Par ses contacts, le président du Conseil Guy Mollet et Maurice Bourgès-Maunory le ministre de la Défense et obtient la livraison d'appareils Mystère 4. Le 22 juin, Moshé Dayan, Yehoshafat Harkabi, le chef des renseignements militaires et Shimon Pérès concluent un accord pour l'achat par Israël de 200 chars AMX et 72 avions Mystère dont la moitié sera livrée dès le mois suivant. Pérès informe Ben Gourion que dans toutes ses discussions avec les Français, ces derniers évoquent l'affaire du canal de Suez et lui demandent : «*Si la France part en guerre contre l'Égypte, peut-elle compter sur une participation israélienne ?*» Pérès répond par l'affirmative. Il parvient à persuader les dirigeants français qu'une coopération avec Israël dans le domaine nucléaire peut leur être utile. Un accord formel sur la livraison secrète à Israël d'un réacteur atomique sera signé à Paris en 1957, le 21 septembre.

Le ministre israélien des Finances s'arrache les cheveux. «*C'est*, dit-il, *une idée folle dont le coût financier est immense!*» David Ben Gourion, lui, est enchanté. Cette idée de Shimon Pérès coûtera, dans une première étape, quatre-vingts millions de dollars, une somme énorme pour le maigre budget israélien de l'époque ; la moitié viendra de dons discrets offerts par de riches hommes d'affaires juifs américains et européens. Quelques mois plus tard, commencera la construction, à Dimona dans le Neguev, de ce que la censure israélienne appellera une «usine textile». Curieuse usine surmontée d'un dôme, dont les ingénieurs parlaient français et qui était entourée de mesures de sécurité exceptionnelles. Israël se dote de l'option nucléaire. A trente-trois ans,

Shimon Pérès est considéré comme un jeune loup de la politique israélienne. Il est arrivé en Palestine en 1931 avec ses parents, originaires de Pologne orientale. Ben Gourion l'a remarqué, en 1948, alors qu'il était le responsable des achats d'armes de la Hagannah aux États-Unis.

NASSER CONTACTE ISRAËL

Pendant qu'Anderson faisait la navette entre Le Caire et Jérusalem, les Égyptiens établissaient un contact plus direct avec Jérusalem. Le 17 février, Nahoum Goldmann, le président du Congrès juif mondial, envoyait un télégramme ultra-secret à David Ben Gourion. L'attaché militaire égyptien à Londres lui a demandé s'il était prêt à aller au Caire s'il était invité : «*Je lui ai dit que je ne pouvais répondre avant de consulter le gouvernement israélien, et, étant également citoyen américain, le Département d'État devrait être consulté. Je ne discuterai pas cette affaire sans savoir si les intentions du gouvernement égyptien sont sérieuses. Francis Russell, du Département d'État, m'a contacté hier pour me demander si vous acceptiez mon voyage au Caire. Le Département d'État veut en parler avec Dulles qui rentre à Washington. J'ai personnellement des doutes sur cette invitation de Nasser. Si c'est possible, j'accepterai, étant entendu qu'aucun problème précis ne sera discuté, mais* [qu'il s'agira de parler des] *relations israélo-arabes dans leur vaste contexte historique et géopolitique. J'ai dit à l'attaché militaire à Londres que tous les problèmes spécifiques ne peuvent être discutés et réglés qu'avec des représentants israéliens, mon rôle étant celui de médiateur amical* […][1].»

Un mois plus tard, à Paris, le conseiller politique de Goldmann, Joe Golan, reçoit un appel de son ami Robert Barrat, un journaliste du *Nouvel Observateur*. L'attaché militaire égyptien à Paris, le colonel Saroite Okacha, voudrait le rencontrer. Golan, c'est une page de l'histoire du sionisme. Né à Alexandrie en 1922, son père, Yaacov Gouldin, un Juif russe, fut l'adjoint de Trumpeldor durant la Première ¨Guerre mondiale, avant de devenir le représentant en Syrie des machines à coudre Singer. Joe a grandit à Damas et à Beyrouth. Parlant l'arabe, connaissant parfaitement le Proche-Orient il a été recruté par l'Intelligence Service britannique durant la Seconde Guerre mondiale avant de faire du renseignement au Caire pour le compte de la Hagannah. Étudiant en droit et en sciences politiques à Paris jusqu'en 1953 il a milité dans les mouvements anticolonialistes, rencontrant des

---

1. Archives sionistes, fonds Goldmann, «Goldmann à Ben Gourion», Z 6/1111.

personnalités arabes comme le Marocain Mehdi Ben Barka. C'est dans cette mouvance qu'il a fait la connaissance de Barrat, ancien camelot du roi devenu chrétien de gauche. Le 29 mars, Golan et Barrat se rendent à l'ambassade d'Égypte. La conversation est cordiale. Okacha demande si une rencontre entre Nahoum Goldmann, le président du Congrès juif mondial, et Nasser pourrait être utile. Le rendez-vous pourrait avoir lieu à Rome. Il n'y aurait pas d'ordre du jour, les deux hommes se contenteraient de faire un vaste tour d'horizon pour définir les éléments nécessaires à une réduction de la tension, et pour améliorer les relations entre Israël et le monde arabe[1].

Le 6 juin 1956, Joe Golan, en mission au Maroc, reçoit un message de Barrat. Il a revu Okacha. Le colonel égyptien propose une rencontre entre Golan et Mohammed Hassanein Heykal qui doit arriver en Europe dans les prochains jours.

Nahoum Goldmann est informé. Rendez-vous est pris pour le 13 juin dans un hôtel de Knokke-le-Zoute sur la côte belge. A l'heure du petit déjeuner, les deux hommes se serrent la main, et échangent des formules de politesse en arabe, puis passent à l'anglais.

Heykal : «*Notre ami a suggéré que nous nous rencontrions pour un tour d'horizon.*»

Golan : «*Pas de problème pour moi, aussi longtemps qu'*[il ne s'agit pas d]*'une interview pour Rose el Youssef!*»

Heykal : «*La notion de paix au Proche-Orient devient l'objet d'un débat public. Comment vous et vos amis envisagez-vous une telle paix?*»

Golan : «*Je crois que des relations pacifiques entre États représentent une situation plus normale qu'un état de guerre permanent.*»

Heykal : «*Je suis d'accord, mais avec les Palestiniens chassés de leurs foyers et transformés en réfugiés, ne croyez-vous pas que c'est là le principal obstacle sur la voie vers la paix?*»

Golan : «*Le problème palestinien n'est pas le seul obstacle. Pour autant que je puisse évaluer la situation, la principale condition préalable à tout progrès vers la paix est la reconnaissance par l'Égypte et les autre États arabes qu'Israël est le partenaire pour la paix.*»

Heykal : «*Comment pouvez-vous envisager une telle situation, alors que chaque mesure adoptée par Israël est une menace pour notre sécurité? Nous ne sommes pas à notre aise en considérant la manière par laquelle Israël bâtit son infrastructure militaire.*»

Golan : «*Comment est-ce possible autrement? Toutes les frontières d'Israël sont avec des États arabes. La seule qui ne l'est pas, c'est la mer, et on nous menace constamment de nous y rejeter. Vous devez*

1. Archives sionistes, fonds Goldmann, «Golan à Goldmann», Z 6/16.12.1612.

comprendre et enfin de compte accepter que nous sommes là pour rester, pour toujours, et que la seule voie vers la paix est avec nous, pas contre nous.»

Heykal : «*Une liste de conditions doit d'abord être acceptée.*»

Golan : «*Comment pouvez-vous discuter d'un tel sujet sans rencontrer un représentant du gouvernement d'Israël, ce que je ne suis pas. Je suis prêt à transmettre un message suggérant que vous, l'Égypte, êtes prête à rencontrer un représentant israélien pour discuter de ces conditions préalables.*»

Heykal : «*Comme nous ne nous sommes pas rencontrés, c'était la condition préalable à notre rencontre, je vais voir ce qui peut être fait. Je vous informerai.*»

Les deux hommes se séparent sur une nouvelle poignée de main.

LE CANAL

En Israël, les relations entre Ben Gourion et Sharett sont de plus en plus tendues. Le ministre des Affaires étrangères n'apprécie pas les relations privilégiées de Shimon Pérès avec les dirigeants français. Il en est complètement exclu. Et, il est en complet désaccord avec son chef de gouvernement qui veut une politique de représailles plus dure envers l'Égypte. Le 19 juin Sharett démissionne. Golda Méir le remplace à la tête de la diplomatie israélienne. Ben Gourion peut préparer ses projets d'intervention dans le Sinaï.

Le 26 juillet 1956, place de la Libération à Alexandrie, là où vingt mois plus tôt, il avait échappé à un attentat, Gamal Abdel Nasser prend la parole. Une foule de centaines de milliers d'Égyptiens est venue l'écouter. Sur le ton des chansonniers populaires, il ridicule les diplomates américains. «*Pauvre Mister George Allen. S'il vient dans mon bureau avec la note, je le mets à la porte. Et s'il retourne à Washington sans me l'avoir remise, c'est Mister Foster Dulles qui le met à la porte! Comment pouvons-nous aider ce pauvre Mister Allen?*» Puis : «*L'expert financier américain, M. Black, de la Banque mondiale, est venu me voir. Et, lorsqu'il était assis devant moi, de l'autre côté de mon bureau, j'ai imaginé M. Lesseps, le Français qui était chargé de la construction du canal lorsqu'il a visité le Khédive.*» Ce passage du discours est un signal pour Mahmoud Riad, le gouverneur égyptien du canal de Suez. Accompagné de policiers, il prend possession du siège de la compagnie du canal de Suez au Caire, à côté de l'ambassade des États-Unis. Au même moment, des militaires égyptiens investissent toutes les installations du canal.

Gamal Abdel Nasser, pendant ce temps, poursuit son discours : « […] *ces bénéfices dont nous privait cette compagnie impérialiste, cet État dans l'État tandis que nous mourions de faim, nous allons les reprendre! Et je vous annonce qu'à l'heure même où je vous parle, le* Journal officiel *publie la loi nationalisant la compagnie. A l'heure même où je vous parle, les agents du gouvernement prennent possession de la compagnie du canal de Suez. Le canal nous appartient, ses bénéfices seront les nôtres pour l'avenir. Le canal a été construit par des Égyptiens. Cent vingt mille Égyptiens sont morts en le creusant. […] Le canal sera dirigé par des Égyptiens! des Égyptiens! des Égyptiens! Vous m'entendez? Égyptiens!* » La foule répond par une formidable ovation. Gamal Abdel Nasser éclate de rire. « *C'est le canal qui payera pour le barrage d'Assouan! Il y a quatre ans, ici même, Farouk fuyait l'Égypte. Moi, aujourd'hui, au nom du peuple, je prends le canal! […]* »

Le même jour, Goldmann écrit à Ben Gourion : « *L'attaché militaire égyptien à Paris* [est revenu] *du Caire où il a rencontré Nasser : en principe, Nasser m'invite toujours. Il suggère que je vienne au Caire et non pas à Rome, son voyage dans la capitale italienne est annulé. Il voudrait que je lui soumette mes idées d'un règlement par écrit. J'ai répondu qu'il n'était pas question de soumettre un texte à ce stade, et que je penchais pour un voyage au Caire, bien que le secret de la rencontre sera plus difficile à garantir. […].* J'ai ensuite rencontré le secrétaire général des Nations unies à Genève. Dag Hammarskjoeld m'a dit qu'il avait eu vent de cette affaire, et m'a conseillé d'accepter l'invitation. Personnellement, j'ai toujours des doutes, mais je ne puis imaginer que l'attaché militaire à Paris, dont tout le monde dit qu'il est très proche de Nasser, s'occuperait avec autant d'énergie de ce dossier s'il n'avait pas l'accord de Nasser. J'espère que vous n'avez pas d'objection à un tel voyage au Caire. Bien entendu, je n'irai pas là-bas avant de vous voir pour en discuter en détail[1].* »

LES JUIFS DU MAROC

Depuis 1950, des dizaines de milliers de Juifs marocains ont immigré en Israël, dans des conditions difficiles. Dans un premier temps, les responsables israéliens de l'immigration ont décidé de mettre en place une sélection, choisissant les jeunes, en bonne santé, sous l'influence du directeur général du ministère de la Santé, le docteur Haïm Shiba, qui

---

1. Archives sionistes, fonds Goldmann, « Goldmann à Ben Gourion », Z 6/662.

avait convaincu Ben Gourion des dangers que représentait pour la population israélienne «saine» l'arrivée en masse de Juifs marocains. Les familles étaient souvent séparées, les parents, grands-parents restant au Maroc, sans moyens de subsistance. En Israël, les nouveaux venus étaient envoyés directement sur les sites des futures villes de développement.

De ce point de vue, les procès verbaux de la commission de coordination de l'immigration qui siégeait à Jérusalem sont parfois hallucinants. Le 26 juillet 1954 par exemple, Moshé Sharett, le Premier ministre, Lévi Eshkol, le ministre des Finances et ses collègues de la Santé, de l'Immigration et du Travail, ainsi que quelques directeurs généraux, discutent de la manière de sélectionner les Juifs marocains et tunisiens. Ils ont reçu un rapport sur l'existence de nombreux malades dans les mellah. Le docteur Yosseftal explique qu'il faut choisir chaque famille d'immigrants potentiels en fonction de sa capacité à vivre dans des régions de développement agricole… Mais, demande-t-il, «*que faire lorsqu'il n'y a qu'une personne valide dans une famille de dix ? Ils mourront de faim, et je ne parle pas des gens qui souffrent de la teigne. Admettons qu'il soit possible de guérir ceux-là par un traitement. […] Il doit également y avoir des critères sociaux, pas seulement médicaux*».

Rokah, le ministre de l'Intégration : «*Nous voulons tous une immigration maximale de Juifs. Le pays en a besoin mais, dans ce cas, nous devons être fermes et ne faire venir que des Juifs sains. Ces derniers temps, des responsables municipaux m'ont fait savoir qu'ils ne pouvaient plus fournir autant de services sociaux, auxquels l'Agence juive ne contribue plus […]*»

Golda Méir : «*Il faut que les comités de sélection disent toute la vérité et rien que la vérité aux immigrants potentiels, leur explique qu'ils n'auront pas de place dans les villes et qu'ils iront directement du port à la campagne, et pas une campagne comme on l'entend en Tunisie ou au Maroc, mais comme chez nous. S'ils acceptent, ils pourront venir, sinon, ils resteront là-bas. Je crains que, parfois, en raison de la volonté de faire immigrer un nombre important de gens, on ne leur dise pas tout ce qu'il faudrait leur dire. Et alors, ils viennent ici, ne veulent pas aller dans les implantations agricoles, affirmant qu'on ne les y a pas préparés.*

«*Pourquoi parlons-nous ici de familles entières ? Il y a des enfants, il y a des adolescents que nous pouvons faire immigrer. Nous en avons besoin, mais c'est une question d'argent. Jusqu'à ce que des enfants et des jeunes sains et forts viennent des États-Unis et d'Afrique du Sud, nous devons faire venir cette jeunesse-là.*»

Et Golda Méir de suggérer d'intervenir auprès des responsables sionistes venus du monde entier, réunis actuellement à Jérusalem. Elle poursuit : «*Je suis d'accord sur le fait qu'il faut conserver les critères sociaux et autres, mais on ne peut mélanger ici l'immigration de familles avec celle des enfants et de la jeunesse. Même s'il y a des enfants malades qui ont besoin de traitement médical, il faut les séparer de l'immigration des personnes âgées. Je suis prête à le dire en toute cruauté. S'il y a par exemple un vieillard aveugle qu'il faudrait abandonner s'il était seul... Mais s'il a avec lui un enfant de sept, huit ou treize ans, sain ou souffrant d'une maladie curable, pourquoi l'abandonner aussi ?*»

«*Cette question est inutile*, répond un des participants à la réunion. *On ne peut faire sortir les enfants sans les familles.*»

Méir : «*Peut-être oui, peut-être non.* [...] *Nous ferons un effort pour sauver les enfants car je suis persuadée que lorsqu'il y aura des émeutes là-bas, nous n'aurons pas à qui parler. Mais même dans ce cas, je dis : un vieillard juif aveugle n'a pas d'espoir. Mais je ne peux dire qu'un enfant ou un adolescent l'accompagnant doit être abandonné pour cela sans que nous fassions un effort pour les séparer. Ce n'est pas seulement un problème, c'est la possibilité d'amener des Juifs en Israël. Ce ne sont pas tous des cas sociaux.* [...] *Il faut conserver les critères de sélection. Faire preuve de fermeté envers ceux qui n'ont aucun espoir de s'intégrer et de gagner leur vie ici. Mais il faut faire tous les efforts possibles pour sauver la jeune génération. Et pour cela, nous devons trouver de l'argent.*»

Moshé Kol, un membre du comité : «*Il y a de nombreux parents âgés, aveugles ou invalides qui ont de nombreux enfants. L'expérience montre que nous pouvons soigner les enfants, mais le problème est qu'ils ne viendront pas si nous ne leur promettons pas que les parents aussi pourront immigrer, même* [...] *plus tard. Nous devons leur donner un engagement formel qu'après une certaine période, les parents pourront suivre les enfants. Nous pourrions faire un effort pour trouver un endroit où placer les parents, là-bas* [en Afrique du Nord]. *Nous ne prendrons pas les nourrissons, mais les jeunes gens et les jeunes filles, qui passeraient ici trois à quatre ans, feraient l'armée et pourraient ensuite faire venir les parents. Sans cela, il sera impossible de les séparer. J'ai visité le Maroc à deux reprises, et on m'a dit plusieurs fois qu'il fallait considérer ces enfants comme des orphelins dont les parents sont vivants. S'ils étaient orphelins, il n'y aurait pas de problème, nous les ferions venir.* [...] *En cas d'urgence, il n'y a pas de doute que nous ferions immigrer tout le monde, sans même préparer les jeunes.* [...]»

Moshé Sharett conclut le débat en annonçant que les comités de sélection des candidats à l'immigration au Maroc et en Tunisie ne feront pas partir vers Israël des familles refusant de s'installer dans des localités agricoles[1]. Installés dans des villes de développement où les conditions sont restées difficiles pendant des décennies, les immigrants juifs d'Afrique du Nord, surtout marocains, ne pardonneront pas aux dirigeants travaillistes d'Israël l'échec de leur intégration au pays. A partir de 1977, ils voteront massivement, lors de toutes les élections, en faveur du Likoud, la droite.

Depuis 1955, la situation au Maroc inquiète considérablement les dirigeants israéliens. L'agitation dans ce pays fait tache d'huile. Des ratonnades à Casablanca, des émeutes à Meknès et dans d'autres villes ont fait de nombreuses victimes. Le 9 novembre 1955, le gouvernement français accepte l'indépendance du Maroc et, deux jours plus tard, Mohamed V, le souverain légitime qui était en exil rentre à Rabat. Jusqu'à présent, le gouvernement général français autorisait les activités de l'Agence juive et de la Kadima, l'organisation de l'immigration vers Israël.

Avec le départ de la puissance coloniale, les Israéliens craignent que Mohamed V interdise l'immigration juive. Ben Gourion demande à Nahoum Goldmann d'intervenir au nom du Congrès juif mondial. C'est Joe Golan qui, finalement, ira discuter avec le monarque chérifien. La rencontre se déroule fin juillet à Rabat.

Mohamed V : «*Je n'ai rien à vous apprendre, monsieur Golan, les Juifs vivent sur cette terre bénie du Maghreb depuis plusieurs millénaires, bien avant l'arrivée de l'Islam. Ils ont prospéré et vécu parmi nous, et continuent à occuper une place respectable et honorable dans notre société. Pourquoi veulent-ils partir au moment où notre pays accède à son indépendance et notre peuple à sa liberté ? Les Juifs forment une partie inséparable de notre peuple. A quelle aventure vont-ils dans un monde secoué par des conflits, des incertitudes ? Que vont-ils devenir en quittant cette terre qui est la leur ?*»

Golan : «*Je vais essayer, Sire, de répondre à votre question avec la plus grande franchise. Mais avant de le faire, et avec votre permission, j'aimerais poser une question.*»

Mohamed V lui fait signe de continuer.

Golan : «*Sire, le ministre des Postes, notre ami Léon Benzaquen, vient de rendre publiques les conditions du recrutement de 350 agents des postes et télégraphes. Il faut parler l'arabe et le français, et avoir*

---

1. Archives sionistes, procès verbaux de la commission de coordination de l'immigration d'Afrique du Nord, 3 100/512/2.

le brevet élémentaire. Supposons, Sire, que 200 des candidats choisis soient de jeunes Juifs. Ce pourcentage s'inscrit parfaitement dans la réalité du pays. Depuis plus de cinquante ans, l'Alliance israélite fait un effort considérable pour donner aux jeunes Juifs une éducation valable. Leurs compatriotes musulmans, moins favorisés, sont en général attirés par une voie politique ou mercantile. Par ailleurs, les jeunes musulmans en possession du brevet ou, mieux, du baccalauréat, prétendent à des emplois plus importants que ceux d'agents des postes.»

Mohamed V : «*Cette situation nous poserait un problème et nous obligerait à commettre une injustice. Ils n'ont pas confiance* [en nous], *sinon ils ne partiraient pas!*»

Golan : «*Un Juif s'en va, Sire, quand il sent qu'il doit le faire et qu'il a où aller. Il y a la promesse du retour que Votre Majesté connaît. C'est une vision devenue possible depuis qu'Israël existe et ouvre ses portes et son cœur pour accueillir tout Juif qui voudrait mettre un point final à son errance. Il y a aussi le fait non négligeable du nationalisme militant arabe qui fait cause commune avec les Palestiniens, et, par la nature même des choses, rejette le sionisme. Par ailleurs, peu de Juifs ont pris part à l'Indépendance. De ce fait, ils ne peuvent participer à l'euphorie, et à l'enthousiasme qui règne au Maroc. Les Juifs du Maghreb sont mentalement prêts à partir. Leur séjour au Maroc aura été une longue attente avant de pouvoir enfin rentrer chez eux.*»

Il se fait tard et Mohamed V demande à son interlocuteur israélien de revenir le lendemain. Il ne ratera pas le rendez-vous : «*Je crois savoir, monsieur Golan, que les familles qui arrivent chez vous sont dirigées vers des camps dénués de tout confort, et qui se trouvent souvent en dehors des villes. Je suppose que ces centres ont un caractère provisoire en attendant de leur trouver des logements et du travail. La vie doit y être difficile. Ils sont des étrangers dans un pays que vous dites être leur. Ils n'en connaissent ni la langue, ni les coutumes. Que de souffrances pour des gens qui ont tout pour vivre dans le bien-être.*»

Golan : «*Pensez-vous, Sire, qu'il y aurait une logique quelconque pour ne plus autoriser les départs?*»

Mohamed V : «*C'est hélas bien trop tard, bien trop tard. On n'a pas le droit de couper les familles en deux, de séparer les enfants de leurs parents, les plus âgés des plus jeunes. La famille marocaine est un tout, une unité sacrée qu'il faut respecter et préserver. Notre responsabilité va dans ce sens. Même établis dans des pays lointains, les Juifs du Maroc demeurent nos sujets et nous leur devons notre protection. Nous les accompagnons dans leur départ avec sollicitude et inquiétude pour leur sort. Que Dieu les protège et pardonne leurs erreurs.* […]

«*Vous savez aussi bien que moi, monsieur Golan, que les départs ont commencé il y a plusieurs années. La responsabilité en incombe au Gouvernement général* [français] *et à la puissance protectrice. L'organisation connue, je pense, sous le nom de Kadima a installé dans notre pays toute une structure pour convaincre les gens de partir en leur faisant je ne sais quelles promesses. Voyager coûte cher. Tout cela aurait été plus humain et plus convenable si les départs avaient été organisés famille par famille, village par village. Mais les visées de cette Kadima allaient au-delà. Cette organisation a pour objectif principal de déséquilibrer la structure familiale et communautaire du judaïsme marocain, et s'assurer que la majorité des Juifs quittent ce pays, ne serait-ce que pour rejoindre les leurs. Ces gens de la Kadima ont convaincu et encouragé les jeunes à partir en premier. Il est plus facile d'influencer les jeunes qui s'en vont, laissant derrière eux des familles démembrées, des parents et grands-parents privés de leurs enfants ou petits-enfants. C'est la destruction systématique de la famille. C'est hélas trop tard maintenant pour faire quoi que ce soit. Interdire les départs serait contribuer à la souffrance de ces malheureux. Croyez-moi, cher monsieur, notre accord est donné à contrecœur. C'est contraire à toutes nos convictions. »*

Le lendemain, Joe Golan reçoit un message. Son ami Mehdi Ben Barka veut le voir. il le rencontre à son domicile. Le militant anticolonialiste lui dit : «*Que cela te soit clair, Joe : toute votre affaire dépend, en définitive, de Mohamed V. C'est lui et lui seul qui décidera. Nous pourrons, bien sûr, essayer de l'influencer, mais pas quand il s'agit des Juifs. Ce domaine, il le garde pour lui seul. La décision finale d'autoriser les départs ou pas ne viendra que de lui.* » Golan s'en souviendra en poursuivant son entretien avec le souverain.

Mohamed V : «*Nous n'avons jamais été contre la création de l'État juif, ni contre son existence. Nous pensons qu'il faut tout faire pour ne pas isoler Israël. Dans l'état actuel des choses, nous pensons que cet État pourrait faire partie d'un ensemble avec d'autres États. Les peuples riverains de la Méditerranée pourraient constituer un cadre au sein duquel des rapports entre des États arabes et Israël pourraient se créer. Nous n'avons jamais été opposés à ce que les Israélites de notre pays visitent la Palestine. Il est tout à fait clair dans notre esprit qu'il existe un lien important, religieux et culturel, souvent familial, entre Juifs du Maroc et Juifs de Palestine. Ce que nous n'avions jamais imaginé, c'est qu'ils décident de partir.* »

Golan : «*Et comment concevez-vous, Sire, une solution au problème palestinien ?* »

Mohamed V : «*Je n'ai aucune formule à proposer. Ce que je puis vous dire, c'est que vous n'avez d'autre issue que de vous entendre* [avec eux]. *Plus vite vous le ferez, plus forts vous serez. Des hommes de bonne volonté doivent sûrement se trouver des deux côtés. Vous serez les premiers gagnants dans une paix avec le monde arabe. Il vous faut tout faire pour vous engager dans la voie de la réconciliation.* »

Au moment de prendre congé, le souverain chérifien demande à Golan de transmettre ses salutations à ses collègues du Congrès juif mondial et de les assurer qu'il respectera tous les engagements pris par lui-même et par les responsables politiques. «*Le prince héritier Hassan*, dit-il, *partage notre point de vue. Le Maroc est une terre de liberté. Chaque famille qui le voudra pourra partir. Chaque famille qui le voudra pourra revenir. Chaque départ est pour nous une blessure mais, là où ils seront, nos pensées seront avec eux*[1].»

Le 14 septembre 1993, de passage au Maroc, le Premier ministre israélien Yitzhak Rabin déposera une gerbe de fleurs sur la tombe de Mohamed V.

LES JUIFS D'ALGÉRIE

Septembre 1956, New York. Joe Golan est invité à dîner chez Mohamed Yazid, le représentant permanent du FLN aux Nations unies. A cette occasion, il rencontre Krim Belkacem, un des chefs du FLN. L'Israélien lui demande son point de vue sur l'avenir de la communauté juive dans une Algérie qui sera un jour indépendante. L'Algérien lui répond que la guerre se poursuit et que l'indépendance n'est pas pour demain. Il décrit la guerre très dure qui se déroule dans les villes algériennes. «*Je préfère ne pas parler de nos compatriotes juifs. Certains sont avec nous, malheureusement, ils sont très peu nombreux. Nous comprenons la situation des Juifs. Les Français les méprisent. Ils sont traités en citoyens de seconde zone. Avec chaque arrestation de nos patriotes, nous arrivons à l'évidence que les indicateurs qui ont su informer les Français sont parmi nos compatriotes israélites. L'opinion publique internationale est influencée par l'intelligentsia juive qui contrôle la presse et les médias. L'ombre du conflit israélo-arabe déteint sur nous.*»

Deux mois plus tard, Golan se rend clandestinement en Tunisie afin d'y rencontrer à nouveau Krim Belkacem et les chefs de l'ALN, l'Armée de libération nationale algérienne.

1. Joe Golan, *La Longue Marche*, manuscrit, reproduit avec la permission de l'auteur.

Ses interlocuteurs lui expliquent que, depuis le mois de juillet 1954, les services de sécurité français recrutent des Juifs pour remplir les postes occupés jusqu'alors par des musulmans. Ils affirment que la population algérienne est convaincue que les Juifs participent activement à la répression du soulèvement algérien. Et Krim Belkacem d'ajouter : «*Il est de mon devoir de vous transmettre la réponse concertée de nos responsables. Le seul conseil que nous puissions honnêtement vous donner est de dire aux Juifs d'Algérie de partir, de quitter le pays avant qu'il ne soit trop tard. Nous ne pourrons pas assurer leur protection et les protéger contre la fureur des foules. Nous ne pourrons rien pour eux.*»

Le mois suivant, de retour à New York, Joe Golan fait son rapport à Golda Méir, le ministre des Affaires étrangères israélien. Elle est furieuse.

Golda Méir : «*Écoute-moi bien, Golan. Israël a besoin d'armes pour sa défense. La France a enfin décidé de nous en fournir. Le gouvernement français, notre fournisseur principal, nous a demandé de ne pas inciter les Juifs d'Algérie à quitter le pays. Nous avons toutes les raisons de penser que les Français sont en mesure d'assurer la sécurité des communautés juives.*»

Golan : «*Les Français ne sont même pas en mesure d'assurer la sécurité des populations françaises dites de souche. Il y a des morts chaque jour. Comment peux-tu penser qu'ils feraient le moindre effort pour protéger les Juifs ?*»

Golda Méir : «*Notre priorité, c'est la sécurité d'Israël. Les Juifs d'Algérie, qu'ils décident de leur sort. Ils n'ont pas besoin de tes conseils.*»

Golan : «*Je ne vois pas pourquoi ne pas leur communiquer les décisions du haut commandement de l'ALN. Cela les concerne au plus haut point.*»

Joe Golan rend compte de ses discussions et de l'attitude de Golda Méir à son patron, Nahoum Goldmann, qui décide de consulter le gouvernement israélien. Très vite, Golan qui veut avertir les Juifs d'Algérie, leur dire de partir, découvre qu'il se heurte à un mur de silence. Ses collègues du Congrès juif mondial et les diplomates israéliens craignent une vive réaction des autorités françaises. Un émissaire israélien au quartier général de l'Armée de libération nationale algérienne en Tunisie, cela risquait de porter atteinte aux relations entre Jérusalem et Paris. Finalement, c'est le chef de la willaya d'Alger qui déposera le rapport alarmiste de Golan dans la boîte aux lettres du Grand Rabbin d'Algérie, David Ashkenazi, à Oran. Joe Golan conclura ce chapitre de sa vie par cette phrase : «C'est en toute connaissance de cause que les cent vingt mille Juifs algériens ont pu organiser leur départ et quitter leur terre natale[1].»

Quelques semaines après sa rencontre avec Golda Méir à New York, Golan apprend que les Affaires étrangères israéliennes avaient décidé de ne pas renouveler son passeport. Il rentre à Jérusalem où, après l'intervention de plusieurs députés de gauche on le lui rend. Il a été interdit de séjour sur le territoire français jusqu'en 1981.

La situation en Afrique du Nord donne des idées à certains responsables israéliens. Le 13 novembre le département Proche-Orient des Affaires étrangères à Jérusalem envoie un message personnel à Yehoshoua Palmon, son représentant à Paris : «*Selon des rumeurs qui nous sont parvenues, un nombre important de propriétaires agricoles français ne parviennent pas à vendre leurs propriétés en Tunisie et au Maroc car elles sont trop éloignées des centres urbains français et impossible à défendre. [Le prix de ces propriétés est infime].*

«*Il est peut-être possible de réaliser une transaction tripartite : 1) Les Marocains se débarrasseraient des propriétaires terriens français et recevraient à la place des réfugiés palestiniens. 2) Nous réglerions le problème d'un certain nombre de réfugiés. 3) Les Français recevraient de l'argent en échange de leurs biens.*

«*Ezra Danine et Ziama Divon estiment que tu devrais profiter de ton séjour à Paris pour vérifier ces rumeurs et, le cas échéant, examiner les possibilités d'action* [...][2].»

Ce ne sera pas la seule idée saugrenue caressée par des responsables israéliens pour régler le problème des réfugiés palestiniens loin du Proche-Orient. En 1967, après la guerre des Six Jours, le Mossad préparera une opération secrète originale : l'octroi de faux passeports à des réfugiés de Gaza et leur départ pour l'Amérique du Sud... Quelques familles se laisseront tenter.

GUERRE

En Israël, l'état-major prépare la guerre contre l'Égypte. Un objectif militaire : neutraliser Gaza et ses fedayins. Un objectif politique : forcer l'Égypte à permettre la liberté de navigation vers Eilat. Dayan, en tout cas pense qu'Israël ne devrait pas occuper et annexer Gaza. Le 17 septembre 1956, il explique à ses officiers :

1. Joe Golan, *op. cit.*
2. ANI, «Mazat à Memisraël Paris», 4081.2.

«Le temps où un gouvernement dominait le peuple est passé; aujourd'hui c'est la population qui dicte sa volonté au gouvernement. Il est donc vital pour un État d'examiner la question de la taille relative de toute minorité qu'il peut se permettre d'absorber [...] L'addition d'un grand nombre d'Arabes au pays serait notre perte et représente- rait un énorme danger pour la démocratie israélienne, ses progrès, sa culture, son régime interne et en fin de compte son avenir [...] Même dans la bande de Gaza, une situation pourrait être créée, sans compa- raison avec les difficultés auxquelles nous faisons face actuellement [dans cette région], *si nous la conquérions avec tous ces réfugiés. Cela poserait des problèmes de sécurité, économiques, politiques énormes [...] La génération suivante nous demanderait : "Quels idiots avez- vous été pour échanger une frontière qui pouvait être tenue par deux compagnies de fantassins contre ce nid de vipères ? Pourquoi n'avez- vous pas gardé cette splendide frontière que vous aviez à la fin de la guerre d'Indépendance avec la bande de Gaza, ses sables désertiques et ses 300 000 Arabes, à l'extérieur d'Israël plutôt qu'à l'intérieur*[1] *?"»*

Dans la nuit du 10 octobre 1956, la brigade de parachutistes d'Ariel Sharon effectue une opération de représailles contre le poste de police de Kalkilya en Jordanie. Deux Israéliens avaient été assassinés près de Tel Aviv la nuit précédente par des infiltrés. Un meurtre particulière- ment atroce, les oreilles des victimes avaient été coupées. L'opération se heurte à des difficultés imprévues. Un bataillon tombe dans une embuscade de la Légion arabe. Les Israéliens parviennent à regagner leurs lignes, mais avec des pertes importantes : 18 morts et 50 blessés. Le chef d'état-major, Moshé Dayan, est furieux. Il accuse Ariel Sharon d'avoir mal préparé son plan d'attaque, ce que l'intéressé dément avec force. Le roi Hussein demande au général commandant les forces bri- tanniques au Proche-Orient d'envoyer la RAF protéger son pays, aux termes du pacte de défense anglo-jordanien. Le chargé d'affaires bri- tannique à Tel Aviv informe Ben Gourion que son pays viendra à l'aide de la Jordanie si Israël poursuit ses opérations militaires. Le souverain hachémite obtient des renforts irakiens. Une division venue de Bagdad se déploie en Jordanie. Hussein signe le pacte militaire égypto-syrien dirigé contre Israël.

La situation internationale va changer rapidement. Le 17 octobre 1956, Shimon Pérès informe Ben Gourion que les Britanniques et les Français préparent une opération contre l'Égypte. Londres et Paris ont

---

1. Cité par Mordechai Bar-On in *The Gates of Gaza, op. cit.*, p. 313.

mis au point un plan selon lequel Israël déclencherait une guerre pour conquérir le Sinaï jusqu'au canal de Suez. Britanniques et Français interviendraient ensuite militairement pour séparer les belligérants et par la même occasion prendre le contrôle de la voie d'eau. Ben Gourion refuse.

Le Premier ministre israélien est invité à Paris le dimanche suivant pour rencontrer les dirigeants français. Ils envoient un avion avec à son bord le commandant de l'armée de l'air, le général Challes, et Louis Mangin, le chef de cabinet du ministre de la Défense, chercher Ben Gourion à Tel Aviv. Shimon Pérès, Moshé Dayan et son aide de camp sont du voyage. La visite est secrète. Dans une villa de Sèvres près de Paris, les discussions commencent avec Christian Pineau, le ministre des Affaires étrangères, puis avec Guy Mollet. Les Israéliens expliquent qu'ils ont décidé de passer à l'offensive contre l'Égypte en raison du blocus du golfe d'Akaba mais aussi parce qu'elle interdit le passage des navires israéliens à travers le canal et que Nasser a concentré d'importantes forces blindées dans le Sinaï. Ben Gourion voudrait plus qu'une assurance de neutralité de la part des Français et des Anglais mais une couverture aérienne qui empêcherait des raids égyptiens sur Tel Aviv.

Pineau va à Londres présenter le projet au cabinet Eden. Le Premier ministre britannique lui répond qu'il est d'accord pour aider les Israéliens à détruire l'aviation égyptienne mais qu'il ne veut pas laisser Tsahal occuper le canal. Ce sont les troupes franco-britanniques qui devront occuper les deux rives de la voie d'eau. Il exige aussi l'assurance qu'Israël n'attaquera pas la Jordanie. Eden décide d'envoyer un émissaire à la réunion de Sèvres. Patrick Dean, le secrétaire général du Foreign Office, arrive le 24. Un protocole est mis au point. Israël attaquera dans le Sinaï le 29 octobre. Les gouvernements français et britannique lanceront simultanément aux belligérants deux appels :

«Les Égyptiens doivent cesser toute action de guerre, retirer leurs troupes à dix miles à l'ouest du canal, accepter l'occupation temporaire de la zone du canal par des forces franco-britanniques. Les Israéliens doivent cesser toute action militaire et retirer leurs troupes à dix miles à l'est du canal.»

Si le gouvernement égyptien refuse ces propositions, la France et le Royaume-Uni déclencheront, le 31 octobre, des opérations militaires contre les forces égyptiennes. Israël est libre d'occuper la partie ouest du golfe d'Akaba ainsi que les îles de Tiran et Snapir.

Israël s'engage à ne pas attaquer le Jordanie mais si le roi Hussein décidait d'ouvrir les hostilités, Londres ne lui viendrait pas en aide.

Bourgès-Maunory et Ben Gourion signent également un texte aux termes duquel le gouvernement français s'engage à faire stationner sur le territoire israélien, pour assurer sa défense, pendant la période du 29 au 31 octobre 1956, un escadron de Mystère 4 et un escadron de chasseurs-bombardiers[1].

Les opérations commencent comme prévu le 29 octobre 1956 à 17 heures. Un bataillon de parachutistes saute sur le col du Mitleh dans le Sinaï. L'unité est commandée par un jeune lieutenant-colonel, Raphaël Eytan. Il est sous les ordres d'Ariel Sharon qui, avec les autres éléments de la brigade de parachutistes, fait route vers le Mitleh qu'il rejoindra le 30, après avoir détruit les forces égyptiennes qui lui barraient le chemin. La bataille se terminera le lendemain. 200 soldats égyptiens sont morts, mais aussi 38 israéliens. 120 ont été blessés. Pendant ce temps, des unités blindées israéliennes affrontent l'armée égyptienne. La bande de Gaza est occupée. Le 2 novembre, l'Assemblée générale de l'ONU vote une résolution proposée par Foster Dulles, le Secrétaire d'État américain. Le texte réclame la cessation des hostilités, le retrait des Israéliens derrière les lignes d'armistice, et une demande aux États membres de l'ONU de ne pas introduire de matériel de guerre dans la zone des hostilités. Deux jours plus tard, Ben Gourion accepte la résolution. Pour lui, la guerre dans le Sinaï est terminée. Tsahal est parvenue jusqu'aux rives du canal de Suez. Les opérations prennent fin. Ce n'est pas le cas pour les Britanniques et les Français. Comme prévu, dès le 31, Paris et Londres ont lancé leur ultimatum aux belligérants et, le 6 novembre, les troupes britanniques et françaises débarquent à Port-Fouad. Le commandant égyptien refuse d'ordonner la reddition. Les opérations franco-britanniques prennent de l'ampleur. Des paras sautent sur Ismaïlia et Abou Soueir. Mais, en quelques heures, la crise devient mondiale.

Le Kremlin, qui vient d'écraser la révolution hongroise, profite de l'occasion pour se présenter au monde arabe comme le sauveur de l'Égypte. Boulganine envoie, le 5 novembre, des avertissements sévères à la France, à la Grande-Bretagne et à Israël. Le message reçu par Guy Mollet est le suivant : «*Je considère de mon devoir de vous faire savoir que le gouvernement soviétique est pleinement résolu à recourir à l'emploi de la force pour écraser les agresseurs et rétablir la paix en Orient. Il est encore temps de faire preuve de raison, de s'arrêter, de ne pas permettre aux forces belliqueuses de l'emporter*[2].»

1. Christian Pineau, *1956, Suez*, Robert Laffont, Paris, 1976, p. 149.
2. *Ibid.*, p. 171.

David Ben Gourion a droit à une note encore plus sévère :

«*Le gouvernement d'Israël joue de manière criminelle et irresponsable avec le sort du monde et le sort de son propre peuple. Il sème la haine de l'État d'Israël et ne peut ainsi que compromettre l'avenir d'Israël et remettre en question son existence en tant qu'État. […] Ayant un inté-rêt vital au maintien de la paix dans le monde et à son rétablissement au Proche-Orient, le gouvernement soviétique prend en ce moment même des mesures pour mettre fin à la guerre et refouler les agres-seurs*[1].» Ben Gourion décide d'envoyer Golda Méir et Shimon Pérès à Paris. Ils y arrivent le lendemain et rencontrent immédiatement Christian Pineau et Bourgès-Maunory : ils les trouvent extrêmement pessimistes : «*La France*, disent-ils, *se tiendra au côté d'Israël avec ce qu'elle a, partagera ses moyens militaires, mais il faut comprendre que les Russes ont dans ce domaine une réelle supériorité. Ils disposent de missiles et d'armes non conventionnelles* […] *Il ne faut pas prendre à la légère l'avertissement de Boulganine.*»

Les Soviétiques ne vont vraisemblablement pas intervenir en Europe, par contre, un débarquement au Proche-Orient ne peut être exclu, et là, il y a un risque réel de guerre mondiale. Une profonde inquiétude règne dans les grandes capitales. Sur les marchés des changes, la livre et le franc sont en chute libre, et la presse rapporte les rumeurs les plus inquiétantes sur des mouvements de troupes soviétiques, des préparatifs militaires de grande envergure dans plusieurs pays de l'Est. Golda Méir tente de persuader ses interlocuteurs qu'il sera possible d'extraire en commun le pétrole du Sinaï pour faire face à un éventuel embargo arabe. Dans la soirée, Bourgès-Maunory dira à Pérès qu'à son avis, la menace soviétique est surtout psychologique.

«LA RÉVÉLATION DU SINAÏ» DE BEN GOURION
ET LES MENACES AMÉRICAINES

Les deux Israéliens rentrent à Tel Aviv et trouvent un pays eupho-rique. Israël fête sa victoire. Le Sinaï est occupé. Le blocus d'Eilat est levé. Les canons égyptiens qui se trouvaient à Charm El Cheikh ont été dynamités. Tsahal a 172 morts, mais a fait 6 000 prisonniers. Près de 3 000 Égyptiens ont été tués. Une formidable victoire militaire, huit ans seulement après les difficiles combats de la guerre d'Indépendance. Le pays ignore les avertissements du Kremlin et se laisse gagner par

---

1. Cité par Bar Zohar, *Ben Gourion*, *op. cit.*, p. 1272.

l'euphorie. A la Knesset, Ben Gourion se laisse aller à un discours triomphaliste : «*La révélation du Sinaï vient d'être renouvelée par la flambée d'héroïsme de notre armée. C'est la plus grande et la plus éclatante opération militaire de l'histoire de notre peuple, et de l'histoire des nations [...] L'armistice avec l'Égypte est mort et enterré et ne sera pas ressuscité. Les lignes de démarcation n'existent plus. [...] Nous sommes prêts à négocier une paix durable avec l'Égypte et chacun des autres pays arabes, mais nous n'acceptons sous aucune condition qu'une armée étrangère, quelle qu'elle soit, se déploie à l'intérieur de nos frontières ou dans aucun des territoires que nous occupons.*»

Moshé Dayan racontera que Ben Gourion avait envoyé un message de félicitations aux troupes qui avaient conquis Charm El Cheikh : «*Yotvat, l'île de Tiran, à l'entrée du golfe d'Eilat, fera à nouveau partie du troisième royaume d'Israël*[1].»

La situation internationale est de plus en plus tendue. L'Assemblée générale des Nations unies vote une résolution réclamant l'évacuation sans conditions du Sinaï par Israël. Le vote est sans appel : 95 voix pour, 1 contre, celle du représentant d'Israël. Les choses ne vont pas mieux pour la France et la Grande-Bretagne. La livre sterling risque de s'effondrer. Dans l'après-midi du 6 novembre déjà, Anthony Eden avait annoncé à Guy Mollet qu'après avoir reçu un coup de téléphone d'Eisenhower, il n'avait plus le choix et acceptait le cessez-le-feu.

Le discours de Ben Gourion à la Knesset, son allusion au fait que le Sinaï pourrait ne pas être une terre égyptienne ont suscité une vive inquiétude à Washington. Le 7 dans la soirée, Eisenhower envoie un message très ferme au Premier ministre israélien : «*On a attiré mon attention sur des déclarations attribuées à votre gouvernement, et selon lesquelles Israël n'aurait pas l'intention d'évacuer le territoire égyptien [...]. Toute décision de ce genre de la part du gouvernement d'Israël porterait gravement atteinte aux efforts urgents effectués par les Nations unies pour restaurer la paix au Proche-Orient. [...] Ce serait avec les plus grands regrets que tous mes concitoyens accueilleraient une politique israélienne dans une affaire aussi grave pour le monde et qui porterait atteinte à la coopération amicale entre nos deux pays. A Washington, au Département d'État, Abba Eban s'entend dire que les Soviétiques exploitent la situation d'une manière qui pourrait mettre en danger la paix mondiale. Un refus d'Israël de se retirer du Sinaï serait interprété comme une expression de mépris de l'opinion publique américaine, et conduirait inévitablement à des mesures sévères : la fin de l'aide publique et privée à Israël, des sanctions internationales, voire*

---

1. Voir Bar Zohar, *Ben Gourion, op. cit.*, p. 1277 et Dayan, *Avney Derekh*, p. 233.

l'expulsion des Nations unies.» Eban panique, envoie des télégrammes urgents à Jérusalem, et téléphone à Ben Gourion. Nahoum Goldmann entre dans la danse et annonce qu'en cas de confrontation avec l'administration Eisenhower, il ne faudra pas compter sur le judaïsme américain[1].

Peu après minuit, à l'issue d'une journée de folles inquiétudes, Ben Gourion, pâle, prend la parole au micro de la radio nationale. «*Israël*, annonce-t-il, *accepte le principe d'un retrait total du Sinaï.*» Il conclut, en s'adressant aux soldats : «*Il n'existe pas de puissance au monde qui puisse annuler votre grande victoire. Israël, après la campagne du Sinaï, ne sera jamais plus le même qu'avant cette grandiose opération.*»

RETRAIT

Deux jours auparavant, les Nations unies avaient décidé la création d'une force d'urgence qui devra se déployer dans le Sinaï afin de veiller au retrait des forces étrangères du territoire égyptien, et surveiller le cessez-le-feu entre Israël et l'Égypte. Ben Gourion se lance dans la bataille politique. Ses objectifs stratégiques sont la liberté de navigation dans le golfe d'Eilat et un contrôle militaire de la bande de Gaza pour empêcher de nouvelles attaques contre Israël à partir de ce territoire. Il refuse un retour de l'armée égyptienne dans le Sinaï, et voudrait que les Casques bleus ne soient déployés que dans la zone du canal de Suez. Il voudrait que le détroit de Tiran et la côte du Sinaï jusqu'à Eilat restent au mains d'Israël, et suggère des négociations de paix avec l'Égypte. Le 28 novembre, Abba Eban annonce qu'Israël se retirera à cinquante kilomètres à l'est du canal. Deux jours plus tard, les Britanniques et les Français commencent à évacuer leurs troupes de la région. L'armée israélienne se replie au rythme de vingt-cinq kilomètres par semaine, en démolissant tout : les routes, les bases militaires, les lignes de chemin de fer. Le retrait des Français et des Britanniques sera terminé le 22 décembre.

Le 22 janvier 1957, Israël n'occupe plus que la région de Charm El Cheikh et la bande de Gaza. C'est la première occupation de ce territoire surpeuplé. Le général Mattitiahou Peled en est le gouverneur. Les ordres régissant l'occupation de Gaza portent sa griffe. Ils ont été diffusés le 6 décembre 1956, parmi les unités postées dans la région :

---

1. Bar-On, *The Gates of Gaza, op. cit.*, pp. 274 et 275.

«*Jusqu'à la définition d'une politique définitive au sujet de l'avenir de la région, la bande de Gaza n'est pas annexée au territoire israélien mais constitue une région sous occupation, dirigée par une administration militaire, sous les ordres du commandement de l'armée.* [...] *La loi en vigueur dans la bande de Gaza est celle qui existait dans la région avant son occupation par les forces de Tsahal. La convention de La Haye et la convention de Genève s'appliquent également à la région de Gaza, les forces de Tsahal doivent donc assurer l'ordre et la loi, et la poursuite d'une vie normale pour la population* [...][1].» Les ordres donnés aux soldats israéliens sont d'être extrêmement vigilants, des éléments hostiles continuant d'opérer dans la région. «*La politique générale envers la population civile est d'éviter l'usage de la force, sauf lorsque cela est nécessaire pour prendre le contrôle d'éléments hostiles.* [...]. *Les forces de Tsahal représentent l'État d'Israël face à une population dont une partie est encore ennemie. Il est indispensable de veiller à une apparence honorable envers la population. C'est-à-dire que les missions de l'armée doivent être exécutées avec fermeté et vigilance. Il est interdit d'entrer en contact avec la population locale, que ce soit par des conversations destinées à faire connaissance ou à des fins de commerce. Les soldats se déplaçant à Gaza doivent porter leur uniforme de sortie. Ils doivent se comporter honorablement en militaires[2].*»

Le 3 février, Eisenhower envoie un nouvel avertissement à Ben Gourion : «*J'espère que le retrait sera terminé sans retard. Israël ne devrait pas ignorer les résolutions des Nations unies. Cela mènerait certainement à de nouvelles mesures de la part des Nations unies, qui perturberaient sérieusement les relations entre Israël et les Nations unies.*» Le 20, en dépit de la pression de son opinion publique pro-israélienne, le chef de l'exécutif laisse entendre dans un discours radiotélévisé, que son administration pourrait soutenir des sanctions internationales contre Israël. Israël n'a pas le choix. Le 1er mars, Golda Méir annonce à l'Assemblée générale de l'ONU qu'Israël accepte de se retirer de Charm El Cheikh et de Gaza, en exigeant un régime international pour Gaza, où l'administration égyptienne ne devrait pas revenir, et la liberté de navigation dans le détroit de Tiran, étant entendu que l'État juif se réserve le droit à l'autodéfense si l'Égypte devait bloquer de nouveau la circulation maritime dans cette région. Plusieurs

---

1. Archives de Tsahal, ministère de la Défense, Tel Aviv, document n° 3176. 14.2. Administration militaire de la bande de Gaza.
   2. *Ibid.*

délégations approuvent la déclaration de Méir. La diplomatie française a joué un rôle important en coulisse pour exprimer ce soutien à la position d'Israël au sujet de la liberté de navigation. Le 6 mars, les Casques bleus pénètrent dans Gaza et, deux jours plus tard, se déploient à Charm El Cheikh. Quelques jours après, le 14, une administration égyptienne s'installe à Gaza.

C'est une défaite diplomatique pour Israël, qui n'a pas réussi à obtenir les garanties internationales qu'il exigeait. Rien ne change fondamentalement sur le terrain, mais, paradoxalement, cette guerre va apporter dix ans de paix à l'État juif. L'Égypte suspend les opérations des fedayins. Le port d'Eilat se développe et assure le commerce d'Israël vers l'Iran et l'Extrême-Orient. Un oléoduc sera construit, reliant la mer Rouge à Ashkelon. De nombreux pays réalisent qu'Israël est devenu une puissance au Proche-Orient. Les faits d'armes de ses soldats ont recueilli un écho important dans l'opinion publique internationale.

LE TRIDENT

En Iran, le shah est très impressionné par les performances de l'armée israélienne, et aussi de plus en plus inquiet face à l'expansion du nassérisme. L'Iran et Israël ont des relations officielles depuis 1953 avec l'arrivée d'un représentant qui n'a toutefois pas rang d'ambassadeur. En janvier 1957, le shah demande au chef de son service de contre-espionnage, la Savak, d'examiner les possibilités de coopération avec le Mossad. Bahtiar se rend quelques semaines plus tard à Tel Aviv, où il rencontre Isser Harel et son adjoint Yaacov Caroz, qui, de Paris, dirige les activités de l'organisation en Europe. Un accord de coopération est signé. Le Mossad va former en Israël des centaines d'agents de la Savak et lui fournir du matériel de transmission et d'écoute.

Un second pays musulman renforce ses liens avec Israël après la guerre de 1956 : la Turquie où Ben Gourion effectue une visite secrète. Des accords sont conclus entre le Mossad et le Service national de sécurité turc (SNST). Vers la fin de l'année 1958, les trois organisations, le Mossad, la Savak et le SNST forment une alliance, le Trident, dont les chefs se réuniront tous les six mois, à Tel Aviv, Téhéran ou Ankara. L'objectif : faire échec au panarabisme de Nasser et lutter contre l'expansion du communisme.

En 1957 déjà, les organisations palestiniennes font l'objet d'une surveillance renforcée de la part des services de sécurité au Proche-Orient. Au Caire, l'Union des étudiants palestiniens de Yasser Arafat a droit à toute l'attention de la police politique. Celui qui deviendra le chef de l'OLP a terminé ses études d'ingénieur, et il est officier de réserve dans l'armée égyptienne. Au début de l'année, il a décidé de partir au Koweit en compagnie de Khalil el Wazir, qui prendra le nom de guerre d'Abou Jihad. Ils seront rejoints par Farouk Kadoumi (Abou Lotf), et plus tard Youssef el Nadjar, Kamal Adwan et Abou Mazen qui, eux, s'installent à Qatar. Ces hommes créent une nouvelle organisation : le Fatah, en arabe les abréviations écrites à l'envers de Mouvement de libération de la Palestine. Abou Iyad lui, part à Gaza en qualité d'instituteur. En fait, il organise des cellules secrètes. Les premières publications du Fatah font leur apparition en octobre 1959. Le point essentiel de son argumentation est le fait que la libération de la Palestine est une affaire palestinienne qui ne devrait pas être confiée aux États arabes. Ces derniers peuvent fournir aide et protection et contribuer à la lutte, mais les Palestiniens doivent prendre la tête de la bataille contre Israël. Le Fatah prend pour exemple la guerre de libération algérienne[1].

MALGRÉ TOUT, ISRAËL - ÉGYPTE

A Paris, Saroite Okacha et Joe Golan ont repris leur dialogue. Selon Éric Rouleau, le journaliste du quotidien *Le Monde* qui, en 1970, participera aux préparatifs d'un autre voyage de Goldmann au Caire, Nasser attendait le président du Congrès juif mondial en octobre 1956. Une villa était même en voie d'aménagement dans la banlieue du Caire quand les troupes israéliennes ont envahi le Sinaï. Nasser aurait vu là une nouvelle preuve de la duplicité israélienne. Sa méfiance à l'égard de Goldmann se serait dissipée lorsqu'il s'est rendu compte que ce responsable juif ignorait tout des préparatifs de l'opération militaire. Le 16 mai 1957, Joe Golan envoie un rapport à son patron : «*Nasser est heureux d'apprendre que Goldmann est toujours prêt à lui rendre visite au Caire. La situation actuelle, dit-il, montre que quelque chose doit être fait par un contact au sommet entre eux et nous afin de normaliser les relations entre Israël et les pays arabes. Golan lui a demandé si le terme normalisation avait une signification particulière pour lui, et s'il accepterait d'utiliser à la place le terme paix. Okacha a répondu : "La paix est l'objectif, la normalisation peut être les étapes nécessaires pour passer de la situation actuelle à une paix réelle."*» Le colonel a

---

1. Alain Gresh, *OLP*, Spag, Paris, 1983, p. 43.

demandé à Golan quelle était l'atmosphère en Israël après l'agression de l'année précédente. L'Israélien lui explique que l'affaire du Sinaï avait de nombreux aspects négatifs. Il condamne le principe d'utiliser la force militaire à des fins politiques. «[…] *Okacha raconte qu'au cours de son dernier entretien avec le président Nasser, ce dernier lui a demandé si les Israéliens comprenaient qu'ils faisaient partie du Proche-Orient et n'étaient pas les agents d'intérêts étrangers, américains, français ou autres. "J'ai répondu, raconte le colonel égyptien, que la nouvelle génération en Israël était éduquée dans l'idée qu'elle faisait partie du Proche-Orient et qu'elle apprenait l'arabe aussi bien que l'hébreu."*»

Les deux hommes définissent les conditions d'un voyage de Nahoum Goldmann au Caire : le secret complet doit être maintenu. Le président du Congrès juif mondial ne sera pas considéré comme un plénipotentiaire israélien, mais comme un responsable juif ayant un échange de vues personnel officieux avec Nasser. Il ne devrait pas prendre un avion de ligne pour se rendre au Caire, mais utiliser un appareil égyptien à partir d'Athènes[1].

Le 20, Goldmann répond à Joe Golan. Il accepte les conditions émises par les Égyptiens à sa visite au Caire, et ajoute : «*Dites au colonel Okacha que je suis persuadé qu'une fois un accord conclu sur le problème des réfugiés, d'importantes sommes d'argent seront disponibles pour en assurer l'application. Je serai personnellement prêt à prendre une part très active à la mobilisation des sommes nécessaires, et je suis persuadé que nous pouvons compter sur une participation américaine, allemande et juive. […]*»

Dans ses mémoires, Saroite Okacha raconte cet épisode, sans évoquer les contacts de 1956 : «*Barrat m'a envoyé une lettre au printemps de 1957. Il suggérait une rencontre entre moi et Goldmann. J'ai transmis le message au président Nasser qui, après quelques jours de réflexion, m'a donné une réponse positive. Pour Nasser, il s'agissait de connaître les opinions de l'autre partie sans pour autant nous engager à quoi que ce soit, et cela d'autant plus que je n'occupais pas de poste responsable au sein du gouvernement égyptien.*

«*J'ai rencontré Golan à Genève en avril 1957. […] Il m'a affirmé que Goldmann considérait avec inquiétude les agissements du gouvernement de Ben Gourion. Il souhaitait rencontrer le président égyptien au Caire. Techniquement c'était possible, puisqu'il détenait un passeport américain. Golan a proposé d'accorder à Goldmann un permis*

1. Archives sionistes, fonds Goldmann, «Golan à Goldmann», Z 6/1612.

spécial l'autorisant à quitter l'aéroport pour rencontrer Nasser et ensuite rebrousser chemin sans se faire remarquer. Goldmann voulait par ce geste prouver à Ben Gourion qu'il était capable de réaliser ce que le Premier ministre israélien lui-même ne pouvait pas faire. [...] Nasser a décidé de reporter la question à une date ultérieure. Entre-temps, Golan n'a pas arrêté de me harceler avec ses lettres, demandant une nouvelle rencontre avec moi. Nasser m'a autorisé à le revoir, ce que j'ai fait le 16 septembre à Genève, où il m'a annoncé que Goldmann venait de rencontrer les responsables de la révolution algérienne pour conclure un compromis afin de protéger les intérêts des Juifs en Algérie. A l'issue de la rencontre, j'ai fait comprendre à Golan que Goldmann ne pouvait pas se rendre au Caire dans l'état actuel des choses, mais que Nasser pouvait éventuellement envoyer un émissaire discuter avec le président du Congrès juif mondial si l'étude de ces propositions se évélait positive[1].»

Okacha révèle peut-être ici la véritable raison de ces contacts secrets que mène Nasser avec Israël. En l'absence d'un service de renseignements efficace, il n'a que cette méthode pour connaître les opinions des dirigeants israéliens. Les discussions menées par ses émissaires avec Divon, Golan et d'autres contacts en Belgique lui permettent d'avoir, de première main les réactions d'officiels israéliens aux événements en cours.

Le 1er janvier 1958, Gamal Abdel Nasser est debout, face à la foule, sur un balcon du palais d'Abdine au Caire. Le président syrien Choukri el Kouetli est à ses côtés. Il lit une proclamation qui suscite l'enthousiasme des milliers d'Égyptiens massés dans la rue : «*La Syrie et l'Égypte ont décidé de s'unir en un seul pays : la République arabe unie. Un référendum aura lieu dans un mois pour approuver l'union et élire un président.*» Dans les rues du Caire, c'est le délire. L'union est plébiscitée en Égypte et en Syrie, recueillant plus de 91 % des voix. Nasser devient le président d'un pays qui compte la moitié de la population du Proche-Orient. Il espère progresser encore vers l'union arabe en y associant d'autres États.

---

1. Saroite Okacha, *Mémoires*, Le Caire, Mouzakarat Fi Al Siyassa Wal Thakafa, traduit de l'arabe.

Révolution en Irak

14 juillet 1958, Gamal Abdel Nasser est l'invité du maréchal Tito. Avec leurs familles, les deux chefs d'État effectuent une croisière au large de Dubrovnik. En début de matinée, les opérateurs radio du yacht reçoivent un message urgent d'Abdel Hakim Amer destiné à Nasser. Un coup d'État vient d'avoir lieu à Bagdad. L'aéroport international de la capitale irakienne est occupé par une brigade commandée par un ami personnel du président égyptien. Il a informé la tour de contrôle à Damas par radio. Le chef des putschistes est le général Abdel Karim Kassem, qui avait organisé un réseau secret au sein de l'armée irakienne, sur le modèle des Officiers libres égyptiens. Tito et Nasser parviennent à entendre le premier discours radiodiffusé de Kassem : «*Par la grâce d'Allah, nous avons formé un mouvement béni et libéré l'Irak du parti placé au pouvoir par l'impérialisme pour ses intérêts personnels. L'armée irakienne fait partie du peuple, vous devez la soutenir, allez au palais Al Rihab et au palais de Nouri, tuez-les!*»

Le palais royal est pris d'assaut. Le jeune roi Fayçal et les membres de sa famille sont littéralement mis en pièces par la foule. Le Premier ministre Nouri el Saïd parvient à s'échapper, déguisé en femme. Il sera capturé et assassiné le lendemain. La nouvelle suscite rapidement l'inquiétude en Europe et à Washington. A Londres, le Premier ministre Harold Mac Millan ordonne la mise en alerte de 6 000 soldats en vue de leur transport rapide au Proche-Orient. L'Iran annonce la mobilisation générale. La Jordanie ferme ses frontières. A Bagdad, un ministre déclare : «*L'Irak rejoint à présent la République arabe unie vers la libération totale de la patrie arabe.*» En Méditerranée, la 6ᵉ flotte américaine est placée en état d'alerte. A 3 heures du matin, à bord du yacht yougoslave, Nasser apprend que des navires de guerre américains ont accosté à Beyrouth où des milliers de marines commencent à être déployés. Une heure plus tard, il envoie un message urgent au Kremlin. La réponse arrive un peu plus tard. Nasser doit se rendre à Moscou le jour même.

A 17 heures, dans la capitale soviétique, Nasser et Khrouchtchev discutent de l'évolution de la situation. Le président égyptien s'entend dire que l'URSS agira en fonction des développements sur le terrain, et que des volontaires seront placés en état d'alerte dans les aéroports soviétiques, pour être envoyés en République arabe unie s'ils le demandent. La Grande-Bretagne envoie d'urgence deux bataillons de parachutistes en Jordanie, à la demande du roi Hussein. Israël a donné l'autorisation de survoler son territoire aux appareils britanniques. 2 000 parachutistes américains sont envoyés en Turquie. Gamal Abdel Nasser atterrit à Damas le lendemain vers midi, à bord d'un appareil soviétique. Il avait disparu pendant plus de quatre-vingt-dix heures. Dans la soirée, il prononce un discours : «*Remercions Allah que notre marche sainte aille de victoire en victoire. Nous ne serons pas terrorisés par les menaces de flotte militaire ou de bombe atomique. Nous sommes prêts à toutes les éventualités.*» La révolution nassérienne est endiguée par des forces occidentales au Liban et en Jordanie. Elle a réussi à Bagdad. Le 18, le lendemain, le vice-Premier ministre irakien, le général Aref, vient le rencontrer. La conversation est extrêmement cordiale, mais l'Irak a décidé de ne pas rejoindre immédiatement la République arabe unie.

Nasser rentre au Caire le 20 juillet. Le soir même, il s'adresse à deux cent cinquante mille personnes, place de la République, avec à ses côtés plusieurs officiers irakiens : «*Mes frères, les canons de l'impérialisme ne sont plus les plus forts du monde.*» Et de critiquer violemment l'intervention américaine au Liban, et Hussein de Jordanie pour avoir accepté une aide militaire britannique avec l'accord d'Israël[1].

Empêcher l'extension du nassérisme, notamment chez les alliés de l'État juif, à la périphérie du monde arabe, est un des principaux objectifs de Ben Gourion qui, le 4 novembre, envoie une lettre secrète et personnelle à Harold Mac Millan :

«*Il peut vous apparaître étrange que je m'adresse à vous au sujet d'une affaire qui ne concerne pas directement les relations entre nos deux pays. [...] Peut-être plus que tout autre pays des deux côtés de l'Atlantique, la Grande-Bretagne a conscience de l'importance du Soudan et du Nil en particulier* [un fleuve] *qui est d'abord éthiopien et soudanais et pas seulement égyptien. Il n'est pas étonnant qu'au-delà de ses ambitions panarabes et panislamiques, le président Nasser tente de saper l'indépendance du Soudan afin de mettre la main sur ce pays et l'annexer à l'Égypte. Il est évident que le président Nasser a intensifié ses efforts dans cette direction à présent que l'Union soviétique lui a promis les moyens de réaliser la première étape de la construction du barrage d'Assouan. [...] Selon les dernières informations en ma possession, avec l'aide de l'empereur d'Éthiopie, l'unité du Soudan a été, pour l'heure, préservée.*

«*Dans tous les cas, il est urgent de renforcer le régime soudanais de l'intérieur. Un service de sécurité efficace doit être mis sur pied, de*

---

1. Robert St. John, *The Boss*, McGraw-Hill, New York, 1960, p. 291

même que des forces de sécurité capables de prévenir un coup d'État réalisé par des officiers "achetés". Les responsables de l'Oumma, le seul groupe soudanais sur lequel nous pouvons compter pour faire face à la subversion, doit recevoir les moyens nécessaires pour renforcer sa position. [...]»

Le même jour, le Premier ministre israélien écrit à Sayed Abdullah Khalil, le chef du gouvernement soudanais : «[...] *Mes représentants dans votre pays m'ont décrit les dangers, les difficultés auxquels vous faites face en raison de la subversion émanant de votre voisin du Nord. Je n'ai pas de doutes que ces activités subversives vont s'accroître, à présent que l'URSS a offert une aide financière pour la construction du barrage égyptien d'Assouan, en ignorant complètement les intérêts et les droits du Soudan et de son peuple. J'ai pris connaissance des moyens méprisables utilisés par le dictateur égyptien pour saper votre gouvernement, comme le paiement de pots-de-vin à des journaux soudanais et divers membres de votre gouvernement. [...] Je vous assure que mon gouvernement va donner toute l'aide possible au Soudan. Nous veillerons également à ce que nos amis dans les divers pays vous soutiennent pleinement. [...] Je regrette profondément qu'en raison de considérations internes et extérieures il ne m'a pas été possible de vous rencontrer. J'espère toutefois avoir ce privilège dans un avenir pas trop lointain. Il serait peut être possible que nous nous rencontrions tous les trois – l'empereur d'Ethiopie, vous et moi – afin que nous ayons la possibilité de discuter des nombreux sujets que nos pays ont en commun [...]*[1].»

DIALOGUE

Août 1958. Joe Golan prépare le «premier colloque méditerranéen de la paix», qui doit se dérouler en octobre à Florence. Il s'est lié d'amitié avec Georgio La Pira, le maire de la ville, lors d'un séminaire qui s'était déroulé quelques mois auparavant à Paris. Le gouvernement italien soutient l'idée. Amintore Fanfani, le président du Conseil, envoie des invitations officielles à Israël et aux pays arabes. Nahoum Goldmann s'est rendu à Jérusalem pour faire un tour d'horizon avec les dirigeants du pays. Il écrit à Golan : «*La thèse principale de Ben Gourion était qu'il acceptait l'idée d'une confédération du Proche-Orient à laquelle Israël serait intégré. Ce serait la solution idéale. Il est également en faveur d'une neutralisation du Proche-Orient, garantie par les deux*

1. ANI, 3754/10.

blocs, mais, dit Ben Gourion, *ses idées ne sont pas réalistes. Il a, à présent,* écrit Goldmann, *des idées bizarres sur la création d'un bloc comprenant la Turquie, le Pakistan, l'Iran, le Soudan et la Libye, avec Israël afin de créer une sorte de cercle extérieur autour de Nasser et des Arabes. Nasser nous encercle, et nous l'encerclerons. Tout cela est, de mon avis, absurde, puisque ni la Turquie, ni le Soudan, ni le Pakistan n'imaginent former une alliance avec Israël contre Nasser.»* Visiblement Goldmann ne connaît ni l'existence du Trident, ni les relations secrètes d'Israël avec le Soudan.

La conférence de Florence s'ouvre le 3 octobre 1958. Son président n'est autre que Moulay Hassan, le prince héritier du Maroc, qui sera la seule personnalité arabe à recevoir les journalistes israéliens. Des délégations arrivent de tous les pays riverains de la Méditerranée. Les Français n'apprécient pas la présence du FLN. Israël a envoyé une délégation très officielle, conduite par Shiloah et Maurice Fischer, du ministère des Affaires étrangères, et de représentants de la Histadrout, la centrale syndicale, et du Mapam. Une résolution appelant au dialogue est adoptée. La presse note la présence d'Oliver Tambo, le président du Congrès national africain, l'organisation de libération des Noirs d'Afrique du Sud, dont c'est la première apparition publique. On note la présence de Henri Curiel, un responsable du PC égyptien, réfugié à Paris, où il retrouve Amos Kenan, un de ses amis de la gauche israélienne. Ancien du Groupe Stern, écrivain, il milite pour un dialogue avec les Arabes.

En Israël, Ben Gourion remporte les élections le 3 novembre 1959. Il forme un nouveau cabinet de coalition, mais, de plus en plus, il est fatigué. L'affaire Lavon revient à l'avant-scène de l'actualité. Les chefs des services spéciaux israéliens ont découvert qu'Avry Elad, l'officier traitant du réseau israélien démantelé par les Égyptiens en 1954, était en fait un agent double. Ramené d'Allemagne en Israël, il est condamné à dix ans de prison en août 1960. Et puis, Pinhas Lavon, qui était soupçonné d'avoir menti, aurait été en fait innocent. Des documents présentés par Benyamin Gibly, son accusateur, se sont en fait révélés faux. Ben Gourion décide de nommer une nouvelle commission d'enquête. Lavon refuse et réclame une réhabilitation immédiate. La presse et les dirigeants du Parti travailliste le soutiennent. L'affaire envenime la vie politique israélienne. Ben Gourion quittera définitivement le gouvernement le 16 juin 1963, après de nouvelles tensions avec son parti. Lévi Eshkol assurera sa succession.

La République arabe unie n'a qu'une existence éphémère. Des officiers syriens prennent le pouvoir à Damas le 28 septembre 1961.Ils sont soutenus par une opinion publique déçue par le marasme économique et les tentatives maladroites de nationalisation de l'industrie organisées par des fonctionnaires du Caire. En Égypte, les autorités prennent leurs précautions. Les officiers syriens baassistes qui servaient dans l'armée commune en Égypte sont appréhendés. Un jeune commandant d'aviation, Hafez el Assad, qui dirigeait l'aéroport militaire du Caire sur la route d'Ismaïlia, est mis sous les verrous. Il y restera deux mois. Son camarade Mustapha Tlass, officier de blindés, échappera à la prison. C'est lui qui négocie avec les autorités égyptiennes et le nouveau pouvoir syrien pour que tous puissent regagner Damas. Le 28 mars 1962, ils participent à un nouveau coup d'État. Un coup d'État manqué. Ils seront arrêtés pendant quelques jours. Hafez el Assad, le jeune officier qui appartient à la secte des Alaouites, a commencé son ascension vers le pouvoir. Il milite dans le mouvement baassiste pour un socialisme arabe. Ses camarades savent-ils que son grand-père, Soleiman Ali Assad, avait, avec d'autres notables alaouites, envoyé le 15 juin 1936 une pétition à Léon Blum, le chef du gouvernement français ? « […] *Le fanatisme caractérise les musulmans arabes à l'égard de tout ce qui n'est pas musulman et il y a peu d'espoir que la situation change. […]. La situation des Juifs en Palestine est le signe le plus clair de la violence de la question religieuse chez les Arabes musulmans pour tout ce qui ne se rattache pas à l'Islam! Oui, ces bons Juifs qui sont venus apporter à ces musulmans la civilisation et la paix, qui ont répandu sur la terre de Palestine l'or et l'abondance, qui n'ont fait de mal à personne, qui n'ont rien pris par la force, eh bien, voilà que, en dépit de tout cela, les musulmans leur ont déclaré la guerre sainte et n'ont pas hésité à massacrer leurs femmes et leurs enfants!* […][1].» A l'époque, les chefs de cette secte, apparentée au courant chiite de l'Islam, étaient méprisés par les musulmans sunnites. Leurs descendants, comme Hafez el Assad, se tourneront vers les idéologies nationalistes arabes.

1. Cité par Daniel Le Gac, *La Syrie du général Assad*, Éditions Complexe, Paris, 1991, pp. 69 à 71.

CHAPITRE 5

Guerre et diplomatie
juin 1962-décembre 1967

Un matin de juin 1962, Méir Amit, le commandant des renseignements militaires israéliens, demande à parler au lieutenant-colonel Daoud qui représente la Jordanie auprès de la commission de contrôle de l'armistice. La rencontre a lieu dans un champ sur la ligne de démarcation près du fort de Latroun. Le général israélien annonce qu'il voudrait rencontrer d'urgence son homologue jordanien pour lui transmettre une information importante. La réponse arrive quelques heures plus tard. L'interlocuteur d'Amit ne sera pas un militaire mais Émile Jamian, le chef du cabinet royal. L'entretien a lieu, le lendemain, tout aussi discrètement. Sur les ordres de Ben Gourion, le général informe le Jordanien d'un complot contre Hussein, qui se trame au sein de la Légion arabe. Il lui remet les noms des conspirateurs. Jamian remercie et retourne à Amman. Les conjurés sont arrêtés. Le jeune souverain hachémite va renouer le dialogue secret que son grand-père menait avec Israël[1].

En 1962, les frontières d'Israël sont relativement calmes et l'économie est la principale préoccupation du gouvernement Ben Gourion. L'inflation sévit et le pays connaît une pénurie de devises. Mais, le 21 juillet, les priorités changent. Au Caire, pendant la parade militaire marquant le 10e anniversaire de la Révolution, Gamal Abdel Nasser dévoile sa nouvelle arme : un missile à moyenne portée. A la foule, il annonce que ces fusées égyptiennes *«peuvent atteindre n'importe quelle cible au sud de Beyrouth»*. Le Mossad est pris de court. Harel ne sait rien du programme d'armement non conventionnel des Égyptiens.

---

1. Source désirant conserver l'anonymat.

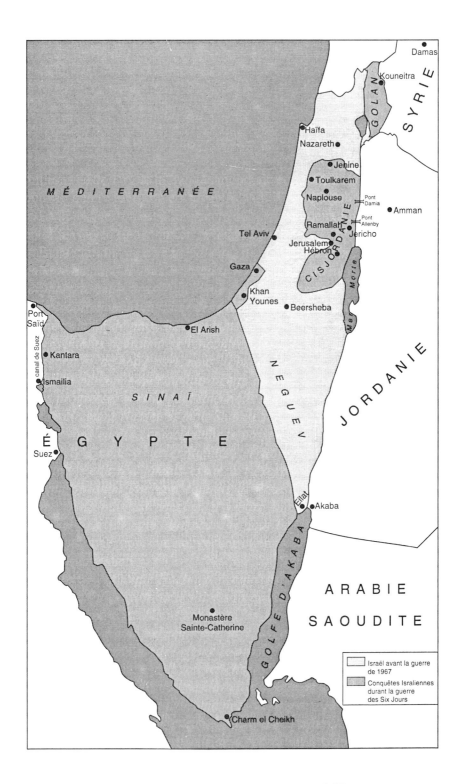

CONQUÊTES ISRAÉLIENNES EN JUIN 1967

Une cellule spéciale est mise sur pied et, au bout de quelques semaines, Harel présente son premier rapport à Ben Gourion. Des savants allemands ont construit en Égypte une usine de production de missiles à moyenne portée. Ce n'est pas tout, l'armée égyptienne cherche à se doter de capacités biologiques, chimiques et nucléaires. Une seule bonne nouvelle : les systèmes de guidage ne sont pas au point. Ben Gourion charge Shimon Pérès, qui est toujours directeur général du ministère de la Défense, et le ministre des Affaires étrangères, Golda Méir, d'une action diplomatique discrète. Pérès va en Allemagne rencontrer Franz Yossef Strauss, le ministre allemand de la Défense. Méir part pour les États-Unis présenter le dossier au président John Kennedy. Ils reviennent bredouilles.

Isser Harel est persuadé que des revanchards nazis préparent en Égypte la destruction d'Israël. Les révélations d'un chercheur autrichien, Otto Joklik semblent confirmer ses craintes. Les Égyptiens prépareraient une ogive de missile bourrée de déchets nucléaires. Le Mossad déclenche l'opération «Damoclès». Un industriel allemand impliqué dans le programme d'armement de Nasser disparaît mystérieusement. En novembre 1962, des enveloppes piégées sont envoyées en Égypte à des Allemands travaillant dans des usines militaires. Cinq Égyptiens sont tués et une jeune femme gravement blessée. Des savants allemands reçoivent des lettres de menace postées du Caire. Elles sont expédiées par Wolfgang Lotz, un agent israélien. D'origine allemande, il avait une excellente couverture puisqu'il se faisait passer pour un ancien nazi dirigeant un club hippique. Yitzhak Shamir l'ancien chef du Groupe Stern qui, depuis 1955, dirige un département d'opérations spéciales au Mossad, participe activement à Damoclès.

Et c'est la bavure. Un agent israélien est arrêté à Bâle en compagnie de Joklik. Ils menaçaient la fille du directeur du département de l'électronique du projet de missile égyptien. Ben Gourion est furieux. Harel met de l'huile sur le feu en déclarant à la presse : «*Le gouvernement ne fait rien pour contrecarrer les plans de ces nazis qui veulent détruire l'État juif.*» Il accuse Konrad Adenauer de ne pas empêcher un nouvel Holocauste. Le 20 mars, à la Knesset, Golda Méir est obligée de défendre les relations israélo-allemandes. Elle ne peut pas révéler que Bonn a commencer à fournir secrètement à Israël un matériel militaire inestimable. Des chars, des avions, des hélicoptères, certains facturés à 10 % de leur valeur. Au ministère de la Défense, Shimon Pérès fait procéder à une évaluation sérieuse des capacités non conventionnelles de l'Égypte. Les conclusions sont rassurantes : les systèmes de guidage des fusées ne sont pas au point et il n'est pas certain que les Égyptiens disposent d'armes bactériologiques et chimiques. Les faits sont soumis à Ben Gourion par Pérès qui se fait accompagner par le chef d'état-major et Méir Amit. Harel s'est trompé de bout en bout. Il est convoqué chez le premier ministre qui lui réclame sa démission.

Le 25 mars, Méir Amit, en tournée d'inspection sur les rives de la mer Morte, reçoit l'ordre de se rendre immédiatement au ministère de la Défense à Tel Aviv où l'attend Ben Gourion. Le Premier ministre lui annonce qu'il a accepté la démission d'Harel et qu'il est nommé patron du Mossad par intérim. Amit prend ses fonctions dès le lendemain. La cérémonie de passation de pouvoirs dure cinq minutes. Harel s'en va. Un tremblement de terre secoue le Mossad dont les relations avec les renseignements militaires ne sont pas les meilleures. Au fil des semaines, des hommes en uniforme s'installent dans les services. Shamir démissionnera l'année suivante[1].

En décembre 1962, Shimon Pérès a l'idée de transmettre un message à Gamal Abdel Nasser par l'intermédiaire du maréchal Tito. Ben Gourion se laisse persuader et envoie à Belgrade Chaïke Dan, ancien officier des parachutistes, héros de la Seconde Guerre mondiale, qui s'était lié d'amitié avec un proche du chef d'État yougoslave. Dan remet une lettre à Tito, dans laquelle le Premier ministre annonce qu'il est prêt à le rencontrer secrètement ou publiquement, et qu'il acceptera un dialogue avec Nasser sous n'importe quelle forme. Chaïke Dan rapportera une réponse à Ben Gourion en mai 1963. Tito écrit : «*Je ne pense pas que les conditions actuelles permettent une telle initiative*[2].» Le maréchal yougoslave jouera un rôle plus actif dans les relations israélo-arabes, quelques années plus tard.

David Ben Gourion est fatigué. Il a soixante-dix-neuf ans. Il ne parvient pas à libérer son esprit de l'affaire Lavon, qui va de rebondissement en rebondissement. Il est en désaccord avec son parti, le Mapaï. Il a des divergences avec Golda Méir, qui n'admet pas que des soldats israéliens s'entraînent en Allemagne. Le 16 juin 1963, il annonce qu'il va présenter sa démission. Ses proches conseillers, Teddy Kollek, et Yitzhak Navon, tentent de le faire changer d'avis. Le «Vieux» est intraitable. Le chef d'état-major, Yitzhak Rabin, et Méir Amit, viennent, eux aussi, lui demander de ne pas partir. Ils considèrent son départ comme un désastre pour le pays. Rien n'y fait. Le fondateur, l'homme qui a proclamé la création de l'État d'Israël, quitte définitivement le pouvoir.

---

1. Eytan Haber, *HaYom Bo Tifrotz Milhama*. Les souvenirs du général Lior Ed. Yedihot Aharonot.
2. Bar Zohar, *Ben Gourion*, *op. cit.*, t. 3, p. 1526.

C'est en septembre 1963 qu'Israël et la Jordanie reprennent leur dialogue secret. Une rencontre est organisée grâce au contact établi par Méir Amit. Le rendez-vous a lieu au domicile du médecin privé de Hussein, le docteur Emmanuel Herbert, rue Devonshire à Londres. L'interlocuteur israélien du roi est Yaacov Herzog, le directeur général adjoint du ministère des Affaires étrangères. Il était devenu une célébrité après un débat public avec l'historien britannique Arnold Toynbee, qui critiquait le sionisme. Le souverain hachémite demande le soutien d'Israël dans ses efforts pour obtenir une aide économique américaine. Il explique qu'en raison de la menace que Nasser et le mouvement palestinien font peser sur son royaume, il a besoin d'armes modernes, de chars notamment. En aucun cas, il ne les utilisera contre Israël, mais uniquement pour se défendre face à la Syrie, à l'Irak et à l'Égypte. Herzog lui explique que du point de vue d'Israël, toute arme se trouvant dans un pays arabe sera en fin de compte utilisée contre l'État juif. La rencontre dure deux heures et se déroule en anglais. Les deux hommes décident de maintenir le contact par l'intermédiaire du docteur Herbert.

NAISSANCE DE L'ORGANISATION DE LIBÉRATION DE LA PALESTINE

Le 13 janvier 1964, Gamal Abdel Nasser convoque un sommet arabe au Caire. Il s'agit de définir une stratégie visant à interdire à Israël de détourner les eaux du Jourdain et de soutenir la Syrie dans son conflit avec l'État juif. Le président égyptien dirige les choses d'une main de maître. Il fait voter plusieurs résolutions par les treize chefs d'État. La première suggère le détournement des affluents du Jourdain par les pays arabes riverains afin de réduire la quantité d'eau qu'Israël pourrait recevoir de cette rivière. Le sommet décide également la création d'un commandement militaire arabe unifié et d'une organisation palestinienne pour «*permettre au peuple palestinien de jouer son rôle dans la libération de son pays et de son autodétermination*». C'est l'acte de naissance de l'Organisation de libération de la Palestine. Le 28 mai, le premier Conseil national palestinien se tient à l'hôtel Ambassador, à Jérusalem-Est.

422 délégués y assistent, des représentants élus de mouvements syndicaux et d'associations diverses. Yasser Arafat et Khaled el Hassan représentent les Palestiniens du Koweit, Halil el Wazir (Abou Jihad), les Palestiniens d'Algérie. Le cheikh Ali Jabari, de Hébron, est là, ainsi qu'Anouar el Nousseibeh, de Jérusalem, Hikmat el Masri de

Naplouse et Haïdar Abdel Chafi qui, en 1991 dirigera la délégation palestinienne à la conférence de paix de Madrid. Le roi Hussein prononce un discours : «*Ce pays s'est dédié depuis le début au salut de la nation arabe et à l'accomplissement de son message. Cela s'est passé depuis la fusion des cœurs de ses fils sur les deux rives de la rivière sainte* [le Jourdain]. *La cause de Palestine n'est pas la seule cause principale de sa famille unie et la première cause sainte des Arabes, mais c'est notre cause pour la vie dans l'honneur et la dignité, ou la mort dans la fierté et la dignité* […] *Votre détermination, votre force, est une partie de la force de la Jordanie, et son message est qu'il n'y a pas de vie, de liberté et d'unité pour les Arabes sans la Palestine.* […] »

Ahmed Choukeiry, qui, officiellement, représente les Palestiniens du Caire, lui répond :

«*Le terme d'"entité palestinienne" est une formule désastreuse qui reflète la catastrophe qu'a subie la Palestine, mais il doit être clair qu'il ne s'agit pas d'une entité séparatiste. Nous soutenons l'unité et pas la séparation. […] La naissance de l'entité palestinienne dans la ville de Jérusalem n'est pas destinée à séparer la Cisjordanie du royaume hachémite de Jordanie, mais notre objectif est la libération de la patrie volée à l'ouest de la Cisjordanie. D'aucune manière, nous ne sommes contre l'entité jordanienne. Au cours de l'histoire, ces terres ont été une seule patrie, et un seul peuple […] Notre slogan, maintenant et pour toujours, sera l'unité. Toute aide militaire, politique et économique au royaume de Jordanie est une aide militaire pour la Palestine. Nous appelons la nation arabe, ses gouvernements et ses peuples à considérer la Jordanie comme le principal tremplin pour la libération de la Palestine* […][1].»

Deux décisions sont adoptées : la création de l'Organisation de libération de la Palestine présidée par Ahmed Choukeiry, et la charte palestinienne :

«*1) La Palestine est une terre arabe unie par des liens nationaux étroits aux autres pays arabes. Ensemble, ils forment la grande nation arabe.*

«*2) La Palestine, avec ses frontières de l'époque du mandat britannique, constitue une unité régionale indivisible. […]*

« *5) La personnalité palestinienne est une caractéristique permanente et authentique qui ne disparaît pas. Elle se transmet de père en fils.*

«*6) Les Palestiniens sont les citoyens arabes qui ont normalement*

---

1. Orient House, Jérusalem, *Palestine Liberation Organization. The First Palestinian Conference,* pp. 20, 31 et 32.

vécu en Palestine jusqu'en 1947, qu'ils y soient demeurés ou qu'ils en aient été expulsés. Tout enfant né de parents palestiniens après cette date, en Palestine ou à l'extérieur, est un Palestinien.

«7) Les Juifs d'origine palestinienne sont considérés comme des Palestiniens s'ils acceptent de vivre pacifiquement et loyalement en Palestine. […]

« 17) Le partage de la Palestine en 1947 et la création d'Israël sont des décisions illégales et artificielles. […]

« 18) La déclaration Balfour, le mandat et tout ce qui en a résulté sont des impostures. Les revendications au sujet des liens historiques et spirituels entre les Juifs et la Palestine ne sont conformes ni avec les faits historiques ni avec les bases réelles d'un État. Ce n'est pas parce que le judaïsme est une religion divine qu'il engendre une nation ayant une existence indépendante. Les Juifs ne forment pas un peuple doté d'une personnalité indépendante, car ils sont citoyens des pays aux-quels ils appartiennent […][1].»

Parmi les signataires de ce document, on relève le nom du vice-président de ce premier CNP : Haïdar Abdel Chafi. En 1996 l'autorité autonome palestinienne «*annulera les articles contredisant les accords conclus avec Israël*».

Pour le mouvement le Fatah, la création de l'OLP est un véritable catalyseur. Yasser Arafat a compris qu'il avait tout à gagner à lancer des opérations militaires indépendantes contre Israël. Le 31 décembre 1964, un technicien israélien découvre une bombe artisanale près de la conduite nationale d'eau, à Beit Netofa, en Galilée. L'engin n'a pas explosé. L'armée et la police se lancent sur les traces des saboteurs, qui les mènent à la frontière jordanienne. Le soir même, les radios arabes annoncent que les forces arabes de l'Assifa, la branche militaire du Fatah, ont réalisé un raid en Palestine occupée. Durant les trois mois suivants, l'organisation réussira une dizaine d'attentats en Israël. Un engin tuera 7 Israéliens. Jérusalem publie un communiqué : «*Les États arabes seront tenus responsables pour les activités des terroristes palestiniens.*» Dans les capitales arabes, on n'apprécie pas. Il n'est pas question de laisser l'initiative d'un conflit avec Israël aux Palestiniens en général, et à ces agitateurs du Fatah en particulier. Yasser Arafat et ses camarades auront, au cours des mois suivants, des difficultés crois-santes avec les services de sécurité syriens, libanais et égyptiens.

Ce n'est pas par hasard que le Fatah s'attaque au système d'adduc-tion d'eau israélien en Galilée. Damas prépare le détournement des

---

1. Cité par Xavier Baron, *Les Palestiniens, un peuple*, Le Sycomore, Paris, 1977, p. 399. Voir aussi Archives de l'Arab Studies Society, Orient House, Jérusalem.

affluents du Jourdain, afin d'en priver Israël. Le 16 mars 1965, Tsahal ouvre le feu sur le chantier syrien. Le 16 mai, l'aviation et l'artillerie entrent à nouveau en action, détruisant le matériel et les bulldozers syriens. Les opérations israéliennes sont limitées, et les États arabes comprennent qu'il n'y aura pas de réelle pression américaine sur Israël. Le 31 mai, Nasser reconnaît que les projets arabes de détournement des eaux du Jourdain sont irréalisables, et que les États arabes ne pourront pas, dans un avenir proche, se lancer dans une guerre contre Israël[1].

En Israël, depuis le congrès du Mapaï à la mi-février 1965, l'agitation fait tache d'huile au sein du parti au pouvoir. La vieille garde fait bloc derrière Lévi Eshkol, qui veut mettre un terme à l'affaire Lavon. Les jeunes soutiennent Ben Gourion. Finalement, fin juin, l'ancien Premier ministre décide de faire sécession. Il quitte le parti qu'il a dirigé pendant tant d'années, et, avec Moshé Dayan, Shimon Pérès forme le Rafi, la liste des travailleurs d'Israël. Il pense remporter un nombre suffisant de sièges au Parlement lors des élections de novembre pour imposer une coalition à Lévy Eshkol. C'est l'échec. La nouvelle liste n'a que 10 députés contre 45 à l'alliance travailliste.

ISRAËL-JORDANIE, À NOUVEAU

Les relations entre Jérusalem et Téhéran se resserrent. Moshé Dayan s'est rendu à plusieurs reprises en Iran. En septembre 1962, il a eu un entretien avec le shah. Il est question, cette fois, de coopération économique et agricole. Dayan effectuera plusieurs voyages en compagnie du ministre de l'Agriculture iranien. Les Israéliens acceptent d'aider à la reconstruction de la province de Kazvin, en partie détruite par un tremblement de terre. En 1963, une délégation conduite par Arié Eliav effectue un long séjour sur place et prépare un énorme projet d'adduction d'eau et de création de coopératives agricoles sur le modèle israélien. Lévi Eshkol et Abba Eban rencontrent également le shah. Le développement de la coopération irano-israélienne n'a pas échappé à Gamal Abdel Nasser qui, discrètement, encourage la subversion contre le shah. En mai 1963, il a envoyé un colonel de ses services spéciaux à Qom, la ville sainte chiite, afin d'y rencontrer un jeune ayatollah connu pour ses sentiments antigouvernementaux : Ruhollah Khomeiny. Jusqu'à présent, dans ses prêches, il ne critiquait que le souverain iranien. Après son entretien avec l'émissaire de Nasser, il commencera à attaquer

1. Cité par Moshé Maoz, *Syria and Israel*, Oxford, New York, 1995, p. 88.

violemment Israël et le sionisme, accusé d'être l'ennemi de l'Islam[1]. Les services spéciaux israéliens collaborent avec les Iraniens pour apporter une aide au mouvement séparatiste kurde en Irak. Des experts militaires israéliens se rendent dans le Kurdistan irakien.

Septembre 1965, l'ambassadeur d'Israël à Paris, Walter Eytan, est contacté par Yaacov Herzog. Il doit trouver un appartement discret où le ministre des Affaires étrangères, Golda Méir, pourra s'entretenir secrètement avec le roi Hussein. Eytan s'adresse à une de ses cousines, Ruth Weil, qui lui prête son logement à Passy. L'entretien est cordial. Golda Méir évoque ses rencontres avec l'émir Abdallah, le grand-père du souverain jordanien. Ils abordent ensuite la situation dans la région. Hussein exprime à nouveau son inquiétude. Gamal Abdel Nasser, les Syriens, l'OLP vont, dit-il, reprendre leurs opérations contre son régime, relancer l'agitation chez les Palestiniens de son royaume. Il renouvelle sa demande : Israël peut-il donner son accord à l'administration américaine pour qu'elle lui vende des chars ? «*Je vous jure que je ne les utiliserai jamais contre vous ! – Des promesses, c'est insuffisant, il faut des garanties*», répond Golda Méir.

Hussein : «*Je suis prêt à vous signer une promesse par écrit.*»

Le roi et l'Israélienne discutent ensuite des problèmes d'eau, des sources du Jourdain, de la construction en Israël, du système d'adduction d'eau national, des travaux du détournement du Yarmouk à la frontière syrienne, et décident que les deux pays ne s'affronteront pas à ce propos, mais agiront selon les principes du plan de répartition des eaux de Johnston.

Hussein promet à Golda Méir de faire de grands efforts pour empêcher les infiltrations terroristes provenant de son territoire. Il demande à ses interlocuteurs d'intercéder auprès du gouvernement israélien pour qu'il ne lance pas d'opérations de représailles risquant de l'affaiblir auprès des Palestiniens de Jordanie. Golda Méir et Yaacov Herzog assurent qu'ils transmettront le message.

Mais le 13 novembre, après la mort de trois soldats provoquée par l'explosion d'une mine près d'Arad, dans le sud d'Israël, l'état-major israélien décide de passer à l'action. L'objectif est une position jordanienne dans le village de Samoa, près de Hébron. L'aviation, des chars, l'artillerie, d'importantes unités d'infanterie participent au raid qui est commandé par Ariel Sharon. 21 soldats jordaniens sont tués et

---

1. Cité par Sobhani Sohrab, *The Pragmatic Entente, Israeli-Iranian Relations*, Praeger, New York, 1989, p. 37.

37 blessés. Les Israéliens évacuent les habitants du village avant de faire sauter les maisons. Les réactions en Jordanie et dans le monde arabe sont violentes. Pendant quatre jours, la population palestinienne manifeste dans toutes les villes de Cisjordanie et à Jérusalem-Est. Des portraits du roi sont brûlés. Ahmed Choukeiry, le chef de l'OLP, lance des appels à la création d'une république palestinienne en Jordanie et conseille à la Légion arabe de renforcer le roi. Hussein de Jordanie et Wasfi Tal, son Premier ministre, sont furieux. Israël n'a pas tenu parole.

A Tel Aviv, les renseignements militaires avaient pourtant averti le gouvernement et les chefs de l'armée : les opérations du Fatah sont dirigées de la Syrie. Les commandos palestiniens s'infiltrent en Jordanie où les forces royales tentent de les neutraliser. Au cours des semaines précédentes, plusieurs cellules palestiniennes ont été démantelées en Cisjordanie. Au ministère des Affaires étrangères à Jérusalem, le directeur du département Proche-Orient, Mordehaï Gazit, est lui aussi en colère. Abba Eban, son ministre, ne l'avait même pas informé de la décision d'attaquer à Samoa. Après l'opération, le gouvernement israélien avait envoyé à Hussein un message qui ne pouvait que heurter encore plus le souverain hachémite. «*Ne touchez pas au roi!*» dit Gazit aux militaires israéliens en leur conseillant d'attaquer les véritables responsables des infiltrations en Israël : les Syriens !

1965. La situation se détériore au Maroc. Après plusieurs semaines d'émeutes qui font des morts, Hassan II décrète l'état d'urgence, dissout le parlement et prend en main le gouvernement de son royaume. Le chef de l'opposition, Mehdi Ben Barka, a été condamné à mort par contumace l'année précédente. En octobre, il est enlevé à Paris et assassiné par le chef des services spéciaux marocains, le général Oufkir, qui sera condamné à perpétuité par la justice française. Diverses sources ont fait état d'une participation du Mossad israélien à l'enlèvement de Ben Barka. Mais jusqu'en 1996, aucune preuve formelle n'est venue étayer cette accusation. En tout cas, c'est à cette époque que le Mossad prend en main les relations israélo-marocaines. L'Agence juive et le Congrès juif mondial, qui continuaient de s'occuper des communautés juives et de l'immigration du Maroc, cessent leurs activités dans le royaume. La collaboration entre les services spéciaux des deux pays se renforce. Israël apporte son aide à la formation des agents de sécurité et de protection du roi et contribue à la mise sur pied des services secrets marocains. Des stagiaires viennent en Israël, des instructeurs israéliens vont au Maroc.

OCCASION RATÉE AVEC L'ÉGYPTE

En Europe, le Mossad surveille de près la vaste opération d'achat de matériel destiné au projet de missile égyptien, les déplacements de fonds, les sociétés écran et surtout les déplacements de son chef, le colonel Essam el Din Mahmoud Khalil. C'est une vieille connaissance des services spéciaux israéliens, qui lui avaient envoyé une lettre piégée dans le cadre de l'opération Damoclès, en 1962. Ancien responsable de la sécurité de l'armée de l'air, dans les années cinquante, il avait fait échouer un complot contre Nasser, préparé par un membre de la famille royale. Chef de cabinet d'Abdel Hakim Amer, il est au cœur du pouvoir égyptien. Par l'intermédiaire d'une personnalité juive suisse, Méir Amit, le patron du Mossad parvient à le faire contacter. Khalil accepte de rencontrer des émissaires israéliens. L'entretien le plus important a lieu à Paris, en octobre 1965, durant une visite officielle d'Abdel Hakim Amer. L'envoyé d'Amit et le colonel évoquent d'éventuelles négociations secrètes entre les deux pays. Les Égyptiens voudraient qu'Israël les aide à obtenir une aide économique occidentale pour surmonter la crise grave que connaît leur pays. Déficit de la balance des paiements, pénurie de devises étrangères. En échange ils sont prêts à des accords secrets réduisant l'intensité du conflit.

Le Mossad contacte son principal allié en Europe : les services spéciaux allemands. La République voudrait améliorer ses relations avec le monde arabe, au moment où la RDA y cherchait une reconnaissance diplomatique. Gage de la bonne volonté de Jérusalem et de Bonn, Hermann Josef Abst, le président de la Bundesbank accepte, à la demande des Israéliens, d'accorder secrètement une ligne de crédit de trente millions de dollars aux Égyptiens.

Le 1er février 1966, à Genève, dans l'appartement de T., un riche homme d'affaires juif suisse, Méir Amit serre la main de son ennemi. Khalil met cartes sur table : « *Vous, les Israéliens, vous avez tendance à chercher à nous embarrasser en révélant ce genre de rencontres secrètes. [...]* »

Amit proteste et promet que le secret sera bien gardé. Il soumet à son interlocuteur une série de propositions. En échange de l'assistance d'Israël pour obtenir une aide économique, notamment de l'Allemagne fédérale, l'Égypte pourrait contribuer à faire accepter le plan Johnston de partage des eaux du Jourdain ; laisser les vols d'El Al vers l'Éthiopie passer par un corridor aérien sur son territoire ; autoriser le passage par le canal de Suez des navires à destination d'Israël ; cesser son aide à l'OLP. Pour éviter les incidents sur la ligne de front, Amit suggère la mise en place d'une ligne de téléphone rouge entre les deux états-majors. Avant de se quitter, Khalil et le chef du Mossad évoquent la situation dans la région. «*La guerre de 1956 a eu pour conséquence que les Égyptiens n'ont plus confiance en Israël*», explique Khalil, qui rappelle la guerre que mène l'Égypte au Yémen : «*Nous savons que vous aidez les royalistes yéménites à lutter contre nos forces, mais nous gagnerons malgré tout.*» Il critique violemment les Saoudiens qui financent les tribus loyalistes. Il déclare que du point de vue des dirigeants égyptiens, le gouvernement syrien est irresponsable.

Khalil promet une réponse d'ici dix jours. La rencontre suivante pourrait avoir lieu à Paris le 12 février. Un message parvient à Amit quelques jours plus tard. Khalil ne peut pas venir à Paris, mais le patron des services spéciaux israéliens est invité au Caire où il rencontrera Gamal Abdel Nasser et Abdel Hakim Amer. «*Il y a matière à discussion*», écrit Khalil. Par d'autres sources et avec ses alliés allemands, Amit vérifie le sérieux de l'invitation. Il reçoit des réponses positives.

Jusque-là tout se passe avec l'accord de Lévi Eshkol, le Premier ministre. Il a été décidé que l'ensemble du dossier sera soumis à un cabinet restreint avant le voyage au Caire. Plusieurs ministres sont au courant ainsi que Isser Harel, rival et prédécesseur de Méir Amit à la tête du Mossad, conseiller du Premier ministre pour les affaires de renseignement. Il ne rate aucune occasion pour tenter de démontrer que lui seul peut diriger les services spéciaux. Cette guérilla constante contre son activité gêne considérablement Méir Amit. A plusieurs reprises il a découvert que des dossiers avaient été sortis – illégalement ! – de ses bureaux pour être remis à Harel. Envers et contre tout il prépare ces négociations où il voit une chance exceptionnelle de dialogue.

Le voyage est préparé dans les moindres détails. Zvi Dinstein, le vice-ministre de la Défense, doit en être. Les Allemands ont accepté de prendre la responsabilité de la délégation israélienne qui sera présentée comme une mission commerciale venue de Bonn. Quelques semaines plus tard, le patron du Mossad se présente devant le groupe de ministres travaillistes proches de Lévi Eshkol. Isser Harel, assiste à la réunion qui se déroule à Jérusalem, chez Golda Méir.

C'est la tempête. Eshkol, comme à son habitude, hésite et laisse les autres parler. Pinhas Sapir, le ministre des Finances, trouve l'idée intéressante de même que Golda Méir. Harel monte au créneau : «*C'est une histoire de fous! dit-il, jamais les Égyptiens ne laisseront repartir Amit et Dinstein vivants! Ils en tireront tous les secrets et nous aurons tout perdu! Khalil a un compte sanglant avec Israël. Je suis contre tout renforcement de l'économie égyptienne. La libération de nos détenus en Égypte est certes importante, mais votre délégation court un danger énorme.»*

Israël Galili ne parvient pas à se décider. Il déclare qu'un tel voyage serait effectivement un grand pas, mais exprime une profonde inquiétude quant à la sécurité d'Amit et de Dinstein. Galili, on l'écoute. Ancien chef de la Hagannah, situé à la droite du Parti travailliste, il est responsable de l'information israélienne. L'argument d'Isser Harel porte. Eshkol rejette l'initiative égyptienne. Méir Amit tentera à plusieurs reprises de renouer le dialogue avec Khalil. Il proposera une formule garantissant sa sécurité : une personnalité égyptienne serait retenue en otage dans une ambassade israélienne en Europe pendant son séjour au Caire. La réponse est négative. C'est certainement une occasion manquée dans l'histoire des relations entre les deux pays. Un tel dialogue secret entre les deux pays aurait pu empêcher la série de malentendus qui, l'année suivante, conduira la région à la guerre[1].

LE PILOTE DE LA PAIX

Le 28 février 1966, un petit avion, un biplan Steerman blanc portant sur son fuselage l'inscription «Paix» en hébreu, en arabe et en anglais, atterrit sur l'aéroport de Port-Saïd. Le pilote s'appelle Abie Nathan. Il a trente-huit ans et il est propriétaire d'un restaurant à Tel Aviv. Il est venu en Égypte après avoir promis au cours des élections précédentes – il s'était présenté en qualité de candidat indépendant – d'aller au Caire afin de parler de paix avec Nasser. Le pilote de la paix est mis aux arrêts dans un bureau du gouverneur de Port-Saïd qui contacte ses supérieurs au Caire. La réponse arrive après quelques heures : *«Renvoyez-le en Israël!»* Nathan refuse. *«Les réservoirs de mon avion sont vides et mes batteries sont faibles... Et puis, je veux voir Nasser...»* Les autorités égyptiennes lui font passer la nuit dans la prison des étrangers et remettent son avion en état. Le lendemain, il a un entretien avec le gouverneur qui lui fait également visiter la ville en lui expliquant que son pays ne veut pas la guerre et que les initiatives de paix devraient plutôt venir d'Israël. Abie Nathan est autorisé à repartir. Il décolle mais revient après quelques minutes. Il fallait une nouvelle réparation. Une nouvelle discussion avec le gouverneur qui critique la presse israélienne. Cette dernière avait d'abord annoncé la mort de Nathan au cours du vol.

Nathan : *«Vous croyez que nous avons des bombes atomiques aux quatre coins du pays!»*

---

1. Source désirant garder l'anonymat.

«*Vous fabriquez des bombes atomiques ?*» demande le gouverneur.

«*Nous en fabriquons exactement comme vous*», lui rétorque *Nathan*.

Après quelques heures de travail sur son appareil, le pilote israélien repart pour Hertzliah où il atterrit vers 17 heures. Des centaines de personnes enthousiastes l'attendaient. La manifestation se transforme en parade victorieuse à laquelle participeront dans la soirée des milliers d'Israéliens. Le lendemain, *Al Ahram*, le quotidien officieux du Caire, qualifie de «comique» l'acte du pilote de la paix : «*Au lieu de se prêter à des comédies de ce genre, Israël ferait mieux d'appliquer les résolutions de l'ONU concernant la Palestine et restituer les terres spoliées à leurs propriétaires légitimes.*»

Pour le quotidien jordanien, *Al Jihad* : «*Le sioniste qui a atterri à Port-Saïd dans un avion privé avec une pétition de cent mille signatures exécutait en fait une manœuvre sioniste, une mission de propagande pour une paix diabolique.*» La réaction de la presse internationale est enthousiaste. Abie Nathan est devenu une vedette. David Ben Gourion fait taire les quelques critiques qui s'expriment en Israël. L'ex-Premier ministre déclare que le voyage de Nathan en Égypte a une importance politique et morale. «*C'est la manifestation du désir de paix d'Israël. Il y a certainement de nombreux Égyptiens et des Arabes qui n'acceptent pas les proclamations de leurs dirigeants* [appelant à la destruction d'Israël].» Le 3 avril, New York lui fait fête. Il est reçu par le sénateur Robert Kennedy. Deux semaines plus tard, il effectue une arrivée impromptue à Tunis où il demande un rendez-vous avec le président Bourguiba avant de repartir pour Paris.

De retour en Israël, il reprend sa campagne en faveur de la paix, exigeant des initiatives israéliennes. Le 28 juin, accompagné par plusieurs centaines de manifestants, il arrive devant la Knesset après une marche de Tel Aviv à Jérusalem. Un jeune député du Parti travailliste, Shoulamit Aloni, accepte de recevoir les lettres et les pétitions présentées par Nathan : «*Vous en avez fait assez! – Je continuerai. – Vous feriez mieux de rassurer ces députés qui imaginent que vous cherchez à vous faire élire! – Je n'ai aucune intention d'entrer au Parlement*», répond Nathan devant une foule de plusieurs milliers de personnes. Dans la soirée, au cours d'une conférence de presse, Abie Nathan propose d'accorder dix mille passeports de paix à des réfugiés palestiniens.

DAYAN AU VIETNAM

Le 28 juillet 1966, Moshé Dayan, qui est en réserve de la république, arrive à Saigon. Le général assume, cette fois, les fonctions de journaliste.

Le quotidien *Maariv* lui a commandé un reportage sur la guerre au Vietnam. L'administration, et surtout les généraux américains, sont très intéressés par l'analyse que fera Dayan. Peut-être aura-t-il une solution pour sortir de ce bourbier, une formule magique. L'état-major américain lui ouvre toutes les portes. Il accompagne les GI's en opération, inspecte la flotte, un porte-avions, participe à des raids aéroportés, parle aux officiers, aux soldats, aux villageois vietnamiens, aussi avec quelques prisonniers du Vietcong, le tout en notant scrupuleusement dans son calepin tout ce qu'il voit. Son journal du Vietnam sera publié une dizaine d'années plus tard, et, selon le général Shlomo Gazit, qui sera le premier gouverneur militaire de la Cisjordanie, les conclusions tirées par Dayan détermineront sa politique d'administration des territoires palestiniens occupés en 1967[1].

Dayan critique la stratégie américaine qui, écrit-il, manque de planification. La guerre est menée en fonction de considérations militaires et non pas d'objectifs politiques. Les Américains tentent également d'imposer leur culture, leur mode de vie aux Vietnamiens, ce qui ne peut que mener à l'échec : «*Sans le vouloir, les Américains deviennent des conquérants. De fait, ils occupent le Vietnam et privent les habitants de ce pays de leur libre choix. Bien qu'ils empêchent la conquête du Sud-Vietnam par le Vietcong, les États-Unis ne permettent pas à ce pays de fonctionner librement.*» Durant son séjour, Dayan a tenté de s'entretenir librement avec des personnalités sud-vietnamiennes. Toutes lui ont répondu qu'elles ne pouvaient pas s'exprimer ouvertement. Le général israélien note que dans leur programme de pacification, les Américains sont allés trop loin dans l'organisation de la vie quotidienne des Vietnamiens[2].

Pour Gazit, cette expérience amènera Dayan à maintenir un contact régulier avec la population palestinienne de Cisjordanie et de Gaza, et à définir une politique de non-intervention dans ses affaires socio-économiques.

PLANS SOVIÉTIQUES

Le 22 avril 1967, à la conférence des partis communistes d'Europe dans la station balnéaire de Karlovy Vary en Tchécoslovaquie, Leonid Brejnev, le numéro un soviétique, a une longue conversation avec Ulbricht et Gomulka. Le seul témoignage dont nous disposons vient du

1. Shlomo Gazit, *The Carrot and the Stick*, B'nai B'rith Books, Washington, 1995, p. 27. L'édition en anglais est une version actualisée de l'édition en hébreu.
2. Moshé Dayan, *Yoman Vietnam*, Dvir, Tel Aviv, 1977.

traducteur attitré de Gomulka, Erwin Weit, qui, quelques années plus tard, se réfugiera en Occident :

«Brejnev a évoqué le bilan négatif du mouvement communiste. Il a ajouté que dans de nombreux domaines, malgré tout, des progrès avaient été accomplis grâce à l'application du principe léniniste qu'il faut rechercher des alliés temporaires. On ne peut démentir que, au Proche-Orient, nous avons eu de grands succès. Nous avons réussi à bouter en partie les Américains hors de la région et, dans un avenir très proche, nous leur infligerons un coup décisif. […] Nasser est très confus en ce qui concerne les questions idéologiques mais c'est un homme bon sur qui on pouvait parier. Si nous, les hommes politiques responsables de l'avenir de l'humanité, voulons réaliser des progrès, nous devons accepter certains sacrifices. Le sacrifice que nous devons accepter, c'est le fait que Nasser pourchasse les communistes dans son pays. Mais Nasser qui peut se placer à la tête du mouvement de libération arabe a, dans l'étape actuelle, une valeur énorme. C'est l'application du principe léniniste d'une coopération avec des groupes ayant une orientation différente, cela est utile à un instant précis pour faire avancer la révolution. Lorsque les masses arabes comprendront leurs véritables intérêts, nous n'aurons plus besoin d'un Nasser[1].»

Une semaine plus tard, Ulbricht et Gomulka sauront à quoi Brejnev faisait allusion. Le 29 avril, Anouar el Sadate, le président de l'Assemblée nationale égyptienne, se rend en voyage officiel en Corée du Nord. Il fait escale à Moscou où il rencontre le numéro un soviétique, Kossiguine qui l'informe d'une situation extrêmement tendue à la frontière israélo-syrienne. Il y aurait des concentrations de troupes israéliennes. Sur le chemin du retour, Sadate repasse par la capitale soviétique. Podgorny et Vladimir Semionov, le secrétaire d'État aux Affaires étrangères, lui répètent qu'Israël a massé dix brigades et projette de lancer une offensive entre le 18 et le 22 mai[2]. Il regagne Le Caire où des informations en ce sens ont déjà été communiquées par les Soviétiques et les Syriens.

Le 13 mai au soir, le général Mohamed Faouzi, le chef d'état-major égyptien, reçoit un message de son homologue syrien, le général Ahmed Souedan. Les Israéliens auraient mobilisé et renforcé leurs concentrations de troupes sur le front syrien. Le lendemain, sur les ordres d'Abdel Hakim Amer, Faouzi se rend en Syrie pour examiner la

1. Cité par Avraham Ben Tsour, *Gormim soviétim ve Milhémét Sheshet Ha Yamim*, Sifriat Hapoalim, Tel Aviv, 1975, p 190.
2. Anouar el Sadate, *An Autobiography*, Collins, Londres,1978, p. 209. Mohamed H. Heikal, *Le Sphinx et le Commissaire*, J. A., Paris, 1980, p. 206.

situation. Il rentre au Caire dans la matinée du 15, en affirmant qu'il n'y a pas de concentration de troupes israéliennes. Au contraire, dit-il, les photographies aériennes prises par des appareils de reconnaissance syriens les 12 et 13 mai n'indiquent aucun changement dans les positions militaires israéliennes. L'armée égyptienne est en état d'alerte depuis la veille. La mesure surprend les généraux égyptiens. Anouar el Kadi, le chef des opérations à l'état-major, fait part de son inquiétude au maréchal Amer :

«*Je connais parfaitement la capacité, la puissance de nos forces armées, notre degré de préparation. Pour moi, cette situation semblait dangereuse, mais Amer m'a rassuré en me disant que ce n'était qu'une démonstration de force en réponse aux menaces israéliennes contre la Syrie.*»

Faouzi, pour sa part, est persuadé que les «*pseudo-concentrations de troupes israéliennes ne sont pas la principale raison de la mobilisation égyptienne. La raison doit en être politique*[13]*!*».

En Israël, on suit l'évolution de la situation avec surprise. Le 15 mai, c'est la fête de l'Indépendance. Durant le défilé, Yitzhak Rabin, le chef d'état-major, reçoit un message : l'armée égyptienne se déploie en force dans le Sinaï. L'analyse des renseignements militaires israéliens n'envisageait pas une telle éventualité. Les analystes étaient persuadés que Gamal Abdel Nasser ne se lancerait pas dans un affrontement avec Israël, la plupart de ses unités importantes se trouvant au Yémen. Les responsables israéliens se réunissent d'urgence et décident de renforcer leur dispositif dans le Neguev. Le 16, l'alerte générale est décrétée à Tsahal. Le 17, c'est l'escalade. Gamal Abdel Nasser réunit des membres du Conseil de la révolution et décide de déployer des troupes à Charm El Cheikh pour contrôler l'entrée du golfe d'Akaba. Anouar el Sadate raconte :

«*Nasser nous a dit que nos forces dans le Sinaï ont créé une possibilité de guerre de 50 %. Si nous fermons le golfe d'Akaba, la guerre est certaine. Il s'est tourné vers Amer et lui a demandé : "Nos forces sont-elles prêtes, Abdel Hakim ?" Amer a placé sa main sur sa gorge et répondu : "Ma tête est en jeu, tout est complètement prêt." Nous avons compris qu'il n'y avait pas de doute, que notre armée était prête. Lorsque Nasser nous a demandé notre opinion, nous avons tous accepté la fermeture des détroits, à l'exception de Sidki Souleiman. Nasser semblait être en faveur d'une telle mesure pour faire cesser l'opposition arabe à sa politique et pour maintenir sa popularité dans le monde arabe*[2].»

---

1. Cette version des faits est publiée par Mohamed Abdel Ghani el Gamasi, qui fut le chef d'état-major égyptien en 1973. Voir *The October War*, Mohamed el Gamasi, The Americain University in Cairo Press, Le Caire, 1993, p. 21.

2. Anouar el Sadate, *An Autobiography*, op. cit., p. 210.

LA GUERRE INÉVITABLE

La veille, Mohamed Faouzi a envoyé un message au général Rikié, le chef des Casques bleus déployés le long de la frontière israélo-égyptienne. Il lui demande d'évacuer les soldats de l'ONU des positions qu'ils occupent pour les regrouper dans leur base à Gaza. Le secrétaire général des Nations unies, U Thant, demande des éclaircissements aux Égyptiens. Il les reçoit le 18. Mahmoud Riad, le ministre égyptien des Affaires étrangères, lui annonce que Le Caire a décidé de mettre fin à la présence de la force de l'ONU en Égypte. Les Casques bleus commencent à se retirer le 19 mai à 16 heures. L'état-major de Tsahal, averti à la dernière minute, n'a même pas le temps d'envoyer un officier assister à la cérémonie d'adieu. Dans la soirée, des militaires palestiniens de Gaza occupent les postes d'observation de l'ONU situés dans la région. Les dirigeants israéliens comprennent qu'ils font face à une réelle menace de guerre. Ils décident la mobilisation des réserves. L'état-major examine les plans préparés en cas d'affrontement : dans le Sud, la destruction de l'armée égyptienne, l'opération «Kilshon», au centre l'opération «Pargol» et dans le Nord, contre les Syriens, l'opération «Mikbat».

Le Mossad envoie des messages à ses contacts dans le monde arabe. Méir Amit fait parvenir une missive au Caire à Mahmoud Khalil, l'homme qui l'avait invité à rencontrer Gamal Abdel Nasser moins d'un an auparavant : «*Établissons une ligne de communication directe afin que les choses ne se compliquent pas.*» Il ne recevra pas de réponse.

Le 22, Abdel Hakim Amer annonce que l'entrée du golfe d'Akaba est interdite à tout bateau battant pavillon israélien ou se rendant à Eilat. A Washington comme en Europe, on comprend que, pour Israël, c'est le *casus belli*. Dès le lendemain, deux navires allemands sont arraisonnés et ne peuvent poursuivre leur route qu'après avoir prouvé que leur destination était le port jordanien d'Akaba. Au Caire, Nasser reçoit l'ambassadeur soviétique, qui lui demande si Moscou doit lancer un avertissement à Israël. Le président égyptien répond qu'il vaudrait mieux l'envoyer aux Américains. A la Knesset, Lévi Eshkol prononce un discours. Il affirme qu'Israël ne prépare aucune attaque contre un pays arabe, ne cherche pas à porter atteinte à leur sécurité. Il dément les informations sur des concentrations de troupes israéliennes à la frontière syrienne. «*Israël*, dit-il, *est toujours prêt à participer à un effort pour renforcer la stabilité et promouvoir la paix dans la région. Mais l'armée israélienne est prête à faire face à toute épreuve, et les droits de la nation seront défendus.*»

Le 23, Radio Le Caire diffuse un discours de Gamal Abdel Nasser. Le raïs, qui avait pris la parole devant les officiers de la base aérienne de Bir Gafgafa dans le Sinaï, lance d'une voix rauque : «*Nous sommes en confrontation avec Israël. Contrairement à ce qui est arrivé en 1956 quand la France et la Grande-Bretagne étaient à ses côtés, Israël n'est soutenu aujourd'hui par aucune puissance européenne. Il est possible toutefois que l'Amérique lui vienne en aide. Les États-Unis soutiennent Israël politiquement et lui fournissent des armes, mais le monde n'acceptera pas une répétition de 1956. Nous sommes dans un face à face avec Israël. Nos forces armées ont occupé Charm El Cheikh. Nous ne permettrons pas au drapeau israélien de passer par le golfe d'Akaba. Les Juifs menacent de faire la guerre. Je réponds : soyez les bienvenus, nous sommes prêts pour la guerre.*»

Dans la matinée, le gouvernement israélien se réunit en session extra-ordinaire, avec la participation des chefs de l'armée et de plusieurs députés de l'opposition et de la coalition gouvernementale. Yitzhak Rabin fait son rapport : «*Israël est-il prêt à accepter la fermeture des détroits ou fera-t-il la guerre à l'Égypte ? Nous devrons combattre au moins sur deux fronts, égyptien et syrien, peut-être même sur le front jordanien. Sur le plateau de la balance, ne se trouve pas seulement la liberté de navigation, mais beaucoup plus : la crédibilité d'Israël, sa détermination et sa capacité à exercer son droit à l'autodéfense. Une guerre, ce n'est pas une excursion. Il n'y a pas de guerre facile. […]. La sécurité d'Israël est en grand danger. Si nous ne réagissons pas, nous perdrons la capacité de dissuasion de Tsahal et les conséquences seront, pour l'avenir, très graves.*» Les généraux présentent les diverses possibilités d'opérations sur les trois fronts. La population civile israélienne pourrait subir des attaques aériennes. Les politiques demandent si l'armée peut attendre quarante-huit heures avant de déclencher une offensive. Rabin répond qu'il vaudrait mieux passer à l'action le plus tôt possible, mais qu'un tel délai ne changerait pas vraiment les choses. Le gouvernement décide de lancer une offensive diplomatique avant une solution militaire. Une résolution est adoptée :

«*1) Le blocus du golfe d'Eilat est un acte d'agression.*

2) Toute décision sur une riposte est repoussée de quarante-huit heures.

3) Le Premier ministre et le ministre des Affaires étrangères ont le pouvoir de décider d'un voyage à Washington du chef de la diplomatie pour rencontrer le président Johnson. »

Tôt le lendemain matin, Abba Eban prend l'avion pour Paris où il va rencontrer le général de Gaulle. Le président français lui lance, avant même qu'il ait le temps de prendre place sur un siège dans le bureau du général à l'Elysée : «*Ne faites pas la guerre. Dans tous les cas, ne soyez pas les premiers à ouvrir le feu. Ne croyez pas trop en une manifestation navale occidentale.*» Eban rappelle que, en 1957, la France avait défini clairement et lucidement les droits d'Israël dans le golfe d'Eilat, y compris le droit à la défense en cas de blocus. De Gaulle répond : «*Cette politique était correcte, mais, c'était en 1957 et nous sommes à présent en 1967.*» Le chef de la diplomatie israélienne explique l'importance d'Eilat pour l'État juif : «*Si nous avons le choix entre la reddition et la résistance, nous résisterons. Cette décision a déjà été prise. Toutefois, nous n'avons pas décidé d'agir aujourd'hui ni demain, car nous examinons l'attitude de ceux qui ont pris des engagements. Nous devons savoir si nous sommes seuls ou si nous allons agir dans un cadre international. Si nous devons nous battre seuls, nous serons vainqueurs bien que le prix en vies humaines risque d'être lourd.*» Le président français conseille à Eban de ne pas se tourner uniquement vers l'Occident, mais d'œuvrer en faveur d'une concertation entre les quatre grandes puissances. Et de répéter : «*Israël ne doit pas agir jusqu'à ce que la France ait le temps de concerter l'action des quatre grandes puissances pour permettre aux navires de passer par les détroits. […] Ne faites pas la guerre[1].*»

RABIN CRAQUE

Eban se rend à Londres où il rencontre Harold Wilson. Le Premier ministre britannique accueille avec scepticisme la proposition française d'une consultation des grandes puissances. Il va envoyer un de ses ministres à Washington pour voir si un plan d'action commun peut être préparé avec l'administration américaine. La balle est dans le camp des États-Unis. Eban arrive à New York le 25 mai au matin. Il apprend que la situation en Israël n'est pas bonne. La population suit les événements avec angoisse. L'armée poursuit ses préparatifs. La veille, le chef d'état-major, Yitzhak Rabin, a eu un malaise. On parle d'un empoisonnement à la nicotine dû à un tabagisme exagéré. En fait, épuisé physiquement et nerveusement, il a craqué. Son chef des opérations, le général Ezer Weizman, raconte comment Rabin l'a convoqué à son domicile à Tsahala pour lui dire qu'il avait échoué dans sa mission et qu'il

---

1. Abba Eban, *Personal Witness*, Cape, Londres, 1993, p. 373.

lui confiait le commandement de l'armée. Weizman a fait venir un médecin qui, après avoir injecté un calmant au chef d'état-major, lui a ordonné un repos de vingt-quatre heures. Le chef des opérations s'est ensuite rendu chez le Premier ministre pour l'avertir du malaise de Rabin et réunir l'état-major. Il change le plan des opérations préparé par Tsahal en l'élargissant. Il est question de conquérir la bande de Gaza et El Arich, de placer ensuite les unités en alerte dans le sud en vue de faire mouvement vers le canal de Suez. Lévi Eshkol, sur qui les généraux font pression afin qu'il accepte de déclencher la guerre le plus tôt possible, leur répond qu'il ne se passera rien avant le 27 mai. Si Abba Eban a une réponse du président Johnson d'ici là, le gouvernement se réunira pour prendre une décision.

Ezer Weizman et le chef des renseignements militaires, Aharon Yariv, ne sont pas d'accord. Le 25, Rabin, qui a surmonté son malaise, les convoque. La discussion est difficile. Yariv explique que la situation se détériore d'heure en heure, qu'il faut compléter la mobilisation générale et passer immédiatement à l'action avant le retour d'Abba Eban. Rabin promet d'en parler à Eshkol. Il rencontre le Premier ministre quelques heures plus tard : «*J'ai eu un incident personnel, je le regrette. Je suis parfaitement capable d'assurer mes fonctions, mais je ne peux ignorer cet incident. Si vous voulez que je démissionne, j'accepterai cette décision sans hésiter.*» Eshkol lui répond : «*Il n'y a pas de problème.*» Il répète qu'Israël n'agira pas avant la rencontre Johnson-Eban. Rabin demande un rendez-vous dans la journée afin que le chef du gouvernement explique sa position à Weizman, Yariv et Bar Lev. Eshkol, après cette rencontre, comprend qu'Israël s'approche de la limite du délai accordé à l'offensive diplomatique. Il câble à Eban à Washington : «*Le déploiement de l'armée égyptienne et le dispositif militaire arabe sont de plus en plus menaçants. Le problème des détroits n'est plus le principal de nos soucis, mais le danger que constituent pour la sécurité d'Israël des concentrations de troupes très importantes. Une attaque-surprise contre Israël n'est pas exclue.*»

A Washington, Abba Eban reçoit des informations des mains du secrétaire d'État Dean Rusk. Un gouvernement ami a informé l'administration américaine des déclarations de Nasser aux responsables politiques et militaires égyptiens au moment où il a décidé le blocus du golfe d'Eilat : «*Israël ne se battra pas parce qu'il n'a pas d'alliés, parce qu'il craint l'Union soviétique, parce qu'il sait que les États-Unis sont trop impliqués au Vietnam pour aider Israël, parce que la majorité des membres des Nations unies soutiennent les Arabes. Également en raison des divisions internes en Israël, de l'attitude de la*

France et du fait que 5 % seulement du commerce israélien passe par Eilat[1].»

Le ministre israélien rencontre le chef de l'exécutif le samedi matin. Il lui annonce que certains cercles militaires en Israël craignent une offensive majeure égyptienne dans les vingt-quatre ou quarante-huit heures. Il rappelle que les États-Unis se sont engagés à interdire tout blocus du golfe d'Eilat, à soutenir le droit d'Israël à l'autodéfense, et explique l'importance d'Eilat pour Israël.

Johnson répond : «*Vous êtes les victimes d'une agression. Je l'ai dit au peuple américain. Vous me demandez ce que nous pouvons faire pour vous aider. Je vous réponds que je ne peux apporter une aide que si mon gouvernement, le Congrès et le public américain ont le sentiment qu'Israël est la victime.*» Et d'ajouter que les États-Unis ne pourront agir aussi longtemps que le canal de l'ONU n'aura pas été exploité pour trouver une solution à la crise. Abba Eban, qui a besoin de présenter un acquis à son gouvernement, demande : «*Puis-je dire que vous ferez tout ce qui est en votre pouvoir afin d'ouvrir le golfe d'Eilat et le détroit de Tiran à la circulation maritime, y compris celle d'Israël ? – Oui*», répond Johnson. Le ministre regagne Israël. Il atterrit à Lod le 27.

U Thant, le secrétaire général des Nations unies, a effectué une visite au Caire le 25 mai. Nasser lui a dit que, à aucun moment, il n'avait eu l'intention d'attaquer Israël. «*C'est Israël*, a expliqué le président égyptien, *qui a menacé publiquement d'envahir la Syrie. Nos mesures sont défensives. Nous n'attaquerons pas.*»

Le 26, devant des syndicalistes arabes, Nasser remercie chaleureusement l'Union soviétique, et annonce qu'un des objectifs fondamentaux de l'Égypte, c'est la destruction d'Israël. «*Nous sommes allés à Charm El Cheikh sachant que cela mènerait à la guerre. Nous avons choisi le moment opportun, quand Israël a menacé la Syrie. Les armées égyptiennes et syriennes ne font plus qu'une. Tous les États arabes entourant Israël constituent un front militaire unique.*» Des officiers supérieurs égyptiens sont à Damas pour coordonner les opérations des deux armées. Un des responsables de cette coordination s'appelle Mohamed Bassiouny.

Le ministre des Affaires étrangères, Mahmoud Riad, est inquiet. Il a demandé à l'ambassadeur des États-Unis, Richard Nolte, quels sont les risques d'une attaque israélienne contre l'Égypte. Le diplomate américain lui a répondu : moitié moitié. «*Nasser*, écrit Riad, *savait qu'une*

---

1. Abda Eban, *Personnal Witness, op. cit.*, p. 383.

confrontation avec Israël conduirait inévitablement à un affrontement direct avec les États-Unis, ce qu'il voulait éviter. Il avait pleinement conscience du fait qu'en raison de l'engagement d'une partie de ses forces armées au Yémen, il n'avait pas à sa disposition la force militaire pour attaquer Israël. Mais, quels que soient les risques, en attaquant le premier, il aurait marqué un avantage certain sur l'ennemi et évité le désastre[1].» Les chefs militaires égyptiens sont confiants, persuadés qu'ils parviendront à faire face à Israël en cas de conflit armé. Sont-ils trompés sur l'état de leurs forces par les conseillers soviétiques et autres qui sont déployés à tous les niveaux de leur armée?

ESHKOL NE PARVIENT PAS À LIRE SON DISCOURS

Dans la soirée du 28 mai, tout Israël est à l'écoute. Lévi Eshkol s'adresse enfin à la nation. Son message radiodiffusé a été préparé à la dernière minute. Dactylographié avec de nombreuses fautes de frappe, il est difficilement lisible, et Eshkol n'a pas le temps de le revoir avant de le lire au micro. D'une voix hésitante, il saute d'une phrase à l'autre. L'impression des auditeurs est catastrophique. Leur Premier ministre semble sur le point de s'effondrer. L'impact de cet incident est énorme. C'est la crise politique. La droite, la coalition nationale libérale conduite par Menahem Begin, accepte l'union nationale. Le parti de Ben Gourion, le Rafi, est également prêt à rejoindre le cabinet Eshkol. La pression pour nommer Moshé Dayan ministre de la Défense est de plus en plus forte. Le portefeuille est détenu par le Premier ministre. Les réunions du gouvernement sont orageuses. Des membres du cabinet critiquent ouvertement *«les atermoiements d'Eshkol»*. Les généraux racontent à qui veut les entendre que chaque journée passée dans l'expectative coûtera la vie de deux cents soldats israéliens. Dimanche, à deux heures du matin, l'ambassadeur d'URSS à Tel Aviv remet à Eshkol une note de Kossiguine qui accuse à nouveau Israël de concentrer des forces aux frontières égyptienne et syrienne, et le met en garde contre tout acte d'agression contre les États arabes. Le 29, le Parti national religieux et le Parti libéral indépendant menacent de quitter la coalition gouvernementale si Dayan n'est pas nommé ministre de la Défense.

Le 30, nouveau coup de théâtre. Hussein de Jordanie débarque au Caire. Contre l'avis de son chef de cabinet, Wasfi Tal, le souverain

---

1. Mahmoud Riad, *The Struggle for Peace in the Middle East*, Quartet Books, Londres, 1981, pp. 21 et 22.

hachémite a décidé de faire cause commune avec l'Égypte. Il est persuadé que la guerre est inévitable et qu'il n'a pas d'autre choix. Dès son arrivée dans la capitale égyptienne, il appose sa signature sur un traité de défense mutuelle égypto-jordanien. En Jordanie et au Caire les foules sont en délire. Hussein regagne Amman dans la soirée, en emmenant un invité inattendu : son ennemi juré, Ahmed Choukeiry, le chef de l'OLP. Les Israéliens analysent ce geste comme une décision du roi d'autoriser les infiltrations terroristes par la frontière jordanienne. Les radios syrienne et égyptienne haussent le ton et diffusent de violentes diatribes anti-israéliennes, promettant de rejeter les Juifs de Palestine à la mer.

Le 31 mai, Eshkol convoque Moshé Dayan. Il lui propose le poste de vice-Premier ministre, le portefeuille de la Défense allant à Yigal Allon. Dayan refuse et annonce qu'il est prêt à commander le front sud sous les ordres d'Yitzhak Rabin. Les partisans d'Eshkol au Parlement refusent cette formule, le soir même. Le 1er juin, la décision est prise : c'est Dayan qui conduira la guerre. Begin et sa coalition de droite entrent au gouvernement.

Méir Amit, le chef du Mossad, est à Washington où il a des entretiens secrets avec des responsables de la CIA et de l'administration américaine. Implicitement, ses interlocuteurs lui font comprendre ceci : *«Nous ne pourrons pas intervenir militairement au Proche-Orient pour lever le blocus du détroit de Tiran et du golfe d'Akaba. Embourbés au Vietnam, nous ne pouvons pas nous lancer dans une nouvelle aventure militaire. L'opinion publique américaine ne le permettrait pas. La mise sur pied d'une force internationale qui se déploierait en mer Rouge paraît impossible. La meilleure formule serait qu'Israël agisse seul.»* C'est le feu vert qu'attendaient les dirigeants israéliens. La guerre aura lieu. Simultanément, la diplomatie américaine poursuit ses contacts avec les Égyptiens. Un émissaire américain, Charles Yost, annonce, le 2 juin, à Mahmoud Riad, que le président Johnson accueillera favorablement la visite à Washington, de Khaled Mohieddine. Il doit arriver dans la capitale fédérale le 5 juin. Le Caire accepterait un engagement formel américain de soutenir et protéger Israël en échange de la promesse qu'Israël ne lancera aucune agression contre l'Égypte. Ces ultimes contacts diplomatiques donneront aux dirigeants égyptiens l'impression qu'ils ont été trompés par les États-Unis.

Gamal Abdel Nasser parvient au terme de la série d'erreurs qui conduiront l'Égypte à la plus grande défaite de son histoire militaire. Il est manipulé par les Soviétiques et les Syriens, et trompé par Abdel

Hakim Amer, persuadé qu'Israël n'attaquera pas, et que l'armée égyptienne a les moyens d'assurer, si nécessaire, la défense du Sinaï.

LA GUERRE

Le 5 juin 1967, 7h10. De son quartier général, le commandant de l'armée de l'air israélienne, le général Mordehaï Hod, donne l'ordre à ses escadrilles de passer à l'attaque. Certains avions sont déjà en l'air. L'offensive commencera trente-cinq minutes plus tard. L'instant est bien choisi. Au même moment, Abdel Hakim Amer effectue une tournée d'inspection en compagnie de ses adjoints. Il se déplace en avion et la défense antiaérienne égyptienne a l'ordre de n'ouvrir le feu en aucun cas. La journée semble s'annoncer calme. Les pilotes en profitent pour prendre le petit déjeuner. Leur surprise est totale, lorsque, à 7h 45, tous les aéroports du Sinaï et du nord de l'Égypte sont attaqués simultanément. Deux minutes plus tard, le commandant israélien du front sud, Yeshayahou Gavish, donne le feu vert à ses troupes. La bataille du Sinaï commence.

Dayan quitte brièvement le QG pour se rendre à Sde Dov, le petit aéroport situé au nord de Tel Aviv où les membres de la commission parlementaire des Affaires étrangères et de la Défense s'apprêtent à partir en tournée d'inspection dans le sud. Les députés savent déjà que leur excursion est annulée. Dayan leur lit le communiqué du porte parole de l'armée : «*Depuis les premières heures de la matinée de durs combats opposent l'armée de l'air égyptienne et les forces blindées qui avancent vers Israël et nos forces qui sont allées à leur rencontre pour les stopper [...]* » Un député demande : «*Qui a ouvert le feu le premier?*» Le ministre de la Défense ne répond pas mais donne quelques détails sur les opérations de la matinée. Il regagne la salle d'opérations où se trouvent déjà Lévi Eshkol, Yigal Allon et Abba Eban. A 10 heures Mordehaï Hod annonce à son ministre de la Défense : «*Il n'y a plus rien à craindre. Nous avons réalisé tous nos objectifs.*» Au même moment Radio Le Caire interrompt ses programmes pour annoncer que 40 avions ennemis ont été abattus par l'aviation égyptienne. Dayan donne l'ordre de ne rien divulguer des succès israéliens pendant au moins vingt-quatre heures. Une demi-heure plus tard, c'est lui qui prend la parole à Galei Tsahal, la radio de l'armée : «*Le commandant des forces arabes dans le Sinaï, le général égyptien Mourtagi a dit à ses hommes que le monde attendait les résultats de leur Jihad et leur demandait de capturer par la forces des armes la terre volée de*

Palestine [...] Soldats d'Israël, nous n'avons pas pour but de réaliser des conquêtes. Notre objectif est de faire échouer les tentatives des armées arabes de conquérir notre terre et aussi de briser le cercle d'agression qui nous menace [...] nous sommes une petite nation mais forte ; pacifique mais prête à se battre pour sa vie et son pays. Nos civils à l'arrière vont certainement souffrir. Mais nous vous demandons un effort suprême, à vous les troupes qui combattent dans les airs, sur terre et sur mer. Soldats des forces de défense d'Israël, en ce jour nos espoirs et notre sécurité sont entre vos mains.»

Comme prévu, Lévi Eshkol et Abba Eban ont fait parvenir à Hussein de Jordanie le message suivant : «*Nous ne prendrons l'initiative d'aucune action contre le royaume hachémite. Néanmoins, si la Jordanie déclenche les hostilités, nous réagirons de toute notre force et son roi aura la responsabilité des conséquences qui en découleront.*» La missive a été transmise à 9h 30 par le général Odd Bull, le commandant des observateurs de l'ONU[1].

A 10h 45, l'armée jordanienne ouvre le feu sur la partie juive de Jérusalem. Des tirs d'abord intermittents, puis des salves groupées dirigées surtout vers les quartiers sud. Le petit fils d'Abdallah entre en guerre mais sur la base d'informations fausses. Nasser lui a annoncé que l'aviation israélienne était en partie détruite et la radio égyptienne diffuse des communiqués de victoire. Hussein répond à Odd Bull : «*Ils ont déclenché la bataille, eh bien, ils reçoivent notre réponse par les airs! [...]*» Des soldats jordaniens occupent le palais du gouverneur, le siège du commandant en chef des Casques bleus, au sud de Jérusalem. Ils rient aux éclats. Eux aussi ont entendu les radios arabes annoncer la défaite d'Israël.

TENTATIONS

A Tel Aviv, Yigael Yadin, qui a été nommé conseiller spécial pour les Affaires militaires du Premier ministre, rencontre Yigal Allon et Menahem Begin au ministère de la Défense. Il a compris que le sort de la guerre avec l'Égypte est déjà tranché et explique aux deux hommes que le *casus belli* jordanien devrait permettre à Israël de réagir et de prendre l'initiative à Jérusalem et en Cisjordanie. Allon et Begin se regardent. Le chef du Hérout, lance : «*Allons chez Eshkol!*». Les deux

1. Odd Bull, *War and Peace in the Middle East*, Cooper, Londres, 1976, p. 113.

240

hommes pénètrent dans le bureau du premier ministre de l'autre côté de la cour : «*Eshkol! Begin et moi, nous voulons Jérusalem!* dit Allon.

– *Ça, c'est une idée!*» répond Eshkol en yiddish[1].

Le reste de la discussion aura lieu à Jérusalem dans la salle du gouvernement à la Knesset, peu après 20 heures. Eshkol vient d'arriver. Begin se précipite vers lui et demande une consultation ministérielle, même courte, afin, dit-il, d'examiner une question de la plus haute importance. Eshkol accepte, il ouvre le débat en annonçant qu'il faudra discuter du front oriental durant la nuit si les Jordaniens poursuivent leur attaque.

– Moshé Haïm Shapira, ministre de l'Intérieur, un des dirigeants du Parti national religieux : «*Ils ont bombardé Jérusalem à plusieurs reprises.*»

– Yigal Allon : «*Du point de vue militaire, cela nous donne un prétexte pour attaquer la vieille ville.*»

– Menahem Begin : «*C'est la raison pour laquelle j'ai demandé cette réunion. L'instant est important. Je propose que le gouvernement décide dès à présent de libérer la vieille ville.*»

– Zalman Aran, ministre de l'Éducation, membre du Mapaï, le parti travailliste d'Eshkol : «*Il faut laisser cette décision à l'armée. le ministre de la Défense n'est pas là et il vaudrait mieux ne pas discuter de cette question.*»

– Yaacov Shimshon Shapira, ministre de la Justice : «*Il faut faire la différence entre les aspects militaire et politique. Cette fois, nous devons décider uniquement sur le plan politique.*»

– Lévi Eshkol : «*C'est peut-être l'occasion de pénétrer dans la vieille ville.*»

– Moshé Haïm Shapira : «*Ce sera un problème politique que de garder la vieille ville lorsqu'elle sera entre nos mains. On nous proposera l'internationalisation... Si c'est le cas, je serai pour un tel statut des Lieux saints.*»

– Abba Eban : «*Est-ce que les combats entraîneront une atteinte aux Lieux saints?*»

– Yaacov Shimshon Shapira : «*Je ne crois pas.*»

– Abba Eban : «*Si la situation militaire nécessite la conquête de Jérusalem, il faut le faire sans dire ce que nous en ferons par la suite. Il faut en assurer la sainteté...*»

– Yigal Allon : «*Le débat doit être divisé en plusieurs sujets. Un, la libération des Lieux saints. Deux, apporter une solution au problème militaire. Trois, résoudre la question du mont Scopus. Il y a un réel*

---

1. Ouzi Benziman, *Yeroushalaïm, Ir le Lo Houma*, Shoken, Tel Aviv, 1973, p. 11.

danger qu'il soit conquis [par les Jordaniens]. *En liquidant le problème militaire des tirs effectués à partir de la vieille ville, nous apportons une réponse à la question politique…»*

— Abba Eban : «*Il faut d'abord examiner le problème sous l'angle militaire et ensuite seulement sous l'aspect politique.*»

— Zalman Aran : «*Si nous prenons la vieille ville, quand et à qui la rendrons-nous ensuite ? Je suis pour l'internationalisation.*»

— Lévi Eshkol : «*Quand même, il faut effectuer une attaque contre l'origine des tirs jordaniens. Nous laisserons l'aspect opérationnel aux militaires et transmettrons au chef d'état-major et au ministre de la Défense la volonté du gouvernement.*»

Le cabinet se disperse dans la bonne humeur. Le ministre des Cultes lance, en levant son verre de jus de fruit : «*La semaine prochaine à Jérusalem unifiée !*»

LA DÉFAITE ARABE

Dans la matinée du 6 juin, Nasser et Hussein de Jordanie ont compris qu'ils avaient perdu la guerre. Ils ont une conversation par radio, qui est entièrement enregistrée par les services de renseignements de l'armée israélienne. Tsahal ne manquera pas, dès le lendemain, de rendre public cet entretien :

— Nasser : «*Comment allez-vous ? J'apprends que Votre Majesté, notre frère, veut savoir si on se bat sur tous les fronts* [passage inintelligible]. *Devrons-nous annoncer aussi que les États-Unis collaborent avec Israël ? Allô ! Allô ! Ne coupez pas, je n'entends plus, la ligne est très mauvaise.* […] *Allô ! Allô ! Dirons-nous les États-Unis et l'Angleterre, ou seulement les États-Unis ?*»

— Hussein : «*Les États-Unis et l'Angleterre.*»

— Nasser : «*La Grande-Bretagne a-t-elle des porte-avions ?*»

Réponse inintelligible.

— Nasser : «*Bien. Le roi Hussein publiera un communiqué à ce sujet, et moi je publierai le même communiqué.* […] *Nous nous battrons de toutes nos forces, nous nous sommes battus sur tous les fronts toute la nuit, et si nous avons eu quelques ennuis au début, cela ne fait rien. Nous nous en sortirons malgré tout. Dieu est avec nous.* […] *Par-devant Dieu, je dis que je vais publier un communiqué et que vous allez publier un communiqué, et nous veillerons à ce que les Syriens déclarent aussi que les avions américains et anglais nous attaquent à partir de leurs porte-avions.* […] *Mille mercis. N'abandonnez pas ! Nous sommes avec vous de tout notre cœur. Aujourd'hui, nous avons lancé nos avions sur Israël. Ils frappent les aérodromes israéliens depuis ce matin.»*

En fait, l'aviation égyptienne était détruite, et la plupart de ses aéroports hors de combat. La conquête du Sinaï est terminée le 9 juin à 5 heures du matin, après quatre-vingt-huit heures de combat.

La veille, le 8 juin dans l'après-midi, Hussein de Jordanie admet sa défaite à la radio d'Amman. Il a perdu Jérusalem et la Cisjordanie : *«Nos soldats ont défendu chaque pouce de notre sol avec leur sang précieux qui n'a pas encore séché. Ils n'ont pas craint la supériorité aérienne totale de l'ennemi, qui a paralysé par surprise l'aviation égyptienne sur laquelle nous comptions. […] Mes frères, j'appartiens, semble-t-il, à la famille de ceux qui, selon la volonté d'Allah, doivent subir et faire des sacrifices sans fin pour leur nation. Le malheur qui nous frappe est plus grand que tout ce qu'on pouvait imaginer, mais quelle qu'en soit l'immensité, il ne faut à aucun prix qu'il affaiblisse notre résolution de rebâtir ce que nous avons perdu. Si finalement la gloire ne vous a pas récompensés, ce n'est pas parce que vous avez manqué de courage, mais parce que telle a été la volonté d'Allah. Que Dieu soit à présent avec notre peuple!»*

Le 9 juin, tôt le matin, après l'Égypte et la Jordanie, la Syrie accepte le cessez-le-feu décidé par le Conseil de sécurité de l'ONU, mais son artillerie continue de bombarder la Haute-Galilée. Radio Damas annonce même que des unités syriennes ont conquis la vallée du Houleh et progressent vers Safed. Vers midi, Tsahal reçoit le feu vert. Le lendemain, samedi, en début d'après-midi, les blindés israéliens terminent la conquête du plateau du Golan jusqu'à Kouneitra. Cette bataille a duré vingt-sept heures.

Israël contrôle désormais 68 000 kilomètres carrés de territoire; le Sinaï jusqu'au canal de Suez, Jérusalem, la Cisjordanie jusqu'au Jourdain, Le plateau du Golan. Il a perdu plus de 800 hommes au combat. Les Jordaniens ont 6 000 morts et disparus. La Syrie, 445 et l'Égypte 10 000. Des milliers de soldats arabes sont prisonniers en Israël.

LE 9 JUIN

Le 9 juin 1967, expert comptable dans le civil, capitaine de réserve, Dan Bavly, se présente à l'hôtel Ambassador à Jérusalem-Est, où s'est installé l'état-major de la région militaire centre. Il doit faire équipe avec David Kimhi, un jeune employé du Mossad en congé d'étude. Kimhi est lieutenant de réserve. Il a l'ordre de rouvrir l'émetteur de la radio jordanienne à Ramallah dans le cadre d'une opération des services de guerre psychologique. Ils disposent que d'une Jeep. Plusieurs rédacteurs en chef de journaux jordaniens leurs suggèrent de rencontrer Mohamed Aoudeh, le patron des programmes de la radio à Ramallah. Les deux militaires partent à sa recherche. Il n'est pas chez lui, un voisin leur propose d'attendre dans son domicile et se présente : «*Je m'appelle Aziz Shehadeh et je vous attendais!*»

Kimhi et Bavly sont assez surpris. Shehadeh leur est totalement inconnu. Ils ne découvriront que quelques jours plus tard l'histoire de sa participation à la conférence de Lausanne en 1949.

Aziz Shehadeh : «*Vous devez immédiatement faire la paix avec les Palestiniens et les Arabes. Il faut, dans la semaine, mettre sur pied une assemblée constituante palestinienne, en un mois, former un gouvernement palestinien puis conclure un traité de paix entre Israël et le peuple palestinien.*»

Les deux Israéliens trouvent l'idée intéressante. Ils proposent à leur interlocuteur de préparer une proposition précise par écrit comportant les principes d'une telle paix ainsi que les noms des membres éventuels d'un futur parlement palestinien. «Cela sera prêt dès demain», annonce Shehadeh[1] qui, depuis les années 50, avait maintenu un contact discret avec les services israéliens.

Vers la même heure, Dayan découvre qu'une unité israélienne a franchi le Jourdain. Il ordonne immédiatement son retrait et la démolition des ponts sur la rivière. Il s'agissait apparemment de convaincre le roi Hussein du fait que Tsahal n'a pas l'intention de progresser vers l'Est. A Jérusalem, Anouar el Khatib, le gouverneur jordanien de la ville, demande au général Haïm Herzog qui vient d'être nommé responsable de la Cisjordanie, d'autoriser des familles arabes à partir pour la Jordanie. Un véritable mouvement de départ s'organise. L'armée israélienne construira quatre ponts pour piétons sur le Jourdain. Durant les semaines qui suivront, des dizaines de milliers de Palestiniens iront se réfugier en Jordanie.

Le soir – on est toujours le 9 juin et le cessez-le-feu vient d'entrer en vigueur sur tous les fronts –, le Proche-Orient suit les informations diffusées du Caire. Gamal Abdel Nasser prononce un discours radiotélévisé. D'une voix hésitante, l'air abattu, il annonce au peuple égyptien et

---

1. Témoignages de Dan Bavly et David Kimhi recueillis par l'auteur, Tel Aviv, 1995.

au monde arabe qu'il a demandé à Zakariah Mohieddine d'assurer les fonctions de président de la République. Il abandonne toutes ses positions officielles et politiques pour devenir un simple citoyen : «*La République arabe unie a subi une grave défaite. Je vous le dis franchement et je suis prêt à en assumer l'entière responsabilité. Israël nous a infligé un coup beaucoup plus puissant que ne le permettaient ses ressources. L'Égypte avait une connaissance précise des moyens dont disposait l'ennemi, nos forces armées auraient pu le repousser mais les impérialistes sont venus à l'aide d'Israël. Des porte-avions américains et britanniques l'ont aidé dans son effort de guerre. […] L'impérialisme sera vaincu et Israël restera seul. Les forces de l'impérialisme croient qu'Abdel Nasser est leur ennemi. Je veux qu'elles comprennent que leur ennemi, c'est l'ensemble de la nation arabe et pas Gamal Abdel Nasser. Les forces hostiles au mouvement nationaliste arabe ont toujours tenté de le présenter comme l'empire d'Abdel Nasser. Ce n'est pas vrai, l'espoir d'unité arabe a commencé avant Gamal Abdel Nasser […]* » Un discours d'une demi-heure. Génial. Tout y est, la volonté d'assumer le martyre de la défaite dont il attribue les causes à l'étranger, à l'Amérique, l'espoir d'une victoire au nom de la justice. Savait-il qu'avant même le début de son discours des militants du parti au pouvoir, l'Union socialiste arabe avait commencé à manifester au Caire, à Alexandrie et dans d'autres villes égyptiennes? Sans doute.

C'est une réaction en chaîne. Des centaines de milliers puis des millions d'hommes et de femmes descendent dans la rue, parfois en pyjama. Pleurant, scandant : «*Nasser, ne nous quitte pas! Non à Zakariah! Non au dollar!* […] » Le Parlement est encerclé par la foule qui exige des députés qu'ils empêchent le départ du «Bigbachi». C'est le grand soir du nassérisme, mais aussi son crépuscule. Anouar el Sadate qui était aux côtés de Nasser durant son allocution écrira, huit ans plus tard : «*Il n'est pas mort le 28 septembre 1970 mais le 5 juin 1968, exactement une heure après le déclenchement de la guerre […] C'était un corps vivant. La pâleur de la mort était visible sur son visage et ses mains, bien qu'il se déplaçât et marchât, écoutât et parlât*[1].»

Des scènes semblables se déroulent dans plusieurs capitales arabes. A Beyrouth, Fayçal el Husseini se retrouve au milieu d'une manifestation de plusieurs milliers de personnes qui crient : «*Nasser, reste avec nous!*». Mal à l'aise, le fils d'Abdel Kader el Husseini décide qu'il ne

---

1. Anouar el Sadate, *In Search of Identity*, Collins, Londres, 1978, p. 218.

veut pas participer à un tel défilé. Pour lui le nassérisme et la mythologie panarabe viennent de s'effondrer. Il se rend au siège de l'OLP où il découvre des militants en train de préparer des banderoles de soutien au président égyptien. Fou de rage, il se met à hurler : «*C'est fini! Tournez la page! Notre cause, notre combat est ailleurs! En Palestine!* […][1].» Ce jour-là, Fayçal el Husseini a décidé de retourner à Jérusalem.

Le lendemain, Abdel Hakim Amer démissionne de toutes ses fonctions militaires. Chams Badran quitte son poste de ministre de la Guerre. Le 25 août, ils seront arrêtés. Amer décédera d'un empoisonnement vingt-quatre heures plus tard. Officiellement, il s'agira d'un suicide. Badran et trois cents officiers sont mis en détention.

Tsahal pour un État palestinien

L'état-major israélien prépare déjà des plans pour l'avenir. Deux colonels des renseignements militaires soumettent, dès le 9 juin, à Moshé Dayan une proposition traitant de l'avenir de la Cisjordanie. Il s'agit de Shlomo Gazit, le patron du département de la Recherche, et Youval Neeman, un universitaire mobilisé pour l'occasion : «*Israël ne cherche pas à occuper des territoires et à s'étendre sur le compte des Arabes. Il y a matière à rectification des frontières dans le cadre de négociations futures. Le problème des réfugiés sera réglé par la création d'un État palestinien indépendant dans le Triangle* [en Cisjordanie et dans la bande de Gaza] *avec une aide d'Israël et de la communauté internationale. L'État palestinien n'aura pas de force militaire. Une coopération économique s'établira entre Israël et l'État palestinien, qui aura des facilités portuaires à Ashdod et à Haïfa[2].*» Youval Neeman changera d'avis sur la nécessité de créer un État palestinien. Physicien de renom, il deviendra député et un des chefs de file du mouvement annexionniste israélien.

Quarante-huit heures plus tard, après avoir reçu le rapport de David Kimhi et de Dan Bavly, et avec l'aide de deux orientalistes du ministère des Affaires étrangères, les renseignements militaires, sous la houlette de Neeman, présentent un nouveau document de travail :
«*Israël doit profiter de sa victoire pour définir ses futures frontières sur des bases naturelles, identiques à celles des lignes de cessez-le-feu.*

---

1. Témoignage de Fayçal el Husseini recueilli par l'auteur, Ein Sinyah, 1994.
2. Cité par Réouven Pedatsour, *Nitsahon Hamevoukha*, Bitan, Tel Aviv, 1996, p. 40.

La situation internationale amènera vraisemblablement à des concessions et Israël devra probablement renoncer à une partie importante de la péninsule du Sinaï. Il faut prévoir la création d'un État palestinien indépendant, lié à Israël dans le cadre d'une fédération. La responsabilité des Affaires étrangères et de la Défense serait entièrement aux mains d'Israël. L'entité palestinienne ne devrait avoir aucune frontière commune avec un État arabe. L'élément israélien que la nouvelle fédération couvrirait comprendrait trois millions d'habitants, dont sept cent mille non-Juifs. La région autonome palestinienne aurait un million deux cent mille habitants. Les réfugiés arabes de 1948 pourraient être installés dans la région d'El Arish dans le Sinaï[1].»

Le 12, Dayan accorde une interview à la chaîne de télévision CBS. Le ministre de la Défense déclare exprimer son opinion personnelle, et annonce qu'Israël ne restituera pas la bande de Gaza ni la Cisjordanie. L'intervention d'un médiateur international pour trouver une solution au conflit est, selon lui, inutile. Du point de vue militaire, la défense des nouvelles frontières ne constitue pas, toujours selon lui, un problème. Visiblement, Dayan qui, en 1956, était contre l'annexion de la bande de Gaza, a changé d'avis. Ce ne sera pas la première fois.

Les Israéliens sont sous le choc de la victoire. Par milliers, ils se précipitent visiter les nouveaux territoires, des excursions sont organisées dans le Sinaï, sur le Golan. A Jérusalem des mesures sont prises pour réunifier les deux parties de la ville. Les murs qui avaient été construits sur la ligne de démarcation sont détruits. Des appels au gouvernement pour qu'il ne se retire pas des «territoires libérés» commencent à paraître dans la presse. Dans un encart publié par *Haaretz*, un certain professeur Eliezer Guiladi demande au public de préparer une pétition afin que la victoire militaire ne se transforme pas en défaite politique. «*Un retrait, même dans le cadre d'une rectification de l'ancienne frontière ramènera le pays à une réalité militaire et politique, sociale et économique d'un petit pays aux ressources limitées. Il faut relever le défi d'un grand Israël[2].*»

ISRAËL VEUT RENDRE LE SINAÏ ET LE GOLAN EN ÉCHANGE DE LA PAIX

Le 16 juin, le gouvernement se réunit pour examiner une proposition de résolution de la commission ministérielle de la Défense qui, au cours

1. Cité par Pedatsour, *op. cit.*
2. *Haaretz*, 13 juin 1967.

des deux précédentes journées, a mis au point un texte. D'abord, une proposition de restituer le plateau du Golan à la Syrie si cette dernière accepte une paix véritable et s'engage à ne pas empêcher l'eau du bassin du Jourdain de parvenir en Israël. Dans ce cas, la ligne de démarcation sera la frontière internationale définie lors de l'armistice de 1949. L'Égypte pourrait retrouver le Sinaï, à condition que la péninsule soit démilitarisée, et que Le Caire accepte le libre passage des navires israéliens par le canal de Suez et le détroit de Tiran. Israël exige également l'annulation du boycott arabe. La bande de Gaza serait annexée par Israël. Quant à la Cisjordanie, Israël est prêt à des négociations directes avec le roi Hussein, mais considère que sa frontière orientale doit être le Jourdain. Jérusalem réunifiée restera sous souveraineté israélienne. L'UNWRA continuera de s'occuper des réfugiés palestiniens à Gaza et examinera avec les États-Unis et les organisations internationales la possibilité d'établir un plan de règlement du problème des réfugiés.

Les débats du gouvernement durent trois jours. Israël Galili du parti Ahdout Avoda, la formation travailliste de Yigal Allon, estime d'entrée de jeu : «*Israël doit se préparer à garder pendant longtemps les territoires conquis par Tsahal. Les pays arabes n'accepteront pas des négociations de paix. La Cisjordanie constitue un problème de sécurité. […] Le ventre mou d'Israël a toujours été sa frontière orientale. Il est indispensable, pour l'existence même de l'État, que le Jourdain constitue cette frontière. Il ne faut pas restituer de territoires à la Jordanie. […] Je préfère les difficultés politiques et sociales au maintien de cette population arabe sans citoyenneté à l'intérieur de l'État d'Israël ou à la recherche de formules d'autogouvernement sans que ce soit une graine d'État palestinien indépendant, je préfère cela à toute concession territoriale en Cisjordanie. […]* »

Yigal Allon critique violemment le roi Hussein et émet des doutes sur l'utilité de toute négociation avec le royaume hachémite : «*Aujourd'hui, c'est Hussein, demain, ce sera Naboulsi, après-demain, un Syrien quelconque qui prendra le contrôle de ce pays et il conclura un accord de défense avec l'Union soviétique ou la Chine, et nous serons dans une situation beaucoup plus difficile. Nous parlons de quelque chose qui n'est pas éternel. Nous nous fondons sur le phénomène Hussein qui est humain, et qui durera au maximum encore soixante années s'il ne reçoit pas une balle d'ici là. […]. Il ne faut remettre aucun centimètre carré de la Cisjordanie à un élément étranger. C'est dans ce cadre qu'il faut chercher une solution. Notre contrôle de la vallée du Jourdain est une nécessité. Nous ne pouvons y renoncer.*

Si j'avais le choix entre l'intégrité territoriale de la Terre d'Israël avec toute sa population arabe, comme le propose Menahem Begin, ou renoncer à la Cisjordanie, je suis pour l'intégrité de la Terre d'Israël avec tous les Arabes.»

Et de proposer à ses collègues ce qui deviendra plus tard le plan Allon. La création d'un État arabe palestinien indépendant en Cisjordanie, entouré par le territoire israélien. La vallée du Jourdain et la région de Hébron seraient annexées. *«Je ne propose pas un canton, ni une région autonome, mais un État arabe situé dans une enclave dans les monts d'Ephraïm. Cet État aurait des accords avec nous et pourrait même avoir une politique étrangère indépendante.»*

– Menahem Begin : *«Tu imagines les discours et le vote du représentant d'un tel État à l'ONU?»*

– Allon : *«Je n'en ai pas peur. Avec la création d'un État arabe, s'achèverait le plan de partage de la Palestine. Je ne définis pas encore l'aspect politique ou juridique d'un tel territoire enclavé. Il faut y réfléchir. [...]. Le choc suscité par la guerre et l'occupation doit se dissiper, et nous ne pourrons pas conclure dans deux ans avec les dirigeants palestiniens les accords que nous pouvons réaliser aujourd'hui. Il faut réaliser rapidement des faits accomplis sur le terrain. Pourquoi ne pas construire un nombre relativement important de localités juives sur les monts de Hébron et autour de Jérusalem? Il faut également peupler la vallée du Jourdain. Quant au problème des réfugiés, il faut également agir vite. Une solution, ce serait de les installer dans le Sinaï. Les États arabes refusent de les absorber. Tous les réfugiés de Gaza devraient être transférés dans le Sinaï et pas seulement à El Arish. Si nous ne le faisons pas, nous devrons renoncer à Gaza ou en accepter les quatre cent mille réfugiés. [...] »*

– Lévi Eshkol : *«Mais Israël n'est pas seul. Il doit également tenir compte d'autres éléments et de leur attitude envers le problème de notre région. Plusieurs ministres, et en particulier Yigal Allon, me donnent l'impression que nous définissons ce qui est bon pour nous, ce que nous voulons, et que nous jouons aux échecs avec nous-mêmes. Moshé Dayan, dans sa proposition, n'évoque pas le problème de l'eau [...]. Cela dit, nous ne pouvons compter sur une liberté de manœuvre totale dans les territoires. Nous pourrons peut-être ignorer la réaction du monde pendant quelques mois, mais nous ne pouvons nous moquer longtemps du monde entier, et en particulier des États-Unis. [...] Je suis pour l'annexion de Jérusalem et de la bande de Gaza, mais sans évoquer les deux problèmes simultanément. Je suis prêt à mourir pour Jérusalem, mais quand je considère les quatre cent mille réfugiés* arabes de Gaza, j'ai un pincement au cœur. Le Jourdain doit être notre frontière orientale. Il sera peut-être possible de trouver une solution au problème des réfugiés en les installant en Cisjordanie. Cela permettrait la création d'une entité autonome. […] »

– Dayan : «*Je suis contre une résolution qui serait destinée à l'étranger, qui dirait par exemple, le Jourdain est notre frontière, mais nous sommes d'accord entre nous pour dire que ce n'est qu'une déclaration. Je veux savoir si le gouvernement a décidé de ne pas commencer immédiatement l'installation de Juifs en Cisjordanie, dans la région de Hébron, à Goush Etsion. […]* »

– Eliahou Sasson, ministre de la Police : «*Un proverbe oriental dit que dans la victoire comme dans la défaite, le réaliste demande ce qui est possible. Je crois que ce proverbe doit nous guider. […]*

« *Prenons l'Égypte. Je crois qu'il est de notre intérêt d'empêcher à présent comme par le passé toute intervention de sa part dans les débats sur l'avenir de la Cisjordanie, de la bande de Gaza, le problème des réfugiés, la question de Palestine. Et cela, que les Égyptiens désirent la paix ou non. A propos de l'Égypte, trois éléments m'intéressent : la liberté de navigation dans le détroit de Tiran et le canal de Suez, la démilitarisation du Sinaï, et la rupture entre l'Égypte et la bande de Gaza. Il ne faut pas exiger la signature d'un traité de paix avec l'Égypte.*

«*Au sujet de la Cisjordanie, je pense que nous devons autant que possible neutraliser les États arabes et laisser cette affaire entre nous et le roi Hussein en lui proposant deux options : nous réglons le problème avec la Jordanie ou sans elle. […] Quant à la Syrie, j'accepte le principe d'un retour sur la frontière internationale. Je n'exige pas la paix, c'est une affaire tactique. Si nous parvenons à un accord sur la frontière internationale et à garantir la sécurité des localités israéliennes, tant mieux.*

«*Je ne cours pas après la paix car on ne me la donnera pas. Les Syriens ne signeront pas la paix. Je suggère de proposer dans notre résolution la démilitarisation complète du Golan syrien, et c'est tout.*

«*Pour la Jordanie, je parle d'un véritable règlement. […] Nous devons évacuer les quatre cent mille Arabes de la bande de Gaza. Il ne faut pas les laisser là-bas. Un plan d'implantations économique doit être préparé. Il faut des centaines de millions de dollars. Je crois que nous pouvons les trouver en empruntant de-ci, de-là. Et les organisations internationales peuvent y participer. Dans les négociations avec la Jordanie, proposons qu'une partie de ces Arabes s'installent de l'autre côté du Jourdain. Cela améliorerait la situation économique du royaume.* »

– Menahem Begin : «*Nous devons envisager un traité de paix, et pas seulement du point de vue tactique. C'est une question de principes. […] Eliahou Sasson, pensez-vous, avec votre connaissance de l'Orient, que Nasser puisse accepter la démilitarisation du Sinaï, et la liberté de navigation pour Israël sans traité de paix ? J'affirme qu'il refusera. […] Je dois exprimer ici ma surprise que des hommes politiques, expérimentés, très éduqués, lancent le slogan de cantons. Il n'y pas un canton, il y a des cantons. Si on accepte un canton arabe, il faudra accepter un canton juif. Et lorsque vous dites qu'un canton arabe sera créé, cela veut dire créer un ghetto arabe. C'est inadmissible. Nous ne pouvons proposer au monde de créer un canton arabe. Il faut rayer ce terme de notre dictionnaire, qui signifie la division en cantons de la Terre d'Israël.*

«*Quant à l'idée d'État palestinien, je la lie à la notion d'autonomie. La logique veut que l'autonomie mène à un État palestinien. Quant à la proposition de remettre le territoire à Hussein […], avons-nous envoyé nos fils à la bataille pour créer un État arabe supplémentaire, ou remettre à un pays arabe une partie de la Terre d'Israël afin qu'il y ait une enclave d'où il sera possible de tirer sur Tel Aviv ? Est-ce pour cela que nous avons fait la guerre ?*

«*Toutes ces solutions sont à mes yeux mauvaises. Vous pouvez demander ce que je propose de faire d'un million et demi d'Arabes. Je n'ai jamais dit que c'est une question à laquelle il est facile de trouver une solution. C'est un problème difficile et je vous supplie donc, ne nous hâtons pas. Quel sera leur sort du point de vue humain ? Nous sommes d'accord sur le principe d'une administration militaire, et que leurs représentants seront à la tête de municipalités. Nous dirons à l'Amérique que nous recherchons une solution. Toute formule de cantons maintenant aura pour conséquence que nous subirons des pressions, pour créer un État palestinien, ou restituer le territoire à Hussein. Le ministre des Affaires étrangères, avant de partir, a déclaré que de ce point de vue nous n'avons pas de solution à proposer. Je suis surpris par cette formule, et je dis* [qu'il faut que nous prenions] *le temps de rechercher une solution. […]. La suggestion de Yigal Allon de transférer des réfugiés à El Arish est bonne et positive. Nous devons la saisir. […]* »

Menahem Begin propose de changer la phrase concernant Jérusalem dans la proposition de résolution afin qu'il soit écrit en toutes lettres que la ville est désormais une et indivisible : «*Il faut que l'opinion publique internationale comprenne que nous sommes ici, en terre d'Israël occidentale, non pas par le droit de la force, mais par la force du droit. Le pessimisme qui règne autour de cette table au sujet de l'opinion publique n'a pas sa place. […] »*

– Yaacov Shimshon Shapira : «*Qu'est-ce que voudrait dire : accorder l'autonomie aux habitants de la Cisjordanie, alors que la Défense et les Affaires étrangères seraient sous la responsabilité d'Israël ? Et ils ne seraient pas citoyens d'Israël ? A une époque de décolonisation dans le monde entier, nous ne pouvons imaginer un territoire où habiteraient surtout des Arabes et où nous serions responsables de leurs affaires de sécurité et de leur politique étrangère, comme des cheikhs du golfe Persique. Qui accepterait cela ? […] Il n'y a que deux possibilités : ou nous acceptons le risque que les Arabes palestiniens soient intégrés à l'État d'Israël, selon la formule qui fait du Jourdain notre frontière, ou selon la formule de Begin. Cela voudrait dire que, tôt ou tard, nous deviendrons un État binational où nous finirions par n'être plus qu'une minorité. Il n'y a pas le choix, il faut faire des concessions territoriales. […] »*

Et Yaacov Shimshon Shapira de proposer la restitution à la Jordanie de la majeure partie de la Cisjordanie, à l'exception de Jérusalem et de rectifications de frontières dans la région de Kalkilya. Pour lui, la décision de faire du Jourdain la frontière internationale signifie renoncer à toute possibilité d'accord avec le roi Hussein.

A l'issue de ce long débat, le gouvernement, le 19 juin 1967, approuve à l'unanimité une résolution qui sera soumise à l'Égypte et à la Syrie par l'intermédiaire des Américains :

«*Israël propose à l'Égypte un traité de paix sur la base de la frontière internationale et les besoins de sécurité d'Israël. La bande de Gaza fera partie du territoire israélien. Le traité de paix comprendra : la promesse de liberté de navigation dans le golfe d'Eilat et le détroit de Tiran, la liberté de navigation par le canal de Suez. La libre navigation aérienne au-dessus du détroit de Tiran et du golfe d'Eilat, la démilitarisation du Sinaï. Jusqu'à la conclusion d'un traité de paix avec l'Égypte, Israël gardera sous son contrôle les territoires qu'elle occupe.*

«*A la Syrie, Israël propose un traité de paix sur la base de la frontière internationale et les besoins de sécurité d'Israël. Un tel traité comprendra une démilitarisation du plateau du Golan syrien occupé actuellement par les forces de Tsahal. La promesse formelle que la Syrie n'empêchera pas les sources du Jourdain de couler vers Israël. Jusqu'à la conclusion d'un traité de paix, Israël gardera sous son contrôle les territoires qu'elle occupe.*

«Les réfugiés : la conclusion d'une paix au Proche-Orient et la coopération régionale qui s'instaurera créeront la possibilité d'un règlement international et régional du problème des réfugiés.»

Le gouvernement israélien n'évoque ni Jérusalem-Est, ni la bande de Gaza. Un consensus s'est dégagé pour leur annexion. Aucune décision n'est encore prise sur l'avenir de la Cisjordanie. L'histoire retiendra que Menahem Begin, le chef historique de la droite nationaliste, a voté pour la restitution du Golan et du Sinaï. Cette résolution restera secrète. Ni le chef d'état-major ni la commission parlementaire des Affaires étrangères et de la Défense n'en seront informés.

Le même jour, le quotidien *Haaretz* publie une déclaration de David Ben Gourion : *«La bande de Gaza restera dans l'État d'Israël. Israël fera un effort pour, avec leur consentement, intégrer les réfugiés de Gaza en Cisjordanie ou dans un pays arabe, avec l'aide d'Israël. […] »* Ses vieux rêves semblent sur le point de se réaliser.

Dans la soirée, Lyndon Johnson prononce une allocution diffusée par toutes les chaînes américaines. Il a bien calculé son moment : une demi-heure avant l'intervention de Kossiguine devant le Conseil de sécurité à New York. Le président des États-Unis propose un plan en cinq points pour le Proche-Orient. *«Le droit à l'existence de chaque nation de la région. Mais aucune nation ne serait fidèle à la charte de l'ONU, ou à ses propres intérêts en laissant les succès militaires la rendre aveugle au fait que ses voisins ont également des droits et des intérêts. La justice pour les réfugiés arabes. Le respect des droits maritimes. […] C'est l'Égypte qui, en annonçant le blocus du détroit de Tiran, est responsable de cette explosion de violence. Tous les pays doivent éviter une course aux armements au Proche-Orient. Un désengagement puis un retrait des forces, le respect de l'indépendance politique et de l'intégrité territoriale de tous les pays du Proche-Orient[1].»*
Les dirigeants israéliens sont satisfaits. On est loin des mises en demeure, de l'exigence, du retrait du Sinaï proféré par Eisenhower en 1956. Cette fois, Washington n'exige que mollement l'évacuation des territoires occupés.

Le texte de la résolution du gouvernement israélien est soumis à l'administration Johnson qui, écrira Abba Eban, est surprise par la

---

1. Sidney D. Bailey, *Four Arab-Israeli Wars and the Peace Process*, Macmillan, Londres, 1990, p. 253. Voir aussi, *New York Times* et *Jerusalem Post* du 20 juin 1967.

générosité des propositions israéliennes. Gidéon Raphaël rapportera un son de cloche différent : au cours de l'Assemblée générale des Nations unies, Eban annonce au secrétaire d'État américain Dean Rusk qu'Israël examine les précédents juridiques pour séparer la Cisjordanie de la Jordanie. Rusk lui répond : «*Il y a aussi de nombreux précédents où on a laissé les gens décider*[1]*!*» La Syrie et l'Égypte repoussent les propositions israéliennes. Par l'intermédiaire des Américains, Damas et Le Caire font savoir que les Arabes ne peuvent accepter qu'un retrait israélien sans conditions de tous les territoires, et que la guerre qui vient de se terminer ne doit pas conduire à un changement quelconque dans leurs relations juridiques et territoriales avec Israël[2].

La situation est résumée par l'écrivain Amos Eilon dans un article intitulé «*Le vainqueur embarrassé*», publié le 20 juin. Il ne sait pas ce que son gouvernement vient de décider : «*La seule consolation est la foi en notre chance. De même que le report de la guerre a prouvé être, après coup, un avantage, non pas parce que nous l'avons voulu, mais parce que nous avons eu de la chance. De même, il est possible que le retard actuel dans la négociation s'avérera le sommet de la finesse politique. [...] Il est possible que Nasser s'effondre demain. Il est possible que les Arabes répondent à la proposition de Dayan et l'appellent au téléphone. Un haut fonctionnaire à Jérusalem, directeur général lucide et expérimenté et qui se trouve au cœur de débats brûlants, parle avec un sérieux absolu de l'"esprit saint" qui nous protège, comme l'armée de l'air durant la bataille. Les laïques parmi nous n'ont pas ce soutien spirituel*[3].»

L'ÉGYPTE RÉARME

Le 22 juin, Nicolaï Podgorny, le président soviétique, arrive au Caire pour faire le point avec Gamal Abdel Nasser. Il est accompagné par le chef d'état-major de l'Armée rouge. Le raïs lui explique d'entrée de jeu qu'il considère à présent les États-Unis comme son principal ennemi, et que sa seule possibilité pour continuer le combat, c'est de s'allier à l'URSS. Avant la guerre, les dirigeants égyptiens craignaient d'être accusés par les médias occidentaux de s'aligner sur l'Union soviétique,

---

1. Cité par Sidney D. Bailey, *Four Arab-Israeli Wars...*, *op. cit.*, p. 293.
2. Sources israéliennes de l'auteur. Les procès-verbaux des réunions du gouvernement israélien et de la commission politique en 1967 ne sont pas publics. Réouven Pedatsour en a publié des extraits, certains sont reproduits ici.
3. *Haaretz*, 20 juin 1967.

tout cela n'a plus d'importance. Ils sont prêts à offrir d'importantes facilités portuaires à la flotte soviétique. Et Nasser de proposer un véritable arrangement de défense soviéto-égyptien. Podgorny promet, dès son retour à Moscou, d'envoyer le matériel militaire nécessaire. Les armes qui devraient être stockées seraient décidées dans le cadre de commissions militaires conjointes. La discussion se poursuit le lendemain. Sakharov, le chef d'état-major soviétique, annonce l'envoi dans les deux trois jours d'une quarantaine de Mig 21. Des chasseurs-bombardiers Soukhoy et des chars devraient suivre très vite. Podgorny annonce l'arrivée de mille à mille deux cents experts militaires. Nasser est de meilleure humeur. Son armée va reprendre forme.

Le 17 juillet, se réunit au Caire un minisommet arabe. Les présidents Abdel Rahman Aref d'Irak, Nour el Din el Atassi, de Syrie, Houari Boumediene, d'Algérie, et le ministre des Affaires étrangères du Soudan. Nasser suggère que les pays qui ont de bonnes relations avec le Kremlin fassent pression sur l'URSS afin qu'elle accélère ses livraisons d'armes à l'Égypte. Aref et Boumediene partent immédiatement pour Moscou à bord d'un appareil militaire soviétique. Ils expliquent au cours de deux journées d'entretiens à Brejnev et Kossiguine qu'il y a un front arabe uni contre Israël. Les dirigeants soviétiques promettent de les soutenir et d'accorder rapidement une aide militaire à l'Égypte.

Pendant que le gouvernement israélien discute de l'avenir des territoires arabes conquis, le comité central du Fatah se réunit à Damas. Yasser Arafat, qui est minoritaire, voudrait que les Palestiniens lancent le plus tôt possible la lutte armée contre Israël. La majorité veut temporiser, organiser d'abord des unités militaires disciplinées avant de passer à l'action. Celui qui fera basculer la décision en faveur d'Arafat, ce sera Hani el Hassan, le responsable de l'Organisation des travailleurs palestiniens en Allemagne. Son frère Khaled est un chef du Fatah. Hani el Hassan annonce que des étudiants palestiniens sont partis d'Europe s'entraîner en Algérie. Dès le mois suivant, ils arriveront en Cisjordanie et à Gaza pour combattre. Quelques jours plus tard, Arafat se rend à Amman où il apprend, d'une source proche du roi Hussein, qu'Israël serait prêt à se retirer de tous les territoires qu'il vient d'occuper en échange de traités de paix avec l'Égypte, la Jordanie, la Syrie et le Liban.

Pour le Fatah, ce serait une catastrophe. Les chefs de l'organisation ne veulent surtout pas d'une restitution par Israël de la Cisjordanie au royaume hachémite. Ils risquent de perdre la cause qui les placerait à l'avant-scène de la politique arabe. Le 23 juillet, craignant une paix imminente, le comité central décide la reprise des opérations contre Israël, dès la fin du mois d'Août. Yasser Arafat retrouve ses fonctions de chef militaire de l'organisation. Avec Abou Jihad, il décide de lancer une opération de recrutement en Cisjordanie et à Gaza[1].

Le 24 juillet 1967, Yasser Arafat passe le Jourdain en compagnie d'un jeune militant venu de Naplouse. Durant les semaines qui suivent, le chef du Fatah installe des petits groupes dans les collines autour de Kabatyé et de Toubas. Déguisés en bergers ou en commerçants, ils mettent sur pied des dizaines de cellules. Les étudiants, rassemblés par Hani el Hassan, arrivent en Cisjordanie et se dispersent dans leurs villages, leurs villes.

Moshé Dayan a mis en place en Cisjordanie une politique des «ponts ouverts». Dès la fin juin, des agriculteurs cisjordaniens ont pu exporter leurs produits en Jordanie. Le dinar, la monnaie jordanienne, reste en vigueur à Naplouse comme à Hébron. Dès le mois d'août, un poste frontière est installé à l'entrée du pont Allenby sur le Jourdain. Les importations comme les exportations sont permises. Ces mesures contribueront à calmer les craintes de la population palestinienne. Certaines organisations comme le Front populaire de la libération de la Palestine envisageront de faire sauter les ponts sur le Jourdain.

LE DESTIN DE RABIN

A Jérusalem, le mur des Lamentations, qui était inaccessible aux Israéliens depuis 1948, est devenu un lieu de pèlerinage. Toutes les organisations juives fêtent la réunification de la ville. Une cérémonie se déroule le 4 juillet, devant la yéchiva Merkaz Ha Rav. Mille invités, le président de l'État, Zalman Shazar, des ministres, Shaï Agnon, le prix Nobel de littérature sont là. Le rabbin Tzvi Yehouda Hacohen Kook, le chef spirituel de cette école talmudique, prend la parole. Il est le fils du rabbin Avraham Yitzhak Hacohen Kook, le premier grand rabbin ashkénaze de le communauté juive de Palestine qui, dès les années 1920, avait introduit des éléments eschatologiques dans le sionisme religieux. Cette tendance ne représentait qu'une minorité au sein du Mizrahi, le parti religieux qui était, jusqu'en 1967, pragmatique, modéré et non messianique. Très ému, le rabbin Tzvi Yehouda prononce le serment millénaire du peuple juif :

1. Alan Hart, *Arafat*, Sidgwick & Jackson, Londres, 1994, pp. 203 à 211.

« Si je t'oublie jamais, ô Jérusalem, que ma droite se dessèche ! Que ma langue s'attache à mon palais, si je ne me souviens toujours de toi, si je ne place Jérusalem au sommet de toutes mes joies ! » Il ajoute : *« Que la main qui signera des accords de concessions soit coupée. »* Puis, apostrophant les ministres : *« Que Dieu nous en préserve, ne vous contentez surtout pas de la réunification de Jérusalem ! La Terre d'Israël dans son ensemble est une ! et il faut l'unifier. Le peuple attend de ses chefs qu'ils ne cessent d'œuvrer* [pour réaliser] *cette mission d'unification de la terre et de la nation. Je vous avertis qu'il existe dans la Torah une interdiction absolue de renoncer ne serait-ce qu'à un pouce de notre terre libérée. Nous ne sommes pas des conquérants d'un pays étranger. Nous retournons dans notre foyer, dans la patrie de nos ancêtres. Il n'y a pas ici de terre arabe, c'est un héritage divin. Plus le monde s'habituera à cette pensée, mieux ce sera, pour lui et pour nous.* […] »*

Deux jeunes soldats viennent ensuite raconter leurs expériences au combat. Originaires du mouvement Bné Akiva, ils représentent le nouvel homme religieux. Sioniste, visionnaire, intégré au monde moderne. Naphtali Bar Ilan, le petit-fils du célèbre rabbin Méir Bar Ilan, et Hanan Porat : *« Lorsque nous étions à côté du Mur occidental ou sur les collines de Goush Etzion, nous avons compris, nous les combattants, tous les combattants, toutes opinions confondues, que nous retournions au foyer, que jamais nous ne nous séparerions de ces lieux* […] [1]*. »*

La cérémonie passe presque inaperçue dans la presse du lendemain. Le premier chef de gouvernement israélien qui acceptera des concessions territoriales et renoncera à des parcelles de la Terre d'Israël biblique, ce sera, vingt-neuf années plus tard, Yitzhak Rabin. Il sera abattu, place des Rois-d'Israël à Tel Aviv, par un étudiant de l'université religieuse Bar Ilan. Yigal Amir, l'assassin a, de fait, obéi à l'appel du rabbin Kook. En 1967, les dirigeants laïcs du pays considéraient les théories issues de Merkaz Ha Rav comme une curiosité religieuse, très minoritaire puisque le Mizrahi, le parti religieux, était l'allié naturel du mouvement travailliste. Ils seront, pour la plupart, surpris l'année suivante, lorsque les tenants de cette vision messianique passeront aux actes et iront s'installer à Hébron.

---

1. *Yediahot Aharonot*, 5 juin 1967. Menahem Barash, *Tekoutzatz Ha Yad…*, *op. cit.*

257

QUE FAIRE DE LA MARIÉE?

Le gouvernement israélien n'a toujours pas pris de décision sur l'avenir de la Cisjordanie. Lévi Eshkol explique, le 7 juillet, aux membres de la commission politique que le mariage entre Israël et les territoires a ses inconvénients…:

«Le fait est qu'en remportant la victoire nous avons reçu une bonne dot en territoire mais aussi une mariée qui ne nous plaît pas. Cela, nous ne pouvons l'éviter. Le gouvernement, dans son ensemble pense que la bande de Gaza doit rester en Israël et – c'est l'impression que j'ai – veut que le Jourdain soit [notre frontière] *[…] Le gouvernement sait qu'il y a un problème de réfugiés à régler. Nous avons pris une décision pour Jérusalem et décidé que, au sujet du Sinaï et du Golan, aussi longtemps qu'il n'y aura pas une paix en laquelle nous pourrons croire, nous ne quitterons pas nos positions. […] Dans le cadre d'une paix, nous pensons à soulever l'idée de démilitarisation. Sans paix, nous ne bougerons pas. Je crois que si nous considérons le Jourdain comme la frontière* [orientale], *il n'y a pas d'autre choix que de créer une zone où un million d'Arabes auront un statut spécial.»*

Et Lévi Eshkol, avec une lucidité fataliste, envisage déjà l'avenir: *«Que se passera-t-il dans une génération lorsqu'ils voudront se séparer de nous? Je ne sais pas. Une commission d'experts importante examine la possibilité de trouver en Cisjordanie des territoires où, avec un supplément d'eau, il sera possible d'installer des réfugiés. Il faudrait alors y transférer les réfugiés de Gaza. […] Je vois donc une région semi-indépendante où la Défense et les Affaires étrangères seraient aux mains d'Israël. Cela m'est égal si en fin de compte ils réclament une représentation à l'ONU. J'ai commencé par une région autonome, si c'est impossible, ils auront l'indépendance. […] Je crains* [l'intégration] *d'un grand nombre Arabes dans l'État.»*

Un mois plus tard, le 18 août, les ministres examinent les diverses possibilités de colonisation de la Cisjordanie. Ils n'ont pas encore tranché: État palestinien, annexion des territoires ou négociations avec le roi Hussein de Jordanie qui demande à rencontrer des dirigeants israéliens[1]. Toute la problématique du conflit israélo-palestinien pour les décennies à venir se retrouve dans cette discussion. Déjà des plans de colonisation sont préparés.

– Lévi Eshkol: *«Nous avons annoncé que nous présenterons notre*

1. Réunion de la commission politique travailliste, 18 août 1967.

position lorsque nous siégerons à la table des négociations [avec les Arabes], *bien entendu, nous ne dirons pas au préalable que nous restituerons tel ou tel territoire. Mais une chose m'est claire : nous ne pouvons pas augmenter la population arabe d'Israël. Je penche pour laisser l'armée tenir les positions où elle se trouve en Cisjordanie, sur les collines, sur les hauteurs. […] La présence de l'armée sur ces hauteurs nous donne la sécurité. […] Nous dirons à Hussein* [de Jordanie] : *vous voulez les gouverner, soyez leur roi, mais nous voulons assurer notre sécurité et cela est possible de deux manières – et je fais la différence entre une frontière de sécurité et une frontière politique* […] : […] *le territoire sera annexé politiquement* [au royaume de] *Hussein ou il y aura un État arabe indépendant. De toute manière, il ne me vient pas à l'esprit d'accueillir un million d'Arabes* [au sein de l'État d'Israël] […]. *Je pense qu'il sera difficile d'expliquer cela, c'est-à-dire que nous ne voulons pas des Arabes et que nous suggérons qu'ils forment un État à part ou qu'ils se tournent vers le roi* [de Jordanie] *mais que nous maintiendrons des chars au milieu* [de leur territoire].»

– Eliahou Sasson : «*Je pense qu'il ne peut y avoir de décision concernant la Cisjordanie qui ne tienne compte d'une majorité juive en Israël. Ce serait une faute envers nous-mêmes et les générations à venir si l'État devenait binational et, avec le temps, arabe. […] Je ne voterais pas en faveur d'une solution qui ferait entrer les arabes* [en Israël]. […] *Sans accord de la partie arabe aucun réfugié ne pourra s'installer* [en Cisjordanie] *ni aller dans un autre pays. Ils ne voudront pas. Même s'il est possible d'installer les réfugiés sur la rive occidentale du Jourdain, nous ne pourrons pas y transférer 300 000 réfugiés de Gaza.*»

«*Au sujet du Golan syrien la situation est différente de celle de la Cisjordanie. La Cisjordanie est la moitié de la Jordanie. […] Le fait que nous avons gagné la guerre ne doit pas nous* [faire perdre la raison] *et nous empêcher de voir la situation telle qu'elle est. A l'exception d'une carte géographique de sécurité nous devons restituer la Cisjordanie à Hussein.*»

– Eshkol : «*Quelle carte géographique de sécurité ?*»

– Sasson : «[Nous devons garder la vieille ville de Jérusalem], *démilitariser la Cisjordanie. L'accord doit comporter deux conditions : une solution au problème des réfugiés et l'assurance que les Jordaniens ne se renforcent pas militairement* [en Cisjordanie].»

– Yaacov Shimshon Shapira, ministre de la Justice : «*Ce que nous appelons la rive ouest du Jourdain restera plus ou moins arabe et ne fera pas partie de l'État d'Israël. La seule* [solution serait] *que nous y créions un État indépendant et négociions avec les Arabes. […]* »

– Golda Méir l'interrompt : «*Comment un peuple peut-il créer l'État d'une autre nation ? Que ferez-vous si les Arabes* [nous renvoient] *à l'ONU* [et exigent] *un référendum ? Et si, à l'issue du vote ils disent :* [nous ne voulons pas de vos faveurs], *nous voulons être jordaniens ? Comment un peuple peut-il forcer un autre à devenir indépendant ? »*

– Shapira : *« Je ne parle pas d'imposer* [une telle solution]. *Nous sommes sur place, de facto. Nous avons conquis le territoire avec ses habitants. Ils ont des dirigeants, une intelligentsia. Nous leur dirons* [de nommer] *des représentants, pas nécessairement élus, nous sommes* [d'ores et déjà] *prêts à discuter avec eux.* […] *Je voudrais évoquer la suggestion de Lévy Eshkol de transférer des réfugiés de Gaza en Cisjordanie. Cela serait contraire à la loi internationale et les habitants de Cisjordanie s'y opposeront.* […] »*

– Eshkol : *« Que dit la loi internationale ? »*

– Shapira : *« Qu'on ne peut transférer des habitants d'une région à une autre ! »*

– Sherf : *« Il y a une convention à ce sujet ? »*

– Shapira : *« Ce sont les interprétations que l'on a données après la Seconde Guerre mondiale aux conventions de Genève et de La Haye. »*

– Eshkol : *« Selon la loi internationale, qui conquiert un territoire ne peut le coloniser avec ses citoyens ? »*

– Shapira : *« Bien sûr ! Il existe à ce sujet de nombreuses publications. »*

– Eshkol : *« Nous ne pouvons installer des Juifs dans ce territoire ? »*

– Shapira : *« Tu peux le faire mais en enfreignant la loi internationale. A propos des réfugiés de Gaza, tu ne peux pas prendre des gens de force et les transférer en Cisjordanie. Même si nous le faisions, il serait impossible de les transformer de force en agriculteurs qui travailleraient la terre. C'est le genre de chose* [que l'on peut obtenir] *par la persuasion et la bonne volonté, pas par la coercition* […] *Les Arabes de Cisjordanie* [se plaignent de supporter] *de leurs tuteurs depuis 1936* [:] *Abdallah, Farouk, Nasser. Personne ne nous parle et nous sommes ceux qui souffrent. Tentez de nous parler* […] *! »*

– Pinhas Sapir qui connaît son monde : *« Shapira ! Tu proposes la même chose que Dayan ! »* Les deux hommes se détestent et, les dirigeants du Mapaï éprouvent une méfiance extrême à l'égard de l'ancien général, membre du Rafi, proche de Ben Gourion.

– Shapira : *« Je dis qu'il faut garder ce qui est nécessaire à la sécurité. Est-ce que je sais s'il faut construire des routes ? Je ne suis pas général ! »*

Eshkol donne la parole à Raanan Weitz, le patron du département de l'implantation de l'Agence juive. Il présente une carte de la colonisation des nouveaux territoires établie sur les bases, dit-il, du plan de

Yigal Allon. Les terres de la vallée du Jourdain appartiennent aux Domaines et il sera possible d'y installer des localités israéliennes sans procéder à des expropriations. Weitz parle de trente à cinquante villages agricoles peuplés de 35 000 colons. Cela constituera une zone tampon entre Israël et ses voisins arabes à l'est. Il ajoute que l'agriculture de Cisjordanie devrait pouvoir absorber 100 000 réfugiés arabes. Eshkol révèle que l'armée et le ministère de la Défense veulent construire des bases militaires dans plusieurs secteurs stratégiques de Cisjordanie, notamment des centres d'entraînement d'infanterie, et du génie.

Golda Méir demande quelle population arabe sera comprise entre ces bases et la ligne verte, l'ancienne frontière israélienne.

– Eshkol : «*500 000 !*»

– Golda Méir : «*S'il s'agit d'une proposition de frontière de sécurité, cela représente une addition de 500 000 Arabes à la population israélienne.*»

– Yigal Allon : «*Weitz interprète ma proposition en termes d'implantation. Le ministre de la Défense estime que la frontière devrait être internationale. Il dit : je ne décide pas actuellement quel sera l'avenir de la Cisjordanie, j'ai besoin de ces bases.*»

– Abba Eban : «*Actuellement ?*»

– Eshkol : «*Pour toujours !*»

– Allon : «*Il espère que cela restera pour toujours* [entre nos mains]. *Comment cela entre-t-il dans la logique de ne pas absorber d'Arabes ? Cela ne colle pas !*»

– Golda Méir : «*Je pose la question au sujet de ta proposition.*»

– Allon : «*Au terme de ma proposition, dès que nous serons installés le long de la vallée du Jourdain l'importance des bases d'entraînement en Cisjordanie se réduira du point de vue militaire. Nous devrons y maintenir des bases militaires aussi longtemps que l'avenir de l'entité arabe indépendante ne sera pas décidé.*»

– Golda Méir : «*Où se trouvera la frontière de cette entité ?*»

– Allon : «*Là où elle est aujourd'hui, avec des rectifications mineures.*»

– Eshkol : «*Sur la carte proposée par l'armée, il y aurait des implantations dans la région de Latroun, à Goush Etzion et là où se trouvait Beit Arava.*»

– Weitz : «*J'ai tracé une frontière sans Arabes.*»

Allon présente son projet et explique que sa carte signifie l'intégration à Israël de 70 000 à 80 000 Arabes.

– Eshkol : «*Nous pourrons peut-être réunir tous les auteurs de cartes pour qu'ils se mettent d'accord. J'ai eu une réunion avec Dayan et Rabin et ils ne sont pas emballés par l'idée. S'il y a des terres et qu'il soit possible d'y installer des Juifs, s'il vous plaît! Cela dit, il y a quelque chose de vrai dans l'affirmation que nous installons des Juifs là où il y a des réfugiés. Nous pourrions installer dans la région pour moitié des Juifs et pour moitié des réfugiés arabes? Nous devons admettre que le monde extérieur existe aussi de même que le judaïsme international. [...] Il y a de grandes difficultés à* [acheter des terres aux Arabes[1]]. *Bien sûr, il est possible de le faire par décret mais, dès les deux premières années, commencer des réquisitions...* [2]*?* »

Le presse israélienne se fait l'écho des hésitations gouvernementales. Selon *Haaretz*, le 31, les ministres ont accepté l'analyse d'Abba Eban pour qui la position des Arabes ne permet pour l'heure aucun dialogue. En conséquence, Israël risque de conserver encore longtemps tous les territoires.

Abie Nathan, lui, poursuit ses opérations en faveur de la paix. Le 28, il est reparti pour Port-Saïd à bord de son avion Shalom I. Il sera expulsé d'Égypte après quelques heures. En Israël, cette fois, il fera l'objet d'une plainte.

LES ARABES REFUSENT LA DÉFAITE

Le 29, se réunit à Khartoum un sommet arabe. Tout le monde est là, à l'exception de Hassan II et de Bourguiba, qui ont envoyé leurs Premiers ministres. Le président syrien est représenté par son vice-Premier ministre, et Boumediene a envoyé son chef de la diplomatie, Abdel Aziz Bouteflika.

Nasser ouvre les débats par un vaste tour d'horizon. « *L'Égypte ne cessera pas un seul instant dans ses efforts pour libérer le Sinaï, même si elle doit offrir des dizaines de milliers de martyrs. Mais les ambitions israéliennes en Cisjordanie datent d'il y a longtemps et sont bien connues. Les Israéliens appellent la Cisjordanie, la Judée et la Samarie, et considèrent que cela fait partie de la Terre promise. C'est pour cette raison que j'ai dit au roi Hussein qu'il avait le droit d'utiliser toute mesure, à l'exception des négociations avec Israël, pour retrouver la Cisjordanie. [...] Maintenant, je demande au roi Hussein : pouvez-vous libérer la Cisjordanie par des moyens militaires ? Si votre réponse est positive, je vous suivrai quelles que soient les conséquences. Mais si la réponse est négative, alors nous avons tenté sans résultat de libérer la Palestine occupée pendant dix ans. [...] Je vous*

---

1. Eshkol utilise le terme « rédemption des terres ».
2. Arié Naor, *Milhamot Hayéhoudim*, Monitin, Tel Aviv, 1981, p. 12.

déclare maintenant que la libération du Sinaï est repoussée à une date ultérieure, jusqu'à ce que Dieu apporte l'inévitable. Quant à la Cisjordanie, il n'est pas possible d'en faire sortir les Israéliens si ce n'est par l'action politique.»

Ahmed Choukeiry, le chef de l'OLP, déclare que seul le peuple palestinien a le droit de déterminer son propre destin. Il faut rejeter, dit-il, toutes les propositions de règlement qui visent à réaliser une paix permanente avant de trouver une solution à la question palestinienne. Nasser lui répond : *«A l'heure actuelle, aucun d'entre nous ne peut récupérer la Cisjordanie par la voie militaire. Devons-nous pour autant la laisser à Israël ? Quelle est l'alternative ? La Cisjordanie est, pour moi, plus importante que le Sinaï. Nous ne devons pas oublier que la moitié de la Palestine a été perdue en 1948 et l'autre moitié en 1967. Si notre objectif est de récupérer la Cisjordanie par l'action politique, alors, nous devons en payer le prix.»* Nasser propose de laisser le roi Hussein renforcer ses relations avec les Américains afin de tenter de retrouver le territoire perdu.

Les débats durent trois jours à l'issue desquels les États arabes décident de soutenir financièrement l'Égypte, la Syrie et la Jordanie et votent les Trois Non de Khartoum :

«La conférence affirme la solidarité arabe et l'unification de l'action commune arabe. […] La conférence affirme la nécessité d'efforts conjoints pour éliminer toute trace d'agression sur la base du principe de la restitution de tous les territoires arabes occupés et de la responsabilité commune de tous les États arabes.

«Les chefs d'État arabes ont décidé d'unir leurs efforts pour une action politique et diplomatique commune au niveau international afin d'assurer le retrait des forces israéliennes des territoires arabes occupés. Cela dans le cadre de l'engagement arabe fondamental qui comprend la non-reconnaissance d'Israël, la non-réconciliation avec Israël, la non-négociation avec Israël et le soutien aux droits du peuple palestinien sur sa terre […][1].»

Pour Mahmoud Riad, le ministre des Affaires étrangères égyptien, cela signifie que les pays arabes ne doivent avoir aucun contact avec Israël aussi longtemps qu'il occupe des terres arabes. Les Israéliens y voient simplement un refus absolu de négocier et se préparent à un long séjour sur le Golan, dans le Sinaï et en Cisjordanie.

---

1. Mahmoud Riad, *The Struggle for Peace in the Midddle East*, *op. cit.*, p. 54. Voir aussi Abdel Magid Farid, *Nasser, The Final Years*, Ithaca Reading, Londres, p. 51.

ARAFAT EN CISJORDANIE

Dans la première semaine de septembre, une charge explose dans les champs du kibboutz Yad Hana près de Tulkarem. Une grève générale est organisée à Naplouse et des manifestations à Jenine. L'armée et le Shin Beth parviennent à démanteler quelques cellules d'une organisation palestinienne. Ils entendent parler d'un certain Abou Mohamad, un Égyptien, paraît-il. Ils découvrent qu'il s'agit d'un des chefs du Fatah. C'est Yasser Arafat qui, pour Israël, devient l'ennemi public numéro un. Il passe entre les mailles du filet, déguisé, parfois en femme, parfois en riche négociant. Le maire d'El Bireh, Abdel Djaouad Saleh, lui fournit plusieurs cartes d'identité. Cette participation aux activités du Fatah lui vaudra d'être expulsé en Jordanie dont il ne reviendra qu'en 1994.

Arafat n'hésite pas à rencontrer certains notables, les grandes familles palestiniennes. Il a des entretiens avec le cheikh Jabari à Hébron, dont un des fils lui servira même de chauffeur. Il retrouve Fayçal el Husseini qui, le mois précédent, a réussi à s'infiltrer en Cisjordanie après une tentative infructueuse. Le fils d'Abdel Kader a franchit le Jourdain, seul, une nuit du mois de juillet. Près de Ramallah, il a de longs entretiens avec Arafat. Les deux hommes sont en désaccord. Le chef du Fatah prône la lutte armée, alors que son jeune interlocuteur, lui, est partisan d'une stratégie de lutte politique. Pour le mettre, peut-être, devant le fait accompli, Arafat lui remet deux pistolets qu'il démonte et qu'il cache dans son jardin[1].

En Israël, le mouvement annexionniste resserre les rangs. Il publie le 20 septembre une pétition signée par une cinquantaine de personnalités intellectuelles de premier plan, parmi lesquelles le prix Nobel de littérature Shaï Agnon, les poètes Nathan Alterman et Ouri Zvi Greenberg, l'écrivain Moshé Shamir, mais aussi des activistes du mouvement Kibboutz Ahdout Avoda, Yossef Tabenkine, Yitzhak Zuckerman, et le rabbin Zvi Néria, un proche du rabbin Kook. Le texte mérite d'être cité :

«La victoire de Tsahal lors de la guerre des Six Jours a placé le peuple et l'État dans une nouvelle époque, à la croisée de son destin. La grande Terre d'Israël est à présent entre les mains du peuple juif. De même que nous n'avons pas le droit de renoncer à l'État d'Israël, nous

---

1. Témoignage de Fayçal el Husseini. Voir aussi René Backmann, «Le voyageur secret», *Revue d'études palestiniennes*, Paris, et *Le Nouvel Observateur,* 23 juin 1994.

avons le devoir de réaliser ce que nous en avons reçu : Eretz Israël. Nous devons nous engager fidèlement à veiller à l'intégrité de notre patrie, face au passé de la nation et à son avenir. Aucun gouvernement en Israël n'a le droit de renoncer à cette intégrité [territoriale]. *Les frontières de notre pays aujourd'hui constituent également une garantie de sécurité et de paix, et également des sources sans précédent de puissance nationale, matérielle et spirituelle* [...][1].»

Le 24 septembre, sous la pression des familles juives qui avaient été évacuées de la région d'Etsion au sud de Bethléem lors de la guerre de 1948, le gouvernement Eshkol approuve la construction dans cet endroit d'une position militaire des jeunesses pionnières combattantes. Dès le lendemain, des jeunes soldats affiliés au mouvement national religieux commencent la construction de ce qui sera la première implantation juive dans les territoires occupés.

Les attentats à la bombe se multiplient en septembre. Il y a sept blessés devant la porte de Jaffa à Jérusalem. En tout, près d'une dizaine de charges sont déposées par des militants du Fatah. Le 8 octobre, deux jeunes Palestiniennes, Fatma Barnaoui et sa sœur, placent une bombe dans le cinéma Sion, en plein centre de Jérusalem. Elles ont été remarquées par des spectateurs qui découvrent l'engin. Les deux jeunes femmes sont appréhendées, ainsi que le docteur Nour, un des responsables de leur cellule. Il parle. Les arrestations se multiplient. Fayçal el Husseini et son frère Ghazi sont mis sous les verrous.

LA RÉSOLUTION 242

Le 17 octobre 1967, le gouvernement israélien se réunit pour entendre un rapport d'Abba Eban sur le débat à l'Assemblée générale des Nations unies. Les ministres adoptent une résolution qui sera approuvée par la Knesset deux semaines plus tard : «*Le gouvernement accueille avec regrets le fait que les États arabes maintiennent leur position de ne pas reconnaître Israël, de ne pas négocier avec lui, et de ne pas conclure de traité de paix. Dans ces conditions, Israël maintiendra la situation telle qu'elle existe dans le cadre des accords de cessez-le-feu, et renforcera ses positions selon les besoins essentiels de sa sécurité et de son développement.*»

---

1. Cité par Moshé Shamir, *Nathan Alterman*, Dvir, Tel Aviv, 1988, p. 164.

En d'autres termes, Israël va entamer la construction d'implantations juives dans les territoires occupés, qui ne devraient pas être évacuées dans le cadre d'une paix avec les Arabes. Le 17 octobre, le cabinet Eshkol vote une nouvelle résolution qui annule sa proposition de paix du 19 juin : «*Le gouvernement note avec regret, à la lumière des débats de la 22ᵉ Assemblée générale des Nations unies, que les États arabes maintiennent leur position de ne pas reconnaître Israël, de ne pas négocier avec lui, et de ne pas conclure de traité de paix. En conséquence, Israël maintiendra la situation existante, dans le cadre des accords de cessez-le-feu, fortifiera sa position, compte tenu de ses besoins essentiels en matière de sécurité et de développement*[1].» Le 30, la Knesset approuve cette décision. Le même jour, le gouvernement vote une nouvelle résolution qui sera tenue secrète. Plus question de conclure une paix sur la base d'une restitution complète du Golan et du Sinaï à l'Égypte et à la Syrie. Désormais, pour Israël, la notion de frontières sûres doit être à la base de toute négociation avec Le Caire ou Damas.

Le 22 novembre 1967 à New York, le Conseil de sécurité adopte la fameuse résolution 242 qui, pour les décennies à venir, sera au cœur de toutes les négociations au Proche-Orient :

«*Le Conseil de sécurité exprime son inquiétude face à la situation grave qui règne au Proche-Orient, réaffirme l'inadmissibilité de l'acquisition de territoires par la guerre, et la nécessité d'œuvrer pour une paix juste et durable dans laquelle chaque État de la région pourra vivre en sécurité. […] Le Conseil affirme que l'application des principes de la charte des Nations unies requiert l'établissement d'une paix juste et durable devant inclure les deux principes suivants :*

«*– le retrait des forces armées des territoires occupés lors du récent conflit ;*

«*– la solution de toutes les revendications ou de tout état de belligérance, et la reconnaissance de la souveraineté, de l'intégrité territoriale et de l'indépendance politique de chaque État dans la région et son droit de vivre en paix à l'intérieur de frontières sûres et reconnues, libre de toute menace. […] Le conseil affirme également la nécessité de garantir la liberté de navigation dans les eaux internationales de la région, de conclure un règlement juste du problème des réfugiés […] et demande au secrétaire général des Nations unies de nommer un représentant spécial qui se rendra au Proche-Orient afin d'établir des contacts avec les pays concernés.*»

---

1. Réouven Pedatsour, *Nitsahon Hamevoukha*, *op. cit.*, p. 113.

La résolution est votée à l'unanimité des quinze membres du Conseil de sécurité Pour Israël, la phrase importante concerne le retrait de ses forces *de* territoires occupés, comme le définit la version anglaise. En français, et en russe, le texte est, pour eux, inacceptable : il fait état d'un retrait *des* territoires. Abba Eban, qui a participé au débat du Conseil de sécurité, a réussi à empêcher le vote d'une résolution qui, en anglais, signifiait l'évacuation de *tous* les territoires. Pour Israël, la seule version valable est, bien entendu, la formule anglaise, alors que les Arabes expliquent que la traduction française est la bonne. Pour eux, le retrait israélien doit être total. Ils en veulent pour preuve le préambule de la résolution qui affirme l'inadmissibilité de l'acquisition de territoires par la force.

Le Conseil de sécurité demande également au secrétaire général de nommer un représentant spécial qui se rendra au Proche-Orient pour « *établir un contact avec les parties et promouvoir un règlement* ». Dès le lendemain, U Thant confiera cette mission à Gunnar Jarring, l'ambassadeur de Suède à Moscou qui s'était distingué en 1957 dans le règlement de la crise du Cachemire. Il partira pour la région en décembre.

FAYÇAL EL HUSSEINI ET LA COEXISTENCE

Israël se met à l'heure du terrorisme. Tous les lieux publics sont surveillés. Les arrestations se multiplient en Cisjordanie et à Jérusalem-Est. Il y a dix attentats en octobre, dix-huit en novembre et vingt en décembre. Le sol devient brûlant sous les pieds d'Arafat. A plusieurs reprises, le Shin Beth et l'armée israélienne manquent de l'arrêter. Guidé par un véritable sixième sens, il change fréquemment ses projets, ses rendez-vous. En décembre, Abou Jihad enverra un commando pour le forcer à repasser le Jourdain. Il effectuera à nouveau un bref séjour en Cisjordanie début janvier 1968.

Fayçal el Husseini surprend ses interrogateurs israéliens par sa modération. Il explique qu'il n'avait pas l'intention de se lancer dans la lutte armée et que de toute manière, les armes dont il disposait étaient démontées. Il n'est condamné qu'à une année de prison, le Shin Beth ayant admis que le fils d'Abdel Kader el Husseini, n'était pas formellement membre d'une organisation terroriste. Le 22 mars, il accorde une interview à Amnon Rubinstein, journaliste du quotidien *Haaretz*. Rubinstein deviendra professeur de droit et ministre dans plusieurs gouvernements israéliens.

– Question : «*La rencontre avec les Israéliens a-t-elle changé vos opinions ?*»

– El Husseini : «*Les opinions changent avec le temps. Je ne pense pas de la même manière qu'en 1956, mais je n'ai pas changé mes opinions depuis mon arrestation.*»

– Question : «*Y a-t-il une haine arabe envers les Israéliens ?*»

– El Husseini : «*Je n'ai pas rencontré d'expression de haine envers les Israéliens. Il y a une grande colère contre le mal qui nous a été fait, le fait que nos droits soient entre vos mains et que vous ne nous donnez pas le droit de participer au pouvoir dans le pays. J'ai trouvé une véritable haine contre Israël en Égypte, mais pas contre les Juifs. Mais je dois souligner que la propagande égyptienne n'a pas servi l'intérêt arabe et n'a pas exprimé l'opinion réelle du peuple égyptien. C'est un peuple bon. […]*»

– Question : «*Quels exemples voudriez-vous prendre en Israël pour construire la société arabe plus juste dont vous parlez ?*»

– El Husseini : «*Les Juifs ont apporté d'Europe du savoir, une technologie, une industrie moderne. La Palestine, sous le pouvoir israélien, a un aspect européen. Objectivement, c'est bien, mais pour moi, non. Je ne peux accepter ce progrès, car je suis fils d'un peuple sans terre, sans pays, sans patrie. […]*»

– Question : «*Si on vous ordonnait de déposer une bombe dans une maison où habite une famille juive, le feriez-vous ?*»

– El Husseini : «*Non, non, en tant qu'homme, en tant que Palestinien, en tant qu'Arabe, car c'est ainsi que l'on nous a traités à Kibya et Deir Yassin. Je ne le ferais pas. […]*»

– Question : «*La situation est pour vous sans issue. Vous êtes contre le terrorisme, vous êtes pour un dialogue entre Juifs et Arabes, mais pour cela, vous avez besoin de représentants. Vous n'en avez pas et vous rejetez le principe d'élections sous occupation israélienne, alors que vous savez que Tsahal ne se retirera pas. Où est votre logique ?*»

– El Husseini : «*Lorsque je retournerai à la liberté, j'essaierai de réunir un groupe de gens qui prépareront une plate-forme politique afin de la présenter à la jeunesse et aux intellectuels dans le cadre d'un débat public. L'état d'esprit de la population dépendra bien sûr, des développements politiques et du comportement du pouvoir israélien. Si ce dernier nous considère comme un adversaire mais nous permet d'agir, ce mouvement aura ses chances. Si nos idées sont justes et acceptables, le mouvement pourra montrer la voie et créer un dialogue politique avec des chances de paix. Si ces idées sont considérées comme illégales, il faudra agir dans la clandestinité.*»

– Question : «*Auriez-vous tenu ce langage si nous nous étions rencontrés il y a un an ?*»

– El Husseini : «*Non, nous changeons tout le temps, la situation change. En 1948, il y a eu une guerre entre un peuple installé dans sa patrie et des immigrants étrangers, sionistes. Ils sont venus ici, sachant que nous nous y trouvions. Vingt ans plus tard, c'est différent. Les Juifs sont installés ici naturellement. Ils sont nés ici et considèrent ce pays comme leur demeure naturelle. Ce ne sont pas des sionistes venus lutter contre un autre peuple. Nous n'avons pas aujourd'hui de guerre qui doit se terminer – el Husseini ricane – par "il faut jeter les Juifs à la mer". C'est une bêtise que de faire la différence entre les Juifs qui sont nés ici et ceux qui sont venus de l'étranger. Comme vous le voyez, je renonce au nationalisme extrémiste et j'attends de vous une attitude identique. Nous avons, tous deux, des droits sur ce pays. L'histoire veut que nous nous combattions, mais la réalité exige que nous cohabitions en paix.*»

En novembre, *Haaretz* publie une série d'articles signés Amos Eilon, intitulés «L'Israélien conquérant». En reportage à Gaza, il écrit : «*On a, ici, le sentiment que la région va être annexée à l'État d'Israël. Les Israéliens peuvent pénétrer dans la ville librement et ils s'y promènent comme dans le souk de Jérusalem-Est. Le soda Tempo a conquis les kiosques et la coopérative Egged est déjà installée à la gare routière de Gaza proposant des autobus pour Tel Aviv, Jérusalem et Beer Sheva. 50 à 65 % seulement des élèves palestiniens ont repris le chemin de l'école. Les problèmes politiques et de sécurité sont moins importants qu'en Cisjordanie. Il n'y a pas ici de bandes du Fatah.*»

La ville de Cisjordanie où la coopération entre occupants et occupés paraît être la plus forte est Hébron : «*Le pouvoir israélien y a trouvé des forces locales prêtes à collaborer au-delà d'un simple retour à une ville normale. Ce n'est pas pour rien si le Premier ministre jordanien a qualifié le cheikh Jabari, le maire de Hébron, de "traître".*»

Le 11 novembre, Eilon consacre un article au mouvement pour le Grand Israël dont il décrit une assemblée générale : «*Des haut-parleurs diffusaient des versets de la Bible sur les tribulations du patriarche Avraham – que Dieu ait son âme – des versets destinés à donner au public un sentiment de propriété sur les Lieux saints juifs. La foule était émue par la puissance sacrée de la révélation fondamentaliste présentée par des intellectuels très respectables. Il faut poser la question de savoir si ces sentiments réveillés par l'occupation vont s'étendre. Il y avait effectivement de nombreux jeunes dans la salle, mais la majorité avait plus de quarante ans. Mais parmi les écrivains et les poètes membres du mouvement pour le Grand Israël, aucun n'appartient à la jeune génération qui a été éduquée et qui a grandi dans l'État d'Israël. Tous, comme Moshé Shamir et Haïm Gouri, appartiennent à la génération de l'indépendance. Est-ce un anachronisme littéraire ? Et si oui, est-ce également un anachronisme politique ?*

« Combien de temps passera avant que des hommes politiques dans les divers partis se laissent tenter par la puissance émotionnelle de ces slogans et rivalisent entre eux pour annexer de plus en plus de territoires ? […]. Je prie pour que les politiciens soient cette fois plus intelligents que les poètes. »

Golda Méir qui est secrétaire général du Mapaï réagit au cours d'une réunion des instances du parti : « *Cela me choque. Je suis enragée par ces écrivains* [de gauche]*, ces professeurs et ces intellectuels qui ont introduit l'élément de moralité dans tout cela. Pour moi, la plus grande morale consiste à donner au peuple juif le droit d'exister. Sans cela, il n'y aura pas moralité dans le monde.* »

De sa retraite de Sde Boker, David Ben Gourion soutient la position du gouvernement. Après une visite sur le Golan « *pour examiner la possibilité d'y installer des villages juifs qui défendraient les localités se trouvant dans la vallée* », il déclare : « *En échange de la paix véritable, il faut rendre tous les territoires à l'exception de Jérusalem-Est, de ses environs (y compris Hébron), et du plateau du Golan* [1]. »

Le 12 novembre 1967, Lévi Eshkol reçoit les responsables du mouvement pour le Grand Israël. Il explique à ces militants annexionnistes que l'intention de son gouvernement est de déplacer la frontière israélienne, trente kilomètres au moins vers l'est, sur le plateau du Golan. L'armée, et notamment le général David Elazar, commandant la région militaire nord, avait proposé aux dirigeants politiques de conserver tout le territoire situé entre la ligne des crêtes sur le Golan, et la frontière internationale. Pour ce qui est de la Cisjordanie, les avis sont encore partagés. Des généraux parlent d'autonomie palestinienne. Le Premier ministre, lui, commence à penser que ce n'est pas une bonne idée.

Ces divergences s'expriment le 5 décembre, lorsque Lévi Eshkol prend congé de Yitzhak Rabin qui est nommé ambassadeur aux États-Unis. C'est la dernière rencontre entre le Premier ministre et l'état-major de la guerre des Six Jours. En voici quelques extraits :

1. Michael Bar Zohar, *Ben Gourion*, *op. cit.*, t. 3, p. 1598.

– Rabin : «*Je crois que, aujourd'hui, nous sommes dans la même situation que par le passé, à savoir que la clé de notre problème de sécurité ne se trouve pas en Jordanie. Nous devons envisager un dispositif tenant compte d'une situation sans solution. Je suis contre l'intégration d'un million d'Arabes supplémentaires dans l'État d'Israël. Ce serait un désastre. Je reconnais donc qu'il y a un problème palestinien. Théoriquement, il y a trois possibilités. Je suis contre l'annexion complète des territoires à Israël. Il n'en reste que deux : restituer à certaines conditions de sécurité les territoires à Hussein, ou créer un État palestinien. Je pense qu'il n'y a pas à qui restituer les territoires, et je suis contre. C'est une question hypothétique. D'autre part, la menace que constituerait la création d'un État palestinien nous laisse malgré tout une marge de manœuvre, la seule qui nous reste. Dire aujourd'hui : nous allons couper un morceau ici ou là, ou rechercher l'endroit où couper en fonction de la densité de population en Cisjordanie [...] Nous ne ferons pas bouger un demi-million d'Arabes de là où ils se trouvent, et donc les coupes de territoire que nous pouvons faire sont marginales. [...]*»

– Lévi Eshkol : «*Je dois dire que mon opposition à cette idée* [d'État palestinien] *grandit de jour en jour. Mais je ne l'ai dit encore à personne. Je crains que, des deux côtés, nous soyons en train de nous préparer une véritable bombe. La Cisjordanie est liée à Naplouse, et une entité palestinienne de ce genre finira par envoyer ses représentants à l'ONU [...]*»

– Aharon Yariv, chef des renseignements militaires : «*Quel est notre objectif ? Nous devons le définir en fonction d'une situation donnée, en l'occurrence, que les Arabes ne sont pas prêts à un changement fondamental de leurs relations avec nous. [...] Pour la première fois, nous avons de la profondeur stratégique sans que nos frontières soient trop étirées. Notre objectif doit être de conserver cet élément acquis lors de la guerre des Six Jours, et cela jusqu'à ce que quelqu'un nous mette le pistolet sur la tempe. Nous pourrons alors décider soit de nous suicider, soit de rechercher une autre solution. [...] Au sujet de la Jordanie, nous pouvons sincèrement nous demander si Hussein représente aujourd'hui ce pays. Il s'affaiblit de jour en jour. [...]*»

– Rehavam Zeevi : «*Nous devons faire la différence entre notre objectif final et la tactique que nous utilisons. De mon point de vue, la meilleure solution sera celle qui sera acceptable par les Arabes de Cisjordanie, que nous les amènerons progressivement à accepter, et peut-être aussi la Jordanie, par telle ou telle pression. Je ne répéterai pas ce qu'a dit le chef d'état-major, je suis d'accord avec lui. Notre réponse à l'Occident doit être simple : tout accord séparé avec* la Jordanie signifiera la liquidation de Hussein et l'entrée dans ce pays d'un élément étranger. Vous devrez chercher une autre solution. [...] »

– Haïm Bar Lev : «*Je ne pense pas que Hussein soit au centre du problème. Aussi longtemps qu'il n'y aura pas de règlement avec l'Égypte, le problème restera sans solution. Mais nous ne pouvons ignorer la possibilité d'une initiative américaine. Ils nous diront : dialogue, paix, négociations directes. Qu'allez-vous leur répondre ? Je pense qu'il faut expliquer que Hussein n'est pas la clé du problème. Dans la mesure où il ira dans la direction d'un règlement avec nous, ses chances de tenir vont se réduire. Il ne sera pas possible de le maintenir en place sans la force, sans une véritable intervention, car il y a en Jordanie des éléments qui refuseront un tel règlement. Ce serait autre chose s'il y avait un accord global, avec tous. [...] Aujourd'hui, nous n'avons pas de solution radicale à proposer, et il ne faut pas se presser d'en rechercher, dans l'espoir que le temps réglera peut-être quelque chose du côté arabe et, peut-être, du côté juif.*

«*Je ne pense pas qu'il sera possible de maintenir six cent mille ou sept cent mille Arabes dans les conditions que nous proposons aujourd'hui. Si on nous met au pied du mur, nous pourrions proposer que le Jourdain soit la frontière militaire d'Israël, et que nous conservions la Cisjordanie avec nos forces militaires jusqu'à un accord avec le monde arabe. Hussein serait le souverain de la Cisjordanie, à l'exception de Jérusalem et de quelques endroits, mais il ne pourra pas y déployer son armée [...] C'est à mon avis la ligne minimale que nous pouvons proposer à Hussein. [...]* »

Le 17 décembre, un Mouvement pour une fédération Israël-Palestine publie une annonce dans plusieurs journaux : «*Annexion ou paix : la guerre de juin 1967 devait être défensive. Pour cela, la nation s'est mobilisée. Pour cela, nous avons repoussé l'ennemi et obtenu une victoire sans précédent. La guerre des Six Jours devait être la dernière entre nous et les États arabes, si le gouvernement avait su réaliser un plan politique clair pouvant conduire à la paix. C'est l'inverse qui est arrivé. Au lieu de faire une proposition généreuse et honnête comme il se doit d'un conquérant, nous avons lancé à nos voisins des appels du genre : "Nous attendons un coup de téléphone des dirigeants arabes." [...] Il faut reconnaître le droit du peuple arabe palestinien à une existence nationale souveraine sur le territoire de la Cisjordanie et de Gaza. Entamer des négociations avec les représentants du peuple arabe palestinien pour la création d'un État indépendant et lié à Israël dans le cadre d'une fédération.* [...] *Régler le problème des réfugiés dans le cadre de cette fédération ; déclarer le Grand Jérusalem capitale commune d'Israël, de la Palestine et de la fédération.* »

Cet appel, publié par quelques personnalités de gauche, rencontrera peu d'échos. La gauche antiannexionniste est minoritaire.

CHAPITRE 6

Échec et guerre

janvier 1968-octobre 1973

11 avril 1968, c'est la veille du premier jour de Pessah, la Pâque juive. En pleine ville de Hébron, devant l'hôtel Park, les passants sont surpris par une scène inhabituelle : un groupe de jeunes Juifs religieux décharge des tables, des chaises, quelques lits d'enfant d'un camion. Ils viennent passer la fête à Hébron avec l'intention de rester dans la ville des Patriarches. Yigal Allon est la seule personnalité gouvernementale au courant de l'opération. Moshé Dayan, le ministre de la Défense, est alité. Face aux hésitations du cabinet Eshkol, Allon a conseillé aux militants de ne pas attendre d'autorisation et de prendre l'initiative. Il réclame la création d'un quartier juif à Hébron depuis le mois de janvier.

Le lendemain, en chantant, en dansant, le groupe se rend au caveau des Patriarches, un rouleau de la Torah en tête du cortège. Après la fête, une conférence de presse est organisée. «*Nous resterons ici pour toujours*», annonce Moshé Levinger, le chef du groupe, un jeune rabbin disciple de Tvi Yéhouda Kook. Allon vient leur rendre visite, en compagnie du poète Nathan Alterman. Ministre du Travail, il leur promet de leur trouver un emploi dans la région. Le 20 avril, le gouvernement examine la situation. Eshkol est furieux : «*Après Allon, c'est Begin qui est allé les féliciter, ainsi que le ministre des Cultes. Nous nous rendons ridicules!*» Une atmosphère de crise règne parmi les membres du cabinet qui, en général, n'apprécient pas ce genre de fait accompli.

La presse israélienne découvre ce mouvement de retour en Terre d'Israël. «*Nous ne cherchons pas à provoquer l'arrivée des temps messianiques, ce sont les temps messianiques qui nous poussent* [à l'action]», déclarent les colons au quotidien *Yediot Haharonot* : «*Tout processus de renaissance du peuple juif sur sa terre est un acte divin. L'esprit de Dieu pousse le peuple à sa libération et à la construction du*

275

pays. [...] Nous sommes les envoyés de Dieu et nous avons le devoir de nous installer sur cette terre. Nous répondons à un appel divin [...][1].»

Finalement, le 30 mai 1968, la commission ministérielle de la Défense décide de ne pas évacuer les militants juifs de Hébron. Allon a gagné. Il s'est battu pour empêcher le vote d'une résolution qui aurait interdit l'arrivée de nouveaux membres du groupe à Hébron. Cette affaire suscite une certaine agitation au sein de la population palestinienne, et Moshé Dayan, pour assurer leur sécurité, transfère les colons dans une aile de l'immeuble du gouverneur militaire. Il faut à présent leur trouver une occupation. Allon libère quelques budgets, et les militants deviennent officiellement employés de l'administration militaire. Ils effectuent des travaux à l'intérieur du bâtiment. Mais, pour eux, ce n'est pas assez. Deux mois plus tard, ils ouvrent une buvette devant le caveau des Patriarches. Le général Shlomo Gazit accouru en inspection décide que tout cela est contraire au règlement. Il propose à ses chefs d'annuler l'autorisation de séjour des trois auteurs de cette initiative. Là encore, Yigal Allon intervient auprès de ses collègues. La buvette restera en place.

HÉSITATIONS (SUITE...)

Moshé Sasson, depuis le mois de novembre 1967, préside une commission qui, pour le compte du Premier ministre, a établi des contacts avec les notables de Cisjordanie, organise le 26 février 1968 une rencontre entre Lévi Eshkol et deux personnalités de Naplouse, Hikmat el Masri et Walid Shaka'a. Le chef du gouvernement israélien tente de persuader ses interlocuteurs de la nécessité d'un accord avec les Palestiniens de Cisjordanie. El Masri lui répond qu'Israël doit faire la paix avec l'ensemble du monde arabe. «*Si vous ne pouvez agir indépendamment, alors nous sommes dans une impasse*», répond Eshkol.

Annexion partielle, négociations avec Hussein de Jordanie qui, pour conclure un accord, paraît exiger, outre le feu vert de Gamal Abdel Nasser, une restitution de tous les territoires occupés. Le gouvernement israélien hésite sur la marche à suivre. Le 14 mars 1968, la commission politique du Parti travailliste se réunit à nouveau :
– Eshkol : «*Au sujet de Jérusalem, j'ai déjà dit que nous n'avons rien à discuter avec Hussein. A propos de la Cisjordanie, si je comprends le langage des humains, nous ne voulons pas d'un million d'Arabes*

1. Baroukh Nadel, *Yediot Haharonot*, 17 mai 1968.

supplémentaires en Israël. En Samarie, je veux être sur la ligne de crête, sur les hauteurs avec mon armée […] la frontière sera le Jourdain et c'est tout. […] Si Hussein veut ce territoire, nous lui dirons qu'il y aura une démilitarisation acceptable. […] Il sera peut-être possible de proposer un arrangement [comportant] des patrouilles conjointes, sérieux, fort sur la frontière israélo-jordanienne.» Eliahou Sasson évoque les demandes de rencontre avec les Israéliens formulées par Hussein de Jordanie : «S'il fait cela, cela veut dire qu'il a analysé la situation et se considère en position de force. […] Je pense que nous avons des choses à lui dire. Je crois qu'il y a quatre positions au sein du gouvernement. Celle du ministre Yigal Allon, du ministre Moshé Dayan, celle qui dit qu'il ne faut pas restituer un centimètre de territoire et celle qui ne veut que de légères corrections de frontière, c'est également ma position. Selon moi, c'est le Premier ministre qui devrait rencontrer Hussein. […] Nous n'avons jamais repoussé une demande de rencontre avec un dirigeant arabe et cela ne nous a jamais fait de mal. Le Premier ministre lui dira : je ne pourrais jamais parler d'un accord devant mon publique pendant que ces terroristes sont déployés à nos frontières. Pouvez-vous les arrêter ?»

– Moshé Dayan : «D'abord, je suis en faveur d'une rencontre avec Hussein. Il faudrait discuter avec lui de deux sujets : l'accord intérimaire et l'arrangement final. Je ne crois pas qu'il soit prêt et capable de discuter maintenant de l'accord définitif. […] Il est lié à Nasser. […] Il n'est pas dans une situation telle qu'il puisse [accepter] ce que nous lui proposons actuellement. […] Ce n'est pas parce qu'il est rempli d'héroïsme et de courage qu'il s'est adressé à nous mais parce qu'il veut examiner avec nous les possibilités d'accord. […] Rien de concret ne sortira de cela mais ce n'est pas une raison pour ne pas le rencontrer. […] Je pense que Hussein peut contrôler le Fatah. […] Nos conversations avec lui ne peuvent être une alternative à des arrangements de sécurité. […] »

– Golda Méir : «[…] Admettons que nous rencontrions Hussein et qu'il accepte de discuter avec nous d'un traité de paix et qu'il n'en sorte rien, cela voudra dire que de son côté il aura tout fait et que toutes les pressions seront exercées pour que nous cédions à ses exigences puisqu'il aura accepté de conclure la paix avec nous. […] Nous lui dirons : cher ami, le roi, nous sommes prêts à vous rencontrer à tout instant et n'importe où mais il est impensable que le gouvernement israélien ne puisse décider du principe même d'une telle rencontre au moment où, plusieurs fois par jour, il y a des explosions et des morts chez nous, et que votre armée protège les terroristes qui s'infiltrent chez nous. […]

« *J'ai cessé de chercher la justice* [dans la communauté internationale] *et je sais qu'elle ne considère jamais selon les mêmes normes ce que nous faisons et ce que les autres font.* [...] *Nous pourrons rencontrer Hussein lorsque la frontière sera calme.* [...] *S'il peut* [contrôler le Fatah] *mais ne veut pas le faire, il faut le pousser à vouloir.* »

– Shimon Pérès : « *Il y a une différence entre ce que nous avons dit jusqu'à présent et notre situation actuelle.* [...] *Aujourd'hui nous attendons des Arabes* [une seule chose] *la paix. A l'exception de la paix, notre situation n'est pas mauvaise. Ce type de rencontre en face à face avec Hussein est donc une tentative pour amener les Arabes à faire un pas vers la paix. Tout ce que veut Nasser, et avec lui Hussein, c'est nous forcer à évacuer* [les territoires occupés lors de la guerre des Six Jours] *sans qu'ils renoncent à leur attitude négative envers la paix. Il serait préférable pour nous de négocier d'abord dans le cadre d'une rencontre de délégations puis, une rencontre entre le roi et le premier ministre en conclusion. Je suis pour des rencontres publiques ou semi-publiques.* »

Que pense réellement Moshé Dayan ? Est-il encore en faveur d'une option palestinienne ? Au cours de cette conversation du 16 avril 1968 avec Aziz Shehadeh, de Ramallah, et Hamdi Kna'an, de Naplouse, au ministère de la Défense à Tel Aviv, il définit sa conception des choses :

– Shehadeh : « *Nous sommes demandeurs d'une vraie paix. En 1948, j'ai fait des propositions, mais certains m'ont mal compris et j'ai été accusé de trahison. J'en ai discuté récemment avec des proches à Naplouse et ailleurs. Ils ont trouvé qu'elles pouvaient être acceptables. Ils pensent qu'Israël souhaite des négociations directes, mais nous ne savons pas si les principes en seraient valables. Si tel était le cas, nous tâcherions de former une délégation pour représenter les Palestiniens de Cisjordanie et entamer des pourparlers. Si nous parvenons à un accord, nous espérons obtenir la bénédiction des Palestiniens de la diaspora et de quelques pays arabes.* [...] *Nous sommes les premiers concernés par un tel accord, car nous sommes les plus touchés par l'occupation israélienne. Israël a le choix entre quatre propositions pour résoudre le conflit :*

« *1) la formation d'un gouvernement palestinien ;*

« *2) le retour à la Jordanie ;*

« *3) une confédération palestinienne avec la Jordanie ou Israël, ou les deux à la fois ;*

« *4) l'annexion de la Cisjordanie par Israël. Que choisissez-vous ?* [...] »

– Dayan : « *Je ne peux vous répondre au nom du gouvernement israélien, car des divergences opposent ses membres. Je peux discuter avec vous à titre personnel. […] J'ai des questions à vous poser. Est-ce que vous, les Palestiniens, souhaitez arriver à un accord avec Israël sans vous lier à l'Égypte ni à la Syrie ? Si votre réponse est négative, cela voudra dire qu'il n'y a pas de possibilité de parvenir à un tel accord, car je ne pense pas que Nasser soit actuellement disposé à négocier avec nous...*

«Est-ce que vous souhaitez un compromis intégral ou un cessez-le-feu ? un état de non-belligérance ? Aucun gouvernement israélien ne sera prêt à un accord de non-belligérance. Parmi les ministres, je suis considéré comme un modéré, car je ne veux pas que les habitants de Naplouse deviennent des ressortissants israéliens. Mais je souhaite qu'Israël reste un État juif avec une majorité juive. Sachez que de profonds sentiments lient les Juifs à la Cisjordanie, et j'espère que, en cas de paix, ils pourront continuer de s'y rendre afin de visiter des Lieux saints comme Hébron. Le peuple juif n'a pas un tel attachement envers Amman, le Sinaï ou Damas. C'est un des principes du mouvement sioniste.

«Souhaitez-vous inclure la question des réfugiés dans le règlement politique ? Cela nécessiterait une collaboration entre la Jordanie, la Cisjordanie et Israël, et l'aide des Nations unies, je veux dire par là les États-Unis. Le principe d'un tel règlement sera de ne pas rapatrier les réfugiés. Je ne parle pas d'expansion, mais Israël a besoin du moindre pouce de territoire pour augmenter le nombre de ses habitants juifs.

«Sans la bénédiction et l'accord des États-Unis, il n'y aura pas d'accord entre nous. Si Ibrahim el Bakr ou Souleiman el Naboulsi forment un gouvernement en Jordanie, ou si la Cisjordanie prend parti pour l'URSS, il n'y aura pas de paix entre nous car la Russie ne veut pas la paix.

«Aucun gouvernement israélien n'acceptera de changer le statut de Jérusalem, mais je pense qu'une solution pourra être trouvée pour les Lieux saints et les institutions juives. […] Est-ce que le compromis politique sur Jérusalem sera signé avec la Jordanie ou avec les Palestiniens ?

«Quant à la sécurité, nous ne pouvons pas revenir à des positions où nous serions sous la menace des canons jordaniens. Si je rencontre le roi Hussein et qu'il me demande quelles sont les possibilités d'aboutir à un compromis, je lui demanderai s'il est prêt à une vraie paix, avec ou sans l'accord des autres pays arabes, s'il accepte des modifications de frontières importantes sur la situation qui prévalait avant le 5 juin 1967, s'il accepte qu'il n'y ait pas de forces internationales sur la frontière commune, ou s'il considère que la solution doit être une fédération

israélo-palestino-jordanienne. Tout ce que je viens d'exprimer est mon point de vue personnel, mais beaucoup le partagent.»

– Shehadeh : «*Nous voulons une vraie paix sans intervention étrangère, mais la difficulté réside dans la question de Jérusalem.*»

– Kna'an : «*Pourquoi n'avez-vous pas évoqué Gaza ?*»

– Dayan : «*Gaza n'est pas considéré comme faisant partie de la Jordanie ou de l'Égypte. La réponse à cette question dépend de la nature des négociations que nous allons mener, avec la Jordanie ou avec les Palestiniens. Il est clair que les habitants de Gaza sont des Palestiniens, et si nous parlons d'une fédération, la solution sera plus facile. Si nous arrivons à un accord avec les Palestiniens, ils décideront cinq ans plus tard s'ils veulent d'une confédération avec la Jordanie. […]*»

– Shehadeh : «*Je ne crois pas à un État palestinien sans Jérusalem. Je préfère* [rester sous occupation israélienne] *que de me séparer de la ville.*»

– Dayan : «*Si vous acceptez le principe de l'unité de la ville et le libre accès aux Lieux saints, nous ferons un grand pas vers un compromis.*»

– Kna'an : «*Nous reconnaissons Jérusalem-Ouest comme capitale de l'État d'Israël. Pourquoi n'accepteriez-vous pas que Jérusalem-Est devienne la capitale de l'État arabe, avec une mairie commune pour les deux capitales ? […]*»

- Dayan : «*Je suis pour une confédération, et, à l'époque, j'en avais parlé avec l'émir Abdallah, mais il semble que, pour des raisons de politique intérieure, cette idée soit inacceptable pour le roi Hussein. Je pense également que certains Palestiniens de Jordanie ne veulent pas vous voir tenir des pourparlers avec Israël. Pensez-vous que Hussein accepterait de vous laisser négocier si vous faisiez partie d'un gouvernement jordanien ?*»

– Shehadeh : «*Aucune personnalité de Cisjordanie n'acceptera de devenir Premier ministre en Jordanie et de négocier avec Israël si elle n'a pas l'assurance que ces négociations vont aboutir, sinon elle sera accusée de trahison. […]*»

– Kna'an : «*Vous avez la clé de la paix.*»

– Dayan : «*Si vous voulez dire que nous devons nous retirer d'abord, il est inutile de discuter.*»

– Shehadeh : «*Les changements importants que vous voulez mettre en place, ils seront unilatéraux ?*»

– Dayan : «*Pas nécessairement.*»

– Shehadeh : «*Vous serez content si votre voisin est pauvre et s'il n'a pas accès à la Méditerranée ?*»

– Dayan : «*Au contraire, je voudrais que l'économie de mon voisin soit prospère et que les deux parties aient un libre accès à la mer. Je pourrais aller à Jéricho ou à Hébron ; vous pourriez aller à Tel Aviv, mais tout en sachant que Tel Aviv n'a pas autant d'importance pour vous que Hébron, par exemple, en a pour moi[1] !»*

KARAMEH

Dans la vallée du Jourdain, l'OLP, conduite par le Fatah, intensifie ses opérations. Des kibboutzim, Maoz Haïm, Kfar Rupin et Gesher, sont bombardés le 15 février. Les tirs viennent de Jordanie. L'aviation et l'artillerie israéliennes ripostent en direction de positions fortifiées jordaniennes. Le 18 mars 1968, un car transportant des lycéens saute sur une mine à Beer Orah, à quarante kilomètres au nord d'Eilat. Deux enfants sont tués et vingt-sept blessés. Moshé Dayan décide de déclencher deux attaques d'envergure contre des bases palestiniennes à Karameh, à l'est du Jourdain, et à Tsafi, au sud de la mer Morte. Mais, deux jours avant le raid, Dayan est victime d'un accident grave : il est enseveli dans l'effondrement d'une grotte où il effectue des fouilles archéologiques. Il sera hospitalisé jusqu'à la mi-avril. L'opération contre Karameh est déclenchée à 4 heures du matin le 21 mars, mais l'armée jordanienne et les combattants palestiniens avaient repéré les concentrations de troupes et attendaient les soldats israéliens. Après une longue journée de combat, les Israéliens se retirent en laissant sur le champ de bataille quatre chars et quatre transports de troupes blindées endommagés. Ils ont 29 morts et 90 blessés. Les Jordaniens et les Palestiniens ont 232 morts, alors que plus de 130 combattants de l'OLP ont été faits prisonniers.

Yasser Arafat a dirigé la résistance des Palestiniens. Pour lui, c'est une victoire. Alors que les armées arabes avaient été défaites l'année précédente, il a réussi, au prix de lourdes pertes, à tenir tête à l'ennemi. Un jeune militant du FPLP, Yasser Abed Rabo, est là, lui aussi. Il a un bref accrochage avec le chef de l'OLP qui lui interdit de ramasser une arme abandonnée. Vingt ans plus tard, il deviendra un des principaux conseillers de Yasser Arafat. Durant les combats, un jeune soldat israélien a été chargé de lancer par haut-parleur des appels en arabe aux Palestiniens pour qu'ils se rendent. Il s'appelle Aharon Barnéa. Sa voix, Salah Taamri, un officier palestinien, ne l'oubliera jamais. Il s'en souviendra en 1982, lorsque, prisonnier des Israéliens au Liban, il sera

---

1. Archives de l'Arab Studies Society, Orient House, traduit de l'arabe.

interrogé par Barnéa. En 1970, à Amman, Taamri épousera Dinah, l'épouse répudiée du roi Hussein de Jordanie. L'Israélien, le Palestinien et leurs familles deviendront amis. Un autre militaire israélien qui participe à la bataille deviendra célèbre : Benjamin Netanyahu. En 1996, il sera élu Premier ministre de l'État d'Israël. Il évoquera les combats de Karameh avec Yasser Arafat au cours d'une rencontre à la Maison-Blanche à Washington.

ESHKOL ET LES PALESTINIENS

Le 25 avril, c'est un projordanien, Anouar el Hatib, l'ancien gouverneur de Jérusalem, que Moshé Sasson présente à Eshkol. Le Premier ministre lui explique qu'Israël n'a pas l'intention d'annexer de nouveaux territoires car il ne veut pas absorber une population arabe importante, «*mais*, ajoute-t-il, *il y a des régions désertiques, et puis, si nous nous installons sur une frontière dans la vallée du Jourdain et que nous n'intervenions pas dans les affaires de Naplouse, Jenine et Hébron, accepteriez-vous l'autonomie ? La région serait démilitarisée, vous n'avez pas besoin d'armée. Quant aux réfugiés, ils pourraient s'installer ailleurs, par exemple en Irak. L'autonomie palestinienne en Cisjordanie pourrait avoir un lien, si elle le veut, avec le royaume hachémite, c'est votre affaire.*»

– El Khatib, qui ne comprend pas qu'il n'est question que d'une autonomie palestinienne limitée : «*La Jordanie ne reconnaîtra jamais un État indépendant sur la rive ouest du Jourdain. Votre proposition signifierait que nous nous couperions de la Jordanie. Quant à votre proposition au sujet des réfugiés, jamais je n'ai imaginé que vous pourriez parler ainsi. Votre peuple a souffert en exil et les réfugiés palestiniens ne sont pas en exil. Monsieur Eshkol, si vous voulez la paix, ne dites pas qu'ils aillent en Irak.*»

Les conversations d'Eshkol avec les Palestiniens ressemblent de plus en plus à un dialogue de sourds. Le 27 mai 1968, Nasser el Din Nashashibi lui demande tout de go : «*Est-ce que vous voulez conclure un accord avec les Palestiniens ?*»

– Eshkol : «*En général, je peux dire que nous y sommes prêts. S'il est possible d'aboutir à quelque chose avec les gens que nous devons côtoyer, tant mieux, mais notre frontière doit être le Jourdain. Si vous voulez l'autonomie, soyez les bienvenus !*»

– Nashashibi : «*Et s'il se formait un groupe de dirigeants de Cisjordanie, seriez-vous prêts à discuter avec eux ?*»

– Eshkol : «*Je répondrais positivement, mais que pourrait demander un tel groupe ? La religion ? S'il vous plaît, vous l'aurez à cent pour cent. L'éducation ? Bien sûr. Les échanges commerciaux ? Oui. Vous voulez la séparation ? Oui. En principe, il doit être possible d'aboutir à un accord, car nous ne recherchons pas l'annexion de Naplouse.*»

Et Nashashibi d'expliquer que les dirigeants de Cisjordanie ont l'impression qu'Israël les abandonne depuis le début de la mission Jarring et n'est intéressé que par un dialogue avec la Jordanie.

Le 3 juillet 1968, Lévi Eshkol fait le bilan en réunissant une commission interministérielle à laquelle assistent Moshé Dayan, Abba Eban, Ygal Allon, Eliahou Sasson et les deux responsables de la politique israélienne dans les territoires occupés, Moshé Sasson et Shlomo Gazit.

– Eshkol : «*S'il était possible d'obtenir un accord faisant de la Jordanie notre frontière […]. Moi, les implantations ne m'intéressent pas. Cinq villages* [dans la vallée du Jourdain] *n'ont, pour moi, aucun intérêt, cela ne ferait que de nouvelles cibles pour leurs bazookas. Mais nous n'avons pas le choix. Il est indispensable pour nous aujourd'hui que l'armée soit là où elle est, à Naplouse. C'est la raison pour laquelle j'ai accepté qu'il y ait le long du Jourdain une zone de sept kilomètres, et si la rivière pouvait être notre frontière, je serais encore plus heureux.*»

– Moshé Sasson : «*Le cheikh Jabari de Hébron m'a demandé de vous présenter la proposition suivante : il suggère de le nommer gouverneur civil de la Cisjordanie, avec tous les pouvoirs civils, mais aux conditions suivantes :*

«*1) La proposition en ce sens viendra d'eux et non pas de nous.*

«*2) La relation entre le gouverneur arabe et Israël se fera par l'intermédiaire du gouverneur militaire israélien, et cela pour deux raisons :*

«*a) pour ne pas donner l'impression d'une annexion, l'occupation militaire doit continuer ;*

«*b) dans la situation actuelle, l'administration militaire est un élément dissuasif et psychologique et doit être maintenue.*

«*3) Le budget viendra d'Israël.*

«*4) Les affaires de sécurité concernant le Fatah et l'armée israélienne resteront la responsabilité exclusive de Tsahal et des postes frontières.*

«*5) Une police arabe sera déployée dans tout arrondissement dirigé par un arabe.*»

Moshé Sasson poursuit : «*Jabari a d'abord parlé de préfets de* districts arabes, puis, au cours de la conversation, son appétit a grandi et il s'est proposé comme gouverneur de l'ensemble de la Cisjordanie. Les notables de Bethléem s'opposent à cette proposition. En principe, ils acceptent la proposition que la prochaine étape dans nos relations soit la mise en place de préfets de districts arabes, mais ils ne veulent en aucun cas confier le tout à M. Jabari. Il faut construire cette nouvelle administration pièce par pièce en commençant par le Sud, en y préparant les gens du Nord qui, lorsqu'ils y verront des avantages, l'accepteront. […] »

– Abba Eban : «*Je suis plus proche de l'école de Bethléem que de celle de Hébron. […]. Une tentative pour couronner Jabari ne fera que compliquer nos relations avec les Arabes d'Eretz Israël. Ils le considéreront comme un Quisling. Au plan international, cette idée ne sera certainement pas acceptée.*»

– Eliahou Sasson : «*Nous devons nous féliciter de la possibilité de créer des administrations locales en Cisjordanie. C'est en fait notre politique : laisser autant que possible les gens gérer eux-mêmes leurs affaires. […] Si Bethléem est d'accord avec nous, il faut accepter. Si Jéricho en fait de même demain, nous dirons oui. Je propose de laisser Jabari, qui est un homme courageux prêt à tout, à la tête de la mairie de Hébron, ne pas changer son statut pour l'heure. Si nous laissons Jabari de côté, nous ne poussons pas Hikmat el Masri, Hamdi Kna'an et Walid Chakaa contre nous et pas les gens de Jenine ou de Tulkarem.*»

– Shlomo Gazit : «*Nous avons annulé toutes les barrières douanières entre Israël et les territoires. Il est seulement interdit de faire passer des produits agricoles. Pour les importations, ce sont les mêmes tarifs douaniers qu'en Israël. Leurs demandes se réduisent à la liberté de visiter Gaza.*»

– Moshé Dayan : «*L'affaire de Jabari est à un stade très précoce. Je pense que c'est important. Je ne sais pas s'il est possible de parvenir à un arrangement quelconque avec les habitants de Cisjordanie, car, immédiatement, ils subiront des pressions d'Amman et de je ne sais où, et la montagne accouchera d'une souris. Mais peut-être que si nous commençons d'abord à Hébron puis à Bethléem ou ailleurs, ils seront prêts à accepter une certaine indépendance administrative, puis à faire traîner les choses.*»

Depuis la bataille de Karameh, Yasser Arafat a le vent en poupe. Le Fatah est le groupe le plus important au sein du CNP. Le Conseil national palestinien se réunit le 10 juillet au Caire pour voter une nouvelle charte, beaucoup plus dure que celle adoptée en 1964 :

«*Article 1 : La Palestine est la patrie du peuple arabe palestinien,* une partie indivisible de la patrie arabe. Le peuple palestinien est une part intégrante de la nation arabe. […]

« *Article 5 : Les Palestiniens sont les citoyens arabes qui, jusqu'en 1947, résidaient normalement en Palestine, qu'ils en aient été expulsés ou qu'ils y soient restés. Toute personne née d'un père palestinien après cette date, à l'intérieur ou à l'extérieur de la Palestine, est également un Palestinien.*

« *Article 6 : Les Juifs qui ont résidé normalement en Palestine jusqu'au début de l'invasion sioniste seront considérés comme Palestiniens.* […]

« *Article 9 : La lutte armée est la seule voie pour libérer la Palestine. C'est une stratégie globale et pas simplement tactique.* […]

« *Article 10 : Les actions de commandos forment le noyau de la guerre populaire de libération palestinienne.* […]

« *Article 19 : Le partage de la Palestine en 1947 et la création de l'État d'Israël sont entièrement illégaux, en dépit du temps écoulé, car ils étaient contraires à la volonté du peuple palestinien et à son droit naturel dans sa patrie.* […]

« *Article 20 : La déclaration Balfour, le mandat britannique sur la Palestine, et tout ce qui en est issu, sont déclarés nuls et non avenus. Les revendications historiques et religieuses des Juifs en Palestine sont incompatibles avec les faits historiques et avec une réelle conception de ce qu'est un État. Le judaïsme étant une religion, ne constitue pas une nationalité indépendante. De même, les Juifs ne forment pas une nation avec sa propre identité. Ils sont les citoyens des États où ils habitent.* […]

« *Article 22 : Le sionisme est un mouvement politique associé à l'origine à l'impérialisme international et opposé à toute action en faveur de la libération et des mouvements progressistes dans le monde.* [Le sionisme] *est raciste et fanatique par sa nature, agressif, expansionniste. Ses objectifs sont colonialistes et ses méthodes fascistes. Israël est l'instrument du mouvement sioniste, et une base géographique de l'impérialisme mondial placé stratégiquement au milieu de la patrie arabe pour combattre les espoirs de libération d'unité et de progrès de la nation arabe. Israël est une source constante de menace pour la paix au Proche-Orient et dans le monde entier.* […]

« *Article 23 : L'exigence de sécurité et de paix, de même que de droit et de justice, requiert de tous les États qu'ils considèrent le sionisme comme un mouvement illégal, interdisent son existence et ses opérations.* […]

« *Article 24 : Le peuple palestinien croit dans les principes de justice, liberté, autodétermination, dignité humaine, et aux droits de tous les peuples à les exercer.* […]

« *Article 33 : Cette charte ne peut être amendée que par un vote de l'ensemble des membres du congrès national de l'organisation palestinienne. Une majorité des deux tiers est requise*[1].»

GUERRE SUR LE CANAL

Le 8 septembre 1968, l'artillerie et les blindés égyptiens ouvrent le feu sur les positions israéliennes de la rive orientale du canal de Suez. Le front s'embrase sur cent kilomètres. Les Israéliens comptent 28 morts et des dizaine de blessés. Les Égyptiens reconnaîtront 26 tués et une centaine de blessés. Quelques semaines plus tard, ils reprennent l'offensive. Les pertes israéliennes sont de plus en plus importantes : 49 morts fin octobre. L'artillerie israélienne n'a pas suffisamment de pièces pour faire taire les canons égyptiens. L'état-major de Tsahal décide de passer à ce qu'il considère comme sa meilleure défense : l'attaque. Dans la nuit du 31 octobre, des commandos israéliens réalisent un raid en profondeur dans la vallées du Nil, à deux cents kilomètres au nord d'Assouan. Un transformateur électrique et des ponts sont détruits. L'unité regagne le Sinaï sans encombre. Un calme relatif revient dans la région. Tsahal en profite pour renforcer ses positions sur le canal de Suez; des fortins reliés entre eux par des routes permettant le déplacement rapide des blindés. La ligne Bar Lev, du nom du chef d'état-major est devenue un symbole.

EBAN, ALLON ET HUSSEIN

Le 10 septembre 1968, Eshkol reçoit, à sa demande, Anouar el Nousseibeh. L'ancien ministre de la Défense jordanien lui soumet, au nom de plusieurs personnalités palestiniennes, un plan de paix fondé sur la restitution de la Cisjordanie au royaume hachémite, ce territoire étant démilitarisé. Visiblement, il agit sur les instructions du roi Hussein. Nousseibeh, comme de nombreux Palestiniens, a découvert Israël. Il a renouvelé des liens d'amitiés avec des habitants juifs qu'il connaissait avant 1948. Il forme son fils Sari au dialogue. Le jeune Palestinien séjourne dans un kibboutz.

A la fin du mois, à Londres, dans la clinique du docteur Herbert, Abba Eban, Yigal Allon et Yaacov Herzog présentent le plan Allon à

1. Xavier Baron, *Les Palestiniens, un peuple, op. cit.*, pp. 175 et 387. Voir aussi Archives de l'Arab Studies Society.

Hussein de Jordanie. Zaïd el Rifaï, le Premier ministre jordanien, assiste à l'entretien. Eban déclare que son gouvernement lui a confié pour mission d'examiner les possibilités d'une paix permanente avec la Jordanie. «*Si vous repoussez les principes que nous allons vous présenter, vous serez responsables de l'échec de ces efforts de paix. Nous devrons dans ce cas chercher une voie vers un règlement avec les Palestiniens, indépendamment de la Jordanie.*»

– Allon : «*Cet instant est l'un des plus heureux de ma vie. Nous devons lutter contre le danger d'expansion du communisme dans notre région. L'arrangement que nous pouvons conclure doit être régional. Si nous réussissons, les forces armées israéliennes seront les garanties de l'intégrité de la région contre toute intervention extérieure et contre l'agitation interne.*»

Hussein rend la politesse à ses interlocuteurs israéliens, rappelle que lui aussi entend œuvrer pour la paix dans la région. Il critique les résolutions de la conférence de Khartoum. Abba Eban reprend la parole pour présenter les six principes d'un accord avec la Jordanie :

«*1) un traité en bonne et due forme ;*

«*2) des rectifications de frontières nécessaires à la sécurité d'Israël. Un déploiement de forces israéliennes dans la vallée du Jourdain ;*

«*3) la démilitarisation de la Jordanie ;*

«*4) le royaume hachémite aura un libre accès à la Méditerranée ;*

«*5) Jérusalem réunifiée restera sous contrôle israélien. Un statut jordano-musulman peut être envisagé pour le quartier musulman de la vieille ville et le mont du Temple ;*

«*6) La création d'une autorité commune qui chercherait une solution au problème des réfugiés palestiniens.*»

Yigal Allon présente des cartes, explique que la frontière de sécurité d'Israël doit se trouver dans la vallée du Jourdain. Hussein, qui a écouté en silence, prend la parole : «*Mon problème, c'est d'expliquer à mon peuple un règlement qui ne serait pas acceptable par l'opinion arabe. Quelle est pour vous la notion de sécurité ? Est-ce une question de kilomètres ? A mon avis, la question fondamentale, c'est l'état d'esprit de la population. Si elle sent qu'on la traite avec confiance, il y a une sécurité. Sinon, les changements de territoire n'y feront rien.*» Allon tente de persuader malgré tout le souverain hachémite. Il explique l'importance des territoires dans le monde moderne. Le roi est mécontent. Il ne s'attendait pas à une telle proposition, pour laquelle il n'était pas préparé. Zaïd el Rifaï intervient : «*Sa Majesté n'a pas répondu à votre proposition sur Jérusalem, non pas parce qu'elle l'accepte, mais parce que c'est le problème le plus difficile et que nous sommes en désaccord total avec vous. En fait, il n'y a rien de neuf par rapport à la conversation entre Sa Majesté et M. Eban de mai dernier.»*

Hussein : «*C'est la première fois que j'entends ces propositions!*»

Eban et Allon suggèrent au souverain une nouvelle rencontre deux semaines plus tard à Londres pour continuer la discussion. Les Jordaniens répondent qu'ils contacteront les Israéliens. Quelques jours après, Zaïd el Rifaï demande un rendez-vous à Herzog. Il lui soumet la réponse du roi aux propositions israéliennes :

1) Un traité de paix israélo-jordanien : les textes en soi ne sont pas importants, mais leur relation au passage de l'état de guerre à celui de paix. Les négociations doivent se faire dans le cadre de la résolution 242 du Conseil de sécurité et par l'intermédiaire de Gunnar Jarring.

2) Les territoires : La Jordanie accepte les principes de la résolution 242 et notamment le principe de la non-acquisition de territoires par la force. Du point de vue de la Jordanie, ce principe s'applique également à Jérusalem. La Jordanie reconnaît la nécessité de rectification des lignes de cessez-le-feu, mais cela doit se faire sur la base d'une réciprocité.

3) Jérusalem : sans entrer dans les détails, la Jordanie acceptera tout au plus de reconnaître le droit d'Israël sur les Lieux saints juifs, certainement pas sur les Lieux saints islamiques ou chrétiens. Nous voulons que Jérusalem soit la ville de la paix et sommes prêts à discuter d'un nouveau statut qui garantirait la libre circulation et le libre accès pour tous.

4) Le principe de réciprocité doit s'appliquer aux personnes, et à la liberté de s'installer en tout lieu en Palestine.

5) Les frontières sûres : sans déterminer qui est à l'origine de la dernière guerre, c'est la sécurité de la Jordanie qui est en danger, et tout accord futur devra en tenir compte. Nous devons garantir la sécurité et la paix à nos sujets en Cisjordanie, ce qui, aux termes de l'accord que nous propose Israël, dépendrait uniquement d'Israël. Vous parlez d'installer des bases militaires, d'implantations et de l'absence de forces jordaniennes en Cisjordanie, dans ces conditions, un corridor pourrait être coupé à tout instant. La Jordanie considère le plan qui est proposé comme totalement inacceptable, c'est une atteinte à la souveraineté jordanienne. La seule possibilité, c'est d'échanger des territoires sur une base réciproque.

6) Toute application d'un accord doit se faire dans le cadre de la mission Jarring.»

Le texte se termine par une phrase : «*La capacité du roi à œuvrer vers un règlement dépend entièrement de sa capacité à contrôler la situation intérieure en Jordanie et à expliquer un règlement éventuel au monde arabe. Toute proposition doit donc être acceptable pour le monde arabe et non pas donner l'impression qu'elle nous est imposée.»* Zaïd el Rifaï explique à Herzog qu'il voudrait d'abord recevoir une réponse israélienne à ces principes avant de préparer une nouvelle rencontre avec le roi. Il serait inutile de soumettre au souverain hachémite des propositions inacceptables.

Dayan - Nasser

Dayan est intrigué par la poétesse Fadoua Toukan de Naplouse. Il la considère comme l'équivalent du poète nationaliste israélien Nathan Alterman. Le 12 octobre 1968, il l'invite à son domicile à Tsahala, près de Tel Aviv. Elle est accompagnée par le maire de la ville Hamdi Kana'an et Kadri Toukan. Ruth, l'épouse du ministre de la Défense, et Yael, sa fille, assistent à l'entretien :

– Moshé Dayan : «*Vous nous détestez. Je me suis fait traduire vos poèmes, votre langage n'est pas tendre pour nous.*»

– Fadoua Toukan : «*Je ne vous déteste pas en tant que Juifs mais en tant qu'occupants. Je fais partie de ceux qui croient que les Juifs ont le droit de vivre dans la liberté et la dignité ; mais pourquoi devons-nous en faire les frais ? Je ne peux pas, en tant que poète, ne pas exprimer mes sentiments et ma peine devant la souffrance de mon peuple et toute la destruction que je vois depuis 1948. C'est cela que vous me reprochez ?*»

– Moshé Dayan : «*Je ne vous reproche rien. Je vous admire. Je souhaite qu'Israël ait des poètes nationalistes comme vous. Mais quel est le résultat ?*»

– Fadoua Toukan : «*Je pense que si vous vous retiriez* [des territoires occupés] *cela résoudrait le problème.*»

– Moshé Dayan : «*Comment voulez-vous que nous nous retirions alors que Nasser déclare à Khartoum : "Non à la paix, non à la reconnaissance d'Israël et non à la négociation" ?*»

– Fadoua Toukan : «*Ces trois "non" ont été prononcés avant la résolution 242* [du Conseil de sécurité]. *A présent que Nasser a accepté cette résolution, ces "non" n'ont plus lieu d'être.*»

– Moshé Dayan : «*Nous nous sommes retirés de Gaza et du Sinaï en 1956 et cela n'a pas résolu le problème. Je pense que Nasser peut négocier avec nous. Aucun président arabe n'acceptera de négocier si Nasser refuse de le faire. Je peux rencontrer le roi Hussein à Londres demain mais il ne fera rien si Nasser ne l'approuve pas. Et les Palestiniens sont les seuls qui peuvent l'influencer…*»

Fadoua Toukan se tourne vers Hamdi Kna'an et lui lance : «*Tu entends!*»

— Moshé Dayan : «*Vous pouvez le faire! Allez-y!*»

— Fadoua Toukan : «*Mais qu'est-ce qu'on va lui dire? Êtes-vous prêts à faire des concessions? A propos de Jérusalem, vous dites que vous ne ferez pas de concessions et que vous ne vous retirerez pas du Golan. Vous ne voulez rien laisser.*»

— Moshé Dayan : «*Je soutiens les idées de Ben Gourion. Il y a une semaine, il a dit que, pour lui, la superficie d'Israël n'est pas importante, pourvu qu'il ait des frontières sûres et reconnues.*»

— Fadoua Toukan : «*Et les réfugiés?*»

— Moshé Dayan : «*S'ils retournent, Israël cessera d'exister!*»

— Fadoua Toukan : «*Même si vous acceptez leur retour, ils ne reviendront pas tous!*»

— Moshé Dayan : «*Nous choisirons ceux qui pourront revenir.*» Puis, se tournant vers Kadri Toukan : «*Comment voyez-vous l'avenir?*»

— Kadri Toukan : «*Je suis optimiste! Vous allez finir par vous retirer!*»

— Moshé Dayan : «*Moi, je ne suis pas optimiste. Qu'est ce qui vous rend optimiste, vous?*»

— Kadri Toukan : «*Je suis persuadé que vous finirez par vous retirer des* [territoires occupés].»

Moshé Dayan se tourne vers Fadoua Toukan : «*Est-ce que je peux faire quelque chose pour vous?*»

— Fadoua Toukan : «*Je vous prie d'autoriser le retour de Zlikha Shouhabi, son frère est très âgé et malade. Il n'a plus personne pour l'aider.*»

— Moshé Dayan : «*Je n'ai aucun pouvoir sur* [le gouvernement à] *Jérusalem. Le public israélien m'aime mais je ne sais pas si je peux influencer les responsables à Jérusalem pour qu'ils le rapatrient. Cependant, je vais essayer de vous aider.*»

— Fadoua Toukan : «*J'ai une autre demande. Vous torturez les prisonnières palestiniennes. Je peux vous citer Abla Taha, Latifa el Hawari et Mlle Joudeh.*»

— Moshé Dayan : «*Mais il y a des règlements interdisant la torture dans les prisons.*»

— Yael Dayan : «*Si! Il y a de la torture! On met les prisonnières palestiniennes avec les prostituées israéliennes!*»

Le 21 octobre 1968, une vedette lance-missiles égyptienne coule le destroyer *Eilat* au large des côtes du Sinaï. Il y a plus de quarante morts israéliens. Trois jours plus tard, les canons de 175 mm de Tsahal bombardent les raffineries de Suez et les détruisent. Les Égyptiens estiment les dégâts à cent millions de dollars. Le long du canal de Suez, les escarmouches sont désormais quotidiennes.

En décembre, Fadoua Toukan se rend en visite au Caire. Elle rencontre des intellectuels égyptiens. Ils ont entendu parler de son entretien avec Moshé Dayan, dont la nouvelle a été diffusée par la radio israélienne en arabe. Elle est contactée par Jehan, l'épouse d'Anouar el Sadate, qui l'invite également. C'est lui qui organise un rendez-vous avec Gamal Abdel Nasser.

Le vendredi suivant, la jeune femme entre dans le bureau du raïs. Elle lui raconte l'enthousiasme des Palestiniens de Cisjordanie pour le nassérisme, et lui décrit l'occupation. «*Je n'aurais jamais accepté, dit-il, la résolution 242 des Nations unies si ce n'est pour sauver votre peuple de l'occupation. Dean Rusk, le secrétaire d'État américain, m'a suggéré d'accepter un règlement avec Israël en échange d'un retrait complet du Sinaï, mais j'ai refusé parce qu'il n'était pas question de la Cisjordanie. Le Sinaï, avec toutes ses réserves naturelles, est moins important pour moi que la Cisjordanie et son peuple. Lorsque le roi Hussein est venu me rendre visite avant de se rendre aux États-Unis, après la guerre de juin, je lui ai dit d'accepter tout accord avec les Américains permettant une restitution de la Cisjordanie. Mais les Américains ont refusé de conclure un accord avec le roi Hussein.* […]

« *Je suis devenu malade après la guerre, je n'ai pas dormi pendant onze jours, je n'ai pas mangé, je n'ai pas bu. Je suis allé en Union soviétique pour être soigné. J'ai demandé des armes aux Russes pour reconstruire notre armée. Ils ont d'abord refusé, mais j'ai insisté et ils ont accepté, à la condition qu'aucune arme ne parvienne aux Israéliens. Lorsque j'ai demandé des experts russes, ils ont dit qu'ils ne pouvaient en envoyer. J'ai à nouveau insisté et ils ont accepté. L'armée égyptienne est prête maintenant, et j'attends l'instant propice pour frapper Israël. Israël a des problèmes internes, identiques aux nôtres. Lorsque j'étais enfant, nous jouions avec les amis et nous mettions un doigt dans la bouche de l'autre. Il fallait mordre, et le premier qui criait avait perdu. C'est la même chose avec les Israéliens.* […]

« *J'ai beaucoup d'espoir en Nixon. C'est un ami qui nous a exprimé sa compréhension et sa sympathie. Je l'ai reçu chez moi, dans cette maison, et il a gagné les élections présidentielles aux États-Unis, bien que les Juifs ne lui aient pas donné leurs voix.*»

Fadoua Toukan lui raconte sa visite chez Moshé Dayan, et la phrase du ministre israélien : «*Vous devriez être fiers d'Abdel Nasser.*» Mais elle n'évoque pas le message que Dayan lui a demandé de remettre au raïs. Elle prend congé de son interlocuteur : «*Vous serez le grand symbole du peuple arabe. Vous en serez le père. Vous êtes tout pour nous et je supplie Dieu de vous aider à réaliser les objectifs de votre peuple.*»

La poétesse revient quelques jours plus tard à Naplouse. Elle est contactée par David Farhi, du cabinet de Moshé Dayan. Il lui demande s'il y a une réponse de Nasser. «*Non*», dit-elle[1].

Les attaques, notamment du FPLP contre des appareils d'El Al, se multiplient depuis le mois de juillet. Le 27 décembre, le cabinet Eshkol approuve une opération de représailles de Tsahal contre l'aéroport de Beyrouth. Le lendemain, commandées par Raphaël Eytan, des unités spéciales arrivent par hélicoptère et font sauter 13 avions de ligne, des Boeing et une Caravelle appartenant à des compagnies aériennes arabes. Les Middle East Airlines perdent la moitié de leur flotte. Une semaine plus tard le gouvernement français décrète un embargo sur les ventes de matériel militaire destiné à Israël. Les relations entre les deux pays resteront mauvaises jusqu'en 1981.

Dans le Sud-Liban, des commandos palestiniens commencent à se déployer. Dans la nuit du 31 décembre, des roquettes de Katioucha sont tirées sur la ville de Kyriat Shmoneh en Haute-Galilée. Il y a deux morts. L'armée israélienne riposte à l'artillerie et à l'aviation. Au fil des mois les opérations palestiniennes dans ce secteur vont se renforcer. La guerre israélo-palestinienne s'étend au Liban dont elle menace le fragile équilibre politique.

ISRAËL - OLP

Sorti de prison, Fayçal el Husseini cherche d'abord un gagne-pain. Il devient le représentant à Jérusalem-Est de la coopérative laitière de Jéricho. Tout en gardant un contact assez lâche avec les réseaux du Fatah, il s'occupe le moins possible de politique et vend des yaourts. Un matin d'octobre il est convoqué au commissariat de police de Ras El Amoud chez le commandant David Hen. Le policier israélien lui annonce : «*Ce n'est pas moi qui veux te parler mais ces deux hommes en civil qui se trouvent sur le parking. Va les voir.*» El Husseini rejoint les visiteurs dans leur voiture : «*Nous voulons discuter avec vous, mais pas ici.*» Ils le conduisent dans un appartement situé dans un quartier

---

1. Témoignage de Fadoua Toukan, Naplouse, 1995. Voir aussi Moshé Dayan, *Story of my Life*, *op. cit.*

chic de la Jérusalem juive. Une jeune femme qui a l'allure d'une soldate ouvre la porte. Ses interlocuteurs se présentent : «*Appelez-moi Richard's, lui c'est Gadi. Nous voulons parler de la situation avec vous.*» Le jeune dirigeant palestinien comprend qu'il a affaire aux services spéciaux et qu'on lui propose ni plus ni moins que l'ouverture d'un dialogue entre Israël et l'OLP. Il répond que cela ne peut être possible qu'avec le Fatah de Yasser Arafat mais ne se propose pas comme intermédiaire éventuel. Il faudrait aller à Amman. Finalement les Israéliens demandent à el Husseini de faire le voyage :

«*Dites à Arafat que nous sommes disposés à négocier n'importe quand, n'importe où mais pas dans un pays de l'Est ni dans un pays arabe...*

– A qui ai-je affaire ? Qui vous a envoyés ?

– Par notre intermédiaire vous parlez aux plus hautes autorités du pays.

– Laissez-moi réfléchir. Je ne peux pas vous donner une réponse comme ça.»

Quelques jours plus tard, nouvelle rencontre. Sans consulter qui que ce soit, el Husseini a mis au point sa stratégie : «*Écoutez*, dit-il aux israéliens. *J'ai deux problèmes. D'abord, je n'ai pas de carte d'identité et je ne peux pas me rendre en Jordanie sans cela. Et mon frère, Ghazi, est en prison. En Jordanie, ils me diront donc : tu n'agis pas de ton plein gré, tu as un frère en prison. Mais, si vous ne libérez que mon frère on dira que c'est le prix qui m'a été payé. Alors, vous devez libérer non seulement Ghazi mais un autre détenu qu'il choisira.*

– Nous avons pris note de vos suggestions. Vous aurez la réponse plus tard.»

Et au cours de la troisième rencontre, Richard's et Gadi annoncent à el Husseini que leurs supérieurs hiérarchiques ont accepté de lui accorder une carte d'identité domiciliée à Jérusalem-Est ainsi que la libération de son frère mais pas celle d'un second prisonnier.

«*Et maintenant, vous devez prendre votre décision.*

– D'accord», répond le Palestinien.

Il attend quelques jours pour avoir la certitude que son frère a quitté les territoires occupés pour Amman et prend la route de la Jordanie d'où il se rend au Caire où l'attendent Yasser Arafat et Salakh Khalaf (Abou Iyad).

La rencontre, secrète, se déroule le 1ᵉʳ février 1969, en marge du 5ᵉ Congrès national palestinien au cours duquel les chefs du Fatah s'imposent aux autres organisations palestiniennes. Yasser Arafat est élu président du nouveau conseil exécutif de l'OLP dont il est également le chef du département militaire. Trois fondateurs du Fatah entrent également à l'exécutif : Abou Youssef, Abou Loutof et Khaled el Hassan. Arafat et Abou Jihad restent les patrons du Fatah. Ils accueillent la proposition israélienne avec une certaine surprise et ne savent trop qu'en faire. Mais Fayçal el Husseini leur suggère une réponse :

« Je crois qu'il faut refuser. Les Israéliens veulent ouvrir des négociations avec le Fatah mais dès qu'elles commenceront, il y aura des fuites et cela deviendra public. Les Jordaniens risquent d'utiliser cela contre nous en nous accusant de négocier avec l'ennemi. En acceptant nous n'allons pas nous tirer dans le pied mais dans la tête ! » Il avait été influencé par un article d'Ouri Avnéry paru dans la presse israélienne dans lequel il décrivait un scénario catastrophe ; une offensive du monde arabe contre le mouvement palestinien. Deux ans plus tard, lors de Septembre noir, le journaliste israélien fera figure de Cassandre.

Arafat et Abou Iyad s'accordent quelques heures de réflexion et répondent à el Husseini : *« Tu as raison, ce serait un suicide politique...*
– Alors, laissez-moi transmettre votre réponse à ma manière. »

Le jour même, Gamal Abdel Nasser s'adresse au CNP :

« La résistance palestinienne a le droit de rejeter la résolution 242 du Conseil de sécurité que l'Égypte a acceptée. Celle-ci peut être suffisante pour effacer les traces de l'agression de juin 1967, mais elle n'est pas suffisante en ce qui concerne le destin du peuple palestinien. Nous rejetons les explications selon lesquelles le problème des réfugiés se limiterait à ses aspects humanitaires et à la charité [...][1]. »

El Husseini retourne à Jérusalem-Est à la mi-mars et rencontre Richard's et Gadi : *« Si vous voulez négocier avec nous, si vous voulez que nous soyons les partenaires d'une solution future, alors nous devons commencer par nous respecter mutuellement. Ils sont prêts à cesser toutes leurs opérations contre des civils et vous demandent de considérer nos combattants comme des soldats, nos prisonniers comme des prisonniers de guerre, de cesser toute attaque contre nos civils. Alors, ils accepteraient des négociations secrètes. Mais si vous ne voulez pas nous entendre, nous devons vous dire que de 1948 à aujourd'hui la route de la Palestine nous a été interdite par des rochers que nous avons commencé à gratter avec nos ongles. Durant toutes ces années nous avons réussi à faire un petit trou dans cet obstacle d'où nous voyons la Palestine et nous vous promettons de tout faire pour vous empêcher de fermer cette brèche et cela, quoi que vous fassiez. Notre attitude envers vous ressemble à celle de deux hommes qui sont seuls*

1. Xavier Baron, *Les Palestiniens, un peuple*, op. cit., p. 178.

dans une pièce et qui n'ont qu'une petite couverture. Si vous ne la partagez pas avec nous, nous vous empêcherons de dormir [...]

– Ok, nous avons compris. Cela veut dire que vous ne voulez pas négocier. Nous vous contacterons peut-être. »

Les deux agents du Shin Beth se lèvent et raccompagnent el Husseini.

Quelques semaines plus tard, nouvel appel téléphonique. Cette fois le rendez-vous a lieu au café Taamon. Le bistrot de la bohème de Jérusalem, rue du Roi-George. Richard's ouvre la discussion : « *Écoutez, Fayçal, nous souhaitons que vous rencontriez quelques-uns de nos jeunes dirigeants. Êtes-vous favorable à un tel rendez-vous ?*

– Pourquoi pas ?

– Pourquoi n'accepteriez-vous pas un État palestinien ?

– Je ne veux pas parler d'un État israélien ni d'un État palestinien mais plutôt d'un seul État palestinien séculaire démocratique.

– Non ! Un État palestinien séculaire au côté d'Israël.

– Non ! Un seul État. Au revoir ! » Fayçal el Husseini sort du café.

Jusqu'en 1987 il n'aura plus aucun contact avec des Israéliens sionistes[1].

En février 1969, Fadoua Toukan est, de nouveau, invitée à rencontrer Moshé Dayan, à l'hôtel King David à Jérusalem. Le ministre de la Défense lui demande d'effectuer une visite à Amman pour remettre un message secret au jeune chef du Fatah, Yasser Arafat : « *Est-il disposé à rencontrer secrètement des émissaires israéliens dans la capitale de son choix, même en Europe ?* » La poétesse palestinienne se rend à Amman où elle contacte un proche, Hani el Hassan, originaire de Naplouse, responsable du Fatah en Allemagne, en visite en Jordanie. Il organise un rendez-vous avec Arafat. La discussion est brève. Le chef de l'OLP refuse toute négociation secrète avec Israël à ce stade.

LES ÉTATS-UNIS ET LE PROCHE-ORIENT

Les dirigeants israéliens sont préoccupés, avant tout, par la mise en place à Washington de la nouvelle administration républicaine de Richard Nixon, qui a remporté l'élection présidentielle de novembre. Il arrive à la Maison-Blanche avec un nouveau conseiller à la Sécurité nationale, Henry Kissinger. Né à Fuerth en Allemagne en 1923, il est arrivé aux États-Unis en 1938 avec ses parents. Professeur à l'université de Harvard, c'est un brillant universitaire, spécialisé dans les

1. Témoignage de Fayçal el Husseini, Jérusalem, 1993.

relations entre les deux superpuissances. Il a conseillé John Kennedy jusqu'en 1962. Le nouveau secrétaire d'État est William Rogers, un avocat, ami personnel de Nixon. Il a peu d'expérience dans les affaires internationales. Il a deux adjoints : Elliot Richardson, qui est sous-secrétaire d'État, et Joseph Sisco, responsable du Proche-Orient et de l'Asie du Sud. Une semaine après son arrivée à la Maison-Blanche, le 27 janvier 1969, Richard Nixon déclare que, à son avis, la situation au Proche-Orient est explosive. Les États-Unis doivent lancer de nouvelles initiatives pour calmer cette région, désamorcer ce baril de poudre qui risque de déboucher sur une confrontation entre les puissances nucléaires. Le Conseil national de sécurité et le Département d'État se mettent au travail.

Le 26 février 1969, Lévy Eshkol meurt d'une crise cardiaque. Avec lui, disparaît un des leaders historiques du mouvement travailliste qu'il a réussi à unifier quelques semaines plus tôt. Le Rafi de Ben Gourion avec les «jeunes» qui, comme Moshé Dayan et Shimon Pérès, se considèrent comme de futurs Premiers ministres, l'Ahdout Avoda de Yigal Allon sont désormais sous le même toit que le Mapaï dont le secrétaire général, Golda Méir, succède au défunt chef du gouvernement.

JE VAIS PARLER À ARAFAT

Le 14 mars 1969, l'écrivain français Marek Halter rencontre Golda Méir. Il lui annonce qu'il va aller voir Yasser Arafat en Jordanie.
«Tu vas serrer la main d'un homme qui a le sang de nos enfants sur les mains ?
– Même Moïse a parlé à Pharaon.
– Oui, mais Moïse, c'est Dieu qui lui avait dit d'aller voir Pharaon.
– Même la force ne peut garantir la survie d'Israël. Il faut discuter. J'obéis à ma conscience.»
Golda Méir a l'air furieux. Halter prend congé du Premier ministre, qui ne lui dit pas au revoir. Le lendemain, le téléphone sonne dans la chambre de son hôtel à Tel Aviv. *«Golda veut te parler»*, lui dit Lou Kedar, la secrétaire du Premier ministre. Et Marek entend la voix de Golda Méir qui lui dit un seul mot en hébreu : *«Lekh !»* (Vas-y !)
Halter se rend en Jordanie, où son entretien avec le chef de l'OLP se passe mal. Yasser Arafat lui dit : *«Nous nous retrouverons l'an prochain à Tel Aviv !»*

La diplomatie américaine finit par préparer, en accord avec les Soviétiques, un plan de paix pour le Proche-Orient. William Rogers, le secrétaire d'État, le soumet à Dobrynine le 28 octobre. C'est un document en dix points, qui définit un accord entre Israël et l'Égypte : «*Israël évacuerait, dans le cadre d'un règlement définitif, le territoire égyptien occupé depuis la guerre de 1967, et se retirerait sur des frontières sûres et reconnues, qui seraient délimitées par les parties. Des zones démilitarisées seraient définies, ainsi que des arrangements pour la liberté de navigation dans le détroit de Tiran et des arrangements de sécurité pour le territoire de Gaza. Le retrait des forces armées israéliennes du territoire égyptien se ferait sur l'ancienne frontière internationale de la Palestine mandataire qui existe entre les deux pays depuis un demi-siècle. L'état de guerre et de belligérance entre Israël et l'Égypte devrait cesser, et un état de paix s'établir entre les parties. Les navires israéliens auraient la liberté de navigation dans le canal de Suez. Les parties accepteraient les termes d'un règlement juste du problème des réfugiés décidé dans le cadre d'un règlement définitif entre la Jordanie et Israël, et participeraient à la préparation d'un tel règlement dans le cadre de la mission Jarring [...]*[1].»*

L'URSS et les États-Unis présentent ce texte à l'Égypte quelques jours plus tard. Gamal Abdel Nasser et son ministre des Affaires étrangères Mahmoud Riad donnent une réponse négative et demandent des précisions quant au sort de la Cisjordanie. Ils poursuivent des consultations avec Gromyko et le roi Hussein de Jordanie. Le 9 décembre, Rogers présente publiquement son plan de paix au cours d'une conférence sur l'éducation pour adultes à Washington. Le lendemain, le gouvernement israélien rejette cette initiative. Golda Méir considère que le Département d'État exige en fait un retrait unilatéral d'Israël. Rogers ne se laisse pas décourager. Le 18, il soumet à Abba Eban et aux représentants des grandes puissances une proposition de règlement entre Israël et la Jordanie. Là encore, il propose un retrait israélien sur les lignes d'armistice d'avant la guerre des Six Jours, avec toutefois des rectifications de frontières sur la base de nécessités administratives ou économiques. Jérusalem resterait unifiée, Israël et la Jordanie partageant la gestion économique et municipale de la ville[2].

En Israël, le gouvernement est de plus en plus monté contre les initiatives de Rogers. La presse évoque le spectre d'un règlement

---

1. William B. Quandt, *Peace Process*, Brookings, Berkeley, Californie, 1993, p. 437.
2. *Ibid.*

imposé au Proche-Orient. Le 22, le cabinet Méir publie un communiqué annonçant qu'Israël ne se laissera pas sacrifier par une politique de grandes puissances. Le lendemain, Moscou annonce que le Kremlin rejette les propositions américaines.

GUERRE D'USURE

Le 23 avril 1969, Le Caire annonce que l'accord de cessez-le-feu de juin 1967 est nul et non avenu en raison du refus d'Israël d'appliquer la résolution 242 du Conseil de sécurité. Gamal Abdel Nasser entend créer un point de fixation du conflit, empêcher la transformation du canal de Suez en frontière et infliger de lourdes pertes aux Israéliens pour les forcer soit à un retrait, même partiel, soit à un accord politique. L'armée de l'air israélienne entre en action contre l'artillerie égyptienne qui subit de lourdes pertes mais continue ses attaques. En juillet 1969, la ligne Bar-Lev est devenue l'endroit le plus dangereux de la région. 70 Israéliens y meurent chaque mois.

Au début de l'année 1970, Israël lance des raids aériens en profondeur en territoire égyptien, bombarde des faubourgs du Caire. Golda Méir et Abba Eban laissent entendre que la paix est impossible aussi longtemps que Nasser est au pouvoir et que l'objectif d'Israël est sa chute.

Le 22 janvier 70, Nasser effectue une visite de quarante-huit heures à Moscou. Il explique au Kremlin que la situation est grave et qu'il a besoin d'urgence d'une défense antiaérienne. Brejnev accepte : jusqu'à ce que les équipages terminent leur entraînement en URSS, les batteries de missiles antiaériens seront dirigées par des soldats soviétiques. Des pilotes de l'Armée rouge assureront la défense du territoire égyptien.

Israël cesse ses raids en profondeur à partir du 18 avril. Les missiles made in URSS commencent à faire leur effet et Jérusalem ne veut pas d'un affrontement avec les Soviétiques. En juin et juillet, 8 avions israéliens sont abattus au-dessus du canal de Suez. Le 30 juillet, 4 Mig pilotés par des Russes sont abattus au-dessus de la vallée du Nil. La crise au Proche-Orient devient un affrontement entre les grandes puissances.

TERRORISME ET IDÉOLOGIE

Les attentats anti-israéliens se multiplient à l'étranger depuis juillet 1968 lorsqu'un appareil d'El Al a été détourné sur Alger. En décembre puis en février 1969, des avions de la compagnie israélienne ont été attaqués à l'arme automatique à Athènes et à Zurich. En août, c'est un Boeing de la TWA qui est détourné sur Damas. Dans plusieurs pays d'Europe, des ambassades israéliennes subissent des attentats à la grenade. Le 10 février 1970, un commando du Mouvement d'action pour la Libération de la Palestine, une organisation qui a son siège à Bagdad, attaque sur l'aéroport de Munich l'avion d'El Al en partance vers Londres. Il y a 1 mort et 13 blessés, dont l'actrice israélienne Hannah Meron qui perd une jambe. Le chef du MALP s'appelle Issam Sartaoui. Il est né à Saint-Jean-d'Acre que sa famille a quitté en 1948. Après des études brillantes de cardiologie, il s'est installé aux États-Unis. La guerre des Six Jours l'a poussé au combat. Il croyait que Moshé Dayan était dans l'avion d'El Al à Munich. En fait, c'était son fils Assaf. Sartaoui offre d'indemniser les victimes. Il deviendra, à partir de 1976, le principal interlocuteur de la gauche israélienne.

Un dialogue intéressant a commencé depuis deux mois entre le Front démocratique pour la libération de la Palestine, l'organisation de Naïef Hawatmeh. En septembre de l'année précédente, il a proposé au CNP un projet d'État démocratique populaire dans lequel Arabes et Juifs vivraient côte à côte sans discrimination. Il a entamé publiquement des contacts avec le Matzpen, un groupuscule d'extrême gauche israélien qui, lui aussi, est en faveur d'un État judéo-arabe anti-impérialiste. Des militants rencontrent des représentants du FDLP dans des cafés de Paris. Ils craignent d'avoir maille à partir avec la loi israélienne si ce dialogue se déroule ailleurs qu'en public. L'organe du FDLP publie même un article de Makhover, un des dirigeants du Matspen. Yasser Arafat et Abou Jihad, les dirigeants du Fatah, évitent de condamner ce dialogue, mais les critiques contre l'organisation Hawatmeh sont de plus en plus nombreuses.

Le mouvement palestinien connaît une intense agitation idéologique. A Paris, Nabil Shaath, un jeune intellectuel originaire de Naplouse publie un texte intitulé : *La Révolution palestinienne et les Juifs*[1] où il définit la notion d'État démocratique palestinien : «*Il concerne toute la Palestine. Ce ne peut être un État croupion en Cisjordanie et à Gaza. Ce n'est pas un Israël déguisé. Ce sera un État non raciste et non sectaire. Il ne peut être que le résultat de la destruction de l'État sioniste et de la lutte armée. Le nouvel État acceptera tous les colons juifs qui le désirent.* […] »

Nabil Shaath négociera la mise en place de l'autonomie palestinienne

---

1. Éditions de Minuit, Paris, 1970. Cité par Alain Gresh, *OLP, Histoire et Stratégie*, Éditions Papyrus, Paris, 1983, p. 66.

à Gaza et à Jéricho vingt-quatre ans plus tard, à l'encontre de toutes les idées qu'il exprimait en 1970.

HUSSEIN CONTRE L'OLP

Le 17 février 1970, l'ambassade des États-Unis à Tel Aviv transmet à Abba Eban un message urgent du roi Hussein. Le souverain hachémite voudrait qu'Israël réponde à trois questions :

« Israël acceptera-t-il de ne pas profiter de la situation s'il doit réduire ses forces à la frontière afin de juguler les éléments subversifs en Jordanie ?

« Israël pourrait-il ne pas riposter aux provocations des terroristes qui pourraient attaquer pendant que les forces jordaniennes sont occupées ailleurs, les terroristes cherchant à pousser Israël à des actions de représailles en territoire jordanien ?

« Des forces israéliennes pourraient-elles l'assister dans le cas où des forces militaires venues de pays voisins viendraient à l'aide des terroristes palestiniens pendant qu'il les attaquera ? »

Le gouvernement israélien envoie sa réponse, également par l'intermédiaire de la diplomatie américaine. Il faut noter que Menahem Begin, qui s'oppose au principe des négociations avec Hussein de Jordanie, approuve la missive :

« Israël ne profitera pas de la réduction des forces jordaniennes à la frontière pour attaquer. En cas de provocation terroriste à sa frontière, Israël réagira vigoureusement. Israël est prêt à envisager une assistance à la Jordanie si le besoin s'en fait sentir. »

Dayan, lui, ne voulait pas accorder une telle promesse. Il ne croyait pas que Hussein aurait le dessus dans un affrontement avec le mouvement palestinien.

Des contacts discrets se déroulent en France par l'intermédiaire du groupe de gauche conduit par Henri Curiel, l'ancien dirigeant du parti communiste égyptien. Réfugié politique à Paris, il avait gardé un contact avec des officiers libres qui appartenaient également au PC, notamment Ahmed Hamrouch et Khaled Mohieddine. Il est en relation avec des colombes israéliennes ; l'écrivain Amos Kenan et Ouri Avnéry, le directeur de l'hebdomadaire *Haolam Hazé*.

Après la guerre des Six Jours, Gamal Abdel Nasser a envoyé Hamrouch à Paris afin d'y établir un contact avec des Israéliens. Par l'intermédiaire de Curiel et du journaliste Éric Rouleau du *Monde*, l'émissaire égyptien a un entretien avec Nahum Goldmann et avec

Amnon Kapéliouk, du journal de gauche israélien *Al Hamishmar*. Hamrouch fait ses rapports à Nasser. *Il y a,* lui dit-il, *avec qui parler.*

NASSER-GOLDMANN, A NOUVEAU

Le 23 février, Gamal Abdel Nasser fait savoir au maréchal Tito qu'il n'a pas d'objection à s'entretenir avec le président du Congrès juif mondial, Nahum Goldmann. Mais cette fois, contrairement à ce qui s'était passé en 1956, le raïs entend y mettre des conditions. Tout cela est publié par Éric Rouleau, qui a personnellement participé aux préparatifs de la visite : «Le voyage de Goldmann serait public. Il devrait obtenir l'autorisation du gouvernement israélien pour se rendre en Égypte. Goldmann exprimerait ses vues personnelles concernant les moyens d'instaurer une paix durable au Proche-Orient[1].»

Golda Méir reçoit une lettre de Goldmann qui, officiellement, lui demande l'autorisation de partir pour Le Caire. Le Premier ministre réunit son gouvernement, qui s'oppose à cette initiative, celle-ci n'ayant pas un caractère officiel. Début avril, des groupes de gauche manifestent devant la présidence du conseil aux cris de «*La paix maintenant*», «*Nous voulons des entretiens Nasser-Goldmann*» et, «*Golda, tu ne peux pas faire la paix, va-t'en*». Goldmann accuse Golda Méir d'avoir torpillé une initiative de paix. Le président du Congrès juif mondial ne dit pas que Nasser voulait qu'il vienne en qualité d'émissaire du gouvernement israélien, ce qui était impossible, compte tenu de ses mauvaises relations avec Golda Méir et plusieurs de ses ministres.

A la même époque, se déroule un congrès international sur la paix à Berlin-Est. Le peintre écrivain et homme de gauche Marek Halter y participe. Il rencontre Lutfi el Huli, une personnalité égyptienne, qui lui suggère de venir au Caire. Marek et son épouse Clara font le voyage quelques mois plus tard. Ils ont un entretien avec Hassanein Heikal, qui leur fait rencontrer Nasser. Le raïs laisse entendre qu'il pourrait accepter de recevoir une personnalité israélienne, mais, dit-il, il faudrait que ce soit quelqu'un qui reconnaisse les droits des Palestiniens. Marek Halter lance le nom d'Arié Eliav, le secrétaire général du Parti travailliste, qui est en faveur d'un dialogue avec les Arabes en général et les Palestiniens en particulier. Il faudrait qu'il vienne au Caire via Athènes, expliquent les Égyptiens.

Les Halter se rendent à Tel Aviv via Chypre, et se précipitent chez

---

1. *Le Monde*, 8 avril 1970.

Eliav : «*C'est fait! Tu vas voir Nasser!*» Eliav pâlit et demande des détails. «*Prépare-toi à partir dès demain. – Il faut que je parle à Golda.*»

Après quelques minutes au téléphone, Eliav se tourne vers Marek et lui dit que le Premier ministre veut le voir. Marek se rend à Jérusalem le soir même. Il est reçu chez Golda Méir qui lui lance : «*Raconte!*» Le jeune Français s'exécute. Après quelques minutes de réflexion, le Premier ministre lui dit : «*Arié Eliav, ce n'est pas Goldmann, c'est l'un d'entre nous, je suis d'accord.*»

Les préparatifs vont se poursuivre durant tout l'été. L'ambassadeur d'Égypte en France, Ismet Abdel Maguid, y participe activement. Le voyage au Caire d'Arié Eliav sera sur le point de se faire lorsque les Halter apprendront le décès de Gamal Abdel Nasser.

LA REINE DE LA BAIGNOIRE

Mai 1970, l'atmosphère en Israël est plutôt sombre. Les jeunes Israéliens, qui moins de trois ans plus tôt fêtaient la victoire, sont sous le choc des pertes de la guerre d'usure sur le canal de Suez et du terrorisme palestinien dans la vallée du Jourdain et en Israël même. Hanokh Levin, un jeune auteur, présente au théâtre Caméri à Tel Aviv une pièce frondeuse qui recueille rapidement un énorme succès. La censure n'aime pas le texte. *La Reine de la baignoire* remet en question les idées reçues de la politique israélienne. Golda Méir est présentée en réunion de gouvernement, satisfaite d'elle-même, écrasant de son autorité le ministre des Postes, serrant entre ses mains les testicules d'Abba Eban pour l'empêcher de faire des déclarations modérées, ou encore, propriétaire d'un appartement loué à un cousin arabe qui n'a pas l'autorisation d'aller aux toilettes et finit par faire ses besoins dans son pantalon. Golda déclare contrôler la baignoire dont elle deviendra la reine.

Après quelques semaines, soixante lycéens de classe terminale qui doivent partir sous les drapeaux écrivent aux dirigeants du pays pour leur dire qu'ils ne font pas assez pour conclure la paix : «*Nous ne savons pas si nous serons capables d'effectuer les missions qui nous seront confiées à l'armée sous le slogan "Il n'y a pas le choix"...* » Plus de mille lycéens signent cette lettre et l'envoient à la présidence du Conseil.

Les représentations de *La Reine de la baignoire* sont de plus en plus agitées. Des opposants lâchent des boules puantes dans la salle. Il y a une alerte à la bombe. Après dix-huit représentations, le spectacle fait relâche le 4 juin, définitivement. Les chansons qui en sont tirées sont interdites sur les ondes de la Radio nationale israélienne. Quelques jours plus tard, 13 soldats israéliens sont tués dans une embuscade égyptienne près du canal de Suez.

CESSEZ-LE-FEU

Richard Nixon est de plus en plus inquiet face à la tension militaire croissante entre Israël et l'Égypte. Sur la rive occidentale du canal de Suez, le dispositif antiaérien égyptien est de plus en plus dense. L'aviation israélienne essuie des pertes presque quotidiennement. Le 24 juin, Rogers soumet à Jérusalem et au Caire un projet d'accord en trois parties : un cessez-le-feu pour une période de trois mois, une déclaration publiée simultanément par Israël, l'Égypte, et la Jordanie, qui doivent accepter la résolution 242 du Conseil de sécurité, y compris l'appel au retrait des territoires occupés. Les trois pays doivent s'engager à envoyer des représentants négocier sous les auspices de Gunnar Jarring. Tout déplacement de troupes, d'artillerie, de batteries, de missiles, serait interdit après l'entrée en vigueur du cessez-le-feu.

A Jérusalem, la première réaction de Golda Méir est négative. Elle est furieuse. «*Les Américains*, dit-elle, *ne vont pas nous forcer à accepter la position égyptienne sur les territoires. Aucun soldat israélien ne quittera les lignes actuelles avant une paix avec l'Égypte.*» Et puis les Américains lui avaient promis de l'avertir avant de présenter un nouveau projet de règlement. Elle envoie un télégramme rugueux à Richard Nixon par l'intermédiaire de Yitzhak Rabin, l'ambassadeur à Washington, qui décide de ne pas le remettre à son destinataire. Il sait que le chef de l'exécutif a demandé à son Premier ministre qu'Israël ne soit pas le premier pays à rejeter cette initiative. Le 27, Rabin, qui pense qu'il faut répondre par l'affirmative, rentre à Jérusalem pour des consultations. Il regagne Washington quarante-huit heures plus tard. Le 30, la situation s'est de nouveau détériorée. L'armée égyptienne et ses conseillers soviétiques ont déployé de nouvelles batteries de missiles antiaériens à trente kilomètres à l'ouest du canal de Suez. Plusieurs avions israéliens sont abattus. L'ancien chef d'état-major considère qu'il y a une nouvelle réalité militaire sur le terrain, dangereuse. Israël ne parvient pas à empêcher le déploiement des missiles égyptiens en direction du canal. «*Les Américains, écrit-il, ont raison. Dans l'affrontement entre les missiles et l'aviation, ce sont les missiles qui gagnent pour l'instant. Le fait qu'Israël n'aie pas de réponse à cette nouvelle situation est regrettable. Le fait que les Américains n'aient pas de solution est dangereux, et pas seulement du point de vue israélien[1].»*

Nasser est à Tripoli chez le colonel Kadhafi, où il reçoit la proposition Rogers. Il l'étudie avec son ministre des Affaires étrangères, Mahmoud Riad. Sa première réaction est de la rejeter, mais, après quelques réflexions, il décide de l'accepter. Selon Hassanein Heikal, qui accompagnait le président égyptien : «*Nasser a décidé que le plan Rogers entrait dans sa stratégie globale. Son armée était prête et l'URSS activement engagée dans la défense de la population civile contre les attaques aériennes israéliennes. Le plus important dans l'esprit de Nasser était de terminer le mur de missiles. Lorsque cela sera fait, ses batteries protégeront non seulement nos forces armées sur la rive occidentale du canal de Suez, mais aussi une bande de territoire de quinze à vingt kilomètres de large sur la rive orientale, couvrant nos troupes pour une opération de traversée du canal lorsque l'heure viendra[2].»*

Le 29 juin, Nasser se rend à Moscou où il discute avec les dirigeants soviétiques et recevra un traitement médical jusqu'au 15 juillet. Il explique à ses interlocuteurs du Kremlin qu'il accepte l'initiative Rogers parce qu'elle porte un drapeau américain, qu'il a besoin d'un cessez-le-feu et que les Israéliens ne l'accepteront que s'il est proposé par les États-Unis. Mais, dit-il, les chances de succès du plan Rogers ne dépassent pas plus d'un demi pour cent[3]. De retour en Égypte, le 22 juillet, dans son discours traditionnel de l'anniversaire de la révolution, Nasser annonce qu'il accepte l'initiative Rogers.

En Israël, Golda Méir, qui a reçu une lettre secrète de Richard Nixon, décide que le moment est venu d'accepter l'initiative de paix. Le 31 juillet, le gouvernement l'approuve. Les ministres de la coalition de droite dirigée par Menahem Begin démissionnent. Le chef du Hérout déclare le 4 août à la Knesset : «*En acceptant la résolution 242 dans un contexte jordanien, Israël renonce de fait à la Judée et à la Samarie, peut-être pas dans sa totalité, mais dans leur plus grande partie.*»
Golda Méir lui répond :
«*L'ambassadeur Jarring annoncera au secrétaire général de l'ONU que les parties ayant exprimé la volonté d'appliquer la résolution*

---

1. Yitzhak Rabin, *Pinkas Sherout*, Maariv, Tel Aviv, 1979, p. 295.
2. Mohamed Heikal, *The Road to Ramadan*, Collins, Londres, 1975, p. 93.
3. *Ibid.*, p. 95. Mahmoud Riad, *The Struggle for Peace in the Middle East, op. cit.*, p. 141.

242 du Conseil de sécurité sous tous ses aspects, ils nommeront des représentants à des discussions qui se dérouleront sous son égide à un endroit, à une date et sous une forme qui sera proposée par M. Jarring. […]. Le but de ces discussions est d'aboutir à un accord sur une paix juste et durable entre les parties, fondée sur :

«1) Une reconnaissance mutuelle entre l'Égypte et Israël, la Jordanie et Israël, la souveraineté, l'intégrité territoriale et l'indépendance politique de chacune.

«2) Un retrait israélien des territoires occupés depuis 1967 et cela, sur la base de la résolution 242. Afin de faciliter le rôle de M. Jarring, les parties veilleront au cessez-le-feu pendant trois mois au moins. […] »

Golda Méir a pris cette décision pour deux raisons : d'abord, face à l'opinion publique internationale, la position israélienne est de plus en plus difficile à expliquer et elle estime que les bombardements subis par l'Égypte ont peut-être amené Gamal Abdel Nasser à faire preuve de plus de souplesse. Elle sait que le public israélien a besoin d'un cessez-le-feu. La guerre d'usure sur le canal de Suez coûte très cher au pays. Cette fois, le Premier ministre israélien paraît prêt à accepter le principe d'un compromis territorial.

Au Caire, le chargé d'affaires américain Donald Bergus annonce, le 6 août, que le cessez-le-feu doit entrer en vigueur la nuit même, ou au plus tard dans les premières heures de la matinée, le lendemain, le 7 août. Il explique aux Égyptiens qu'Israël pourrait lancer une opération d'envergure pour détruire les bases de missiles à l'ouest du canal. Les Américains entendent superviser la mise en place du cessez-le-feu. Les Israéliens exigent l'arrêt de toute activité militaire sur une zone de cinquante kilomètres des deux côtés de la voie d'eau dès l'arrêt des combats. Nasser accepte. De fausses batteries de missiles ont été construites au cours des jours précédents. Dans les heures qui suivront l'entrée en vigueur du cessez-le-feu, le carton-pâte sera remplacé par de véritables missiles. Les Israéliens sont furieux. Les Américains mettront plusieurs semaines à comprendre ce qui s'est passé.

Gunnar Jarring reprend sa mission à New York. Il commence à penser qu'il ne parviendra pas à rapprocher les positions des parties. La population israélienne, elle, est soulagée. La guerre d'usure est terminée. 500 soldats sont morts sur le front et 2 000 blessés. Tsahal se lance dans la construction d'une ligne de fortification sur le canal.

SEPTEMBRE NOIR

Fin août 1970, le Conseil central de la résistance palestinienne décide d'envoyer une délégation rencontrer Gamal Abdel Nasser à Alexandrie. Les relations avec l'Égypte ne sont pas bonnes. Le raïs a interdit aux Palestiniens l'accès de la radio Saout el Arab qui diffuse du Caire. L'OLP a critiqué son acceptation du plan Rogers. La discussion dure de longues heures. Nasser explique à ses interlocuteurs qu'il souhaite mettre les États-Unis au pied du mur. Pour la première fois depuis la guerre de 1967, Washington s'est engagé à obtenir d'Israël l'évacuation de la quasi-totalité des territoires occupés. Il se tourne ensuite vers Arafat et lui dit, sur un ton ironique :

«Combien d'années vous faudra-t-il pour détruire l'État sioniste et édifier un nouvel État unifié et démocratique sur l'ensemble de la Palestine libérée? Vous menez une politique irréaliste et un mini-État en Cisjordanie et à Gaza vaut mieux que rien[1].»

A Washington les services de renseignements américains ont fini par analyser les photographies aériennes de la région du canal de Suez. Depuis le 10 août le nombre d'emplacements de missiles Sam a doublé. Pire, Hal Saunders, le spécialiste du Proche-Orient au Conseil national de sécurité, constate que les violations du cessez-le-feu par les Russes et les Égyptiens se sont multipliées depuis les dernières protestations américaines début septembre : *«On a l'impression que le dispositif de missiles le long du canal de Suez a plus d'importance pour les Égyptiens que les pourparlers de paix, étant donné que les Israéliens ont clairement fait savoir qu'ils n'entendaient pas continuer à y participer tant que la situation d'avant le cessez-le-feu ne serait pas rétablie[2].»* Le 6 septembre, Israël annonce officiellement qu'il suspend sa participation aux pourparlers menés par Gunnar Jarring.

Le même jour, les dirigeants du Fatah ont la mauvaise surprise de découvrir que le FPLP de Georges Habache a décidé de brouiller les cartes. L'organisation avait monté une gigantesque opération de piraterie aérienne. Un Boeing de la Pan Am est détruit sur l'aéroport du Caire. Les pirates avaient évacué les passagers. Un autre Boeing de la TWA et un DC8 de la Swissair sont détournés sur un petit aéroport près de Zarka en Jordanie où les passagers sont détenus en otages par des hommes du FPLP. Le 9, un VC10 britannique est également détourné et

1. Abou Iyad, *Palestiniens sans patrie,* Fayolle, Paris, 1978, p. 130.
2. Henry Kissinger, *A la Maison-Blanche, 1968-1973,* Fayard, Paris, 1980, p. 614.

rejoint les deux autres appareils à Zarka. Le FPLP réclame la libération d'une jeune Palestinienne capturée la veille à bord d'un avion d'El Al qu'elle avait tenté de détourner en compagnie d'un autre pirate de l'air. Les agents de sécurité, aidés par des passagers, les avaient maîtrisés. La jeune femme s'appelle Laïla Khaled. Le FPLP, qui a désormais 600 otages occidentaux, réclame sa libération immédiate et celle de centaines de Palestiniens détenus en Israël. Arafat exige de l'organisation de Habache qu'elle relâche sans délai tous les passagers qu'elle détient. Il fait accepter une résolution en ce sens par le Comité central de la résistance palestinienne. Le FPLP riposte en libérant tous ses otages, à l'exception de 60, et en faisant sauter les trois avions de ligne à Zarka.

Pour le roi Hussein, cela signifie que l'affrontement avec le mouvement palestinien est inévitable. Le 16 septembre, il proclame la loi martiale en Jordanie. Il nomme le chef d'état-major, le général Mohamed Daoud, à la tête d'un gouvernement militaire. Dès le lendemain, la Légion arabe lance une offensive contre les camps palestiniens. En quarante-huit heures, elle reprend le contrôle d'Amman mais dans le Nord, à Irbid, de durs combats l'opposent aux fedayins. Le 18, Golda Méir est à Washington où elle a un entretien avec Richard Nixon. Ils parlent brièvement de la crise en Jordanie pour conclure que Hussein devrait l'emporter rapidement.

Le 20 septembre, Hussein informe l'administration américaine que des chars syriens franchissent la frontière jordanienne. Au fil des heures l'incursion syrienne prend de l'ampleur. Quatre brigades blindées attaquent les positions de la Légion. Kissinger envoie un avertissement aux Soviétiques, leur demandant «*de faire comprendre clairement au gouvernement syrien les graves dangers que représente son action en cours*[1]». Des unités aéroportées américaines sont mises en état d'alerte, en Allemagne fédérale et aux États-Unis. Nixon avait décidé, trois jours plus tôt, que, en cas de nécessité, les forces américaines interviendraient seules, sans l'aide des Israéliens.

Dans la soirée, la situation se détériore. Hussein demande l'intervention de l'aviation américaine. Kissinger contacte Yitzhak Rabin, qui assiste à un dîner de gala en l'honneur de Golda Méir en visite à New York. Le conseiller à la Sécurité nationale de Richard Nixon lui demande s'il a des informations sur l'invasion syrienne en Jordanie. Rabin répond que 200 chars auraient franchi la frontière. Kissinger demande à Tsahal d'effectuer une reconnaissance aérienne dès que possible.

---

1. Kissinger, *A la Maison-Blanche...*, *op. cit.*, p. 641.

L'ancien chef d'état-major israélien promet de faire le nécessaire et pose la question : «*L'administration Nixon serait-elle favorable à une frappe aérienne israélienne en cas de progression syrienne?*» Kissinger répond qu'il faudra voir plus tard. Peu après, il reçoit un nouvel appel au secours de Hussein. Nixon en est informé. Il approuve la proposition de ses conseillers. Israël pourrait intervenir contre les Syriens. Kissinger rappelle Rabin : «*Israël pourrait-il accorder un soutien aérien contre les unités blindées syriennes?*» L'ambassadeur répond par une question : «*Cela veut-il dire que les États-Unis sont en faveur d'une telle opération militaire israélienne et si oui, quelle serait l'attitude de Washington si la situation venait à se détériorer et que la guerre se généralisait?*» Au nom du Président, Kissinger promet que les États-Unis remplaceraient les avions qu'Israël pourrait éventuellement perdre au cours de l'opération et, le cas échéant, feraient face aux Soviétiques.

Golda Méir et Rabin téléphonent à Yigal Allon à Jérusalem. L'ambassadeur d'Israël part d'urgence pour Washington. Le gouvernement israélien se réunit sous la présidence de Yigal Allon qui assure l'intérim de Golda Méir. Les ministres veulent plus de détails sur les promesses américaines. L'aviation israélienne est prête à intervenir. D'autres unités américaines basées en Allemagne sont mises en alerte de même que la 6e flotte. Rabin informe le Conseil national de sécurité à la Maison-Blanche que selon l'état-major israélien des frappes aériennes seraient insuffisantes pour bloquer l'avance syrienne[1].

Tsahal prépare une offensive contre les forces syriennes dans la région d'Irbid. Des centaines de blindés israéliens sont concentrés dans le sud du Golan et dans le nord de la Cisjordanie. Sur le terrain, la Légion arabe semble parvenir à stopper l'avance syrienne. La question est de savoir si Damas va envoyer de nouvelles unités. Dans ce cas, décide le gouvernement israélien, ce sera la guerre. Rabin demande à nouveau une promesse formelle de soutien militaire américain en cas d'intervention. Nixon dit oui. Pour la première fois, les États-Unis s'engagent à combattre aux côtés d'Israël :

«*Si des forces égyptiennes ou soviétiques devaient intervenir contre Israël si ce dernier déclenchait une opération contre les unités syriennes en Jordanie, les États-Unis entreraient en action contre les Égyptiens, les Soviétiques, ou les deux selon le développement de la situation.*» Un porte-avions américain se trouve au large des côtes israéliennes. Un petit avion en décolle pour atterrir à Tel Aviv. Les

---

1. Walter Isaacson, *Kissinger*, Simon & Schuster, New York, 1992, pp.301 à 305.

radars soviétiques de la région l'ont certainement repéré. Cela veut dire qu'Israël et les États-Unis coordonnent leurs opérations[1].

Le 21, Hussein fait savoir qu'il ne veut pas d'une intervention terrestre israélienne, et demande de retarder les frappes aériennes. Le lendemain, la Légion arabe lance une offensive d'envergure contre les blindés syriens qui commencent à se retirer. L'aviation jordanienne a la maîtrise du ciel. Hafez el Assad, le ministre de la Guerre syrien, ne risque pas ses Mig face aux pilotes israéliens. Il se souvient que quelques mois plus tôt, le 2 avril, trois de ses appareils avaient été abattus par les Israéliens, au cours d'un combat aérien. Ailleurs, en Jordanie, les forces palestiniennes sont écrasées par la Légion arabe qui n'hésite pas à bombarder des camps de réfugiés à l'arme lourde. Les fedayins s'enfuient vers la Syrie et le Liban. Plusieurs centaines d'entre eux préfèrent franchir le Jourdain, choisissant la captivité en Israël plutôt que les prisons de Hussein. Tsahal leur accordera l'asile.

Le 27, Hussein arrive au Caire. Il répond à la pression de la Ligue arabe. Les médiateurs s'étaient succédé ces derniers jours à Amman. Nasser va l'accueillir à l'aéroport. Le souverain jordanien participe aux débats du sommet arabe durant l'après-midi. Très vite, il a un violent accrochage verbal avec Arafat. Le roi Fayçal d'Arabie Saoudite tente de s'interposer. Il demande aux deux hommes de remettre les pistolets qu'ils portent au côté à Nasser afin d'éviter un accrochage armé dans l'hôtel Hilton du Caire. Après cinq heures de discussions, un cessez-le-feu sur tous les fronts est décidé. L'armée jordanienne et les combattants de l'OLP doivent se retirer de toutes les villes importantes. Une commission dirigée par le représentant tunisien se rendra à Amman pour surveiller l'application de l'accord. Dans la soirée, les radios annoncent un cessez-le-feu en Jordanie.

LA MORT DE NASSER

Le lendemain, Nasser, qui a très peu dormi, prend congé de ses hôtes à l'aéroport. Il a un malaise durant la cérémonie de départ de l'émir du Koweit. Dès que l'avion a décollé, il demande à son secrétaire personnel de le faire conduire immédiatement à son domicile. Il s'étend et perd connaissance. Un médecin confirme qu'il a un infarctus du myocarde massif. A 18h15, Gamal Abdel Nasser n'est plus. L'Égypte et le monde arabe sont en deuil. Les obsèques du raïs ont lieu le 1er octobre.

---

1. Marvin et Bernard Kalb, *Kissinger*, Little Brown, Boston, 1974, p. 203.

Des millions d'Égyptiens se massent dans les rues du Caire pour lui rendre un dernier hommage.

A Jérusalem, les dirigeants israéliens suivent avec une extrême curiosité et une certaine satisfaction les événements en Égypte. Ils considéraient Nasser comme un des principaux ennemis de l'État juif. Pourtant, le raïs a maintenu des contacts secrets avec Israël pendant près de vingt ans. En 1956, l'invitation lancée à Nahoum Goldmann était sincère, du moins selon son confident Hassanein Heykal, et, en 1966, une visite en Égypte de Méir Amit, le chef du Mossad, aurait certainement pu changer les relations entre les deux pays. Le jeu des grandes puissances, la dépendance croissante de l'Égypte envers l'URSS ont également empêché tout progrès vers la paix. Pour les analystes israéliens et occidentaux, l'Égypte et le monde arabe viennent de changer. Il n'y a pas, pensent-ils, de leader capable de remplacer Nasser. Toutes les informations venant du Caire indiquent que la lutte pour le pouvoir va s'intensifier. Personne ne croit sérieusement qu'Anouar el Sadate sera le véritable successeur de Gamal Abdel Nasser. La presse internationale donne le ton. Un grand hebdomadaire français le qualifie de «*Charlot nubien*».

Moins de quatre mois après la mort de Nasser, Nathan Yelin Mor reçoit un message urgent d'un ami à Paris. Il doit venir immédiatement. Un billet d'avion l'attend à l'aéroport de Tel Aviv. Yelin Mor, c'est un personnage. Avec Yitzhak Shamir et Israël Eldad, il fut un des trois chefs du Groupe Stern durant la guerre pour l'indépendance d'Israël. Au début des années 1950, il a viré à gauche et s'est mis à militer en faveur d'une entente israélo-arabe. Son contact à Paris n'est autre qu'Henri Curiel. Il prend l'avion et se précipite chez son ami. «*Quelqu'un veut te voir!*» lui dit Curiel. La porte s'ouvre et Ahmed Hamrouche apparaît. L'ancien officier libre agit à présent pour le compte de Sadate. Il est le rédacteur en chef du grand hebdomadaire cairote *Rose El Youssef*. L'Égyptien demande à Yelin Mor de transmettre au gouvernement de Golda Méir une proposition de négociation du président Sadate. Des hauts fonctionnaires des deux pays se rencontreraient secrètement en terrain neutre, les parties s'engageant à ne rien divulguer de leurs entretiens, même s'ils devaient échouer.

Yelin Mor recueille une interview de Hamrouche avant de rentrer en Israël. Il la publiera dans un quotidien de Tel Aviv. Il demande un rendez-vous au ministre de l'Éducation Yigal Allon qui le reçoit en compagnie du chef du Mossad, Zvi Zamir. Le message est remis. Quelques jours plus tard, Yelin Mor est convoqué chez Allon qui lui fait part de la réponse de Golda Méir : «*Nathan, tu sais que la loi interdit les rencontres avec l'ennemi! Pourquoi as-tu besoin de prendre de tels risques ? Tu pourrais avoir des ennuis.*» Yelin Mor se fâche : «*Je n'ai pas demandé votre autorisation pour combattre les Britanniques. Je ne vous la demanderai pas pour œuvrer en faveur de la paix.*» Yelin Mor gardera d'excellentes relations avec Henry Curiel qui continuera de militer pour un accord au Proche-Orient. C'est au lendemain d'un dîner avec Yelin Mor qu'il sera assassiné en 1981 par un inconnu, rue Rollin à Paris.

DAYAN, SADATE ET JARRING

Le 17 novembre 1970, Moshé Dayan rencontre le groupe travailliste au Parlement. Il est question d'une initiative israélienne : accepter, dans le cadre de la mise en place d'un cessez-le-feu stable sur le front égyptien, la réouverture du canal de Suez et pour cela, serait prêt à retirer Tsahal du voisinage immédiat de la voie d'eau. Le 26, se réunit la commission politique du Parti travailliste. A l'ordre du jour, notamment, la proposition de retrait unilatéral de Dayan. Golda Méir est contre. Le chef d'état-major, Haïm Bar Lev mais aussi Israël Galili et Yigal Allon. Finalement, contre l'avis de la gauche, la question n'est pas mise aux voix[1].

Le 11 décembre 1970, Moshé Dayan se rend à Washington pour discuter de l'intervention soviétique dans la guerre d'usure avec l'Égypte, de la reprise des livraisons d'armes américaines à Israël et de la relance de la mission Jarring. Robert Anderson, l'ancien secrétaire au Trésor d'Eisenhower dont il fut également l'émissaire secret au Proche-Orient, lui prend rendez-vous avec le président Richard Nixon, non sans lui dire d'abord qu'Israël devrait se retirer sur ses frontières d'avant 1967. Kissinger, Rogers et le secrétaire à la Défense, Melvin Laird, assistent à l'entretien. Le chef de l'exécutif et ses trois responsables conseillent fortement à Israël de reprendre les discussions avec Jarring. Dayan se plaint de l'attitude des États-Unis qui, dit-il, ont promis à l'Égypte de suspendre les ventes d'armes à Israël durant les négociations sur l'initiative Rogers. La discussion, selon Dayan, est difficile mais, dès son retour à Jérusalem, il apprend que Golda Méir a été informée de la reprise des livraisons d'armes américaines[2]. Dans ces conditions, Israël peut retourner à la table des négociations sous l'égide de Jarring. Le

---

1. Yossi Beilin, *Mehiro shel Ihoud*, Revivim, Tel Aviv, 1985, p. 116. Voir aussi Abba Eban, *Personal Witness, op. cit.*, 1993, p. 499.
2. Moshe Dayan, *Story of my Life, op. cit.*, pp. 369 et 370.

gouvernement fait voter par la Knesset, à une majorité de 77 voix contre 27, la participation d'Israël aux pourparlers menés par le diplomate suédois qui commence ses consultations aux Nations unies à New York.

Poussé par William Rogers, qui lui a dit : «*Vous avez assez échangé de documents!*» Jarring arrive en Israël le 11 janvier. A Jérusalem, Abba Eban lui explique que le gouvernement israélien voudrait une négociation territoriale. Golda Méir insiste : «*Croyez-moi, monsieur Jarring, j'ai assez de sable et de désert, je n'ai pas besoin d'en avoir encore plus, mais nous avons un problème de frontières défendables.*» Jarring répond : «*Croyez-moi, je comprends, mais les Arabes n'acceptent pas.*» Jarring repart avec un document israélien définissant la position israélienne au sujet de la résolution 242 et du principe même des négociations de paix. Le ministre des Affaires étrangères lui remet un document de travail définissant la position israélienne au sujet de la résolution 242 et du principe même des négociations de paix. A Mordehaï Gazit, qui l'accompagne à l'aéroport, il déclare : «*Je ne crois pas que les Arabes puissent être en colère contre moi. Je suis venu en Israël durant un week-end.*»

Le 4 février, Anouar el Sadate s'adresse au Parlement égyptien. Il lance une nouvelle initiative : «[...] *Nous demandons que durant la période du cessez-le-feu, les forces israéliennes effectuent un retrait partiel de la rive est du canal de Suez comme première étape d'un calendrier qui serait défini par le Conseil de sécurité. Si cela se déroule dans les limites de la période que nous avons définie, nous serons prêts à entamer rapidement les travaux du déblaiement du canal de Suez afin de l'ouvrir à nouveau à la navigation internationale. Nous croyons que cette initiative aidera l'ambassadeur Jarring à réaliser un accord sur des mesures concrètes d'application de la résolution du Conseil de sécurité[1].*»

Anouar el Sadate se présente comme le dirigeant égyptien qui ne porte pas la responsabilité de l'échec de 1967. Sa proposition de retrait ressemble fort à celle de Moshé Dayan. Trois jours plus tard Golda Méir accorde une interview à la chaîne américaine NBC. Elle déclare qu'il n'y a rien de neuf dans la proposition égyptienne et qu'Israël pourrait l'accepter en principe s'il obtient la liberté de navigation dans le canal de Suez. Au Caire, Sadate explique à son ministre des Affaires étrangères que cette initiative devrait lui attirer le soutien de pays dont

1. Mahmoud Riad, *The Struggle for Peace in the Middle East*, *op. cit.*, p. 187. Mohamed Heikal, *The Road to Ramadan*, *op. cit.*, p. 116.

le commerce souffre de la fermeture du canal de Suez et qu'Israël serait complètement isolé s'il devait rejeter cette initiative[1].

IMPASSE

Le 8 février, Jarring soumet ses propositions à l'Égypte et à Israël. Pour surmonter l'impasse entre les deux pays, il faut les amener à prendre des engagements parallèles. Israël s'engagerait à un retrait sur la frontière internationale de l'Égypte et également de la bande de Gaza, en échange de la promesse égyptienne de conclure un accord de paix stipulant formellement la fin de l'état de belligérance, reconnaissant le droit d'Israël à l'existence, le droit des pays de la région à vivre en paix dans des frontières sûres et reconnues et le droit à la libre navigation dans les détroits de Tiran.

Dans sa proposition aux Israéliens, Jarring suggère également la mise en place de zones démilitarisées dans le Sinaï.

Le 15, Mahmoud Riad, le chef de la diplomatie égyptienne, donne sa réponse au médiateur de l'ONU : «*Le Caire accepte ces propositions et réaffirme le principe de la liberté de navigation dans le canal de Suez sur la base de la convention de Constantinople en 1888. L'Égypte accepte également le déploiement de Casques bleus à Charm El Cheikh et la définition de zones démilitarisées, de taille similaire, des deux côtés de la frontière internationale. Une force de l'ONU pourrait y être déployée, composée de militaires appartenant à des membres permanents du Conseil de sécurité. Israël devrait s'engager à appliquer tous les articles de la résolution 242, à retirer ses forces armées du Sinaï et de la bande de Gaza et accorderait un règlement juste au problème des réfugiés arabes dans le cadre des résolutions de l'ONU. Dans ce cas, l'Égypte serait prête à un accord de paix avec Israël. Une paix juste et durable doit être fondée sur un retrait de tous les territoires occupés depuis le 5 juin 1967.*»

La réaction américaine est très favorable. Mahmoud Riad raconte que Donald Bergus, le représentant des États-Unis au Caire, lui a déclaré : «*Vous avez répondu favorablement à toutes les demandes posées par le secrétaire d'État Rogers et l'administration américaine. Si Israël tente de se dérober, nous avons tout ce qu'il faut pour exercer des pressions afin qu'il accepte[2].*»

---

1. Mahmoud Riad, *The Struggle for Peace in the Middle East*, *op. cit.*, p. 188.
2. *Ibid.*, p. 188.

Le gouvernement Golda Méir est embarrassé. Pour la première fois dans l'histoire du conflit, un président égyptien est prêt à discuter d'un règlement de paix avec Israël. C'est un tournant historique. Abba Eban, Yigal Allon et l'ambassadeur d'Israël aux Nations unies, Yossef Tékoah, veulent répondre à Jarring qu'Israël accepte le «*principe d'un retrait de ses forces armées, de la ligne de cessez-le-feu sur des frontières sûres, reconnues et négociées, qui seraient déterminées dans le cadre d'un accord de paix*».

Israël Galili n'est pas d'accord. Il entend limiter la portée de la réponse israélienne et exige que l'on ajoute la phrase : «*Israël ne se retirera pas sur les lignes d'avant le 5 juin 1967.*» Moshé Dayan soutient cette formule qui, selon des sources proches des Affaires étrangères, viendrait en fait de l'ambassadeur à Washington, Yitzhak Rabin. Une majorité parmi les ministres se laisse persuader. Lorsqu'ils recevront ce texte, les Égyptiens l'interpréteront comme un rejet pur et simple de l'initiative Jarring. Abba Eban regrettera publiquement que sa proposition n'ait pas été acceptée par ses collègues, il repoussera toutefois les accusations des détracteurs de Golda Méir, pour qui la petite phrase ajoutée à la réponse israélienne à la mission Jarring a torpillé une réelle occasion de paix.

Le ministre israélien des Affaires étrangères estimera que : «*Sadate pouvait espérer récupérer la totalité du Sinaï dans le cadre de négociations "vigoureuses". L'Égypte avait une attitude rigide de : "C'est à prendre ou à laisser." Jarring et les États-Unis l'y encourageaient. Si Sadate voulait réellement un accord, il aurait accepté des négociations au cours desquelles la position de repli d'Israël aurait émergée. Si la position d'Israël au sujet des territoires ne satisfaisait pas l'Égypte, la position de l'Égypte sur la paix et la sécurité ne satisfaisait pas Israël.*» Sadate selon Eban présentait un ultimatum, exigeant qu'Israël mette les territoires dans une enveloppe et la lui glisse sous la porte. «[…] *Les propositions de Sadate d'un accord partiel n'ont pas été accompagnées d'une annonce dramatique, ce qui suscitait des soupçons côté israélien. Les objectifs du président égyptien étaient peut-être tactiques et non pas stratégiques.*» Pour Eban : «*Pour que naisse la paix, ses parents doivent se rencontrer au moins une fois[1].*»

Le fait est que les dirigeants israéliens ne croient pas Anouar el Sadate lorsqu'il lance son initiative. Ils ne le croiront pas lorsqu'il répétera : «*L'alternative, c'est la guerre.*» Ils ne pensent pas qu'une médiation puisse réussir. Au cours de conversations privées, ils déclarent qu'il

---

1. Abba Eban, *Personal Witness*, *op. cit.*, pp. 501-502.

faut laisser Jarring continuer à tourner en orbite tout en lui permettant de faire le plein à l'occasion. Un diplomate israélien de premier plan dit, en présence d'Abba Eban : «*Il faut rejeter ces propositions et faire manger de l'acier aux Égyptiens.* […] » Mordehaï Gazit estime qu'à ce stade du conflit, il n'y a pas de médiateur capable de rapprocher les positions. Il faudra attendre Kissinger, deux ans plus tard. En 1971, Israël regarde le monde arabe au travers du prisme déformant de la victoire de 1967 et de la volonté de ne pas évacuer les territoires occupés. Et puis, les experts, les orientalistes israéliens n'ont peut-être pas la capacité d'analyser les réactions d'un chef d'État arabe qui prend ses décisions en solitaire. Jarring remet un rapport à U Thant, le secrétaire général de l'ONU. Il rejette la responsabilité de l'échec de sa mission sur Israël.

TRANSITION

Golda Méir a d'autres soucis. Des centaines de jeunes sépharades manifestent un peu partout en Israël. A Jérusalem, un affrontement avec la police a même fait 25 blessés et 80 arrestations. Le mouvement est conduit par un groupuscule, les Panthères noires, composé d'enfants des immigrants marocains arrivés dans les années 1950. Ils protestent contre la discrimination qu'ils subissent. La presse découvre le «second Israël», les couches défavorisées orientales, le chômage, le système d'éducation à deux vitesses. L'agitation va s'estomper au fil des mois, la rancœur subsistera. Elle s'exprimera lors des élections de 1977. Les Juifs orientaux voteront massivement contre les travaillistes et porteront le Likoud de Menahem Begin au pouvoir.

Le 1er mars, Anouar el Sadate part secrètement pour Moscou, sa première visite dans la capitale soviétique depuis la mort de Nasser. Brejnev et Kossyguine lui demandent ce qu'il se passera si l'Égypte ne renouvelle pas le cessez-le-feu qui expire le 7 mars : «*Israël va-t-il vous attaquer en profondeur ? Visera-t-il vos emplacements de missiles ? Quelle sera votre réaction ? Prendrez-vous des initiatives militaires ? Allez-vous franchir le canal ?* » Sadate : «*Notre peuple est prêt à combattre pendant dix ans et à perdre un, deux ou trois millions d'hommes comme vous en avez perdu vingt millions pendant la Seconde Guerre mondiale. Nous sommes prêts à voir nos institutions détruites mais à une condition, c'est que si l'ennemi nous attaque en profondeur, nous le touchions lui aussi en profondeur.* » Le président égyptien réclame des moyens de luttes électroniques pour brouiller les radars

315

israéliens. Le Kremlin accepte finalement d'envoyer en Égypte quatre avions Iliouchine lanceurs de missiles, mais leurs équipages seront soviétiques et la mise en action de ces appareils serait décidée uniquement par Moscou[1].

Sadate regagne Le Caire, déçu. Il découvre que les prosoviétiques de son gouvernement sont de plus en plus actifs. Le 4 mai, William Rogers arrive au Caire avec une nouvelle proposition : une prolongation indéfinie du cessez-le-feu, la réouverture du canal de Suez et un retrait israélien limité. Les Égyptiens lui répondent que c'est inacceptable : «*Israël devrait donner une réponse positive à la mission Jarring, et accepter un retrait en deux étapes. D'abord sur une ligne El Arish-Ras Mohamed. Les forces égyptiennes se déploieraient alors sur la rive orientale du canal, qui commencerait à être dégagée. Les Israéliens évacueraient ensuite le reste du Sinaï et la bande de Gaza sous le contrôle des Casques bleus qui s'installeraient à Gaza et à Charm El Cheikh. Le Caire accepterait ensuite la mise en place de zones démilitarisées et une prolongation de six mois du cessez-le-feu. Sans cela, l'Égypte se réserve le droit de libérer ses territoires occupés par la force[2].*»

A la Maison-Blanche, Henry Kissinger qui, de son bureau de conseiller à la Sécurité nationale, suit tout cela de loin, note que l'initiative de Rogers a échoué parce que les Égyptiens exigeaient que le retrait israélien fût la première étape d'un accord d'évacuation totale. Le cabinet Méir voulait que l'armée égyptienne s'éloignât également du canal de Suez, en échange d'une évacuation israélienne de territoire égyptien. Une situation qu'il résume ainsi : «*Les Soviétiques réclamaient un règlement global immédiat, les Israéliens des négociations directes, les Égyptiens une solution générale par paliers, les Syriens et l'OLP refusaient toute négociation, et le Département d'État américain proposait un retrait intérimaire sur le canal de Suez* [...][3].»

Le 13 mai, un complot est déjoué en Égypte. Anouar el Sadate devait être assassiné lors d'une visite dans la province d'Al Tahrir. Le 16, Ali Sabri, l'homme des Soviétiques en Égypte, est mis sous les verrous en compagnie de centaines de suspects. C'est la chasse aux communistes. Cela n'empêche pas le président Podgorny d'arriver au Caire le 25, avec un projet de traité d'amitié soviéto-égyptien. Le Politburo, dit-il, insiste pour qu'il soit signé immédiatement. Sadate s'exécute[4].

1. Mohamed Heikal, *Le Sphinx et le Commissaire, op. cit.*, p. 255.
2. Mohamed Heikal, *The Road to Ramadan, op. cit.*, p. 132.
3. Henry Kissinger, *Les Années orageuses*, Fayard, Paris, 1982, pp. 242-243.
4. Anouar el Sadate, *In Search of Identity*, Fontana & Collins, Londres, 1978, p. 270.

En septembre 1971, arrive en Israël un nouvel immigrant qui passe presque inaperçu dans la presse israélienne : le rabbin Méir Kahana, le chef de la Ligue de défense juive, une organisation américaine dont les activités aux États-Unis étaient surtout dirigées contre des intérêts soviétiques et se présentaient comme une milice d'autodéfense juive. Il a trente-neuf ans, et ses théories politico-religieuses frisent, à l'époque, le racisme. Au fil des ans, elles s'affirmeront plus nettement. Il explique à qui veut l'entendre que le monde est antisémite, qu'un nouvel holocauste menace le peuple juif, qui doit donc s'installer en Israël pendant qu'il est encore temps. La Terre d'Israël dans son ensemble n'appartient qu'aux Juifs. Pour lui, les Arabes doivent partir. Kahana va faire des adeptes. Un an à peine après son atterrissage à l'aéroport de Tel Aviv, il lancera sa première campagne pour l'expulsion des Palestiniens. Les dirigeants israéliens n'y accordent pas d'importance.

SEPTEMBRE NOIR

Israël vit à l'heure du terrorisme et des détournements d'avions. Le 8 mai 1972, des Palestiniens de Septembre noir, une organisation du Fatah, prend en otages les passagers du Boeing de la Sabena qui faisait le trajet Bruxelles-Tel Aviv. Arrivé à destination et après vingt-quatre heures de pourparlers, le commando d'état-major monte à l'assaut de l'avion. Deux pirates de l'air sont tués et deux jeunes Palestiniennes sont capturées vivantes, les passagers libérés. L'opération a été commandée par un jeune colonel : Ehoud Barak. Il deviendra chef d'état-major vingt ans plus tard puis, ministre des Affaires étrangères. Benjamin Netanyahu qui fait partie de l'unité est légèrement blessé au cours de l'échange de tirs. Son frère aîné, Yonathan, est un des officiers du commando d'état-major.

Le 31 mai 1972, trois Japonais descendent d'un avion d'Air France à l'aéroport de Lod. Ils viennent de Rome et ressemblent à des touristes tout à fait normaux. Une hôtesse les voit sourire lorsqu'ils reçoivent leurs valises qu'ils ouvrent immédiatement pour en sortir des Kalachnikov et des grenades. C'est le massacre. 24 personnes sont assassinées, pour la plupart des pèlerins chrétiens venus de Porto Rico. Il y a des dizaines de blessés. Deux des terroristes sont abattus. Le troisième est capturé. Il s'appelle Kozo Okamoto. Comme ses camarades, il appartient à l'Armée rouge japonaise qui a réalisé cet attentat pour le compte du Front populaire pour la libération de la Palestine.

Le 5 septembre, le 11e jour des jeux Olympiques de Munich, un commando de Septembre noir s'introduit dans l'immeuble des athlètes israéliens. Un sportif est tué en tentant de résister. Onze autres sont pris en otage. Les terroristes exigent la libération de cent cinquante de leurs camarades emprisonnés en Israël. Après plus d'une journée de négociations, le gouvernement bavarois autorise les Palestiniens et leurs prisonniers à quitter le village olympique pour se rendre en hélicoptère jusqu'à l'aéroport militaire voisin. La police munichoise tente de libérer les otages et échoue. Dix Israéliens sont tués par les terroristes ainsi que le pilote de l'hélicoptère, un Allemand. Trois Palestiniens sont capturés vivants. Ils seront libérés quelques semaines plus tard sur ordre du chancelier Willy Brandt après le détournement d'un avion de la Lufthansa.

Sadate a effectué des visites en URSS, en février et en avril 1972. Il réitère ses exigences de livraisons d'armes, réclame des chars, des avions de combat, mais sans résultat. Finalement, le 6 juillet, il explique à l'ambassadeur d'URSS au Caire, qu'il désapprouve la manière avec laquelle les leaders soviétiques traitaient l'Égypte : «*J'ai décidé de me passer des services des quinze mille experts soviétiques qui se trouvent en Égypte. Ils doivent quitter le pays dans une semaine à partir d'aujourd'hui. […] Il ne doit rester aucun matériel appartenant à l'Union soviétique en Égypte. Ou vous nous le vendez ou vous le rapatriez dans la semaine.*»

Exit les conseillers soviétiques. Les relations entre Le Caire et Moscou traverseront une période de grande froideur jusqu'à la fin de l'année lorsque le Kremlin reprendra ses livraisons de matériel militaire. Sadate dira alors : «*Tous les robinets coulent en grand. On a l'impression qu'ils veulent me pousser à la bataille*[1].»

MUNICH ET BEYROUTH

Le 10 septembre 1972, alors que tous les drapeaux israéliens dans le monde sont encore en berne en mémoire des onze athlètes assassinés à Munich, Septembre noir frappe de nouveau. Un agent du Mossad, qui travaille à l'ambassade d'Israël à Bruxelles, est assassiné. Trois jours plus tard, à Paris, un journaliste syrien est abattu. Les Palestiniens le soupçonnaient d'appartenir aux services spéciaux israéliens. C'est l'escalade. Tsahal bombarde des camps au Liban, Septembre noir multiplie les attentats. Golda Méir décide la création d'une unité spéciale formée

---

1. Mohamed Heikal, *The Road to Ramadan, op. cit.*, p. 302.

de combattants des renseignements militaires et d'agents du Mossad, sous la direction d'Aharon Yariv, l'ancien patron des renseignements militaires. Leur mission : liquider les chefs et l'infrastructure de Septembre noir. Le 16 octobre à Rome, Wahil Zouhaiter, le représentant de l'OLP à Rome, est abattu par des inconnus. Le 9 janvier, à Paris, c'est Mahmoud Hamshari qui meurt dans l'explosion de son téléphone, le 24 à Nicosie, Abdel Khir disparaît dans l'explosion d'une bombe placée sous son lit. Septembre noir riposte. Le 26 janvier, Baroukh Cohen, le chef de l'antenne du Mossad à Madrid, est assassiné au moment où il rencontrait un de ses informateurs palestiniens.

Les chefs de Tsahal proposent une opération de grande envergure dans le sanctuaire de l'OLP, à Beyrouth. Le 9 avril 1973, peu avant minuit, des unités de commandos israéliens débarquent sur une plage de Beyrouth. Des agents du Mossad, arrivés quelques jours plus tôt, avaient loué des voitures qui les attendaient quelques dizaines de mètres plus loin. Le premier commando, l'unité spéciale de l'état-major, est dirigée par Ehoud Barak, un jeune lieutenant-colonel. Il a pour mission d'assassiner trois dirigeants palestiniens : Mohammed Nadjar, dont le nom de guerre est Abou Youssef – il serait un des chefs de Septembre noir –, et le patron des services de renseignement du Fatah, Kamal Adwan, qui dirige de Beyrouth les cellules du Fatah en Cisjordanie et à Gaza, et le poète Kamal Nasser, un des porte-parole de l'OLP.

Ces assassinats ne plaisaient pas à tous les combattants du commando israélien, qui, avant de partir en opérations, ont exigé des explications détaillées de la part du chef d'état-major, le général David Elazar. Abou Youssef est abattu par le commandant Yonathan Netanyahu. Au moment où l'Israélien ouvre le feu, l'épouse du Palestinien se précipite pour tenter de sauver son mari. Elle meurt dans ses bras. Kamal Adwan et Kamal Nasser sont assassinés également. L'unité de Barak, qui dirige l'opération déguisé en femme – un témoin libanais dira que les Israéliens étaient commandés par une blonde dont la poitrine faisait rêver –, parvient à regagner la plage sans rencontrer trop de difficultés. Il n'en est pas de même pour le commando parachutiste du lieutenant-colonel Amnon Lipkin Shahak. Il a pour mission de détruire un bâtiment du Front démocratique pour la libération de la Palestine. Il se heurte à une violente résistance et doit faire évacuer par hélicoptère, en plein cœur de Beyrouth, deux de ses hommes tués au cours de l'assaut, et trois blessés graves. Malgré cela, les charges sont posées, et l'immeuble saute. Lipkin Shahak regagne Israël par la mer. Général, chef d'état-major adjoint, il sera, en 1993, le négociateur des accords de Taba avec l'OLP.

Cette opération, appelée «Printemps de jeunesse», contribue à donner à l'armée israélienne un sentiment d'invincibilité qu'elle payera très cher, six mois plus tard. Tsahal est pour la presse israélienne un monstre sacré. Les journalistes évitent les critiques et collaborent avec la censure militaire. On ne remet pas en cause Superman.

CÉCITÉ

Les dirigeants du pays ont la certitude que l'armée pourra faire face à toute éventualité en cas de nouvelle guerre. Pour le public, ce sentiment est renforcé par les déclarations de généraux à la retraite. Ariel Sharon, qui a quitté l'armée avec le grade de général, explique le 20 juillet à *Maariv* : «*Si l'Égypte décide de reprendre les hostilités, elle payera un prix terrible, auquel elle ne pourra faire face. En 1967, l'Égypte avait où se retirer : sur le canal de Suez. Il en était de même en 1956 mais, lors de la prochaine guerre, la ligne de repli des forces égyptiennes, ce sera Le Caire. Cela signifiera une destruction terrible de l'Égypte. Une destruction totale. A mes yeux, c'est inutile.*»

Question : «*Qu'est-ce que les Égyptiens ont perdu en expulsant les experts soviétiques d'Égypte ?*»

Sharon : «*Le sentiment de sécurité qu'Israël ne peut vaincre l'Égypte en raison de la présence soviétique. Ce sentiment n'existe plus aujourd'hui chez les Égyptiens dont l'armée s'est considérablement affaiblie, privée de l'aide du Kremlin.*»

Quelques jours plus tard, c'est Yitzhak Rabin qui s'exprime dans ce même quotidien. L'ancien chef d'état-major considère que le conflit israélo-arabe peut évoluer vers quatre cas de figure :

«*La reprise des combats sur le front égyptien.* […] *Il est inutile qu'Israël prenne l'offensive. Il doit se contenter de réagir aux attaques de l'ennemi puis, si c'est nécessaire, rétablir le cessez-le-feu le plus vite possible. De leur point de vue, les Arabes pourraient utiliser la force afin de réaliser deux objectifs : parvenir à un acquis militaire quelconque pour éloigner Israël le plus possible de la rive orientale du canal de Suez et transformer ainsi la situation militaire qui existe actuellement. Une action limitée destinée à soutenir un effort politique.* […] *Les risques d'une reprise des combats existent mais la force militaire d'Israël lui suffira pour empêcher l'autre partie de réaliser ses objectifs. Et puis, l'état des relations entre les grandes puissances n'encourage pas de nouvelles opérations militaires.*» Rabin présente sa conception d'un règlement : «*La seule possibilité de progrès vers la paix est un règlement par étapes qui comprendrait le principe de la paix contre des territoires. Il faut éviter les annexions et laisser aux négociations le problème de l'avenir des territoires.* »

Fin mars 1973, Anouar el Sadate accorde une interview à Arnaud de Borchgrave de l'hebdomadaire américain *Newsweek,* qui la publiera dans sa première édition d'avril. Le président égyptien déclare que les négociations ont échoué et que la guerre était à présent nécessaire : « *Si nous ne prenons pas notre cause entre nos propres mains, il n'y aura pas de mouvement. Il est inutile de remettre les pendules en arrière. Tout ce que j'ai fait mène à plus de pression sur l'Égypte pour qu'elle fasse d'autres concessions. Chaque porte que j'ai ouverte m'a été refermée à la figure, avec la bénédiction des Américains.* » Le journaliste demande si la seule conclusion à tirer de cela c'est que, pour Sadate, la reprise des hostilités est la seule porte de sortie. Le président égyptien répond : « *Vous avez tout à fait raison. Tout dans le pays est actuellement mobilisé pour la reprise de la bataille qui est inévitable.* »

Le mois suivant, David Elazar, le chef d'état-major israélien, décrète l'état d'alerte renforcé dans l'ensemble de l'armée. Les Égyptiens procèdent à de grandes manœuvres. Plusieurs divisions de réserve sont déployées dans le Sinaï. Les renseignements militaires craignent une surprise. Depuis la fin de l'année 1972, ils reçoivent de plus en plus d'informations, certaines provenant de la CIA, sur les intentions belliqueuses des Égyptiens. Le 15 avril, le chef des renseignements militaires Élie Zéïra, explique au cabinet Golda Méir que les Égyptiens veulent surtout donner l'impression d'une veillée d'armes au Proche-Orient afin d'influencer les discussions au sommet entre Nixon et Brejnev.

Les manœuvres égyptiennes se déroulent sans accroc. Les chefs de Tsahal regrettent la dépense suscitée par leur alerte mais Dayan et Elazar sont malgré tout inquiets. Ils autorisent un renforcement des unités blindées israéliennes dans le Sinaï durant les mois d'été. Juillet se révèle être un des mois les plus calmes de l'histoire du pays. Le 4 septembre, Dayan dit au commandant de l'armée de l'air qu'il ne prévoit pas de guerre dans un avenir prévisible. Il n'évoque pas le renforcement de l'artillerie et de l'infanterie syriennes sur le front du Golan constatée la veille.

VERS LA GUERRE

Le 13 septembre, une reconnaissance aérienne confirme la poursuite du renforcement militaire syrien. Deux jours plus tard, alors que des avions israéliens tentent une nouvelle reconnaissance au-dessus du Golan, l'aviation syrienne intervient. Au cours du combat aérien qui suit, 9 Mig sont abattus ainsi qu'un Mirage israélien. Son pilote a sauté en parachute au-dessus de la Méditerranée. Les Syriens tentent d'intervenir contre l'opération de sauvetage. Ils perdent quatre appareils supplémentaires au cours d'un nouveau combat aérien. Treize contre un, cela devrait décourager les Syriens de se lancer dans une nouvelle aventure. Élie Zéïra explique que les Égyptiens considèrent cet incident avec gravité. Au Caire, dit il, on pense que c'est une mise en garde contre la préparation d'un front oriental. L'aviation égyptienne a été placée en état d'alerte.

Ariel Sharon, le bouillant général, a quitté l'armée. Il sait qu'il n'a aucune chance de devenir chef d'état-major et se prépare à une carrière politique à la droite de Menahem Begin. Lui aussi ne croit pas à une guerre imminente. Pour lui, les Arabes sont trop faibles : le 20 septembre, il déclare au quotidien *Haaretz* : «*Il n'y a pas d'objectif entre Bagdad et Khartoum, y compris la Libye, que notre armée soit incapable d'atteindre. […]* » Dans la réserve, il commande une division blindée.

Le 24 septembre, Moshé Dayan réunit l'état-major. Yitzhak Hofi, le commandant de la région militaire nord intervient immédiatement : «*Les Syriens ont quitté leurs positions puis y sont retournés sans que nous le sachions. A mon avis, cela veut dire que les Syriens constituent un danger pour Israël. Nous n'avons pas de profondeur stratégique face à la Syrie. La marge de manœuvre de l'armée de l'air est limitée et par l'espace et par le dispositif de missiles sol-air mis en place par les Syriens ces derniers temps. Nos avions risquent d'avoir une possibilité limitée de soutien au sol en cas d'attaque. […]* » Dayan demande aux généraux de prendre en compte la possibilité d'une attaque-surprise syrienne sur le Golan. Il ressent un malaise croissant face aux informations qui arrivent de plus en plus nombreuses sur le dispositif syrien. Quarante-huit heures plus tôt, des photographies aériennes ont permis d'établir que le dispositif syrien est complètement mobilisé sur le front et à l'arrière. Pour les renseignements militaires israéliens, c'est une réaction de défense naturelle de Damas après la dernière bataille aérienne.

«LE PUITS» À TEL AVIV

Le 25 septembre 1973, Israël reçoit de nouvelles informations sur des mouvements de troupes en Égypte et en Syrie. Tard le soir, Hussein de

Jordanie atterrit en hélicoptère près de Massada. Il le pilote lui-même. Un hélicoptère israélien l'y attend pour l'amener à la «Midrasha», la base des services spéciaux au nord de Tel Aviv. Golda est là, fumant cigarette sur cigarette. Pour les Israéliens, cette rencontre est importante. Le souverain jordanien était en Égypte la semaine précédente. La sécurité est assurée par les deux chefs du Shin Beth responsables de l'organisation de ce genre de visite secrète : Réouven Hazak et Rafi Malka. Dans une pièce attenante, des experts des renseignements militaires suivent l'enregistrement de la conversation, notamment le lieutenant-colonel Zoussia Kaneizer, le chef du département Jordanie. Il sursaute en entendant Hussein lancer à Golda Méir :

«Nous savons de bonne source que toutes les unités de l'armée syrienne sont en alerte, prêtes à passer à l'action. [En anglais, le roi utilise l'expression jump off position.] Une seule division syrienne est déployée dans le sud de la Syrie pour défendre cette frontière dans le cas où Israël tenterait une contre-offensive.

– Qu'est-ce que cela signifie ?

– Je ne sais pas si cela signifie quelque chose ou non. J'ai certains soupçons, mais je ne suis pas sûr.

– La Syrie peut-elle lancer une offensive sans l'Égypte ?

– Je ne pense pas qu'elle agira seule. Je suppose que l'Égypte rejoindra la Syrie en cas de guerre[1].»

Pour Kaneizer, cela signifie que la guerre pourrait être imminente, que les Syriens et les Égyptiens préparent une opération commune. Dans l'heure qui suit la rencontre, il téléphone au général Arié Shalev, le chef du département de l'évaluation et lui annonce : *«C'est la guerre!»* Il avertit également son collègue, le responsable du département Syrie. Golda Méir, également, est inquiète après sa conversation nocturne. Elle appelle Dayan et lui dit que Hussein a fait une allusion intéressante. Le ministre de la Défense téléphone à David Elazar.

Le chef d'état-major se précipite à la Midrasha, dès le lendemain matin, pour visionner le film de la rencontre. Zéïra l'accompagne. Ils trouvent que la déclaration du roi n'est pas claire. Kaneizer qui sonne le tocsin est prié de se calmer. Son analyse est en désaccord absolu avec celle que ses chefs font de la situation[2]. Au cours d'une réunion avec son état-major personnel, Elazar déclare : *«Selon une information provenant d'une source sérieuse, l'armée syrienne est prête à ouvrir le*

---

1. Source de l'auteur. Cet extrait du dialogue entre Golda Méir et Hussein de Jordanie est également publié par Moshé Jacques, *Hussein Ossé Shalom*, Bar Ilan, Tel Aviv, 1996, p. 103.
2. Source de l'auteur. Voir également l'interview de Zoussia Kaneizer à Y*ediot Hahronot*, publiée le 9 septembre 1994.

feu à tout instant. Nous ne savons pas si cela est coordonné avec les Égyptiens.»

Le commandant de la région nord, le général Hofi, exprime à nouveau ses inquiétudes mais ajoute qu'il ne croit pas à une offensive terrestre. L'entretien de Golda Méir avec Hussein est classé dans son dossier intitulé «Le Puits». Pour les services de renseignements israéliens le souverain jordanien n'est pas seulement une source d'information, c'est un puits.

IL NE SE PASSERA RIEN

Le 28 septembre, l'Égypte célèbre le troisième anniversaire de la mort de Nasser. Anouar el Sadate ordonne une amnistie partielle. Des détenus politiques sont libérés de prison. A la fin d'un discours radiodiffusé, il déclare : *«Mes frères et mes sœurs, vous avez peut être remarqué que je n'ai pas évoqué un sujet : la bataille. Je l'ai fait volontairement. Nous connaissons notre objectif et nous sommes déterminés à l'atteindre. Nous ne nous épargnerons aucun effort, aucun sacrifice. Je ne promets rien. Je ne discuterai aucun détail. Toutefois, je peux seulement dire que la libération de la terre est la principale tâche à laquelle nous faisons face. Si Dieu le veut, nous la réaliserons. C'est la volonté de notre peuple, de notre nation. C'est aussi la volonté de Dieu. […]»*

A Tel Aviv, au siège de l'état-major, à l'étage des renseignements militaires, les lumières rouges ne s'allument toujours pas. Les chefs sont obnubilés par le terrorisme. Deux Palestiniens, appartenant à la Saïka, l'organisation d'obédience syrienne, ont pris cinq Juifs soviétiques en otages dans le train Moscou-Vienne. Ils réclament la fermeture du centre de transit d'immigrants juifs installé en Autriche. Le chancelier Kreisky accède à leurs exigences et laisse partir les terroristes, au grand dam des Israéliens. Jérusalem proteste. Des pétitions circulent. Des manifestations sont organisées devant l'ambassade d'Autriche.

A Jérusalem, le cabinet examine la situation. En raison de la tension aux frontières, le Premier ministre hésite à partir pour Strasbourg où elle est invitée à prendre la parole devant le conseil de l'Europe. Les chefs militaires la tranquillisent : *«Il ne se passera rien ici.»* Golda Méir prend l'avion le lendemain. Durant son séjour en Europe, elle rencontrera Bruno Kreisky.

Dans la nuit du 29 au 30, la CIA passe le message à Israël : *«Les Syriens risquent de lancer une importante offensive sur le Golan dans les tout prochains jours*[1].» Les Américains fournissent des détails sur le plan d'attaque. Quelques heures plus tard, Zéïra explique à Elazar qu'il n'y a rien de nouveau dans tout cela et qu'il connaît les plans syriens depuis de longs mois. Il estime toujours que la probabilité d'une guerre est faible. Dans la journée, de nouveaux rapports parviennent à Tel Aviv, sur l'annulation de toutes les permissions dans l'armée syrienne dont le déploiement sur le Golan est sans précédent.

Les postes d'observation israéliens remarquent une intense activité égyptienne sur la rive occidentale du canal de Suez. Des canaux, des barques sont amenées à proximité de la voie d'eau. Au quartier général de la région militaire sud, Binyamin Siman Tov, un jeune lieutenant du renseignement, rassemble tous les rapports qui viennent du front et fait sa propre analyse : «*Les manœuvres égyptiennes cachent les prépara-tifs d'une offensive. La guerre est imminente.*» Ses conclusions, là encore, ne correspondent pas à la conception de ses supérieurs. Elles sont effacées de son télégramme à l'état-major.

Tôt le matin, le 1er octobre, l'ambassade d'Israël à Washington trans-met à Jérusalem une demande urgente de Henry Kissinger : «*Comment expliquez-vous les mouvements de troupes syriens à la frontière ?*» La réponse est expédiée quelques heures plus tard : «*Nous étudions la situation. Les Syriens sont en alerte depuis le début du mois de sep-tembre.*»

Selon Arié Braun qui était l'aide de camp de Moshé Dayan, les ser-vices de renseignements ont reçu, durant la nuit, une information secrète sur une attaque imminente des Égyptiens et des Syriens prévue pour le jour même. Zéïra décide de ne la communiquer ni au ministre de la Défense, ni au chef d'état-major. En fin de journée, il leur dit : «*Je vous ai évité une nuit d'insomnie.*» Il raconte l'histoire de l'avertisse-ment reçu à 2 heures du matin. Elazar le félicite mais l'entourage de Dayan fait la grimace. Visiblement, les renseignements militaires font le tri de ce qu'ils communiquent au cabinet du ministre. Ce dernier en fait la remarque à Zéïra qui explique : «*Je n'ai pas voulu vous réveiller. Pour moi, cette information était peu crédible*[2].»

Sous la pression de Dayan, un bataillon de blindés supplémentaire est envoyé sur le Golan. Dans la soirée, Zéïra fait le point : «*En Égypte, l'exercice interarmes se poursuit, l'alerte maximale est appliquée dans tous les postes de commandement. Apparemment*, écrit le chef des ren-seignements militaires, *Le Caire craint une opération israélienne. Il n'y*

1. Arié Braun, *Moshé Dayan*, Idanim, Tel Aviv, 1992, p. 44.
2. *Ibid.*

a pas de signes d'une volonté égyptienne de reprendre le combat, ce qui aux yeux des Syriens est la condition nécessaire de tout succès militaire. En Syrie, l'alerte est maintenue y compris dans l'armée de l'air, mais il n'y a aucune raison politique intérieure ou extérieure qui pourrait pousser la Syrie à une offensive à l'exception de l'incident aérien du 13 septembre dernier.»

Le 3 octobre, Golda Méir, qui vient de rentrer d'Autriche, réunit ce que l'on appelle sa «cuisine» : Yigal Allon, Moshé Dayan et Israël Galili, à la demande du ministre de la Défense. Elle évoque son entretien avec le chancelier autrichien qui s'est mal passé. Kreisky refuse de rouvrir le centre de transit pour immigrants. Elle demande à Elazar et à Arié Shalev, le numéro 2 des renseignements militaires, de décrire ce qui se passe aux frontières : *«La probabilité d'une guerre est faible. Les grandes manœuvres égyptiennes se poursuivent. En Syrie, l'alerte est maintenue.»* Selon Israël Lior, l'aide camp de Golda Méir, l'atmosphère de la réunion est bonne. Personne n'exprime une inquiétude particulière[1].

Le chef du Mossad, Tzvi Zamir, est moins confiant. Il rencontre Golda Méir et lui annonce que, à son avis, il risque d'y avoir la guerre. Il a reçu une information en ce sens. Le Premier ministre lui fait part de l'analyse de Zéïra. Zamir se calme. Le lendemain, il vérifie sa source et revient à la charge : la Syrie et l'Égypte préparent une offensive conjointe. L'état-major de Tsahal n'est pas d'accord.

Dans la journée, Elazar examine des photographies aériennes de la rive occidentale du canal de Suez. Il commence, malgré tout, à ressentir une sourde inquiétude et pose à nouveau la question aux renseignements militaires : *«Vous dites que la probabilité d'une guerre est faible, mais avez-vous la preuve formelle qu'il n'y aura pas de guerre?»* La réponse, invariable, est : *«Tout va bien.»*

Dans la nuit de jeudi à vendredi, nouvelles informations inquiétantes : les familles des conseillers militaires soviétiques sont évacuées d'Égypte et de Syrie. Des appareils de l'Aéroflot se posent régulièrement à Damas et au Caire. Lior communique la nouvelle à Golda Méir qui se rend à son bureau, au ministère de la Défense à Tel Aviv. A 9 heures du matin, réunion dans le bureau de Dayan : le chef d'état-major, son adjoint, le patron des renseignements militaires, le directeur général du ministère.

– Dayan : *«Rien que les chiffres peuvent me causer une attaque! 1 100 pièces d'artillerie sur le front égyptien... Il y en avait seulement*

---

1. Eytan Haber, *Hayom Tifrotz Milhamah*, Idanim, Tel Aviv, 1987, p. 20.

802 le 25 septembre. Vous ne prenez pas les Arabes au sérieux. Je m'occupe de la plate-forme du Parti travailliste et, là, on les prend beaucoup plus au sérieux que vous. »

– Elazar : «*Le renforcement militaire arabe, le départ des familles soviétiques, le nouveau déploiement de l'armée de l'air syrienne, tout cela peut être des signes avant-coureurs d'une attaque mais, de la même manière, cela peut être l'expression d'un dispositif défensif. On explique ici que le départ des Russes est un geste de leur part destiné à montrer aux Arabes qu'ils sont contre* [leur politique]. *Il y aurait une tension politique entre les Arabes et les Soviétiques.*»

– Dayan : «*De la tension politique! On n'aurait pas seulement observé une évacuation des femmes et des enfants, mais aussi des hommes! Cela peut signifier qu'ils craignent une attaque de notre part.*»

– Elazar : «*Je n'ai pas suffisamment de preuves qu'il y a, là, une possibilité d'offensive de leur part. J'ai tendance à décréter une alerte sérieuse chez nous*[1].»

En Europe, un seul homme politique est averti par les Égyptiens de l'imminence d'une crise majeure au Proche-Orient : Bruno Kreisky. Sadate a envoyé, le 5, son ministre des Affaires étrangères à Vienne exprimer le soutien du monde arabe au chancelier autrichien très critiqué par Israël et les instances du judaïsme international en raison de son attitude lors de la prise d'otages la semaine précédente. Fahmy lui dit que cette affaire va très vite être oubliée car des événements plus importants vont avoir lieu dans les quarante-huit heures. La situation au Proche-Orient est, dit-il, très tendue[2]...

ALERTE, MALGRÉ TOUT

Dans l'armée israélienne, toutes les permissions sont annulées. Une brigade blindée supplémentaire va être déployée sur le Golan, une autre transportée d'urgence dans le Sinaï. Personne n'évoque la possibilité d'une mobilisation générale. Golda Méir est nerveuse et fume cigarette sur cigarette. Elle convoque Dayan, Galili, Haïm Bar Lev, l'ancien chef d'état-major devenu ministre du Commerce. Les généraux Elazar et Zéïra tentent de la calmer. Elle finit par accepter leurs explications.

1. Arié Braun, *Moshé Dayan*, *op. cit.*, p. 46.
2. Ismaïl Fahmy, *Negotiating for Peace in the Middle East*, Croom Helm, Londres, 1983, p. 107.

Le jeûne de Kippour va commencer. A partir de 14 heures, la circulation s'arrête partout en Israël. La radio nationale cesse ses émissions. L'aéroport est fermé. Les autres membres du gouvernement sont dispersés un peu partout dans le pays, à leurs domiciles. Le public israélien n'a pas la moindre idée qu'il se passe quelque chose. Les correspondants militaires ont eu droit à un briefing de Zeïra quelques jours plus tôt et les journaux de ce vendredi ne contiennent qu'une brève allusion sur des concentrations de troupes égyptiennes et syriennes. Le pays est entré en campagne électorale. La veille, jeudi soir, la télévision israélienne avait diffusé un clip travailliste décrivant une situation idyllique : un jeune couple, en pique-nique sur le Golan, expliquait aux téléspectateurs que l'économie allait bien et que le calme régnait aux frontières.

Tzvi Zamir est persuadé qu'il a raison. Depuis quelques jours, il «réveille» ses réseaux mais il a des difficultés en Égypte où plusieurs de ses agents ont été appréhendés au début de l'année. Il est parti en Europe recevoir un message de la taupe «tsameret» («élite» en hébreu) qui l'avait mis en garde contre l'imminence d'une guerre. C'est un agent implanté à un niveau proche du pouvoir dans un pays arabe. Les informations qu'il fournit sont considérées par ses services comme totalement crédibles. Les chefs des renseignements militaires, qui connaissent cette source, ont, dans le passé, émis à plusieurs reprises des doutes sur sa viabilité, mais, cette fois, la confirmation est indiscutable. A 4 heures du matin, l'alerte du Mossad est diffusée au sein de l'état-major : «*C'est certain. La guerre est imminente!*»

Golda Méir, les patrons du ministère de la Défense, les chefs de l'armée sont réveillés. Dayan réunit son équipe à 6 heures. Le Mossad confirme : «A 99,9 % de probabilité, l'offensive arabe est certaine.» Elazar veut déclencher une attaque aérienne préventive contre les concentrations des troupes syriennes et égyptiennes. Il demande à l'armée de l'air de se préparer. Le chef d'état-major veut mobiliser 200 000 réservistes. Dayan n'est pas d'accord, selon lui, la moitié suffirait. A 7 heures du matin, parvient à Tel Aviv le télégramme codé de Zamir qui est encore en Europe : «*Les Syriens et les Égyptiens commenceront leurs opérations en fin de journée.*»

Quelques minutes plus tard, Golda Méir reçoit Dayan et Elazar qui posent immédiatement la question de la mobilisation. Le chef d'état-major veut renforcer les fronts avec quatre divisions de réservistes. Dayan pense que deux divisions suffiraient. Elazar explique que, avec une mobilisation complète des réserves, il pourra passer très vite à la contre-offensive, peut-être dès le lendemain. Golda Méir donne le feu vert à la mobilisation. Cette décision, prise par la vieille dame contre l'avis de Moshé Dayan, considéré comme le principal expert militaire du pays, sauvera peut-être le pays d'une grave défaite. Elle refuse l'autorisation de lancer un raid aérien préventif contre les Syriens et les Égyptiens. A posteriori, les experts militaires qui analyseront le dispositif israélien, y découvriront une conception erronée. Les chefs de Tsahal comptent aveuglément sur les informations fournies par leurs services de renseignements et le Mossad pour décider du niveau d'alerte de leurs forces. Ils ne se donnent pas la moindre marge d'erreur. Ce n'est qu'après la guerre et les conclusions de la commission d'enquête présidée par le juge Agranat que face à des concentrations de troupes arabes aux frontières, Tsahal déploiera des renforts et ce, quelle que soit l'analyse de ses services de renseignements.

Henry Kissinger, qui vient de prendre ses fonctions de secrétaire d'État, est réveillé à New York à 6 heures et quart du matin. Golda Méir avait convoqué Kenneth Keating, l'ambassadeur des États-Unis à Tel Aviv pour lui dire : «*Il se peut que nous ayons des ennuis. Les mouvements de troupes égyptiens et syriens ont pris un tour inquiétant. Ces deux pays devraient lancer une attaque contre Israël en fin d'après-midi. Les États-Unis pourraient-ils faire savoir de toute urgence à l'URSS et aux pays arabes qu'Israël n'a nullement l'intention d'attaquer ni l'Égypte ni la Syrie. Pour preuve de ses intentions pacifiques, Israël s'abstient de décréter la mobilisation générale. En aucun cas, il ne prendra l'initiative des hostilités*[1].»

Kissinger appelle Anatoly Dobrynine, l'ambassadeur d'URSS à Washington, puis Mohamed el Zayyat, le ministre égyptien des Affaires étrangères qui se trouve à New York.

A Tel Aviv, Golda Méir explique au général Elazar que, si la guerre éclate, Israël doit être dans la meilleure position possible, c'est-à-dire ne pas être considéré comme l'agresseur. Agressé, Israël aura plus facilement le soutien de la communauté internationale. Elle décide de réunir son gouvernement à midi. Vers 13 heures, Zéïra rencontre les correspondants militaires. Ils savent que la mobilisation des réservistes est en cours. Dans toutes les synagogues du pays, entre deux prières, les noms des rappelés sont lus. Scène inhabituelle un jour de Kippour, des véhicules circulent. Des journalistes commencent à arriver à Kol Israël, la radio nationale. Les émissions doivent reprendre à 14 heures. Il faut diffuser les mots codés des unités rappelées.

Aux ministres qui ont pu se rendre au siège du gouvernement près du

---

1. Henry Kissinger, *Les Années orageuses, op. cit.*, p. 519.

ministère de la Défense à Tel Aviv, Golda Méir explique les raisons pour lesquelles elle a décidé de ne pas lancer d'attaque préventive : «*En 1967, je croyais qu'il était clair pour tous que nous étions agressés, mais nous avons ouvert le feu les premiers. De nombreux chefs d'État m'ont dit que nous avions commencé la guerre. Cette fois, j'ai décidé que ce ne serait pas le cas. L'identité de l'agresseur doit être connue de tous afin que nous ne soyons pas obligés de faire le tour du monde pour persuader les gens de notre bon droit* [1].»

Le ministre de la Défense annonce que les Arabes vont ouvrir le feu probablement vers 18 heure Yaacov Shimshon Shapira demande des explications : «*Et qu'est-ce qui se passerait si l'ennemi lançait son offensive plus tôt ?*»

C'est Dayan qui répond : «*Pour faire face à une telle éventualité, l'armée de l'air patrouille depuis quelques heures. Il n'est pas certain que l'Égypte et la Syrie passeront à l'action simultanément. Il est possible que les Syriens attendent de voir comment l'offensive égyptienne se développe sur le canal de Suez. [...]* »

Le débat se poursuit lorsque, à 14h 05, les sirènes retentissent. Israël est en guerre. Pour la première fois dans l'histoire du conflit israélo-arabe, Égyptiens et Syriens ont l'avantage de la surprise, tactique et stratégique. Le Proche-Orient vient à nouveau de changer.

---

1. Eytan Haber, *Hayom Tifrotz Milhamah, op. cit.*, p. 31.

CHAPITRE 7

Séisme en octobre

octobre 1973-mai 1977

13 h 50. Quatre heures plus tôt que ne le prévoyait l'état-major de Tsahal, les artilleries syrienne et égyptienne ouvrent le feu. Le Golan et le canal de Suez s'embrasent. Des Mig bombardent des positions israéliennes. Moins d'une demi-heure plus tard, sur toute la longueur du canal de Suez, l'armée égyptienne se lance à l'assaut de la ligne Bar Lev dont les fortins sont mal entretenus. Certains sont abandonnés depuis près d'un an. Une unité de réservistes mal entraînés, la brigade de Jérusalem, est déployée en première ligne. Elle se bat avec héroïsme mais son sort est scellé. Le rapport des forces ne lui laisse aucune chance. Dans certains secteurs, quelques dizaines de soldats israéliens affrontent des milliers d'Égyptiens. Au fil des heures, les fortins tombent. Un seul tiendra jusqu'à la fin de la guerre. Seuls quelques-uns pourront être évacués. Les premières unités blindées israéliennes qui parviennent sur le front ont la mauvaise surprise de découvrir une nouvelle arme d'origine soviétique : le missile antichar Sagger qui ne nécessite que deux serveurs. Des dizaines de tanks sont ainsi détruits. Encore un échec des renseignements israéliens !

Dans le sud du Golan, les divisions blindées syriennes percent les défenses israéliennes et progressent. Une brigade de Tsahal est détruite. Dans le nord du plateau, l'avance syrienne est contenue. Les pertes israéliennes montent d'heure en heure.

Au Caire, dans la salle d'opérations du Grand Quartier général, Anouar el Sadate est satisfait. Il félicite tous les généraux présents. Les opérations se déroulent exactement comme prévu. A 19h 40, l'ambassadeur d'URSS lui demande un rendez-vous. Il lui révèle que Hafez el Assad avait bien, le 4 octobre, comme prévu, averti le représentant soviétique à Damas de sa décision de déclencher la guerre, mais en lui demandant d'œuvrer pour un cessez-le-feu, quarante-huit heures après le début des opérations. L'URSS voudrait savoir si Sadate en accepte le principe. *« Sûrement pas ! »* répond, furieux, le président égyptien. Il envoie un message à Assad, qui répond, le lendemain : *« Je n'ai jamais fait une telle déclaration. »* Cette énigme n'a jamais été élucidée.

Le dimanche, à 4 heures du matin, Dayan est réveillé après seulement deux heures de sommeil. Les Syriens approchent la position de Nafakh, dans le centre du Golan, à mi-chemin entre l'ancienne ligne de cessez-le-feu et le Jourdain. Les unités de réservistes ne sont pas encore déployées dans le secteur et les chars de Damas ont pratiquement le champ libre. Dayan décide d'ordonner à l'armée de l'air de concentrer son effort sur le Golan. Le chef d'état-major demande à Haïm Bar Lev, le ministre du Commerce et de l'Industrie, de revêtir un uniforme et d'aller passer quelques heures au QG du front nord. Quelques bataillons de blindés parviennent, in extremis, à arrêter l'avance syrienne.

Le ministre de la Défense se rend au quartier général des forces israéliennes dans le Sinaï. Il y découvre un certain désordre. Des commandos égyptiens héliportés ont atterri à quelques kilomètres de là et la réserve tarde à arriver. Un immense embouteillage bloque les routes du Sinaï. La mobilisation s'est faite dans le désordre. Les réservistes ont souvent eu de mauvaises surprises en venant chercher leur matériel. Des véhicules, des chars sont en panne, il manque des pièces d'équipement, des jumelles, des armes individuelles. Dès les premiers combats, ils constatent que l'ennemi se bat, parfois très bien. Les mythes des guerres de 1956 et de 1967 sont oubliés. Tsahal n'est plus Superman et les Arabes lui font face.

Le lundi 8, le commandant de la région sud, Gonen, donne l'ordre de lancer une contre-attaque. Elle échoue. Un commandant de bataillon israélien est fait prisonnier. Il sera présenté à la télévision égyptienne le soir même. Les Israéliens qui suivent les émissions des chaînes arabes tout en écoutant les communiqués laconiques du porte-parole de Tsahal ressentent un malaise croissant. En fin de journée, David Elazar donne sa première conférence de presse. Il veut rassurer son public et, en serrant les dents, annonce la vérité :

« Ce matin, nous avons lancé une contre-attaque simultanée sur les deux fronts et je suis heureux de vous annoncer qu'elle recueille des succès. Nous avons commencé à détruire l'armée égyptienne et, en certains endroits, nous sommes revenus jusqu'au canal. Ailleurs notre contre-attaque est en cours et nous avançons sur tous les fronts. Cette guerre est très sérieuse, les combats sont très sérieux, mais je suis heureux de vous dire que nous avons atteint un tournant. Nous avons déjà commencé à

progresser. Je dois vous rappeler que les lignes de cessez-le-feu ne sont pas définies sur le terrain. Nous progressons partout où c'est possible. Nous détruirons l'ennemi partout où c'est possible. Nous allons le frapper, nous allons le vaincre. Nous allons lui briser les os. […] »

La formule collera à David Elazar. Au même moment, sur les deux fronts, les pertes israéliennes montent d'heure en heure.

Dayan semble sur le point de craquer. Il suggère à Golda Méir d'abandonner les lignes du canal de Suez pour déployer l'armée sur les cols du Mitla et propose sa démission au Premier ministre qui refuse. Dans la soirée de mardi, le ministre de la Défense rencontre les rédacteurs en chef de la presse israélienne surpris d'apprendre que la situation est à ce point catastrophique :

« […] *Je ne sais pas comment cette guerre finira. J'espère qu'on en terminera avec les Syriens et que les Jordaniens et les Irakiens n'entreront pas en guerre. Si nous repoussons les Syriens, les Irakiens et les Jordaniens n'ouvriront pas de front à l'Est. Nos positions seront alors solides, ce qui ne signifie pas pour autant que la guerre sera terminée en quelques jours. Au sud, il faut préparer une deuxième ligne de défense. Plusieurs pays au passé militaire glorieux ont parfois entraîné l'effondrement de leur armée en ne prévoyant pas de deuxième ligne de défense. Nous ne devons pas être dans ce cas. Les Égyptiens ont un matériel énorme, fourni à volonté par l'URSS. C'est horrible de combattre contre un tel état de choses. Ceci est mon point de vue personnel. Les Égyptiens ne pourront pas franchir cette nouvelle ligne qui se trouve entre le canal de Suez et le tiers du Sinaï. Notre second problème à long terme est de ne pas user nos forces. Il y a un grand danger pour un petit pays comme le nôtre, comptant trois millions d'habitants, de se retrouver sans forces disponibles. Ce qui compte, c'est l'avenir de l'État d'Israël. Au diable le lac Amer sur le canal de Suez. Nous avons besoin de blindés et d'avions. Les effectifs s'usent et j'espère que les Américains nous en enverront.* […] » Dayan révèle que, en trois jours, l'aviation israélienne a perdu cinquante appareils.

Il n'y a plus le choix. Les rédactions connaissent à présent la vérité et il faut la dire au public israélien qui commence à se douter de quelque chose. Du front, quelques réservistes ont pu contacter des amis, des familles pour leur dire de ne pas croire les informations diffusées en Israël. Golda Méir décide que ce sera Aharon Yariv, l'ancien général commandant le renseignement militaire, qui s'adressera à la nation. Dayan, d'une humeur trop sombre, parle ouvertement d'une possible destruction de l'État. C'est donc Yariv qui, le 9 octobre, présentera la dure réalité aux Israéliens : «*Nous avons évacué la plupart des fortifications de la ligne Bar Lev. Un combat difficile nous attend, il ne faut pas rêver d'une victoire élégante et rapide.»*

Sur le Golan, après plus de quarante-huit heures de combats acharnés, Tsahal a repris le territoire conquis par les Syriens, et s'apprête à passer à la contre-offensive. 250 de ses soldats sont morts. Les Syriens ont perdu des milliers d'hommes, plus de 800 chars et 3 000 transports de troupes blindés. La bataille dure trois jours. Tsahal conquiert une enclave d'une vingtaine de kilomètres de profondeur, à l'est de la ligne de cessez-le-feu. L'état-major israélien peut porter son effort sur le front sud. 60 000 soldats égyptiens se trouvent déjà sur la rive orientale du canal de Suez.

Après quelques retards et des difficultés de dernière minute, les États-Unis ont mis en place un pont aérien, le 13, afin de réapprovisionner Tsahal en matériel militaire et en munitions. Les Soviétiques font de même pour l'Égypte et la Syrie depuis le 10 octobre. L'affaire prend les dimensions d'un affrontement entre les grandes puissances. L'Amérique doit prouver au monde qu'elle soutient ses alliés face à l'URSS. Henry Kissinger, qui est à la fois conseiller à la Sécurité et secrétaire d'État, propose un cessez-le-feu sur les positions atteintes par les forces arabes et israéliennes ce jour-là. Golda Méir accepte, Anouar el Sadate refuse.

Dans la nuit du 15 au 16 octobre, Ariel Sharon, qui commande une division de réservistes, fait une percée sur la rive occidentale du canal, en territoire égyptien. Trois jours plus tard, trois divisions israéliennes élargissent une poche que l'armée égyptienne ne parvient pas à contenir. Le 16, Golda Méir prend la parole à la Knesset. Aux Israéliens inquiets, elle annonce que l'objectif des Arabes n'est pas un retour aux lignes d'armistice de 1949, mais la destruction de l'État d'Israël. Alexseï Kossiguine, le président du Conseil des ministres soviétique, arrive dans la journée au Caire. Il discute avec Anouar el Sadate de l'éventualité d'un cessez-le-feu qui laisserait à l'armée égyptienne le contrôle de la rive orientale du canal de Suez. Le 18, le président égyptien informe Hafez el Assad qu'il a accepté les propositions de cessez-le-feu soviétiques, couplées à des garanties des superpuissances d'un retrait israélien. Sadate explique qu'il n'a pas le choix en raison de l'importance des livraisons d'armes américaines sophistiquées à Israël. Assad lui répond en le suppliant de ne pas accepter un tel cessez-le-feu. *«Nous pouvons*, dit-il, *remporter la victoire.»*

La veille, réunis au Koweit, les ministres du Pétrole arabes avaient décidé de réduire de 5 % leur production et promis de nouvelles réductions dans les mois à venir, en fonction de la situation au Proche-Orient. C'est l'embargo : chaque pays importateur recevra son quota de pétrole en fonction de son soutien à la cause arabe contre Israël. Les États-Unis, qui livrent des armes à Israël et lui accordent une aide de deux milliards deux cents millions de dollars, subiront un embargo total. La crise est mondiale. L'Europe occidentale importe 85 % de son pétrole du Proche-Orient, et le Japon, 90 %.

Le samedi 20, Henry Kissinger part pour Moscou afin de discuter du cessez-le-feu et mettre au point le texte de la résolution qui doit être adoptée par le Conseil de sécurité des Nations unies. L'instant est propice. Anouar el Sadate qui a compris l'importance de la percée israélienne à l'ouest du canal de Suez, entend sauver ses acquis. Son chef d'état-major, le général Chazly, veut évacuer ses blindés de la rive orientale. Il est limogé.

Le lendemain, au Kremlin, Brejnev accepte la proposition de cessez-le-feu que lui soumet le Secrétaire d'État américain : le vote d'une résolution aux Nations unies, l'arrêt des combats douze heures plus tard, une référence à la résolution 242, un appel à des négociations entre les parties concernées. Kissinger demande un délai, le temps d'informer les Israéliens. Il prépare un rapport destiné à Golda Méir et dans lequel il décrit son succès : pas de référence à un retrait israélien des territoires occupés et un appel à des négociations directes. La missive envoyée avec retard arrive quelques heures avant l'atterrissage du secrétaire d'État à Tel Aviv. Golda Méir est furieuse. Kissinger a négocié un cessez-le-feu sans la consulter ; or, les dirigeants israéliens, militaires et civils, voudraient gagner du temps pour conclure l'encerclement de la 3e armée égyptienne près de Suez[1].

Mais Jérusalem ne peut s'opposer à un accord entre les grandes puissances et, le 22 octobre, à 3 heures du matin, après une réunion de son gouvernement, Golda Méir informe les États-Unis qu'Israël accepte le cessez-le-feu. Quelques heures plus tard, à New York, le Conseil de sécurité adopte la résolution 338 par quatorze voix. La Chine n'a pas participé au vote. Les quatorze membres présents votent pour.

« 1) Le Conseil demande à toutes les parties en guerre de cesser les combats et toute activité militaire immédiatement et pas plus tard que douze heures après l'adoption de cette décision, et cela sur les positions qu'elles occupent.

2) Demande à toutes les parties concernées d'entamer immédiatement après le cessez-le-feu l'application de la résolution 242 du Conseil de sécurité dans tous ses éléments.

1. Walter Isaacson, *Kissinger*, Simon & Schuster, New York, 1992, p. 532.

3) Décide que, immédiatement et simultanément avec le cessez-le-feu, des négociations commenceront entre les parties concernées et sous les auspices appropriés, pour établir une paix juste et durable au Proche-Orient.»

Pour les Israéliens, cette dernière phrase est très importante, il n'est plus question d'une médiation des Nations unies mais bien de négociations directes.

Dans le secteur de la 3ᵉ armée égyptienne, les combats reprennent après une pause de quelques heures. Les Casques bleus qui viennent d'arriver pour observer l'application du cessez-le-feu font état de violations israéliennes. Golda Méir appelle Henry Kissinger pour lui dire qu'Israël n'a fait que réagir à des provocations égyptiennes. Le Conseil de sécurité se réunit à nouveau dans l'après-midi du 23. L'URSS réclame un retrait israélien sur les positions de la veille. Israël explique qu'il est impossible de définir les lignes de cessez-le-feu sur le terrain en raison des combats.

Le 24 octobre, la 3ᵉ armée égyptienne est encerclée sur la rive orientale du canal et dans la ville de Suez. Les échanges de tirs se poursuivent. Anouar el Sadate suggère aux Américains d'envoyer des forces dans la région afin d'imposer un cessez-le-feu à Israël. Les Soviétiques vitupèrent et annoncent, tard dans la soirée, qu'ils vont proposer un projet de résolution au Conseil de sécurité stipulant l'envoi d'unités américaines et soviétiques. Une lettre de Brejnev arrive à la Maison-Blanche. L'URSS pourrait agir seule au Proche-Orient. Kissinger réagit en décrétant l'état d'alerte dans toutes les forces armées américaines, y compris les unités nucléaires. Quelques heures plus tard, le Kremlin ne parle plus d'expédier des unités soviétiques mais accepte une proposition de Kissinger d'envoyer des observateurs de l'ONU au Proche-Orient. L'alerte est annulée. Le 25, à 4 heures du matin, Israël accepte un cessez-le-feu définitif et cède aux pressions américaines pour permettre les livraisons d'eau, de nourriture et de matériel médical aux Égyptiens assiégés.

KILOMÈTRE 101

Après une tentative infructueuse de rencontrer les négociateurs israéliens, la veille, le 28 octobre, à 1 h 30 du matin, le général Abdel Ghani el Gamasi, le chef des opérations de l'armée égyptienne, à la tête d'une petite délégation, arrive au kilomètre 101 sur la route Le Caire-Suez, accompagné par le commandant de la force d'urgence des Nations unies au Proche-Orient, le général Enzio Silasvuo. C'est une position israélienne en plein désert. Tsahal a tendu une bâche entre un char et un transport de troupes blindé. Il y a une table et des chaises. L'endroit est mal éclairé. Le général Aharon Yariv est là, debout. Il salue la délégation égyptienne. La discussion se déroule en anglais. La presse est absente. Gamasi prend la parole : «*Nos conversations*, dit-il, *sont purement militaires. Il s'agit d'appliquer les résolutions 338 et 339 du Conseil de sécurité sur une séparation des forces afin de permettre aux Casques bleus de consolider le cessez-le-feu. Le problème de l'approvisionnement de la ville de Suez et de la 3ᵉ armée a été réglé au niveau politique par les États-Unis, l'Égypte et Israël. L'accord conclu à Washington prévoit le passage de convois de camions. Vous devez le respecter.*»

Yariv évoque l'importance de la paix entre les Arabes et Israël. Il décrit la situation militaire résultant de la guerre d'Octobre. Gamasi lui demande de ne parler que de questions militaires, la paix n'étant pas l'objectif de ces discussions pour lesquelles il n'a qu'un mandat très limité. De nombreuses questions ne sont pas réglées au cours de cette première rencontre qui dure trois heures. Ce premier entretien entre officiers égyptiens et israéliens est historique. Depuis les réunions de la commission d'armistice dans les années 1950, les représentants des deux armées n'avaient pas eu de telles rencontres. Gamasi raconte qu'il a eu quelques difficultés à l'aller et au retour, en franchissant les lignes égyptiennes. Ses soldats voulaient savoir qui il était, pourquoi il se rendait chez l'ennemi. Le général a dû, pour prouver son identité, donner aux sentinelles, non seulement le mot de passe, mais aussi les noms de leurs officiers[1].

La guerre est terminée. Israël a perdu 2 552 militaires et compte plus de 3 000 blessés. Les Égyptiens ont 7 700 morts, les Syriens 3 500. 400 Israéliens sont prisonniers en Égypte et en Syrie, Israël a capturé 9 000 soldats arabes. Une attaque-surprise des plus importantes armées arabes n'a pas permis d'infliger une défaite à l'État juif qui est passé à la contre-attaque et dont les forces se trouvent à 100 kilomètres du Caire et à 40 kilomètres de Damas. Mais, pour le monde arabe, l'Égypte et la Syrie, en déclenchant l'offensive, en capturant la ligne Bar Lev et une partie du Golan, ont vengé l'affront de 1967 et démontré que le soldat israélien n'était pas invincible.

Ismaïl Fahmy arrive à Washington le 29 octobre. Il est immédiatement reçu par Henry Kissinger. Le secrétaire d'État exprime la volonté des États-Unis d'établir un axe de communication directe avec les

---

1. Mohamed Abdel Ghani el Gamasi, *The October War*, Americain University Press, Le Caire, 1993, pp. 321 à 323.

Égyptiens, il lui explique que l'administration Nixon est sincère dans sa volonté d'établir une paix juste dans la région : «*Les États-Unis ont refusé d'envoyer une aide militaire à Israël durant les sept premiers jours de la guerre et soutenaient l'adoption d'une résolution de cessez-le-feu par le Conseil de sécurité dès le 12 octobre alors que les armées égyptiennes remportaient des victoires. [...] Ce cessez-le-feu n'a pas été voté en raison de l'intransigeance d'Anouar el Sadate.*»

Fahmy évoque l'échange rapide de prisonniers qu'Israël réclame. Kissinger lui répond que la décision a déjà été prise au cours des discussions entre les États-Unis et l'URSS. Les Égyptiens sont prêts à fournir la liste des prisonniers israéliens mais veulent réaliser l'échange à la fin des négociations. Les entretiens égypto-américains se poursuivent le lendemain. Fahmy est reçu par Nixon. Le président américain lui confirme que Golda Méir est attendue à Washington.

«*Puis-je parler franchement ?* lui demande le ministre égyptien.

– *Bien sûr!* répond Nixon.

– *Je suis inquiet. Israël va encore recevoir une aide américaine importante. [...]*

– *C'était vrai dans le passé mais cette fois, le Premier ministre d'Israël va trouver un nouveau Nixon et il n'y aura pas de déclarations sur de nouvelles livraisons d'armes à Israël.*»

Au même moment, le pont aérien américain transportant du matériel militaire vers Israël se poursuivait.

Fahmy quittera Washington quelques jours plus tard avec, dans la poche, une promesse américaine qu'Israël ne lancera pas de nouvelles opérations militaires sur la rive occidentale du canal de Suez et surtout la décision de Nixon de dépasser les problèmes du cessez-le-feu et d'avancer sur la voie de la paix (pour les Égyptiens cela signifiait un retrait israélien sur les lignes de 1967), d'abord vers un désengagement des forces. Kissinger explique à son interlocuteur égyptien qu'il n'entend pas gaspiller son capital confiance sur chaque élément du cessez-le-feu : «*Il faut commencer*, dit-il*, des négociations de paix dans les trois à six mois prochains. Mais, prenez garde : l'embargo pétrolier est un obstacle aux efforts de paix.*» Le chef de la diplomatie égyptienne lui répond que son pays, tout en maintenant son exigence d'un retrait israélien sur les lignes du 22 octobre, pourrait envisager de lever le blocus de Bab El Mandeb et de libérer les prisonniers de guerre israéliens si le gouvernement Méir est d'accord pour laisser à la 3e armée encerclée un ravitaillement régulier[1].

---

1. Ismaïl Fahmy, *Negotiating for Peace in the Middle East*, *op. cit.*, pp. 37 à 55 ; et Henry Kissinger, *Les Années orageuses*, *op. cit.*, pp. 766-767.

Fahmy affirme que les six points d'un accord qui sera discuté avec les Israéliens lors de la prochaine visite de Kissinger au Proche-Orient ont été en fait préparés durant son séjour à Washington. Golda Méir arrive aux États-Unis le 31 octobre. Fatiguée et nerveuse, elle exige des explications de Henry Kissinger. Les conversations sont difficiles. Avant de permettre le ravitaillement de la 3ᵉ armée égyptienne, Israël exige un échange de prisonniers. Le secrétaire d'État ne cède pas : «*Il faut un corridor permettant l'approvisionnement de la 3ᵉ armée, sinon ce seront les Soviétiques qui le feront avec des hélicoptères. Nous ne le permettrons pas et c'est nous qui enverrons nos propres hélicoptères.*»

Au même moment, au Pentagone, James Schlesinger, le secrétaire américain à la Défense, explique à la délégation militaire israélienne, venue discuter du remplacement du matériel perdu pendant la guerre, que cela dépendra de la volonté d'Israël à coopérer avec l'administration Nixon dans la recherche d'une solution au Proche-Orient. Golda Méir cède du terrain. Au cours d'un nouvel entretien avec Kissinger, le 3 novembre, le Premier ministre accepte le principe d'un corridor permettant d'approvisionner la 3ᵉ armée mais exige qu'il soit sous contrôle israélien. Elle reçoit, le lendemain, plusieurs appels téléphoniques de personnalités proches de Nixon lui conseillant de faire preuve de souplesse. Kissinger part pour le Proche-Orient quarante-huit heures plus tard.

KISSINGER AU PROCHE-ORIENT

Sa première étape est Rabat, le 5 novembre, où il a de longs entretiens avec Hassan II : «*C'est la première fois que je viens dans cette région. Je suis un novice. J'aimerais avoir votre analyse sur les différentes composantes arabes.*» Le souverain lui explique : «*Il y a dans le monde arabe des gens qui disent qu'ils veulent la guerre, mais qui ne la feront jamais, certains qui ne disent pas qu'ils la veulent, et qui ne la feront pas, d'autres enfin qui sont dans l'obligation de la faire pour une question de survie[1].*» Kissinger reste quarante-huit heures au Maroc. Il part en demandant à Hassan II de le considérer «*comme un catalyseur. Pour la première fois, nous avons la possibilité de tenir un véritable dialogue avec le monde arabe et un dialogue sérieux avec Israël*». La presse marocaine le décrit comme le pèlerin de la paix[2].

Après une étape de deux heures à Tunis où il a une discussion avec

1. Hassan II, *La Mémoire d'un roi*, entretiens avec Éric Laurent, Plon, Paris, 1993, p. 261.
2. Marvin et Bernard Kalb, *Kissinger, op. cit.*, p. 505.

Habib Bourguiba, Kissinger repart pour l'Égypte. Sa rencontre avec Anouar el Sadate est chaleureuse. Le président égyptien le reçoit en tête à tête dans son bureau. En bourrant sa pipe, il lui dit : «*J'ai beaucoup souhaité cette visite. J'ai un plan pour vous, on pourra l'appeler le plan Kissinger.*» Sadate suggère un désengagement des forces aux termes duquel les Israéliens se retireraient sur une ligne allant de El Arish à Ras Mohamed. Les deux tiers du Sinaï seraient restitués à l'Égypte. Il ne dit pas ce qu'Israël devrait donner en échange. A la demande du secrétaire d'État, il explique comment il a décidé, seul, de préparer la guerre, après l'échec du plan Rogers de 1969. Kissinger lui demande de considérer la paix avec Israël comme un problème psychologique et non diplomatique. Il faut que l'État juif éprouve un sentiment de confiance. Si l'Égypte apporte sa contribution et donne un tel sentiment aux Israéliens, les États-Unis feront de leur mieux pour en obtenir des concessions territoriales. L'effort diplomatique nécessaire pour inciter Israël à revenir aux lignes du 22 octobre, celles du premier cessez-le-feu avant l'encerclement de la 3e armée, serait à peu près aussi pénible que de le persuader d'accepter un plan de désengagement. Sadate répond à Kissinger qu'il est prêt à miser sur cette formule. Il annonce qu'il est résolu à liquider l'héritage de Nasser, à rétablir les relations diplomatiques avec les États-Unis[1].

Joseph Sisco et Harold Saunders partent pour Israël discuter avec le cabinet Golda Méir. Anouar el Sadate accepte le principe d'un contrôle israélien sur le corridor, mais trois postes d'inspection des Nations unies seront mis en place et – selon le texte soumis aux Israéliens – il n'est pas question d'interdire le transfert de matériel militaire aux forces égyptiennes encerclées. Golda Méir exige des modifications. Ce n'est pas, dit-elle, ce qu'elle a accepté à Washington. Le lendemain, après de nouvelles discussions difficiles, le cabinet Méir acceptera la proposition de Kissinger.

Le secrétaire d'État prépare un document en six points qui reprend les résolutions des Nations unies et, c'est l'élément nouveau, stipule qu'Israël et l'Égypte sont convenus d'entamer immédiatement des conversations en vue de régler la question du retour aux positions du 22 octobre dans le cadre d'un accord de désengagement et de séparation des forces sous les auspices de l'ONU. Le texte sera officiellement signé par les généraux Yariv et Gamasi le 11 novembre, dans la position installée par les Casques bleus au kilomètre 101 sur la route Le Caire-Suez.

---

1. Henry Kissinger, *Les Années orageuses, op. cit.*, pp. 791 à 793.

Le 15 novembre, Israéliens et Égyptiens reprennent leurs discussions au kilomètre 101. Les deux délégations se rencontreront une dizaine de fois et des progrès sont enregistrés, plus de progrès que ne le souhaite Henry Kissinger. A Jérusalem, le secrétaire d'État lance : «*Si Yariv conclut un accord le 28 novembre, de quoi parlerons-nous le 21 décembre ?*» A Genève, doit en effet s'ouvrir la conférence sur la paix au Proche-Orient, une idée de Kissinger, qui a réussi à obtenir le soutien du Kremlin. Le jour même, un premier convoi de ravitaillement arrive dans le secteur de la 3ᵉ armée égyptienne et 238 soldats israéliens sont échangés contre 8 000 égyptiens. Le 13 décembre, Kissinger arrive au Caire où Sadate accepte le principe d'une participation égyptienne, étant entendu qu'après la séance inaugurale, la conférence éclatera en sous-commissions bilatérales, c'est-à-dire négociations directes entre Israël et Égypte. Les Israéliens considèrent que c'est pour eux un succès diplomatique. A la presse, le lendemain, Sadate annonce que les États-Unis et l'Égypte sont convenus que le désengagement des forces serait le premier sujet de discussion de la première phase de la conférence de Genève.

Mais, en Israël, le cabinet Méir décide de ne pas participer à la conférence de Genève. Le Premier ministre veut d'abord avoir la certitude qu'aucun Palestinien n'y assistera. Richard Nixon est furieux. Le jour même, il envoie à Golda Méir une lettre personnelle qui se termine par une mise en garde : «*Si Israël s'abstient de prendre une décision favorable sur sa participation à la conférence, son attitude ne sera comprise ni aux États-Unis ni dans le monde, et je ne serai plus en mesure de justifier le soutien que j'ai constamment fourni à votre gouvernement dans notre intérêt mutuel[1].*»

Henry Kissinger retourne au Caire le 14 décembre. Il découvre qu'Anouar el Sadate a fait une concession majeure et ne réclame plus un retrait israélien sur la ligne El Arish-Ras Mohamed dans le Sinaï, mais sur les cols du Gidi et du Mitla. Il accepte la mise en place de zones de limitation des forces et promet de rouvrir le canal de Suez dès que le désengagement aura eu lieu et que les navires israéliens pourront emprunter cette voie d'eau. Cela pourrait se faire en six mois. Les choses commencent à prendre tournure. Kissinger arrive à Tel Aviv deux jours plus tard. Cette fois, il est accueilli par des manifestants de la droite nationaliste et religieuse, persuadés que l'administration américaine va imposer d'importantes concessions territoriales à Israël. La nuit, sous sa chambre à l'hôtel King David à Jérusalem, des

---

1. Cité par Henry Kissinger, *Les Années orageuses, op. cit.*, p. 993.

haut-parleurs hurlent des insultes : «*Après Formose, allez-vous lâcher Israël ?*»

Le secrétaire d'État conseille au cabinet Méir d'être généreux, d'accepter un retrait important à l'est du canal de Suez. «*Israël*, dit il, *a tout à gagner. L'opinion publique internationale le soutiendra et il faut encourager Anouar el Sadate sur la voie de la paix. C'est le moment de faire des concessions. Jamais vous n'avez su lâcher du terrain dans le passé, et regardez dans quelle position vous êtes aujourd'hui!*»

Golda Méir sait qu'Israël est en position de faiblesse. L'Amérique et le monde, pense-t-elle, veulent des concessions unilatérales d'Israël, un retrait sur les frontières de 1967. Le monde n'est pas intéressé au destin de l'État juif. Il ne veut que son pétrole. Mais les pays arabes pourraient à nouveau imposer un embargo pétrolier et forcer à nouveau Israël à des retraits alors qu'Israël a des cartes formidables entre ses mains : ses forces contrôlent le canal de Suez et se trouvent à cent kilomètres du Caire. Israël est l'agressé et, parce que les Arabes ont du pétrole, c'est la victime qui est accusée. Il n'y a pas de justice dans le monde.

Kissinger part ensuite pour Damas où il effectue sa première visite. Hafez el Assad, après de longues heures d'entretien, lui fait comprendre qu'il rejette l'idée d'une séance plénière d'ouverture de la conférence de paix, mais pas la perspective même d'une négociation. Il accepte la médiation de Kissinger. Assad ne veut pas que le monde voie l'image d'une délégation syrienne siégeant aux côtés d'Israéliens. Après une escale à Amman et à Beyrouth, le chef de la diplomatie américaine retourne chez Golda Méir le 16 décembre. Il la trouve d'humeur belliqueuse. Elle refuse toute référence aux Palestiniens dans le texte des invitations à la conférence, comme le réclame Anouar el Sadate. Finalement, les Israéliens acceptent un nouveau projet de lettre d'invitation qui omet toute référence aux Palestiniens et limite l'autorité des Nations unies à la convocation de la conférence. Après ces négociations marathon, Henry Kissinger quitte Israël dans l'après-midi du 17 décembre. Il est épuisé. Israël a un droit de veto sur la participation éventuelles d'autres parties.

La conférence de Genève

Le lendemain, Israël, l'Égypte, la Jordanie et l'URSS acceptent officiellement de participer à la conférence. Elle se réunit le vendredi matin, 21 décembre 1973. Andrei Gromyko, le chef de la diplomatie soviétique, propose que le secrétaire général de l'ONU, Kurt

Waldheim, qui n'a qu'un rôle protocolaire, préside, avec à sa droite, les représentants de l'URSS, de l'Égypte et le siège vide de la Syrie, à sa gauche, les représentants des États-Unis, d'Israël et de la Jordanie. Kissinger refuse. Cela place le royaume hachémite en dehors du camp arabe, et l'URSS devient le champion, pour ne pas dire le parrain, des alliés arabes de la guerre d'Octobre. La solution sera trouvée par Ephraïm Evron, un des responsables du ministère israélien des Affaires étrangères. Au jeu des chaises musicales, les États-Unis sont placés entre l'Égypte et la Jordanie, et l'URSS entre Israël et le siège vacant de la Syrie, autour d'une table heptagonale.

A 11 h 10, les portes de la grande salle de conférence du palais des Nations s'ouvrent et les délégations entrent, l'une après l'autre. Andréi Gromyko se lève et serre la main d'Abba Eban. Kurt Waldheim donne la parole au chef de la diplomatie soviétique qui, une fois de plus, critique l'agression israélienne, répète qu'il doit se retirer de tous les territoires occupés en juin 1967. Il faut restituer les droits légitimes du peuple palestinien. Il ajoute : « *Tous les pays du Proche-Orient doivent avoir le droit de vivre en paix dans le respect de leur indépendance politique et de leur souveraineté et dans l'intégrité territoriale, des principes qui s'appliquent également à Israël.* » Abba Eban, le représentant israélien, est satisfait. Pour lui, c'est la première fois que les Soviétiques reconnaissent la souveraineté israélienne à l'intérieur des frontières de 1967.

Kissinger prend la parole et prononce un discours neutre. La voie vers la paix, vers l'application de la résolution 242 sera longue, il faut avancer étape par étape. Les pays de la région doivent avoir des frontières reconnues. Dans une première étape, un désengagement des forces est indispensable.

Ismaïl Fahmy pose ensuite les conditions de l'Égypte pour la paix : un retrait israélien de tous les territoires occupés, y compris Jérusalem, la restauration des droits nationaux du peuple palestinien, l'indépendance, l'intégrité territoriale pour tous les États du Proche-Orient, des garanties internationales accordées par les grandes puissances ou par les Nations unies. Il évoque les droits légitimes du peuple palestinien et laisse entendre que Jérusalem-Est ne serait pas nécessairement restituée à la Jordanie, après un retrait israélien.

Zaïd el Rifaï, le Premier ministre jordanien, prononce ensuite le discours le plus dur. Il qualifie Israël de corps étranger au Proche-Orient. Il accuse Israël de commettre des meurtres et de s'adonner à la torture contre la population de Cisjordanie, et pose les mêmes principes que l'Égypte, mais en réclamant une restitution de Jérusalem à la Jordanie. Abba Eban et Henry Kissinger ne tiquent pas. Ils savent que le chef du gouvernement jordanien, considéré comme proaméricain, doit, pour l'opinion publique arabe, paraître extrémiste.

Kurt Waldheim propose d'ajourner la conférence au lendemain matin. Le ministre israélien des Affaires étrangères refuse. La presse israélienne risquerait de présenter la conférence comme étant en fait une tribune uniquement arabe. Il prend la parole à 15h 30. «*Israël*, dit-il, *est prêt à un compromis territorial qui servirait les intérêts légitimes de tous les États signataires d'une paix, mais toutes les parties doivent être prêtes à faire des concessions qui ne devraient pas menacer leurs intérêts vitaux.*» Eban décrit ensuite sa vision d'une paix. Un traité en bonne et due forme, la fin des hostilités, pas seulement militaires, mais aussi dans la propagande, l'éducation, les relations économiques. La libre navigation sur le canal de Suez. Une coopération internationale avec la participation des pays producteurs de pétrole pour résoudre le problème des réfugiés palestiniens. Israël s'oppose à la création d'un État palestinien pour lequel il n'y a pas de place dans la région. Jérusalem est la capitale unifiée d'Israël, mais l'État juif ne réclame pas le contrôle des Lieux saints d'autres religions.

Ismaïl Fahmy se lance dans une violente diatribe, rappelle le massacre de Deir Yassin, l'opération israélienne à Karameh, le raid israélien sur Beyrouth. Il accuse Israël de meurtres. Abba Eban ne réagit pas. Waldheim ajourne la rencontre. Le secrétaire général de l'ONU propose d'organiser une réception dans la soirée. Les Égyptiens refusent. Leur opinion publique n'est pas mûre pour ce genre d'événement. Une photographie montrant une poignée de main entre Gamasi et Yariv a paru dans la presse égyptienne et, raconte Fahmy, a suscité de violentes réactions de la part d'extrémistes en Égypte.

Gromyko fait un geste. Il reçoit Abba Eban. C'est la première rencontre à ce niveau entre des Israéliens et des Soviétiques depuis la rupture des relations diplomatiques en 1967.

En Israël, un violent débat est engagé sur la conférence de Genève. Menahem Begin, au cours d'un meeting de son parti, le Hérout, à Jérusalem, déclare : «*Les exigences des Arabes à Genève n'ont qu'une seule signification : la fin de l'État d'Israël. Le bâtiment de la paix a quatre étages, l'étage supérieur, c'est la liberté de circulation des personnes entre les États. Le troisième, c'est l'échange de représentants. Le deuxième, un traité de paix. Mais le rez-de-chaussée, c'est la sécurité, la base de la paix. Le bâtiment que sont en train de construire les travaillistes n'a pas cette base essentielle qu'est la sécurité. Si la terre d'Israël venait à être à nouveau divisée, Jérusalem et les autres villes du pays seraient sous le feu des canons ennemis.*»

Nathan Yelin Mor écrit dans *Haaretz*, le 24 décembre : «*A Genève, Israël aurait dû exiger la participation de représentants palestiniens. [...] Dans la conception politique du gouvernement, les Arabes de Cisjordanie et de Gaza constituent une population amorphe, dénuée d'identité nationale. Je crois que le gouvernement n'a pas la possibilité d'empêcher l'entrée des Palestiniens dans le palais de l'ONU à Genève. Au contraire, il devrait prendre l'initiative de les y inviter. Ce n'est qu'ainsi que nous pourrons conclure un accord avec nos voisins. [...] Mais le gouvernement fait tout pour brouiller nos relations avec les habitants de Cisjordanie et de Gaza, et ce faisant, les pousse dans les bras des organisations de combat. Les destructions de maisons, les expulsions de notables, les fermetures d'écoles, les interdictions de rassemblement, sont des actes qui détruisent tout début de construction d'un pont entre les peuples. [...]* »

En Égypte, à la veille de la réunion de la conférence de Genève, Salah Jaoudat a analysé, dans le magazine *Al Moussaouar*, la signification du terme «paix» pour les Arabes : «*L'arabe a deux termes pour l'exprimer :* soulkh *et* salam.

«*Soulkh signifie en quelque sorte réconciliation. Ce serait possible si les Juifs de Palestine vivaient aux côtés des Arabes dans un État laïc, sans caractéristique raciale, et dans les proportions numériques d'avant 1948. Les Juifs arrivés après cette date devraient retourner dans leur pays d'origine, afin que seuls les Juifs palestiniens d'avant 1948 et leurs enfants restent dans le pays. La conférence de Genève ne concerne que* salam, *c'est-à-dire la paix, sans plus. Si Israël accepte de se retirer totalement de tous les territoires arabes conquis en 1967 et rétablit les droits du peuple palestinien, le conflit armé sera terminé. Cela ne voudra pas dire que Golda Méir pourra faire ses courses au Caire, à Damas ou à Amman, ce qui impliquerait l'établissement de relations diplomatiques entre Israël et les Arabes, de même que des liens économiques et humains. [...] Nous pouvons obtenir la paix par la force des armes. Peut-être que l'effort de la communauté internationale permettra de ramener Israël à la raison pour qu'il revienne sur les lignes de 1967. [...] Alors, il pourra y avoir* salam, *mais pas encore* soulkh.»

ÉLECTIONS, COMMISSION ET KISSINGER

Le 31 décembre 1973, se déroulent en Israël les élections qui avaient été reportées en raison de la guerre. Le Parti travailliste conserve la majorité avec 54 sièges. Il perd 6 députés. Une nouvelle formation de gauche, dirigée par Shoulamit Aloni qui a été exclue de la liste des candidats travaillistes, a 3 députés. Elle critique l'occupation des territoires et les concessions faites par Golda Méir aux partis religieux dans le cadre de ces accords de coalition. Yitzhak Rabin, revenu en Israël quelques mois avant la guerre, quitte la carrière diplomatique pour s'installer sur les sièges des travaillistes à la Knesset. Yitzhak Shamir, l'ancien dirigeant du Groupe Stern et agent du Mossad, devient député Likoud.

Les résultats du scrutin n'empêchent pas le public et l'opposition d'exiger des explications à la classe dirigeante. Une commission d'enquête judiciaire, nommée par le gouvernement Méir, examine les circonstances dans lesquelles l'armée a été surprise par l'attaque syro-égyptienne. Elle est dirigée par le juge Agranat de la Cour suprême, et comprend le contrôleur de l'État, Yitzhak Nebenzahl, et deux anciens chefs d'état-major, Yigael Yadin et Haïm Laskov.

Trois jours après les élections, Moshé Dayan se rend à Washington, porteur du premier plan de désengagement dans le Sinaï. Israël est disposé à abandonner sa tête de pont à l'ouest du canal de Suez et se replierait dans le Sinaï à une vingtaine de kilomètres de la voie d'eau mais réclame une réduction des forces qui impliquerait le retrait de l'armée égyptienne du Sinaï. Une nouvelle navette de Henry Kissinger au Proche-Orient s'impose.

Le 11 janvier 1974, le Secrétaire d'État est à Assouan où il s'entretient plusieurs fois avec Sadate. Le 12, à Jérusalem, les Israéliens lui présentent une carte sur laquelle ils ont tracé leurs lignes de retrait, à vingt kilomètres à l'est du canal de Suez. Kissinger retourne à Assouan. Il a compris que, au Proche-Orient, la politique ressemble souvent à un souk. Il faut marchander. Sadate accepte puis rejette un document israélien qui, selon Fahmy, paraissait innocent à première vue mais qui contenait des éléments de non-belligérance. Gamasi, devenu chef d'état-major de l'armée égyptienne, et Fahmy rejettent les idées israéliennes sur la limitation des armements dans le Sinaï. Sadate exige comme en décembre un retrait israélien des cols du Mitla et du Gidi dans le Sinaï. Il accepte de réduire à une division et demie ses forces sur la rive occidentale du canal de Suez et laisse entendre que des navires à destination ou en provenance d'Israël pourraient emprunter la voie d'eau dès la mise en place du désengagement. Le président égyptien promet au secrétaire d'État de ne pas soulever la question palestinienne au cours des négociations. Sadate finit par accepter que les Israéliens demeurent sur le versant occidental des cols du Mitla et du Gidi mais ne cède pas sur les autres points.

Kissinger atterrit à l'aéroport de Tel Aviv, tard le 12. Il présente les propositions égyptiennes à Abba Eban qui les soumet au gouvernement dans la nuit. Golda Méir, souffrante n'assiste pas à la réunion présidée par Yigal Allon. Après dix-neuf heures de négociations d'arrache-pied, à 3 heures du matin, le mercredi 14 janvier, le point final est mis à un texte qui, de l'avis de Kissinger, peut être présenté à Sadate. Il reprend son Boeing pour Assouan où, à l'issue de la discussion, le président égyptien accepte une présence israélienne sur le versant occidental des cols du Sinaï. Vingt-quatre heures plus tard, de retour à Jérusalem, nouvelles négociations marathon. Kissinger revient le 16 à Assouan. L'accord est conclu. Sadate lui demande de remettre un message au gouvernement israélien : «*Il faut prendre au sérieux ce que je dis. Quand j'ai ébauché une initiative en 1971, j'étais sincère. Quand je menaçais de faire la guerre, j'étais sincère. Quand je parle de paix maintenant, je suis sincère. Nous n'avons jamais eu de contacts auparavant. Profitons-en. Parlons-nous par l'entremise du Dr Kissinger*[1].»

Retour en Israël. Une tempête de neige bloque l'accès à Jérusalem. Des Jeep et des transports de troupes blindés sont mis à la disposition des diplomates israéliens et américains pour circuler dans la ville. Le premier accord de désengagement israélo-égyptien est signé le 18 janvier 1974. Le Proche-Orient a fait un pas en avant. Moins d'un mois plus tard, à Alger, un sommet arabe décrète la fin de l'embargo pétrolier. Le 28 février, l'Égypte et les États-Unis reprennent leurs relations diplomatiques suspendues lors de la guerre des Six Jours.

Fin janvier, Golda Méir avait eu un entretien avec Hussein de Jordanie et Zaïd el Rifaï, son Premier ministre. Le souverain hachémite voulait, lui aussi, un accord de désengagement avec Israël :

– Golda Méir : «*Que voulez-vous? Avec l'Égypte, il y a eu une guerre. Quelle sorte de désengagement réclamez-vous? Il serait possible d'évacuer une bande de territoire qui vous permettrait de passer en Cisjordanie et d'y contrôler la population.*»

– Hussein : «*A une condition : que cette bande de territoire soit située tout le long du Jourdain.*»

Les participants à la rencontre comprennent que les Jordaniens veulent en fait annuler le plan Allon d'annexion de la vallée du Jourdain.

– Golda Méir : «*Acceptez ce que les Égyptiens ont reçu, une bande de territoire qui ne va pas d'un bout à l'autre de la ligne de cessez-le-feu. Contentez-vous de moins que cela.*»

– Hussein : «*Sadate sait qu'il y aura une suite dans le processus et*

---

1. Henry Kissinger, *Les Années orageures, op. cit.*, p. 1026.

347

qu'il obtiendra d'autres territoires. Nous devons recevoir une bande de territoire sur toute la longueur du Jourdain. »*

La discussion aboutit à une impasse. Informé, Henry Kissinger dira : *« Je comprends Hussein de Jordanie, il veut un désengagement vertical, or vous lui avez proposé un désengagement horizontal. Il est peut-être possible de trouver un compromis. »*

PROTESTATION

Le 4 février, Dayan se présente devant la commission Agranat. Il explique aux enquêteurs qu'il n'entend pas assumer la responsabilité de l'échec des renseignements militaires avant la guerre. Le reste de son témoignage se déroule à huis clos. L'attention des journalistes est attirée par un jeune homme qui, seul, manifeste devant la présidence du Conseil. Motti Ashkenazi est un capitaine de réserve, démobilisé deux jours plus tôt. C'est le commandant de la seule position de la ligne Bar Lev qui ne soit pas tombée aux mains des Égyptiens. Un héros ! Il agite une pancarte : *« Dayan, démission ! »* Il reviendra le lendemain et le surlendemain… Après quelques jours, il n'est plus seul. Des centaines de personnes viennent lui exprimer leur soutien. La manifestation grossit, composée surtout de réservistes démobilisés. Un officier de paras, qui s'était lui aussi distingué au combat, Assa Kadmoni, brandit une autre banderole : *« Bar Lev, démission ! Dehors, le constructeur de la ligne Bar Lev ! »* La presse est là, elle aussi, tous les jours.

De jeunes militants nationalistes religieux issus de la yeshiva Merkaz Harav analysent la situation : la guerre, le tremblement de terre d'octobre, a affaibli le pouvoir. Pour eux, le moment est venu d'agir. Ils décident de créer un mouvement : Goush Emounim (le Bloc de la foi). Ce doit être le fer de lance de la nation, son objectif sera l'installation de localités juives en Cisjordanie, à Gaza, sur le Golan et dans le Sinaï, avec pour première mission d'empêcher tout retrait israélien de ces territoires, barrer la voie aux concessions que le gouvernement travailliste pourrait faire aux pays arabes.

Chez les Palestiniens également, les positions sont remises à jour. Le 8 février, le Fatah, le Front démocratique pour la libération de la Palestine et la Saïka, l'organisation d'obédience syrienne, adoptent un document de travail qu'ils remettent au conseil central de l'OLP[1]. Ce texte définit trois objectifs :

---

1. Alain Gresh, *OLP. Histoire et Stratégies*, *op. cit.*, p. 176.

[…] *A) Mettre un terme à l'occupation et forcer l'ennemi au retrait inconditionnel de la rive ouest du Jourdain et de Gaza sans faire en échange aucun compromis politique. Cette demande est seulement une partie du programme minimum des droits légitimes du peuple palestinien à cette étape.*

B) Refuser tout retour de l'autorité hachémite sur n'importe quel territoire palestinien dont les occupants se sont retirés.

C) Imposer, sous la direction de l'OLP, les droits légitimes du peuple palestinien à l'autodétermination, à l'indépendance nationale, à la souveraineté complète sur les terres palestiniennes dont la libération a été achevée […][1].»

Le CCOLP discute longuement de ces propositions. Le 22 mars, Naïef Hawatmeh accorde une interview au grand quotidien israélien *Yediot Aharonot* par l'intermédiaire d'un journaliste américain. C'est la première fois qu'un leader palestinien s'adresse ainsi au public israélien et n'exige pas la destruction d'Israël : «[…] *Nous avons conscience que l'obtention pour les Palestiniens, à cette étape, de certains de leurs droits nationaux représente un facteur essentiel en vue de parvenir à une solution véritable dans les étapes ultérieures. En tête de ces droits, celui de constituer une autorité nationale indépendante en Cisjordanie et à Gaza, celui des réfugiés à retourner dans leur patrie et leurs maisons qu'on leur a enlevées dans le passé.* […] » Hawatmeh conteste l'existence d'une nation israélienne car, «*il leur manque une langue commune, une histoire commune qui se développe depuis plusieurs siècles sans interruption, une psychologie commune qui s'exprime dans les traditions et les coutumes communes*». Quelques semaines plus tard, Hawatmeh précise ce qu'il entend par «gauche israélienne»… Elle ne peut être sioniste. Les forces de gauche dans l'État juif, dit-il, sont constituées de groupuscules comme l'Organisation communiste révolutionnaire et le Matzpen, un groupuscule d'extrême gauche. Malgré cela, les réactions en Israël sont plutôt favorables. Plusieurs personnalités de gauche voient là une opportunité pouvant évoluer vers un réel dialogue.

Dans des cafés de Paris, des Israéliens du Matzpen rencontrent des militants du FDLP et discutent d'une solution au conflit. Ils refusent tout rendez-vous dans un lieu privé pour ne pas risquer d'être qualifiés de traîtres à leur retour en Israël.

En mars 1974, Richard Nixon envoie le numéro deux de la CIA, le général Vernon Walters, rencontrer deux représentants du Fatah au Maroc : Khaled el Hassan, le responsable de la commission des

---

1. Alain Gresh, OLP., *Histoire et stratégies, op. cit.*, p. 177.

relations extérieures du Conseil national palestinien, et Maghed Abou Chrar, qui sera assassiné à Rome en octobre 1981. La discussion reste très générale. El Hassan affirme que les Palestiniens ont déclaré leur volonté d'aboutir à une paix avec Israël. Selon Henry Kissinger, les représentants de l'OLP auraient déclaré qu'ils ne pouvaient se satisfaire d'un mini-État en Cisjordanie et à Gaza, et qu'il devait également s'étendre à la Jordanie. Les Palestiniens démentent[1].

Au Caire, un universitaire juif américain de Harvard a maille à partir avec les autorités. Steve Cohen, vingt-neuf ans venait de passer quelques mois en Israël où, volontaire parlant l'hébreu, il avait donné des conférences aux soldats. Profondément touché par les effets de la guerre sur ces jeunes hommes, il avait décidé de lancer une initiative de paix personnelle et s'était rendu en Égypte. Un hurluberlu qui se promène dans les facultés du Caire pour dire aux enseignants qu'il faut faire la paix avec Israël, cela attire l'attention! Cohen est appréhendé et conduit devant un porte-parole de Sadate. C'est, pour lui, le début d'une extraordinaire carrière d'intermédiaire au Proche-Orient. D'abord, à Harvard dans le cadre du séminaire organisé par le professeur Herb Kelmann qui, pendant plus d'une décennie, réunira une partie du *Who's Who* israélien et arabe. Des Israéliens, des Égyptiens, des Palestiniens des territoires occupés et de l'OLP se retrouveront dans ce cadre studieux et discret. Cohen y rencontrera certains des acteurs avec lesquels il remplira de nombreuses missions secrètes jusqu'en 1994.

Une nouvelle tâche difficile attend Kissinger : il est urgent de négocier un accord entre la Syrie et Israël. Une guerre d'usure se poursuit sur le Golan où les duels d'artillerie sont quotidiens. Le 29 mars, Dayan revient à Washington. Il propose un retour des forces syriennes dans une partie de l'enclave conquise en octobre 1973 à l'est du plateau du Golan mais dont Israël conserverait un tiers. Kissinger constate qu'il y a là une concession israélienne, mais elle est jugée insuffisante. Hafez el Assad voudra obtenir au moins autant que Sadate, qui a récupéré une partie de la rive orientale du canal de Suez, aux mains des Israéliens avant le 6 octobre. Il faudra que le cabinet Méir accepte de restituer à la Syrie l'enclave conquise lors de la guerre d'Octobre.

Le 2 avril 1974, la commission Agranat dépose ses premières conclusions : Tsahal avait toutes les informations indiquant qu'une attaque arabe était imminente. Les renseignements militaires ont commis de graves erreurs d'évaluation parce qu'ils n'ont jamais abandonné une

1. Alan Hart, *Arafat*, *op. cit.*, p. 360. Henry Kissinger, *Les Années orageuses*, *op. cit.*, p. 1310.

conception doctrinaire du rapport des forces. Pour eux, la puissance aérienne de l'Égypte ne lui permettait pas de déclencher une guerre, et la Syrie ne pouvait attaquer Israël sans l'Égypte. Le plan « Pigeonnier » préparé par l'armée pour faire face à une guerre surprise se fondait sur l'hypothèse fausse que l'armée régulière pourrait, sans ses réserves, contenir une attaque surprise arabe. Sur la base des informations existantes, il aurait fallu mobiliser partiellement au moins une semaine avant la guerre. Les forces blindées n'ont pas été déployées correctement dans le Sinaï, même durant la matinée du jour de Kippour quelques heures avant l'attaque égyptienne. Le chef d'état-major, David Elazar, le commandant de la région militaire sud, le général Shmouel Gonen, le commandant des renseignements militaires, le général Élie Zéïra et plusieurs de ses adjoints sont limogés. Mais la commission, qui estime ne pas en avoir le mandat, ne se prononce pas sur les responsabilités politiques, parlementaires, ministérielles de Moshé Dayan et de Golda Méir. Elle estime que le chef d'état-major avait la possibilité de se faire une opinion personnelle sur la foi des renseignements recueillis par les militaires, ce qui ne serait pas le cas pour le ministre de la Défense qui est un civil. Une absurdité en l'occurrence : Moshé Dayan est considéré comme un des meilleurs spécialistes militaires de son temps.

Tsahal paie le prix de ses erreurs et pas les responsables gouvernementaux ! En Israël, cela suscite une tempête politique. Dès le lendemain, des officiers, réservistes, viennent à manifester devant la Knesset pour exiger la démission de Dayan. Le ministre de la Défense est devenu la bête noire d'une partie du public. Il est insulté lorsqu'il se rend dans un cimetière militaire. L'agitation gagne le Parti travailliste. Le 11 avril, Golda Méir démissionne. Elle assure les affaires courantes jusqu'à la nomination de son successeur. Le dernier représentant de la génération de Ben Gourion lâche les rênes du pays. Les instance travaillistes doivent choisir entre les deux hommes qui briguent la succession : Shimon Pérès et Yitzhak Rabin. L'ancien chef d'état-major emporte le vote de justesse. Le gouvernement qu'il forme est le plus jeune de l'histoire du pays. Rabin, qui sera le premier sabra à occuper le poste, a cinquante et un ans. Pérès, futur ministre de la Défense a deux ans de moins. Yigal Allon, le futur chef de la diplomatie, a cinquante-six ans.

Israël-Syrie

Le 13 avril 1974, un émissaire syrien arrive à Washington, la capitale fédérale, le général Hikmat el Chihabi : le patron des services de renseignements syriens vient négocier un accord de désengagement. Damas réclame un retrait israélien important sur le Golan. Assad, visiblement, veut obtenir par la diplomatie ce qu'il n'a pas conquis par la force. Le seul progrès dans sa position concerne le principe de la création de zones tampons qu'il pourrait accepter.

Kissinger repart pour le Proche-Orient. Il fait une étape à Genève pour un entretien avec Andrei Gromyko. Le ministre soviétique des Affaires étrangères propose une rencontre symbolique à Damas. Le secrétaire d'État ne répond pas. La diplomatie américaine joue dans la cour de l'Union soviétique.

Kissinger arrive en Israël le 2 mai. La droite religieuse est de nouveau dans la rue pour l'accueillir. Des manifestants se heurtent à la police aux abords de l'hôtel King David. L'ambiance n'est pas aux concessions. Le secrétaire d'État demande à Israël de renoncer à la ville syrienne de Kouneitra, conquise en 1967, et à trois collines stratégiques, à l'ouest des ruines de cette localité. Il répète l'opposition des États-Unis à la construction d'implantations juives sur le Golan. Golda Méir est furieuse. Elle lui demande : «*Au nom de quel droit moral Assad réclame-t-il ne serait-ce qu'un mètre carré de territoire situé à l'ouest de la ligne de 1967 ? Après tout, ce sont la Syrie et l'Égypte qui ont déclenché la guerre.*»

Pour elle, le problème des prisonniers israéliens en Syrie est fondamental, douloureux. 200 Israéliens sont portés disparus sur le front nord. Ce n'est qu'à la mi-février que les Syriens remettent une liste de 65 prisonniers à la Croix-Rouge.

Le 12 mai, sur le plateau du Golan, quelques dizaines de jeunes venus de kibboutzim voisins s'installent dans un bunker à l'intérieur de Kouneitra. Ils veulent, en créant une nouvelle implantation, empêcher la restitution du secteur à la Syrie. Quelques jours plus tard des dizaines de militants de Goush Emounim viennent les rejoindre. L'endroit est baptisé : Keshet.

Le 15, un commando du Front démocratique pour la libération de la Palestine, une organisation dirigée par Naïef Hawatmeh, s'infiltre dans l'école de Maalot en Galilée. Plusieurs dizaines d'élèves et d'enseignants du lycée de Safed, en excursion, sont pris en otages. Les terroristes réclament la libération de leurs camarades détenus en Israël. Après un long marchandage, l'armée prend l'école d'assaut. Il y a vingt-deux morts et de nombreux blessés. Le FDLP a réalisé cette attaque car, au sein du mouvement palestinien, certains éléments l'accusaient de collusion avec l'ennemi après la parution dans son bulletin d'un article laissant entendre qu'une solution au conflit pourrait être la création de deux États. Cette prise de position était la conséquence logique de ses contacts avec le Matzpen. L'attentat de Maalot secoue profondément le public israélien.

Sur le Golan, les militants de Keshet négocient avec les autorités et proposent de transformer l'implantation illégale en position des Jeunesses pionnières combattantes, une unité militaire. Des volontaires, surtout de Goush Emounim, continuent d'affluer. Pour la droite nationaliste, religieuse et laïque la restitution de la région à la Syrie constituerait un dangereux précédent. Après le Golan, Israël pourrait être amené à faire des concessions territoriales en Cisjordanie.

Le marchandage proche-oriental se poursuit jusqu'au samedi, vingt et unième jour du périple de Kissinger. Le secrétaire d'État arrive à Damas avec le sentiment que sa médiation est sur le point d'échouer. Il soumet une ultime proposition à Hafez el Assad : Kouneitra reviendrait sous administration syrienne. La nouvelle ligne passerait à deux cents mètres à l'ouest de la ville, créant une zone démilitarisée. A la grande surprise des Américains, le président syrien accepte sans discuter. Il ne reste qu'à déterminer la limitation des forces de part et d'autre de la nouvelle ligne de cessez-le-feu. Kissinger retourne à Jérusalem. Le 26 mai, vingt-neuvième jour de sa navette, il revient à Damas où, après de nouveaux entretiens, il a la surprise d'entendre Assad lui dire enfin : *« [...] Si nous considérons l'impératif des relations syro-américaines, je suis particulièrement attentif à la nécessité de ne pas vous faire de tort. A votre avis, jusqu'où la ligne avancée syrienne pourrait-elle être déplacée[1] ? »*

L'accord est finalisé à Jérusalem et, le 29 mai, Washington annonce officiellement la conclusion d'un accord de désengagement syro-israélien. Il est signé deux jours plus tard par des militaires des deux pays à Genève. La cérémonie, qui dure une demi-heure, se déroule au palais des Nations dans une atmosphère glaciale. Aucune poignée de main n'est échangée. Pas de photographes, pas de journalistes. Comme la Syrie n'a pas participé à la conférence de Genève, officiellement, sa délégation est intitulée «équipe conjointe syro-égyptienne». A 13 heures, les combats cessent sur le plateau du Golan, pour la première fois depuis le 6 octobre 1973.

Un échange de prisonniers a lieu le jour même. En échange de ses 65 militaires détenus en Syrie – 11 sont morts en captivité –, Israël libère près de 1 000 militaires syriens.

Keshet sera évacuée. L'implantation va être reconstruite plus à l'ouest. L'armée détruit Kouneitra au bulldozer avant de la restituer aux

---

1. Henry Kissinger, *Les Années orageuses, op. cit.*, p. 1324.

Syriens qui reçoivent également quelques centaines d'hectares que les membres du kibboutz Mérom Golan avaient cultivés. Goush Emounim n'a pas réussi à empêcher le retrait, mais a acquis une première expérience dans l'organisation d'implantations illégales.

Le 1er juin, se réunit au Caire le Conseil national palestinien. Anouar el Sadate fait pression sur les délégués pour qu'ils adoptent ce qu'il appelle des «décisions courageuses» et acceptent de participer à la conférence de Genève. Pour le président égyptien, l'établissement d'un foyer national palestinien est inévitable. Un pouvoir national palestinien doit être installé sur chaque centimètre carré de terre de Palestine qui sera libéré, l'objectif étant la création d'un État en Cisjordanie et dans la bande de Gaza, reliées par un corridor. Le nouvel État devant, par la suite, définir la nature de ses relations avec le royaume de Jordanie. La radio égyptienne et la presse du Caire conseillent au CNP de tenir compte des réalités comme «*la présence de trois millions de Juifs sur la terre de Palestine, l'existence de l'État d'Israël, qui est reconnu par le monde entier*[1]».

Le texte préparé par le Fatah, le FDLP et la Saïka est donc au centre du débat. Deux tendances se dessinent au sein du mouvement palestinien : les partisans d'un règlement politique qui permettrait l'installation d'un pouvoir national en Cisjordanie et à Gaza, et ceux qui voudraient que l'on s'en tienne à la charte palestinienne et au programme politique de l'OLP. Le 8 juin, un document en dix points est voté à une majorité écrasante. Il s'intitule «*Programme politique transitoire*» :

«[…] *1) Nous confirmons les positions antérieures de l'OLP à l'égard de la résolution 242 qui ignore les droits nationaux de notre peuple et traite sa cause comme un problème de réfugiés. Pour cette raison, nous refusons d'agir sur la base de cette résolution et cela à n'importe quel niveau, arabe ou international, y compris la conférence de Genève.*

2) L'OLP lutte par tous les moyens et en premier lieu les armes pour libérer la terre palestinienne et édifier un pouvoir national indépendant et combattant du peuple sur toute partie de la terre palestinienne libérée […].

3) L'OLP lutte contre tout projet d'entité palestinienne dont le prix serait la reconnaissance, la réconciliation avec l'ennemi, des frontières sûres pour l'ennemi et la renonciation au droit national de notre peuple, à son droit au retour et à l'autodétermination. […] »

---

1. Cité par Moshé Shemesh, *From War to Peace*, Sussex Academic Press, Brighton, 1994, pp. 79 et 81.

A Tel Aviv, Ouri Avnéry, rédacteur en chef de l'hebdomadaire de gauche *Haolam Hazé*, analyse ce texte et conclut que c'est un pas en direction d'Israël, au contraire des dirigeants israéliens, pour lesquels il n'y a rien de nouveau. Pour lui, cela veut dire que l'OLP évolue, elle ne parle plus d'État national sur l'ensemble de la Palestine, à la place d'Israël, mais accepte une solution par étapes pour s'installer sur toute partie du territoire de laquelle les Israéliens se retireraient. Le journaliste israélien a déjà relevé, le 17 décembre de l'année précédente, un article de Saïd Hammami, le représentant de l'OLP à Londres, dans le *Times*, en faveur d'une reconnaissance mutuelle des Arabes palestiniens et des Juifs d'Israël. Par l'intermédiaire d'Henri Curiel, il rencontrera Hammami en janvier 1975. Les deux hommes sympathiseront.

Le 3 juin 1974, Yitzhak Rabin présente son gouvernement à la Knesset. Dans son discours d'investiture, il déclare : «*Nous préférons la paix à de nouvelles victoires militaires, une paix stable, une paix juste, une paix honorable, mais pas une paix à tout prix. Il est essentiel que les leaders des pays voisins comprennent qu'Israël a droit à des frontières défendables. Israël ne retournera pas, même dans le contexte d'un traité de paix, sur les frontières du 4 juin 1967. Ces lignes* [de cessez-le-feu] *ne sont pas des frontières défendables et constituent au contraire une tentation de nous agresser.* […] *Aucun traité de paix ne sera conclu avec la Jordanie s'il comprend des concessions territoriales concernant des parties de la Judée et de la Samarie avant que le peuple soit consulté lors de nouvelles élections.* […] »

GOUSH EMOUNIM PASSE À L'ACTION

Goush Emounim – dirigé par un petit groupe de militants : Hanan Porat, Israël Harel, Beni Katsover, Menahem Félix – prépare son vrai combat : l'installation de localités juives en Cisjordanie, et plus particulièrement près de Naplouse, en plein cœur de la Samarie. Une tentative d'implantation se déroule le 5 juin. Le groupe, qui se fait appeler Eilon Moré, est évacué *manu militari* quarante-huit heures plus tard. C'est la première décision prise par Yitzhak Rabin après son arrivée à la tête du gouvernement. Le groupe effectuera plusieurs tentatives infructueuses pour s'implanter, et joue au chat et à la souris avec l'armée, qui a ordre d'empêcher toute nouvelle implantation.

Le 14 juillet, Yitzhak Rabin et Israël Galili examinent le problème avec Shimon Pérès, le ministre de la Défense, qui propose de canaliser l'énergie de Goush Emounim vers une activité légale. Trois jours plus tard, ils reçoivent les responsables du mouvement. Pérès répète qu'il reconnaît, bien entendu, le droit des Juifs à s'installer partout en terre d'Israël, mais que la création d'une localité israélienne près de Naplouse n'est pas en tête des priorités nationales. Les militants rejettent l'argument. La semaine suivante ils ont une nouvelle discussion orageuse avec Rabin, Galili et Haïm Tzadok, le ministre de la Justice. Le Premier ministre déclare que les implantations ne sauraient déterminer les futures frontières de l'État, et demande à ses interlocuteurs de lui dire ce qu'ils cherchent en Samarie. Les responsables de Goush Emounim lui répondent : «*Comment un Juif comme vous peut-il parler ainsi ?*»

– Rabin : «*Avant 1967, aviez-vous le mal du pays pour ces territoires ?*»

«*Oui, bien sûr. N'aviez-vous pas un tel sentiment lorsque vous étiez dans une moitié seulement de Jérusalem ? Avec ce genre d'attitude, l'État d'Israël aurait pu être créé en Ouganda[1]…*»

Le 25 juillet, Goush Emounim lance une gigantesque opération-surprise. Plusieurs convois de militants se déplacent sur les routes de Cisjordanie pour tromper les forces de l'ordre, pendant que le groupe principal arrive par des voies détournées dans l'ancienne gare turque de Sebastia, à dix-huit kilomètres de Naplouse. En moins de vingt-quatre heures, près de deux mille sympathisants s'installent dans cette implantation interdite. Le rabbin Néria, de la yeshiva Merkaz Harav, distribue un tract : «*Nous représentons le peuple d'Israël et pas seulement les citoyens d'Israël. Nous représentons l'entité juive et demandons au gouvernement d'Israël qu'il la reconnaisse avant d'admettre l'existence d'une entité palestinienne. Les monts de Samarie sont entre nos mains depuis sept ans, et les Juifs n'y sont toujours pas installés. […] Nous voulons construire une ville au centre de la Terre d'Israël près de Sichem* [Naplouse], *qui appartient à la tribu d'Ephraïm.* […] » Dix-huit députés des partis religieux et de droite viennent exprimer leur soutien : Menahem Begin, Ariel Sharon… Le gouvernement considère que l'opération a des relents de putsch. L'armée a l'ordre d'évacuer les colons. Le 29 juillet, après des scènes d'affrontements que de nombreux Israéliens trouvent choquantes, Sébastia est évacuée. Les militants y reviendront à quatre reprises avant la fin de l'année 1975.

Le 31 juillet, Shimon Pérès révèle que le gouvernement a décidé la construction de six implantations dans la percée de Rafah, au sud de la

---

1. Guershon Shafat, *Goush Emounim*, Sifriat Beit El, Beit El, 1995, p. 78.

bande de Gaza. Il s'agit de créer une barrière entre l'Égypte et les 600 000 Palestiniens de Gaza. Le même jour, la Knesset consacre un débat aux tentatives d'implantation de Goush Emounim. Moshé Dayan prend position et critique le gouvernement en l'accusant de ne pas construire suffisamment de localités juives en Cisjordanie : «*Nous n'avons aucune chance d'obtenir l'accord de Hussein, d'Arafat ou des notables de Naplouse pour l'exécution d'un projet sioniste quelconque*», déclare l'ancien ministre de la Défense.

HUSSEIN : «ET MOI?»

Le 29 août 1974, Hussein de Jordanie et son premier ministre Zaid el Rifaï arrivent à la Midrasha[1], le centre du Mossad, au nord de Tel Aviv. Yitzhak Rabin, Shimon Pérès et Yigal Allon les attendent. Le Premier ministre israélien annonce au souverain jordanien qu'il va bientôt se rendre à Washington rencontrer Gerald Ford, le nouveau président. Richard Nixon, empêtré dans l'affaire du Watergate, a démissionné. Rabin présente à son interlocuteur trois possibilités de règlement : négocier un traité de paix en bonne et due forme, ce qui, dans l'état actuel des choses, serait extrêmement difficile; préparer un règlement définitif qui serait mis en place progressivement, par des accords intérimaires; une séparation des forces qui comporterait également un arrangement en Cisjordanie. Hussein répète qu'il voudrait un accord intérimaire comportant une séparation des forces sur le modèle de ce qui a été conclu avec l'Égypte. A terme, cela lui permettrait de récupérer les territoires à l'ouest du Jourdain. Rabin répond qu'Israël ne saurait accepter une telle formule. De son point de vue, cela équivaudrait à un retrait unilatéral.

Shimon Pérès présente sa proposition d'arrangement fonctionnel qu'il prépare depuis quelques mois. La Cisjordanie deviendrait une sorte de condominium, avec un gouvernement fédéral, une administration locale. L'emblème serait le drapeau jordanien, de même que le passeport des habitants arabes qui pourraient voter pour le Parlement d'Amman. Les habitants juifs voteraient pour élire des députés à la Knesset. Shimon Pérès, devant la mine sceptique de Hussein, déclare : «*L'idée peut paraître fantaisiste, mais on ne peut résoudre le problème qu'avec de l'imagination.*

– *Bien sûr*, répond le souverain jordanien, *tout cela pourrait être*

---

1. Pour une description de la Midrasha : Victor Ostrovsky et Claire Hoy, *By Way of Deception*, St. Martin Press, New York, 1990.

examiné à l'avenir, ce qu'il nous faut, c'est un progrès dans l'immédiat. Une séparation des forces sur le modèle des accords conclus avec l'Égypte et la Syrie. Si la Jordanie avait participé à la guerre d'Octobre, elle l'aurait obtenue sans aucune difficulté.»

Zaïd el Rifaï laisse entendre que, en l'absence d'un accord, le royaume hachémite pourrait tout simplement renoncer à participer à un règlement du problème palestinien, qu'il le décide lui-même ou que les autres États arabes l'y obligent. La menace n'impressionne pas les Israéliens.

Le 11 octobre, Hussein revient à la charge. Il est à nouveau à Tel Aviv, à la Midrasha. Un sommet arabe doit se réunir à Rabat, au Maroc, dans une semaine et le souverain jordanien sait qu'il sera sur la sellette. Les chefs d'État arabes risquent de lui retirer la responsabilité du problème palestinien c'est-à-dire de la Cisjordanie et de Jérusalem-Est. A nouveau, il réclame à ses interlocuteurs israéliens, Rabin, Pérès et Allon, une séparation des forces qui lui permettrait de récupérer une bande de quelques kilomètres de profondeur à l'ouest du Jourdain. Zaïd el Rifaï, qui l'accompagne, explique qu'il faut rétablir une administration jordanienne en Cisjordanie et permettre une présence militaire hachémite.

– Rabin : «*C'est inconcevable, le public israélien n'acceptera jamais un retrait en Cisjordanie, d'autant plus que vous n'avez rien à donner en échange.*»

– Zaïd el Rifaï : «*Mais c'est exactement ce qui s'est passé avec la Syrie et l'Égypte.*»

– Hussein : «*Je n'ai pas participé à la guerre et regardez : les Égyptiens ont récupéré le canal de Suez et les Syriens Kouneitra […]*»

– Rabin : «*Ce n'est pas moi qui ai négocié ces accords, mais le gouvernement précédent.*»

– El Rifaï : «*Mais n'y a-t-il pas une continuité d'un gouvernement à l'autre ?*»

– Pérès : «*La Jordanie n'est plus l'élément fort en Cisjordanie, c'est désormais Arafat […]*»

– El Rifaï : «*Vous verrez, lorsque Sa Majesté viendra à Jéricho, tous les notables de Cisjordanie viendront lui baiser la main.*»

Hussein avertit les Israéliens que le sommet de Rabat risque de proclamer l'OLP seul représentant du peuple palestinien. Dans ce cas, il ne pourra plus discuter avec eux de l'avenir de la Cisjordanie. «*Faites quelque chose. Renforcez ma position*», leur lance-t-il. Rabin lui propose de le rencontrer de nouveau après le sommet de Rabat.

LE RETOUR DE KISSINGER

Le 12 octobre 1974, Henry Kissinger est à Jérusalem. Israël est disposé à trouver un accord séparé avec l'Égypte et propose «Sinaï II», un nouveau désengagement plus important. Cependant, Rabin est plus méfiant que jamais. Il n'a aucune confiance en Anouar el Sadate : «*J'ai relevé dans les actes passés de Sadate des éléments d'instabilité et de manque de loyauté. […] Toute sa carrière militaire n'est faite que de passages d'une voie à une autre, d'une orientation à l'autre, de l'amitié chaleureuse à l'hostilité totale. En 1971, il signe un accord d'amitié avec l'URSS pour, l'année suivante, expulser les experts soviétiques d'Égypte. Il déclenche la guerre d'Octobre avec son frère Hafez el Assad, puis interrompt les hostilités et signe des accords de cessez-le-feu sans consulter Assad […]*[1].»

Le Premier ministre israélien annonce à Kissinger que son opinion n'a pas changé. Toute nouvelle étape dans les négociations avec l'Égypte devra déboucher sur la fin de l'état de belligérance. En échange, Israël acceptera de se retirer sur une nouvelle ligne située de trente à cinquante kilomètres à l'est des lignes actuelles. Le secrétaire d'État regagne les États-Unis. Les positions sont inconciliables. Pour l'instant.

Le 28 octobre 1974, à Rabat, le sommet arabe prend une décision historique : l'OLP voit reconnaître son rôle de seul représentant du peuple palestinien. La résolution est proposée d'abord par Ismaïl Fahmy au nom de l'Égypte, au cours d'une réunion des ministres arabes des Affaires étrangères. Zaïd el Rifaï, pâle, surpris par ce qu'il considère comme une démonstration de duplicité égyptienne, tente de s'opposer au vote, en vain. La motion est adoptée à l'unanimité moins une voix, la sienne.

Devant les autres chefs d'État arabes, Hussein parle pendant deux heures. Il rappelle le rôle de sa famille depuis la création du royaume hachémite par son grand-père l'émir Abdallah et plaide : «*Je suis le seul avec qui l'ennemi sera prêt à discuter de l'avenir de ces territoires.*» A la fin de son discours, après un silence de quelques minutes, Houari Boumediene se tourne vers lui : «*L'Algérie ne reconnaît à personne le droit de parler au nom des Palestiniens, à l'exception de l'OLP.*» Fayçal, d'Arabie Saoudite, adopte la même position. Hussein n'a pas le choix, il annonce qu'il se pliera à la décision de ses frères arabes. Il prendra les mesures nécessaires pour annuler les lois accordant la citoyenneté jordanienne aux habitants palestiniens de Cisjordanie.

---

1. Yitzhak Rabin, *Pinkas Sherout, op. cit.*, p. 474.

A la fin du sommet, Hussein et Arafat s'embrassent… Le souverain jordanien ne pardonnera jamais à Anouar el Sadate son rôle dans le vote de cette résolution qui lui a fait perdre près de la moitié de son royaume et notamment Jérusalem-Est.

Le 13 novembre 1974, Yasser Arafat est invité à participer à la 29ᵉ session de l'Assemblée générale des Nations unies. Les Israéliens sont furieux. «*L'OLP, déclare Yossef Tékoah, l'ambassadeur d'Israël, n'est qu'une organisation de meurtriers devant laquelle les Nations unies ont capitulé. Israël ne permettra pas l'établissement d'une administration quelconque de l'OLP en terre d'Israël et ne permettra pas que l'OLP soit imposée aux Arabes palestiniens.* » Arafat fait une apparition qui restera dans les annales de l'organisation internationale et du conflit au Proche-Orient. Après avoir décrit la situation en Palestine depuis le début de l'«invasion juive» de 1881, il accuse «*l'entité raciste fondée sur le concept impérialiste colonialiste d'être devenue une base de l'impérialisme et un arsenal d'armes. [...] En ma qualité de président de l'Organisation de libération de la Palestine et de leader de la révolution palestinienne, je proclame devant vous que lorsque je parle de nos espoirs communs pour la Palestine de demain, nous incluons dans notre perspective tous les Juifs vivant actuellement en Palestine qui choisissent de vivre avec nous dans la paix et sans discrimination. Je lance un appel aux Juifs pour qu'ils s'éloignent des promesses illusoires qui leur ont été faites par l'idéologie sioniste et les responsables israéliens. Ils offrent aux Juifs une effusion de sang permanente et une guerre sans fin [...] Je vous demande d'accompagner notre peuple dans son combat pour l'autodétermination [...] Je suis venu porteur d'une branche d'olivier et d'un pistolet de combattant de la liberté. Ne laissez pas la branche d'olivier tomber de ma main. Je répète : ne laissez pas la branche d'olivier tomber de ma main. La guerre fait rage en Palestine, mais malgré cela, c'est en Palestine que la paix naîtra*».

Le 19 novembre, six jours après le discours d'Arafat à l'ONU, un commando du FDLP assassine quatre civils israéliens à Beit Shéan. Pour le gouvernement israélien, c'est la preuve que l'OLP est encouragée par l'attitude bienveillante de la communauté internationale à son égard. Le 5 mars 1975, un commando palestinien arrivé par la mer attaque l'hôtel Savoy à Tel Aviv. Il y a cinq morts et onze blessés. A Beyrouth, l'OLP revendique l'attaque. L'agence de presse palestinienne révèle que le commando réclamait la libération de dix Palestiniens détenus en Israël, parmi lesquels l'archevêque Hilarion Capucci, condamné pour trafic d'armes. L'OLP déclare que l'attaque était un raid de représailles après l'opération israélienne à Beyrouth de 1973.

Deux jours plus tard, Kissinger arrive à Jérusalem. Il vient du Caire où il a trouvé Anouar el Sadate confiant. Le président égyptien lui a répété qu'un nouvel accord de désengagement israélo-égyptien serait indépendant de tout autre règlement sur les fronts syrien ou jordanien. Kissinger répète à Rabin ce que Sadate lui a dit : «*L'attaque contre l'hôtel Savoy n'était pas seulement dirigée contre Israël, mais contre l'Égypte et contre moi.*» Le Premier ministre israélien conclut qu'il peut continuer ses opérations contre les organisations palestiniennes. Le secrétaire d'État présente une carte tracée par le général Abdel Ghani el Gamasi, qui est devenu le ministre de la Guerre égyptien. Il a dessiné les lignes sur lesquelles les deux parties pourraient se déployer en tenant compte des besoins de sécurité mutuels. Dans son autobiographie, Rabin souligne que pour la première fois dans l'histoire du conflit au Proche-Orient, un officiel égyptien a parlé des besoins de sécurité géographiques d'Israël et de la nécessité d'en tenir compte dans le cadre d'un accord.

Les Israéliens répondent que, en échange d'un accord comportant l'interdiction de l'usage de la force et des éléments politiques comme l'arrêt de la propagande hostile, la réduction de la guerre économique, le passage de marchandises israéliennes par le canal de Suez, Tsahal pourrait se retirer vers l'est, mais pas de la région des cols du Sinaï. Le secteur évacué serait remis à l'ONU. Israël est par ailleurs prêt, dans un autre cas de figure, à se retirer sur la ligne El Arish-Ras Mohamed, en échange de l'annulation complète de l'état de belligérance. Kissinger poursuit sans grand succès ses navettes entre Le Caire et Jérusalem. Les Israéliens refusent de céder les cols du Mitla et du Gidi dans le Sinaï. Kissinger se fait de plus en plus menaçant : «*Vous faites quelque chose de très grave*, lance-t-il, le 21 mars, aux dirigeants israéliens. *Je ne vous forcerai pas à accepter un accord dont vous ne voulez pas. Cela ne concerne pas ma sécurité personnelle, mais vous faites une erreur. Vous risquez de retarder un processus positif, nouveau au Proche-Orient. Cela risque d'avoir de graves conséquences pour le statut des États-Unis dans la région, le statut de Sadate. […] J'espère qu'il n'y aura pas de guerre[1].*»

Rabin reçoit, le jour même, une lettre du président des États-Unis : «*Le secrétaire d'État m'a annoncé la prochaine suspension de sa mission. Je tiens à exprimer ma profonde déception face à la position d'Israël au cours de ces négociations. Vous connaissez par nos*

1. Yitzhak Rabin, *Pinkas Sherout, op. cit.*, p. 458.

conversations, et le ministre israélien des Affaires étrangères la connaît également, l'importance que j'accorde au succès des efforts réalisés par les États-Unis pour parvenir à un accord. […] L'échec des négociations aura des conséquences graves pour la région et nos relations mutuelles. J'ai donné l'ordre de procéder à une réévaluation de la politique américaine dans la région, y compris de nos relations avec Israël, afin de nous assurer que l'intérêt global des États-Unis au Proche-Orient soit bien défendu.*» Le lendemain, Rabin a une conversation extrêmement dure avec Kissinger. C'est le premier échec de la diplomatie américaine dans la région. Le secrétaire d'État promet qu'il n'en rejettera pas la responsabilité sur Israël. Il laisse toutefois entendre que le désaccord entre Israël et les États-Unis, le refus de l'État juif d'accepter un retrait important dans le Sinaï serviront d'arme politique aux ennemis d'Israël à Washington.

Rabin décide d'accompagner Kissinger à l'aéroport. Les deux hommes ont une ultime conversation, seuls. Le chef du gouvernement israélien dit au secrétaire d'État : «*Je sais que nous allons devoir affronter une période difficile, mais je ne pouvais faire autrement. J'ai pris la décision qu'Israël ne saurait accepter un accord dans de telles conditions. J'ai donc proposé à mon gouvernement de le refuser, tout en sachant que la situation comporte de nombreux dangers, peut-être même d'une nouvelle guerre. Ce n'est pas un problème personnel. Je considère tous ceux qui servent à Tsahal comme si j'en étais personnellement responsable. Avec Léa, mon épouse, nous avons deux enfants. Notre fille est mariée à un officier de carrière, commandant d'un bataillon de blindés dans le Sinaï. Notre fils commande une section de chars dans le Sinaï également. Je sais que, s'il y a un affrontement armé avec l'Égypte, tous les deux, mon gendre et mon fils, seront en première ligne. Je n'avais pas le choix. C'est un fardeau que je dois assumer, également à titre personnel.*» Kissinger monte dans son avion, très ému. Quelques jours plus tard, l'administration Ford suspend la conclusion de nouveaux contrats de livraison d'armes à Israël. Les accords déjà conclus sont honorés.

IMPASSE

Le 28 mai 1975, Hussein de Jordanie et son Premier ministre Zaïd el Rifaï sont de retour en Israël pour faire le point avec les dirigeants israéliens après le sommet de Rabat. La rencontre se déroule près de la mer Morte, sur la frontière entre les deux pays. Le souverain est furieux : «*Si vous aviez accepté une séparation des forces, j'aurais pu éviter ce qui est arrivé à Rabat.* » Pérès soumet quelques idées nouvelles, l'autonomie pour les Palestiniens, sous forme de cantons à Naplouse, Ramallah, Hébron, Gaza. El Rifaï l'interrompt : «*Tout le monde parle du problème palestinien, mais personne ne sait ce que c'est réellement. Changez de politique, négociez avec l'OLP nous verrons ensuite.* » Hussein renchérit : «*Chaque fois que nous nous rencontrons, vous me surprenez avec quelque chose de nouveau.* »

Le 10 juin, Rabin est invité aux États-Unis. A Washington, Kissinger l'informe de ses conversations avec Sadate. Le président égyptien estime que les États arabes ne pourront pas conclure une paix globale avec Israël avant que le problème palestinien soit résolu, et puis, a-t-il dit, il faut faire quelque chose au sujet du Golan, par exemple un retrait d'un kilomètre ou deux, mais sans rapport avec l'éventuelle conclusion d'un nouvel accord entre l'Égypte et Israël.

Le Premier ministre israélien est reçu par le président Gerald Ford, en compagnie du secrétaire d'État. Les relations entre les deux pays sont moins tendues. Le chef de l'exécutif promet à Rabin que le «réexamen» de la politique américaine au Proche-Orient n'est pas destiné à «punir» Israël. Il penche pour un règlement global dans la région et une reprise de la conférence de Genève.

«*En tant qu'ancien militaire, je peux vous dire que la théorie de Clausewitz – la guerre est la poursuite de la politique par d'autres moyens et a pour objectif de briser la force militaire de l'ennemi afin de lui imposer la paix – n'est pas applicable au Proche-Orient. Israël ne réalisera pas la paix en faisant la guerre, mais il doit pouvoir se défendre* […] », rétorque Rabin, et d'expliquer que les Arabes exigent un retrait total sur les lignes du 4 juin 1967, ce qu'Israël ne peut se permettre. Des lignes qui, dit-il, placent l'État juif face à un terrible dilemme : lancer une guerre préventive ou risquer une attaque arabe. Rabin répète qu'Israël ne peut se permettre de renoncer aux hauteurs du Golan, même en situation de paix. Il réaffirme qu'Israël n'acceptera pas la création d'un État palestinien dirigé par Arafat. Le problème palestinien doit être réglé dans un cadre jordanien.

Les trois hommes évoquent les éléments d'un nouvel accord avec l'Égypte, mais Rabin ne cède pas. S'il est prêt à une restitution des champs de pétrole d'Abou Rodez sur la rive occidentale du golfe de Suez, il refuse un retrait complet des cols du Mitla et du Gidi dans le Sinaï. Tsahal, dit-il, ne pourra se retirer que sur l'entrée orientale de ces passes stratégiques. C'est à nouveau l'impasse. A New York, avant son départ pour Israël, Kissinger lui dit, après une ultime discussion sur la carte du Sinaï : «*Nous allons transmettre votre proposition aux*

Égyptiens sans leur conseiller de l'accepter. Nous devrons vraisem-
blablement aller à Genève!» Eh bien, nous irons à Genève, répond
Rabin, insensible à la menace. Il sait que l'Égypte n'a pas non plus
l'intention de relancer la Conférence internationale sur le Proche-Orient[1].

ACCORD

A Tel Aviv, l'état-major prépare une nouvelle proposition de redéploiement des forces dans le Sinaï. Les difficultés sont surmontées par
une idée originale : des stations d'alerte et de détection américaines
seraient installées dans la région des cols. Cela devrait permettre de rectifier les lignes dans ce secteur, à la satisfaction des Égyptiens.
Kissinger trouve la solution intéressante. Un accord paraît possible. Le
Secrétaire d'État entame, le 21 août, une nouvelle navette. Goush
Emounim l'attend à Jérusalem. Pour l'extrême droite, il vient préparer
un retrait qui risque de conduire à une évacuation de la Judée-Samarie.
Le ton de certains nationalistes frise l'antisémitisme. Kissinger est
traité de «Jewboy». Des manifestants gênent les déplacements de son
convoi. Une grande réception organisée à la Knesset est perturbée.
Rabin écrira dans son autobiographie : «*Il y a peu d'exemples dans*
l'histoire du judaïsme d'un tel groupe sauvage qui s'accorde un man-
dat divin et inscrit sur sa bannière religieuse nationale de tels slogans
antisémites, accorde une licence juive israélienne à la haine des Juifs
qui, sous couvert d'un amour de la terre d'Israël, fait, avec vulgarité,
irruption dans les rues pour y imposer la terreur [...][2].» Rabin donne
l'ordre au commandant de la police de faire régner l'ordre et, si nécessaire, de «*casser les os*» des manifestants. La formule, publiée dans la
presse avant d'être démentie par son auteur, fait scandale. La sécurité
de Kissinger et de Rabin est renforcée. Des banderoles promettent au
secrétaire d'État le sort du comte Bernadotte. L'accord intérimaire
israélo-égyptien est conclu le 31 août. Les États-Unis doivent à présent
prendre des engagements envers Israël. Ils couvriront les besoins économiques et militaires d'Israël. Si le Congrès les y autorise, ils garanti-
ront ses approvisionnements en carburant et s'engageront à ne pas
négocier avec l'OLP.

Le 1er septembre 1975, Gerald Ford envoie à Yitzhak Rabin une missive qui restera secrète pendant près d'une décennie et régira la

1. Yitzhak Rabin, *Pinkas Sherout*, *op. cit*, p. 478.
2. *Ibid.*, p. 486.

politique américaine à l'égard d'Israël jusqu'en 1993. Outre des promesses d'aide militaire, le président américain s'engage, «*si les États-Unis devaient désirer présenter* [aux parties en conflit au Proche-Orient] *des propositions de son cru, à faire tous les efforts* [nécessaires] *pour coordonner ces propositions avec Israël dans l'intention de ne pas soumettre des propositions qu'Israël ne considérerait pas satisfaisantes.*

«*Les États-Unis soutiendront la position selon laquelle un règlement global avec la Syrie dans le cadre d'un accord de paix doit assurer la sécurité d'Israël face à* [une éventuelle] *attaque venant des hauteurs du Golan.* [...] *Les États-Unis n'ont pas déterminé leur position définitive au sujet des frontières* [au Proche-Orient]. *Lorsque ce sera le cas, ils accorderont un poids important à la position israélienne selon laquelle tout accord de paix avec la Syrie devrait* [être fondé] *sur le maintien d'Israël sur les hauteurs du Golan[1]*». Ce langage alambiqué signifie que la diplomatie américaine doit désormais consulter Jérusalem avant de se lancer dans une nouvelle initiative de paix. Les Premiers ministres israéliens ne se feront pas faute de présenter cet engagement chaque fois qu'ils l'estimeront nécessaire.

Les forces israéliennes se redéploient sur l'entrée orientale des cols du Mitla et du Gidi. L'Égypte récupère les champs de pétrole d'Abou Rodes. De nouvelles zones tampons de limitation des forces sont mises en place. Le cabinet Rabin n'a pas réussi à obtenir une déclaration égyptienne de non-belligérance en bonne et due forme. Des stations d'alarme et de détection sont installées dans le Sinaï avec l'accord des deux parties. Leur personnel est composé de techniciens et de militaires américains. L'introduction du texte de l'accord comporte toutefois l'engagement que les deux pays régleront leurs problèmes par des voies pacifiques. La cérémonie officielle de signature de l'accord a lieu le 4 septembre à Genève. Les officiers égyptiens refusent de saluer leurs collègues israéliens. A Jérusalem, le Likoud et le Parti national religieux organisent des manifestations de protestation. 25 000 personnes défilent devant la présidence du Conseil. Rien n'y fait. L'accord intérimaire est approuvé par la Knesset par 70 voix contre 43.

Un jour d'été 1975, Dany Chamoun, le fils de l'ancien président libanais, passe quelques jours de vacances chez son ami le roi Hussein de Jordanie, à Amman. Les deux hommes parlent d'Israël et des difficultés auxquelles font face les maronites au Liban. «*Pourquoi ne demanderiez-vous pas une aide israélienne ?* suggère le souverain jordanien. *Seul l'État juif a intérêt à maintenir la puissance de la communauté maronite.*»

---

1. Gopher ://israel-info. gov. il

Le Mossad est contacté et, en septembre, la première transaction d'armes israélo-libanaise est signée en Jordanie. Les intermédiaires sont un homme d'affaires juif américain et un envoyé de Camille Chamoun. Le matériel sera livré début 1976. Il s'agit de fusils d'assaut M16, de missiles antichars et de quelques vieux tanks super Sherman. Les chrétiens paient en espèces sonnantes et trébuchantes. En tout, ces transactions porteront sur cent cinquante millions de dollars.

Le 19 octobre 1975, après de nouveaux contacts avec Saïd Hammami à Londres, Ouri Avnéry écrit à Yitzhak Rabin pour lui demander un rendez-vous. Le journaliste voudrait informer le Premier ministre israélien de ses rencontres avec le dirigeant palestinien qui «*propose l'établissement d'un État palestinien au côté d'Israël, la reconnaissance mutuelle, des négociations, et la cessation du terrorisme* [...][1]».

Avnéry est convoqué chez Rabin le 28 octobre. Le Premier ministre critique son interlocuteur : «*Les Palestiniens*, dit-il, *ne feront jamais la paix avec Israël. Lorsqu'ils prétendent le contraire, ils mentent. En prônant des négociations avec eux, vous les aidez à gagner de la légitimité dans l'arène internationale.*» Avnéry répond : «*Supposons que le roi Hussein signe un traité avec Israël et qu'il récupère la plus grande partie de la Cisjordanie. Évidemment, je n'y crois pas car il ne peut abandonner Jérusalem-Est, ni un pouce de territoire, il a trop peur qu'on l'accuse d'être un valet de l'impérialisme sioniste. Arafat peut se permettre d'être beaucoup plus souple que Hussein, mais imaginons ce qui pourrait arriver si le roi signe un traité. Il serait renversé dans cinq ans. Le nouveau régime le dénoncerait comme un agent sioniste et abolirait le traité de paix* [...]* »

Rien de concret ne sort de cette discussion. Rabin refuse de transmettre un message quelconque à l'OLP ou de faire le geste d'autoriser des dirigeants palestiniens à revenir en Cisjordanie ou de libérer des détenus palestiniens. Au moins, notera Avnéry, Rabin avait écouté.

SEBASTIA ET LE SIONISME

Le 10 novembre 1975, l'Assemblée générale de l'ONU vote une résolution définissant le sionisme comme une forme de racisme et de discrimination raciale. Sur les 142 membres de l'organisation, 29 seulement votent contre. Israël, le monde juif sont profondément choqués. Yitzhak Rabin décide de ne pas réagir outre mesure. Les résolutions de l'Assemblée générale n'ont qu'une importance symbolique. Le Premier

---

1. Ouri Avnéry, *Mon frère l'ennemi*, Scribe, Paris, 1986, p. 87.

ministre israélien relève que le vote a eu lieu trente-sept ans jour pour jour après la Nuit de cristal, le pogrom en Allemagne nazie. Par hasard, au même moment, à Washington, Harold Saunders, le sous-secrétaire d'État aux Affaires du Proche-Orient, présente à une commission de la Chambre des représentants une déclaration de politique concernant les Palestiniens : «*La dimension palestinienne du conflit israélo-arabe est à bien des égards au cœur de ce conflit. […] Les intérêts légitimes des Arabes palestiniens doivent être pris en compte dans la négociation d'une paix israélo-arabe[1].*»

Le texte a été approuvé par Kissinger qui l'a soumis au président Ford. Les Israéliens sont furieux. Ils répondent que cette déclaration de l'administration américaine ne constitue, pour eux, qu'un exercice académique nul et non avenu.

Quatre jours plus tard, Goush Emounim publie dans tous les journaux israéliens un appel au gouvernement :

«*Nous vous demandons de décider immédiatement :*

«*– d'arrêter le retrait du Sinaï et de ses champs de pétrole ;*

«*– d'interrompre immédiatement le déploiement dans le Sinaï des soldats de celui qui poursuit l'œuvre de Hitler jusqu'à ce qu'il soit prouvé que Sadate a changé de voies […];*

«*– d'autoriser immédiatement tous les groupes de militants qui le désirent à s'implanter en Judée, en Samarie, sur le plateau du Golan et les portes du Sinaï […];*

«*– de décider définitivement que le Golan, la Judée, la Samarie, les portes du Sinaï sont partie intégrante de la Terre d'Israël. Nous avons la certitude que l'immigration et l'implantation constituent la réalisation du sionisme[2].*»

Le 25 novembre, Goush Emounim lance une nouvelle opération d'implantation, sa huitième, à Sebastia, près de Naplouse. C'est symbolique : Israël célèbre Hanouccah, la fête des Lumières. Tsahal bloque l'accès au site, mais évite l'affrontement avec les militants qu'accompagnent des personnalités importantes : Méir Har Tsion, un héros des guerres d'Israël, la chanteuse Noémie Shemer et des députés de droite, notamment un jeune du Likoud, Ehoud Olmert, qui déclare : «*Le gouvernement lance une opération d'information contre la décision de l'ONU sur le sionisme, c'est insuffisant. Le sionisme n'est pas un slogan creux, il faut lui donner vie. Il faut dire oui à l'implantation en Samarie.*»

---

1. William B. Quandt, *Peace Process*, op. cit., p. 244.
2. Gershon Shafat, *Goush Emounim*, op. cit., p. 176.

Yitzhak Rabin décide, cette fois, de ne pas envoyer l'armée évacuer l'implantation illégale. Il expliquera dans son autobiographie que l'utilisation de Tsahal contre les militants aurait détourné l'attention de la conférence de solidarité avec le peuple juif et Israël réunie, au même moment, à Jérusalem en réaction à la résolution des Nations unies. Il a une conversation avec le chef d'état-major, Mordehaï Gour. Il faudrait cinq mille soldats pour expulser Goush Emounim. Rabin envoie Ariel Sharon devenu son conseiller et Haïm Gouri, le poète du Palmah, alors partisan de l'implantation en Cisjordanie, parler aux manifestants de Sebastia. Sous la pression du ministre de la Défense, Shimon Pérès, le gouvernement accepte l'installation de trente familles de Goush Emounim dans des caravanes, à l'intérieur du camp militaire de Kadoum, à quelques kilomètres à l'est de Naplouse. Le mouvement nationaliste religieux a gagné. Rabin fait parvenir un avertissement aux responsables de Goush Emounim : toute autre tentative d'implantation sauvage sera évacuée par la force.

« *Pour moi*, écrira Rabin, *Goush Emounim était un phénomène des plus graves, un cancer au sein de la démocratie israélienne, opposé aux fondements démocratiques de l'État. Il était nécessaire de combattre ce mouvement par les idées, afin de dévoiler la nature réelle de ses positions et de ses voies d'action. Un tel combat ne peut être mené uniquement par les baïonnettes de Tsahal, et ne peut réussir lorsque le Parti travailliste est divisé dans son attitude face aux militants de Goush Emounim, que le ministre de la Défense, Shimon Pérès, qualifie de véritables idéalistes et les soutient*[1]. »

Les relations entre Rabin et Pérès sont franchement mauvaises. Le Premier ministre accuse son rival de comploter contre lui.

DE NOUVEAU GOLDMANN

A la mi-novembre 1975, Nahoum Goldmann demande un rendez-vous à Yitzhak Rabin. Le président du Congrès juif mondial lui annonce qu'il est invité à rencontrer Anouar el Sadate au Caire, à la tête d'une délégation de personnalités juives, notamment Alain de Rothschild, Lord Warbourg, le rabbin Schindler, Philip Klutznik. L'invitation est transmise cette fois par le président roumain Nicolae Ceausescu. Goldmann voudrait répondre par l'affirmative, mais annonce à Rabin qu'il veut d'abord en parler avec lui. Le Premier ministre lui répond : « *Je ne m'oppose pas à une telle initiative dans les*

---

1. Yitzhak Rabin, *Pinkas Sherout*, *op. cit.*, p. 551.

conditions qui sont proposées, c'est-à-dire une visite publique, une invitation officielle égyptienne, mais il serait inconcevable qu'une telle délégation ne parle pas du conflit israélo-arabe. Et aussi parce que l'accord intérimaire est déjà conclu, que, avec les Égyptiens, nous avons un accord de principe qu'un règlement du conflit ne doit pas se faire par la force, mais par des négociations de paix. Avant d'aller en Égypte, la délégation juive devrait donc venir en Israël afin que nous nous mettions d'accord, sur ce qu'ils proposeront, sur ce qu'ils ne proposeront pas.»

Goldmann est surpris. Il ne s'attendait pas à une réponse aussi rapide. Il quitte Rabin en promettant de le tenir au courant de la suite de ses contacts. Il ne donnera des nouvelles de cette initiative que début mai 1976. Au cours d'une visite en Autriche, Bruno Kreisky lui a annoncé que c'était désormais lui qui dirigeait les contacts en vue d'une visite d'une délégation juive en Égypte. Goldmann paraît furieux. Kreisky lui a en effet annoncé que les Égyptiens s'opposent à ce qu'il dirige la délégation car il a été dans le passé président de l'Organisation sioniste mondiale. Rabin lui dit : «*J'ai donné mon accord de principe à une telle visite en Égypte, à condition que cela se fasse publiquement. Vous pouvez parler de tous les sujets, mais, avant d'évoquer avec les Égyptiens le dossier arabo-israélo-égyptien, je voulais que nous coordonnions au préalable nos positions. Mon accord ne dépendait pas de la personne qui dirigerait la délégation. J'ai dit oui sur le principe, pas pour des raisons de personne.*» Rabin a l'impression que Goldmann voudrait qu'il le soutienne et refuse de donner le feu vert à la délégation si elle n'est pas présidée par le président du Congrès juif mondial.

Rabin : «*Si vous pensez que Sadate a le droit de décider de la composition de votre délégation, si vous acceptez un diktat et laissez les Égyptiens décider qui dirigera votre délégation, qui en fera partie, c'est votre affaire. Moi, je peux vivre avec ça. A vous de décider. J'ai donné mon accord pour une délégation sans en déterminer la composition.*» En juillet 1976, après une rencontre avec Bruno Kreisky, le rabbin Schindler, du Club des présidents des principales organisations juives américaines, de passage à Jérusalem, rencontre Rabin et lui révèle son entrevue avec le chancelier autrichien. Cette fois, les Égyptiens veulent une délégation qui ne serait pas invitée officiellement et dont la visite ne serait pas publiée. Nahoum Goldmann n'en ferait pas partie. Klutznik la dirigerait. Schindler estime que tout cela n'est pas très respectable. Il est contre le voyage au Caire.

En septembre, l'ambassadeur d'Égypte aux États-Unis, Ashraf Ghorbal, poursuivra les contacts avec Klutznik, mais les Égyptiens exigent que les personnalités juives prennent l'initiative et fassent la demande d'une invitation qui n'arrivera jamais[1]. Ces contacts resteront secrets.

Le 14 janvier 1976, Rabin, Pérès et Allon retournent à la Midrasha pour y recevoir Hussein de Jordanie. Il est à nouveau question d'une solution fonctionnelle pour la Cisjordanie. Le royaume hachémite pourrait obtenir le contrôle de la région de Naplouse, auquel il aurait accès grâce à un corridor. Le ministre de la Défense propose également un retrait israélien de la région de Jéricho. Hussein écoute poliment et remercie… A nouveau, il conseille à ses interlocuteurs de s'adresser à l'OLP.

Selon Yitzhak Rabin – à l'époque où il était Premier ministre –, Hussein de Jordanie, au cours de ses contacts secrets avec les dirigeants israéliens, n'a jamais présenté que deux possibilités de règlement : un retrait total d'Israël en échange d'une paix en bonne et due forme, ou un accord militaire comportant un retrait israélien de quinze à vingt kilomètres le long du Jourdain : «*Il nous disait qu'il avait besoin de cela pour asseoir son statut politique. Regardez, disait-il, vous créez un encouragement à vous faire la guerre. Après la guerre de Kippour, vous avez accepté de vous retirer avec ceux qui vous ont combattu. C'est parce que je ne me suis pas battu que je perds. Alors, que voulez-vous ? Créer un précédent en encourageant le monde arabe à vous attaquer[2] ?*»

La gauche israélienne ne reste pas inactive. Fin février, un nouveau manifeste du Conseil israélien pour la paix israélo-palestinienne est adopté par un groupe de personnalités de premier plan. Arié Eliav, député et ancien secrétaire général du Parti travailliste, qu'il avait quitté après une brouille avec Golda Méir; le général de réserve Mattitiahou Peled, Yaacov Arnon, un ancien directeur général du ministère des Finances, et Méir Païl, ancien colonel et député d'un petit parti de gauche. Le Conseil affirme : «*Cette terre est la patrie de deux peuples, le peuple d'Israël et le peuple arabe palestinien. Le nœud du conflit entre les Juifs et les Arabes réside dans la confrontation historique entre les deux peuples de ce territoire qui leur est cher à tous deux. La seule voie vers la paix passe par la coexistence de deux États souverains, chacun avec son identité nationale distincte : l'État d'Israël pour le peuple juif, et l'État des Arabes palestiniens qui exerceront leur droit à l'autodétermination dans le cadre politique de leur choix. […]* » Le

1. Interview avec Rabin, Archives Dan Patir.
2. *Id.*

Conseil se prononce pour des négociations entre Israël et l'OLP sur la base d'une reconnaissance mutuelle, propose que Jérusalem ait un statut spécial, devienne à la fois la capitale de l'État d'Israël et, après l'établissement de la paix, la capitale de l'État arabe palestinien. Il souligne le lien inaliénable d'Israël avec le sionisme et le peuple juif[1].

ISRAËL-LIBAN

A Beyrouth, les phalangistes découvrent rapidement que leurs alliés, les chamounistes, sont mieux équipés. La rumeur a fait le tour de Beyrouth : ces armes viennent d'Israël. Le 11 mars 1976, un général sunnite réalise un putsch. Les combats augmentent d'intensité. Le 25 mars, le président Frangieh quitte le palais présidentiel, qui est régulièrement bombardé. Les Syriens soutiennent les chrétiens, qui ne se font pas d'illusion : l'aide de Damas est très limitée, et Hafez el Assad joue un double jeu dont l'objectif final est l'occupation du Liban par la Syrie. Les phalangistes font face à des problèmes croissants d'approvisionnement en munitions. Bachir Gemayel a une longue discussion avec Joseph Abou Khalil, le rédacteur en chef de la revue phalangiste. Ils envisagent d'établir eux aussi un contact avec Israël. Abou Khalil va prendre l'avis de Cheikh Pierre, le père de Bachir, le patriarche, fondateur du mouvement phalangiste libanais. Il refuse d'abord, puis accepte mais à condition qu'Abou Khalil assume entièrement la responsabilité de son initiative si elle est divulguée.

Le 12 mars 1976, en compagnie de quelques amis, Abou Khalil rencontre, au large des côtes libanaises, le ministre israélien de la Défense, Shimon Pérès, à bord d'une vedette lance-missiles : «*Je fais une enquête personnelle, Cheikh Pierre sait que je suis là. Tout dépend des réponses que je recevrai et de vos conditions.*» La discussion est brève. Le contact est établi entre Israël et la famille Gemayel. L'État juif livre des armes et des munitions aux phalangistes. Bachir, en personne, montera sur une vedette israélienne pour un entretien avec Raphaël Eytan, le général commandant la région militaire nord. Craignant d'être reconnu, le jeune dirigeant libanais porte un masque en caoutchouc : «*Un jour, les Syriens vont nous découvrir et nous serons perdus. Après ce qui est arrivé au Liban et ce qui va s'y passer en raison de notre coopération avec vous, le Liban ne pourra jamais revenir au sein du monde arabe. Le Liban doit coopérer avec Israël, car les deux pays*

---

1. Ouri Avnéry, *Mon frère l'ennemi, op. cit.*, p. 103.

371

sont dans la même situation, le monde arabe les déteste», dit Bachir, qui n'apprécie pas le rendez-vous : il souffre du mal de mer. La rencontre suivante se déroulera en juillet entre Camille Chamoun et le Premier ministre Yitzhak Rabin.

Le chef du gouvernement israélien promet une aide supplémentaire aux maronites. Ils recevront gratuitement des armes et des munitions, de la nourriture et du carburant qu'ils devront payer : «*Nous allons vous aider afin que vous puissiez vous aider vous-mêmes*», déclare Rabin.

Camille Chamoun : «*Nous ne voulons pas que vous vous battiez pour nous. Fournissez-nous les armes, nous ferons le travail.*» L'ancien président libanais a tenu à rappeler ceci à son interlocuteur israélien : «*Vous êtes les principaux responsables de la catastrophe libanaise. C'est vous qui êtes à l'origine du problème des réfugiés palestiniens, qui constituent notre principale difficulté au Liban. Aujourd'hui, je n'ai pas le choix, je coopère avec vous.*»

Plus tard, c'est Pierre Gemayel en personne qui rencontre Yitzhak Rabin, au large du port chrétien de Jounieh : «*J'ai honte d'être obligé de demander l'aide du Premier ministre israélien. Pendant des années, j'ai critiqué l'État d'Israël, j'ai considéré la création de l'État juif comme un désastre pour le Liban. Nous avons été obligés d'accueillir de très nombreux réfugiés palestiniens qui, aujourd'hui, nous menacent et dressent les musulmans contre nous. Mais je n'ai pas le choix. Le monde chrétien nous a abandonnés, et comme je veux continuer à vivre au Liban la tête haute, et que vous êtes les seuls à nous proposer une aide, je m'adresse à vous*[1].»

JORDANIE ET CISJORDANIE

Yitzhak Rabin et Shimon Pérès décident de faire une expérience en Cisjordanie : des élections municipales sont organisées le 12 avril 1976. Les dirigeants israéliens espèrent une victoire des modérés qui leur permettrait d'avoir des interlocuteurs susceptibles de constituer l'alternative au pouvoir jordanien. Selon la loi en vigueur en Cisjordanie, seuls les propriétaires peuvent voter. Il n'y a que 88 000 électeurs parmi les 670 000 habitants. Le scrutin se déroule normalement. Le taux de participation dépasse les 72 %. C'est une victoire pour l'OLP. Ses partisans remportent la plupart des municipalités importantes. A Ramallah, Karim Khalaf est réélu, il a la majorité dans son conseil municipal. A Naplouse, Bassam Shaka'a reçoit un tiers des voix ; le reste va à ses

---

1. Zeev Schiff et Ehoud Yaari, *Milhemet Cholal*, Shacken Tel Aviv, 1984, p. 52.

alliés communistes et pro-OLP. A Hébron, où Shimon Pérès avait tenté d'empêcher l'élection du docteur Hamzi Natsheh, un communiste partisan de l'OLP, en le faisant expulser quelques jours avant la consultation, c'est Faïz Kawasmeh, un jeune agronome proche de l'organisation palestinienne, qui obtient la majorité. Le ministère israélien de la Défense est embarrassé. Khalaf déclare : «*La population de Cisjordanie fait partie du peuple palestinien dont le représentant politique est l'OLP, pas nous, les nouveaux élus. Nous ne ferons pas de politique, mais cela ne veut pas dire que nous resterons les bras croisés face aux initiatives israéliennes en Cisjordanie, notamment les implantations juives*[1].»

Face à ce succès de l'OLP, l'administration militaire israélienne décide d'encourager d'autres forces à Gaza. Fin avril, elle approuve la création d'une association dont le but déclaré est la diffusion de la religion islamique, l'organisation d'activités culturelles et sportives dans la jeunesse, l'Association islamique. Le chef spirituel de ce mouvement est un cheikh de quarante ans, Ahmed Yassine. Un réfugié né dans un village proche d'Ashkelon. Victime d'un accident en 1952, il est à moitié paralysé. Une infirmité qui l'a poussé aux études plutôt qu'à des activités physiques. Membre de la confrérie des Frères musulmans, il en est devenu le guide pour la Cisjordanie et Gaza. A Shati, un camp de réfugiés au nord de la ville de Gaza, il a fait construire un bâtiment baptisé le Centre islamique, pour lequel il demande également des autorisations de la part des autorités israéliennes.

Les rencontres secrètes avec le roi Hussein, son chef d'état-major, le patron des services spéciaux jordaniens se poursuivent, régulières. Les entretiens entre militaires se déroulent sur la frontière, près de Massada. Des responsables du Mossad vont parfois à Amman. Le roi, lui, vient à la Midrasha. Début juin 1976, il fait une demande exceptionnelle : «*Je vois Tel Aviv de l'hélicoptère, serait-il possible d'y faire un tour en voiture ?*» Rabin est trop heureux de donner satisfaction à Hussein. Il est 22 heures. Rafi Malka, l'agent du Shin Beth responsable de la sécurité du souverain jordanien durant ses visites en Israël, organise un convoi discret de trois voitures. Hussein prend place dans celle du milieu, la Ford Taunus blindée de service. Malka conduit. La promenade dure deux heures. Le souverain ne sortira pas du véhicule. Il dira à ses hôtes que Tel Aviv est une belle ville à l'aspect européen.

Début juillet 1976, pour la première fois, une délégation israélienne se rend au Liban, dans la zone sous contrôle chrétien. Elle est conduite par le colonel Binyamin Ben Eliezer. Pendant trois jours, en compagnie

---

1. *Jerusalem Post*, 16 avril 1976, p. 3.

de Dany Chamoun, il visite la ligne de front, assiste aux combats autour du camp de Tel Zaatar. Bachir Gemayel est en Israël depuis quelques jours. Il a une mauvaise surprise. Les dirigeants israéliens ne sont pas pressés de le recevoir. Ils sont occupés par une affaire plus importante : le 27 juin, un Airbus d'Air France a été détourné sur Entebbe en Ouganda. Ses hôtes l'envoient visiter le pays.

L'avion effectuait le trajet Tel Aviv-Paris via Athènes. Un commando appartenant à un groupe dissident du FPLP, dirigé par Wadia Haddad, en collaboration avec le groupe terroriste allemand Baader-Meinhof, est responsable de l'opération. Yitzhak Rabin et Shimon Pérès feront traîner les négociations jusqu'au 3 juillet. Tsahal réussit une de ses plus audacieuses opérations et libère les otages israéliens qui se trouvent sur l'aéroport ougandais. Il y a quatre morts israéliens, trois otages, et l'officier commandant l'unité d'élite, Yonathan Netanyahu, le frère de Benjamin Netanyahu, le futur Premier ministre de l'État d'Israël. Les terroristes ont été abattus. Durant le séjour des otages à Entebbe, l'OLP a fait de réels efforts pour régler l'affaire par la voie pacifique. Hani el Hassan est allé en Ouganda négocier avec les terroristes et Idi Amin Dada. Il leur a proposé, sans succès, d'acheter l'avion d'Air France pour plusieurs millions de dollars.

Le 28 juillet, Ben Eliezer est de retour au Liban. Cette fois, il est l'invité des chamounistes et des phalangistes. A nouveau, les dirigeants chrétiens répètent leurs critiques à l'égard d'Israël, expliquent que le Liban ne pourra pas se couper du monde arabe, qu'ils devront au moins publiquement continuer de critiquer l'État juif. Ils se plaignent de la lenteur de l'aide militaire israélienne, mais annoncent qu'ils veulent continuer la coopération avec Israël. Bachir Gemayel déclare discrètement à ses interlocuteurs qu'il représente le camp pro-israélien parmi les phalangistes. Les experts militaires israéliens lui donnent des conseils sur la manière de mener la guerre, lui proposent des plans d'opérations. Gemayel applaudit, mais décide de ne pas prendre de risques et suggère à Tsahal d'intervenir à sa place. Il n'est pas question d'une intervention militaire israélienne au Liban. Le cabinet Rabin n'a aucune intention de se lancer dans une telle aventure, moins de trois ans après la guerre du Kippour. L'entrée des forces syriennes au Pays des cèdres ne dérangeait pas Jérusalem outre mesure.

Le 18 octobre, sera signé l'accord de Riyad sur une force d'intervention arabe qui se déploiera au Liban pour y mettre un terme à la guerre civile. Le sommet arabe du 25 octobre au Caire entérine cette initiative. Les Syriens se déploient à Beyrouth. La lune de miel entre les maronites et Damas va se terminer.

Le 9 octobre 1976, Yitzhak Rabin, affublé d'une perruque et de lunettes noires, arrive à Rabat. Il est accompagné par le chef du Mossad, Yitzhak Hofi et son aide de camp, le général Ephraïm Poran. Le voyage qui durera quatre jours a été préparé par le responsable de l'antenne des services spéciaux israéliens au Maroc, Yossef Porat. Hassan II explique au Premier ministre que la poursuite du conflit israélo-arabe, la radicalisation du mouvement palestinien, la dépendance croissante des Arabes envers l'Union Soviétique créent une menace directe sur les régimes pro-occidentaux, et notamment les monarchies arabes. «*Il est de mon intérêt,* dit-il, *que cela cesse.*» Le roi considère qu'Israël devrait d'abord s'adresser à Hafez el Assad et régler le problème syrien. Les autres, notamment l'Égypte, suivraient. Les Syriens ont plus de possibilités que les autres pour gêner le processus. Et puis, le statut d'Assad au sein du monde arabe est en ce moment plus important que celui de Sadate. Le roi propose d'établir un canal secret entre Israël et la Syrie. «*Ne comptez pas seulement sur les Américains, ils ont leurs propres intérêts, qui ne coïncident pas nécessairement avec les vôtres et les nôtres.*»

Rabin est surpris. Il a fait le voyage dans l'espoir d'établir un contact secret avec les Égyptiens, et Hassan II lui propose de s'adresser à Hafez el Assad ! Le souverain lui demande une lettre définissant les concessions qu'Israël pourrait accepter. Le Premier ministre s'exécute. Les deux hommes évoquent les conditions d'un règlement définitif au Proche-Orient. Ils ne sont pas d'accord sur la solution au problème palestinien. Rabin affirme que cela doit se faire dans le cadre d'un lien avec la Jordanie, et répète qu'Israël ne peut se retirer de l'ensemble des territoires occupés en 1967, ce que le roi refuse.

Cette visite n'aboutira à aucun résultat politique. Assad refusera tout contact secret avec le gouvernement Rabin. Entre Israël et le Maroc, les relations vont se resserrer. Des experts israéliens contribueront à améliorer la production de phosphates marocains [1].

Rabin offre à son hôte une épée antique provenant du Musée d'Israël. Il reçoit un rouleau de la Torah vieux de 400 ans provenant d'Agadir. L'objet sera exposé en Israël sous l'inscription : «*Don d'une personnalité inconnue au Premier ministre Rabin*» [2].

---

1. Archives Dan Patir, *Yediot Aharonot*, 5 décembre 1995. Avec la permission de Dan Patir.
2. Témoignage d'Ephraïm Poran, recueilli par l'auteur, Tel Aviv, 1996.

Début septembre 1976, Henri Curiel, par l'intermédiaire d'une colombe israélienne, Daniel Amit, un professeur d'université israélien, invite à Paris quatre membres du Conseil israélien pour la paix avec la Palestine. Il s'agit de rencontrer un officiel de l'OLP, Issam Sartaoui, membre du comité central de l'organisation. Ouri Avnéry n'est pas du voyage. Ce sont Matti Peled, Arié Eliav, Yaacov Arnon et Yossi Amitaï qui partent. Le rendez-vous se déroule le 11, dans une villa proche de Rambouillet :

Sartaoui : «*J'ai lu avec beaucoup d'attention le manifeste de votre conseil. J'en ai étudié chaque mot, chaque phrase. C'est un document sioniste. J'ai toujours lutté contre le sionisme. Je m'y suis opposé de toutes mes forces. Je sais que vous êtes sionistes, c'est bien entendu votre droit de même que c'est mon droit de combattre pour l'indépendance de mon peuple et la création d'un État palestinien sur ma terre. L'article de votre document sur le "lien entre Israël, le sionisme et le peuple juif", bien entendu je ne puis l'accepter. Je suppose que vous ne demanderez pas à un Palestinien qui se respecte d'accepter une phrase de ce genre.* […] *Pour le reste ce document est très important. Je vous en félicite et je l'accepte comme base de discussion.* […] »

Sartaoui explique à ses interlocuteurs israéliens, à leur demande, sa position au sein de l'OLP. Il utilise des termes israéliens pour sa démonstration. «*J'appartiens au Fatah, qui,* dit-il, *est l'équivalent du Mapaï israélien.*» La discussion dure toute la journée. Le dirigeant palestinien répète que ces conversations doivent rester secrètes et que sa vie pourrait être en danger si elles venaient à être divulguées.

Le lendemain, nouvelle rencontre. Arié Eliav a une idée qu'il soumet à Sartaoui : «*Pourquoi ne pas nous rencontrer sous l'égide de Pierre Mendès France ?*» Le dirigeant palestinien accepte. Henri Curiel accepte de contacter l'ancien président du Conseil français. Après quelques heures, au téléphone, il parvient à le joindre dans sa résidence d'été près de Nîmes. «*Venez dès demain. Mon épouse Marie-Claire vous attendra à l'aéroport*», répond Mendès.

Eliav, Peled et Sartaoui font le voyage. L'Israélien et le Palestinien expliquent à leur hôte qu'ils sont à peu près d'accord sur le principe d'une paix définitive entre Israël et les Palestiniens le long des frontières d'avant la guerre des Six Jours. Une paix qui devrait mettre fin au conflit entre les deux mouvements nationaux qui revendiquent la même terre : le mouvement sioniste et le mouvement national palestinien. Il y aurait ensuite une ère d'intense coopération. Sartaoui dit à Mendès que de son point de vue une telle paix serait définitive et mettrait un terme aux exigences territoriales des Palestiniens.

Mendès France : «*Votre rencontre représente un tournant historique dans l'histoire de vos deux peuples. Vous êtes des hommes courageux. Vous savez mieux que moi que vous prenez des risques physiques et politiques.* [...] *Vous souffrirez longtemps des conséquence de votre geste.* [...] *Le problème qui me préoccupe le plus est celui du temps. Le temps presse et vous risquez de rater le coche. Il y a des éléments tellement nombreux et puissants qui désirent mettre le feu à votre région et vous êtes si peu nombreux.* [...] *Je suis à votre disposition pour d'autres rencontres* [...] »

Les deux Israéliens et le Palestinien prennent congé. Ils repartent par le train. Peled descend à Lyon pour prendre la correspondance d'un avion vers Israël. Eliav et Sartaoui poursuivent vers Paris. Durant le voyage, ils se racontent leur trajet idéologique.

Issam Sartaoui était d'abord en faveur d'une «Palestine libre laïque et démocratique» où musulmans, Juifs et chrétiens vivraient dans l'égalité et qui remplacerait Israël. Il a ensuite conclu que l'État d'Israël sioniste ne disparaîtrait pas de lui-même et qu'il faudrait le vaincre par les armes. Mais, après la défaite d'Israël, et la création du nouvel État palestinien, des millions de Juifs continueraient à vivre en Palestine. Il faudrait leur accorder tous les droits politiques, sans cela la Palestine ne serait pas démocratique. Cela risque de mener à une situation paradoxale où les trois millions de Juifs auraient la majorité au Parlement palestinien car il n'est pas certain que tous les réfugiés palestiniens désireraient ou pourraient revenir. Les Juifs pourraient donc décider d'appeler l'État «Israël» au lieu de Palestine. L'OLP n'aurait rien gagné. Sartaoui est donc pour l'existence de deux États côte à côte[1].

Parvenus à destination, les deux hommes se séparent après être convenus de communiquer par l'intermédiaire du groupe de Curiel. Eliav retrouve Yaacov Arnon. Le Conseil israélien pour la paix avec la Palestine a besoin d'argent pour financer ses activités et notamment les voyages à l'étranger puisque les rencontres avec l'OLP vont se poursuivre. Ils contactent Éric de Rothschild qui, très intéressé par ce dialogue israélo-palestinien, promet son aide.

De retour en Israël, Matti Peled fait son rapport à Yitzhak Rabin qu'il connaît personnellement. Il a servi sous ses ordres depuis la guerre de 1948 jusqu'en 1967. Le Premier ministre se contente d'écouter sans réagir. Eliav informe également plusieurs ministres considérés comme

---

1. Arié Loba Eliav, *Tabaot Edout*, Am Oved, Tel Aviv, pp. 233 à 235.

plutôt à gauche ainsi qu'Yitzhak Navon le président de la commission parlementaire des Affaires étrangères et une personnalité modérée du Parti national religieux. Victor Chem Tov, du Mapam réagit très favorablement. Avec Aharon Yariv l'ancien chef des renseignements militaires devenu universitaire, il a mis au point une formule qu'ils proposent, sans succès, au gouvernement : «*Israël entamera un dialogue avec tout représentant palestinien qui reconnaîtrait Israël et renoncerait au terrorisme.*»

Une seconde série d'entretiens a lieu à Paris, quelques jours plus tard chez Mendès France. Cette fois, ce sont Matti Peled, Méir Païl, ancien colonel et député du petit de gauche Moked et Ouri Avnéry qui font le voyage. Sartaoui les informe qu'il a fait un rapport à ses chefs sur les rencontres précédentes et qu'il a l'autorisation de poursuivre ces contacts.

Le troisième rendez-vous se déroule en octobre. Peled et Eliav discutent avec Sartaoui de gestes mutuels qui permettraient d'engager par la suite un véritable processus de négociations. Israël, par exemple, libérerait quatre détenus palestiniens; en échange l'OLP annoncerait que «*le détournement d'avion n'est pas une forme de combat acceptable*». Peled reprend l'avion pour soumettre cette proposition à Rabin mais le Premier ministre israélien refuse de prendre un engagement quelconque. Sartaoui, qui est allé à Beyrouth présenter la formule des «gestes» à Arafat, revient le premier à Paris où Eliav attendait. Il raconte que, quarante-huit heures après son arrivée, la marine israélienne a intercepté une embarcation de l'OLP au large des côtes libanaises et l'a remise avec ses hommes d'équipage aux phalangistes libanais qui les ont assassinés. La réponse d'Arafat est laconique : «*Voici les gestes israéliens!*» De retour, Peled demandera des explications à Rabin qui lui dira ne pas savoir de quoi il retourne.

La presse israélienne fait ses gros titres des contacts israélo-palestiniens. Mais, à Beyrouth, Farouk Kadoumi dément que les militants israéliens aient pu rencontrer un dirigeant quelconque de l'OLP. Eliav demande des explications à Sartaoui : a-t-il agi de sa propre initiative? L'OLP à Beyrouth a-t-elle été informée? Réponse affirmative du dirigeant palestinien. Eliav explique à qui veut l'entendre en Israël que l'OLP a changé et que, désormais, l'organisation palestinienne est prête à admettre la nature sioniste de l'État juif. Mattitiahou Peled, lui, publie une mise au point dans *Le Monde*, le 6 janvier 1976 : «*L'OLP approuve les principes du comité israélien pour une paix entre Israël et la Palestine, la création d'un État palestinien, le retrait des territoires occupés, mais n'accepte pas ses positions sur Jérusalem et sur le sionisme.*»

Yitzhak Rabin, sous le feu roulant de la droite – la campagne électorale a commencé –, condamne tous les contacts avec l'OLP. Il répète la position classique de son gouvernement : la solution au problème palestinien doit être trouvée dans le cadre d'un État jordano-palestinien à l'est du Jourdain. Israël ne négocie pas avec une quelconque organisation palestinienne.

Le 23 janvier, Eliav retourne à Paris. Il fait rencontrer Léopold Sedar Senghor à Issam Sartaoui. Le président sénégalais est de passage dans la capitale française. Il est membre de l'Internationale socialiste, et connaît bien Eliav qui a été le secrétaire général du Parti travailliste israélien. Senghor organise une nouvelle rencontre quelques jours plus tard, également à Paris, avec Félix Houphouët-Boigny. Eliav informe Yitzhak Rabin de ses entretiens avec les deux dirigeants africains. Le Premier ministre israélien, qui a besoin de succès, saute sur l'occasion. Par la voie diplomatique, il prend rendez-vous avec Houphouët-Boigny à Genève, le 4 février. Un communiqué commun est signé, réaffirmant l'engagement d'Israël à observer les résolutions 242 et 338 du Conseil de sécurité. Au sein de l'OLP, le débat sur la nécessité de contacts avec des Israéliens franchit une nouvelle étape. Abou Mazen rejette la position de Farouk Kadoumi et déclare, au cours d'une visite à Bahrein en janvier 1977, que l'OLP n'est pas opposée au principe d'un tel dialogue.

Le dialogue entre la gauche israélienne et Issam Sartaoui se poursuit sans interruption. Eliav présente celui qui est devenu son ami palestinien à des personnalités juives de premier plan : Nahoum Goldmann, Edgar Bronfman, le futur président du Congrès juif mondial, David Susskind l'organisateur des conférences de Bruxelles pour le soutien au judaïsme soviétique. D'autres Israéliens, comme Simha Flapan, le rédacteur en chef de la revue israélienne de gauche, *New Outlook*, vont en Europe rencontrer le dirigeant palestinien.

Le 30 septembre, s'ouvre à Londres un colloque sur la paix et les Palestiniens. Matti Peled est là, ainsi qu'Ouri Avnéry, Amnon Kapéliouk, des personnalités des territoires occupés, et Issam Sartaoui. Les Israéliens interpellent l'OLP et laissent entendre qu'elle affaiblit le camp de la paix en Israël. Sartaoui répond : «*Nous apprécions les efforts courageux des Israéliens de gauche avec qui nous avons un dialogue, mais ces contacts sont tout aussi difficiles et courageux pour leurs interlocuteurs palestiniens. Et puis, aux dernières élections en Israël, le Rakah, le parti communiste qui prône une reconnaissance de l'OLP, et le mouvement Sheli n'ont eu, en tout et pour tout, que sept sièges à la Knesset... Une minuscule minorité!*»

En Israël, le Conseil pour la paix avec les Palestiniens est de plus en plus critiqué, non seulement par le Likoud mais aussi par la droite du Parti travailliste. Le 10 novembre, la Knesset examine la question après une motion d'Amnon Linn du Likoud.

Linn : «*Jusqu'à présent, le monde entier, nos ennemis et ceux qui nous haïssent croyaient le gouvernement d'Israël lorsqu'il annonçait son opposition à tout contact politique entre l'État d'Israël et les organisations terroristes, en l'occurrence l'OLP. Ils nous croyaient sérieux lorsque nous le disions. […] Si je me souviens bien, c'est le Premier ministre Yitzhak Rabin lui-même qui a proclamé que des rencontres entre nous et l'OLP ne peuvent se dérouler que sur le champ de bataille […]. Le fait que le Premier ministre ait accepté d'entendre un rapport sur ces rencontres entre des Israéliens et des membres de l'OLP à Paris risque sans aucun doute d'être compris comme une indication d'un changement de la position israélienne envers l'OLP, peut-être même un feu vert pour tous ceux qui, jusqu'à présent, n'osaient pas faire pression pour que nous changions d'attitude. […]* »

Yossi Sarid, de la gauche du Parti travailliste, répond à Linn en citant une interview d'Ariel Sharon de novembre 1974 : «*Je n'accepte pas l'argument selon lequel il y a des* [Arabes] *avec lesquels nous pouvons parler et d'autres avec lesquels c'est interdit. Quiconque est prêt à parler avec des assassins sadiques comme les Syriens refuserait de parler avec les Palestiniens et les organisations terroristes ? La question n'est pas avec qui, mais de quoi parler !* » Et de lancer au Likoud une autre citation, d'Ezer Weizman, cette fois : «*En décembre 1975, il a dit : "Je crois que tout dialogue direct avec les Palestiniens peut contribuer à la réalisation d'un règlement global. Je suis donc prêt à discuter avec tout Arabe qui accepte un dialogue avec Israël, y compris Arafat". […]* »

La droite préfère ne pas réagir. Le ministre de la Justice, Haïm Tzadok, explique la position du gouvernement. Il rappelle la décision prise par le cabinet le 3 juin 1974 de ne pas négocier «*avec des organisations terroristes dont l'objectif est la destruction de l'État d'Israël*» la résolution de la Knesset du 11 novembre : «*L'organisation intitulée OLP est un cadre pour des organisations d'assassins dont le but déclaré est la destruction d'Israël. Israël ne négociera avec des organisations d'assassins dans aucun forum et ne participera pas à la conférence de Genève si les représentants de ces organisations y sont invités […]* » Tzadok affirme que, de ce point de vue, il n'y a aucun changement dans l'attitude du gouvernement. «*Les contacts avec des représentants de l'OLP, menés par des membres du groupe intitulé le Conseil israélien pour la paix Israël-Palestine, ont eu lieu à l'initiative et sous la responsabilité exclusive de ces personnes. Le gouvernement condamne tout contact entre des citoyens israéliens, des organismes privés et les organisations terroristes.»* Il analyse ensuite les aspects juridiques de cette affaire pour conclure que seuls les services de sécurité et les services du procureur de l'État peuvent décider si une infraction a été commise.

Le débat continue :

– Eliav : «[…] *Comment se terminent les conflits et les guerres dans le monde ? Ayant étudié l'histoire je ne connais que deux moyens : soit par la victoire, la défaite totale et la destruction* [de l'ennemi], *soit par la négociation et le compromis.* […] *Pouvons-nous vaincre totalement les Arabes palestiniens ou les autres peuples arabes ? Non ! Peuvent-ils nous vaincre complètement – il est évident que certains d'entre eux l'espèrent ? Bien sûr que non ! La seule voie est celle du compromis par la négociation. C'est ce que devrait faire un gouvernement intelligent. Il y a eu en Israël des gouvernements qui ont fait preuve d'intelligence et qui, en plein conflit, ont envoyé des émissaires rencontrer l'ennemi, sans succès il est vrai ! Mais il faut continuer à le faire, encore et encore et justement parce que* [l'OLP] *est notre pire ennemi.* […] »

– Yitzhak Modaï (Likoud) : «*Qui t'a envoyé ? Ne raconte pas d'histoire ! qui ?*»

– Eliav : «*Personne !*»

– Haviv Shimoni (Parti travailliste) : «*Modaï, qui te permet de parler au nom du gouvernement ?*»

– Eliav : «*Je ne me vante pas d'agir au nom du gouvernement. Je l'ai dit et répété. Nous agissons uniquement au nom de notre conseil.* […] »

– Modaï : «*Qui es-tu ? Au nom de quoi ?* […] »

– Eliav : «*Je ne parle pas en ton nom, Modaï, mais au nom des cent personnes qui ont signé notre manifeste !*»

– Modaï : «*Tu parles à des terroristes !*»

– Eliav : «*Ne me parle pas de terroristes ! J'ai combattu les terroristes plus que toi. Tu dois vivre encore cent ans pour combattre le terrorisme autant que moi !*»

– Modaï : «*Tu devrais avoir honte !*»

– Eliav : «*Ne me dis pas cela ! C'est tout ce que tu as a dire ! Honte ! Honte ! C'est malin !*»

Le 10 décembre, l'armée israélienne reçoit ses premiers chasseurs F15. Les appareils les plus modernes du monde. Tsahal fait un bond technologique en avant. Les avions arrivent en Israël pilotés par des Américains. Rabin n'a pas résisté à l'occasion de marquer l'événement par une petite cérémonie qui se déroule sur la base où ils atterrissent. Il y a un seul problème : cela se déroule une demi-heure avant la tombée de la nuit, un vendredi, juste avant le Shabbat. Quatre jours plus tard, le Front de la Torah, le parti ultra-orthodoxe, présente une motion de censure. Motif : le gouvernement, en organisant cette cérémonie, a porté atteinte au Shabbat. L'affaire est très sérieuse. Les ministres membres du Parti national religieux pourraient, sinon voter contre le gouvernement, du moins s'abstenir. La coalition risque d'éclater. Le débat semble d'abord surréaliste. Yitzhak Rabin, l'ancien chef d'état-major, l'ancien officier du Palmah, est obligé de trouver des explications pour l'arrivée tardive des F15. Il parvient, tant bien que mal, à expliquer que, en fait, il n'y a pas eu de violation du Shabbat. Pour les ultra-orthodoxes, c'est la question fondamentale de l'attitude de l'État laïc envers la religion qui se pose. Le député Shlomo Lorinz pose le problème :

« [...] *Tsahal constitue la véritable coalition, d'un extrême à l'autre, une coalition du devoir où nous sommes tous. Et cette coalition, lors de la création de l'État, a reçu l'ordre d'observer le Shabbat.* [...]

« *Nous n'avons pas de statistiques sur le nombre de Juifs qui ont offert leur vie afin d'observer le Shabbat, au fil des générations. Nos Sages, que leur souvenir soit béni, nous racontent ce dialogue : un Juif demande à un autre : "Pourquoi as-tu été exécuté ?" Et il répond : "Parce que j'ai observé le Shabbat.* » *Nous n'avons pas de statistiques sur la quantité et l'importance des biens auxquels le peuple d'Israël a renoncé et continue de renoncer, génération après génération, pour conserver son Shabbat. La majorité continue aujourd'hui, certains plus, certains moins, et celui qui n'observe pas lui-même le Shabbat connaît son importance pour le peuple d'Israël.* [...]

« *Le chef d'état-major a dit au cours de la cérémonie : "Avec l'arrivée des F15, nous sommes devenus un autre pays et une autre armée." C'est le cas, non pas à cause de ces excellents avions, mais en raison de cette cérémonie malheureuse et stupide, nous sommes devenus une autre armée, une armée qui a pour la première fois porté atteinte publiquement au Shabbat sans raison, sans justification, sans nécessité. Nous deviendrons un autre pays lorsque nous reviendrons à la source de notre force, lorsque nous nous comporterons de la manière dont seul le peuple d'Israël peut et doit se comporter, lorsque nous serons un exemple pour les goyim, en observant nos lois morales, alors nous deviendrons un autre pays, pas à cause des F15.* [...] »

Les ministres du Parti national religieux s'abstiennent lors du vote de la motion de censure. Comme l'autorise la loi sur la discipline de la coalition gouvernementale, Rabin les limoge. Il présente sa démission au président de l'État le 20 décembre. L'exercice lui permet de diriger un cabinet de transition dont les religieux sont absents jusqu'aux prochaines élections, qu'il espère gagner.

Le débat à la Knesset a lieu le lendemain. Menahem Begin hausse le ton : «[...] *Commençons par les propositions de Sadate, qui est considéré comme plus modéré qu'Assad, lui-même considéré comme plus modéré que Khaled d'Arabie, plus modéré que Kadhafi et, face à tous, qu'Arafat, Kadoumi et Hussein. Que dit le dirigeant égyptien ? [...] Qu'Israël doit se retirer sur les lignes du 4 juin 1967 et permettre la création d'un État appelé palestinien en Judée-Samarie et Gaza, ces régions étant reliées par un corridor extraterritorial sous souveraineté arabe. Y a-t-il dans cette chambre quelqu'un qui soit prêt à un accord sur cette base avec la Syrie, la Jordanie et l'OLP ? [...]* » Puis, se tournant vers Rabin : «*Vous dites que vous rejetez ce genre de proposition et que, sur aucun front, vous ne reviendrez aux lignes du 4 juin 1967. Cela veut dire qu'aucune carte de concessions que vous présentez ne conduira à un accord, si ce n'est à des pressions pour de nouvelles concessions.* [...]

« *C'est dans ce contexte que Ygal Allon, le ministre des Affaires étrangères, a publié un article dans une revue américaine, affirmant qu'Israël serait prêt à renoncer à la ville de Gaza et à ses environs, le tout étant lié à une création qu'il appelle un État jordano-palestinien. M. Allon dit que, au début, il pensait que Gaza devait être partie intégrante de l'État d'Israël, sur décision du gouvernement. Mais il est parvenu à la conclusion qu'il doit changer d'opinion pour des raisons démographiques.*

«*Et je demande, messieurs les députés, que se passe-t-il chez nous ? Il y a une décision du gouvernement, aux termes de laquelle la bande de Gaza fait partie intégrante d'Israël. [...]*

« *Que dit au monde ce ministre des Affaires étrangères ? Qu'il est prêt à renoncer à une partie de la Terre d'Israël ! N'est-ce pas un scandale ? [...] Je tiens à vous dire, face à cette exigence de création d'un État palestinien en Judée, en Samarie et à Gaza, que vous préparez le terrain à un tel État. Vous jurez que ce n'est pas le cas, que vous êtes contre la création d'un nouvel État entre la Jordanie et la mer, mais si vous acceptez de renoncer à la Judée, la Samarie, la bande de Gaza, ou à une partie de ces territoires, un État palestinien y sera créé. [...] Un État palestinien constituerait le plus grave danger pour l'avenir de la nation.*»

Quelques semaines plus tard, l'émissaire autrichien Karl Kahana arrive à Tel Aviv, à l'issue d'une nouvelle mission au Caire sur les ordres du chancelier Bruno Kreisky. Il est porteur d'un message d'Anouar el Sadate à Yitzhak Rabin. Le président égyptien propose une reprise des négociations afin de parvenir rapidement à un accord. Il suggère une rencontre secrète avec son conseiller et chef de cabinet Hassan Tohami. Le Premier ministre israélien écoute en silence. Il demande à son interlocuteur de quel Tohami il s'agit, «*du fou ou de l'autre*», puis promet une réponse plus tard. Elle n'arrivera jamais. Kahana dira à ses interlocuteurs qu'une nouvelle occasion vient d'être perdue par la faute de Rabin.

Le cabinet Rabin est secoué par les scandales. Le 3 janvier 1977, le ministre de l'Habitat, Avraham Ofer, se tire une balle dans la tête. Il est soupçonné d'escroquerie, et la rumeur le condamne déjà, bien que la police n'ait apparemment aucune preuve sérieuse, et que l'enquête en soit à son tout début. Le 22 février, Asher Yadlin, un responsable travailliste, patron de la caisse de maladie de la centrale syndicale, est condamné à cinq ans de prison pour fraude fiscale et corruption. Il jure qu'une partie des sommes qu'il a reçues sont en fait allées dans les caisses travaillistes, et qu'il a récolté des millions en argent noir pour la campagne électorale de 1973. L'image de marque du socialisme israélien est sérieusement noircie. Le même jour, s'ouvre la convention du Parti travailliste. Les trois mille délégués doivent choisir entre Yitzhak Rabin et Shimon Pérès. L'Internationale socialiste est venue à Jérusalem exprimer son soutien au mouvement frère, conduite par Willy Brandt, l'ex-chancelier allemand. Bruno Kreisky, le chancelier autrichien, est là lui aussi. Il fait scandale en déclarant à la presse : «*Israël doit se retirer de tous les territoires occupés, sinon le Proche-Orient ira vers une nouvelle guerre, plus terrible que toutes les autres. Israël en sera accusé et, par conséquent, également le judaïsme international.*»

Golda Méir, sortie de sa retraite, soutient Yitzhak Rabin face à Shimon Pérès qu'elle déteste. Au cours d'un cocktail en l'honneur des invités étrangers, Pérès se retrouve seul d'un côté de la table, pendant que les convives sont rassemblés autour de Golda et de son dauphin. Le vote a lieu le 23 février, retransmis en direct à la radio et à la télévision nationales. Rabin obtient 1 445 voix contre 1 404. Le Premier ministre comprend qu'il n'arrivera pas à se débarrasser de son challenger. Avec un sourire forcé, il serre la main à Shimon Pérès.

COMPTE CHÈQUE

Le 7 mars 1977, Yitzhak Rabin est à Washington, où il fait la connaissance du nouveau président américain, Jimmy Carter. La rencontre entre les deux hommes se déroule dans une atmosphère plutôt froide. Le Premier ministre israélien ne sait pas que l'événement le plus important de sa carrière va se dérouler le lendemain à la succursale du cercle Dupont de la National Bank. Son épouse, Léa, en compagnie des agents de sécurité américains et israéliens, pénètre dans l'établissement et retire deux mille dollars d'un compte qu'elle y détient avec son mari depuis leur séjour à Washington en 1973. C'est une infraction à la loi israélienne. En voyage à l'étranger, un Israélien n'a le droit d'emporter que quatre cent cinquante dollars. Un compte bancaire dans une banque étrangère doit être approuvé par la Banque d'Israël. Léa Rabin n'a pas cette autorisation.

Deux jours plus tard, des employés de l'ambassade d'Israël, qui est située non loin de la banque, apprennent que l'épouse de leur Premier ministre a visité l'établissement. Un caissier leur confirme que les Rabin ont un compte. L'information parvient aux oreilles de Dan Margalit, le correspondant du quotidien *Haaretz* dans la capitale fédérale. Il demande la réaction de Dan Patir, le porte-parole de Rabin, qui tarde à lui répondre. Margalit décide donc de vérifier par lui-même. Il rédige un chèque de cinquante dollars au nom de Rabin et va le déposer à la banque du cercle Dupont. La caissière lui donne un reçu avec le numéro de compte des Rabin.

L'affaire est publiée le 15 mars, avec la réaction du Premier ministre : ce compte bancaire date de l'époque où il était ambassadeur à Washington. Il était resté ouvert pour payer quelques factures. C'est le scandale. Léa Rabin a enfreint la loi. Une enquête est ouverte. Le 7 avril, le Premier ministre décide de démissionner de ses fonctions et de retirer sa candidature au poste de chef de gouvernement aux prochaines élections. Il est condamné à une amende de 1 600 dollars. Son épouse est jugée par le tribunal de district, le 17. Elle doit payer une amende de 27 000 dollars ou passer un an en prison. Les Rabin emprunteront l'argent auprès d'amis aux États-Unis.

Shimon Pérès a pris la tête du Parti travailliste. C'est lui qui mène la campagne électorale face au Likoud de Menahem Begin. Le public, excédé par les scandales, et décidé à faire payer l'échec de la guerre d'Octobre, vote massivement pour la droite et une nouvelle formation centriste, le Dash, le Mouvement démocratique pour le changement. Le 17 mai, pour la première fois depuis la création de l'État, le Parti travailliste, passe à l'opposition, perd 19 sièges, et n'en conserve que 32. Le Likoud a 43 députés, quatre de plus qu'en 1973 et Dash 15. Le Parti national religieux a 12 députés, parmi lesquels plusieurs membres de la jeune garde, proches du mouvement Goush Emounim. Pour Pérès, comme pour Rabin, commence une longue traversée du désert.

CHAPITRE 8

Sadate à Jérusalem
juin 1977-décembre 1981

Menahem Begin au pouvoir. Le mouvement créé par Jabotinski prend sa revanche sur l'histoire. Aux hésitations des travaillistes succède la clarté du nationalisme pur. Pour les nouveaux dirigeants, il n'y a qu'une Terre d'Israël et elle appartient au peuple juif, dit Begin qui, le lendemain de l'élection, va inaugurer la nouvelle synagogue d'Eilon Moré, l'implantation juive proche de Naplouse. Rabin n'autorisait pas son installation sur un site définitif. Un rouleau de la Torah dans les bras, Begin lance : «*Il y aura de nombreux Eilon Moré.*» Le ton va rapidement changer en Israël. La droite nationaliste demande aux administrations, y compris l'Office de radio et de télévision, de ne plus utiliser les termes «*Cisjordanie*» ou, «*rive ouest du Jourdain*» mais : «*Judée-Samarie*». Les Palestiniens deviennent des «*Arabes de Terre d'Israël*». Seule l'extrême gauche dit encore «*territoires occupés*». L'appellation contrôlée, autorisée, doit être biblique. Le mot «implantation» traduit mal le terme utilisé en hébreu pour qualifier les localités juives installées en Cisjordanie : «*Itnahloute*» et qui signifie «*s'installer dans sa propriété*». Goush Emounim vient d'obtenir une légitimité. Au cours des années précédentes le Likoud, sous la direction de Begin, a soutenu le mouvement, considérant les militants nationalistes religieux comme les nouveaux pionniers, le fer de lance de la lutte contre «*la restitution de la Judée et de la Samarie à un pouvoir étranger*».

Déjà depuis quelques années l'acronyme OLP, en hébreu «Ashaf», est devenu adjectif synonyme de terrorisme. Un QG, une mine, un hôpital, un homme, un argument peuvent être «Ashafi», Olpiste. Les médias israéliens n'utilisent jamais l'expression complète : Organisation de libération de la Palestine.

Moshé Dayan connaît la position de la droite lorsque, le 21 mai, Begin lui demande de quitter le Parti travailliste pour devenir son ministre des Affaires étrangères. Après trois jours de réflexion, il lui donne une réponse positive. Dayan espère influencer la politique de Begin, l'amener à modérer ses positions pour avancer sur la voie de la paix. Le cabinet est formé le 20 juin 1977[1]. C'est une coalition réunissant le Likoud, le Parti national religieux et les orthodoxes de l'Agoudat Israël. Dash, la nouvelle formation centriste composée surtout d'anciens travaillistes rejoindra le nouveau gouvernement quelques semaines plus tard.

Le 19 juillet, Menahem Begin est à la Maison-Blanche pour son premier entretien avec Jimmy Carter. Le Premier ministre israélien évoque d'emblée deux problèmes régionaux. Tout d'abord, de la situation au Sud-Liban, qui est de plus en plus tendue. Il réaffirme le soutien d'Israël à la minorité chrétienne du Pays des cèdres, et suggère au chef de l'exécutif d'octroyer une aide au gouvernement éthiopien contre la rébellion musulmane dans ce pays. Begin procède ensuite à une longue revue historique du conflit israélo-arabe. Il met l'accent sur les questions de sécurité : «*Si nous nous retirons sur les lignes de 1967, tous nos centres de population seront sous la menace des roquettes de fabrication soviétique dont dispose l'OLP.*» Et de présenter à son interlocuteur une carte préparée par les services de l'armée. Carter, poliment, s'y intéresse et demande si Israël accepterait des négociations sur la base des résolutions 242 et 338 du Conseil de sécurité. Begin répond par l'affirmative, et présente un projet de reprise de la conférence de Genève approuvé la semaine précédente par son gouvernement. «*Cela sera possible, dit-il, après le 10 octobre, parce que c'est la date la plus proche des fêtes juives.*»

Le Premier ministre israélien propose que la conférence se réunisse pour une séance publique au cours de laquelle chaque délégué ferait une déclaration. Des sous-commissions seraient ensuite formées, Israël-Égypte, Israël-Syrie, Israël-Jordanie, et Israël-Liban. Ce seraient des groupes de travail bilatéraux qui discuteraient de traités de paix entre Israël et chacun de ses voisins. Chaque sous-commission serait présidée alternativement par l'une des deux parties. Elles travailleraient indépendamment l'une de l'autre pour conclure des traités de paix séparés. La conférence se réunirait en séance plénière solennelle pour la signature des traités.

Jimmy Carter est satisfait. Il demande à Begin s'il accepterait une participation de l'OLP aux négociations :

---

1. Moshé Dayan, *Ha Lenetzakh*, Yediot Aharonot, Tel Aviv, 1981, p. 24.

«*Il n'en est absolument pas question!* répond le Premier ministre israélien.

– *Accepteriez-vous la participation de Palestiniens à la délégation jordanienne ?*

– *Oui, à condition qu'ils ne soient pas membres de l'OLP.*

– *Et si parmi les délégués arabes, il y a des membres de l'OLP ?*

– *Nous ne chercherons pas des cartes d'identité dans leurs poches. L'essentiel, ce sera qu'ils ne soient pas des membres connus de* l'OLP [ils pourront soulever toutes les questions qu'ils voudront, y compris sur Jérusalem][1].»

Cette phrase sera reprise presque mot pour mot par Yitzhak Shamir avant la réunion de la conférence de Madrid sur la paix au Proche-Orient en octobre 1991. Paradoxalement, Menahem Begin a ainsi ouvert la porte à une participation de l'OLP au processus de paix.

PREMIERS CONTACTS

Une rencontre israélo-égyptienne a déjà eu lieu fin juin, à Casablanca, sous l'égide de Hassan II du Maroc. Le général Hofi, le chef du Mossad, a remis à un émissaire égyptien des informations sur un complot que préparerait la Libye contre le régime de Sadate. Le 21 juillet, les forces égyptiennes déclenchent une attaque préventive contre les concentrations de troupes libyennes. L'armée du colonel Kadhafi subit des pertes importantes.

Le 28 juillet, Hofi remet à Menahem Begin un message d'Anouar el Sadate, parvenu à Tel Aviv par l'intermédiaire de l'antenne marocaine du Mossad. Le président égyptien a décidé de conclure un accord de paix avec Israël. Les réactions du monde arabe l'importent peu. Il veut un contact direct avec Israël. Hofi part pour le Maroc. Hassan Tohami et le général Kamal Hassan Ali, le chef des services de renseignements égyptiens, l'attendent. Tohami est le vice-président du conseil égyptien, ancien membre du groupe des Officiers libres, il a été chef de cabinet de Gamal Abdel Nasser, dont il avait été le compagnon d'armes à Falouja. Durant un séjour à Vienne comme ambassadeur auprès de l'Agence internationale pour l'énergie atomique, il s'était lié d'amitié avec le chancelier Bruno Kreisky et un homme d'affaires juif autrichien, Karl Kahana. Ce dernier a d'excellents contacts avec les responsables travaillistes israéliens. Tohami, Kreisky, Kahana, cet axe

---

1. Eliahou Ben Elissar, *Lo Od Milhama*, Maariv, Tel Aviv, 1995, pp. 23 à 36. Arieh Naor, *Begin Bashilton*, Yediot Aharonot, Tel Aviv, 1993, pp. 66 à 93.

de communication entre Israël et l'Égypte, sera très actif dans les mois qui vont suivre.

La rencontre a lieu dans le palais de Hassan II à Ifran. La discussion dure une heure à peine[1].

Le 9 août, Cyrus Vance, le secrétaire d'État américain, arrive à Jérusalem. Il annonce à Dayan et à Begin que les pays arabes exigent la participation de l'OLP à la conférence de Genève et ajoute que les États-Unis entameront un dialogue avec l'organisation palestinienne si elle accepte la résolution 242 du Conseil de sécurité.

Entre-temps, Menahem Begin a effectué une visite de quarante-huit heures en Roumanie. Il avait demandé un rendez-vous au président Nicolae Ceausescu, dont il connaît les bonnes relations avec Anouar el Sadate. Les deux hommes ont eu plus de sept heures d'entretien. Begin demande au chef d'État roumain d'expliquer à Sadate qu'il voudrait le rencontrer, secrètement ou publiquement, et qu'il y a matière à discussion. Cet événement historique pourrait avoir lieu à Bucarest. La Roumanie ne pourrait que tirer des bénéfices d'une telle rencontre.

DAYAN AU MAROC

Moshé Dayan, en accord avec Begin, décide d'ouvrir plusieurs réseaux de communication parallèles avec le président égyptien. Les 14 et 19 août, il rencontre le Premier ministre indien et le shah d'Iran, à qui il remet des messages destinés à Sadate. Le 22, il est à Londres où il a une longue discussion avec Hussein de Jordanie. Avant de se lancer dans des négociations avec l'Égypte, il veut savoir si le souverain hachémite a décidé de franchir le pas, d'entamer de véritables négociations avec Israël. Hussein ne parvient pas à donner de réponse claire. Il semble fatigué, hésitant.

« *Pensez-vous qu'un partage territorial de la Cisjordanie pourrait constituer une solution au conflit ?* lui demande Dayan.

— *Il n'en est pas question !*

— *Pourquoi ?*

— *Il est temps que vous, les Israéliens, compreniez la signification du terme "compromis territorial" pour les Arabes. Cela signifie reconnaître l'égalité de l'occupation et de l'annexion d'une partie de nos terres, ni moi ni aucun autre leader arabe ne pourrons jamais accepter. Je suis un souverain arabe, et je ne pourrais pas accepter qu'un seul*

1. Eliahou Ben Elissar, *Lo Od Milhama, op. cit.*, p. 37.

village soit coupé de nos frères et devienne israélien. Cela serait une trahison. Il n'y a qu'une seule voie pour parvenir à la paix : c'est le retour d'Israël aux frontières de mai 1967. [...] »

Le roi de Jordanie rappelle que, officiellement pour son pays, l'OLP représente les Palestiniens. Comme Moshé Dayan, il estime qu'un État contrôlé par l'OLP représenterait un danger d'abord pour lui-même et la stabilité de son royaume[1].

Dayan rentre à Jérusalem et rend compte à son Premier ministre de l'impasse jordanienne. Le 4 septembre, il effectue sa première visite à Ifran, en compagnie de Hofi. Le chef des services de sécurité marocains, le colonel Dlimi, assiste à l'entretien avec le roi, en compagnie du Premier ministre. Hassan II laisse entendre que le président syrien Hafez el Assad serait un interlocuteur plus crédible qu'Anouar el Sadate. Le souverain chérifien et le ministre des Affaires étrangères tombent d'accord sur le principe qu'Israël ne peut que conclure des accords séparés avec chacun de ses voisins. Dayan demande à Hassan II d'organiser une rencontre avec un représentant égyptien. Le roi accepte. Dix jours plus tard, le Mossad fait parvenir au ministre israélien des Affaires étrangères, une invitation à revenir au Maroc.

Le 16 septembre, se déroule à Rabat, dans un des palais de Hassan II, une rencontre qui marquera un tournant dans l'histoire du Proche-Orient. Moshé Dayan a en face de lui Hassan Tohami, le vice-Premier ministre égyptien. Le département d'État américain n'a pas été informé. C'est la première mais pas la dernière fois que des contacts à un niveau pareil ne sont pas immédiatement portés à la connaissance de Washington. Hassan II explique : *«Le problème principal concerne l'évacuation des territoires occupés par Israël, tous les territoires sur tous les fronts. Il ne sera pas difficile ensuite de trouver une solution aux divers problèmes. Si Israël imagine que les territoires lui donnent une garantie de sécurité, il faut trouver une solution de remplacement. Ces contacts entre vous doivent continuer, et lorsqu'ils auront avancé, il faudra une rencontre entre Begin et Sadate. Je suis persuadé que le président Assad rejoindra les négociations lorsque l'accord avec l'Égypte sera conclu.»*

Tohami explique que le président Anouar el Sadate considère Begin et Dayan comme des dirigeants forts et courageux, prêts à accepter des solutions difficiles. Les intentions du président égyptien sont donc très sérieuses, il veut la paix, par des négociations directes, sans les États-Unis. *«Le problème essentiel*, ajoute Tohami, *c'est la restitution des*

---

1. Arié Naor, *Begin Bashilton, op. cit.*, p. 130.

territoires occupés. C'est une question de souveraineté, d'honneur national, l'avenir du président Sadate en dépend. Il sera possible ensuite de discuter d'autres sujets si Begin accepte ce principe de base, sinon ce sera à nouveau l'impasse. Les Palestiniens doivent recevoir leurs droits nationaux, une entité nationale, sinon ils deviendront encore plus extrémistes. Une enclave palestinienne à l'ouest pourrait être liée à la Jordanie. L'Égypte et l'Arabie Saoudite contrôleraient les Palestiniens, et aideraient le roi Hussein à conserver son trône face aux visées révolutionnaires des Palestiniens. L'Égypte est prête à discuter de toutes les garanties internationales et autres qui pourraient être exigées par Israël. [...] »*

Au cours de la discussion, Tohami laisse entendre qu'Anouar el Sadate refusera de serrer la main de Menahem Begin aussi longtemps qu'un soldat israélien se trouvera sur le territoire égyptien. Hassan II le corrige : «*Sadate acceptera certainement de rencontrer Begin si ce dernier se prononce en faveur de la restitution des territoires.*»

Moshé Dayan est extrêmement prudent dans ses réponses. Il explique que, étant l'envoyé personnel de Menahem Begin, il ne peut répondre aux exigences territoriales présentées par Tohami sans d'abord en parler au Premier ministre. Il demande à son interlocuteur si, pour l'Égypte, l'engagement de Begin d'un retrait des territoires constitue une condition préalable aux négociations. Tohami répond par l'affirmative. Le roi du Maroc comprend que la discussion évolue vers une impasse, il propose de donner personnellement sa parole que Sadate rencontrera Begin et lui serrera la main si le Premier ministre israélien s'engage personnellement à accepter le principe que les négociations bilatérales se dérouleront sur la base d'une entente au sujet de l'évacuation des territoires. Dayan répond que, en Israël, le Premier ministre ne peut prendre d'engagement personnel, qu'il doit avoir l'approbation de son gouvernement et de la Knesset et, dans ce cas, les négociations ne seraient plus secrètes. Le ministre israélien rappelle que, de son point de vue, Israël a des droits dans ce que ses interlocuteurs appellent les territoires : le mur des Lamentations, et le quartier juif de la vieille ville de Jérusalem, le mont Scopus et l'Université hébraïque, les implantations sur le Golan et dans le sud du pays. Il rajoute une petite phrase : «*Nos villages ont été attaqués pendant plus de dix-neuf ans à partir des positions syriennes. Qu'est-ce qui nous garantit que cela n'arrivera pas de nouveau, et qui pourra garantir la liberté de navigation dans la mer Rouge, que se passera-t-il avec nos localités dans le sud du Sinaï si nous partons, est-ce que vous les laisserez en place sous votre souveraineté ?*» Un nouveau rendez-vous entre les deux hommes est prévu pour la fin du mois. Au cours du repas, tard dans la soirée, Hassan II suggère une rencontre secrète Begin-Tohami vers la mi-octobre.

Moshé Dayan a-t-il, au cours de cet entretien, promis formellement ou seulement laissé entendre que l'Égypte pourra récupérer la totalité du Sinaï à l'issue de négociations bilatérales avec Israël ? Visiblement non. On ne retrouve pas un mot à ce sujet dans le rapport écrit que le ministre des Affaires étrangères soumettra à Begin le lendemain. Mais des responsables des services de renseignements israéliens, qui ont écouté l'enregistrement secret de cette conversation, affirment que Tohami a parfaitement pu en conclure qu'il n'y aura plus de problème territorial entre Israël et l'Égypte à l'issue des négociations à venir. Il est certain en tout cas que la visite de Sadate à Jérusalem n'a pas été décidée au cours de cet entretien à Rabat[1].

Dayan quitte le Maroc dans la nuit pour Paris, la tête recouverte d'une perruque et portant des lunettes noires à la place de son célèbre bandeau. Dès le lendemain, la nouvelle de sa disparition pendant près de vingt-quatre heures fait le tour du monde. La presse israélienne laisse entendre qu'il était au Maroc. Les Marocains et les Égyptiens sont furieux. Les rencontres Tohami-Dayan et Begin-Tohami sont annulées.

Pendant que son chef de diplomatie est au Maroc, à Jérusalem Menahem Begin reçoit secrètement des émissaires soviétiques. Leur voyage a été organisé par le Mossad qui, depuis 1968, entretient des contacts réguliers avec le KGB. A plusieurs reprises des délégations sont venues d'URSS rencontrer des dirigeants israéliens. Yitzhak Rabin, a ainsi eu, les années précédentes, deux entretiens secrets avec des envoyés du Kremlin. L'interlocuteur du Premier ministre israélien n'est autre que Evguéni Primakov, qui deviendra le patron du KGB et un proche du président Eltsine après l'effondrement de l'URSS, puis ministre russe des Affaires étrangères. C'est la seconde fois que Begin a un contact personnel avec les services spéciaux soviétiques. La première fois, c'était durant la Seconde Guerre mondiale lorsque, réfugié à Vilnius, le NKVD l'a mis sous les verrous. Les envoyés de Brejnev discutent cette fois des conditions d'une reprise du dialogue et des relations diplomatiques entre les deux pays. La discussion se termine sur une impasse.

1. Sources de l'auteur. Également, Arié Naor, *Begin Bashilton*, *op. cit.*, p. 132. Ben Elissar, *Lo Od Milhama*, *op. cit.*, pp. 38 à 42.

Sadate pense aller à Jérusalem

Le 28 octobre, le chef de l'État égyptien arrive en Roumanie. Il demande son impression sur la situation à Ceausescu :

«*Begin veut une solution*, lui répond le président roumain.

– *Mon principal souci à ce propos, c'est de savoir si Israël veut réellement la paix. Pour ma part, je l'ai prouvé sans l'ombre d'un doute, mais l'actuel gouvernement israélien, et particulièrement sous la direction de Begin, le leader du bloc fanatique du Likoud, veut-il la paix? Un extrémiste comme Begin veut-il réellement la paix?* s'inquiète Sadate.

– *Laissez-moi vous dire catégoriquement qu'il veut la paix*», conclut Ceausescu.

Selon Ismaïl Fahmy, le ministre égyptien des Affaires étrangères, Begin aurait dit au président roumain qu'Israël pourrait accepter la création d'une mini-entité palestinienne en échange de l'annexion par Israël de la Cisjordanie et de Gaza. Fahmy affirme que Sadate et lui-même considéraient la proposition israélienne comme la preuve que Begin n'avait aucune intention de négocier sérieusement. Il dément également l'histoire que raconte Sadate dans son autobiographie, *A la recherche d'une identité*, et selon laquelle durant le vol qui, après la Roumanie, l'a conduit en Iran, le président égyptien lui aurait annoncé son intention de réunir à Jérusalem-Est un sommet des cinq grands, Jimmy Carter, Léonid Brejnev, Valéry Giscard d'Estaing, Hua Kuo Feng, et James Callaghan. En fait, écrit Fahmy, c'est en discutant de la carte de la minuscule entité palestinienne proposée par Begin que Sadate lui a dit : «*Que pensez-vous de l'idée d'un voyage à Jérusalem afin de prononcer un discours à la Knesset?*» Le chef de la diplomatie égyptienne, surpris, tente d'obtenir plus de renseignements, de savoir s'il y a des négociations secrètes dont il n'a pas été informé. «*Ce n'est pas le cas*», répond Sadate. Les deux hommes ont ensuite une longue discussion sur les conséquences éventuelles d'une visite de Sadate à Jérusalem. C'est Fahmy qui aurait, à ce moment, proposé, de réunir un sommet mondial à Jérusalem est plutôt que d'aller à la Knesset ce qui impliquait la reconnaissance d'Israël[1].

Le 4 novembre, après des visites officielles à Téhéran et en Arabie Saoudite, Sadate et Fahmy retournent au Caire et commencent à préparer le sommet de Jérusalem. Le ministre égyptien des Affaires étran-

---

1. Ismaïl Fahmy, *Negotiating for Peace in the Middle East*, *op. cit.*, chap. 14.

gères soumet l'idée du sommet à l'ambassadeur des États-Unis qui, après quarante-huit heures, lui apporte la réponse du président Carter : «*Le sommet de Jérusalem risque de gêner la reprise de la conférence de Genève.*» La diplomatie égyptienne prépare un front arabe uni. Yasser Arafat est invité au Caire le 9 novembre. Sadate envoie un avion militaire égyptien le chercher à Tripoli, en Libye, où le chef de l'OLP est en visite. Anouar el Sadate doit prononcer un discours important devant l'assemblée du peuple, le parlement égyptien. Son allocution est très longue. Pendant deux heures, il évoque la situation de l'Égypte, analyse les derniers développements sur la scène internationale, et poursuit :

«*Nous ne craignons pas un affrontement avec Israël. Au cours de la guerre d'Octobre, nous avons dévoilé le véritable visage et la véritable dimension d'Israël. La solidarité interarabe est une réalité. Nous avons une coordination politique avec l'Arabie Saoudite, avec l'Organisation de libération de la Palestine, qui est le seul représentant du peuple palestinien. Il est toutefois trop tôt pour réunir un sommet arabe. L'Égypte soutient les résolutions adoptées par les sommets précédents, au cours desquels il a été décidé que la nation arabe ne renoncerait à aucun pouce de territoire conquis par Israël, et le droit légitime du peuple palestinien à l'autodétermination n'est pas négociable.*» A cet instant, Ismaïl Fahmy remarque que Sadate ne lit plus son discours, mais improvise. «*Israël, craint la reprise de la conférence de Genève, et il ne faut pas qu'un Arabe, où qu'il soit, craigne cette conférence de Genève. Je suis prêt à aller jusqu'au bout du monde si cela permet de nous protéger de toute blessure, d'empêcher la mort d'un soldat ou d'un officier parmi mes fils […] Et je déclare que je suis prêt à aller au bout de ce monde, et Israël sera surpris lorsqu'il m'entendra dire cela, je suis prêt à aller dans leur maison, à la Knesset même, pour discuter avec eux. Nous n'avons pas de temps à perdre. La décision est à nous et il n'y aura pas de décision si ce n'est avec l'accord du peuple qui veut que nous allions de l'avant pour nous dédommager de ce que nous avons raté dans le passé […]*»

Fahmy raconte que le ministre de la Guerre, le général Gamasi, a lancé : «*Non! Pas la Knesset! Pas la Knesset! C'est inutile.*» Après son discours, Sadate aurait dit à son ministre des Affaires étrangères : «*C'était un lapsus, Ismaïl, fais censurer cette phrase.*» Le lendemain, la presse égyptienne n'évoquera pas le voyage à Jérusalem[1].

Yasser Arafat, lui, a compris que ce n'était pas un lapsus et il s'en va, furieux. Les agences de presse relèvent la petite phrase et la diffusent

---

1. Ismaïl Fahmy, *Negotiating for Peace in the Middle East, op. cit.*, p. 267.

immédiatement. En Israël, la radio nationale, où les spécialistes du monde arabe suivaient le discours de Sadate, annonce la nouvelle en tête de ses bulletins. Menahem Begin et son épouse Alisa ne savent rien de tout cela. Le Premier ministre est occupé à son passe-temps favori : il savoure un film d'action diffusé par la télévision, ce soir-là, les aventures de trois sergents britanniques en Inde. Le téléphone sonne, Shlomo Nagdimon, correspondant politique du quotidien *Yediot Aharonot*, est en ligne. C'est un ami personnel de Begin. Il lui demande de réagir à la déclaration de Sadate. Après quelques hésitations, le Premier ministre israélien lui dit : «*Je suis prêt à rencontrer le président Sadate, s'il le veut, à Jérusalem, à la Knesset. Si ce n'est pas une parole en l'air, je salue cette initiative, et je répète ce que j'avais dit lorsque je suis entré en fonctions, que je suis disposé à le rencontrer partout, même au Caire, pour négocier une paix réelle au Proche-Orient.*» Le journal et la radio israéliens font leurs titres de la réponse de Begin[1].

Durant la matinée, le Premier ministre décide, sur les conseils de Moshé Sasson, de répondre au président égyptien par un discours sur les ondes de la radio et de la télévision israéliennes. Le 11 à midi, Begin s'adresse à la nation égyptienne :

«[...] *Vous êtes nos voisins et le resterez pour toujours. Durant vingt-neuf années, s'est poursuivi un conflit tragique, totalement inutile, entre nos deux pays. Depuis que le gouvernement du roi Farouk a ordonné l'attaque de notre pays, la Terre d'Israël, pour étouffer notre liberté et notre indépendance renouvelées, il y a eu quatre guerre entre nous, beaucoup de sang a été versé de part et d'autre. [...] Votre président a déclaré il y a deux jours qu'il est prêt à venir à Jérusalem, dans notre Parlement, à la Knesset, afin d'éviter la blessure d'un soldat égyptien. C'est une bonne déclaration que je salue. J'aurai le plaisir de recevoir votre président [...], avec l'hospitalité traditionnelle que nous avons héritée de notre ancêtre commun, Abraham. Pour ma part, je serai prêt, bien entendu, à me rendre dans votre capitale, Le Caire, pour la même raison. Plus de guerre, la paix, la véritable paix, pour toujours! Dans la cinquième sourate du Saint Coran, est défini notre droit à cette terre : souvenez-vous de ce qu'a dit Moïse à son peuple, souvenez-vous de la bonté d'Allah à votre égard. "Mon peuple, pénètre dans cette terre sainte qu'Allah t'a donnée !" Cela est dans l'esprit de notre croyance commune en Dieu, en la vérité, en la justice, en toutes les valeurs humaines que nous a léguées le prophète Mohamed, et nos prophètes, Moïse, Isaïe, Jérémie et Ézéchiel. Dans cet esprit, je vous dis*

---

1. Témoignage de Shlomo Nagdimon et de Dan Patir, Tel Aviv, 1995.

du fond de mon cœur, Shalom, la paix, veut dire Solh, réconciliation, et Solh veut dire Shalom.»

La plupart des journalistes, israéliens et étrangers, analysent ce curieux dialogue entre Sadate et Begin pour conclure qu'il s'agit d'une formidable opération de relations publiques. Les commentateurs attendent de voir qui, du chef du gouvernement israélien ou du président égyptien, reviendra le premier à un discours plus classique.

Mais les choses prennent très vite une tournure très concrète. Le samedi suivant, au cours d'une soirée de gala dans un hôtel de Tel Aviv, devant des dizaines de journalistes et de caméras, Begin répète son invitation à Anouar el Sadate. Dimanche, le 13 septembre, Begin fait approuver par son gouvernement sa réponse à Sadate.

ET SI SADATE BLUFFAIT ?

Les chefs des renseignements militaires israéliens sont aussi surpris que le public par cette succession rapide d'événements. Au mois d'avril, le général Shlomo Gazit avait suivi avec beaucoup d'intérêt l'invitation que les autorités égyptiennes avaient lancée à Charlotte Jacobson, la présidente de l'organisation juive féminine américaine, Hadassah. De passage à Jérusalem, elle avait demandé l'avis du Premier ministre Yitzhak Rabin, qui lui avait conseillé de ne pas faire le voyage. Partie malgré tout, elle est revenue quelques jours plus tard, enchantée. Tous ses interlocuteurs égyptiens avaient parlé de paix. Gazit fait faire une analyse de la presse égyptienne. Pas un mot sur la visite de Jacobson. Le Caire démentira même les informations diffusées en Israël sur son voyage. Pour le chef des renseignements militaires israéliens, c'est la preuve que le pouvoir au Caire ne fait aucun effort pour susciter un changement d'opinion.

Dans les premiers jours de septembre, le département de l'évaluation des renseignements militaires avait tenu un débat sur l'attitude que l'Égypte pourrait adopter dans un an, à l'expiration de l'accord intérimaire avec Israël. Deux éventualités étaient envisagées : *«1) Un nouvel accord intérimaire paraît impossible, il n'y a pas de place pour un nouveau retrait dans le Sinaï. 2) Les Égyptiens n'ont pas d'option militaire. Leur armée n'est pas prête. Le matériel soviétique dont elle dispose n'est pas entretenu. Ils n'ont pas suffisamment de pièces détachées.»*

Quelqu'un avait lancé : *«Il y a une troisième option. Sadate peut faire la paix avec Israël!»* Les officiers présents dans la salle avaient éclaté de rire.

Pourtant, depuis 1975, Gazit avait donné l'ordre d'inclure dans toute estimation les signes possibles d'une évolution vers la paix dans chaque pays arabe étudié par ses services. Ses experts se heurtent à une difficulté : ils ne parviennent pas à définir les critères d'une telle analyse.

Le 11 septembre, alors que la visite de Sadate paraît certaine, Gazit réunit tous les responsables des renseignements militaires, ainsi que des orientalistes des diverses universités israéliennes, des analystes du Mossad, des Affaires étrangères. Il ouvre la séance en appuyant sur un bouton. L'hymne égyptien retentit. Gazit lance : «*Sadate arrive, qu'est-ce qui va se passer ?*» En fait, le général n'est pas complètement pris au dépourvu. Il a eu quelques informations sur la rencontre Dayan-Tohami au Maroc, mais n'en n'a pas tiré de conclusions exceptionnelles, puisque l'Égyptien avait dit : «*Anouar el Sadate ne serrera pas la main de Begin aussi longtemps qu'il y aura un soldat israélien sur le sol égyptien.*» Le débat ne permet pas d'aboutir à une conclusion claire. Plusieurs participants déclarent que la crise semble inévitable : Anouar el Sadate veut récupérer la totalité du Sinaï, ce que refuse Menahem Begin. Tout le monde se souvient que, le 29 septembre, le Premier ministre israélien avait annoncé son intention, lorsque le temps viendrait, de prendre sa retraite à Néot Sinaï, une implantation israélienne de la région de Yamit, au sud de Gaza. L'avenir paraît incertain. Gazit, après deux heures de discussions, décrète l'alerte générale dans les renseignements israéliens.

LA VISITE

En Israël, personne ne parvient à imaginer que le président égyptien arrivera dans six jours à l'aéroport Ben-Gourion. Lundi soir, Begin assiste à la cérémonie de clôture de la conférence mondiale de la Wizo, l'organisation des femmes sionistes. Dan Patir lui transmet un message : au Caire, Sadate vient de répéter devant des sénateurs américains sa volonté de se rendre à Jérusalem. Par l'intermédiaire de l'ambassade des États-Unis, Begin lui a fait parvenir une invitation verbale. Walter Cronkite, le présentateur vedette de la chaîne CBS a, au même moment, demandé au président égyptien s'il était prêt à participer à une émission en direct avec Begin. Sadate a dit oui. Le Premier ministre israélien fait dire qu'il accepte, lui aussi. Les caméras sont installées dans une chambre de l'hôtel Hilton à Tel Aviv. L'émission commence à minuit.

– Cronkite : «*Monsieur le Président Sadate, quand voulez-vous effectuer votre visite à Jérusalem ?*»

– Sadate : «*Le plus tôt possible.*»
– Cronkite : «*Par exemple, dans une semaine ?*»
– Sadate : «*Vous pouvez dire cela, oui.*»
– Begin : «*C'est une excellente nouvelle. Qu'il vienne à l'heure qu'il décidera. Je le recevrai personnellement à l'aéroport, je l'accompagnerai à Jérusalem, je le présenterai à la Knesset, je l'accompagnerai jusqu'à la tribune […]* »

Le 15 novembre, le quotidien *Yediot Aharonot* publie en première page une interview de Mordehaï Gour, le chef d'état-major. C'est une mise en garde : «*Il faut que Sadate sache que s'il a l'intention de nous tromper, nous serons prêts !*» Le général laisse entendre que toute cette affaire cache peut-être des préparatifs de guerre égyptiens. Ezer Weizman, le ministre de la Défense, est furieux. En fait, l'interview de Gour a été recueillie par le journal trois jours plus tôt, alors qu'il ne considérait pas avec sérieux l'éventualité d'une visite d'Anouar el Sadate à Jérusalem. Le chef d'état-major devait partir en visite secrète en Iran, et ses déclarations à la presse, publiées après son départ, étaient destinées à cacher son absence.

Pendant ce temps, à Jérusalem, en catastrophe, on prépare ce rendez-vous avec l'histoire. Begin envoie une lettre officielle d'invitation au Caire, par l'intermédiaire de l'ambassade des États-Unis, et nomme Eliahou Ben Elissar à la tête du comité interministériel chargé d'organiser la visite. Il est assisté de l'aide de camp du Premier ministre, le général Ephraïm Poran, du conseiller de presse Dan Patir, des commandants de la police et du Shin Beth, et du directeur du bureau de presse gouvernemental. Le chef du protocole des Affaires étrangères assiste à toutes les discussions. Tout doit être prêt dans quatre jours.

Le 16, Sadate part pour Damas où Hafez el Assad l'attend avec impatience. Le président syrien lui demande : «*Vous êtes vraiment sérieux quand vous proposez d'aller à Jérusalem ? – Absolument*», répond Sadate. Assad lui demande de renoncer à son initiative. Les deux hommes sont en désaccord total. Le président égyptien retourne au Caire.

Le 17, Ismaïl Fahmy démissionne. Lui aussi est contre le voyage à Jérusalem. La Knesset, à la demande de Begin, qui veut faire les choses dans les règles, vote une résolution invitant officiellement Sadate à prendre la parole en séance plénière. La gauche salue le gouvernement. Les contacts entre Jérusalem et Le Caire se poursuivent. Le 17, l'ambassadeur des États-Unis à Tel Aviv, Samuel Lewis, confirme à Menahem Begin que Sadate voudrait arriver samedi. Le Premier ministre lui répond : «*A la fin du Shabbat.*» L'avion égyptien atterrira à

20 heures. La liste des membres de la délégation préparatoire, qui doit arriver le lendemain, vendredi, est soumise à Ben Elissar.

Il faut faire vite. Le théâtre de Jérusalem est transformé en un gigantesque centre de presse. La poste israélienne n'a pas le temps d'installer des compteurs sur les lignes de téléphone. La presse internationale, qui commence à débarquer en masse en Israël, aura un cadeau : les communications seront gratuites. A Jérusalem, Berman, le fabricant de drapeaux, a pris l'initiative, sans qu'on le lui demande, de produire des centaines de drapeaux égyptiens. Le 18, pendant près d'une heure, la circulation aérienne est interrompue en Israël. Les employés de l'aéroport Ben-Gourion sont aux fenêtres de leurs bureaux ou sur le tarmac. Pour la première fois dans l'histoire du pays, un avion aux couleurs de l'Égypte atterrit sur le sol israélien. Hassan Kamel, le chef de cabinet de Sadate, arrive avec des agents de sécurité, des secrétaires, des spécialistes des transmissions, et le cuisinier personnel du président égyptien. Ben Elissar l'accueille. Aux journalistes qui l'accompagnent, il lance : « *Ça y est, nous verrons si c'est sérieux !* » Ça l'est. Les derniers détails sont décidés. Dans l'après-midi, les agents de sécurité égyptiens se déploient dans l'hôtel King David à Jérusalem, aux côtés de leurs collègues israéliens. Le drapeau égyptien flotte sur ce bâtiment, que les hommes de Menahem Begin avaient fait sauter en juillet 1946.

En fin de matinée, Mordehaï Gour, Shlomo Gazit et Yitzhak Hofi, le chef du Mossad, sont convoqués d'urgence à la présidence du Conseil à Jérusalem. Ils quittent Tel Aviv en hélicoptère. Menahem Begin les attend en compagnie de Yigael Yadin, le vice-Premier ministre, qui assure l'intérim au ministère de la Défense en attendant le rétablissement d'Ezer Weizman hospitalisé la veille à la suite d'un accident de voiture.

– Begin : « *Yigael Yadin est venu me dire que, à son avis, la visite de Sadate est un bluff. Il ne vient pas. Les Égyptiens préparent en fait une offensive. Qu'en dites-vous ?* »

– Gazit : « *Je pense que Sadate viendra !* »

– Begin à Mordehaï Gour : « *Dans l'interview que vous avez donnée dans le journal, vous laissez entendre que ce pourrait être un bluff.* »

– Gour, embarrassé : « *Je suis d'accord avec Gazit, Sadate viendra.* »

Hofi, le chef du Mossad, assure que tous les renseignements en sa possession confirment la venue du président égyptien. Begin insiste : « *Yadin est ministre de la Défense par intérim, il dit qu'il faut mobiliser deux divisions de réservistes. Je vous laisse décider.* » Les militaires quittent le bureau de Begin avec l'impression que le Premier ministre et Yadin risquent de décider une mobilisation dans les toutes prochaines heures. Ils reprennent leur hélicoptère et se rendent à l'hôpital

Tel-Hachomer près de Tel Aviv, où ils racontent l'histoire à Ezer Weizman qui, immédiatement, téléphone à Begin pour lui dire qu'il refuse absolument toute mobilisation de réservistes.

Gazit pense que le gouvernement va se réunir avant la venue de Sadate pour faire le point de la situation politique, préparer d'éventuelles négociations. Il téléphone au général Ephraïm Poran, l'aide de camp de Begin, qui lui confirme que le Premier ministre n'a aucune intention de réunir son cabinet. Il envoie toutefois sa dernière analyse de la position égyptienne : Sadate exigera la restitution de la totalité du Sinaï, mais aussi une solution au problème de la Cisjordanie et de Gaza et posera certainement la question de Jérusalem-Est.

Le King David est le lieu d'excursion de tout Israël durant la journée de samedi. Des milliers de personnes viennent constater par elles-mêmes si ce que dit la radio est exact : des Égyptiens sont déjà à Jérusalem. Sadate arrive. C'est la paix. Les stations de radio ouvrent leurs antennes dès la matinée. Galé Tsahal, la station de l'armée, diffuse des chansons d'Oum Kalsoum, la célèbre chanteuse égyptienne.

A 20 h 01, l'appareil égyptien atterrit. Anouar el Sadate est accueilli par une salve d'honneur de vingt et un coups de canon, puis ce sont les hymnes nationaux. Tous les dirigeants de l'État d'Israël sont là, alignés le long du tapis rouge. Le président égyptien serre les mains. A Golda Méir, il dit : *« J'espérais vous rencontrer depuis longtemps ! »*

– Golda Méir : *« Mais vous n'êtes pas venu ! »*

– Sadate : *« A présent, je suis là ! »*

Il découvre Ariel Sharon et lui lance : *« J'avais prévu de vous capturer là-bas !* [En 1973, sur la rive occidentale du canal de Suez.]*»*

– Sharon : *« Et moi, je suis heureux de vous accueillir ici ! »*

Mordehaï Gour, le chef d'état-major, fait le salut militaire. Sadate, avec un grand sourire : *« Vous voyez, ce n'était pas un bluff, je suis venu ! »*

Ces scènes resteront gravées dans la mémoire collective des Israéliens et des Égyptiens. La visite d'Anouar el Sadate est retransmise en direct sur les chaînes de télévision des deux pays, ainsi que par satellite dans le monde entier.

Sadate ne sait pas que Tsahal a disposé des tireurs d'élite sur les toits de l'aéroport. Les militaires israéliens craignaient le débarquement d'un commando suicide qui aurait liquidé toute la direction du pays. Sur la tribune de la presse, un homme est en larmes : Robert Dassat, un des espions israéliens de l'« affaire » qui, après de longues années de prison au Caire, a été libéré dans le cadre d'un échange de prisonniers.

A Jérusalem, Menahem Begin accompagne son invité jusqu'à sa

chambre à l'hôtel King David. Les deux hommes ont leur première discussion. Le Premier ministre israélien félicite le président égyptien pour son courage. Il lui rappelle la foule d'Israéliens qui l'a accueilli à l'entrée de la ville, et lui dit : «*Monsieur le Président, mettons-nous d'accord : plus de guerre entre nous, plus d'effusions de sang. Réglons nos différends par des voies pacifiques.*

– Je suis d'accord. Plus de guerre entre nous, mais nous ne négocions pas un accord séparé. Sans l'affaire palestinienne, je ne serais pas venu ici.»

Begin évoque une reprise de la conférence de Genève puis, à propos du Sinaï, déclare qu'il faudrait démilitariser les territoires qu'Israël évacuerait. La souveraineté égyptienne y serait rétablie, mais sans risques militaires pour Israël.

Sadate : «*Je suis d'accord sur le principe d'une démilitarisation, à condition que cela soit réciproque. Mes forces ne franchiront pas la ligne des cols.*

– Si nous démilitarisons en Israël un territoire équivalent à celui du Sinaï, nous arriverons loin en Jordanie. Je suppose que vous ne proposez pas cela.

– Non», répond Anouar el Sadate avec un sourire.

Begin a-t-il compris que le chef d'État égyptien accepte le principe de négociations vers un accord séparé avec Israël ? Sadate a-t-il la confirmation qu'il attendait depuis la rencontre Tohami-Dayan au Maroc : l'assurance de récupérer la totalité du Sinaï comme l'affirmait Ben Elissar[1] ? Des sources israéliennes proches de Begin en doutent.

Le lendemain, les Israéliens ont l'impression de vivre dans la politique-fiction. Anouar el Sadate, après avoir effectué ses prières de la fête du Sacrifice, dans la mosquée Al Aksa, se rend à Yad Vashem, le mémorial de l'Holocauste, avant de se rejoindre la Knesset, où il dépose une gerbe devant la flamme du Soldat inconnu. Yitzhak Shamir, le président du Parlement israélien, l'attend. Il ne s'était pas déplacé pour accueillir le chef d'État égyptien à l'aéroport. Les deux hommes ont un bref entretien seul à seul. La petite histoire voudra que Shamir ait expliqué à son hôte : «*Je n'aime pas ces fonctions de président du Parlement, c'est ennuyeux !*» Sadate lui aurait répondu avec le sourire : «*Moi aussi, j'ai été président de mon Parlement, on finit par en sortir. Regardez où je suis arrivé !*»

Pour ouvrir la séance solennelle du Parlement, Shamir a préparé un texte court. Et d'abord, pour le protocole : «*Cette réunion se déroule*

---

1. Eliahou Ben Elissar, *Lo Od Milhama, op. cit.*, pp. 68-69.

selon les termes de l'article 56A du règlement de la Knesset, à la demande du gouvernement et sur décision du bureau de la chambre adoptée jeudi dernier. » Anouar el Sadate ou pas, il faut respecter les règles… puis :

« *Messieurs les députés, permettez-moi d'ouvrir cette séance extra-ordinaire par quelques citations du Livre des livres* [la Bible] *: "Il arrivera, à la fin des temps, que le mont du Temple du Seigneur sera affermi et se dressera au-dessus des montagnes et tous les étrangers y afflueront ; nombre de peuples iront alors en disant : 'Gravissons la montagne de l'Éternel pour gagner la maison du Dieu de Jacob afin qu'il nous enseigne ses voies car c'est de Sion que vient la Torah et de Jérusalem la parole de Dieu. Il sera un arbitre entre les étrangers et amènera de nombreux peuples à forger des socs de charrue de leurs glaives et de leurs lances, des serpes. Un étranger ne tirera plus l'épée contre un autre étranger et n'apprendra plus l'art de la guerre.'" Messieurs les députés dans l'esprit de la vision du prophète Isaïe Ben Amotz j'accueille avec des vœux chaleureux notre éminent invité, le président de la République arabe d'Égypte, M. Mohamed Anouar el Sadate. Nous avons accueilli avec joie et considération sa proposition de venir prendre la parole à la Knesset. Écoutons-le avec espoir.* »

Le raïs, peut-être préoccupé par le discours qu'il est sur le point de prononcer, ne bronche pas pendant la courte allocution de Shamir. Ces quelques phrases du président de la Knesset ne sont pas relevées par la presse. Pourtant, elles ont valeur de symbole ; en les interprétant à la lettre elles veulent dire que pour l'ancien chef des opérations du Groupe Stern, c'est Sadate qui est venu chercher la vérité à Jérusalem.

Sadate prend la parole : « *Je suis venu chez vous aujourd'hui alors que mes deux pieds sont fermes sur le sol afin que, ensemble, nous construisions une nouvelle vie et établissions la paix. Nous sommes tous sur cette terre, la terre de Dieu. […] Nous souffrons tous encore des conséquences de quatre guerres cruelles pendant trente années, alors que les familles des victimes de la guerre d'octobre 1973 vivent encore les tragédies du veuvage, du deuil. […] Durant quatre mois, nous aurions pu établir la paix. Ils ont passé inutilement, en raison de querelles et de discussions vaines. […] Mon devoir de franchise me force à vous dire les choses suivantes :*

« *Je ne suis pas venu chez vous pour conclure un accord séparé entre l'Égypte et Israël. Aucun accord séparé entre nos deux pays ne peut garantir une paix juste. Ce n'est pas tout. Même si les accords de paix sont conclus entre tous les États de la confrontation et Israël, sans solution juste du problème palestinien, la paix globale, stable et juste ne pourra être réalisée. [...]*

« *Je ne suis pas venu chez vous pour conclure une paix partielle, c'est-à-dire mettre fin à l'état de guerre et laisser la solution globale du problème à une étape suivante. [...] Je ne suis pas venu chez vous pour accepter une troisième séparation des forces dans le Sinaï, ou sur le Golan, ou en Cisjordanie. Cela ne ferait que retarder l'explosion à plus tard et, ce faisant, nous n'aurions pas le courage de faire face à la paix. [...]*

« *Vous devez abandonner définitivement le rêve de conquête et la croyance que la force est le meilleur moyen face aux Arabes. [...] Comment arriver à la paix ? Il y a des vérités qu'il faut présenter dans toute leur force et leur clarté : il y a une terre arabe qu'Israël a conquise par la force et qu'il occupe toujours par la force armée. Nous exigeons fermement un retrait de ces territoires, y compris de Jérusalem. Les lieux de prière des musulmans et des chrétiens ne sont pas seulement des endroits de culte, c'est la preuve de notre présence ininterrompue dans cet endroit, politiquement et spirituellement. [...]*

« *Je ne suis pas venu chez vous pour vous présenter une demande de retrait de vos forces des territoires occupés. Le retrait complet de la terre arabe conquise en 1967 va de soi. Nous n'accepterons à ce propos aucune discussion et nous ne déposerons de supplique auprès de personne. Une paix stable ne peut être bâtie sur l'occupation des territoires appartenant à l'autre. [...]*

« *Le cœur du problème, c'est la question palestinienne. Personne aujourd'hui dans le monde n'accepte les slogans que l'on a entendus ici en Israël, et qui ignorent la présence du peuple de Palestine. Les droits légitimes du peuple palestinien ne peuvent être démentis ni ignorés. Cela est une réalité que la société internationale a acceptée. [...] Même les États-Unis, votre principal allié, ont choisi la vérité, et reconnaissent les droits légitimes des Palestiniens. Car le problème palestinien est l'essentiel et se trouve au cœur de la lutte. Aussi longtemps qu'il n'est pas résolu, cette lutte s'accroîtra et prendra de nouvelles dimensions. La paix ne peut être réalisée sans les Palestiniens. La solution, c'est la création d'un État pour le peuple palestinien [...]. Je répète, avec le prophète Zacharie, l'amour, le droit et la justice. Du Saint Coran, je cite la sourate : "Nous croyons en Dieu et en ce qui nous a été révélé et en ce qui a été révélé à Abraham, Ismaël, Isaac, Jacob et les treize tribus juives et dans les Livres offerts à Moïse et à Jésus, et aux prophètes de leur seigneur, qui ne fait pas de distinction entre eux." Salam Aleikoum! Que la paix soit avec vous!* »

Sadate termine son discours. Ezer Weizman passe discrètement une note à Moshé Dayan : «*Prépare-toi à la guerre!*» Begin lâche quelques mots. Apparemment, il dit : «*C'est un ultimatum!*» Les dirigeants israéliens trouvent les déclarations du président égyptien très dures. Le public, collé aux écrans de télévision, comprend d'abord que le front du refus arabe d'Israël est définitivement brisé. Le président égyptien, en venant à la Knesset, reconnaît l'État juif et son droit à l'existence.

Begin monte à la tribune. Improvisant une partie de son discours pour répondre à Sadate, il rappelle les sources bibliques communes au judaïsme et à l'islam. Abraham, l'ancêtre commun qui a offert son fils Isaac en sacrifice à Dieu. Puis :

«*C'était une épreuve très difficile. Du point de vue moral, les sacrifices humains étaient interdits. Nos deux peuples, dans leur antique tradition, ont appris et enseigné cette interdiction humaine, alors que les peuples alentour continuaient d'offrir des sacrifices humains à leurs dieux. [...] La durée de vol entre Le Caire et Jérusalem est courte. Mais, jusqu'à hier soir, elle était infinie. Le président Sadate l'a franchie avec courage [...]. Nous ne croyons pas en la force, nous n'avons jamais fondé notre attitude envers le peuple arabe sur la force. Durant toutes les années de cette génération, nous n'avons cessé d'être attaqués; on voulait détruire notre peuple, anéantir notre indépendance, annuler nos droits [...]. Nous voulons une paix totale, véritable, une réconciliation complète entre le peuple arabe et le peuple juif [...]. Il faut définir le contenu de cette paix et d'abord conclure un traité de paix qui annulera l'état de guerre pour toujours. Nous voulons des relations normales entre nos deux pays. Vous aurez, monsieur le Président, un ambassadeur à Jérusalem, nous en aurons un au Caire [...]. Nous proposons une coopération économique pour développer nos deux pays. Le génie juif et le génie arabe peuvent transformer cette région en jardin. Le président Sadate sait que nous avons une position différente de la sienne au sujet de nos frontières avec nos voisins [...]. Mais laissons cela aux négociations [...]*». Et Begin d'ajouter que jamais Jérusalem ne sera à nouveau divisée.

Shimon Pérès, au nom de l'opposition parlementaire israélienne, prend la parole : «*Des millions de mères égyptiennes, syriennes, jordaniennes, palestiniennes et juives ont le regard tourné vers cette tribune. Elles veulent savoir si d'ici viendra pour elles et pour leurs fils le message : plus jamais de guerre. Plus de deuils, plus de destructions et de réfugiés [...]. Nous savons qu'il existe une identité palestinienne. Chaque peuple peut décider de son identité nationale sans demander l'autorisation d'une autre nation, mais il faut que l'identité palestinienne s'exprime sans mettre en danger la sécurité d'Israël [...]* »

Invité à la Knesset, en qualité d'ancien député, Nathan Yelin Mor assiste à la scène en se pinçant. Il croit rêver : Anouar el Sadate est assis entre Begin, l'ancien chef de l'Irgoun et Shamir, son camarade de combat du Groupe Stern. Tous les commentateurs estiment que les positions israélienne et égyptienne paraissent difficiles à concilier. Menahem Begin et Anouar el Sadate répètent au cours de leur conférence de presse : «*Plus de guerres entre nos deux peuples!*»

Le président égyptien rentre au Caire où il a droit à un accueil triomphal. Spontanément, cinq millions d'hommes et de femmes viennent se masser sur le trajet de son cortège. Aucune mesure de sécurité spéciale n'a été adoptée. Le président soudanais, Jaafar el Noumeiri, est le seul dirigeant arabe à venir saluer Sadate. En quelques jours, la presse égyptienne écrite et audiovisuelle change de ton. Elle ne parle plus d'Israël en tant qu'ennemi, mais en tant qu'adversaire. Les journalistes qui ont accompagné Anouar el Sadate à Jérusalem publient des reportages relativement élogieux. Des journalistes israéliens commencent à arriver au Caire. Le mur psychologique qui sépare les deux pays est en train de s'effondrer.

Le 27 novembre, le représentant égyptien aux Nations unies, Ismet Abdel Maguid, rencontre son homologue israélien Haïm Herzog à New York. Il lui transmet une invitation officielle destinée au ministre israélien des Affaires étrangères pour qu'il envoie un représentant au Caire participer à la «conférence préparatoire à la conférence de Genève». Le lendemain, Menahem Begin annonce à la Knesset que le gouvernement israélien accepte l'initiative égyptienne. Cyrus Vance, le secrétaire d'État américain, effectue une visite officielle à Jérusalem le 9 décembre, après une longue escale au Caire. Il n'accorde pas une grande importance à la conférence organisée par Anouar el Sadate. Il envoie toutefois Alfred Atherton, son adjoint chargé des affaires du Proche-Orient, y représenter les États-Unis.

L'AUTONOMIE PALESTINIENNE DE BEGIN

Menahem Begin effectue une visite officielle à Londres, qui avait été reportée en raison des événements. A Jérusalem, Ariel Sharon a une idée qu'il soumet à Moshé Dayan : il est important de réaliser des faits accomplis sur le terrain, avant l'ouverture de la conférence du Caire. Il faut renforcer l'implantation juive dans la percée de Rafah au sud de

Gaza. Si les Égyptiens se font une raison et acceptent notre initiative, nous aurons gagné, sinon, au pire des cas, nous pourrons leur faire un geste, une concession, et renoncer. Begin est contacté à Londres. Il approuve l'opération. Les tribus bédouines de la région découvrent rapidement le pot aux roses et en informent les renseignements égyptiens. Les Américains aussi découvrent les travaux réalisés par les bulldozers de Sharon. Les Égyptiens ne réagissent pas, mais la presse israélienne publie très vite des reportages sur ces travaux. Le département d'État demande des explications. Apparemment, il s'agit pour l'instant de cinq forages de puits. La radio israélienne annonce qu'il est question de construire pas moins de vingt-trois implantations dans le Sinaï. Le secrétaire du gouvernement dément. Le pouvoir égyptien ne réagit toujours pas. Le président des États-Unis demande des explications. Begin lui répond qu'aucune nouvelle implantation n'a été construite depuis son arrivée au pouvoir, et Dayan dément avoir approuvé l'initiative Sharon. Cette affaire porte atteinte à la crédibilité et à l'image de marque d'Israël.

Le 3 décembre, Moshé Dayan effectue une nouvelle visite secrète au Maroc. Cette fois, il emprunte un avion de l'armée de l'air israélienne, qui atterrit à Rabat. Hassan II lui dit qu'il espère toujours que Hussein de Jordanie rejoindra l'initiative d'Anouar el Sadate, et que le président syrien Hafez el Assad ne pourra pas rester longtemps en marge de ces négociations. Le problème essentiel pour lui concerne Jérusalem, dont on connaît l'importance pour les musulmans. Hassan Tohami arrive du Caire.

Dayan lui annonce qu'Israël propose de profonds changements à la situation actuelle, étant entendu qu'un État palestinien indépendant ne verra pas le jour et qu'il n'y aura pas de retrait israélien total de la Cisjordanie et de Gaza. Israël a une position similaire au sujet du Golan et du Sinaï. Les implantations israéliennes devraient rester en place, leurs habitants dépendant du système juridique israélien. Personne en Israël n'acceptera une évacuation des implantations du Golan, même si l'absence de retrait empêche la conclusion de la paix. Dans le Sinaï, les territoires situés à l'est des cols du Mitla et du Gidi doivent être démilitarisés. Jusqu'en l'an 2000, des patrouilles conjointes israélo-égyptiennes seraient organisées dans la région. Les anciens territoires égyptiens reviendraient intégralement sous la souveraineté égyptienne, mais feraient l'objet d'un contrôle de l'ONU. jusqu'à la pointe sud du Sinaï, jusqu'à Ras Mohamed. Charm El Cheikh serait également placée sous la responsabilité des Casques bleus. Tohami répond en rappelant que l'Égypte refuse un accord séparé. Tout règlement du problème palestinien devra répondre aux espoirs du monde arabe. Les implantations israéliennes dans le Sinaï devront être évacuées, peut-être pas tout de suite, mais selon un calendrier à établir. Autrement, ce ne sera pas une paix, ce sera un partage, inacceptable.

Dans la soirée, Hassan II supplie Dayan d'aider Sadate à surmonter ses difficultés. Il faudrait qu'il accepte de rencontrer des représentants de l'OLP. Le ministre israélien des Affaires étrangères refuse. «*Ce sont des assassins*», dit-il. Dayan explique à ses interlocuteurs qu'il ne croit pas que la Jordanie rejoindra le processus de paix sans le feu vert de la Syrie.

Le ministre des Affaires étrangères rentre en Israël faire son rapport à Menahem Begin qui, lui, a mis la dernière main à son projet de plan de paix, dont certains éléments viennent d'être soumis par Dayan à Tohami. Il pose un principe fondamental : Israël n'imposera pas sa souveraineté sur la Judée, la Samarie et Gaza, aussi longtemps que les négociations se poursuivront pour la conclusion de traités de paix entre Israël et ses voisins. Mais, par ailleurs, il n'entend pas renoncer à ses revendications sur ce qu'il considère comme la patrie historique du peuple juif. Aux Palestiniens, il propose une autonomie administrative.

Il n'est pas question d'une autonomie des personnes ou des territoires, mais d'une forme d'autogouvernement. Les habitants de Cisjordanie auraient la possibilité de choisir entre la citoyenneté israélienne ou jordanienne. Dans les deux cas, les Palestiniens auraient tous les droits, y compris celui de voter pour le Parlement de leur choix. Le Conseil d'autonomie serait composé de onze membres, responsables chacun d'un département, pas d'un ministère. Le Conseil n'aurait aucun pouvoir législatif ou parlementaire, et s'occuperait exclusivement des Affaires intérieures, à l'exclusion de la sécurité. La Défense et les Affaires étrangères étant la responsabilité d'Israël. Les citoyens israéliens auraient le droit d'acheter des terres en Cisjordanie et à Gaza, et de s'y installer, et les citoyens de ces régions auraient pour leur part le droit de s'installer en Israël s'ils choisissent la citoyenneté israélienne. Une commission conjointe à Israël, la Jordanie, et au Conseil d'autonomie déterminerait les critères d'immigration en Cisjordanie et à Gaza, y compris de réfugiés arabes.

Begin présente son plan d'autonomie au gouvernement. Ariel Sharon, le ministre de l'Agriculture, est contre : «*C'est dangereux*, dit-il. *Le Conseil d'autonomie pourrait proclamer son indépendance. Tout dépend de la date à laquelle les Palestiniens recevraient l'autonomie.*» Begin et Sharon ont l'intention de lancer une vaste opération de colonisation juive en Cisjordanie et à Gaza. Begin soumet son projet à Jimmy Carter à Washington. Le président des États-Unis et ses conseillers trouvent la proposition israélienne intéressante. Cela peut constituer un point de départ vers une solution au problème palestinien. Dans l'esprit des Américains, l'autonomie de Begin peut mener à la création d'un État palestinien. Les manifestations de l'extrême droite en Israël, contre le projet du Premier ministre, viennent les conforter dans cette interprétation.

CONFÉRENCE AU CAIRE. WEIZMAN À ISMAÏLIA

L'Égypte est de plus en plus isolée dans le monde arabe. Les pays du front du refus, la Syrie, l'Irak, la Libye et l'OLP, rompent leurs relations avec Le Caire. Tous les autres États arabes, à l'exception du Soudan, du sultanat d'Oman et de la Somalie, en feront de même quelques mois plus tard. Un seul dirigeant palestinien reste au Caire : Saïd Kamal, originaire de Naplouse, qui soutient l'initiative de Sadate. La veille de la conférence de Mena House, il appelle Yasser Arafat et lui demande s'il doit y aller pour représenter les Palestiniens. Le chef de l'OLP hésite. Il répond : «*Prépare-toi, je vais te rappeler!*» Kamal passe la nuit sur ses dossiers. Arafat ne téléphonera pas.

Mena House, où s'ouvre la conférence le 14 décembre, est un hôtel de luxe proche des Pyramides. Le chef de la délégation israélienne, Eliahou Ben Elissar, le directeur général de la présidence du Conseil, découvre que ses hôtes ont préparé une table pour neuf représentations : les Nations unies, l'URSS, la Syrie, la Jordanie, le Liban, Israël, les États-Unis, l'Égypte et l'OLP. «*Pas question*, dit Ben Elissar. *Nous ne siégerons pas à la même table que l'OLP.*» Les Égyptiens proposent de changer l'inscription en «*Palestine*». Ben Elissar refuse et propose un panneau arabe palestinien. Cette fois, ce sont les Égyptiens qui refusent. C'est la crise. Ismet Abdel Maguid propose d'enlever tous les signes et tous les drapeaux. Le chef de la délégation israélienne accepte. Les débats peuvent commencer, mais Ben Elissar découvre que neuf drapeaux flottent devant l'hôtel, y compris l'emblème palestinien. La délégation israélienne demande que soit enlevé ce «*drapeau non identifié*». Sinon, elle quittera l'hôtel. L'incident est vite réglé. Les Israéliens découvrent leurs interlocuteurs : Abdel Maguid, mais aussi Ossama el Baz, un jeune diplomate proche du vice-président Husni Moubarak. Ce dernier a très vite la réputation d'être violemment anti-israélien. Les discussions tombent rapidement dans l'impasse. La délégation israélienne tient à gagner du temps. Menahem Begin est en visite officielle à Washington, une nouvelle rencontre avec Sadate est en préparation[1].

Le 20 décembre, Ezer Weizman, accompagné de Shlomo Gazit et du commandant de la région militaire sud, le général Herzl Shapir, se rend au Caire à bord d'un appareil mis à leur disposition par les États-Unis. Le ministre égyptien de la Guerre, le général Abdel Ghani el Gamasi l'attend, en compagnie de membres de son état-major. Les deux délégations doivent discuter des relations militaires israélo-égyptiennes en tant de paix. Dès son arrivée, Gamasi annonce à Weizman qu'ils ont rendez-vous avec Sadate à Ismaïlia. La discussion porte sur le passé et le présent. De l'endroit où il est assis, le ministre israélien aperçoit les ruines de la ligne Bar Lev sur le canal de Suez. Gamasi, très observateur, remarque le regard de Weizman. Il cache à peine un sourire. Les Israéliens n'ont pas eu que des victoires. Au sujet de la normalisation des relations entre les deux pays, le Raïs répète, en réponse aux questions de son invité, qu'il est prêt à échanger des ambassadeurs, qu'il accepte la création d'une ligne aérienne reliant Israël et l'Égypte. Ce sera une paix totale, mais cela signifie un retrait israélien complet du Sinaï : «*Dites à Begin qu'il accepte rapidement le principe d'un retrait de tous les territoires occupés et d'un règlement du problème palestinien, ainsi nous pourrons avancer vers la paix.*»

Weizman et Gamasi quittent le Président et partent pour la base aérienne de Jianaclis près du Caire. D'entrée de jeu, le ministre égyptien propose de mettre à l'ordre du jour «*le départ des forces israéliennes à la fin de l'occupation*». Weizman s'y oppose. Il est décidé qu'il n'y aura pas d'ordre du jour.

– Gamasi : «*Nous admettons la réalité de vos problèmes de sécurité. Nous ferons tout notre possible pour les comprendre. La sécurité est indispensable pour vous, mais pour nous aussi. Est-ce que vos implantations dans le Sinaï vont vous accorder la sécurité ?*»

– Weizman : «*Les implantations ont également des aspects défensifs. Leurs habitants sont pour la plupart des réservistes. Et puis les implantations contribueront à la normalisation, à une vie en commun. [...]* »

– Le chef d'état-major égyptien, le général Fahmy : «*Quelle est l'importance des aéroports que vous voulez laisser dans le Sinaï ?*»

– Weizman : «*Par exemple pour défendre Eilat contre la Jordanie ou l'Arabie Saoudite.*»

– Fahmy répond : «*C'est nous qui défendrons Eilat.*»

La discussion glisse sur les aspects techniques de la défense, sur les

1. Eliahou Ben Elissar, *Lo Od Milhama, op. cit.*, p. 84.

aspects militaires d'un éventuel accord. Les Égyptiens sont contre un déploiement de forces de l'ONU dans le Sinaï. Ils s'opposent à l'installation de stations d'alarme et de détection israéliennes, et refusent d'autoriser les vols de reconnaissance de l'aviation israélienne au-dessus de leurs lignes. Les négociations, disent-ils, doivent être terminées avant le mois d'octobre prochain, date d'expiration de l'accord intérimaire. Avant de quitter l'Égypte, Weizman va prendre congé de Sadate. Le président égyptien lui dit : «*Je suis prêt à conclure un traité de paix en bonne et due forme, avec un échange d'ambassadeurs, avec la liberté de navigation, avec tout, mais vous devez quitter le Sinaï. Cela veut dire également toutes les implantations. Elles doivent disparaître. Pas un seul soldat israélien ne doit rester dans le Sinaï. Si vous voulez que les aéroports restent pour desservir les civils, c'est d'accord, mais ils seront sous souveraineté égyptienne. [...] Si vous pensez que votre armée de l'air a besoin d'aéroports dans la région, construisez-les de l'autre côté de la frontière [...]*[1].»

Sadate se montre intraitable, il ajoute que des troupes égyptiennes devront prendre position à l'est du canal de Suez.

Weizman prend congé de son hôte. En passant par Le Caire, il a une brève rencontre avec Eliahou Ben Elissar et le général Abraham Tamir, qui poursuivent des discussions stériles à Mena House.

Le 25 décembre, Menahem Begin se rend à Ismaïlia pour une nouvelle rencontre avec Sadate. Dayan et Weizman l'accompagnent. Les Israéliens découvrent que pas un seul drapeau israélien ne flotte sur le terminal de l'aéroport ou dans les rues de la ville. Ils en font la réflexion aux Égyptiens : «*Nous, nous avons reçu votre président avec tous les honneurs !*» Le général Gamasi, le ministre de la Guerre, fait semblant de ne pas entendre. Sadate est très cordial. Il fait prêter serment à Mohamed Ibrahim Kamel, son nouveau ministre des Affaires étrangères, en présence de ses invités israéliens. Le Premier ministre israélien et le président égyptien tombent d'accord sur la création de deux comités, politique, qui se réunira à Jérusalem, et militaire. Begin présente ensuite son plan de paix à Anouar el Sadate. Il lit son texte, longuement, et propose que les implantations israéliennes entre Rafah et El Arish et entre Eilat et Charm El Cheikh ne soient pas évacuées. Il ajoute que les citoyens israéliens en territoire égyptien auront les moyens de se défendre. Il explique également qu'Israël réclamera la Judée, la Samarie et Gaza, que, bien sûr, d'autres veulent également imposer leur souveraineté sur ces territoires. Pour

---

1. Ezer Weizman, *The Battle for Peace*, Bantam, New York, 1981, p. 104.

obtenir la paix, Israël propose donc de ne pas conclure la question de la souveraineté[1].

Ezer Weizman raconte qu'Anouar el Sadate semblait de plus en plus nerveux. Le ministre de la Défense israélien envoie une note au général Abraham Tamir, son collaborateur : «*Allons-nous partir la queue entre les jambes ? – Non, répond Tamir, nous allons courir longtemps après notre queue.*»

Sadate répond brièvement à Begin que l'Égypte a des engagements envers le monde arabe : selon les résolutions du sommet arabe de Rabat, un retrait des territoires occupés en 1967 et une solution au problème palestinien. Après quelques discussions, le président égyptien propose de lever la séance et de faire une brève promenade dans la ville. Lorsqu'ils reviennent dans la salle de conférences, Sadate déclare :

«*Je dois vous dire franchement que mon peuple n'acceptera pas vos conditions au sujet du Sinaï. […] Si je dis à mon peuple que mon ami Begin affirme que des implantations israéliennes resteront dans le Sinaï avec une force de défense, il me lapidera. […]* »

Avant le départ de la délégation israélienne, le lendemain, Anouar el Sadate lit à la presse un bref communiqué : «*Les délégations, égyptienne et israélienne, ont examiné le problème palestinien. La position de l'Égypte est qu'un État palestinien doit être créé en Cisjordanie et à Gaza. La position israélienne est que les Arabes palestiniens vivant en Judée, en Samarie et à Gaza s'autogouvernent. La question sera examinée par la commission politique de la conférence préparatoire du Caire.*» Weizman est extrêmement pessimiste. Il estime que la voie de la paix est devenue une impasse.

Ezer Weizman retourne le 11 janvier à Assouan rencontrer Anouar el Sadate. Husny Moubarak, le vice-président, et Abdel Ghani el Gamasi assistent à l'entretien. La visite devait être secrète, mais le président égyptien autorisera la diffusion de l'entrevue à Radio Le Caire. C'est la première fois qu'un ministre de la Défense israélien se trouve sur le sol égyptien en qualité d'invité officiel. Sadate lui répète qu'aucune implantation, à Rafah comme ailleurs, ne pourra rester sur le sol égyptien. Le raïs insiste : il ne s'agit pas de discuter d'une paix séparée avec l'Égypte. Après un accord entre les deux pays, Israël devra négocier avec chaque État arabe. Weizman se rend le lendemain au Caire en compagnie des généraux Shlomo Gazit, chef des renseignements militaires, et de Herzl Shapir, commandant de la région sud. La commission militaire israélo-égyptienne se réunit pour la première fois.

---

1. Ezer Weizman, *The Battle for Peace, op. cit.*, p. 125.

MEURTRE À LONDRES. CRISE À JÉRUSALEM

Le 4 janvier 1978, Saïd Hammami est dans son bureau à Londres. Un homme entre la pièce, se dirige vers lui et l'abat d'une balle dans la tête. L'assassin crache sur le corps de sa victime, lance : «*Traître!*» et s'en va. La police britannique établira que le meurtrier est un Tunisien membre de l'organisation d'Abou Nidal. De son vrai nom Sabri el Banna, ce maître terroriste né à Jaffa en 1937, réfugié à Naplouse avec sa famille en 1948, avait été le représentant du Fatah à Khartoum avant de créer sa propre organisation avec l'aide des services spéciaux irakiens. L'assassinat de Hammami était un avertissement aux dirigeants palestiniens pour qu'ils n'entament aucune négociation avec Israël, n'imitent pas Anouar el Sadate[1].

Le 15 janvier, se réunit à Jérusalem la commission politique décidée par Begin et Sadate lors du sommet d'Ismaïlia. Le secrétaire d'État américain Cyrus Vance est là, envoyé par Carter, la délégation égyptienne est conduite par Mohamed Ibrahim Kamel, le ministre des Affaires étrangères, qui présente un projet de déclaration de principe fondé sur l'application de la résolution 242 du Conseil de sécurité, c'est-à-dire un retrait israélien de tous les territoires occupés. Dès sa descente d'avion à l'aéroport de Tel Aviv, il déclare que Jérusalem-Est devra revenir sous une souveraineté arabe. Le soir même, lors du dîner de gala qu'il a décidé de présider, Begin adopte une attitude paternaliste envers son invité égyptien. «*Mon jeune ami*», lance-t-il au chef de la diplomatie égyptienne avant de lui faire un véritable cours d'histoire juive. Au Caire, Sadate assiste à l'événement en direct à la télévision. Dayan rejette le texte égyptien qui, découvre-t-il, stipule non seulement un retrait israélien sur tous les fronts, mais également l'autodétermination pour les Palestiniens.

Menahem Begin reçoit les responsables de la presse égyptienne qui accompagnent la délégation : «*Nous n'avons besoin de la reconnaissance de personne. En venant à Jérusalem, Sadate n'a pas reconnu l'existence de l'État d'Israël au Proche-Orient. […]* » La phrase est immédiatement rapportée au raïs qui réagit : «*Si Begin ne veut pas de notre reconnaissance, nous n'avons pas besoin de lui!*» Entre-temps, les discussions entre Israéliens et Égyptiens sont dans l'impasse, chaque délégation reste dans ses appartements, à l'hôtel Hilton. Le secrétaire d'État Cyrus Vance fait la navette sans grand succès. Ezer

---

1. Patrick Seale, *Abu Nidal*, Hutchinson, Londres, 1992, p. 162. Yossi Melman, *The Master Terrorist*, Adama Books, New York, 1986, p. 111.

Weizman et Yigael Yadin tentent d'intervenir. Yadin invite Mohamed Ibrahim Kamel à déjeuner. Subitement, le chef de la délégation égyptienne est appelé au téléphone. La conversation dure dix minutes. Il revient à table et demande à Yadin de faire pression sur Begin afin qu'il renonce au moins à réclamer le maintien d'implantations israéliennes dans le Sinaï. Yadin refuse.

En début de soirée, le 16, vers 19 heures, Anouar el Sadate donne l'ordre à sa délégation de rentrer au Caire. Kamel va prendre congé de Begin. Il lui dit : «*Depuis Ismaïlia, vous avez multiplié les déclarations, ce qui a, selon le président Sadate, créé une mauvaise atmosphère. Vous répétez qu'il n'y aura pas de paix sans implantations juives dans le Sinaï, et vous avez mis des obstacles à la médiation américaine. Et puis, ce que vous avez dit hier soir lors du dîner a mis de l'huile sur le feu. Je pensais que nous nous contenterions de quelques déclarations de politesse. J'avais préparé un beau discours, mais quand je vous ai entendu, j'ai été très embarrassé. Je n'ai pas su comment réagir. Je suis retourné dans ma chambre très ému. Je n'ai pas réussi à m'endormir avant 7 heures du matin.*»

– Dayan : «*Je suis désolé de votre départ. Je ne pense pas que l'atmosphère soit mauvaise. Si c'est ainsi que vous la ressentez, je vous crois. Visiblement, vous ne vous sentez pas bien parmi nous.*»

– Begin : «*Nous aussi, nous nous souvenons de déclarations qui ont porté atteinte à la bonne atmosphère. Des menaces de guerre égyptiennes, des insultes. Dois-je vous rappeler que* [la presse égyptienne] *m'a traité de Shylock ? Je ne suis pas un commerçant et je ne l'ai jamais été. Dès mon plus jeune âge, j'ai été un combattant.*»

A l'hôtel Hilton, la délégation égyptienne fait ses valises. Elle quitte Israël à 3 heures du matin. C'est la crise.

Anouar el Sadate se rend à Washington début février. Bruno Kreisky, le chancelier autrichien, contacte le président égyptien et lui propose de venir en Autriche rencontrer Shimon Pérès, le président du Parti travailliste israélien. Rendez-vous est pris pour le 11. L'entretien a lieu à Salzbourg, avec l'autorisation de Menahem Begin. Sadate réaffirme son intention de poursuivre «*sa mission sacrée pour la paix*». «*Même si c'est ma dernière mission en tant que président, je continuerai !*» Il se plaint du refus de Begin de discuter du problème des implantations juives dans le Sinaï et du mur israélien auquel il fait face lorsqu'il évoque la question palestinienne[1].

---

1. Matti Golan, *The Road to Peace*, Warner Books, New York, 1989, p. 177, et *Jérusalem Post*, 12 février 1978.

LA PAIX MAINTENANT

En Israël, la gauche, qui avait applaudi l'initiative d'Anouar el Sadate, assiste avec une inquiétude croissante à la crise dans les négociations avec l'Égypte. Au début du mois de mars, un petit groupe de militants décide d'organiser une pétition signée uniquement par des officiers de réserve, et qui serait envoyée à Menahem Begin. Cela devrait inquiéter le gouvernement et les chefs de l'armée. En quelques jours, ils rassemblent trois cent quarante-huit signatures parmi lesquelles celles de plusieurs héros décorés de la guerre d'octobre 1973 :

«*Monsieur le Premier Ministre,*

«*Cette lettre vous est envoyée par des citoyens d'Israël qui servent dans la réserve en qualité d'officiers et de soldats.*

«*C'est le cœur lourd que nous vous écrivons. Ces jours-ci, alors que, pour la première fois, de nouveaux horizons d'une vie de paix et de coopération régionale s'ouvrent devant l'État d'Israël, nous considérons qu'il est de notre devoir de vous lancer un appel afin que vous renonciez à toute action qui pourrait être une source de regrets pour les générations à venir, pour notre peuple et pour notre État.*

«*C'est avec une inquiétude profonde que nous vous écrivons. Un gouvernement qui préférerait l'existence de l'État d'Israël à l'intérieur des frontières du Grand Israël à une existence en paix dans le cadre de bonnes relations entre nos voisins susciterait en nous de profondes appréhensions. Un gouvernement qui préférerait l'existence d'implantations de l'autre côté de la ligne verte* [la frontière de 1967] *à la fin du conflit historique et à l'établissement de relations normales dans la région produirait en nous le doute quant à la justesse de notre cause.*

«*La politique gouvernementale conduisant au maintien de la domination sur un million d'Arabes risque de porter atteinte au caractère juif et démocratique de l'État et nous rendra difficile l'identification avec la voie fondamentale choisie par l'État. Nous avons pleine conscience des besoins de sécurité de l'État d'Israël et des difficultés qui s'élèvent sur la voie de la paix. Mais nous savons que la véritable sécurité ne peut être acquise qu'avec l'instauration de la paix. La force de Tsahal se trouve dans l'identification de ses soldats avec la voie que choisit l'État d'Israël. Nous vous demandons de choisir la voie de la paix et, ce faisant, de renforcer notre foi dans la justesse de notre cause*[1].»

---

1. Traduit de l'hébreu. Cité par Tsali Reshef, *Shalom Akhchav*, Keter, Tel Aviv, 1996, p. 13.

Des manifestations sont organisées. Le 1er avril, quarante mille personnes participent à un meeting à Tel Aviv. Le premier du mouvement qui s'appelle désormais La Paix maintenant, Shalom Akhshav.

Tôt, le matin du 11 mars, onze Palestiniens débarquent de deux embarcations sur la plage de la réserve naturelle de Maagan Mikaël, près de l'autoroute Haïfa-Tel Aviv. Ils abattent une jeune photographe américaine venue prendre des clichés d'oiseaux. Le commando tire sur quelques voitures et parvient à prendre le contrôle de deux autobus de la coopérative routière Egged. Les terroristes placent leurs otages dans un seul véhicule. Il s'agit d'une excursion de chauffeurs et de leurs familles. L'alerte est donnée. L'autobus est intercepté au carrefour de Glilot, au nord de Tel Aviv, à quelques centaines de mètres d'une base militaire importante. Policiers et soldats ouvrent le feu. Les Palestiniens ripostent. Des grenades sont lancées. L'autobus prend feu. Des parents tentent de sauver leurs enfants en les jetant par la fenêtre. Une Palestinienne les saisit et les jette dans la fournaise. Dans la nuit, lorsque le combat sera terminé, les sauveteurs découvriront les corps de 37 otages israéliens. Il y a 78 blessés dont 4 dans un état grave. 9 terroristes sont morts. 3 autres seront capturés quelques heures plus tard. Pour faciliter la recherche d'autres Palestiniens et dans la crainte d'une nouvelle attaque, le couvre-feu sera imposé pendant près d'une journée au nord de Tel Aviv.

Pour les dirigeants israéliens, cet attentat est un *casus belli*. Cinq jours plus tard, ils déclenchent une importante opération militaire au Sud-Liban. Tsahal parvient jusqu'à la rivière Litani qu'il dépasse en certains endroits. Les soldats israéliens procèdent à un ratissage, capturent des centaines de combattants palestiniens. Le Conseil de sécurité vote une résolution créant une nouvelle force internationale chargée de s'interposer le long de la frontière libanaise : la FINUL, qui prend position le 30 juin, lors du retrait israélien. L'enclave de l'armée du Sud-Liban, la milice pro-israélienne du commandant Saad Haddad, est élargie à une bande de territoire d'une profondeur de dix à quinze kilomètres s'étendant le long de la frontière israélienne. Le général Shlomo Gazit, chef des renseignements militaires, était contre la création d'une telle zone de sécurité. Il craignait l'installation d'implantations juives dans cette région, ce qui compliquerait encore plus le conflit israélo-arabe.

BEGIN À WASHINGTON

Le 21 mars 1978, Menahem Begin arrive à Washington en compagnie de son épouse, pour une visite officielle. Après une première discussion avec le Premier ministre israélien, Jimmy Carter lui présente, le lendemain, ce qu'il a compris de sa position : «*Pas de retrait politique ou militaire d'une partie quelconque de Cisjordanie ; pas d'arrêt dans la construction de nouvelles implantations ou l'expansion d'implantations existantes ; pas de retrait des colons israéliens du Sinaï où ils ne peuvent pas rester sous une protection des Nations unies ou de l'Égypte ; la résolution 242 du Conseil de sécurité ne s'applique pas à la Cisjordanie ni à Gaza ; pas question d'accorder un pouvoir réel aux Palestiniens, qui ne peuvent participer à la détermination de leur propre avenir*[1].» Begin déclare que c'est présenter les choses d'une manière négative, mais il ne dément pas que telle est sa position. Carter conclut que les négociations au Proche-Orient sont dans l'impasse.

En Israël, le débat fait rage. Le mouvement La Paix maintenant poursuit ses manifestations et exige du gouvernement qu'il fasse des concessions. La droite et surtout Goush Emounim soutiennent Menahem Begin et lui conseillent de ne rien céder. Curieusement, c'est le moment que choisit Yigal Allon, le 15 avril 1978, pour envoyer une lettre au rabbin Levinger à l'occasion du dixième anniversaire de la création de Kiriat Arba : «*Mon attitude favorable à l'égard de la création et du développement de Kiriat Arba n'a pas besoin d'être prouvée. Cette ville, à la signification à la fois historique et stratégique, a été créée sur la base de ma conception fondamentale au sujet de la nécessité d'un compromis territorial entre nous et nos voisins. […] Selon ma conception, il faut placer le désert de Judée et la vallée du Jourdain sous le contrôle inébranlable d'Israël pour sa sécurité, alors que nous devons faire un compromis sur les autres territoires peuplés d'Arabes en Samarie, en Judée et à Gaza. Kiriat Arba a un rôle important pour notre contrôle du désert de Judée. Nos profondes divergences de vues ne sauraient changer ma position à ce sujet. […]* »

RENCONTRE EN AUTRICHE

Anouar el Sadate retourne à Vienne début juillet. Kreisky et Willy Brandt ont invité Shimon Pérès à venir également en Autriche. Ils préparent une nouvelle rencontre entre le chef de l'opposition israélienne et le président égyptien. Steve Cohen, l'universitaire canadien de Harvard qui a ses entrées au Caire, participe aux préparatifs de ce mini-sommet. Pérès arrive le 9 juillet. Sadate lui explique qu'il a refusé de rencontrer Moshé Dayan, et qu'il ne voit pas l'utilité d'un rendez-vous

---

1. Jimmy Carter, *Keeping Faith*, Bantam, New York, 1982, p. 312.

avec Menahem Begin. Pérès se fait l'avocat de Moshé Dayan. Il présente à son interlocuteur un projet de déclaration qu'il a l'intention de soumettre à l'Internationale socialiste. Au sujet du problème palestinien, le texte stipule : «*Afin de trouver une solution, les parties doivent reconnaître le droit des Palestiniens à participer à la détermination de leur avenir par la négociation avec leurs représentants élus* […][1].»

Shimon Pérès est accompagné par Mikha Harish, un député, responsable des relations extérieures du Parti travailliste et par Yossi Beilin, un jeune universitaire brillant qui est devenu son assistant et qui fera toute sa carrière dans son sillage. Les trois hommes se rendent à Londres, où se trouve le roi Hussein. Pérès fait contacter Menahem Begin à Jérusalem pour lui demander l'autorisation de rencontrer le souverain jordanien. Le Premier ministre israélien refuse. Le leader travailliste repart pour Paris où Harish, parti en éclaireur, l'attend. Par l'intermédiaire de Joe Golan, il a pris rendez-vous avec Hassan II. Un avion spécial marocain vient chercher les Israéliens. Ils atterrissent à Rabat où le colonel Dlimi assure la sécurité de Pérès. C'est le premier entretien entre le souverain marocain et le chef de l'opposition israélienne. Ils évoquent longuement le blocage des négociations avec l'Égypte. Hassan II explique qu'Israël devrait reconnaître l'OLP : «*Cela changerait l'ensemble des relations entre Israël et le monde arabe. Les réfugiés palestiniens constituent une source d'agitation, un point de fixation du conflit israélo-arabe.* […] *Yasser Arafat est votre seul interlocuteur possible, il n'y a pas de leadership alternatif dans les territoires* […] ». Après cet entretien Pérès et ses compagnons sont les invités du roi pendant deux jours. Officiellement, ils sont au Sénégal[2].

Le 13 juillet 1978, Abdel Ghani el Gamasi est convoqué à Salzbourg en Autriche, où Anouar el Sadate effectue une visite officielle. Ezer Weizman doit rencontrer le président égyptien. Arrivé à son hôtel, il découvre qu'Ibrahim Kamel et Hassan el Tohami sont déjà là, en compagnie de Karl Kahana, l'homme d'affaires proche du chancelier Bruno Kreisky. Weizman a d'abord un entretien à huis clos avec Sadate. Le raïs lui explique qu'il voulait le voir avant la conférence qui doit avoir lieu à Leeds Castle, en Grande-Bretagne, car il craint qu'elle n'échoue. Il lui demande de transmettre ce qu'il va lui dire au gouvernement israélien : les négociations se passent sous la pression du calendrier. En octobre doit expirer le mandat de la force des Nations unies dans le Sinaï, et il faut décider s'il doit être prolongé ou non. En novembre, ce sera le premier anniversaire de la visite du président

---

1. Matti Golan, *The Road to Peace*, *op. cit.*, p. 186.
2. Témoignages de Joe Golan et Mikha Harish.

égyptien à Jérusalem. Sadate annonce que, s'il n'y a pas de changement d'ici là, il démissionnera en octobre. Weizman tente de le dissuader d'une telle initiative. Le raïs ajoute : «*Je sais que le peuple égyptien ne me permettra pas de le faire. Mais je crois que, vous aussi, vous envisagez de démissionner. – C'est exact*, répond Weizman. – *Dans ce cas, c'est moi qui suis inquiet.*»

Et le président égyptien demande au ministre israélien une déclaration du cabinet Begin annonçant la restitution immédiate d'El Arish et du mont Sinaï à l'Égypte, car il voudrait, à la fin du Ramadan, se rendre au monastère Sainte-Catherine sur le mont Sinaï, pour y construire une mosquée, une synagogue et une église. Il a l'intention de construire un centre pour la paix à El Arish.

Les deux hommes discutent d'une éventuelle participation de Hussein de Jordanie à l'initiative de paix égyptienne. Sadate annonce qu'il est prêt à assumer la responsabilité de la Cisjordanie et de Gaza, à y déployer ses policiers, étant entendu que les Palestiniens devraient pouvoir se prononcer sur la question par référendum. Weizman explique que cela conduirait certainement à un État palestinien sous le contrôle de l'OLP. «*Ne vous en faites pas*, répond Sadate, *il n'y aura pas d'État palestinien.*» Le ministre israélien dîne ensuite avec le général Gamasi. Ils sont les invités de Karl Kahana.

Quelques jours plus tard, la proposition de construire un centre pour les trois religions monothéistes sur le mont Sinaï est publiée dans la presse israélienne. Sadate est furieux. Il envoie un message de protestation à Weizman, qui répond que, en raison de la structure du système politique israélien, il ne peut empêcher ce genre de fuite. De toute manière, Begin rejette poliment la suggestion égyptienne. El Arish et le mont Sinaï ne sauraient être remis à l'Égypte. Aucun État ne fait un tel geste unilatéralement… Le chef de l'État égyptien est excédé. Il ordonne le retour en Israël du petit groupe de militaires qui, sous la direction du général Tamir, assuraient une présence israélienne en Égypte et la liaison entre les deux pays. Ils sont renvoyés à Tel Aviv à bord d'un avion égyptien le 27 juillet.

LEEDS CASTLE

Les diplomates israéliens et égyptiens se retrouvent à nouveau face à face le 17 juillet 1978 dans le château de Leeds. Les fossés, le parc entourant ce lieu historique facilitaient le travail de la sécurité britannique. La délégation égyptienne est conduite par Ibrahim Kamel, accompagné d'Ossama el Baz et de plusieurs hauts fonctionnaires. Moshé Dayan est à la tête de la délégation venue de Jérusalem. Le conseil juridique du gouvernement, Aharon Barak, Méir Rosenne et Simha Dinitz le secondent. Cyrus Vance et Alfred Atherton, ainsi que les ambassadeurs des États-Unis à Tel Aviv et au Caire sont là eux aussi. Les Égyptiens proposent un document de travail en six points. Il concerne «le retrait israélien de Cisjordanie, de Gaza, et les arrangements de sécurité». Pour la première fois, il est question d'une période intérimaire de cinq ans destinée à permettre un transfert du pouvoir dans la sérénité et à l'issue de laquelle le peuple palestinien pourrait décider de son avenir. Des représentants de la Jordanie, de l'Égypte, d'Israël, du peuple palestinien – avec la participation de l'ONU – discuteraient de l'administration de ces régions durant la période intérimaire, du calendrier du retrait israélien, des arrangements de sécurité, des modalités d'une solution au problème des réfugiés palestiniens. L'administration militaire israélienne serait annulée dès le début de la période transitoire. L'Égypte et la Jordanie seraient les garants de l'application des arrangements de sécurité[1].

Les Égyptiens répètent que, pour eux, une solution au problème palestinien est essentielle. La proposition d'autonomie soumise par les Israéliens est insuffisante. L'atmosphère des discussions est bonne, selon Dayan. Ibrahim Kamel explique que tout peut être réglé par la négociation, il suffit que les Israéliens acceptent le principe d'un retrait.

Le ministre israélien des Affaires étrangères soumet au secrétaire d'État un document de son cru, définissant ce qu'il présente comme sa position personnelle :

«La proposition d'un accord de paix basé sur un retrait israélien sur les frontières d'avant juin 1967 et la position d'une souveraineté arabe quelconque sur les territoires qui seraient évacués ne sera pas acceptée par le gouvernement israélien, même si elle est accompagnée d'une promesse d'arrangements de sécurité. L'opposition israélienne à un tel accord provient de raisons de principe, nationales, et aussi de sécurité.

«Israël serait prêt à examiner une proposition concrète d'accord de paix fondé sur un compromis territorial.

«Si la proposition israélienne d'autogouvernement est acceptée, Israël sera prêt à discuter, après cinq ans, du problème de la souveraineté et du statut définitif de la Cisjordanie et de Gaza.»

Deux jours plus tard, Dayan présentera ce texte à la Knesset qui l'approuvera. Begin, à contrecœur, admettra que, pour la première fois, il a ainsi accepté le principe d'un compromis territorial.

---

1. Moshé Dayan, *Ha Lenetzakh*, *op. cit.*, p. 121.

Carter prend les choses en main

Fin juillet, Jimmy Carter, dans la crainte d'une détérioration rapide de la situation au Proche-Orient, réunit ses principaux conseillers, le vice-président Mondale, le secrétaire d'État Vance, le secrétaire à la Défense Brown, son conseiller pour les affaires de sécurité, Brzezinski, et Jordan, son directeur de la Maison-Blanche. Ils parviennent à la conclusion qu'Anouar el Sadate pourrait, comme il l'a indiqué à plusieurs reprises, déclencher un conflit en octobre. Carter décide d'inviter Anouar el Sadate et Menahem Begin à une conférence de paix à Camp David, la résidence d'été des présidents américains. Cyrus Vance va remettre les invitations au Caire et à Jérusalem. Le président égyptien et le Premier ministre israélien acceptent. Ils viendront aux États-Unis immédiatement après les fêtes musulmanes.

Chez les Palestiniens, Abou Nidal poursuit sa campagne d'assassinats dirigée contre des responsables partisans d'un dialogue avec Israël. Le 15 juin, Ali Yassin, le représentant du Fatah au Koweit a été abattu à son domicile. Pour l'entourage d'Arafat, le meurtre est signé par les Irakiens. Deux jours plus tard, des roquettes sont tirées sur l'ambassade d'Irak à Beyrouth, le 24, une bombe explose devant l'ambassade irakienne à Bruxelles, le 28, l'ambassadeur d'Irak à Londres échappe à un attentat. Le 31, c'est le frère de Hammami qui tente une prise d'otages à l'ambassade d'Irak à Paris. Les agents de sécurité ouvrent le feu et tuent un inspecteur de police français. Le 3 août, Ezzedine Khalak, le représentant de l'OLP à Paris, se rend à son bureau, salue un étudiant attablé dans un café. L'homme se lève et se dirige vers lui. Khalak qui a compris tente de se barricader dans sa pièce. L'assassin l'abat. C'est le même Tunisien qui avait assassiné Hammami. Arrêté en compagnie d'un complice, il sera condamné à 15 ans de prison par la justice française. Selon certaines sources, ces terroristes seront remis en liberté en 1986 après la conclusion d'un accord entre le gouvernement français et le représentant du groupe Abou Nidal. Patrick Seale, le biographe d'Abou Nidal, affirme que Bakr, le président irakien, a reconnu avoir ordonné le meurtre de Hammami, mais a démenti toute responsabilité dans la mort de Yassin et celle de Khalak[1].

En Israël, le mouvement La Paix maintenant a pris de l'ampleur. Des groupes de militants vont manifester contre la construction d'implantations en Cisjordanie, organisent des pétitions, des sit-in devant le domicile de Begin. Des centaines d'universitaires de premier plan ont rejoint

---

1. Patrick Seale, *Abu Nidal*, *op. cit.*, p. 165.

cette opposition extraparlementaire, la première de cette importance en Israël. Le 2 septembre, alors que Menahem Begin s'apprête à partir pour Camp David, cent mille manifestants se réunissent sur la place des Rois-d'Israël à Tel Aviv. Du jamais vu. Un commandant de bataillon de réserve, Yossi Ben Artsi, lance du haut de la tribune un appel au Premier ministre pour qu'il fasse preuve de souplesse et accepte un compromis. Considérant le nombre de jeunes Israéliens en âge d'effectuer des réserves, les correspondants étrangers concluent que cette armée-là ne soutient pas Begin.

CAMP DAVID

Le 5 septembre 1978, Anouar el Sadate arrive à Camp David, deux heures avant Menahem Begin. Dès la première journée, Weizman calcule ses déplacements à bicyclette afin de croiser Anouar el Sadate en promenade. Les deux hommes se saluent chaleureusement.

La première rencontre de travail a lieu entre Jimmy Carter et Menahem Begin. Le président des États-Unis explique au Premier ministre que Sadate veut qu'Israël accepte le principe de la non-acquisition de territoires par la force. C'est le préambule de la résolution 242 du Conseil de sécurité. Begin explique que cela ne s'applique pas nécessairement à des territoires conquis dans le cadre de guerres défensives. Il prend pour exemple la carte de l'Europe. Carter évoque le problème palestinien, les implantations israéliennes dans la percée de Rafah, les implantations en Cisjordanie. Il suggère d'installer des bases américaines dans le Sinaï, propose qu'Israël accepte de faire un geste et offre El Arish et le mont Sinaï à Sadate. «*Attention*, répète-t-il, *Sadate est impulsif, il pourrait lancer une opération militaire.*» Le lendemain, alors que la délégation israélienne a l'impression que l'on va rapidement vers une nouvelle crise, Weizman est invité chez Sadate. Il lui propose de rencontrer également Dayan. Le président égyptien accepte. La suite de la discussion est cordiale. Avant de prendre congé de son invité, Sadate lui remet un fascicule de douze pages : la position égyptienne. Begin en prend connaissance dans la soirée. A nouveau, il s'agit d'un retrait israélien du Sinaï, du Golan, de la Cisjordanie et de Jérusalem-Est, de l'évacuation de toutes les implantations israéliennes des territoires occupés, d'une solution intérimaire pendant cinq ans pour les Palestiniens à l'issue de laquelle ils pourront exercer leur droit à l'autodétermination. Le texte stipule également le droit au retour des réfugiés palestiniens et les arrangements de sécurité. Begin est persuadé que ce document est une provocation destinée à le pousser à quitter Camp David. «*Nous ne jouerons pas le jeu égyptien*», dit-il.

Dans la nuit, les Israéliens préparent une contre-proposition. Les arguments développés au cours des derniers mois par Menahem Begin avec un avenant : Israël devrait recevoir des dommages de guerre des pays arabes.

Les Américains, qui mènent le jeu, ignorent les deux documents. Le lendemain, le 7 septembre, Jimmy Carter, qui est assisté de Vance et Brzezinski, demande à Menahem Begin d'annoncer un gel immédiat de la construction de nouvelles implantations en Cisjordanie et à Gaza. Le Premier ministre israélien refuse et suggère aux Américains de demander à Sadate de revenir sur ses exigences. Ezer Weizman et Moshé Dayan assistent à la rencontre. Le ministre israélien des Affaires étrangères soutient Begin : «*Qu'est-ce qu'un retrait signifie, une éva-cuation de l'armée, des implantations ? Est-ce que je serai un étranger en Cisjordanie ? Est-ce que j'aurai besoin d'un visa pour aller à Jéricho ? Avec l'autonomie, les Arabes pourront-ils créer un État pales-tinien ? Pourront-ils intégrer en Cisjordanie les réfugiés qui se trouvent au Liban ? Qui nous protégera de la Jordanie ? Qui sera responsable de la lutte contre le terrorisme ?*»

Begin, lui, continue de décortiquer le document de travail égyptien. Le président des États-Unis s'énerve et veut des explications précises. Une définition des problèmes qui concernent réellement la sécurité d'Israël. Il explique à ses interlocuteurs qu'il croit pouvoir obtenir de Sadate ce dont les Israéliens ont réellement besoin en termes de sécurité, mais, dit-il : «*Vous n'avez pas confiance en moi.*» Weizman proteste. Carter insiste, il accuse Begin de vouloir garder le contrôle de la Cisjordanie et affirme que sa proposition d'autonomie n'est qu'un subterfuge.

Le Premier ministre accepte finalement de ne pas demander à Sadate de retirer son document de travail. En compagnie de Carter, il va rencon-trer Anouar el Sadate. La discussion est très animée, elle dure trois heures. Le président américain fait la liste des points de divergence. Il y en a treize. Begin s'oppose toujours au démantèlement, ne serait-ce que d'une implantation dans le Sinaï, en Cisjordanie ou sur le Golan. Il rejette l'idée d'État palestinien. Au moment de prendre congé, Carter parvient toutefois à obtenir de Begin une phrase exprimant sa confiance en Sadate. Le chef de l'État égyptien ne rend pas la politesse. Dans l'après-midi, les trois hommes se retrouvent. Selon Carter, Begin finit par dire que Sadate récupérera le Sinaï, mais en ajoutant : «*Il faut se souvenir que le roi Farouk, le président Nasser et Sadate lui-même ont envoyé l'armée égyptienne attaquer Israël du Sinaï.*» La conversation aboutit à une impasse. Begin exige le maintien des deux mille colons israéliens qui habitent les treize implantations du Sinaï. Sadate annonce qu'il n'y a plus matière à discussion. Les deux hommes se quittent sans se parler.

Le quatrième jour de la conférence, un vendredi, Carter a un long entretien avec Menahem Begin, qui lui répète que jamais il ne recommandera le démantèlement des implantations dans le Sinaï. En prenant congé du président des États-Unis, il lui demande si une rencontre entre Weizman et Sadate serait possible. Le rendez-vous a lieu le lendemain, samedi. Le ministre de la Défense israélien suggère au président égyptien une discussion avec Moshé Dayan. Pendant ce temps, les Américains préparent leur propre document de travail... Dix-sept pages, qui reprennent la position des États-Unis sur tous les points en litige. De quoi inciter Menahem Begin à rentrer en Israël, remarque Weizman. L'entretien avec Carter est difficile. Le président des États-Unis accepte d'introduire quelques changements dans son texte.

Le lundi 11, Carter examine l'état des négociations avec Anouar el Sadate. Le document de travail fait l'objet de nouvelles modifications. Aharon Barak, le conseiller juridique du gouvernement israélien, et Moshé Dayan apportent leur contribution dans la soirée. Les choses avancent lentement. L'impression, dans les deux délégations, israélienne et égyptienne, est que la crise est inévitable.

Le 13, le neuvième jour de la conférence, les Américains décident de préparer un nouveau document de travail, avec la participation d'Aharon Barak et d'Ossama el Baz, le directeur général des Affaires étrangères égyptiennes. Cyrus Vance assiste son président. Les discussions se poursuivent, stériles, jusqu'au vendredi, le surlendemain. Cyrus Vance fait irruption chez Carter et lui annonce que Sadate a décidé de partir. Le président américain se précipite vers le bungalow des Égyptiens. Sadate lui explique que Dayan vient de lui annoncer que les Israéliens ne signeront aucun accord. Carter lui demande de rester encore un jour ou deux et promet que ses efforts de médiation se poursuivront après sa réélection, dont il est certain. Le président égyptien accepte. La rumeur d'un départ imminent de Sadate parvient aux Israéliens. Carter leur demande de faire un ultime effort. Dayan a l'impression que tout est terminé et il prépare également ses valises. Le général Abraham Tamir a l'idée d'appeler Ariel Sharon, le ministre de l'Agriculture, en Israël, pour lui expliquer la situation et lui demander de contacter Begin. Quelques heures plus tard, le Premier ministre annonce aux Israéliens que Sharon lui a téléphoné pour lui dire qu'il ne voyait aucune objection, du point de vue militaire, à l'évacuation des implantations du Sinaï.

La délégation israélienne fait le point. Weizman prend position en faveur du démantèlement des implantations dans le Sinaï, mais Sadate exige toujours un gel de la construction de nouvelles localités juives en Cisjordanie et l'évacuation des aéroports militaires israéliens du Sinaï. Dayan, Barak et Weizman ont un entretien avec Carter. Le ministre israélien des Affaires étrangères annonce qu'un retrait total ne pourra se faire sans l'accord du gouvernement et de la Knesset à Jérusalem. Un peu plus tard, Weizman demande au secrétaire américain à la Défense, Harold Brown, si les États-Unis pourraient construire de nouveaux aéroports militaires en territoire israélien. Dans la soirée, Carter rencontre Sadate. Il lui explique que l'impasse dans les pourparlers menace sa propre carrière politique. Le président égyptien accepte de renoncer à une phrase du projet d'accord, sur le principe de non-acquisition de territoires par la force.

Le chef de l'exécutif reçoit ensuite Menahem Begin qui, au pied du mur, déclare : «*Si les implantations dans le Sinaï empêchent la conclusion de la paix, je soumettrai la question à la Knesset et j'appliquerai la décision qui sera prise par le Parlement. Je recommanderai même que sur cette question fondamentale, le vote soit libre, il n'y aura pas de discipline de parti. C'est tout ce que je peux faire, et rien d'autre[1].*»

L'accord est conclu le dimanche 17 septembre 1978, après d'ultimes négociations. Hassan Kamel, le ministre égyptien des Affaires étrangères, estime que Sadate a fait trop de concessions, il démissionne. Les textes sont revus et corrigés par Aharon Barak et Ossama el Baz. Deux documents sont signés au cours d'une cérémonie à la Maison-Blanche par Anouar el Sadate et Menahem Begin. Le premier s'appelle : «Cadre pour la paix au Proche-Orient». Au sujet de la Cisjordanie et de Gaza, il stipule :

«*L'Égypte, Israël et la Jordanie, et les représentants du peuple palestinien devraient participer à des négociations pour la résolution du problème palestinien sous tous ses aspects. Les pourparlers devraient se dérouler en trois étapes.*

«*Des arrangements intérimaires devraient être mis en place en Cisjordanie et à Gaza pour une période n'excédant pas cinq ans. Afin d'accorder une autonomie complète aux habitants de ces régions, l'administration militaire et civile israélienne sera retirée dès qu'une autorité autonome, librement élue, pourra la remplacer. Afin de négocier les détails de cet arrangement intérimaire, le gouvernement jordanien sera invité à participer aux négociations dans ce cadre. […].*

1. Ezer Weizman, *The Battle for Peace*, *op. cit.*, p. 372. Jimmy Carter, *Keeping Faith*, *op. cit.*, p. 396.

« *L'Égypte, Israël et la Jordanie se mettront d'accord sur les modalités de l'établissement d'une autorité d'autogouvernement en Cisjordanie et à Gaza. Les délégations de l'Égypte et de la Jordanie pourraient comprendre des Palestiniens de Cisjordanie et de Gaza ou d'autres Palestiniens, acceptés* [par les parties]. […] *Un retrait de forces israéliennes aura lieu* [Les forces qui resteront en Cisjordanie et à Gaza] *seront redéployées sur des secteurs déterminés. Une force de police locale, forte, sera établie, qui pourra comporter des citoyens jordaniens. Des forces jordaniennes et israéliennes participeront à des patrouilles conjointes et à des postes de contrôle pour assurer la sécurité des frontières.*

« *Lorsque le conseil administratif de l'autorité autonome de Cisjordanie et de Gaza entrera en fonctions, la période transitoire de cinq ans commencera. Le plus tôt possible, mais pas plus tard que la troisième année après le début de la période transitoire, commenceront des négociations destinées à déterminer le statut définitif de la Cisjordanie et de Gaza. Ces négociations seront menées par l'Égypte, Israël, la Jordanie et les représentants élus des habitants de la Cisjordanie et de Gaza. Deux commissions séparées se réuniront. La première, comportant les représentants des quatre parties, négociera un accord sur le statut définitif de la Cisjordanie et de Gaza et ses relations avec ses voisins. La seconde commission, réunissant les représentants d'Israël et de la Jordanie et les représentants élus de Cisjordanie et de Gaza, négociera un traité de paix entre Israël et la Jordanie, en tenant compte de l'accord sur le statut de la Cisjordanie et de Gaza.* »

La phrase suivante vaudra à Menahem Begin de vifs reproches de la droite israélienne : « *Les négociations seront fondées sur toutes les provisions et principes de la résolution 242 du Conseil de sécurité. Les négociations résoudront, entre autres questions, le tracé des frontières et la nature des arrangements de sécurité. L'issue de ces négociations devra également reconnaître le droit légitime du peuple palestinien et ses justes exigences. Ainsi, les Palestiniens participeront à la détermination de leur avenir* […]. »

Le second texte est intitulé : « *Cadre pour la conclusion d'un traité de paix entre l'Égypte et Israël* ». Israël reconnaît la souveraineté égyptienne jusqu'à la frontière internationale entre l'Égypte et la Palestine mandataire. Israël retirera ses forces armées du Sinaï. Les aéroports militaires abandonnés par les Israéliens dans le Sinaï ne seront utilisés qu'à des fins civiles, y compris une utilisation commerciale par les deux pays. L'Égypte reconnaît la liberté de navigation des navires israéliens dans le golfe de Suez, le canal de Suez, le détroit de Tiran et le golfe d'Akaba. La construction d'une autoroute entre le Sinaï et la Jordanie, près d'Eilat, est prévue, avec une garantie de libre passage pour l'Égypte et la Jordanie. Cet accord définit également des arrangements de sécurité dans le Sinaï. Jimmy Carter, Menahem Begin et Anouar el Sadate échangent également un certain nombre de lettres complétant les deux textes.

Le Premier ministre israélien annonce qu'il soumettra la question de l'évacuation des implantations du Sinaï à son Parlement. Le président des États-Unis en envoie une copie au chef d'État égyptien, en ajoutant que l'approbation par la Knesset d'un retrait de tous les colons du Sinaï, selon le calendrier établi par un futur traité de paix, est une condition préalable à toute négociation. Sadate écrit à Carter pour réaffirmer sa position au sujet de la Jérusalem arabe, qui «*est une partie intégrante de la Cisjordanie, la Jérusalem arabe doit être sous souveraineté arabe, et ses habitants* [avoir] *la possibilité d'exercer leur droit national légitime en tant que partie du peuple palestinien de Cisjordanie* [...] ». Begin informe le président des États-Unis que, le 28 juin 1967, la Knesset a imposé la souveraineté israélienne sur l'ensemble de Jérusalem, qui «*est une ville une, indivisible, et la capitale d'Israël*». Un point de sémantique est défini par une missive que Carter adresse au Premier ministre israélien : «*J'ai pris connaissance des points suivants dont vous m'avez informé* [dans les accord-cadres de Camp David] *: les expressions "Palestinien" et "peuple palestinien" sont et seront comprises par vous comme signifiant : "Arabes palestiniens". L'expression "Cisjordanie" est comprise par le gouvernement d'Israël comme signifiant "Judée-Samarie"*[1].»

Au sujet de Jérusalem, le président américain rappelle la position de son pays depuis juillet 1967 : les États-Unis ne reconnaissent pas l'annexion de la partie orientale de la ville par Israël.

La Knesset se réunit le 25 septembre à Jérusalem. Menahem Begin monte à la tribune. Géoula Cohen, l'ancienne speakerine de la radio du Groupe Stern durant la révolte contre les Britanniques avant la création de l'État, est la première à protester. Yitzhak Shamir, le président de séance, lui demande de déposer une question écrite. Elle refuse et, après cinq minutes, est expulsée de la salle. Le Premier ministre présente le texte des accords de Camp David. Il conclut :

«*La nation subit les contractions d'une naissance. Toute grande chose naît dans la douleur. Le plus grand miracle de l'univers, la naissance d'un homme, se fait dans la douleur. Il s'agit là du plus grand*

---

1. Ruth Lapidoth et Moshé Hirsch, *The Arab-Israel Conflict and its Resolution*, Martinus Nijhoff, Dordrecht, Pays-Bas, 1992, p. 195.

tournant [de l'histoire du Proche-Orient], *de la possibilité de conclure un traité de paix entre Israël et l'Égypte. Je ne suis pas surpris par ceux qui en souffrent, je ne me plains pas des manifestations. Tout est pardonné parce que cela fait mal. Cette paix est d'abord née de notre sang. Pour cette paix, nous avons sacrifié douze mille de nos fils, parmi les meilleurs, au cours de cinq guerres. Une guerre après l'autre, pertes après pertes. Nous voulons mettre fin à cela. C'est à présent l'occasion, la chance [de le faire]. Nous voulons conserver la vie de nos fils et celle de nos petits-enfants. Nous ne voulons pas qu'il y ait une guerre tous les cinq ans. […] Les familles endeuillées, les larmes, la douleur, la tristesse, nous voulons mettre fin à cela. Le moment est venu. Unissons-nous autour de cette possibilité de paix. Adoptons la résolution et commençons à discuter. Peut-être, avec l'aide de Dieu, pendant l'année à venir, après le nouvel an juif, nous pourrons dire : l'année de paix est arrivée, paix sur Israël[1] !* »

Shimon Pérès, le chef de l'opposition, prend la parole. Il félicite Begin et son gouvernement pour cette décision terrible et difficile, mais indispensable, qu'ils ont prise pour aller sur la voie de la paix en payant un prix qui semble exorbitant. Les travaillistes voteront pour le gouvernement. Cela n'empêche pas Pérès de critiquer la manière dont les négociations se sont déroulées, et les sacrifices que le pays va devoir faire avec les concessions territoriales énormes prévues.

Les accords de Camp David sont approuvés par 84 voix contre 19, et 17 abstentions. 7 députés du Likoud ont voté contre, notamment Ehoud Olmert, qui deviendra maire de Jérusalem dans les années 1990, Moshé Arens, un futur ministre de la Défense. Yitzhak Shamir s'est abstenu. Goush Emounim lance une offensive personnelle contre Menahem Begin. Au cours d'une manifestation devant le mur des Lamentations à Jérusalem, des militants parlent de la trahison du chef du Likoud. Le mentor du mouvement national religieux, le rabbin Tsvi Yehouda Hacohen Kook, lance des appels pour qu'Israël ne se retire pas de la région de Yamit, au sud de Gaza.

LE TRAITÉ DE PAIX

Il faut à présent négocier les termes du traité de paix avec l'Égypte. Les pourparlers s'ouvrent le 12 octobre 1978 à Blair House, la maison d'hôtes des présidents des États-Unis à Washington. Moshé Dayan, Ezer Weizman, des diplomates, des généraux, et Aharon Barak, qui

---

1. Cité par Arié Naor, *Begin Bashilton*, op. cit., p. 182.

428

a été nommé juge à la Cour suprême, mais n'assume pas encore ses fonctions, représentent Israël. Côté égyptien, Abdel Ghani el Gamasi ayant quitté ses fonctions, c'est le général Kamal Hassan Ali qui dirige les négociateurs égyptiens. La discussion se révèle stérile. Israéliens et Égyptiens ne parviennent pas à s'entendre sur un texte. En décembre, Cyrus Vance entame une navette entre Jérusalem et Le Caire, sans résultat également. Les Égyptiens exigent toujours un lien direct entre le traité de paix et la mise en place de l'autonomie en Cisjordanie, ils insistent pour que les traités de défense mutuels conclus par l'Égypte dans le cadre de la Ligue arabe aient préséance sur le traité de paix. Les autres points de désaccord sont les futures ventes de pétrole égyptien à Israël, le calendrier d'établissement de relations diplomatiques, et l'exigence égyptienne d'une présence à Gaza. Moshé Dayan et le Premier ministre égyptien Mustapha Halil ont un entretien à Bruxelles le 22 décembre, sans résultat.

Sous la pression américaine, les parties se retrouvent à nouveau à Camp David le 21 février 1979. Les chefs d'État ne sont pas là, Dayan et Halil négocient, accompagnés par leurs délégations respectives. Cyrus Vance remplace Carter. Le Premier ministre égyptien a le pouvoir de conclure un accord, mais le ministre israélien des Affaires étrangères n'a pour seul mandat que d'explorer les possibilités de progrès et d'informer Menahem Begin de l'état des négociations. Les transmissions de la délégation israélienne sont assurées par un petit groupe d'officiers, parmi lesquels un jeune capitaine. Il s'appelle Jacques Reinich (Néria). D'origine libanaise, il a immigré en Israël en 1967. Il deviendra colonel des renseignements militaires et sera le conseiller diplomatique d'Yitzhak Rabin en 1993. Le 25, Menahem Begin est invité à venir participer aux discussions par le président des États-Unis, qui voudrait organiser un sommet avec Halil. Deux jours plus tard, le gouvernement israélien refuse. Begin ne veut négocier qu'avec Sadate, personne d'autre. Seuls Ezer Weizman et Moshé Dayan approuvent cette initiative américaine.

Entre-temps, un événement fondamental a secoué le Proche-Orient. En Iran, le régime du shah a été renversé. Le 11 février, Yossef Hermelin, ancien patron du Shin Beth et ambassadeur d'Israël à Téhéran, découvre que les soldats iraniens qui gardaient son domicile ont disparu. Au cours des mois précédents, les mille cinq cents familles israéliennes qui se trouvaient en Iran ont été rapatriées en raison de l'agitation croissante et de la perspective d'un retour à Téhéran de l'ayatollah Khomeiny, exilé en France. Ce jour-là, il ne reste plus que trente-trois Israéliens sur le territoire iranien. Hermelin contacte les autorités iraniennes et reçoit des réponses évasives. L'agent de sécurité de l'ambassade l'appelle au téléphone et lui annonce que vingt mille manifestants, conduits par des militants palestiniens, prennent d'assaut l'immeuble. La communication est coupée. Les agents de sécurité israéliens parviennent à s'enfuir. Quelques minutes plus tard, l'attaché militaire israélien, le général Yitzhak Seguev, revient en voiture d'une visite à l'état-major des forces iraniennes. Il est extrêmement inquiet, car il n'a pas trouvé d'interlocuteur. La révolution islamique occupe déjà une partie du quartier général. Seguev découvre que le drapeau palestinien a déjà été hissé sur l'ambassade d'Israël.

Le plan d'évacuation d'urgence est mis en place. Hermelin, Seguev et les autres Israéliens bloqués à Téhéran se retrouvent dans un appartement discret, loué en prévision d'une situation de ce genre. Quarante-huit heures plus tard, après des négociations avec le département d'État, qui organise l'évacuation des ressortissants américains, Hermelin et ses compagnons reçoivent l'ordre de se rendre à l'hôtel Hilton, où se rassemblent les Américains. Deux Israéliens son arrêtés. Hermelin décide de révéler son identité aux Iraniens. Il a une brève conversation avec l'ayatollah Montazéri, qui promet de laisser partir le groupe. Le 18, c'est le départ vers l'aéroport en autobus. Les Américains font l'erreur de rassembler les Israéliens dans un seul véhicule. Seguev comprend le danger. Il trouve des portraits de Khomeiny, qu'il fait coller aux fenêtres. Arrivés à l'aéroport, de nouveau deux Israéliens sont arrêtés. Ils ne seront relâchés qu'après le témoignage d'un soldat qui avait assisté à la conversation avec Montazéri. L'appareil de la Pan Am atterrit tôt le matin le 19, à Tel Aviv. Vingt-cinq années d'étroites relations secrètes entre Israël et l'Iran s'achèvent[1].

Le 1er mars 1979, Menahem Begin arrive finalement à Washington pour une visite officielle, pas pour une rencontre avec des Égyptiens. Il a des entretiens difficiles avec Jimmy Carter, qui note dans son journal : «*Begin déclare que Sadate veut toujours la destruction d'Israël* […]. *Il n'a fait aucune proposition pour résoudre les problèmes. Il n'y a donc aucun progrès et la perspective paraît désolante. Sadate subit de lourdes pressions pour se retirer des négociations. Il a donné à Israël tout ce que ce dernier exigeait à l'origine, mais Israël a continué à formuler de nouvelles exigences. J'admets qu'Israël a fait également des concessions majeures* […][2].» Le président des États-Unis décide d'effectuer personnellement une tournée au Proche-Orient. Il arrive au Caire le 7 mars. Carter explique à Sadate que Begin estime avoir été

---

1. Yossef Argaman, *Zé Aya Sodi Beyoter*, Bamahané, Tel Aviv, 1990, pp.70 à 83.
2. Jimmy Carter, *Keeping Faith*, *op. cit.*, p. 415.

trop loin à Camp David, en fait beaucoup plus loin que tous les Premiers ministres israéliens qui l'ont précédé. Le président égyptien comprend qu'il faut conclure les négociations maintenant. Des élections doivent avoir lieu l'année prochaine aux États-Unis. Sadate accepte un compromis. Trente-six heures plus tard, le président des États-Unis arrive à Jérusalem. La majorité des Israéliens lui font un accueil triomphal, mais il y a également des manifestants qui protestent contre le futur retrait du Sinaï.

Américains et Israéliens commencent un véritable marathon de négociations. Le 13, l'accord semble proche. Carter repart pour Le Caire présenter le texte du traité de paix à Sadate.

La cérémonie de signature a lieu le 26 mars sur la pelouse de la Maison-Blanche. L'image restera dans l'Histoire. Menahem Begin et Anouar el Sadate se serrent la main devant Jimmy Carter, en proclamant : «*No more wars!*» (Plus de guerres!) Israël fait son entrée au Proche-Orient. Pour la première fois depuis sa création en 1948, l'État juif établit des relations avec un pays arabe.

DE NOUVEAU L'IMPASSE

Menahem Begin nomme Yossef Bourg, le ministre de l'Intérieur et président du Parti national religieux à la tête de la délégation israélienne aux pourparlers sur l'autonomie palestinienne. La quinzaine de rencontres israélo-égyptiennes, boycottées par l'OLP, ne permettra aucun progrès. Les deux conceptions de l'autonomie en Cisjordanie et à Gaza sont distantes de plusieurs années-lumière. Les Égyptiens parlent de l'autonomie de territoires, les Israéliens de l'autonomie des personnes. Cela n'empêchera pas l'application du traité de paix, à la lettre.

Menahem Begin et Ariel Sharon considèrent qu'ils ont les mains libres pour développer leur politique de colonisation en Cisjordanie. Il s'agit d'abord d'installer l'implantation d'Eilon Moreh près de Naplouse sur un site définitif. Le 7 juin, des terres appartenant à des palestiniens du village de Roujeib sont réquisitionnées. Une semaine plus tard les propriétaires font appel devant la Haute Cour de justice israélienne. Ils soumettent notamment aux juges l'avis de Haïm Bar Lev, l'ancien chef d'état-major qui affirme : «*Eilon Moreh, selon mon opinion professionnelle ne contribue pas à la sécurité d'Israël.*» Le gouvernement doit répondre. La meilleure formule serait que le ministre de la Défense en personne écrive à la Haute Cour qu'Eilon Moreh est indispensable à la sécurité d'Israël, mais Begin sait que Weizman refusera. Il lui demande donc d'autoriser Raphaël Eytan, le chef d'état-major, à déclarer l'implantation nécessaire pour des raisons militaires. Weizman laisse faire mais lance à Begin : «*Monsieur le Premier ministre, les implantations ne sont pas l'élément principal de notre sécurité!*

– Quel est cet élément?

– La paix, la puissance de notre armée et la fibre morale de notre nation[1]!»

En octobre, la Haute Cour décidera, à l'unanimité, d'annuler les réquisitions de terres du village de Roujeib et donnera trente jours à l'État pour démanteler l'implantation. Un mois plus tard, les colons d'Eilon Moreh seront installés sur une colline voisine qui, elle, n'est pas la propriété privée de Palestiniens mais appartient aux terres domaniales dont la puissance souveraine, en l'occurrence l'administration militaire, a la responsabilité. A l'avenir, le gouvernement israélien veillera à polir ses arguments avant d'établir toute nouvelle implantation.

Le 2 octobre 1979, Moshé Dayan qui, comme Weizman, estime que la politique de colonisation de Begin et Sharon est incompatible avec le processus de paix, prend la décision de démissionner. Il écrit à Ménahem Begin :

«*La semaine dernière, au cours d'une brève conversation, je vous ai exprimé mes doutes face à la manière dont se déroulent les pourparlers sur l'autonomie* [palestinienne]. *Je vous avais dit que dans ces conditions, je ne voyais pas l'utilité de ma participation au gouvernement en qualité de ministre des Affaires étrangères.* […]

« *Le problème de nos relations avec les habitants des territoires (pas avec l'OLP) a toujours constitué à mes yeux la question clef de notre existence et de notre recherche d'un règlement. Dans tous les cas, aujourd'hui, il n'y a pas de question qui soit plus d'actualité, tant pour nos affaires intérieures que notre politique étrangère. Toutes nos conversations avec les dirigeants européens, d'Extrême-Orient et surtout des États-Unis tournent autour de cette question. A mon avis, il est impossible que le ministre des Affaires étrangères assume ses fonctions comme il se doit sans être au courant, sans être parmi ceux qui décident de la politique israélienne dans ce domaine.*

«[Mon désaccord porte aussi sur la façon dont on gère] *certaines opérations que nous effectuons sur le terrain. Il est inutile que je donne plus de précisions à ce sujet.* […]. *J'ai voté contre plusieurs décisions fondamentales : la confiscation de terres* [non cultivées] *pour la création d'Elon Moreh.* […] *Lorsque les pourparlers sur l'autonomie ont*

---

1. Ezer Weizman, *The Battle for Peace, op. cit.*, pp. 229-230.

débuté, je me suis dit que je faisais peut-être erreur et que mon analyse, selon laquelle les négociations menées ainsi ne pouvaient aboutir, serait fausse.

«*Quatre mois ont passé depuis le début des négociations et, à mon grand regret, je constate que les discussions qui se déroulent actuellement sont inutiles. Dans tous les cas, que j'aie raison ou non, ma vision des choses m'empêche de participer au gouvernement.* […] » Dayan annonce qu'il a l'intention de quitter ses fonctions après sa participation à des conférences à Strasbourg et au Mexique[1].

Il souffre d'un cancer à l'intestin. Au cours d'une conférence de presse, quelques jours plus tard, en annonçant son départ des Affaires étrangères, il raconte un rêve qu'il a déjà publié dans un article de *Yediot Aharonot* : «*J'escalade la colline en fuyant quelque chose qui me poursuit. En haut, je sais que je trouverai la sécurité. Au sommet se trouve le cimetière de Nahalal. A gauche, il y a le mont Shimron; à droite, Migdal Haemek. J'arrive dans une forêt, à l'entrée cachée d'une grotte. Je m'étends sur le sol, je ferme les yeux, savourant le calme, le repos que j'ai tant recherché.* […] *Je sais que ce n'est pas la caverne elle-même qui m'assure la sécurité mais mon repos, le fait que je sois étendu à même le sol* […] *Ne pas penser; seulement sentir la terre; entendre les sons assourdis qui viennent du dehors.*» Dayan mourra, terrassé par la maladie, en octobre 1981. En désaccord total avec Menahem Begin, Ezer Weizman démissionnera du gouvernement le 28 mai 1980. Après avoir mis sur pied une liste indépendante, il fera alliance avec le Parti travailliste.

L'impasse dans le processus de paix, la politique d'implantation du cabinet Begin sont au centre du débat national. Dans le quotidien *Haaretz*, le grand historien israélien, Yaacov Talmon, publie une lettre ouverte à Menahem Begin :

«[…] *Qui parle de la nécessité de dominer un autre peuple pour des raisons de sécurité abuse son public. Occuper par la baïonnette, c'est rester sur un volcan, une source d'insécurité, de terreur permanentes. L'hostilité des révoltés de la population dominée, soutenue par des dizaines de millions de l'autre côté de la frontière, neutralise et annule chaque grain de sécurité que peut accorder (à une époque de missiles à longue portée et de bombardiers supersoniques) telle colline, telle rivière, tel détroit ou marais. Il y a quelque chose de repoussant et de cynique dans la façon dont ont proclame que "les implantations sont*

---

1. Moshé Dayan, *Ha Lenetzakh, op. cit.*, p. 243.

433

importantes car elles établissent le fondement d'une coexistence [avec les Palestiniens]" alors que chacun sait que, au yeux des Arabes, chaque implantation est une autre étape de l'opération d'expropriation et d'occupation rampante. La dévalorisation que subit l'image du judaïsme par ce double langage et ces faux-fuyants ne [nous] apporte ni honneur ni sécurité.

«Le monde n'est pas idiot. Il n'accepte pas l'explication selon laquelle plusieurs caravanes sur une colline rocailleuse bloqueront la voie à une armée moderne ou, la dissuaderont. Les historiens savent ce qu'il est arrivé à la ligne Maginot, à la ligne Siegfried, et même à la ligne Bar Lev. […] Cela ne veut pas dire qu'il soit interdit de discuter des frontières, surtout si les rectifications de frontière n'entraînent pas la domination d'une population étrangère comme à l'époque du féodalisme. […]

« Toute déclaration sur la sainteté de la terre et de certains lieux géographiques nous ramène à l'époque du fétichisme. […]

« Monsieur le Premier ministre, l'idée d'autonomie, de la manière dont vous la présentez, est une notion archaïque, une manœuvre destinée à fermer le bec des goyim. Quiconque sait quelque chose sur l'histoire des empires multinationaux du début du siècle, des Habsbourg ou des Romanov, ne peut qu'être accablé de trouver cette dernière découverte tirée de ce tas de débris de l'histoire. La dernière tentative autrichienne dans le domaine de l'autonomie […] ce fut à Sarajevo, l'ouverture sur la plus grande catastrophe de l'histoire jusqu'alors. […]

« L'idée d'autonomie personnelle que vous avez tirée des Autrichiens n'a jamais été proposée en qualité de fin en soi, mais comme supplément à une autonomie territoriale. Elle a été offerte aux diasporas d'entités territoriales ethniques. […] Je n'arrive pas à imaginer qu'une population quelconque accepte une autonomie personnelle sans assemblée législative et se contente d'un conseil administratif dépendant de l'exécutif du peuple [étranger] souverain.

«L'histoire fourmille d'exemples de proclamations d'indépendance par des assemblées législatives comme celle-ci. Lorsque cela arrivera, enverrons-nous des soldats disperser cette assemblée ? allons nous traduire en justice ses membres, sous l'accusation de haute trahison ? […]

« Quiconque déclare qu'Israël ne pourra pas se défendre sans les territoires occupés […] dit en fait qu'il ne pourra pas, non plus, se défendre dans les frontières élargies. Les différences en espace et en topographie ne sont pas significatives. Le Jourdain est-il aussi large que la Volga ou le Mississippi ? Les monts de Naplouse sont-ils aussi hauts que l'Himalaya ? Qui se souvient de la déclaration [de Dayan] qu'il vaut mieux Charm El Cheikh sans la paix que la paix sans Charm

El Cheikh ? Le véritable danger à l'existence de l'État d'Israël, c'est la tentative sisyphienne pour assujettir les Palestiniens. Aveugle est celui qui ne voit pas qu'une guerre de races nous menace[1].»

Talmon ne peut pas savoir que des éléments au sein du Mossad préparent une aventure qui débouchera sur une nouvelle guerre, au Liban cette fois, deux années plus tard. Le service de renseignements dispose, en liaison avec les phalangistes qui ont liquidé leurs rivaux chamounistes, d'une antenne à Jounieh, le port chrétien au nord de Beyrouth. Les livraisons d'armes se font au large. Régulièrement, du matériel – des armes lourdes, des munitions, des chars de fabrication soviétique capturés par Tsahal en 1973 – est transbordé d'un navire israélien à une péniche des forces chrétiennes. Une véritable navette qu'empruntent des agents secrets, des hauts fonctionnaires, des instructeurs israéliens. Le patron du Mossad, Yitzhak Hofi n'est pas un chaud partisan de cette alliance naissante, au contraire de son adjoint, David Kimhi qui, depuis 1967, a fait une brillante carrière au Mossad. Un certain «Shmoulik», responsable du bureau libanais court-circuite sa hiérarchie et, en liaison avec Kimhi, renforce les liens avec Bachir et sa milice.

Hofi entre dans une colère noire et, le 8 avril 1980, limoge Kimhi dont il n'apprécie pas certaines initiatives dangereuses comme d'aller rendre visite à Pierre Gemayel dans son village, à huit cents mètres des lignes syriennes. Menahem Navot, surnommé Nahik, le remplace. Il se laissera prendre au piège libanais et resserrera encore plus les liens avec Bachir Gemayel et ses Forces libanaises[2].

Le 2 mai 1980, un vendredi soir, un groupe d'habitants juifs de Hébron tombe dans une embuscade tendue par un commando du Fatah, en plein cœur de la ville des patriarches. Six d'entre eux sont tués. Parmi les victimes se trouve Elie Mahon, un Américain de trente-deux ans, ancien GI, héros de la guerre au Vietnam, ex-agent du FBI. Converti au judaïsme, il avait changé son nom en Elie Hazeev (Élie le Loup) et rejoint le mouvement raciste de Méir Kahana. Les militants kahanistes se déchaînent dans les rues de Hébron, tirant des rafales en direction des maisons arabes. Les quatre hommes du Fatah seront capturés quelques jours plus tard par le Shin Beth.

A Kyriat Arba, plusieurs militants de Goush Emounim se réunissent secrètement pour préparer des représailles antiarabes. Exactement trente jours après l'attentat, des charges explosent aux domiciles de

1. *Haaretz*, 31 mars 1980.
2. *Haaretz*, supplément, 3 janvier 1997.

435

Bassam Shaka'a, le maire de Naplouse, et de Karim Khalaf. Tous deux perdent leurs jambes. Une bombe est découverte au domicile d'Ibrahim Tawil, le maire d'El Bireh, elle explose au moment où un artificier de la police israélienne tente de la désamorcer. Le policier est gravement blessé à la tête. Il restera aveugle. Les notables palestiniens visés sont membres du Comité national de guidance, Israël découvre qu'un réseau terroriste juif est passé à l'action.

Malgré tout, Israël-Palestine

En coulisse, Bruno Kreisky, le chancelier autrichien, et son ami Karl Kahana poursuivent leurs efforts pour encourager le dialogue entre l'OLP et la gauche israélienne. Le 23 septembre 1980, un responsable du mouvement La Paix maintenant, Daddi Tzucker, rencontre Issam Sartaoui dans le bureau de Kahana à Vienne. Le dirigeant palestinien enverra le rapport suivant à Yasser Arafat :

«*Tzucker m'a expliqué que les responsables de son mouvement ne voulaient pas se retrouver complètement isolés sur la scène politique israélienne, renouveler ce qui est arrivé au petit parti de gauche, Sheli. Ils veulent aller au même rythme que leurs supporters, surtout pas les devancer. Le mouvement pour la paix a une grande importance. Il me fait penser aux Panthères noires sépharades qui furent l'expression d'un besoin populaire, mais dont le leadership a fini par disparaître. Je crains que La Paix maintenant connaisse le même sort. Les masses qui le soutiennent expriment deux choses : elles veulent la paix et trouvent que les institutions israéliennes existantes n'expriment pas ce besoin. Tzucker demande à la direction palestinienne de prendre des décisions positives importantes avant les élections en Israël, pour influencer les partis politiques, notamment les travaillistes. Nous avons parlé de la proposition de réunir quinze personnalités palestiniennes des terri- toires avec quinze membres de La Paix maintenant afin de publier une déclaration conjointe, mais le cas de Bassam Shaka'a a rendu la chose impossible. Ils demandent si nous pouvons y repenser. J'ai mentionné la déclaration de Michaël Bruno, un responsable de La Paix maintenant au* New York Times. *Il affirmait qu'il n'y avait pas de mouvement palestinien pour la paix. J'ai expliqué à Tzucker qu'il se trompait, je lui ai dressé l'historique de notre mouvement. Ce genre de déclaration est regrettable. Tzucker a proposé de publier en Israël un livre sur les efforts des Palestiniens vers la paix. Il a dit : "Nous avons une certaine somme d'argent en banque, destinée à des opérations d'information. Nous sommes prêts à la dépenser dans un projet de ce genre, à condi-*

tion que nous fournissions le matériel." Je vais l'envoyer à Youli Tamir à Paris. J'ai expliqué à Tzucker que nous avons un accord avec les Quakers américains pour publier un livre de ce genre, mais il vaut mieux que ce soient les Israéliens qui le fassent, quitte à le traduire par la suite.

«Tzucker a demandé que des personnalités palestiniennes de l'intérieur publient des articles modérés dans la presse israélienne et palestinienne. Il a cité Zyad Abou Zayad. Il voudrait par ailleurs que le président Arafat publie une déclaration relevant les points positifs dans la position du Parti travailliste. Selon lui, ce serait un signe de crédibilité de l'OLP. Je lui ai répondu que nous refusons de donner de tels signaux au Parti travailliste, car nous considérons sa position comme franchement mauvaise. Nous sommes tombés d'accord sur la nécessité de poursuivre le dialogue, notamment avec Youli à Paris. Tzucker estime qu'il serait important que je rencontre d'autres responsables de La Paix maintenant. Une telle réunion pourrait avoir lieu à Vienne. Nous n'avons pas évoqué le fond des problèmes politiques.»

Sartaoui ajoute un post-scriptum à sa lettre : «*Kreisky est extrêmement satisfait de cette rencontre. Il propose que la prochaine se déroule dans son institut à Vienne, cela garantirait le secret et la sécurité*[1].»

Il n'y aura pas de nouveau rendez-vous entre Tzucker et Sartaoui. Certains responsables de La Paix maintenant réagissent très mal au rapport qu'il leur présentera à son retour en Israël. L'idée de contacts avec l'OLP suscitera une cassure parmi les chefs du mouvement, qui sera paralysé pendant de longs mois.

MANŒUVRES ÉLECTORALES

19 février 1981, Israël est entré en période électorale. Sa coalition agitée par des crises régulières, Menahem Begin a fini par décider l'autodissolution du Parlement qui est votée par une large majorité. Les élections auront lieu le 30 juin. Shimon Pérès a le vent en poupe. Au mois de novembre, il a été réélu à la tête de son parti avec plus de 70 % des voix de la convention travailliste. Les sondages le donnent gagnant face au Premier ministre. Tout laisse à penser que le pays va connaître un nouveau changement de pouvoir. La situation économique se détériore. Le ministre des Finances Yigal Horowitz a démissionné en janvier. L'inflation atteint les 100 % par an. L'État est obligé de réduire les

1. Archives personnelles.

aides aux denrées de bases. Le processus de paix est dans l'impasse. Le candidat travailliste est persuadé qu'il sera le prochain Premier ministre. Il se prépare à prendre les rênes de l'État. De Paris, son ami, Jean Frydman, l'aide et le soutient. Cet homme d'affaires franco-israélien, qui fut un des plus jeunes résistants de France, est proche du pouvoir. Il a d'excellents contacts au Maroc. A la demande de Pérès, il fait savoir au cabinet de Hassan II que le chef de l'opposition israélienne aimerait rencontrer le roi. Le leader travailliste se rend d'abord à Londres le 17 mars où une personnalité de la communauté juive britannique lui a arrangé une entrevue avec le prince héritier de Jordanie, du moins, c'est ce qu'il croit.

Le dîner se déroule au domicile de Lord Sieff, un des propriétaires de Mark's and Spencer. Frydman et Al Schwimmer, le directeur des Industries aéronautiques d'Israël et ami de Pérès, sont à ses côtés à table. Les Israéliens n'arrivent pas à reconnaître leur interlocuteur. Il ne ressemble pas à Hassan, le prince héritier de Jordanie. Après quelques minutes de conversation, ils découvrent en fait qu'il s'agit en fait du prince Mohamed, le second frère de Hussein. Menahem Begin fera le lendemain, dans les couloirs de la Knesset, des gorges chaudes de la mésaventure de son challenger. Pendant ce temps, en compagnie de son jeune assistant Yossi Beilin et de Jean Frydman, Pérès est parti pour Marrakech où l'attend Hassan II.

Le souverain chérifien reçoit Pérès et Frydman à 1 heure du matin. C'est le chef de la sécurité marocaine, le général Dlimi qui les conduit au palais royal.

«*Monsieur Pérès, bonjour,* commence le roi. *Je suis heureux de vous rencontrer. Je tiens à vous dire que j'ai un sentiment particulier pour les Juifs. Ma nourrice était juive et mon père m'a appris que cela portait malheur que de faire du mal aux Juifs. Dieu ne le permet pas. J'écarte toute idée antijuive et l'Arabe que je suis peut-il être antisémite? Le rêve de ma vie, c'est de faire la paix entre Israël et la Palestine et de régler le problème de Jérusalem. S'il y a la paix, le Proche-Orient sera une oasis de paix et de prospérité, une zone de développement, un exemple pour le monde entier. Je ferai tout pour vous aider. Bien entendu, cela passe par l'établissement d'une entité palestinienne. Je ne discute pas du problème des frontières que vous devez régler avec ceux qui vivent sur le même palier que vous.*

«*Je sais, monsieur Pérès, que vous êtes pour la paix. Nous devons établir une ligne de contact permanente. Je suis prêt à mettre mon titre religieux et politique au profit de cette paix si c'est nécessaire. Je connais l'importance qu'ont mes anciens sujets marocains dans la vie et la construction d'Israël. C'est, pour moi, un sujet de fierté...*

« – *Je connais le rôle que vous jouez dans le monde arabe*, souligne Shimon Pérès. *Vous êtes aussi le président du comité Al Quds* [Jérusalem en arabe]. *J'ai quelques idées à vous soumettre. Nous ne voulons pas diviser Jérusalem mais je comprends qu'il faut une présence arabe dans la ville. Que diriez-vous d'une présence militaire sous le drapeau de l'Arabie Saoudite et du Maroc sur les Lieux saints musulmans ?* [...] *Il serait possible de vous donner une route qui viendrait de Jordanie ou de Haïfa ; voire un aéroport qui servirait aux pèlerins musulmans et serait situé au sud de Jérusalem, la route étant sous votre contrôle* [...] »

Hassan II, visiblement surpris par la proposition de Pérès : «*Je vois que vous avez beaucoup pensé au problème de Jérusalem. C'est un bon point de départ. Nous devons maintenir les contacts.*»

L'audience est terminée. Il est 2 h 30 du matin. Dlimi raccompagne Pérès et Frydman qui retrouvent Beilin. Le chef de la sécurité marocaine les invite à assister à un spectacle de danseuses du ventre. Ils repartent pour Paris à bord de l'avion royal, à 10 heures du matin.

Le leader travailliste retrouve la chaude campagne électorale qui se déroule en Israël. Begin fait feu de tout bois. Pérès est sa tête de Turc. L'électorat du Likoud l'écoute. Les meetings électoraux travaillistes sont chahutés. Le slogan du Likoud est une forme d'accusation : «*Voter pour Shimon Pérès, c'est voter pour un État palestinien dirigé par Yasser Arafat*». Au même moment, la tension entre Israël et la Syrie monte à nouveau en raison de la crise libanaise. Begin lance des avertissements que la foule accueille par des applaudissements : «*Hafez el Assad, prends garde à toi!*» Le nouveau ministre des Finances, Yoram Aridor, pratique une politique électoraliste, réduit de 40 à 50% les taxes sur l'électroménager et les voitures. Le public se rue dans les magasins. Le soutien à Pérès est en baisse.

Le 8 juin, en pleine fête juive de Shavouot, la radio israélienne annonce que l'armée de l'air a détruit le réacteur nucléaire irakien. L'opération a en fait eu lieu la veille mais, les Irakiens ne s'étaient pas pressés de la révéler. La centrale atomique avait été fournie à l'Irak de Saddam Hussein par la France. François Mitterrand, élu à l'Élysée quelques semaines plus tôt, avait promis à son ami Shimon Pérès que Bagdad ne recevrait pas la quantité d'uranium nécessaire à la fabrication de l'arme atomique. En fait, le leader travailliste était au courant de l'imminence de l'opération israélienne. Il avait secrètement demandé à Begin de la reporter afin de laisser un délai au président français. Il condamne le raid ce qui, du point de vue électoral, s'avère désastreux.

Begin continue sur sa lancée. Le 14 juin, au cours d'un meeting électoral à Netanya, il lance une nouvelle mise en garde à Hafez el Assad : «*Assad! Prends garde! Yanoush et Rafoul sont prêts!*» Yanoush, c'est le général Avigdor Ben Gal, commandant la région militaire nord et Rafoul, n'est autre que Raphaël Eytan, le chef d'état-major. Ce soir-là, le Premier ministre israélien annonce que Philip Habib, l'émissaire américain, est attendu en Israël et qu'il va lui demander : «*Allez-vous faire évacuer les missiles syriens du Liban ou non? Parce que, si vous ne le faites pas, c'est nous qui allons le faire!*» La foule adore. La campagne est de plus en plus violente. Pérès et les leaders travaillistes sont accueillis à coups de tomates dans certaines localités. La rupture entre le judaïsme oriental, les sépharades, et les originaires d'Europe, les ashkénazes, est de plus en plus profonde. Mordehaï Gour, l'ancien chef d'état-major qui est devenu un dirigeant du Parti travailliste, lance à des jeunes venus le chahuter : «*Nous allons vous battre comme nous avons battu les Arabes!*»

Le 30 juin, l'Israël sépharade et les couches défavorisées votent massivement pour la droite. Le Likoud passe de 43 à 48 sièges; les travaillistes remportent un succès certain, de 32 députés en 1977, ils passent à 47. Pas assez pour revenir au pouvoir. Il y a 75 000 voix de différence. Une ultime humiliation n'est pas épargnée à Shimon Pérès. Durant la nuit électorale, le sondage de sortie des urnes de la télévision israélienne l'avait donné vainqueur pendant quelques heures. Jusqu'à 1 heure du matin, il a fêté sa victoire avant d'aller se coucher, vaincu.

Menahem Begin forme un nouveau gouvernement, résolument à droite. Ariel Sharon réalise son rêve. Il est ministre de la Défense.

BOMBARDEMENTS

A la frontière israélo-libanaise, les accrochages se multiplient. L'OLP lance des raids contre des localités de Galilée, qu'elle bombarde à la roquette. Tsahal riposte par des opérations dans la profondeur du territoire libanais. L'émissaire américain, Philip Habib, parvient à négocier un premier cessez-le-feu pendant six semaines. Lorsqu'il expire, le 10 juillet, Israël reprend ses raids aériens contre des positions palestiniennes. L'OLP réagit par des tirs de roquettes sur Naharya, une station balnéaire. Sharon persuade le gouvernement de porter un grand coup. Le lendemain, le quartier général de l'OLP à Beyrouth subit un bombardement massif. Il y a plus de cent morts et six cents blessés. L'organisation palestinienne lance des roquettes tout le long de la frontière. En Haute-Galilée, la ville de Kiryat Chmona est paralysée, abandonnée par une partie de ses habitants qui réclament une solution rapide à la crise. Grâce à l'intervention de l'Arabie Saoudite, Philip Habib conclut un accord de cessez-le-feu en bonne et due forme entre le cabinet Begin et l'OLP.

En Israël, des intellectuels interpellent Menahem Begin. Le professeur Zeev Sternhell, de l'Université hébraïque de Jérusalem, qui revient d'une période de réserve, écrit une lettre ouverte au Premier ministre :

«L'ancien commandant de l'Irgoun est Premier ministre et le ministre des Affaires étrangères a, dans le passé, dirigé le Groupe Stern. Il semble que les mêmes méthodes utilisées à l'époque pour faire sauter le King David à Jérusalem, ou déposer des bombes à Haïfa ou assassiner Bernadotte sont encore valables. Votre politique est fondée sur la croyance naïve en la force de la terreur pour régler les problèmes du sionisme. [...] Il n'y a pas de solution militaire au problème qui existe à la frontière nord, si ce n'est la conquête de la moitié du Liban. [...] Personne ne croit qu'il soit possible de faire taire les organisations terroristes à l'aide de l'artillerie, des vedettes lance-missiles, et de l'armée de l'air. Les dommages causés aux unités de l'ennemi sont sans commune mesure avec les avantages politiques énormes que les terroristes retirent en étant les victimes des attaques israéliennes. Grâce à vous, l'OLP bénéficie d'un prestige sans précédent. A cause de vous, Israël est isolé comme il ne l'a jamais été. Un petit pays courageux et pionnier apparaît à présent aux yeux de ses meilleurs amis comme une entité bizarre, parfois déséquilibrée, parfois effrayante [...][1].»

Begin répond le lendemain :

«Monsieur Sternhell, vous et vos amis du parti travailliste et de La Paix maintenant, vous m'avez envoyé une lettre qui, bien qu'elle ait été rédigée par des intellectuels, est remarquable par sa vulgarité. [...]. Je me demande, monsieur Sternhell, ce qui vous autorise à vous arroger le monopole du titre "intellectuel".» Le Premier ministre donne ensuite une liste de professeurs appartenant au camp de la droite. Il accuse la gauche d'un double langage et énonce une longue liste d'opérations militaires et de tirs d'artillerie contre des objectifs civils arabes, en Jordanie, en Syrie, exécutés à l'époque des gouvernements travaillistes.

«[Les] gouvernements travaillistes avaient une politique de représailles systématique contre les populations civiles arabes, utilisant l'armée de l'air contre les infrastructures civiles. Monsieur Sternhell, avez-vous, à l'époque, jamais protesté face aux massacres de populations innocentes ? En l'occurrence, notre armée de l'air n'a pas bombardé Beyrouth. Ce sont les Syriens et les hommes d'Arafat qui ont bombardé cette belle ville. L'armée de l'air israélienne n'a attaqué que les postes

---

1. *Haaretz*, 3 août 1981.

de commandement des organisations d'assassins d'où venaient les ordres de bombarder Kiryat Chmona et Naharya et Metoulla à la roquette de Katiousha et aux canons de 135 mm [...][1].»

Le 6 octobre 1981, dans la cité Nasser, un faubourg du Caire, Anouar el Sadate en grand uniforme assiste à la parade du huitième anniversaire de la guerre d'Octobre. Le vice président Husny Moubarak est à ses côtés. Le défilé se déroule sans incident jusqu'au moment où des soldats armés de kalachnikov sautent d'une pièce d'artillerie autotractée et se dirigent vers la tribune. Ils lancent des grenades et tirent des rafales en direction de Sadate qui, abasourdi, se lève en murmurant : «*Ce n'est pas logique! Ce n'est pas logique!*» Atteint d'une balle dans le cou, il s'effondre, mourant. Le chef du commando islamiste, un lieutenant de vingt-quatre ans, Khaled Ahmed Shaouki el Islambouli, s'approche de l'estrade en vidant son pistolet mitrailleur. Il aperçoit Moubarak et appuie sur la gâchette mais son chargeur est vide. Il s'apprête à s'enfuir lorsqu'un de ses camarades le rejoint et crible de balles Sadate sans apercevoir le vice-président qui a la vie sauve. Quelques mètres plus loin, Moshé Sasson qui a remplacé Eliahou Ben Elissar au poste d'ambassadeur au Caire est plaqué au sol par son garde du corps israélien. En rampant, il parvient à quitter l'estrade. L'attentat a duré soixante secondes.

Les obsèques ont lieu trois jours plus tard. Le seul dirigeant arabe qui y assiste est le président soudanais Jaafar el Noumeiri aux côtés de nombreuses personnalités occidentales : le président François Mitterrand, le chancelier Helmut Schmidt, les anciens présidents américains, Nixon, Ford et Carter, le prince Charles de Grande-Bretagne. Menahem Begin a tenu à assister aux funérailles de celui qu'il appelle «*Mon ami, mon partenaire dans la paix*». Il a un entretien avec Husny Moubarak qui assume le pouvoir et lui promet qu'Israël tiendra ses engagements. Le Sinaï sera évacué comme prévu le 26 avril 1982. Les habitants du Caire ne se pressent pas sur le passage du cortège. Sadate avait perdu sa popularité. Islambouli et quatre de ses camarades seront condamnés à mort. Leur exécution aura lieu le 15 avril 1982.

1. *Haaretz*, 4 août 1981.

CHAPITRE 9

Guerre au Liban. Cuisine à Paris
janvier 1982-juillet 1986

Parallèlement à sa politique activiste au Sud-Liban, Ariel Sharon lance une autre forme d'offensive contre l'OLP. En novembre 1981, il met en place une administration civile de la Cisjordanie et de Gaza. Le terme est impropre, il s'agit d'une administration militaire destinée à être appliquée à des civils. Un coordinateur est nommé à sa tête : Menahem Milson, dont le principal objectif est la création d'un leadership palestinien local, alternative à l'OLP. Il a porté son choix sur la Ligue des villages, une association de modernisation rurale dirigée par Mostafa Doudine, un ancien ministre jordanien, qui accepte de jouer le jeu. Pratiquant la politique de la carotte et du bâton, il boycotte les municipalités pro-OLP et encourage celles qui sont membres de la ligue. Les réseaux du Fatah se mobilisent et attaquent ceux qu'ils considèrent comme des collaborateurs de l'ennemi. L'initiative, condamnée par l'ensemble du monde arabe, sera enterrée en mars 1982 par le Premier ministre jordanien qui publiera un décret punissant de la peine de mort tout membre de la ligue.

Alors que sa politique en Cisjordanie et à Gaza fait long feu, Sharon prépare une opération bien plus importante contre l'OLP. Le 12 janvier 1982, à 1 heure du matin, l'hélicoptère d'Ariel Sharon atterrit près de la centrale électrique de Jounieh au nord de Beyrouth. Bachir Gemayel l'accueille. C'est la première visite d'un ministre de la Défense israélien dans le camp chrétien au Liban. A son jeune interlocuteur, il explique qu'il est venu discuter de principes : «*Israël préfère trouver une solution politique* [à] *ses problèmes* [...] *avec les chrétiens du Liban, une solution avec la participation américaine. Mais des développements régionaux et la poursuite des opérations des terroristes palestiniens contre Israël et contre les objectifs juifs dans le monde, à*

443

*l'encontre des accords conclus par l'intermédiaire de Philip Habib,
risquent de créer dans un avenir proche, peut-être dès l'été prochain,
une situation qui amènerait Tsahal à détruire l'infrastructure des terroristes au Liban. [...]. Il est trop tôt pour définir un plan d'action
commun mais il m'est important de quitter le Liban en sachant exactement ce que vous voulez et pouvez faire si Tsahal intervient au Liban et
parvient jusqu'aux faubourgs de Beyrouth. [...] La libération de
Beyrouth est votre problème. Si vous utilisez cette occasion historique
pour réaliser vos rêves, faites-le, sinon, vous le regretterez. Nous ne
nous battrons pas à Beyrouth. [...] A partir de maintenant, nous allons
resserrer notre coopération. Ce n'est que ma première visite.»*

Bachir Gemayel est relativement satisfait. Il remercie Sharon et lui
dit que c'est la première fois qu'un dirigeant israélien parle aussi clairement. Il ajoute que pour le Front libanais qu'il dirige, la principale des
priorités est de libérer du contrôle syrien les chrétiens du Liban. Cela
permettrait une continuité territoriale chrétienne, du mont Liban jusqu'à Beyrouth. «*Si nous attaquons à Beyrouth comme vous le suggérez,
nous serons obligés d'utiliser la majeure partie de nos forces pendant
que vous, les Israéliens, serez occupés à faire la guerre aux terroristes;
la région de Jounieh sera sans défense. Il faut prendre tout cela en
considération. Si nous opérons à Beyrouth, vous devrez défendre avec
nous l'enclave chrétienne du Nord-Liban.*»

Bachir annonce qu'il pourrait être candidat à la présidence de la
République libanaise mais que cette affaire s'annonce difficile car pour
faire voter les députés, il faudrait les amener au Parlement dont les
accès sont bloqués par les Syriens. Sharon décide que la question sera
étudiée par le Mossad, qui est le service israélien chargé du contact permanent avec les chrétiens. Le ministre israélien est accompagné du chef
d'état-major adjoint, le général Moshé Lévy, qui voudrait que les relations s'élargissent aux autres formations chrétiennes au Liban. Le chef
des renseignements militaires, le général Yehoshouha Saguy, est là également. Au fil des semaines, il deviendra un opposant à l'accord avec
Bachir Gemayel. Le commandant des parachutistes, le général Amos
Yaron, et le général Abraham Tamir participent à la visite qui se termine
dans la soirée[1].

Le Mossad installe une antenne permanente au Liban. Des officiers
supérieurs israéliens viennent régulièrement discuter de leurs plans de
guerre avec Bachir Gemayel et son équipe. Un soir, à Beit Mery, un

---

1. Shimon Shiffer, *Kadour Sheleg*, Yediot Aharonot, Tel Aviv, 1984, pp. 11 à 13. Avec la
permission de l'auteur.

village situé sur une colline à quelques kilomètres à l'est de Beyrouth, Sharon et Saguy ont une discussion avec Bachir Gemayel :

– Saguy : «*Est-ce que vous savez ce qu'est une guerre ? Vous recevrez Beyrouth, mais la ville sera détruite. Est-ce que vous comprenez cela ?*»

– Bachir Gemayel : «*Nous sommes prêts à tout. L'essentiel, c'est que je devienne président !*»

– Sharon : «*Je ne rentrerai pas dans le détail de nos projets parce que nous n'avons pas encore pris de décisions définitives. Il est trop tôt pour en parler. Mais une chose est sûre : lorsque le moment sera venu, nous ne nous arrêterons pas sur la rivière Litani ni sur le Zaharani. Nous allons continuer vers le nord pour parvenir sur la route côtière, prêt de Beyrouth et, comme je vous l'ai dit, vous aurez l'occasion historique de conquérir la ville. Cette visite m'a appris que la position la plus importante pour contrôler Beyrouth, c'est le secteur du palais présidentiel et du ministère de la Défense à Baabdeh. De là, il est possible de contrôler l'axe Beyrouth-Damas, très tôt dans les combats. Une situation sera donc créée où Beyrouth sera encerclé et où vous pourrez commencer l'opération de nettoyage des terroristes et de ceux qui les aident*[1].»

Bachir Gemayel ne rejette pas l'idée de l'intervention de ses forces pour conquérir Baabdeh mais, dit il : «*Je ne pense pas que nous ayons les capacités de le faire.*»

Sharon insiste : «*Nous ne rentrerons pas à Beyrouth à votre place. Nous ne pourrons pas expliquer au public israélien et au monde une telle opération. Beyrouth, c'est votre problème. Nous vous aiderons à tenir vos lignes dans d'autres secteurs en faisant intervenir notre aviation, notre artillerie si elle se trouve à une portée suffisante. Vous aurez les moyens de transmissions nécessaires et cela, uniquement s'il y a un réel danger pour l'existence de votre enclave, si vous ne parvenez pas à repousser les attaques de l'ennemi*[2].»

Sharon envisage également un débarquement de Tsahal par la mer, au nord de Beyrouth, à Jounieh. Bachir Gemayel explique qu'une telle opération risque, en dévoilant sa collusion avec les Israéliens, de porter atteinte à ses chances d'être élu président du Liban. Il laisse entendre que les Syriens, les musulmans libanais, le monde arabe pourraient décider sa perte. Au cours de sa visite, le ministre israélien rencontre

1. Thèse de Jacques Reinich (Néria), «Bachir Gemayel et son époque», Université de Tel Aviv, septembre 1986, pp. 377 et 378. L'auteur cite une interview avec Yehoshouha Saguy et Shimon Schiffer, *Kadour Sheleg*, p. 17 ; et Zeev Schiff et Ehoud Yaari, *Milhemet Sholal*, *op. cit.*, p. 99.
2. Jacques Reinich (Néria), «Bachir Gemayel et son époque», *op. cit.*, p. 378.

Pierre Gemayel, le chef historique des Phalanges, et Camille Chamoun, l'ancien président. Gemayel le remercie pour l'aide qu'Israël apporte aux chrétiens. «*Notre avenir*, dit il, *dépend de notre coopération avec Israël.*» Sharon décrit l'opération qu'il envisage de réaliser au Liban. Pierre Gemayel lui répond : «*Jamais, nous les chrétiens, nous ne pourrons faire la paix avec vous. Nous avons des engagements envers le monde arabe. Il ne faut pas que les musulmans* […] *nous considèrent comme des traîtres, comme le commandant Haddad* [qui dirige la milice pro-israélienne au Sud-Liban][1].» Saguy, exprimant ouvertement la méfiance qu'il éprouve à l'encontre de Gemayel, se tourne vers Sharon et lui dit en hébreu : «*Vous voyez, j'ai raison : quoi que nous fassions pour eux, en fin de compte, ils se tourneront vers le monde arabe!*»

Paradoxalement, c'est Ariel Sharon, le principal partisan de la politique d'implantation des gouvernements Likoud, qui, en sa qualité de ministre de la Défense, dirige l'évacuation des implantations israéliennes de la percée de Rafah, au sud de Gaza. Pour l'extrême droite et Goush Emounim, l'événement doit traumatiser le public israélien. Il ne faut pas que l'expulsion des colons de la région constitue un précédent. L'opération débute le 26 février 1982. La plupart des habitants juifs s'en vont sans résister. A Yamit, quelques irréductibles se battent avec les soldats. Un affrontement entre Israéliens qui laisse un goût amer à tous ceux qui y ont participé. Un jeune militant du Likoud menace, en compagnie de quelques camarades, de se suicider en se jetant du haut du monument aux morts. Il s'appelle Tsahi Hanegbi. Il est le fils de Géoula Cohen et d'un camarade de combat de Shamir. Finalement, le retrait s'effectue sans victimes. Sharon ordonne la destruction totale de Yamit.

En Israël, les analyses sur l'attitude de Bachir Gemayel, en cas d'opération au Liban, varient d'un service de renseignements à l'autre. Le Mossad qui a fait des relations avec les Forces libanaises chrétiennes son projet prioritaire, explique aux dirigeants israéliens que le jeune Gemayel est un allié sûr, qu'il fera son possible pour aider Tsahal. Les renseignements militaires estiment exactement le contraire. Yehoshouha Saguy et ses hommes répètent à qui veut les entendre que Bachir Gemayel ne fera rien qui puisse réduire ses chances d'être élu président du Liban.

---

1. Interview de Pierre Gemayel, par l'auteur, radio israélienne en français, Beyrouth, 23 juin 1982. Il a assuré l'auteur qu'il avait répété ces mêmes arguments à Ariel Sharon à plusieurs reprises, notamment dès leur première rencontre.

LA GUERRE ANNONCÉE

L'imminence d'une grande opération israélienne au Liban est un secret de Polichinelle en Israël. Le 26 mars, Haaretz publie un article de Yoel Marcus. Sous le titre : « La guerre inévitable », il avertit : « *Le danger de guerre, au lieu de se réduire, grandit. La raison d'une offensive peut être une opération terroriste au cours de laquelle des Israéliens seraient touchés.* [...] »

En avril, se déroule un débat au domicile de Begin à Jérusalem. Quelques ministres, Raphaël Eytan, plusieurs généraux, Yehoshouha Saguy, le chef des renseignements militaires, Yitzhak Hofi, le patron du Mossad, y participent. Contrairement à l'usage, aucun procès verbal n'est dressé de ce débat. Plusieurs participants se souviendront que Saguy et Hofi se sont opposés au projet d'une guerre de grande envergure au Liban, une percée de Tsahal jusqu'à Beyrouth. Hofi, au contraire de son adjoint, Nahoum Admoni, n'a aucune confiance en Bachir Gemayel et ses hommes. « *Ils ne tiendront aucune de leurs promesses*, dit-il. *Il faut se contenter d'une opération limitée au Sud-Liban et dirigée exclusivement contre l'OLP.* » Quelques semaines plus tôt, le chef du Mossad avait annoncé à ses proches qu'il ne voulait plus s'occuper de l'affaire libanaise. Convaincu qu'une telle mesure aurait suscité un scandale, il s'était contenté d'élever de vives protestations auprès de Menahem Begin contre les liens d'Ariel Sharon avec l'équipe de Bachir Gemayel à qui, disait-il, le ministre de la Défense faisait des promesses bien au-delà de tous les engagements pris par Israël envers les chrétiens du Liban. Le général Saguy était de son avis. Les renseignements militaires avaient une piètre opinion des forces libanaises phalangistes[1].

Mordehaï Gour, l'ancien chef d'état-major, devenu député travailliste, est, bien entendu, au courant des plans de Sharon. Il est persuadé que l'opération au Liban conduira à une catastrophe. Le traité de paix entre Israël et l'Egypte risque d'être remis en question. Il rencontre Steve Cohen, le jeune universitaire canadien qui a repris du service, et lui demande d'aller à Beyrouth remettre à l'OLP un message : « *La situation actuelle mènera à un désastre pour vous, comme pour nous. Est-il possible d'arrêter politiquement cette évolution vers la guerre ?* » Gour ajoute que, pour lui, un compromis territorial en Cisjordanie n'est possible qu'avec l'accord de l'OLP. C'est un des premiers dirigeants travaillistes à adopter une telle position.

---

1. Article de Zeev Schiff, *Haaretz*, supplément, 7 juin 1985, p. 4.

Cohen fait le voyage. Il a un long entretien avec Arafat dans la capitale libanaise. Le chef de l'OLP promet d'observer le cessez-le-feu qu'il a conclu l'année précédente, mais ajoute : «*Si les Israéliens veulent venir, eh bien, laissez-les!*» Abou Jihad, lui, prépare l'évacuation du quartier général de l'OLP et d'une partie de ses forces sur la Jordanie. Les chefs palestiniens savent donc que l'offensive israélienne est inéluctable. Cela ne les empêchera pas d'être surpris le jour où les chars de Tsahal franchiront la frontière libanaise[1].

Signe des temps, le 11 mai, le cabinet Begin, presque au complet, ainsi que le président de l'État, en tout quelque deux cents personnalités, sont transportées en hélicoptère sur une colline du désert de Judée près de la mer Morte. Une cérémonie insolite s'y déroule : les funérailles militaires des ossements découverts dans une grotte de la région, et qui auraient appartenu à des combattants de Shimon Bar Kochba lors de la révolte contre les Romains au IIe siècle. Garde d'honneur, salves. Tout y est, même quelques habitants d'un kibboutz voisin venus perturber la cérémonie, déguisés en Romains. Accroché par un filin à un hélicoptère, le grand rabbin Shlomo Goren dépose les boîtes contenant les ossements dans une grotte. L'Israël de Begin revendique ce chapitre terrible de l'histoire juive qui, jusqu'aux fouilles conduites par Yigael Yadin dans les années 1950, était peu connu du public. L'archéologie a produit un mythe qui est devenu un des éléments du discours politique israélien.

Quelques mois plus tard, Yéhoshafat Harkabi, qui participa aux négociations avec l'émir Abdallah, ancien général commandant les renseignements militaires, devenu professeur de stratégie à l'Université hébraïque, publiera un pamphlet, *Le Syndrome de Bar Kochba, risque et réalisme en politique internationale*. C'est une critique de l'idéologie et de la politique de Menahem Begin. Il accuse le Likoud et son chef de se laisser entraîner dans l'irréalisme. La révolte de Bar Kochba a échoué et a mené le peuple d'Israël à la pire catastrophe de son histoire, puisque, à son issue, les Juifs ont dû quitter leur patrie et de disperser sur la terre. Prendre cette histoire comme exemple ne peut que mener à une autre catastrophe et il ne faut l'étudier que pour ses conséquences négatives. Harkabi considère que de larges segments de la population juive ont une pensée politique de plus en plus primitive. «*La démagogie conduisant au chauvinisme présente Israël comme étant constamment dans son droit et puissant. Ce faisant, Israël peut se permettre d'affronter le monde. Toute opposition à la politique israélienne est attribuée soit à l'ignorance (il faut leur expliquer), soit à de bas mobiles (ils sont antisémites)[2].*»

1. Archives personnelles.
2. Yéhoshafat Harkabi, *The Bar Kokhba Syndrome,* Rossel Books, New York, 1982.

Au lendemain de la cérémonie dans le désert de Judée, Zeev Schiff, le correspondant militaire du quotidien *Haaretz*, lance une nouvelle mise en garde : «*Attention, la guerre est à nos portes! Les terroristes violent le cessez-le-feu, mais Israël accélère les accrochages. Il est 11 h 59 avant la guerre dans le Nord* [...]¹.» Dans les rédactions, on parle ouvertement d'une opération destinée à placer Bachir Gemayel à la tête de l'État libanais. Pour cela, Tsahal irait jusqu'à Beyrouth. Ariel Sharon, dit-on, veut changer la carte géopolitique du Proche-Orient.

TSAHAL À BEYROUTH

Le 3 juin, Shlomo Argov, l'ambassadeur d'Israël à Londres, est grièvement blessé par balles. L'attentat est commis par des terroristes de l'organisation d'Abou Nidal, en plein centre de Londres. C'est le *casus belli* qu'attendait Sharon. Le lendemain, l'aviation israélienne procède à un bombardement intensif des positions de l'OLP à Beyrouth, qui, vingt-quatre heures plus tard, reprend ses tirs de roquettes sur la Galilée. La guerre est inévitable. Les Forces libanaises reçoivent le message convenu d'Israël : l'opération est imminente. Bachir Gemayel est prié d'ordonner l'ouverture du feu le long de la ligne de démarcation entre Beyrouth-Est et Beyrouth-Ouest afin de détourner l'attention des Palestiniens. Une unité de liaison de Tsahal se trouve au quartier général des Forces libanaises de la Quarantaine. Les officiers israéliens constatent que le front de la capitale libanaise reste silencieux. Les hommes de Bachir restent l'arme au pied. Dans la nuit du 5 au 6, les divisions blindées de Tsahal franchissent la frontière.

Bachir Gemayel est conduit en hélicoptère au QG de la région militaire nord en Israël. Raphaël Eytan, le chef d'état-major, l'informe que Tsahal a pour objectif de parvenir jusqu'à la route Beyrouth-Damas et, si cela est possible, de faire la liaison avec les chrétiens. Il lui demande de ne prendre aucune initiative afin de ne pas gêner les opérations israéliennes². Le jeune Libanais lui répond que, de toute manière, il ne peut se permettre d'apparaître comme un collaborateur des Israéliens, combattant aux côtés de Tsahal contre ses compatriotes : «*Je ne serai pas président si je tue des Libanais!*» Il refuse de rencontrer le commandant Haddad qui se trouve dans le quartier général israélien.

Le 9 et le 10, pendant que les divisions israéliennes progressent vers le nord, l'aviation règle leur compte aux batteries de missiles de

---

1. *Haaretz*, 12 mai 1982.
2. Raphaël Eytan, «Yoman Ishi», *Maariv*, 7 juin 1985.

fabrication soviétique Sam dans la Bekaa libanaise. L'armée de l'air syrienne tente d'intervenir : 22 Mig sont abattus, tous les appareils israéliens regagnent leurs bases sans encombre. De nouveaux combats aériens auront lieu les jours suivants et une cinquantaine d'avions syriens seront détruits par les pilotes israéliens qui font ainsi la preuve de leur supériorité.

Hafez el Assad envoie Mostafa Tlass à Moscou réclamer une aide urgente aux Soviétiques. Les Américains sont inquiets. Ronald Reagan envoie un message à Begin l'enjoignant d'accepter rapidement un cessez-le-feu, l'opération au Liban ayant dépassé ses objectifs annoncés et les Soviétiques manifestant une nervosité grandissante. Après une conversation téléphonique orageuse avec le secrétaire d'État Alexander Haig, Menahem Begin et son gouvernement acceptent un cessez-le-feu qui aurait dû entrer en vigueur le lendemain. Mais, à Soultane Yakoub, dans la Bekaa libanaise, une unité israélienne tombe dans une embuscade syrienne. Plusieurs soldats sont tués, d'autres, portés disparus. A l'ouest, Sharon ordonne aux colonnes de Tsahal de poursuivre leur route lentement vers Beyrouth.

Le 13 juin 1982, huit jours après le début des combats, une unité de Tsahal fait sa liaison avec les Forces libanaises dans le village de Shima au sud-est de Beyrouth. Fadi Frem, leur chef d'état-major est là. Il salue. Un colonel israélien, officier de liaison, l'accompagne. Une heure plus tard, Bachir arrive sur place et rencontre le général Eytan. Un convoi se forme et se dirige vers le nord. Sur la route, des tirs sont dirigés sur des véhicules. Bachir Gemayel sort de la voiture pour se mettre à couvert, laissant les Israéliens interloqués. Eytan lance : «*Ce comportement ne correspond pas aux normes de Tsahal!*»

Le lendemain, un comité de «sauvegarde nationale» est créé à Beyrouth. Les Israéliens sont surpris d'apprendre que Bachir en fait partie aux côtés de personnalités musulmanes anti-israéliennes. Il explique à ses interlocuteurs que ce comité est purement symbolique et n'a aucun pouvoir.

Le 15 juin, le cabinet Begin décide d'autoriser Ariel Sharon à utiliser les Forces libanaises dans la bataille et à leur accorder un soutien d'artillerie. Bachir, qui ne veut toujours pas intervenir aux côtés des Israéliens, se heurte à l'opposition de certains de ses proches, partisans d'une alliance complète avec Israël. Au cours d'une réunion de son état-major, Étienne Saker lui lance : «*Libère la terre du Liban! Tu verras que les quatre-vingt-deux députés du Parlement te supplieront de devenir leur président. N'achète pas leur soutien avec de l'argent car tu seras leur débiteur. Prends une arme. Libère Zahlé. Tu sera un héros national. […] Nous devons entraîner les Israéliens vers le nord. Il ne faut pas les laisser s'arrêter à mi-chemin*[1].» La discussion dure toute la nuit. Bachir Gemayel décide de ne pas prendre le pouvoir à Beyrouth par la force. Il explique que les Américains et les Israéliens lui conseillent d'agir par la voie légale.

Le 18, les forces de Tsahal échangent des tirs avec l'armée syrienne sur le front oriental, près de l'autoroute Beyrouth-Damas. Begin est à Washington où, après une conversation avec le secrétaire d'État Alexander Haig, un bref communiqué est publié : «*Israël et les États-Unis estiment que toute condition à un accord au Liban doit passer par un retrait de toutes les forces étrangères.*» Tsahal bombarde des positions palestiniennes dans la ville de Beyrouth.

Dans les postes de commandement des unités israéliennes déployées autour de la capitale libanaise, on prépare la conquête de Beyrouth-Ouest. Les plans de bataille sont dressés. Les brigades blindées perceront sur trois axes, suivies par l'infanterie, les paras. Mais la majorité des officiers craint qu'Ariel Sharon ne parvienne à persuader le cabinet Begin d'accepter une telle opération qui, nécessairement, se soldera par de lourdes pertes en vies humaines, parmi les soldats israéliens, les combattants palestiniens et les civils libanais. Élie Geva – qui est, à trente-deux ans, le plus jeune colonel commandant une brigade blindée –, espérant amener Raphaël Eytan, Ariel Sharon et Menahem Begin à réfléchir sur le risque de rupture entre l'armée et les politiques, annonce à ses chefs qu'il ne mènera pas sa brigade au combat et demande à participer à l'entrée dans Beyrouth en qualité de simple soldat. Il est convoqué chez Sharon, puis chez Begin, qui ne tente même pas de le faire revenir sur sa décision[2]. Eytan le relève de ses fonctions. Geva est rendu à la vie civile. D'autres officiers supérieurs critiquent la manière dont la guerre est menée. Certaines unités ne montent au feu qu'après de longues discussions avec les officiers.

Le 19 juin, Sharon rencontre Bachir Gemayel à Beyrouth. Le ministre israélien de la Défense lui demande de déclencher une opération dans la capitale libanaise. Son interlocuteur lui répond qu'il voudrait attaquer des positions situées au nord de Beyrouth. Sharon refuse. Il comprend que Bachir Gemayel veut entraîner Tsahal vers l'enclave chrétienne du Nord-Liban. Le lendemain, à Beyrouth, il déclare qu'il faudrait agir contre les terroristes palestiniens à Beyrouth.

---

1. Cité par Jacques Reinich (Néria), «Bachir Gemayel et son époque», *op. cit.*, p. 395.
2. Témoignage d'Élie Geva, recueilli par l'auteur, Raanana, 1982.

DÉCEPTION ISRAÉLIENNE

Le 21 juin, Begin rencontre Ronald Reagan à la Maison-Blanche. Les deux hommes confirment leur exigence d'un retrait de toutes les forces étrangères du Liban. Le lendemain, les combats reprennent. Tsahal attaque les positions syriennes et palestiniennes sur l'autoroute Beyrouth-Damas dans la région de Haley. Le département d'État exprime son inquiétude face à une éventuelle pénétration des forces israéliennes dans Beyrouth-Ouest. Les Israéliens sont de plus en plus excédés par l'attitude de Bachir Gemayel et de ses Forces libanaises. Il est invité à une rencontre avec Begin et Sharon dans une suite de l'hôtel Hilton à Jérusalem. Begin, furieux, lui demande d'intervenir, dans les combats aux côtés de Tsahal : «*Il est inadmissible qu'un mouvement de libération nationale comme le vôtre ne se lance pas dans la libération de sa capitale!*»

Bachir Gemayel : «*Monsieur le Premier ministre, nous ferons exactement ce que vous dites!*»

Dans l'hélicoptère qui le ramène à Beyrouth, Bachir lance à l'officier de liaison israélien qui l'accompagne : «*Il nous envoie à la mort. J'ai promis et je tiendrai parole. Je n'ai pas le choix. Nous ne pouvons pas réussir dans les conditions qui règnent au Liban.*» Les responsables du Mossad interviennent auprès de Begin. Il faut, disent-ils, comprendre leur protégé. Le chef du gouvernement s'adoucit. Raphaël Eytan et Bachir Gemayel vont discuter de la conquête de Beyrouth-Ouest par les Forces libanaises qui font une très brève apparition sur le champ de bataille, leur rôle militaire dans la guerre est nul.

Après plus de soixante heures d'âpres combats, Tsahal parvient à conquérir le secteur d'Aley. La bataille a fait 28 morts et 160 blessés israéliens. Le 24 et le 25, des avions syriens sont abattus et des batteries de missiles antiaériens déployées dans la Bekaa libanaise, détruits.

Pierre Gemayel, dans sa première interview à un média israélien, déclare :

«*Je ne pourrai visiter Israël que lorsqu'il y aura la paix. Je ne vous cache pas que nous autres, Libanais chrétiens, nous avons réussi à ne pas être un corps étranger dans ce monde arabe, et nous ne voulons pas le devenir. Je ne sais pas comment vous allez prendre ce que je vais vous dire : nous avons réussi, nous avons été des fondateurs de la Ligue arabe. Nous avons bien fait, parce que maintenant, par exemple, dans cette guerre, beaucoup de nos compatriotes libanais vivent dans le monde arabe, et c'est comme cela que le Liban vit, grâce à nos émigrés. Pourquoi voulez-vous que nous nous conduisions mal avec le monde arabe ? Et, j'aimerais vous conseiller, à vous, Israéliens, d'essayer de faire comme nous, de ne pas être ce corps étranger ennemi dans le monde arabe.*

«Au contraire, vous devriez essayer de vous ouvrir au monde arabe, parce que vous ne pouvez pas vivre tout le temps l'arme à la main. Une nation, cela ne compte pas pendant quelques années, mais pendant des siècles. Qui vous dit que les Arabes ne seront pas, dans quelques années, plus forts que vous ? Et comment voulez-vous que vos trois millions d'habitants puissent tenir tête à cent quarante millions d'Arabes. Ils sont en train de pousser, ces jeunes gens qui reviennent des universités occidentales, dans leurs pays du monde arabe ! Ce ne sont plus les Arabes d'autrefois. C'est pour cela que vous devriez essayer de vous intégrer [...][1].»

Le 26, le cessez-le-feu semble respecté. A Washington, Alexander Haig, qui n'était pas hostile à l'opération israélienne démissionne. Il est remplacé par George Shultz. A Beyrouth, l'émissaire américain Philip Habib, qui est dans la région depuis le 6 juin, tente de négocier un règlement. Tsahal renforce le siège de Beyrouth.

Le 1er juillet, à Beyrouth, Bachir Gemayel reçoit Dany Rosolio, le président de la sous-commission des Affaires libanaises du parlement israélien. Il lui explique que le Mossad lui demande des choses impossibles à réaliser ; par exemple, de fournir les numéros des comptes en banque de l'OLP à Beyrouth. Ce serait, dit il, une atteinte au secret bancaire, une catastrophe pour l'économie libanaise. Le 2 juillet, Philip Habib apprend par l'intermédiaire de personnalités libanaises, qu'Arafat a décidé d'accepter en principe les propositions américaines pour son évacuation. Le gouvernement libanais exige que cela se passe dans un cadre international, sous le contrôle d'une force multinationale. Le 4 juillet, le président libanais Elias Sarkis remet à l'émissaire américain une lettre signée Arafat : *«Les responsables de l'OLP ne désirent pas rester au Liban. Toutefois, il doit être entendu [qu'] ils ne peuvent partir avant l'application et l'exécution des arrangements qui devront être négociés [...][2].»*

COMBATS, MANIFESTATIONS, NÉGOCIATIONS

En Israël, la gauche monte au créneau contre la guerre au Liban Déjà, le 25 juin, répondant à l'appel d'un comité contre la guerre, plus de

1. Kol Israël en français, interview à l'auteur, Beyrouth, 24 juin 1982.
2. George P. Shultz, *Turmoil and Triumph*, Scribners, New York, 1993, p. 47.

vingt mille personnes avaient manifesté place des Rois-d'Israël à Tel Aviv. Le 3 juillet, le mouvement La Paix maintenant réunit cent mille manifestants. Le même jour, Oury Avnéry est reçu à Beyrouth par Yasser Arafat. Une rencontre extraordinaire entre ces deux hommes qui avaient combattu dans le Neguev en 1948, à quelques kilomètres l'un de l'autre. L'un avec les Frères musulmans, l'autre dans les rangs de son armée. L'Israélien se trouve chez son ennemi, assiégé par Tsahal :

– Arafat : «[…] *Nous avions lancé de nombreux signaux pour dire que nous cherchions la paix. Mais, je le regrette, cette junte militaire israélienne agit de manière arrogante.*»

– Avnéry : «[…] *faisons la paix, maintenant, basée sur le respect mutuel des parties qui ont combattu. Il est juste que vous ayez un État palestinien, nous avons l'État d'Israël, alors vivons en paix.*»

– Arafat : «*Vous savez bien que nous avons déjà donné une réponse positive, mais personne ne nous a encore rien offert de semblable […]*[1].» Cette visite d'Avnéry à Beyrouth fait scandale en Israël. Plusieurs ministres exigent que le militant de gauche soit traduit en justice.

Moins d'une semaine plus tard, le Likoud organise une contre-manifestation, également à Tel Aviv, et parvient à rassembler près de cent mille personnes venues d'un peu partout dans le pays. Begin prend la parole et accuse le Parti travailliste de briser le consensus national en temps de guerre. Dans la foule, on entend le slogan «*Pérès traître !*»

Le 1er août, de durs combats de blindés, d'artillerie et d'infanterie opposent les forces syriennes et palestiniennes à Tsahal au sud-ouest de Beyrouth. Les Israéliens parviennent à prendre le contrôle de l'aéroport international. Depuis des semaines, les images des civils libanais vivant sous les bombes israéliennes portent un coup très dur à l'image de marque de l'État juif. Aux États-Unis et en Europe, les communautés juives s'inquiètent. Le soutien à Israël s'amenuise au fil des jours.

Le journaliste israélien Amnon Kapéliouk rend visite au chef de l'OLP dans son QG de la capitale libanaise début août. Il en ramène une interview publiée par *Le Monde* :

«– *Certains Israéliens affirment que vous ne vous contenterez pas d'un État en Cisjordanie et à Gaza, et constituerez ainsi une menace pour Israël ?*

«– *Arafat : Ridicule ! je ne comprends pas ces affirmations. Israël est la force militaire la plus puissante au Proche-Orient. Est-ce qu'on peut avoir peur d'un État palestinien qui aura besoin de plus de vingt ans*

---

1. Oury Avnéry, *Mon frère l'ennemi*, op. cit., p. 24.

pour pouvoir tenir sur ses pieds ? L'establishment militaire israélien croit qu'il pourra régner dans la région grâce à sa technique et aux dollars américains. Mais jusqu'à quand ? Il faudra rechercher la coexistence avec les pays de la région et ne pas imaginer des problèmes artificiels. Ce sont les Israéliens qui doivent trouver des solutions à la tragédie créée par eux.

«– *Votre charte nationale constitue une arme entre les mains de vos adversaires politiques. Les enfants en Israël apprennent à l'école les clauses de cette charte qui nie le droit d'Israël à l'existence et ne reconnaît pas les Juifs en tant que peuple, et affirme que la lutte armée est le seul moyen d'avoir un État.*

«– Arafat : *Nous avons déjà affirmé à plusieurs reprises par notre Conseil national que la lutte armée ne constituait plus la seule voie. […] Je propose de réunir après cette guerre un colloque groupant des penseurs palestiniens, israéliens et arabes, pour examiner à fond tous les problèmes et arriver à des conclusions […].*

« – *Finalement, qu'avez-vous à dire aux Israéliens ?*

«– Arafat : *Je me trouve ici, encerclé, et je m'adresse aux soldats israéliens, et je leur dis : arrêtez-vous! L'arrogance militaire ne nous brisera pas ! J'aimerais dire un mot au colonel Élie Geva que, en dépit de nos divergences, j'apprécie sa position humaine et sa décision de refuser de participer à l'assaut sur Beyrouth. Son attitude noble découle de vraies valeurs juives […][1].»*

Au Caire, Saïd Kamal, qui a recouvré les bonnes grâces de l'OLP sans y être réintégré, reçoit un message d'Ariel Sharon, par l'intermédiaire d'un journaliste de la télévision hollandaise : «*Il faut faire de la Jordanie la patrie du peuple palestinien. Je m'engage à laisser Arafat quitter Beyrouth pour se rendre à Amman et à en faire le leader incontesté des Palestiniens […].* » Le responsable palestinien répond qu'il ne transmettra pas ce message à Arafat : « *Votre offre n'est pas innocente. La Jordanie ne saurait être la Palestine. Elle est composée à 30 % de bédouins. Ce ne serait pas notre patrie, mais un suicide national.*»

Saïd Kamal est contacté par Steve Cohen ; Sadate lui avait présenté le jeune homme en 1978. Il demande au Palestinien de le rejoindre à New York. Nabil Shaath, de l'OLP, qui se trouve aux États-Unis pour des contacts secrets avec l'administration américaine, prend le combiné des mains de Cohen et lui confirme le voyage. Alfred Atherton, du département d'État, fait délivrer un visa à Kamal, qui, au mois d'août, arrive

---

1. *Le Monde*, 10 août 1982.

aux États-Unis. Steve Cohen l'installe dans un petit hôtel près de son bureau. Il le convoque à minuit, à l'Opera Hotel, Park Avenue. «*Shimon Pérès est là*, lui dit le Canadien, *mais il ne peut pas vous rencontrer. Il passera devant vous et vous saluera. Vous aurez un entretien avec Yossi Beilin, l'assistant du dirigeant travailliste.*» La rencontre se passe exactement comme prévu. Pérès passe dans le lobby, fait un signe au Palestinien qui, pendant une heure, écoute les conseils de Beilin : «*Acceptez les accords de Camp David, acceptez l'option jordanienne!*» Saïd Kamal demande s'il doit transmettre tout cela à Yasser Arafat qu'il n'a pas vu depuis 1977. «*Oui*, répond Beilin, *dites-le-lui à l'occasion, mais surtout n'écrivez rien*[1]*!*»

Philip Habib poursuit sa médiation. L'OLP est prête à partir, la mise sur pied d'une force multinationale est en cours de négociation. Le 11 août, après de nouveaux bombardements, Jérusalem pose une nouvelle exigence : la liste de tous les Palestiniens qui partiront avec Arafat. Le 12, sera le jeudi noir de Beyrouth-Ouest. La ville est bombardée par l'aviation et par l'artillerie pendant onze heures. Le médiateur américain est obligé d'interrompre ses consultations. Ronald Reagan appelle Menahem Begin à deux reprises au téléphone et lui demande de faire cesser les attaques sur la capitale libanaise. Au cours d'une réunion de cabinet à Jérusalem, Sharon propose une opération militaire dans Beyrouth-Ouest. Le gouvernement refuse et décide que seul le Premier ministre pourra donner l'ordre de faire intervenir l'armée de l'air à Beyrouth. Le 18, l'accord d'évacuation de l'OLP est conclu. Le 23, Bachir Gemayel est élu président du Liban. Tsahal et le Mossad contribuent largement à son élection en persuadant les députés libanais hésitants, et, le cas échéant, en les transportant dans le bâtiment du Parlement à Beyrouth. Certains font même le trajet à bord d'un hélicoptère israélien.

BACHIR, PRÉSIDENT LIBANAIS

Le 1er septembre, sous la protection de trois cents légionnaires français, Yasser Arafat quitte Beyrouth à bord d'un navire grec. L'évacuation de l'Armée de libération de la Palestine avait commencé six jours plus tôt. Bachir Gemayel est invité à rencontrer Menahem Begin en Israël, à Naharya. Il emprunte un hélicoptère israélien et atterrit sur l'héliport de la station balnéaire. L'entretien doit avoir lieu dans le bureau du directeur du Shekem, la coopérative d'achat des militaires

---

1. Témoignage de Saïd Kamal, Le Caire, 1996.

de carrière. Le Premier ministre israélien tarde à venir au rendez-vous. Samuel Lewis a demandé à le rencontrer d'urgence pour lui remettre le texte du discours que le président des États-Unis doit prononcer dans quelques heures. C'est une nouvelle initiative diplomatique américaine que le Premier ministre israélien découvre et il est furieux. Le plan Reagan contient quelques éléments qu'il considère inacceptables. Et d'abord, à propos des Palestiniens :

«Leur départ de Beyrouth dramatise le manque de foyer pour le peuple palestinien. Les Palestiniens ressentent fortement que leur cause est plus qu'une question de réfugiés. Je suis d'accord. L'accord de Camp David reconnaît ce fait en évoquant les droits légitimes du peuple palestinien et sa juste exigence. […] Les États-Unis ne soutiendront pas l'utilisation de terrains supplémentaires pour la construction d'implantations durant la période transitoire [de l'autonomie palestinienne]. *L'adoption immédiate d'un gel des implantations par Israël, plus que toute autre action, créera la confiance nécessaire pour une plus grande participation aux pourparlers. De nouvelles activités d'implantation ne sont en aucun cas nécessaires à la sécurité d'Israël et ne feraient que réduire la confiance des Arabes dans un résultat définitif des pourparlers. […] La paix ne peut être acquise par la formation d'un État palestinien indépendant, de même que sur la base d'une souveraineté israélienne ou d'un contrôle permanent de la Cisjordanie et de Gaza. Les États-Unis ne soutiendront pas la création d'un État palestinien indépendant en Cisjordanie et à Gaza ni un contrôle permanent de ces territoires par Israël. […] »*

Le tout, accompagné «*d'éléments de discussion*» expédiés par l'administration Reagan aux dirigeants du Proche-Orient. Le président des États-Unis affirme que, pour lui, «*la résolution 242 du Conseil de sécurité s'applique à la Cisjordanie et à Gaza et stipule un retrait israélien en échange de la paix. Les frontières doivent être déterminées par les négociations. L'importance du retrait devant dépendre de la nature et de l'étendue de la paix et des arrangements de sécurité. […] Les négociations sur le statut définitif de la Cisjordanie et de Gaza doivent se dérouler en association avec la Jordanie. Les États-Unis ne soutiendront pas la formation d'un État palestinien dans ses pourparlers, mais le résultat final doit être déterminé par la négociation […].[1]»*

Begin répond immédiatement au plan américain dans une lettre à Ronald Reagan. C'est, écrit-il, une initiative contraire aux accords de Camp David : «*[…] Ce que certains appellent la "Cisjordanie",*

---

1. Ruth Lapidoth et Moshé Hirsch, *The Arab-Israel Conflict and its Resolution*, *op. cit.*, p. 287.

monsieur le Président, n'est autre que la Judée et la Samarie et la simple vérité historique ne changera jamais. […] *La vérité est qu'il y a des millénaires, il y avait un royaume juif de Judée et de Samarie, où nos rois vénéraient Dieu, où nos prophètes ont exprimé la vision d'une paix éternelle, où nous avons développé une riche civilisation que nous avons emmenée avec nous, dans nos cœurs et nos esprits, dans notre long voyage pendant plus de dix-huit siècles, et avec laquelle nous sommes revenus au foyer.*

«Par une guerre agressive, par une invasion, le roi Abdallah a conquis des parties de la Judée et de la Samarie en 1948, et, au cours d'une guerre légitime d'autodéfense en 1967, après avoir été attaqués par le roi Hussein, nous avons libéré, avec l'aide de Dieu, cette partie de notre patrie. La Judée et la Samarie ne seront plus jamais la Cisjordanie du royaume hachémite de Jordanie créé par le colonialisme britannique après que l'armée française eut expulsé le roi Fayçal de Damas.

«Monsieur le Président, vous et moi avons choisi au cours de ces deux dernières années de qualifier nos pays d'amis et alliés. Cela étant, un ami n'affaiblit pas son ami, un allié ne met pas son allié en danger. Telle serait la conséquence inévitable si les "positions" qui m'ont été transmises devenaient réalité. Je crois que cela ne sera pas le cas […][1].*»*

Begin arrive à Naharya avec deux heures de retard et de méchante humeur. Bachir Gemayel, le président du Liban, trouve qu'on le traite d'une manière plutôt cavalière. Begin lui serre à peine la main et prend la parole : *«Monsieur le Président élu du Liban, Bachir Gemayel, mes collègues, les ministres Shamir et Sharon, invités distingués. Permettez-moi, monsieur, de m'adresser à vous comme je le faisais dans le passé, mon fils. Je m'adresse à vous comme un père à son fils. J'ai toujours pensé que vous seriez le président du Liban et que vous conduiriez votre pays vers l'indépendance et la souveraineté sur l'ensemble de son territoire, vers la démocratie, vers la paix avec ses voisins. Nous étions, ces dernières années, fermement décidés à empêcher la destruction de votre nation. Nous ressentons une alliance par le sang avec les minorités menacées de la région comme la vôtre. Nous avons mené ensemble une guerre contre les organisations terroristes. Ces relations très proches ne seront jamais coupées. A présent que la voie est enfin ouverte, que les obstacles vers un Liban indépendant et souverain sont écartés, l'heure est arrivée de bâtir un avenir commun à nos deux peuples sur la base de relations de paix et de bon voisinage.»*

---

1. Harry Z. Hurwitz, *Begin : A Portrait*, B'nai B'rith Books, Washington, 1994, p. 174.

Les participants se lèvent, et portent un toast : « *Vive le Président du Liban, vive Bachir Gemayel !* » Le chef de l'État libanais fait une courte allocution. Il remercie Menahem Begin, « *ce grand leader* » et Israël pour leur aide aux chrétiens du Liban, et aussi pour avoir créé la situation qui a permis son élection. Begin et Gemayel ont ensuite une discussion à huis clos : « *Vous prêterez votre serment d'investiture dans vingt et un jours. Vous m'inviterez ensuite en visite officielle à Beyrouth. Après quoi, vous viendrez en visite à Jérusalem pour signer le traité de paix entre nos deux pays*, déclare Begin.

– *Je ne peux pas dans l'immédiat signer de traité de paix avec vous, il me faut un délai d'au moins un an* », tempère Bachir Gemayel.

Begin est profondément déçu. Il voulait conclure la paix avec le Liban avant la fin de l'année. Le ton monte. Begin accuse Gemayel de ne pas tenir ses promesses, lui rappelle que les Forces libanaises n'ont pas participé aux combats à Beyrouth. Gemayel se défend, affirme qu'il n'a jamais promis d'investir Beyrouth-Ouest. Le chef du Mossad, qui est présent, soutient le Premier ministre israélien. Bachir Gemayel le traite de menteur. La discussion est pour lui une véritable humiliation. Il lance à Begin : « *Qu'est-ce qui serait bon pour vous ? Un bon ami mort ou un véritable ami vivant, mais sans traité de paix ?* » Il promet d'œuvrer pour une normalisation entre les deux pays, des frontières ouvertes, comme, par exemple, les relations qui existaient entre Israël et l'Iran du shah. Il suggère que les forces libanaises chrétiennes se déploient le long de la frontière israélienne. Begin lui demande ce qu'il adviendra du commandant Saad Haddad, le chef de la milice proisraélienne au Sud-Liban. Il voudrait qu'il soit nommé général, responsable du Sud-Liban.

Gemayel lui répond que Haddad doit d'abord se présenter devant une cour martiale à Beyrouth qui, sans aucun doute, l'acquittera. La colère du Premier ministre monte. Il lance à son interlocuteur qu'il devrait s'occuper d'abord des éléments hostiles à Israël au sein des Phalanges libanaises, et qui maintiennent des relations malsaines avec la Syrie. Bachir Gemayel promet un nouveau contact avec Begin avant son investiture. Il demande à Begin de ne pas publier le fait même de leur rencontre. Tard dans la soirée, il regagne Beyrouth[1].

Le lendemain, la presse israélienne fait état du sommet de Naharya. Bachir Gemayel est furieux. Il décide de n'avoir plus aucun contact pendant quelques jours avec les Israéliens.

Le 6 septembre, à Fez, se réunit un sommet arabe. Un plan de règlement du conflit avec Israël en huit points est adopté : un retrait israélien

---

1. Jacques Reinich (Néria), « Bachir Gemayel et son époque », *op. cit.*, p. 436.

de tous les territoires arabes occupés depuis 1967, y compris Jérusalem-Est. L'évacuation de toutes les implantations construites par Israël en territoire arabe après 1967. Le droit des Palestiniens à l'autodétermination sous la direction de l'OLP, son seul représentant légitime, la création d'un État palestinien indépendant, mais aussi la liberté de culte pour toutes les religions dans les Lieux saints, et des garanties de paix du Conseil de sécurité pour tous les États de la région, y compris l'État palestinien. Pour l'extrême gauche israélienne, c'est le début d'une reconnaissance de l'État juif par le monde arabe. Pour la droite et les travaillistes, c'est exactement le contraire. Ils enverront des délégations conjointes à l'étranger pour expliquer leur rejet du plan de Fez qui n'évoque pas le nom d'Israël une seule fois.

LA FIN

Le 11 septembre, Bachir Gemayel accepte une visite à Beyrouth d'Yitzhak Hofi, le chef du Mossad venu en excursion avec son épouse, et, le 12, il reçoit Ariel Sharon dans sa maison de Bikfayah. La rencontre dure plusieurs heures. Les relations semblent s'améliorer. A Jérusalem, le même jour, Begin reçoit une délégation de dirigeants libanais chrétiens. Il leur dit qu'il était particulièrement irrité le jour de son entretien avec Bachir. Sharon, pour sa part, promet à Bachir Gemayel qu'Israël continuera de le soutenir. Une commission conjointe israélo-libanaise va commencer les négociations secrètes en vue de préparer la discussion d'un traité de paix, ou d'autres accords secrets. Les deux hommes préparent une offensive limitée des Forces libanaises contre des positions syriennes sur le mont Sanine et sur la route menant à Zahlé. Les FL ouvriront le feu le 22, le jour de l'investiture de Bachir. Le dirigeant libanais répète qu'il a l'intention de liquider les camps de réfugiés palestiniens de Sabra et Chatila à Beyrouth-Ouest. A leur emplacement, il va construire un parking et un parc zoologique. Il promet qu'il n'y aura plus de forces palestiniennes à Beyrouth-Ouest après le 15 octobre.

Le 14 septembre 1982, peu avant 16 heures, Bachir Gemayel arrive au siège de la section d'Ashrafiyé de son parti, les Phalanges. Le bâtiment avait été acheté deux semaines plus tôt et aucun contrôle de sécurité n'y a été effectué, bien qu'un jeune militant du Parti national syrien, Habib Tanyos Sartouni, y habite. Il avait été arrêté dans le passé en raison de ses activités hostiles au mouvement de Bachir Gemayel. Le président élu prend la parole devant des jeunes militantes venues le saluer. A 16 h 10, une énorme explosion retentit. Sartouni avait placé une charge dans la pièce surplombant l'endroit où se trouvait Gemayel, qui est tué sur le coup, en compagnie de vingt-trois autres personnes. L'enquête établira que l'assassin a agi sur les ordres d'agents syriens. A Ashrafiyé, c'est la panique. Le corps de Gemayel ne sera identifié que dans la soirée.

A Jérusalem, Menahem Begin et Ariel Sharon sont informés. Leur opération libanaise prend la tournure d'une catastrophe. Le ministre de la Défense discute avec son état-major durant toute la nuit. A Beyrouth, Raphaël Eytan et le général commandant la région militaire nord d'Israël, Amir Drori, rencontrent les chefs des forces militaires. Ils vont passer à l'action contre les camps palestiniens dans les vingt-quatre heures. Les officiers israéliens refusent de leur accorder le soutien de leur artillerie et de leurs blindés. A 5 heures du matin, les divisions israéliennes pénètrent dans Beyrouth-Ouest. Quelques heures plus tard, Sharon arrive au QG des forces israéliennes à Beyrouth, près du camp palestinien de Chatila. Il a un entretien avec son chef d'état-major, qui l'informe de la prochaine entrée des phalangistes dans les camps de réfugiés.

LE MASSACRE

Vers 10 h 30, le ministre israélien, accompagné de Yehoshouha Saguy, d'un représentant du Mossad et du patron du Shin Beth, parviennent au QG des forces libanaises à la Quarantaine. Sharon dit à Fadi Frem, le chef des FL, et à Élie Hobeika, son adjoint responsable des renseignements, que les chrétiens sont les seuls maîtres de leur destin. Il leur conseille de nommer immédiatement un Premier ministre maronite ayant les pouvoirs d'un président. Ses interlocuteurs sont satisfaits de l'opération israélienne à Beyrouth-Ouest. Sharon répond que Tsahal a besoin de l'assistance des FL et de l'armée libanaise qui, dit-il, doivent suivre les forces israéliennes dans la ville. Il insiste sur la nécessité de nettoyer la ville des terroristes palestiniens qui s'y trouvent encore. Il se dirige ensuite vers Bikfayah pour rencontrer Pierre Gemayel et Amin, le frère de Bachir. A-t-il été question, au cours de cet entretien, d'une vengeance des phalangistes à Beyrouth, peut-être même contre les camps palestiniens de Sabra et Chatila ? La commission d'enquête israélienne qui, quelques semaines plus tard, examinera le déroulement des événements qui ont conduit au massacre des Palestiniens de Sabra et Chatila, ne trouvera aucun élément permettant de le penser.

Les forces israéliennes à Beyrouth encerclent les camps palestiniens. En certains endroits, elles subissent un feu nourri. Il y a un mort et une vingtaine de blessés parmi les forces de Tsahal. On est le mercredi soir. Jeudi, à 16 heures, Élie Hobeika arrive au QG de Tsahal à Beyrouth. Il dit qu'il n'est pas prêt au combat. Le général israélien Amos Yaron lui conseille de passer immédiatement à l'action. A Tel Aviv, à la même heure, Sharon a une discussion difficile avec Morris Draper, l'émissaire américain, accompagné de Samuel Lewis, l'ambassadeur des États-Unis. Washington condamne l'occupation de Beyrouth-Ouest. Peu avant 18 heures, à Beyrouth, les phalangistes pénètrent dans les camps de Sabra et Chatila. L'officier de liaison des FL au QG israélien réclame le tir de fusées éclairantes. La réponse est positive. L'artillerie de Tsahal tire des obus éclairants. Plus tard dans la nuit, c'est l'aviation qui poursuivra cette mission.

Une heure plus tard, dans le PC israélien proche des camps, un message radio est intercepté : un officier phalangiste demande à Hobeika que faire d'une cinquantaine de femmes et d'enfants qui viennent d'être capturés. La réponse : «*C'est la dernière fois que tu me poses une telle question. Tu sais quoi faire.*» Le général Amos Yaron en est informé. Il appelle Hobeika et lui répète qu'il ne faut pas toucher aux civils. La commission d'enquête israélienne entendra, plus tard, le témoignage d'un phalangiste qui reconnaîtra avoir entendu un officier israélien déclarer qu'il ne fallait pas toucher aux civils, seulement aux terroristes armés. Les hommes de Hobeika, eux, ont l'ordre de tuer tous les hommes jeunes qu'ils rencontrent dans les camps afin d'en faire fuir la population.

19 h 30, le général Amir Drori a un bref entretien avec Hobeika au PC de Yaron. A la même heure, Begin réunit son cabinet à Jérusalem. Plusieurs ministres condamnent l'occupation de Beyrouth-Ouest, qui n'a pas été soumise à un vote du gouvernement.

Après un rapport d'Ariel Sharon, Raphaël Eytan annonce la participation des phalangistes au combat. «*Ils vont entrer*, dit-il, *dans le camp de Sabra.*» Les soldats de Tsahal n'interviendront pas. Les Libanais se battront avec leur méthode. Il répète que l'opération israélienne est destinée à empêcher des actes de vengeance de la population chrétienne.

David Lévy, le ministre de l'Habitat, est le seul membre du gouvernement israélien à imaginer ce qui pourrait arriver : «*Lorsque j'apprends que les phalangistes pénètrent dans certains quartiers, et que je sais ce que signifie la vengeance pour eux, quel massacre! […] Personne ne croira que nous avons pénétré dans Beyrouth pour y maintenir l'ordre. La responsabilité retombera sur nous!*»

Au poste de commandement du général Drori à Aley, un jeune officier du département de la recherche des renseignements militaires déclare : «*Il va y avoir un massacre!*» en apprenant le début de l'opération des phalangistes à Sabra et Chatila. Il apprend que l'officier de liaison libanais au PC de Yaron parle de trois cents terroristes et civils tués et envoie un message alarmiste à ses chefs à Tel Aviv. La rumeur commence à circuler parmi les officiers israéliens du secteur : un massacre est en cours ! L'aviation israélienne cesse de lancer des fusées éclairantes au-dessus des camps. L'officier de liaison libanais proteste. Peu après minuit, jeudi, Galé Tsahal, la radio de l'armée israélienne, révèle que les phalangistes opèrent dans les camps.

Vendredi matin, Zeev Schiff, le correspondant militaire du quotidien *Haaretz*, apprend par une de ses sources qu'un massacre a lieu à Beyrouth. Il tente de contacter son ami Mordechaï Tsipori, le ministre des Communications, qui, depuis le début, s'oppose à la guerre au Liban. Vers 8 heures du matin, à Beyrouth, un jeune lieutenant de blindés aperçoit des phalangistes menant des civils vers le stade. Ils séparent deux hommes du groupe, les conduisent un peu plus loin dans le camp. Des rafales sont entendues. Les phalangistes reviennent seuls. L'officier comprend qu'il vient d'assister à un meurtre. Un peu plus tard, il déplace son char sur une position plus élevée et assiste au massacre de cinq femmes et enfants. Son équipage lui raconte que, durant la nuit, ils ont informé le commandant de bataillon de scènes semblables. La réponse avait été : «*Nous n'aimons pas cela, mais il ne faut pas intervenir !*» Ces soldats israéliens resteront dans leur poste d'observation jusqu'à 16 heures. Lorsqu'un phalangiste passera à côté d'eux, ils lui demanderont pourquoi ils tuent des femmes. La réponse : «*Les femmes feront des enfants et les enfants deviendront des terroristes !*»

A 9 heures du matin, le représentant de la Croix-Rouge internationale à Beyrouth téléphone au bureau de liaison du ministère israélien des Affaires étrangères dans la capitale libanaise. Il lui annonce que mille réfugiés se trouvent dans l'hôpital Gaza. Les phalangistes y auraient pénétré et auraient emmené tous les médecins étrangers qui se trouvaient sur place. A la même heure, les phalangistes réclament l'autorisation de faire pénétrer des forces supplémentaires dans les camps. Amos Yaron accepte. Les FL préparent également l'arrivée d'une quinzaine de bulldozers pour détruire les maisons. A ce stade, les Israéliens savent que ce ne sont pas des unités régulières des FL qui opèrent à Sabra et à Chatila, mais les commandos spéciaux de Hobeika.

A 11 heures, à Tel Aviv, Zeev Schiff raconte ce qu'il sait à Mordehaï Tsipori, qui appelle Yitzhak Shamir, le ministre des Affaires étrangères, et lui conseille de vérifier ses informations. Shamir n'en fera rien. Vers 13 heures, à Beyrouth, un représentant du Mossad annonce à Amin Gemayel qu'Israël soutiendra sa candidature à la présidence du Liban.

Au même moment, une nouvelle unité des FL pénètre dans Sabra et Chatila. Sur l'aéroport international de la capitale libanaise, des journalistes de télévision israéliens voient un bataillon des FL se préparer au combat. La scène les surprend. Le tarmac est entièrement sous le contrôle des Israéliens. Ron Ben Ichaï, le correspondant militaire de la télévision israélienne, racontera que des combattants libanais annonçaient ouvertement leur intention d'exterminer les habitants des camps.

Vers la même heure, Raphaël Eytan est à la Quarantaine où il a un entretien avec les chefs des FL qui demandent à Tsahal de leur fournir des bulldozers pour détruire les quartiers de bidonvilles dans les camps. Les Israéliens acceptent de prêter un seul bulldozer, dont les signes d'identification seront effacés. Les phalangistes ont toujours l'entrée libre à Sabra et à Chatila.

A 18 heures, des paras israéliens annoncent par radio que des femmes et des enfants palestiniens leur ont raconté qu'un massacre se déroule dans les camps. Durant les heures suivantes, l'émissaire américain Morris Draper contacte le bureau de liaison des Affaires étrangères israéliennes et fait état d'informations inquiétantes. David Kimhi, le directeur général des Affaires étrangères à Jérusalem, reçoit la nouvelle. Il fait procéder à une vérification. De Tsahal, on lui explique que les phalangistes ont pénétré dans les camps en passant par les barrages de l'armée gouvernementale libanaise. A Sabra et à Chatila, les FL creusent des fosses communes à l'aide de deux bulldozers et de celui que leur a prêté Tsahal. Dans la soirée, Eytan annonce à Sharon que l'opération des phalangistes a été arrêtée, car *«ils ont exagéré»*.

Peu avant 7 heures du matin, le samedi, Amos Yaron, de son PC, aperçoit des phalangistes qui conduisent une quinzaine d'Européens en blouse blanc et vert. Il se précipite et ordonne leur libération. Le général israélien fait pression sur l'état-major des FL pour qu'ils évacuent Sabra et Chatila. Les journalistes occidentaux qui se trouvent à Beyrouth commencent à avoir des informations sur ce qui s'est passé. Une équipe de la chaîne française Antenne 2 filme les premières images du massacre. Des officiers israéliens lui ont suggéré d'aller voir sur place… Des centaines de réfugiés palestiniens, surtout des femmes et des enfants, se trouvent devant le stade. Des soldats de Tsahal ont expulsé les phalangistes et distribuent de la nourriture. Morris Draper envoie un message au bureau de liaison israélien, exigeant l'arrêt immédiat des massacres. Des diplomates américains ont commencé à compter les cadavres. A 13 heures, Sharon annonce à Kimhi que l'opération est stoppée et les phalangistes expulsés des camps. La nouvelle est diffusée en tête de tous les bulletins d'information dans le monde.

Le soir même, quelques dizaines de militants du mouvement La Paix maintenant se réunissent devant le domicile de Menahem Begin. La police les disperse à coups de gaz lacrymogènes. Le lendemain, dimanche 19 septembre, le gouvernement israélien examine la situation. Sharon et les chefs de l'armée confirment que les phalangistes ont pénétré dans les camps en coordination avec Tsahal. «*Mais*, disent-ils, *dès que nous avons appris ce qui s'y passait, ils en ont été expulsés.*» Selon Raphaël Eytan, les officiers phalangistes ont perdu le contrôle de leurs hommes.

CONDAMNATION

Le nombre de victimes du massacre de Sabra et Chatila n'a jamais pu être déterminé avec certitude. Les estimations varient de mille à cinq mille morts, femmes et enfants. L'Égypte rappelle pour consultation son ambassadeur à Tel Aviv. Le 20 septembre, les États-Unis et la France annoncent le retour à Beyrouth de la force multinationale. En Israël même, le public est sous le choc des images, de l'horreur des corps mutilés dans les camps. Le reportage d'Antenne 2 est diffusé à plusieurs reprises. La télévision israélienne n'a pas filmé à Sabra et Chatila. Des personnalités de plus en plus nombreuses exigent la mise sur pied d'une commission d'enquête judiciaire. Yitzhak Berman, un membre du cabinet Begin, démissionne. Zvouloun Hammer, le ministre de l'Éducation, un dirigeant du Parti national religieux, réclame lui aussi une enquête en bonne et due forme. Begin et Sharon sont de plus en plus isolés.

Le 24 septembre, Ariel Sharon et Raphaël Eytan rencontrent les chefs de l'armée. Tous les généraux et colonels de Tsahal. La réunion se déroule à l'école d'état-major au nord de Tel Aviv. Le ton monte très vite. Aran Dolev, le chef des services médicaux de l'armée, annonce qu'il n'a plus aucune confiance dans le ministre de la Défense, qui, dit-il, est un menteur. Eytan exige des excuses. Le général Amram Mitsna, qui commande l'Institut des hautes études de la Défense, se lève et explique les raisons pour lesquelles il s'est placé en congé : «*J'ai écrit la lettre suivante au chef d'état-major et au ministre de la Défense : "Dans les circonstances créées par les derniers événements à Beyrouth, je suis parvenu à la conclusion que je ne pourrais pas continuer d'assumer mes fonctions. Je n'ai plus confiance en l'échelon responsable de l'armée qui a utilisé son pouvoir pour décider de missions sans en peser les conséquences et en partant d'analyses fausses. En l'absence d'une telle confiance, je ne peux assumer mes responsabilités.*

Je vous demande donc de me relever de mes fonctions et de me placer en permission. Je ne pourrai revenir à l'armée qu'après la démission du ministre de la Défense."»

– Moshé Lévy, le chef d'état-major adjoint : «*Mitsna ne peut pas menacer ici le régime démocratique de l'État d'Israël. Il nous dit même qu'il ne démissionne pas. Je ne pense pas que ce soit un comportement dans les normes* [...]. »

– Raphaël Eytan : «*Nous avons commis une erreur d'estimation en faisant trop confiance aux forces libanaises chrétiennes après la crise suscitée par l'assassinat de Gemayel. Quant à la question de savoir s'il fallait déclencher la guerre ou non, avec le temps, elle apparaîtra secondaire. Si nous n'avions pas combattu l'OLP, les Palestiniens nous auraient attaqués et le prix aurait été beaucoup plus important.*»

– Yaacov Even, le général porte-parole de l'armée : «*J'ai l'impression que nous avons commis une erreur politique, morale et humaine en nous liant aux phalangistes libanais. C'est une stupidité politique que de faire tout reposer sur un homme, Bachir Gemayel. Qui embrasse des chiens attrape des poux et celui qui donne l'accolade à des assassins se réveille le matin couvert de sang. Le gouvernement et Tsahal ont commis une erreur en faisant un choix terrible.*»

Oded Tira, le commandant d'une division blindée, révèle que plusieurs officiers supérieurs envisagent de démissionner en groupe pour faire pression sur Sharon. Dov Shefi, le procureur militaire, propose de capturer les chefs phalangistes responsables de Sabra et Chatila afin de les traduire en justice en Israël. Raphaël Eytan lui répond : «*Cela ne servira à rien, tu dois t'occuper de toi-même en ce moment et ne pas enseigner notre morale aux autres*[1]*!*»

Le même jour, une manifestation monstre est organisée place des Rois-d'Israël à Tel Aviv, par le mouvement La Paix maintenant et Les Soldats contre le silence, une organisation de réservistes opposés à la guerre, ainsi que les travaillistes et les partis Mapam, Chinouï et Ratz. Quatre cent mille personnes, un dixième de la population juive du pays, participent à ce meeting, le plus important qu'Israël ait jamais connu. Tous les orateurs condamnent la déclaration que Begin a faite deux jours auparavant : «*Des goyim tuent des goyim, et il n'y a pas à réclamer une commission d'enquête en Israël pour examiner cette affaire intérieure libanaise.*» Amnon Rubinstein, du parti de gauche Chinouï, proclame : «*Je suis fier d'être israélien et d'être ici ce soir!*»

Le lendemain, Menahem Begin cède. Une commission d'enquête est

---

1. Shlomo Nagdimon, *Yediot Aharonot*, 22 septembre 1996, supplément, p. 30. Avec la permission de l'auteur.

menée sous la présidence du juge Yitzhak Kahan, le président de la Cour suprême. Au cours d'une soixantaine d'audiences, elle entend plus d'une cinquantaine de témoins, parmi lesquels Begin et Sharon, Eytan,… examine des milliers de documents.

A Jérusalem, Yitzhak Navon, le président de l'État, exige lui aussi la mise sur pied d'une commission d'enquête. Le lendemain, Menahem Begin cède. La commission sera dirigée par Yitzhak Kahan, le président de la Cour suprême.

ARAFAT À TUNIS

En Cisjordanie et surtout à Gaza, l'OLP et le mouvement Fatah en particulier ont pour principal objectif d'empêcher le renforcement du mouvement islamique qui, depuis quelques années, prend de l'ampleur, souvent encouragé par les autorités israéliennes. Déjà, en janvier 1980, l'administration militaire n'était pas intervenue lorsque des centaines de militants islamistes avaient incendié le siège du Croissant-Rouge palestinien, dont le patron, le docteur Haidar Abdel Chafi, est un communiste déclaré. Il n'eut la vie sauve que grâce à l'intervention tardive de soldats israéliens. Le lendemain, il avait remercié le gouverneur militaire de Gaza, le général Yitzhak Seguev, l'ancien attaché militaire à Téhéran, qui vient d'assister à une nouvelle manifestation d'islamisme. Les nouvelles mosquées sont construites au rythme de quarante par an, alors que dans les années 1970, ce chiffre n'était que de treize. Depuis 1981, l'Association des étudiants de l'université Al Nadjah à Naplouse est contrôlée par des islamistes. Le Shabiba, le mouvement de jeunesse du Fatah, passe à la contre-offensive. De véritables affrontements opposent les deux camps.

Le 13 janvier 1983, trois Israéliens arrivent à Tunis. Abou Mazen, le dirigeant du Fatah, les accueille. Quelques heures plus tard, ils sont reçus par Yasser Arafat. Ouri Avnéry, Mattitiahou Peled, et Yaacov Arnon expliquent au chef de l'OLP qu'il devrait faire un geste, reconnaître Israël, même unilatéralement, ce qui permettrait au moins d'entamer le dialogue avec les Israéliens. « *Cela ne servirait à rien*, répond Arafat. *Begin ne nous reconnaîtra pas.* » Peled propose que les Palestiniens annoncent qu'ils reconnaîtront Israël si ce dernier en prend l'initiative. La discussion change de cap lorsque Avnéry explique à Arafat que certains notables de Cisjordanie craignent toujours de rencontrer la gauche israélienne tant que l'OLP n'approuve pas ouvertement ces contacts. Arafat promet de s'adresser personnellement à chacune de ces personnalités. Il félicite Issam Sartaoui, pour qui cette rencontre est l'aboutissement d'une longue traversée du désert. Au cours du dîner, Avnéry rappelle la visite historique d'Anouar el Sadate à Jérusalem : «*Le président égyptien a transformé l'opinion israélienne au sujet de la restitution du Sinaï à l'Égypte. Pendant que la télévision israélienne diffusait en direct son arrivée à l'aéroport, les rues de Tel Aviv étaient vides, il n'y avait pas un chat. Bien sûr, vous ne pouvez pas venir à la Knesset, mais nous pouvons venir au CNP, à votre Parlement. Imaginez l'effet que cela produirait en Israël. Cela détruirait complètement l'image diabolique qu'on se fait de l'OLP en Israël.*» Arafat écoute, il paraît hésiter.

La nouvelle de la rencontre de Tunis fait les premières pages en Israël. Yitzhak Shamir la qualifie de «*comble de la dégradation humaine*».

LA FIN NE JUSTIFIE JAMAIS LES MOYENS

A Jérusalem, la commission Kahan publie son rapport le 7 février 1983. Ariel Sharon devrait adopter les conclusions qui s'imposent et démissionner. Le chef d'état-major ne sera pas prolongé dans ses fonctions qu'il doit quitter au mois d'avril. Les généraux Saguy, Yaron et Drori doivent également quitter leur poste.

Mais les conclusions des juges sont surtout morales. Ils font la différence entre les combats au cours desquels des civils ont été blessés et tués, et les événements de Sabra et Chatila :

«*Il est regrettable que la réaction des soldats de Tsahal aux atrocités auxquelles ils ont assisté n'ait pas toujours été suffisamment ferme pour faire cesser ces actes condamnables. Il nous semble que Tsahal doit continuer à cultiver les obligations morales fondamentales qui doivent être conservées même en condition de guerre, sans porter atteinte à la capacité de combat de Tsahal. Les circonstances du combat requièrent des combattants qu'ils soient fermes – c'est-à-dire qu'ils donnent la priorité à la réalisation des objectifs et à faire des sacrifices afin de les réaliser, même dans les plus difficiles conditions. Mais la fin ne justifie jamais les moyens et les valeurs humaines éthiques fondamentales doivent être conservées dans l'usage des armes. […] [certains] ont avancé l'argument que, au cours de massacres précédents au Liban, des vies bien plus nombreuses qu'à Sabra et Chatila ont été perdues, l'opinion mondiale n'a pas été choquée et aucune commission d'enquête n'a été mise sur pied. Nous ne pouvons justifier cette approche car notre but était de faire la lumière sur les faits relatifs à la perpétration de ces atrocités. Son importance est donc à considérer dans la perspective morale d'Israël et son fonctionnement d'État démocratique qui maintient scrupuleusement les principes fondamentaux du monde civilisé.* »

La gauche réclame, sinon la démission du gouvernement, du moins le départ de Sharon, comme le stipule la commission d'enquête. Le 10 février, La Paix maintenant organise un défilé dans Jérusalem. Il se termine devant la présidence du Conseil où Begin a réuni son cabinet. Un militant d'extrême droite lance une grenade sur la manifestation. Il y a un mort, Émile Grinzweig, un officier de réserve de trente-trois ans, et dix blessés, parmi lesquels Avraham Burg, le fils du ministre de l'Intérieur. Une semaine plus tard, Sharon quitte le ministère de la Défense. Il reste au gouvernement en qualité de ministre sans porte-feuille.

Des négociations commencent avec les représentants du président Amin Gemayel. Les Libanais rejettent toute présence militaire sur leur territoire. Les Israéliens découvrent que la communauté chiite qui avait assisté les bras croisés à la guerre, commence à se réveiller. Des éléments iraniens sont arrivés dans la Bekaa libanaise qui est sous contrôle syrien. Ils organisent des réseaux intégristes. Dans le Sud-Liban, l'occupation israélienne dérape. Après des perquisitions effectuées par des soldats israéliens accompagnés de chiens dans des mosquées, les imams, qui trois mois plus tôt avaient accueilli Tsahal avec des fleurs, proclament la révolte. Dans le Chouf, les Druzes commencent à attaquer les forces chrétiennes.

ABOU NIDAL ET LES CHIITES LIBANAIS

Le 26 mars 1983, Shimon Pérès reçoit à son domicile Rachad A Shawa, le maire de Gaza. Il est 10 h 30 :
– Pérès : «*George Shultz doit venir. Selon nos informations, Hussein de Jordanie voudrait participer aux négociations de paix sur la base du plan Reagan. Durant les dernières discussions, Arafat aurait accepté l'entrée de Hussein dans le processus de paix sous une telle formule…* »
– Shawa : «*J'ai envoyé un message à Arafat pour l'encourager à participer aux négociations exactement dans ce cadre.*»
– Pérès : «*Arafat a soumis cet accord à ses gens qui l'ont rejeté. Arafat a décidé de choisir la sécurité de sa propre position. Hussein, lui, veut aller de l'avant.*»
– Shawa : «*Je crois qu'Arafat agira quand même, ira vers un accord avec le roi.*»
– Pérès : «*L'autre jour, j'ai eu un message du Premier ministre*

suédois. Il a vu Arafat qui lui a dit qu'il souhaitait toujours participer aux négociations, mais je suis sceptique. Vous connaissez Arafat. Il voyage partout, mais il ne fait pas le seul geste qu'il devrait faire[1].»

Issam Sartaoui poursuit sa croisade en faveur d'un dialogue israélo-palestinien. Il est invité à assister à la réunion de l'Internationale socialiste le 10 avril 1983 à Albufeira au Portugal. Bruno Kreisky, le chancelier autrichien, et Willy Brandt, l'ex-chef du gouvernement allemand, lui ont proposé de prendre la parole. Shimon Pérès, le patron du Parti travailliste israélien, n'a aucune intention de laisser ce dirigeant de l'OLP marquer des points. Le bureau de la conférence, face à l'obstination de Pérès, accepte d'autoriser Sartaoui à assister au débat en qualité d'observateur privé, c'est tout. Dans le hall de l'hôtel où se déroule la réunion, un homme se dirige vers Issam Sartaoui. Il lui tire deux balles dans la tête. C'est un agent d'Abou Nidal. Les autorités portugaises le condamneront pour l'usage d'un faux passeport, à trois ans de prison. L'Internationale socialiste est en deuil. Shimon Pérès fait l'éloge de Sartaoui. Le discours qu'il devait prononcer est lu, à titre posthume, par Willy Brandt.

Le 11 novembre 1983, un chiite kamikaze se fait sauter devant l'entrée du QG israélien de Tyr. Il y a 74 morts. Durant les six premiers mois de la guerre au Liban, Israël compte 463 morts et 2 500 blessés. Tsahal est pris au piège.

LE DÉPART DE BEGIN

Menahem Begin est seul. Son épouse est décédée le 18 novembre 1982. Tous les matins, en sortant de sa résidence à Jérusalem, il voit, au bout de la rue, le panneau installé par des manifestants de La Paix maintenant et sur lequel est inscrit le nombre de victimes de la guerre au Liban. Le bilan augmente de jour en jour. Begin parle de moins en moins. Ses apparitions se font rares et des rumeurs sur sa dépression commencent à circuler. On raconte qu'il assiste, silencieux, aux réunions du gouvernement. Le 4 septembre 1983, il préside sa dernière réunion de gouvernement dont il démissionne le 15. Le public israélien considère la guerre au Liban comme un échec. Selon un sondage, de juillet 1982, 66 % des personnes interrogées justifiaient l'opération «Paix en Galilée». En septembre 1984, seuls 20 % des Israéliens l'approuveront[2].

1. Archives personnelles.
2. *Haaretz*, supplément, 7 juin 1985, p. 13.

Yitzhak Shamir est candidat à la succession. Il a le soutien des chefs traditionnels du Likoud. David Lévy se porte également sur les rangs. Le Comité central du mouvement tranche le 1er septembre 1983. Shamir l'emporte avec 60 % des voix. Le chef des opérations du Groupe Stern remplace à la présidence du Conseil celui qui fut le patron de l'Irgoun. Le nouveau Premier ministre n'a pas droit à un état de grâce. Tsahal est enlisé au Liban. Les attaques des chiites lui infligent des pertes quotidiennes. Le taux d'inflation annuel dépasse les 200 %. Les prochaines élections doivent avoir lieu dans moins d'un an, et Shimon Pérès a bien l'intention de les gagner. Après la défaite des chrétiens dans le Chouf où les Druzes leur ont pris soixante villages, Shamir décide de tourner la page de l'aventure libanaise. Il a compris que l'accord conclu le 17 mai avec le Liban ne vaut que son pesant de papier.

Le 24 novembre, Israël libère 4 700 prisonniers palestiniens du camp d'Ansar au Sud-Liban en échange de 6 soldats capturés par l'OLP. La France a servi d'intermédiaire et les Israéliens sont transférés à bord d'un navire français, au large de Tripoli. 1 100 Palestiniens sont transportés à Alger par la Croix-Rouge. Yasser Arafat était, entre-temps, revenu au Liban où il s'était installé à Tripoli dans le nord. Mais Hafez el Assad ne voulait plus de lui au Pays des cèdres. Des forces appartenant à des organisations palestiniennes d'obédience syrienne assiègent le chef palestinien. Grâce à l'intervention de François Mitterrand et de l'Arabie Saoudite auprès de Damas, Arafat et ses fidèles sont évacués sur Tunis par la marine française. Yitzhak Shamir donnera l'ordre de ne pas gêner le départ du chef de l'OLP.

LES TERRITOIRES

Depuis décembre 1983, le sentiment des renseignements militaires israéliens est que la guerre au Liban a changé l'attitude des Palestiniens des territoires occupés envers Israël. Ils penchent désormais en faveur d'un règlement politique et ont le sentiment qu'il n'y a pas d'autre solution. La construction d'implantations, leur renforcement, gêne les relations entre Israël et les Arabes. Le général Shlomo Gazit, qui a été versé dans la réserve et préside l'université Ben-Gourion dans le Neguev, déclare ouvertement : «*Les habitants des implantations* [s'arrogent un] *rôle dans le domaine de la sécurité. Je ne suis pas certain qu'on puisse les laisser garder leurs villages dans le cadre de la garde civile. Ce sont des éléments des plus provocateurs, des agitateurs qui recherchent l'affrontement.*» Le plan Allon, d'implantation dans la vallée du Jourdain, et en dehors des zones urbaines arabes, est inacceptable pour la population palestinienne, et il est difficile d'imaginer que cela sera le cas à l'avenir. La mise en place de l'autonomie est la forme de règlement la plus logique, et il serait possible d'aboutir à une solution intérimaire durant dix ans. Gazit ne mâche parfois pas ses mots : «*Nous* [nous conduisons comme] *des criminels envers les territoires depuis dix-sept ans, pas moins que Hussein et Nasser jusqu'en 1967. Nous n'avons pas construit une infrastructure suffisante dans le domaine de la santé et de l'éducation dans les territoires, et si nous ne voulons ou ne pouvons effectuer les investissements nécessaires, il faut laisser les Palestiniens le faire[1].*»

Gazit estime qu'il faudrait permettre l'arrivée de fonds provenant de l'OLP, sous le contrôle israélien. Il se prononce en faveur d'une rupture des liens économiques entre la Cisjordanie et Israël, et, dit-il, s'il est impossible de parvenir à l'autonomie par la négociation, Israël devrait la mettre en place unilatéralement et accepter la création d'une force de police palestinienne qui ne serait pas sous la responsabilité de la police israélienne[2].

Début janvier 1984, Yaïr Hirschfeld, un des responsables des contacts avec les Palestiniens au Parti travailliste, a remis à Shimon Pérès un rapport sur les éléments d'instabilité dans les territoires occupés. Il relève la croissance économique accélérée de 14 % par an durant la première moitié des années 1970, descendue à 7 % par an ensuite, qui a conduit à une réduction du fossé social. Toutes les couches de la population palestinienne ont une attitude positive envers la culture et l'éducation occidentale. La croissance s'est arrêtée depuis un an, avec l'interruption des envois de fonds de l'étranger. En 1982, par exemple, les rentrées mensuelles des douze mille fonctionnaires, des instituteurs, sont passées de trois à quatre cents dollars par mois à cent cinquante à deux cents dollars par mois. Un phénomène qu'il faut lier à la baisse des prix des denrées agricoles, ce qui met en difficulté les agriculteurs palestiniens, et au chômage qui voit le jour en raison de la croissance démographique et de l'absence d'investissements. Une situation rendue encore plus difficile par les gouvernements israélien et américain. Le cabinet Begin a limité le développement économique de la Cisjordanie et de Gaza, limogé les maires, qu'ils soient modérés ou extrémistes, dispersé les conseils municipaux. La nomination de nouveaux maires par les autorités israéliennes a réduit l'influence des notables traditionnels. Hirschfeld note que cinq personnalités palestiniennes ont condamné le

---

1. Archives personnelles.
2. Rapport à Shimon Pérès, compte rendu d'une rencontre avec S. Gazit. Source désirant garder l'anonymat.

dernier attentat à Jérusalem, le dépôt d'une bombe dans un autobus qui a fait plusieurs victimes. Il conclut que ces tendances pragmatiques modérées connaissent une récession.

Dans la soirée du 12 avril 1984, quatre jeunes Palestiniens montent à bord de l'autobus 300 de la compagnie Egged qui effectue le trajet Tel Aviv-Ashkelon. Ils ont l'air nerveux. Après une demi-heure, ils se lèvent en brandissant une arme et un paquet qui, disent-ils, contiendrait des explosifs. L'autobus est détourné. Le conducteur parvient à ouvrir une portière. Quelques passagers s'échappent et donnent l'alerte. Le véhicule poursuit sa course et force le barrage d'Erez à l'entrée de la bande de Gaza. Une patrouille de réservistes parvient, en tirant dans les pneus, à l'arrêter près de Dir El Balah. La négociation commence. Les terroristes veulent échanger les otages contre cinq cents détenus palestiniens emprisonnés en Israël.

A 4 h 50 du matin, une unité d'élite monte à l'assaut. Deux des Palestiniens sont tués, ainsi qu'une jeune soldate. Les deux terroristes survivants sont emmenés par des soldats et des officiers. Des journalistes, présents sur les lieux, assistent à la scène et prennent des photographies. Le général Yitzhak Mordehaï, commandant de l'infanterie et des parachutistes, est le premier à les interroger. Il reconnaîtra plus tard les avoir frappés pour leur faire dire s'il y avait encore une charge explosive dans l'autobus. Il laisse les deux hommes aux mains d'agents du Shin Beth et de plusieurs soldats qui les passent à tabac. Ehoud Yatom, un des responsables du service de sécurité intérieure, emmène les terroristes vers 6 heures du matin. Ils ont perdu connaissance. Avraham Shalom, le patron du Shin Beth, le contacte et lui donne l'ordre de les liquider[1].

Ce n'est pas la première fois que l'armée ou le Shin Beth procède à une telle exécution. Les deux Palestiniens sont achevés à coups de pierre. Le porte-parole de Tsahal, qui avait d'abord annoncé qu'ils avaient été capturés vivants, corrige son communiqué : «*Tous les terroristes sont morts au cours de l'assaut.*» Plusieurs journalistes, qui connaissent la vérité, n'acceptent pas cette version. Ils soumettent des articles à la censure qui interdit la publication de toute l'affaire.

Le 16 avril, le quotidien *Yediot Ahronot* publie sur cinq colonnes à la une : «*D'Israël le* New York Times *révèle que deux des terroristes ont été tués après avoir été faits prisonniers*». En l'occurrence, le journal cite le quotidien américain pour contourner la censure. L'affaire fait scandale. Le 24, Moshé Arens, le ministre de la Défense, décide de mettre sur pied une commission d'enquête. Les dirigeants israéliens

---

1. *Yediot Aharonot*, 25 juillet 1996.

comprennent qu'ils ont un énorme problème à résoudre. Méir Zoréa, un général à la retraite, dirige la commission, à laquelle participe également un des chefs du Shin Beth, Yossi Guinossar. Elle commence ses travaux le 26 avril. Les soupçons se portent d'abord sur le général Mordehaï. Ce n'est pas un hasard, l'objectif principal du Shin Beth est d'empêcher la vérité de voir le jour. Zoréa remet son rapport un mois plus tard au chef du gouvernement, au ministre de la Défense, au chef de l'armée et des services spéciaux : «*Les deux terroristes sont morts des suites d'une fracture du crâne causée par un objet contondant qui les aurait frappés sur la nuque. Il n'y a pas eu d'ordre d'exécution donné par le ministre Moshé Arens. Des soupçons se portent à l'encontre de certains membres des forces de défense qui auraient commis des délits. Une enquête doit être ouverte.*» Guinossar a manipulé certains témoins au nom de la «raison d'État.»

LE RÉSEAU TERRORISTE JUIF

Mais entre-temps une autre affaire a éclaté. Tôt le matin, le jour même où la commission Zoréa a commencé ses travaux, trois Israéliens avaient été arrêtés par la police et le Shin Beth. Ils venaient de placer des charges explosives sous cinq autobus palestiniens à Jérusalem-Est. Le réseau terroriste juif était infiltré depuis quelques mois par les services de sécurité qui n'attendaient que le moment d'agir. Trente-cinq personnes sont placées sous les verrous. La crème de Goush Emounim. Le chef du groupe est Menahem Livni, trente-sept ans, commandant d'un bataillon de réserve du génie. Il est le président du Comité pour le renouveau du quartier juif de Hébron où il habite, son adjoint est Yéhouda Etzion, trente-trois ans, un des fondateurs de l'implantation d'Ofra. Parmi leurs complices, on trouve un officier de carrière, des colons du Golan, un rédacteur en chef de *Nekouda*, la revue du mouvement nationaliste religieux, le principal promoteur juif de Cisjordanie et des illuminés comme Dan Beeri, quarante ans, chrétien converti au judaïsme quinze ans plus tôt et installé à Hébron. Le groupe avait commis les attentats contre les maires palestiniens en juin 1980 et l'attaque à l'arme automatique de l'université islamique de Hébron en juillet 1983 au cours duquel trois étudiants avaient trouvé la mort[1].

Mais le principal objectif du réseau, depuis sa création au début de l'année 1980, après les accords de Camp David, c'était la destruction du

---

1. Pour les terroristes juifs, il s'agissait de représailles à l'assassinat d'un étudiant juif à Hébron, le 7 juillet 1983.

dôme du Rocher, le Haram El Sharif sur le mont du Temple à Jérusalem. Etzion était persuadé que la disparition de ce Lieu saint musulman produirait une révolution spirituelle en Israël, relancerait le processus messianique commencé lors de la guerre des Six Jours et, croyait-il, interrompu par la paix avec l'Égypte. Avec ses camarades, il avait volé plusieurs tonnes d'explosifs à Tsahal et étudié l'architecture des mosquées. Une vingtaine de militants devaient participer à l'opération[1].

En juin, le procureur de l'État traduira en justice vingt-cinq suspects, dix seront accusés de meurtre. Le rabbin Levinger, très proche des accusés – l'un d'entre eux est sont gendre –, cinq autres étaient avec lui lors de la première implantation en 1968, fait l'objet d'une détention préventive de quinze jours. Il est soupçonné d'avoir donné au réseau l'autorisation rabbinique d'agir. Mais les enquêteurs ne parviendront pas à réunir contre lui des preuves tangibles.

La police interrogera d'autres rabbins du mouvement des implantations, sans succès. Ehoud Sprinzak le spécialiste de la droite extrémiste en Israël affirme : «*Les aveux et les témoignages des membres du réseau ne permettent pas de dire si des rabbins de premier plan à Kyriat Arba ont participé à la conspiration. Mais ils établissent que seules les opérations approuvées par les rabbins ont eu lieu. […] Le rabbin Levinger était opposé à l'attaque contre les maires palestiniens, uniquement parce qu'il recommandait des actions plus extrêmes, des actes de violence aveugle. Selon Livni, le rabbin Eliezer Waldman – un des guides spirituels de Goush Emounim et, depuis 1981, député à la Knesset – s'est même porté volontaire pour l'opération contre les maires. […] Shaul Nir qui a mené l'attaque contre l'université islamique de Hébron a dit au cours de ses aveux : «Au cours des trois dernières années, j'ai discuté de la question avec quatre rabbins, tous ont exprimé leur soutien en faveur d'opérations contre le public arabe. […] J'ai également entendu les noms de trois autres rabbins qui ont déclaré leur soutien à différentes étapes de l'opération[2].*» Les militants nationalistes religieux n'agissent pas sans le feu vert de leurs rabbins.

Goush Emounim publiera un communiqué le 11 juin, réclamant une amnistie pour ses camarades et la condamnation à mort de deux Palestiniens soupçonnés du meurtre de deux Israéliens. Une collecte du mouvement parmi la droite juive aux États-Unis permettra de réunir plusieurs centaines de milliers de dollars pour financer la défense des accusés.

---

1. Ehoud Sprinzak, *The Ascendance of Israel's Radical Right*, Oxford University Press, New York, 1991, pp. 97 et 98. Robert I. Friedman, *Zealots for Zion*, Random House, New York, 1992, p. 25.
2. Ehoud Sprinzak, *The Ascendance of Israel's Radical Right, op. cit.*, p. 99.

Le tribunal de district de Jérusalem condamnera, en juillet 1985, vingt-cinq membres du réseau à des peines allant de quelques mois de détention à la prison à vie. Yitzhak Shamir déclarera, dès le lendemain, que ce sont «*d'excellentes personnes ayant commis une erreur*». Livni et Nir seront remis en liberté en décembre 1990.

A Gaza, le 15 juin 1984, des agents du Shin Beth, accompagnés de militaires, font irruption dans la maison du cheikh Ahmed Yassine. Ils perquisitionnent également la mosquée voisine, où ils découvrent une cache d'armes : vingt-deux pistolets, une cinquantaine de fusils d'assaut et de mitraillettes. Le cheikh est passé à la seconde étape de la constitution de son mouvement : les Frères musulmans ont formé des cellules militaires secrètes. Son procès a lieu le 15 août. Yassine est condamné à treize ans de prison ferme, ses hommes reçoivent des peines de douze à neuf ans.

Un jour de juillet 1984, Réouven Hazak, le numéro deux du Shin Beth, est convoqué par Avraham Shalom. Steve Cohen a rencontré Yitzhak Shamir et lui a parlé de ses contacts avec les Égyptiens, avec l'OLP. Le Premier ministre a confié le dossier au Shin Beth, et Shalom donne l'ordre à son adjoint de surveiller «*ce jeune Américain* […] *naïf*». L'agent secret et Cohen sympathisent très vite, et discutent longuement de la manière de sortir les négociations de paix de l'impasse. Hazak a une idée : il faut mettre Shamir dans une situation telle qu'il ne pourra pas refuser un dialogue avec l'OLP. *Parlons des soldats disparus.* Cohen trouve la proposition formidable. Libérer des prisonniers ou retrouver le corps d'un disparu, en Israël, est une mission sacrée. Avraham Shalom accepte l'idée et persuade Shamir de confier la mission d'établir des contacts secrets avec l'OLP au Shin Beth et à Steve Cohen.

PÉRÈS PREMIER MINISTRE, KAHANA DÉPUTÉ

La population d'Israël se rend aux urnes le 23 juillet 1984. C'est la surprise. Le Likoud ne perd pas les élections. La gauche et la droite sont à égalité. Le président de l'État d'Israël, Haïm Herzog, charge Shimon Pérès de former le gouvernement. Après quelques semaines, le dirigeant travailliste est obligé de constater qu'il n'a pas le choix : il doit faire une alliance avec le Likoud, mettre sur pied un cabinet d'union nationale. L'accord de coalition est conclu le 14 septembre. Le nouveau gouvernement est composé de vingt-six ministres, treize de chaque camp. La présidence du Conseil ira à Pérès pendant un peu plus de deux ans avant de revenir à Yitzhak Shamir, dont le calcul est simple : il affrontera le prochain scrutin en 1988 en tant que Premier ministre. Et puis, la situation économique se sera certainement améliorée. Shimon Pérès, après trois échecs électoraux, goûte enfin au pouvoir. Il a deux ans pour s'imposer à l'opinion publique israélienne.

Méir Kahana, le rabbin raciste, compte parmi les nouveaux élus. Toutes les tentatives de la commission électorale visant à interdire sa candidature ont échoué devant la Haute Cour de justice. Il a obtenu plus que les 26 000 voix requises. Ses théories fascistes entrent au Parlement israélien par la grande porte. Pour la première fois un homme politique israélien dénonce non seulement les terroristes arabes pour leurs crimes mais l'ensemble de la population arabe pour sa seule présence. Ce rabbin prêche la haine dans le cadre d'un projet de société théocratique, mythique, sur la foi d'une interprétation à la lettre de certains textes bibliques. Les sondages montrent que sa popularité est en hausse. La société israélienne est en crise[1].

Shimon Pérès s'installe à la présidence du Conseil. Il emmène son fidèle Yossi Beilin qui devient secrétaire du gouvernement. Une étape dans sa carrière. Ancien journaliste, universitaire c'est un des responsables du groupe Mashov, la section du Parti travailliste qui regroupe des jeunes de gauche, favorables à la paix, à un accord avec les Palestiniens. Il a réuni autour de Pérès des jeunes conseillers qui forment un *« think tank »* à l'américaine. Nimrod Novick, fils d'un ancien dirigeant de la Hagannah et de la police israélienne, mannequin, il a fait ses études aux États-Unis. Ouri Savir, fils d'un diplomate israélien, lui même en poste à l'étranger viendra rejoindre le groupe un peu plus tard. Il prendra la responsabilité des contacts avec la presse. Ils sont vite surnommés les « blazers » de Pérès en raison de leurs habitudes vestimentaires. Yaïr Hirschfeld, universitaire à Haïfa et membre de Mashov, est responsable des conatcts avec les Palestiniens des territoires occupés. Bruno Kreisky l'avait remarqué au cours d'un colloque à Vienne. De l'étranger, Steve Cohen viendra naturellement se greffer à ce groupe qui sera, jusqu'en 1990, au cœur de toutes les initiatives diplomatiques au Proche-Orient.

Ezer Weizman est là, lui aussi. L'ancien ministre de la Défense de Menahem Begin est membre du cabinet mais sans portefeuille. Pérès l'installe dans un bureau situé à quelques dizaines de mètres du sien et lui confie le dossier des Arabes israéliens. Weizman entame une série de consultations avec les principaux responsables de cette communauté. Un après midi d'août, il reçoit un jeune étudiant en médecine de vingt-six ans. Ahmed Tibi, son père, proche du Parti travailliste, est directeur de banque dans le village arabe de Taïbeh. Le fils qui termine brillam-

---

1. Simon Epstein, *Les Chemises jaunes*, Calmann-Lévy, Paris, 1990, pp. 24 à 27.

ment ses études à l'hôpital Hadassah à Jérusalem s'est fait remarquer sur le campus par ses prises de position en faveur de l'OLP. En 1976, les autorités militaires lui avaient même interdit pendant un an l'entrée de la Cisjordanie et de Gaza ; ce qui ne l'a pas empêché de rester en contact avec Raymonda Tawil la militante du Fatah à Ramallah. Weizman sait donc à qui il a affaire. Leur première rencontre porte sur les problèmes des médecins du secteur arabe en Israël, les deux hommes sympathisent. Un second rendez-vous a lieu une semaine plus tard. Le ministre lâche une petite phrase qu'Ahmed Tibi s'empresse de noter dès qu'il est sorti du bureau de son hôte : « *Tôt ou tard nous finirons par discuter avec l'OLP et il n'y aura pas le choix, il faudra envisager la création d'un État palestinien.* » Tout le contraire du discours officiel des principaux partis politiques israéliens. Ils ont un nouvel entretien la semaine suivante.

Tibi fait son compte rendu à Raymonda Tawil. C'est important. Elle contacte Tunis. Il faut en parler directement à Yasser Arafat. Quelque jours plus tard ils partent pour Paris. Ibrahim Souss le représentant de l'OLP en France, et le gendre de Raymonda Tawil, les attend à Orly en compagnie d'un responsable de la police des frontières. Les autorités françaises coopèrent. Les passeports des personnalités palestiniennes en provenance d'Israël ou des territoires occupés et se rendant à Tunis ne sont pas tamponnés à la sortie ni à l'entrée du territoire français. Ces visiteurs très particuliers peuvent donc regagner Israël en affirmant qu'ils sont restés en France.

Dans la capitale tunisienne le jeune médecin rencontre pour la première fois Abou Jihad et Yasser Arafat qui le questionnent longuement sur la situation politique en Israël. Ils lui remettent un message verbal destiné à Weizman. Tibi revient à Jérusalem et demande un rendez-vous au ministre israélien. A son interlocuteur, éberlué, il annonce qu'il s'est rendu à Tunis pour répéter au chef de l'OLP la discussion qu'ils avaient eue. Yasser Arafat le salue et propose de maintenir le contact par l'intermédiaire de Tibi. Weizman, bouche bée, répond après quelques secondes : « *Toi, tu as des couilles !* »

ARAFAT ET HUSSEIN

Dés l'arrivée au pouvoir des travaillistes, Steve Cohen a accéléré ses contacts avec l'OLP et les Égyptiens. A Tunis, au cours d'une longue conversation, il est parvenu à convaincre Yasser Arafat d'accepter le principe de rencontres secrètes avec les Israéliens. Le dirigeant palestinien trouve l'idée attrayante. Une cuisine secrète, réunissant des représentants d'Israël et de l'OLP, préparait les négociations du processus de paix officiel. Au Caire, Cohen a de longues discussions avec Ossama el Baz, le conseiller à la présidence égyptienne. En janvier 1985, il organise une visite secrète d'el Baz à Jérusalem pour discuter du différend de Taba qui empoisonne les relations avec Israël et les contacts secrets avec l'OLP. Réouven Hazak, le numéro deux du Shin Beth, assure la logistique. Il attend l'invité égyptien au point de passage de Rafah, mais découvre avec surprise que l'ambassadeur d'Égypte à Tel Aviv, Mohamed Bassiouny, est là lui aussi. La presse aura vent de la visite.

Le 11 février 1985, Yasser Arafat et Hussein de Jordanie signent, à Amman, un accord historique pour œuvrer de concert en faveur de la paix :

«*Pour parvenir à un règlement pacifique et juste de la crise au Proche-Orient et la fin de l'occupation par Israël des territoires arabes occupés, y compris Jérusalem, sur la base des principes suivants :*

«*1) Retrait total des territoires occupés en 1967 pour une paix globale définie par les résolutions du Conseil de sécurité des Nations unies.*

«*2) Le droit à l'autodétermination du peuple palestinien […].*

«*3) Solution du problème des réfugiés palestiniens, en accord avec les résolutions des Nations unies […].*

«*5) Sur ces bases, des négociations de paix se dérouleront sous les auspices d'une conférence internationale à laquelle participeront les cinq membres permanents du Conseil de sécurité, et toutes les parties au conflit, ainsi que l'OLP, le seul représentant légitime du peuple palestinien, dans le cadre d'une délégation conjointe avec la Jordanie.*» A Jérusalem les «blazers» sont ravis, les chances de faire avancer les négociations augmentent.

Le 20 avril 1985, une vedette lance-missiles israélienne intercepte un cargo au large des côtes israéliennes, l'*Attavarious*. Des coups de feu sont tirés en direction des marins israéliens, qui ripostent immédiatement au canon. Le navire est coulé. Il y a huit survivants, qui racontent aux enquêteurs du Shin Beth et des renseignements militaires qu'ils viennent du camp de Ein Hiloué au Sud-Liban. Ils ont été choisis personnellement par Abou Jihad pour effectuer une opération terroriste à Bat Yam, au sud de Tel Aviv. Ils devaient prendre des otages et demander en échange de leur libération celle de cent cinquante Palestiniens détenus dans les prisons israéliennes.

L'état-major de lutte antiterroriste, formé de représentants de l'armée et du Shin Beth, prépare une opération ponctuelle, qui devrait neutraliser l'unité responsable de ces attentats, la Force 17, la garde prétorienne de Yasser Arafat dont le chef est Abou Taïeb.

A Gaza, le cheikh Ahmed Yassine retrouve rapidement la liberté. Condamné à treize ans de détention, il n'est resté que onze mois en prison. Il est le premier des mille détenus palestiniens dont Ahmed Jibril exige la libération en échange de trois soldats israéliens prisonniers de son organisation au Liban. L'échange a lieu le 21 mai 1985. Les militants du Fatah viennent à la fin de la liste de Jibril. C'est un message au mouvement palestinien. Le cheikh infirme va préparer le *Jihad*, la guerre sainte, contre Israël. Les six cent cinquante détenus palestiniens autorisés à regagner leurs foyers en Cisjordanie et à Gaza formeront l'épine dorsale de l'Intifada.

Au début de l'année, un avocat israélien dont les services ont été loués par une association de défense des droits de l'homme proche du mouvement islamique, a déposé une demande d'amnistie en bonne et due forme au gouverneur de Gaza : «*Il ne fait pas de doute que l'organisation* [d'Ahmed Yassine] *n'appartient pas aux organisations terroristes palestiniennes telles que nous les connaissons. La peine qui lui a été infligée est sans aucune commune mesure avec les actes et les normes des condamnations infligées en Israël à des organisations terroristes bien plus dangereuses.*»

OLP-SHIN BETH

Les rencontres préparatoires aux négociations israélo-palestiniennes ont lieu à New York. Cohen a obtenu un visa d'entrée aux États-Unis pour son interlocuteur, Saïd Kamal, qui a réintégré l'OLP deux ans plus tôt. A Jérusalem, un comité restreint va suivre ces contacts sous la direction du Premier ministre; il réunit Yitzhak Rabin, le général Ehoud Barak, chef des renseignements militaires, Yossi Beilin et Avraham Shalom, le patron du Shin Beth. C'est Yossi Guinossar, le représentant du Shin Beth aux États-Unis, qui rencontrera Kamal. Shalom fait le voyage pour surveiller les choses de près. Le premier entretien a lieu le 3 juin à Lexington Avenue au restaurant La Petite Ferme. Les services spéciaux israéliens veillent. Ce ne serait pas la première fois qu'un de leurs agents tomberait dans un piège.

Guinossar se présente à Kamal : «*Je suis un haut fonctionnaire de la communauté du renseignement en Israël, vous pouvez m'appeler "Jo". Je dois vous informer de ce dont mes supérieurs m'ont demandé de vous faire part : je transmettrais tout ce que vous me direz à l'échelon le plus élevé en Israël. Les rencontres que vous avez eues avec Steve Cohen ont suscité un grand intérêt en Israël. Israël est favorablement impressionné par le fait que Yasser Arafat soit prêt à participer à un tel dialogue sur nos soldats disparus. Vous aurez une réponse dans deux semaines à la question de savoir s'il y aura des négociations et avec qui.*

– La réponse viendra-t-elle du niveau gouvernemental israélien ?

– De la plus haute autorité en Israël.

– J'ai l'air d'un menteur. Je croyais que les choses se passeraient dif-féremment. Cela met mon statut personnel en danger et peut-être même ma vie.»

La seconde rencontre a lieu le lendemain dans le bureau de Steve Cohen. Saïd Kamal revient sur son inquiétude de la veille :

«*Vous ne comprenez vraiment pas ma situation personnelle dans cette affaire!»*

– C'est vous qui ne réalisez pas la différence entre le groupe juif amé-ricain [Steve Cohen, Howard Squadron et Steve Shalom], *le reprend* Guinossar, *avec qui vous avez discuté jusqu'à présent et moi-même. Je suis un haut fonctionnaire israélien et je parle en tant que tel. Vous devez apprécier l'occasion que vous avez de transmettre des messages à un Israélien qui les remettra ensuite aux autorités compétentes […].»*

Saïd Kamal sort une feuille de son sac : «*Voici notre réponse au document de travail que nous avons reçu de nos interlocuteurs juifs. Nos négociations secrètes devraient porter sur les neufs points sui-vants :*

«*1) Le droit à l'autodétermination pour le peuple palestinien dans le cadre d'une confédération avec la Jordanie ou Israël.*

2) Une solution juste au problème des réfugiés palestiniens.

3) Une solution globale du problème palestinien à tous les points de vue.

4) Le droit d'Israël à exister dans des frontières sûres et reconnues.

5) Un accord intérimaire entre Israël et l'OLP.

6) Des arrangements de sécurité mutuels.

7) La fin des opérations militaires.

8) La conclusion d'un accord de paix entre les deux peuples.

9) Tout cela dans le cadre d'un accord global.

Les négociations doivent se dérouler sur la base de cinq principes : a) les territoires en échange de la paix; b) les territoires acquis par la force doivent être restitués; c) retrait israélien des territoires conquis en 1967 avec, le cas échéant, des rectifications de frontières négociées; d) souveraineté territoriale pour les deux parties; e) tous les accords qui seront conclus devront être fondés sur les résolutions de l'Assemblée générale des Nations unies.»

La conversation se termine. Les trois hommes prennent congé. Guinossar et Shalom rentrent en Israël où ils font leur rapport à Shimon Pérès et Yitzhak Rabin. Yossi Beilin et Ehoud Barak participent à la discussion. Le chef des renseignements militaires trouve que le gouvernement prend des risques énormes. Une fuite pourrait déclencher un scandale épouvantable. Shimon Pérès décide de poursuivre les contacts avec l'OLP. Avraham Shalom est chargé de présenter le procès verbal de la discussion de New York à Yitzhak Shamir. Il met l'accent sur l'objectif principal, obtenir des Palestiniens des informations sur le sort des disparus israéliens de la guerre au Liban et confirme que ce dialogue avec l'OLP portera également sur un éventuel accord politique. Durant toutes ces négociations secrètes le ministre des Affaires étrangères et chef du Likoud recevra en détail le protocole des discussions. A aucun moment, il n'exprimera une opposition à ces contacts avec l'ennemi.

Pérès convoque Shlomo Gazit, l'ancien chef des renseignements militaires qui vient de quitter la présidence de l'université de Beershéva s'apprête à occuper le poste de directeur général de l'Agence juive. De ce point de vue, il est l'homme parfait pour les missions secrètes que le Premier ministre lui confie. Il n'a aucune fonction gouvernementale. Il mènera les discussions avec l'OLP. Gazit rencontre Réouven Hazak et Yossi Guinossar qui lui font un compte rendu sur les discussions menées par le groupe de Juifs américains et les deux rencontres de New York. Le 1er juillet, il soumet un document de travail à Shimon Pérès :

«Les objectifs d'Israël sont les suivants :

«1) Obtenir des informations sur les militaires israéliens portés disparus.

2) Vérifier les intentions politiques des interlocuteurs palestiniens à l'égard d'Israël. Peuvent-elles constituer une ouverture vers un accord politique en raison de la situation au sein de l'OLP après son expulsion du Liban.

3) Le cas échéant, si le conflit avec l'OLP se durcit, divulguer la tenue de ces conversations pour embarrasser la partie palestinienne.

4) Éviter toute manœuvre qui puisse embarrasser le gouvernement israélien sauf s'il y a une possibilité réelle d'aboutir à un accord politique.

Tactiquement, les délégués israéliens utiliseront pour couverture des discussions politiques l'affaire des militaires disparus. Ils ne sont officieusement mandatés pour ne parler que de cela. Au sujet des questions politiques, ils doivent écouter et transmettre ensuite à l'échelon politique en Israël. Si Shlomo Gazit réagit, il n'exprimera que son opinion privée.»

Et là, le général israélien qui a peut-être le plus côtoyé le problème palestinien de 1967 à 1978 propose à Shimon Pérès d'énoncer aux Palestiniens les conditions de son point de vue personnel d'un dialogue possible entre Israël et l'OLP :

«*Pour cela, l'OLP devrait publier : une reconnaissance claire et publique d'Israël et de son droit à l'existence ; une déclaration publique sur la nécessité du règlement du conflit par un accord politique ; une déclaration condamnant le terrorisme. Concrètement, cela signifierait :*

«*– pas de solution impliquant un retrait total civil ou militaire de la Cisjordanie ou de Gaza ;*

«*– pas d'engagement israélien en ce sens même pour l'avenir ;*

«*– Israël préfère fonder une entente éventuelle avec les Palestiniens sur les accords de Camp David, même si cela ne leur plaît pas.*

«*C'est-à-dire : une autonomie pour les Palestiniens avec, de la part des Israéliens, une volonté de grande souplesse menant vers une autonomie réelle ; un arrêt complet ou partiel de la construction de nouvelles implantations juives ; la vallée du Jourdain constitue la frontière de sécurité d'Israël, une présence militaire israélienne y sera maintenue ainsi que sur les autres lieux indispensables ; pas de retour de réfugiés palestiniens sur le territoire israélien ; une autorité internationale sera mise sur pied pour préparer leur réinstallation et examiner le paiement de dédommagements ; Jérusalem restera sous souveraineté israélienne mais une solution spéciale sera examinée pour les Lieux saints de la vieille ville ; la mise sur pied d'une municipalité secondaire arabe pourrait être envisagée ; un comité conjoint israélo-palestinien veillera à l'application de l'accord.*»

Shimon Pérès approuve la partie du texte qui ne contient pas les «opinions personnelles» de Gazit. Pour le reste, il se contente de hocher la tête.

Steve Cohen est informé de la nomination de Gazit. Il se rend à Tunis pour rencontrer Arafat. Le chef de l'OLP est mécontent. Il veut des négociations secrètes en bonne et due forme et on lui propose une discussion axée d'abord sur l'affaire des disparus israéliens au Liban. Il se laisse convaincre par Cohen qui, pour sa part, trouve que la formule a au moins l'avantage de ne pas placer la barre trop haut. Arafat lui demande de ne pas parler de cet entretien, de quitter le siège de l'OLP pour revenir plus tard afin de présenter l'affaire à Abou Jihad et Abou Iyad, sans trop mettre l'accent sur les disparus. Cohen s'exécute, sort de l'immeuble et revient une heure plus tard. Hani el Hassan, qui représentera l'OLP dans les négociations au côté de Saïd Kamal, participe cette fois à la discussion. Les dirigeants palestiniens acceptent le principe des contacts secrets avec Israël.

Cohen comprend que c'est Abou Jihad qui détient le dossier des disparus israéliens. Ils sont apparemment enterrés au Sud-Liban, en secteur syrien. Abou Iyad qui est considéré comme proche de la Syrie est le plus méfiant. Arafat finit par se déclarer satisfait de la nomination de Shlomo Gazit :

«*Gazit ? Je suis ses publications de près. C'est un homme bien et sérieux. il a été chef des renseignements militaires. Mais est-ce que les nouveaux leaders israéliens ont confiance en lui ?*

– C'est un homme très responsable, un proche conseiller du Premier ministre Pérès, le rassure Steve Cohen.

– Bien, bien ! Si c'est un homme de confiance, c'est bon pour la stratégie et bon pour les tâches difficiles !»

Plus tard dans la soirée, Cohen est présenté à Khaled el Hassan qui est gravement malade. Visiblement Arafat voulait l'avis de son camarade de combat sur l'universitaire canadien. Il quitte Tunis optimiste.

Au mois d'août, le nouveau gouverneur de Gaza, le général Shaïké Erez, approuve la diffusion d'un rapport sur les activités des organisations religieuses, rédigé par ses services : «*Le traitement des organisations religieuses extrémistes doit se faire avec discernement. Il faut restreindre l'activité de leurs leaders en permanence et par tous les moyens possibles. Il est nécessaire de faire preuve de fermeté face aux activités inhabituelles des Frères musulmans dont il est nécessaire d'empêcher l'installation à l'université Al Azhar […]. Il est indispensable de trouver le moyen adéquat d'effectuer des perquisitions dans les mosquées sans que cela soit perçu comme une atteinte à la religion […]. Il faut interdire l'entrée de Gaza aux dirigeants religieux extrémistes venus de pays voisins, ainsi que la diffusion de publications islamistes. Les municipalités qui permettent la construction de mosquées sans l'approbation des autorités militaires doivent être punies […].*»

La plupart de ces recommandations ne seront pas appliquées. L'administration militaire se contentera de renforcer le contrôle sur les principales mosquées de la bande de Gaza. Deux cliniques dépendant des Frères musulmans seront fermées. L'université islamique de Gaza, qui en était dispensée, sera contrainte à payer des impôts.

GAZA D'ABORD

Steve Cohen organise la seconde rencontre entre Yossi Guinossar et Saïd Kamal à l'hôtel Hilton de Londres début août. Cette fois, l'Israélien et le Palestinien se laissent aller à une discussion animée sur la guerre au Liban. Kamal affirme qu'Israël et la Syrie ont collaboré contre l'OLP. Guinossar réfute point par point ses arguments.

Kamal évoque les conversations qu'il a eues avec Arafat : «*Nous proposons une confédération israélo-palestinienne. J'ai demandé au*

président Arafat s'il accepterait une présence militaire israélienne dans la vallée du Jourdain dans le cadre d'une telle confédération. Il m'a répondu : "Que les Juifs me donnent en échange des territoires sur la frontière libanaise." Au cours d'une autre rencontre, seul à seul, il m'a répété qu'il préférait une confédération avec Israël plutôt qu'avec la Jordanie. Il semble d'accord sur le principe de patrouilles conjointes avec des soldats juifs dans la vallée du Jourdain [...]. Le président m'a donné l'ordre de ne parler à personne de ces discussions secrètes [...].»
Il présente à Guinossar un document qui développe la manière de faire avancer le processus de paix par étapes, d'un accord intérimaire vers une confédération. Les trois hommes évoquent la possibilité de mettre en place l'autonomie à Gaza, avant la Cisjordanie. Une idée lancée par Anouar el Sadate en 1978 et reprise par Rashad el Shawa, le maire de Gaza quatre ans plus tard mais qui est sérieusement discutée ici pour la première fois entre un Israélien et un Palestinien.

Cohen est extrêmement ennuyé lorsque le Palestinien révèle à l'agent du Shin Beth sa rencontre avec Yossi Beilin à New York en 1982. L'universitaire canadien tient absolument à maintenir un cloisonnement entre ses divers contacts. La discussion se termine sur la description des aspects techniques du prochain rendez-vous. Guinossar et Kamal se mettent d'accord sur un code qui leur permettra de communiquer. Une atmosphère de confiance s'est établie entre eux. Guinossar, qui pendant la majeure partie de sa vie a combattu l'OLP, commence à croire à la possibilité d'une entente. Il en persuadera son chef, Avraham Shalom.

Après un attentat dans le port cypriote de Larnaca, le 25 septembre, au cours duquel trois Israéliens ont été assassinés par des terroristes de la Force 17, le cabinet d'union nationale se réunit à Jérusalem et donne le feu vert au bombardement du QG de l'OLP et de la Force 17 à Tunis. L'opération a lieu le 1er octobre. Deux escadrilles de F16 protégées par des F15 franchissent la Méditerranée sans être détectées et détruisent leur objectif. Il y a 75 morts, parmi lesquels 10 agents de sécurité tunisiens. 50 officiels de l'OLP ont perdu la vie. Yasser Arafat et Abou Taïeb, le patron de la Force 17, échappent à la mort. Ils ne se trouvaient pas sur place au moment du raid.

Six jours plus tard, des Palestiniens prennent le contrôle du paquebot italien *Achille-Lauro*, qui effectuait une croisière entre Le Caire et Ashdod. Après quarante-huit heures de navigation sous le contrôle des pirates qui tentent de débarquer en Syrie, ce qui leur est refusé, le navire retourne au Caire. Les Palestiniens jurent que tous les passagers sont en bonne santé, sains et saufs, et le gouvernement égyptien accepte de leur donner un sauf-conduit. Le chef du commando, Aboul Abbas, arrive à Alexandrie. L'ambassadeur des États-Unis en Égypte monte à bord et apprend qu'un citoyen américain, un retraité juif du nom de Leon Klinghoffer, a été assassiné et son corps jeté à la mer. Il est trop tard pour empêcher le départ du commando palestinien, parti à bord d'un avion égyptien. Ronald Reagan, le président des États-Unis, décide de tout faire pour arrêter les assassins. Des avions de la Navy obligent l'avion à atterrir sur une base de l'OTAN en Sicile. Les Américains ne parviennent pas à empêcher les autorités italiennes de libérer Aboul Abbas, qui part pour la Yougoslavie. Ses quatre hommes sont capturés et traduits en justice.

Les Américains sont furieux. Ils suspendent leur dialogue officiel avec l'OLP. Washington exige d'Arafat qu'il expulse Aboul Abbas des instances de l'organisation palestinienne. Il refuse, affirmant qu'il ne peut prendre une telle mesure à l'encontre d'un élu de l'OLP.

Cohen – Arafat et Israël – URSS

Dans ces conditions, la rencontre secrète qui doit avoir lieu à Genève, entre Gazit, Guinossar et les Palestiniens paraît très compromise. A Jérusalem, Pérès et Rabin décident de l'annuler. Ils donnent l'ordre à Steve Cohen de ne pas se rendre à Tunis comme prévu. De son bureau discret de Montréal où, sur les conseils de Shimon Pérès, il s'est installé, le Canadien a des conversations téléphoniques orageuses avec ses contacts israéliens. Il décide d'aller malgré tout à Tunis. Sa stratégie est la bonne. Sa venue, en novembre, après les événements des dernières semaines impressionne favorablement Arafat. Montrant les ruines du QG de l'OLP. Cohen lance : « *Voilà ce qui va arriver si nous ne faisons pas avancer les choses!* » La discussion porte sur la notion d'accord intérimaire. Arafat explique à Cohen qu'il risque de perdre la confiance de son peuple en acceptant moins qu'un État palestinien. Cohen se fait persuasif : « *Votre peuple vous suivra! Vous pouvez faire l'histoire! La population de Cisjordanie et de Gaza vous écoutera! Il faut d'abord construire la confiance* […] ! » Le principe d'un dialogue entre l'OLP et Israël est à nouveau acquis.

Shimon Pérès se rend en octobre à l'Assemblée générale des Nations unies à New York. Il a un entretien, le 22, avec Edouard Chevardnadze, le chef de la diplomatie soviétique, qui vient d'entendre le discours du Premier ministre israélien : « *Je propose au roi Hussein de Jordanie d'entamer des pourparlers directs si c'est nécessaire, avec le soutien d'un forum international. Dans le cadre d'un accord préliminaire, les membres du Conseil de sécurité pourraient faire partie d'un tel forum, qui ne saurait toutefois remplacer des négociations directes* […]. »

Une conférence internationale sur le Proche-Orient. Le Kremlin de Mikhaïl Gorbatchev est preneur. Le ministre soviétique propose à Pérès d'ouvrir un axe de communication secret. La veille, déjà, Nimrod Novick, le jeune conseiller diplomatique du Premier ministre, a été invité à rencontrer Guenadi Terasov, l'assistant de Chevardnadze. L'entretien s'est déroulé à l'aéroport de Washington. Le diplomate soviétique ne voulait pas se rendre à New York, car il aurait dû informer les autorités américaines des raisons de son déplacement, et il fallait que le contact avec Novick restât secret. Terasov informe son interlocuteur que Gorbatchev a décidé d'autoriser le départ des Juifs d'URSS, et que le nombre d'immigrants allait considérablement augmenter dans quelques mois. C'est le début d'une longue série de contacts, de négociations secrètes entre Shimon Pérès et les nouveaux dirigeants de l'URSS par l'intermédiaire de Novick et de Terasov en collaboration avec l'administration américaine.

Les discussions portent notamment sur les pouvoirs d'une conférence sur le Proche-Orient. Les Soviétiques voudraient qu'elle ait la possibilité de contraindre une partie à accepter une solution, en cas d'impasse dans les pourparlers. Pérès ne veut pas entendre parler d'autre chose qu'un forum international servant de parapluie à des négociations bilatérales. Novick visitera, secrètement, pas moins d'une dizaine d'ambassades d'URSS en Europe. Après quelques mois de discussions, Chevardnadze et Gorbatchev accepteront de faire pression sur les Syriens afin qu'ils n'exigent plus une délégation arabe unique qui confronterait Israël dans le cadre de la conférence internationale.

Les «blazers» avancent pas à pas vers leur grand projet avec la diplomatie américaine et l'Égypte : la réunion d'une conférence internationale sur le Proche-Orient où les Palestiniens seraient représentés dans le cadre d'une délégation conjointe avec la Jordanie. Des négociations bilatérales directes commenceraient ensuite.

L'extrême droite israélienne a relevé dans le discours de Shimon Pérès à l'ONU le mot «international» et accuse déjà le cabinet d'union nationale de brader la Terre d'Israël. Shamir lit et relit le texte ; cela correspond à ce que Pérès lui avait annoncé. Il est d'accord. Le Premier ministre présente la même idée, quelques jours plus tard, à la Knesset qui, à une large majorité, approuve sa déclaration de politique étrangère. Pour Shamir les mots clés sont «*négociations directes*» et, surtout, il n'est pas question de concessions territoriales, d'échanger des territoires contre la paix ; il ne croit pas que des négociations avec le roi Hussein ont une chance quelconque d'aboutir. L'important pour lui c'est de revenir sans encombre à la présidence du Conseil l'année suivante.

En Israël, l'affaire du Shin Beth a pris une nouvelle tournure. En juin, le procureur de l'État, Yona Blatman, après avoir examiné les circonstances de la mort des deux terroristes de l'autobus d'Ashkelon l'année précédente, avait déposé ces conclusions. Le général Mordehaï, que certains témoins affirment avoir vu frapper les deux prisonniers, ainsi que cinq agents du Shin Beth ont été traduits en conseil de discipline et acquittés. Seule la presse évoquait le scandale de temps à autre. Mais, en novembre, Réouven Hazak, l'adjoint de Shalom, demande un rendez-vous à Shimon Pérès. Il profite de l'absence de son patron à l'étranger pour certifier au Premier ministre que Shalom est responsable de la mort des deux Palestiniens et aussi d'avoir, avec Guinossar, ordonné aux agents du service de cacher la vérité aux deux commissions d'enquête qui ont examiné l'affaire au cours des mois précédents. Ces faux témoignages ont sali la réputation du général Mordehaï. Pourquoi avoir attendu deux mois ? demande Pérès. Hazak répond que sa conscience l'a poussé à dire la vérité et qu'il faut mettre de l'ordre au sein du Shin Beth.

Pérès convoque Shalom. C'est un homme qu'il connaît depuis de nombreuses années et en qui il a entière confiance. «*Hazak, assisté de Peleg Radaï et Rafi Malka, deux chefs de département, préparent un putsch contre moi*», explique Shalom. Le Premier ministre accepte cette version. Il a un long entretien avec Shamir qui était chef du gouvernement au moment des faits. Lui aussi estime qu'il faut soutenir Shalom. Pérès décide de limoger les trois hommes. La rumeur de leur départ commence à circuler dans les rédactions qui ne peuvent encore rien publier. La censure militaire y veille.

CRISE À AMMAN

Les relations entre la Jordanie et l'OLP se détériorent. Yasser Arafat arrive à Amman le 25 janvier. Hussein est excédé par les atermoiements du chef palestinien. Le souverain jordanien veut une réponse claire de l'organisation palestinienne à ce qui est la condition fondamentale à la réunion de la conférence internationale : la reconnaissance de la résolution 242 du Conseil de sécurité et donc, la reconnaissance d'Israël. Arafat, tiraillé entre les durs du Front du refus et son comité central, où il n'a pas toujours la majorité, ne parvient pas à se décider à annoncer publiquement ce que Saïd Kamal déclare secrètement à Yossi Guinossar. Deux émissaires américains, envoyés par Richard Murphy, séjournent à Amman pour suivre les entretiens du chef de l'OLP avec Hussein. Steve Cohen est là, lui aussi pour tenter de sauver l'accord jordano-palestinien. Arafat lui explique que la future confédération doit avoir deux chefs d'État qui la présideront par roulement. Une condition inacceptable, lui dit Hussein dont les conseillers sont encore plus furieux et trouvent irréalistes les exigences palestiniennes.

Le 29 janvier, Abou Iyad explique à des journalistes arabes que son organisation n'est pas prête à reconnaître Israël sans obtenir en retour la garantie du droit à l'autodétermination pour le peuple palestinien. La perspective d'une délégation conjointe Jordanie-OLP s'éloigne. Les diplomates américains suggèrent à Hussein de se passer de l'organisation d'Arafat et d'aller à la conférence internationale avec des Palestiniens des territoires occupés qui ne seraient pas membres de l'OLP. Hussein refuse.

Le 6 février, Arafat, Hani el Hassan, qui est un des artisans de l'accord, et un autre membre de l'exécutif de l'OLP, Abdel Razak el Yihya, rencontrent le Premier ministre jordanien, Zaïd el Rifaï. Ils discutent de nouvelles concessions de l'OLP. Cette fois, ce seraient les Américains qui se prononceraient en faveur du droit à l'autodétermination pour les Palestiniens. Le texte qu'ils soumettent comprend même le nom d'Israël. C'est insuffisant. Arafat quitte Amman le lendemain. Hussein est furieux. Le 19 février 1986, il annonce la rupture avec l'OLP, qu'il accuse d'avoir perdu une précieuse opportunité. « *Le plus important*, dit-il, *c'est la menace que fait subir la colonisation israélienne à la terre. Le droit à l'autodétermination est une affaire qui peut être réglée par la suite entre la Jordanie et les Palestiniens. Il faut d'abord récupérer la terre.* [...] » Selon le souverain jordanien il faudrait trouver des forces palestiniennes dont le souci serait de libérer la terre et le peuple qui s'y trouve plutôt que de chercher à gagner un pouvoir. Publiquement, Hussein déclare qu'il n'a aucune confiance dans la direction palestinienne, dans les chefs de l'OLP[1].

PARIS

Deux jours plus tard, dans un quartier chic de Paris, débutent les premières négociations secrètes entre Israël et l'OLP. Hani el Hassan, Saïd Kamal et Steve Cohen attendent dans un café près de l'appartement mis à la disposition du Shin Beth par l'antenne parisienne du Mossad. L'OLP, qui ne veut pas dévoiler ses planques à Paris, a accepté de laisser aux Israéliens la responsabilité des détails techniques, notamment la sécurité. Yossi Guinossar vient de faire le tour du pâté de maisons. Il a un

---

1. I. Rabinovich, H. Shaked, *Middle East Contemporary Survey*, 1986, Westview Press, Boulder, États-Unis, pp. 170 à 173.

grand sourire et annonce : «*Il n'y a pas d'agents français*[1]*!*» Les services de la République n'ont pas été avertis de l'événement historique qui va se dérouler dans la capitale française. Les Palestiniens montent. Les Israéliens sont déjà là.

Les présentations sont brèves. Des poignées de main. Guinossar répète qu'il est «*Jo, un haut fonctionnaire de la communauté israélienne du renseignement*». Shlomo Gazit ouvre la discussion en remerciant Steve Cohen pour ses efforts et décrit la nature de la procédure :

«*Ces discussions sont informelles. Il n'y aura pas de protocole diplomatique. Le secret est une nécessité absolue. S'il y a des fuites risquant de susciter l'embarras en Israël, nous démentirons tout. Ce n'est pas assez de dire que nous voulons le secret. Il faut également veiller à la technique de rencontres.*

«*C'est avec des sentiments mitigés que j'ai accepté cette mission. D'une part, c'est un honneur que d'établir ce dialogue avec vous. Là, je dois préciser que je n'ai actuellement aucun statut formel au sein du pouvoir en Israël. Cela permet d'affirmer que tout ce qui concerne Gazit peut être démenti. D'autre part, j'ai une difficulté psychologique à rencontrer des représentants de l'OLP, une organisation ennemie qui agit contre nous par tous les moyens y compris par des moyens que je condamne catégoriquement. Je rappelle nos termes de référence. Je n'ai le droit que de négocier sur les disparus de Tsahal au Liban.*» Il lit la liste des soldats dont Israël est sans nouvelles depuis la guerre au Liban et poursuit : «*Je sais par ailleurs ce qui vous intéresse. Vous pouvez évoquer tout sujet que vous désirez. Je ne puis que promettre d'écouter et de transmettre. Je dois dire que les résultats de notre rencontre auront une influence sur la décision qui sera prise en Israël au sujet de la suite de notre dialogue. Cela dépendra de votre capacité à fournir des informations sur les disparus et aussi de votre capacité à maintenir le secret. Steve Cohen rédigera le procès verbal de nos discussions.*»

– Hani el Hassan : «*Je suis Hani el Hassan, membre du Comité central de l'Organisation de libération de la Palestine, conseiller politique du président Yasser Arafat. Cet instant, pour moi, est historique […]. Je veux vous poser deux questions : êtes vous pour une réconciliation historique ou pour l'application de la résolution 242 ? Si vous voulez la réconciliation, cela signifie que nous devons trouver une solution au problème des réfugiés. Si vous voulez la 242, cela veut dire un retour aux frontières de 1967. Au sujet de vos disparus, nous devons recevoir des détails. Cela s'est passé au Liban en territoire qui n'est pas aujour-*

---

1. Témoignage d'un participant palestinien.

d'hui sous notre contrôle. Nous sommes venus pour un dialogue politique avec vous. Il n'y a de solution que dans le cadre d'une conférence internationale, avec l'intervention et la participation des grandes puissances. Pourquoi êtes-vous contre l'idée d'une confédération avec nous ? Pourquoi êtes vous contre la création d'un État palestinien ? »

– Shlomo Gazit : «*Vous utilisez une belle terminologie qui est incompréhensible. Par exemple, quand vous parlez de "droits légitimes", que voulez-vous dire ? Et l'autodétermination ? Est-ce à dire que vous voulez déterminer vos frontières ? Et le droit au retour dont vous parlez, signifie-t-il un retour des réfugiés à Jaffa, Lod, Ramleh ?* »

– Hani el Hassan : «*Nous voulons dire : le droit de déterminer notre régime, nos élections. Cela reste ouvert à la négociation.*»

– Shlomo Gazit : «*Quelle différence faites-vous entre une frontière politique et une frontière de sécurité ?* »

– Hani el Hassan : «*Pourquoi parlez-vous de sécurité. vous êtes les vainqueurs sur toute la ligne. Vous êtes les forts. C'est nous qui devons parler de sécurité ! Regardez, les deux superpuissances ne veulent pas la paix dans la région. Elles veulent une situation qui ne soit ni paix ni guerre. Alors, nous venons vers vous parce que nous voulons faire la paix avec vous.*»

Shlomo Gazit rappelle l'accord entre les États-Unis et Panama au sujet du canal et dont Washington a repoussé la signature pendant vingt ans pour des raisons de sécurité. La conversation glisse sur la résolution 242 du Conseil de sécurité des Nations unies.

– Hani el Hassan : «*Nous ne nous y opposons pas en raison de son contenu mais parce qu'elle ne contient pas de solution au problème palestinien. Les Américains nous imposent des préliminaires à un dialogue : reconnaître la 242, le droit d'Israël à l'existence, annoncer la fin du combat militaire […].* »

– Shlomo Gazit : «*Nous sommes pour des négociations directes sans conditions préalables. Chaque partie pouvant soulever toute question de son choix […]* » Puis, voyant que el Hassan réagit favorablement : «*Je parle des conversations qui pourraient avoir lieu avec vous, dans l'avenir. Personnellement, ici, je ne suis pas habilité à négocier. […] La base de nos discussions, c'est le problème des disparus. Je propose que nous nous retrouvions demain matin.*»

Le lendemain, observant les mêmes consignes de sécurité, Israéliens et Palestiniens se retrouvent. Dans le vieil ascenseur, une pensée fait sourire Gazit : comment les trois autres gros hommes ont-ils pu s'entasser dans cette cabine minuscule ? Steve Cohen a la mauvaise surprise de découvrir qu'un buffet non casher a été préparé. Il est furieux.

Observant, il ne peut y toucher. Le Shin Beth sait recevoir ses ennemis mais pas les Juifs religieux.

– El Hassan : «*A l'époque vous aviez proposé de commencer l'autonomie par Gaza. Mon président, Yasser Arafat, aimerait savoir pourquoi pas Gaza d'abord ?*»

– Guinossar qui a déjà évoqué la question avec Kamal : «*A l'époque vous aviez refusé et à présent vous êtes prêts à l'accepter !*»

– El Hassan : «*Je parle de Gaza dans le contexte d'un accord de votre part pour une réconciliation historique. Vous nous donnez des terres dans la région voisine d'Oujdah El Hafir, la zone démilitarisée en 1949 et que vous avez reprise aux Égyptiens en 1956. Si vous y êtes prêts, nous aussi. Il y a matière à discussion […]*»

Demander des terres aux Israéliens ! Hani el Hassan n'est pas autorisé par Yasser Arafat à faire une telle proposition. Gazit et Guinossar comprennent que l'OLP est prête à accepter l'autonomie à Gaza, comme première étape d'un processus de paix.

– Shlomo Gazit : «*Il faut conclure. Vous n'avez pas d'informations sur nos disparus, mais vous dites que vous en aurez du Liban. Êtes-vous disposés à d'autres rencontres si nous parlons uniquement des disparus ?*»

– Hani el Hassan : «*Effectivement, je n'ai pas d'informations sur vos disparus. Quant à la suite de nos discussions je vais demander une autorisation au président Arafat.*»

Ni l'administration américaine, ni la Jordanie ne sont informées de ce dialogue. Même la diplomatie française et la DST, qui pourtant apporte une aide discrète à l'OLP, ne sont pas au courant. A la même époque, un dirigeant palestinien avait demandé à Jacques Attali, le conseiller spécial du président François Mitterrand, de transmettre un message à Shimon Pérès. Le Premier ministre israélien a refusé de le recevoir[1]. Hani el Hassan, interrogé quelques années plus tard, dira que, pour lui, la politique française au Proche-Orient n'était en fait constituée que de titres creux… L'histoire retiendra que pour ce dialogue avec l'ennemi, à Paris, l'OLP a confié sa sécurité aux Israéliens. En Israël, même le chef du Mossad, Nahoum Admoni, n'était pas au courant de tous les détails. Averti par son antenne de l'aide fournie à Gazit et Guinossar, il demandera des explications à Shalom. Il ne lui donnera, ce jour-là, qu'une seule information : «*Nous avons des discussions avec l'OLP. C'est tout…*»

Les suites du scandale de l'autobus d'Ashkelon et du limogeage de Hazak et de ses deux compagnons n'empêchent pas le patron du

---

1. Témoignage de Jacques Attali, 1995.

Shin Beth d'accorder la priorité aux négociations avec l'OLP qu'il considère comme fondamentales. Pourtant, sa situation est de plus en plus précaire car les trois «démissionnés» ont raconté toute l'affaire à Yitzhak Zamir, le conseiller juridique du gouvernement, qui a demandé l'autorisation à Pérès de procéder à une enquête en bonne et due forme. Le Premier ministre refuse car il souhaite continuer à couvrir Shalom. Guinossar, également impliqué dans l'affaire, soutient son chef et mène campagne pour barrer la voie à Zamir. Il répète à des ministres qu'il ne faut surtout pas étaler au grand jour les secrets du service de sécurité. Il y a des précédents, dit-il, et pas seulement au sein du Shin Beth et puis, ce n'est pas la première fois qu'au nom de la sécurité de l'État, des mensonges sont présentés à des tribunaux ou à des commissions d'enquête.

BRUXELLES

Steve Cohen suit cela de loin, en espérant que les négociations avec l'OLP n'en souffriront pas. Hazak, avec qui il avait démarré ce processus, est désormais l'ennemi juré de Shalom, accusé d'avoir ordonné le meurtre des deux Palestiniens de l'autobus d'Ashkelon, et de Guinossar qui a organisé la couverture de l'affaire. L'universitaire canadien analyse l'attitude de ses interlocuteurs du Shin Beth comme la recherche d'une rédemption. Ce sont les responsables de la répression dans les territoires occupés qui font avancer le processus de paix.

La seconde rencontre secrète entre les représentants du gouvernement israélien et de l'OLP doit avoir lieu le 12 mars dans une suite de l'hôtel Sheraton à Bruxelles. Shlomo Gazit a reçu un message de Yossi Beilin, juste avant son départ. Il lui suggère de proposer à Hani el Hassan des négociations menées avec les Jordaniens et des Palestiniens des territoires, partisans de l'OLP. «*Toutes les autres négociations*, écrit Beilin, *n'ont mené à rien. Parallèlement, les pourparlers secrets pourraient continuer.*» Shlomo Gazit téléphone à Shimon Pérès pour lui demander des explications. Il lui dit que, à son avis, les Palestiniens refuseront. Ils réclameront, déclare-t-il, une conférence internationale. Pérès lui conseille de demander la position des Palestiniens et accepte que Gazit propose une formule double : une conférence internationale et des pourparlers secrets.

L'entretien a lieu tard dans la nuit. Les Palestiniens ont huit heures de retard. La discussion est brève. Gazit est mécontent. Il explique que de telles perturbations créent des problèmes de sécurité. Les Palestiniens n'ont pas de réponse précise au sujet des soldats israéliens portés disparus. Ils croient savoir où se trouvent deux corps de soldats israéliens enterrés au Sud-Liban, et fournissent des numéros matricules qui, après vérification, n'appartiennent pas à des disparus – Cohen comprendra plus tard qu'Abou Jihad, le responsable de ce dossier à Tunis, ne voulait pas, à ce stade, faire avancer les négociations, peut-être pour mieux les contrôler. Hani el Hassan révèle qu'il a longuement parlé avec Yasser Arafat et que le président palestinien est d'accord pour poursuivre les discussions secrètes dans leur forme actuelle.

– Gazit : «*Après des discussions internes en Israël, j'ai obtenu l'autorisation de parler à nouveau avec vous des éléments que nous avons évoqués lors de notre dernière rencontre.*»

– Guinossar : «*Savez-vous qui a assassiné Zaafar el Masri, le maire de Naplouse ?*»

– El Hassan : «*Nous ne le savons pas. Avez-vous eu des avertissements ?*»

– Guinossar : «*Si vous avez des renseignements sur l'identité des assassins, seriez-vous prêts à nous les fournir ?*»

– El Hassan, embarrassé : «*Beaucoup pensent que ce sont vous, les Israéliens !*»

– Guinossar : «*C'est faux !*»

Il est très tard et la séance est levée. La réunion recommence le lendemain matin avec une heure de retard. Hani el Hassan ne s'est pas réveillé. Gazit est à nouveau furieux : «*Nous avons seulement deux heures pour discuter et ce temps va être surtout occupé par les problèmes de logistique. Voici une liste de questions pour lesquelles je voudrais des éclaircissements de votre part. Je ne vous les lis pas selon leur ordre d'importance :*

«– *Quelle différence faites-vous entre une frontière politique et une frontière de sécurité ?*

«– *Que signifie pour vous une confédération à trois ?*

«– *Dans une telle confédération, quelle serait la frontière de la partie palestinienne ?*»

– Hani el Hassan : «*Nous, les Palestiniens, faisons face à la nécessité d'une entente entre les deux parties. Une entente qui serait un tournant dans le processus actuel. Nous devons regarder vers l'avenir. C'est une occasion historique. Si nous y parvenons, tous les autres éléments arabes ne pourront venir brouiller notre entente. Notre objectif doit être la rédaction d'un document établissant des principes communs concernant la sécurité, les réfugiés, les étapes vers un progrès.*» Hani el Hassan se tourne ensuite vers Guinossar : «*A propos de l'autonomie à Gaza, je l'ai confirmée avec le président Arafat. Il vous fait dire que si vous ne le croyez pas, vous êtes invité à l'entendre de sa bouche…*»

Guinossar, interloqué : «*Où une telle rencontre serait-elle possible ?*»

– El Hassan : «*A Tunis, nous garantissons votre sécurité personnelle et le secret de la rencontre. Les autorités tunisiennes ne sauront même pas que vous arrivez… Sinon, cela pourrait avoir lieu au Sénégal.*»

– Guinossar : «*Je ne suis pas autorisé à accepter ou à refuser une telle invitation. La décision doit être prise à Jérusalem.*»

Gazit semble surpris de la tournure que prennent les choses. Il poursuit : «*Voici la suite de mes questions :*

«*– Quelle différence y a-t-il pour vous entre Gaza et la Cisjordanie ?*

– Quelles solutions suggérez-vous pour les réfugiés de 1948 ?

– Comment s'effectuerait la circulation des marchandises et des hommes entre les trois éléments de la confédération ?

– Comment voyez-vous les problèmes de sécurité et de défense de la partie palestinienne ?

– Quelle est votre position à l'égard des implantations ?

– Quel serait le calendrier d'application d'un accord ? Trois mois, trois ans, trente ans ?

– Si nous ne parvenons pas à un accord global, comment envisagez-vous la suite ? Un accord intérimaire est-il possible ?»

– Guinossar : «*Que proposez-vous pour Jérusalem ? Il faut trouver une solution pour Jérusalem-Est.*»

Gazit évoque le problème d'une conférence internationale sur le Proche-Orient. Il suggère qu'elle pourrait servir de façade, les vrais problèmes étant examinés dans le cadre de ce qu'il appelle une cuisine secrète, reprenant ainsi une expression utilisée par Arafat au cours d'un entretien avec Cohen. Les Palestiniens répondent que, à leur avis, la conférence internationale devrait avoir un rôle réel, et posent la question de l'attitude des autres participants à une telle réunion.

– Gazit : «*Pensez-vous qu'un accord entre nous et les Jordaniens doive être lié à un accord avec les Syriens et les Libanais ? Les Syriens pourraient refuser la conférence internationale.*»

– El Hassan : «*Pour nous, ce qui compte, ce sont les pressions extérieures qui pourraient saboter tout accord. Depuis que nous avons quitté le Liban, nous ne subissons plus la pression des Soviétiques et des Syriens qui contrôlaient en partie notre organisation à Beyrouth. Les deux grandes puissances voudraient tirer un bénéfice d'un accord. La paix entre Israël et l'Égypte a permis aux États-Unis de gagner une présence permanente dans la région. Gorbatchev est un homme neuf. Il nous a félicités de soutenir l'Irak et de bloquer la progression de l'islam fanatique. Nous attendons beaucoup des idées de Gorbatchev.*»

– Gazit : «*Comment voyez-vous la répartition des tâches entre le processus et la cuisine secrète ?*»

– El Hassan : «*Beaucoup, chez nous, ne croient pas en la possibilité d'un accord avec vous. La conférence internationale doit avoir un rôle réel et ne pas être seulement une façade. Yasser Arafat et moi-même pensons que plus nous avancerons vers des accords nombreux et détaillés dans la cuisine secrète, plus le rôle de la conférence internationale se réduira. Nos accords conclus dans la cuisine ne seront pas renégociés par la conférence. [...] Il ne faut surtout pas qu'il y ait d'impasse dans les négociations. Les discussions publiques ont une importance intrinsèque. Notre accord d'Amman avec la Jordanie a suscité des espoirs qui ont été déçus. [...] L'URSS profite de la situation de non-guerre et non-paix, c'est elle qui profitera d'une impasse. La simultanéité de la conférence internationale et de la cuisine est importante. [...]*»

Quelle serait la représentation palestinienne? demande Guinossar. El Hassan rappelle le compromis qu'il avait proposé avant l'éclatement de l'accord d'Amman, une délégation conjointe avec la Jordanie. Les délégués palestiniens représenteraient l'OLP et seraient nommés par l'organisation qui s'engagerait toutefois à ne pas envoyer à la conférence des Palestiniens de l'extérieur.

– Guinossar : «*Êtes vous disposés à agir contre vos éléments extrémistes? Des éléments contre lesquels vous avez intérêt à agir?*»

C'est un instant curieux dans ces négociations secrètes. Un chef du Shin Beth, le principal ennemi de l'OLP dans les territoires occupés, demande à l'organisation d'intervenir contre ses militants les plus extrémistes.

– El Hassan : «*Je ne connais pas le sujet. En septembre dernier, nous avons eu des informations sur l'intention de certains d'agir contre votre ambassade à Bruxelles et nous avons empêché l'attaque. La position du président Arafat est qu'il faut créer une atmosphère de progrès et agir par tous les canaux simultanément.*»

La séance est levée après un nouveau rappel de Shlomo Gazit sur la nécessité de garder le secret. Israéliens et Palestiniens reçoivent chacun une copie du procès verbal écrit par Steve Cohen. En Israël, le texte est remis à Shimon Pérès, Yossi Beilin, Yitzhak Rabin. Les patrons du Mossad et des renseignements militaires sont mis au courant. Avraham Shalom, le patron du Shin Beth, informe personnellement Yitzhak Shamir qui prend connaissance de l'ampleur de ces discussions politiques avec l'OLP. Le ministre des Affaires étrangères lance à Shalom : «*Si tu penses que c'est important pour le Shin Beth, je ne suis pas contre. C'est toi qui décides!*» A aucun moment le chef du Likoud n'opposera son veto à ces contacts avec l'ennemi.

Le 25 mars, Gazit rencontre Shimon Pérès et Yossi Beilin à Jérusalem. Contre l'avis de Shalom et de Guinossar qui suggèrent d'accepter l'invitation d'Arafat, il est décidé qu'aucun émissaire israélien ne se rendra à Tunis. Cela pourrait être dangereux et les risques de fuite sont trop grands. A ce niveau, les contacts se poursuivront par l'intermédiaire de Steve Cohen.

A Tunis, outre Yasser Arafat, Abou Jihad, Abou Mazen et Abou Ala sont informés des négociations secrètes avec Israël. Hani el Hassan qui soupçonne Abou Iyad, le prosoviétique, d'y être indirectement mêlé, reçoit un discret avertissement du KGB. Un message lui est communiqué par un émissaire : «*Ne parlez pas trop de nous aux Juifs!*» Visiblement, le Kremlin est informé des discussions de Paris et Bruxelles. Ni les Israéliens ni les Palestiniens ne rechercheront la source de la fuite. Plus tard, ce sera Guenadi Terasov, le contact soviétique de Nimrod Novick, qui rencontrera el Hassan. Au fur et à mesure de la mise en place de la *glasnost* à Moscou, au cours des mois suivants, l'attitude du Kremlin va être de plus en plus bienveillante envers les contacts israélo-palestiniens. Abou Mazen recevra de ses sources en URSS des compte rendus réguliers sur les entretiens de Novick.

DERNIER RENDEZ-VOUS À PARIS

La troisième rencontre a lieu le 3 avril 1986 à Paris dans le même appartement où les cinq hommes s'étaient déjà réunis.

– Gazit : «*Nous avons une réponse négative au sujet de l'invitation à Tunis.*»

– El Hassan : «*Je le regrette. Une rencontre avec le président Arafat aurait pu contribuer au dialogue et nous faire gagner du temps. Cela aurait pu se faire au Maroc, à Tunis ou ailleurs.* […]

« L'URSS et la Syrie sont contre l'idée d'un processus de paix. Le roi Hussein de Jordanie est embarrassé et plutôt confus. Nous tentons de le ramener à un dialogue. C'est difficile. Si les négociations aboutissent à une impasse, elles seront très difficiles à reprendre. L'élan et la continuité du processus sont très importants. Il n'y aura pas d'accord sans les grandes puissances qui ont entamé un dialogue qui concerne également les problèmes du Proche-Orient. L'Union soviétique fait pression sur nous, sur l'OLP, pour que nous agissions uniquement par son intermédiaire. Nos rencontres sont très importantes. Elles constituent de fait la cuisine secrète dont nous avons parlé. Elles nous permettront de bâtir la confiance. Il faudrait que nous mettions au point un scénario. Les choses pourraient peut-être commencer par

une décision du Conseil de sécurité qui ne serait pas nécessairement opérationnelle. »

– Gazit : «*Israël ne pourra pas accepter une conférence internationale où les grandes puissances auraient la possibilité de lui imposer leur volonté contre la sienne. Cela doit être la même chose pour vous. Et puis, il faut que l'Union soviétique rétablisse ses relations diplomatiques avec Israël. En rompant les relations avec nous, ils sont sortis du jeu. Par exemple, l'accord avec l'Égypte a été réalisé sans l'intervention de l'URSS. Dans le cadre d'une conférence internationale, les grandes puissances ne devraient qu'aider à surmonter les difficultés. Après un accord, elles pourraient donner des garanties, contribuer, par des investissements, à la solution de certains problèmes, comme celui des réfugiés de 1948.* »

– Guinossar : «*Une conférence internationale pourrait-elle changer un accord conclu dans le cadre de la cuisine secrète ?* »

– El Hassan : «*Il n'y a pas de controverse entre nous sur les rôles de la cuisine et de la conférence internationale. Cette dernière ne pourra pas annuler une décision adoptée au cours de nos rencontres secrètes, mais le président Arafat craint que la cuisine annule en fait la conférence internationale. Il faut que les négociations publiques donnent l'impression d'avancer.* »

– Guinossar : «*Et si l'URSS et la Syrie refusent de participer à la conférence internationale, que ferez-vous ?* »

– El Hassan : «*Je n'ai pas de réponse claire à vous donner à ce stade. Apparemment, nous y participerons malgré tout. Cela dit, le président Arafat a trouvé vos questions très bonnes. Il appelle de ses vœux une politique israélienne qui montrerait aux Palestiniens qu'une nouvelle page de l'histoire a été tournée. Des mesures sont nécessaires pour transformer l'opinion publique palestinienne, par exemple à propos des accords de Camp David.*

«*A propos des réfugiés de 1948, nous ne parlons pas de leur retour en territoire israélien, et cela bien que la résolution 194 de l'Assemblée générale des Nations unies stipule expressément un droit au retour. Lorsque la confédération jordano-palestinienne sera effective, chaque Palestinien aura le droit d'en être citoyen. Si Israël refuse le retour des réfugiés sur son territoire, il pourrait offrir une alternative, et pas seulement des compensations financières. Par exemple, une rectification de ses frontières permettrait d'accorder un peu de territoire d'avant 1967 où des réfugiés pourraient être installés.*

«*Nous devons apprendre à vivre ensemble. Il faut normaliser nos relations. Nous vivons côte à côte. Il n'y a pas de territoires qui nous séparent, comme par exemple le Sinaï entre vous et l'Égypte.*

Jérusalem-Est doit être sous souveraineté palestinienne, mais la ville doit rester réunifiée, avec un libre passage entre l'est et l'ouest.»

Comme pour les rendez-vous précédent, Yossi Guinossar a organisé deux rencontres séparées de quelques heures. La suivante doit avoir lieu le lendemain. Palestiniens et Israéliens quittent l'appartement. Saïd Kamal, Guinossar et Cohen se retrouvent à l'hôtel Nikko pour une discussion sur un cessez-le-feu éventuel entre Israël et l'OLP, une collaboration contre le Front du refus. Il est question également d'une rencontre entre l'agent du Shin Beth et Abou Taïeb. A Tunis, Cohen a eu de longs entretiens au cours de dîners avec le chef de la Force 17 et l'a persuadé de soutenir le processus de paix.

La discussion avec Gazit et el Hassan reprend dans la matinée. Le patron de l'Agence juive exprime à nouveau sa déception. Les Palestiniens n'ont fourni aucun renseignement sur les disparus israéliens.

– Gazit : «*Il est important de parler de la nécessité d'un changement psychologique. C'est ce que Sadate a fait en 1977. Pour le reste de vos déclarations, je ne suis pas autorisé à réagir et ce que je vais vous dire n'est que ma position personnelle. Beaucoup d'Israéliens pensent comme moi. Le conflit entre nous ne peut se terminer sans une solution au problème des réfugiés de 1948. Ne pas le régler constituerait une recette pour une nouvelle crise. Notre refus d'accueillir des réfugiés est en fait notre refus d'un suicide national. Il y a une nouvelle réalité depuis 1948 et le retour des réfugiés signifierait expulser de leurs domiciles un million d'Israéliens. Du point de vue démographique, cela voudrait dire créer un État binational, un échec du sionisme. Nous ne serions peut-être pas contre un droit du retour dans une confédération jordano-palestinienne.*

«Hani, vous avez dit que vous attendez d'Israël une nouvelle attitude, j'attends de vous la même chose. Avant une loi du retour palestinienne dans la confédération, il faudrait que vous fassiez une déclaration claire au sujet des réfugiés, que vous leur disiez qu'ils ne reviendront pas dans leurs anciens foyers en territoire israélien. Que vous annonciez ouvertement : "Nous allons vers la paix et le prix que nous allons payer, c'est de renoncer au droit du retour." Alors, nous pourrons discuter de la manière dont Israël peut aider à une solution du problème palestinien.»

– El Hassan : «*Je suis d'accord. Nous devons examiner ensemble la manière d'avancer vers une belle déclaration. Il faut déterminer quelles propositions peuvent être faites aux réfugiés. Je dois parler des problèmes de sécurité. Le territoire limité de la Palestine ne permet pas de faire la différence entre une frontière politique et une frontière de sécurité. Nous préférons le texte de la résolution 242 qui proclame le droit des États de la région à vivre en paix. A Ismaïlia, Begin – et nous, les Palestiniens, ne nous comptons parmi ses admirateurs – a déclaré qu'Israël n'acceptera jamais qu'une armée étrangère vienne assurer sa sécurité. Pour nous, la véritable sécurité, c'est la coexistence et les bonnes relations entre les parties. Il est important qu'il y ait des forces de sécurité des deux côtés de la frontière.*

« Nous proposerons d'adopter une solution semblable à celle qui existe entre Israël et l'Égypte avec quelques changements. Nous, les Palestiniens, avons plus besoin de sécurité que vous. Pour nous, la menace orientale sera plus grave que celle qui est dirigée contre vous. [...] »

– Gazit : *« Nous avons de bonnes raisons de craindre pour notre sécurité. L'accord dans le Sinaï n'est pas adaptable à notre conflit. Le Sinaï ne nous sépare pas. Les Palestiniens ne constituent pas une menace militaire pour nous. Je crains le déploiement de mille tanks irakiens, syriens, jordaniens en Cisjordanie. Ce serait une menace mortelle pour Israël. »*

– Kamal : *« Nous parlons d'une vraie paix. Pourquoi craindre déjà une guerre future ? »*

– Gazit : *« Nous devons être réalistes. Rappelez-vous le traité de Versailles après la Première Guerre mondiale. Vous ne pouvez nous garantir une paix éternelle. Je crois que des accords de sécurité peuvent nous protéger d'une intervention militaire arabe. Quant à la sécurité intérieure, pouvez-vous prévenir les opérations terroristes ? »*

– El Hassan : *« Je crois que nous pourrons le faire. L'élément éducatif et psychologique sera de première importance. Si l'état d'esprit de la population change, la menace terroriste disparaîtra. »*

Gazit, à qui Shimon Pérès avait refusé l'autorisation de rencontrer directement Hani el Hassan pour des raisons de sécurité, décide que son interlocuteur ne semble pas particulièrement dangereux. Il lui propose de passer dans la pièce attenante pour s'entretenir seul à seul.

– Gazit : *« C'est notre troisième rencontre sans progrès réels. Entre nous, nous avons parlé de deux structures, parallèles, la cuisine secrète et la conférence internationale. Eh bien, Israël ne pourra pas accepter un dialogue public avec l'OLP. J'ai une idée personnelle qu'on ne m'a pas autorisé à vous soumettre. Si vous l'acceptez, je la présenterai à Jérusalem à mon retour : décidons entre nous que nous faisons la différence entre ceux qui vous représenteront dans un forum international, et ceux qui participeront aux discussions de la cuisine. A la conférence internationale participeraient des Palestiniens habitants les territoires, ils ne seraient pas membres de l'OLP mais lui seraient fidèles. Les discussions secrètes se feraient avec vous et ce qui sera décidé dans la cuisine sera soumis à la conférence internationale.»*

– El Hassan : «*Je ne suis pas autorisé à vous répondre. C'est le président qui doit décider. Votre proposition est intéressante. Mais je ne sais pas si nous pourrons y répondre clairement. Il faudra peut-être de nouvelles rencontres. Êtes-vous disposé à en parler personnellement à Yasser Arafat ?»*

– Gazit : «*C'est une idée personnelle. Je ne peux pas partir à Tunis sans le feu vert de Jérusalem, et vous ne voulez pas de Gazit, simple citoyen. Je vais informer le Premier ministre Shimon Pérès de ma proposition. Si votre réponse est positive, je demanderai l'autorisation d'aller rencontrer secrètement Yasser Arafat.»*

Cet aparté est une erreur. Les Israéliens ont mal évalué la situation. Hani el Hassan est considéré comme un rival par Abou Iyad et Abou Jihad qui comptent sur les rapports de Saïd Kamal. Une telle discussion en tête à tête ne peut que susciter leurs soupçons et cela, alors qu'en insistant sur l'affaire des disparus, Gazit a de fait accordé un véritable droit de contrôle à Abou Jihad, le seul qui, à Tunis, peut donner quelques réponses.

Les deux hommes reviennent dans la pièce. Hani el Hassan est visiblement enthousiasmé par la tournure que prennent les choses. Il demande le numéro de téléphone privé de Shlomo Gazit en Israël afin de poursuivre les contacts. L'Israélien refuse : «*Nous allons continuer à utiliser les bons services de Steve Cohen pour préparer une prochaine rencontre et passer des messages. La séance est levée.»*

Les cinq hommes se quittent. Lorsqu'ils sont seuls, Gazit dit à Cohen : «*C'était un commencement historique, un acte historique que vous avez réalisé pour l'histoire d'Israël et ce ne sera pas oublié. Peut-être, un jour, pourra-t-on dire que c'est vous qui avez réuni les parties pour ce premier et seul véritable espoir de paix.»* Steve Cohen a un pincement au cœur : Gazit parle au passé.

EXIT SHALOM ET GUINOSSAR

L'universitaire canadien a un autre sujet d'inquiétude : les derniers développements de l'affaire du Shin Beth paralysent complètement le service. Shalom et Guinossar sont occupés à sauver leurs carrières. Le 16 mai, Rafi Malka fait appel devant la Haute Cour de justice contre son limogeage. Quarante-huit heures plus tard, Zamir dépose, auprès du chef de la police, une plainte en bonne et due forme contre Shalom,

Guinossar et les deux conseillers juridiques du Shin Beth. Le scandale prend de l'ampleur de jour en jour. La gauche tire à boulets rouges sur les hommes de l'ombre et «leurs méthodes criminelles», elle n'imagine pas que le service secret a entrepris ce qu'elle réclame depuis des années : des négociations directes avec l'OLP.

Pérès réunit, chez lui, Yitzhak Rabin et deux ministres, Moshé Shahal et Amnon Rubinstein, ce dernier est également professeur de droit. Shalom est là, lui aussi, il rappelle plusieurs opérations au cours desquelles des infractions à la loi ont été commises et affirme que dans l'affaire de l'autobus il a agi «*avec autorisation et dans le cadre de ses pouvoirs*». Rabin lui dit qu'il devrait démissionner afin d'éviter la prison.

La veille, Yitzhak Shamir avait déclaré dans une interview au quotidien *Hadashot* : «[...] *Le chef du Shin Beth a toute ma confiance. Il a agi correctement. L'échelon politique savait ce qu'il devait savoir. Moi aussi, en temps que Premier ministre à l'époque des faits j'étais au courant des actions du chef du Shin Beth* [...][1].»

Shalom, Guinossar et toutes les personnes impliquées dans cette affaire démissionneront du Shin Beth quelques jours plus tard. Afin d'éviter toute poursuite judiciaire future, le président de l'État leur accordera l'amnistie. Les principaux partisans du dialogue avec l'OLP quittent les coulisses de la vie politique. Le général Mordehaï, qui avait été faussement accusé du meurtre de deux Palestiniens de l'autobus d'Ashkelon, deviendra en 1996, après une brillante carrière militaire, ministre de la Défense du gouvernement Netanyahu.

Le 8 août, au domicile de Shimon Pérès à Jérusalem, Shlomo Gazit, Steve Cohen et Beilin font le point avec le Premier ministre. Steve Cohen présente le bilan des contacts avec l'OLP : «*Le secret a été bien gardé. Yasser Arafat accepte de commencer la mise en place de l'autonomie par Gaza.*» La formule a la faveur de Steve Cohen, car il sera plus facile de collaborer avec l'Égypte qu'avec la Jordanie. Ossama el Baz est pour, à condition que l'autonomie à Gaza serve ensuite de modèle pour la Cisjordanie. «*Les Palestiniens n'accepteront de se rendre à la conférence internationale que si l'URSS y participe, estimant que cela serait bon pour eux, en dépit du récent refroidissement de leurs relations avec Moscou.*

«*A propos d'une éventuelle confédération jordano-palestinienne, l'OLP n'est pas très claire, en raison de son manque de confiance envers le roi Hussein. Elle attend des propositions israéliennes.*

---

1. *Hadashot*, 29 mai 1986, voir l'interview complète le lendemain.

*«Le principe d'autodétermination pour les Palestiniens est une ques-
tion cardinale pour l'OLP qui sait qu'elle ne le recevra pas d'Israël,
d'où l'importance des symboles étatiques.»*

Steve Cohen croit que les Égyptiens n'ont pas été informés de ces
négociations secrètes. Shlomo Gazit intervient pour dire que, à son
avis, ils seront très vite mis au courant par Saïd Kamal. Cohen propose
de faire plusieurs navettes entre Tunis et Jérusalem pour éclaircir trois
points : l'option «Gaza d'abord», l'idée de conférence internationale,
et le cadre de la cuisine secrète. Les rencontres directes devraient continuer, toujours sous la couverture d'une recherche des soldats israéliens
disparus. Il faudrait tenter de conclure un accord limité afin de tester la
capacité de l'OLP à tenir ses engagements. Les Égyptiens devraient être
mis dans le secret pour le cas où l'option «Gaza d'abord» deviendrait
une réalité.

Shimon Pérès demande à Steve Cohen de continuer sa mission afin
d'obtenir plus d'informations en vue d'une reprise des conversations
lorsque les conditions seront mûres. Il présentera à ses interlocuteurs la
question suivante : *«Que peut proposer concrètement l'OLP à Israël
pour justifier le danger que font courir au gouvernement ces rencontres
secrètes ? Par exemple, l'OLP peut-elle reconnaître publiquement la
résolution 242, proclamer un arrêt du terrorisme, accepter publiquement l'option "Gaza d'abord" ?»*

Le nouveau chef du Shin Beth est une vieille connaissance. Yossef
Hermelin reprend du service. Il avait quitté la direction du service de
sécurité en 1974, après l'avoir dirigé pendant onze ans. En prenant ses
fonctions, il découvre le dossier des contacts secrets avec l'OLP et
décide que son service n'est pas fait pour de telles négociations. Il
demande à Shimon Pérès l'autorisation de cesser les contacts. *«Que
quelqu'un d'autre s'en occupe!»* dit-il. Shimon Pérès refuse. Hermelin
attendra l'arrivée de Yitzhak Shamir à la présidence du Conseil. Il
acceptera immédiatement l'interruption des pourparlers secrets avec
l'OLP.

Israël et les Palestiniens ont certainement perdu là une occasion historique de négocier en vue d'un accord, sept ans avant Oslo. C'est l'avis
de tous ceux qui ont participé directement à ces négociations, tant du
côté israélien que du côté palestinien, à l'exception de Shimon Pérès et
de Yossi Beilin, qui estiment aujourd'hui que les positions politiques de
l'OLP ne le permettaient pas. L'examen du contenu des discussions de
Paris et de Bruxelles semble prouver le contraire. Tout y est. L'option
«Gaza d'abord» à laquelle, en 1993, Israël devra ajouter Jéricho; la
création d'une «cuisine secrète» parallèle à un forum international; ce

sera la médiation norvégienne et Oslo, pendant que se dérouleront les bilatérales publiques à Washington. Et puis, les émissaires de Yasser Arafat avaient annoncé qu'ils pourraient, dans le cadre d'un accord, renoncer au terrorisme et accepter la résolution 242. Mais se lancer sur la voie des négociations directes avec l'OLP, en 1986, cela revenait à dénoncer, pour Shimon Pérès et le Parti travailliste, les accords de coalition passés avec le Likoud et Yitzhak Shamir. Ne pas tenir parole et négocier avec Arafat aurait entraîné une crise majeure en Israël et Pérès n'y était pas prêt, d'autant plus que, pour lui, l'option jorda- nienne, la recherche d'un règlement avec Hussein, avait la priorité.

A cette époque, les contacts entre la gauche israélienne et l'organisa- tion palestinienne se poursuivent, au cours de colloques, de conférences internationales, et aussi de rencontres directes. Au début du mois de juin 1986, Daddi Tzucker, le secrétaire général de Ratz, le mouvement pour les droits civiques, est invité à se rendre à Tunis pour un entretien avec Yasser Arafat. L'intermédiaire n'est autre que le journaliste israé- lien Amnon Kapéliouk. Tzucker arrive à Paris, où l'attend un billet à destination de Tunis. Inquiet, il téléphone à Shoulamit Aloni et Yossi Sarid, les deux responsables de son parti, qui décident de prendre quelques précautions. Shimon Pérès est informé du voyage, ainsi que Yossi Beilin, le secrétaire du gouvernement. Ce dernier met le Mossad au courant.

Tzucker a un entretien nocturne de six heures avec Yasser Arafat. Il lui explique la position de Ratz en faveur de l'autodétermination pour les Palestiniens, et affirme qu'une partie non négligeable du public israélien ne rejette pas cette idée, au contraire des dirigeants politiques du pays. Le chef de l'OLP bombarde son jeune interlocuteur israélien de questions sur l'attitude de la gauche israélienne face au scandale Kurt Waldheim, après la découverte du passé nazi du secrétaire général des Nations unies. Ils parlent également longuement de football.

PÉRÈS-HASSAN

Pendant que se déroulaient ces négociations avec l'OLP, l'entourage de Shimon Pérès, et notamment son chef de cabinet Ouri Savir, prépa- rait un nouveau coup : une rencontre publique avec le roi du Maroc à Paris, sous les auspices du président François Mitterrand. Il est question d'un dîner de gala, auquel pourrait peut-être même se joindre Hussein de Jordanie. Le principe en est discuté au cours d'une visite de David Amar, le président de la communauté juive marocaine. Ouri Savir se rend secrètement dans la capitale française, où il a un entretien avec Jacques Attali, le conseiller spécial du président français. Mais François Mitterrand hésite. Après quelques jours de réflexion, il refuse et dit à Shimon Pérès : «*Je ne suis pas persuadé que le roi Hassan viendra. Il pourrait renoncer à la dernière minute.*» A Attali, le chef de l'État donne des explications plus détaillées : «*Les Palestiniens ne vont pas aimer une telle initiative. Je ne veux pas faire quelque chose qui apparaisse marginal par rapport aux Palestiniens.*»

Ouri Savir poursuit ses contacts avec les Marocains. Il rencontre Ahmed Guedera, un conseiller du roi. Ils sont d'accord sur le principe qu'il faut renforcer les liens entre les deux pays, mais le Marocain explique que, pour son souverain, le problème palestinien est essentiel et il faudrait que Pérès arrive avec des propositions concrètes. Les deux hommes examinent le texte de ce que Pérès devrait dire à Hassan II. De retour en Israël, le Premier ministre et son chef de cabinet décident de s'adresser à un spécialiste en rhétorique diplomatique : Abba Eban, l'ancien ministre des Affaires étrangères, qui prépare un texte, quelques phrases tirées des accords de Camp David auxquelles il ajoute la notion de gouvernement autonome pour les Palestiniens. Savir a de nouvelles rencontres secrètes à Paris avec Guedera. Il fait croire aux journalistes israéliens à qui il téléphone, à l'aide des lignes du Mossad, qu'il est en déplacement en Galilée.

Au quatrième rendez-vous, Guedera propose une audience avec Hassan II à Ifran. Les conditions sont draconiennes : il faut garder le secret absolu jusqu'à l'atterrissage au Maroc. L'avion israélien qui amènera Shimon Pérès et sa délégation devra être blanc, sans aucun signe national. Seule la télévision israélienne pourra être du voyage. Abba Eban met la dernière main à son texte qu'il tape lui-même à la machine, pour éviter de mettre une secrétaire dans la confidence. Pérès relève que l'ancien ministre des Affaires étrangères n'a écrit que cinq lignes. Eban lui conseille d'expliquer à Hassan II qu'«*il y a de la place entre les lignes et les choses importantes se trouvent donc là*».

Le 21 juillet, vingt-quatre heures avant le départ, le chef des services de renseignements marocains arrive à Tel Aviv pour régler les dernières questions. Le lendemain, une crise gouvernementale donne à Pérès la couverture idéale. Il limoge Yitzhak Modaï, le ministre des Finances. Une conférence de presse se termine à Jérusalem une demi-heure avant le départ pour l'aéroport. Le vol se déroule sans incident, si ce n'est une légère frayeur près des côtes libyennes. Deux avions de combat s'approchent du Boeing israélien. C'étaient des chasseurs de l'armée de l'air espagnole. Le Premier ministre israélien atterrit à Fez où il attend son rendez-vous avec le roi. Ahmed Guedera vient le saluer, et entame une discussion : «*Il faudrait qu'Israël reconnaisse l'OLP. Sans une concession majeure, Hassan II ne pourra pas recevoir Shimon Pérès.*»

Le Premier ministre israélien ne se laisse pas démonter. Il explique que ce n'est pas possible. L'audience a lieu plus tard dans la soirée. Le souverain marocain répète à son hôte ce qu'il lui avait dit en 1981. Il n'est pas l'ennemi des Juifs, au contraire. Sa nourrice était juive... Il faut réaliser la paix au Proche-Orient. Quelques heures plus tard, la nouvelle de cette visite semi-officielle du chef du gouvernement israélien au Maroc fait sensation.

CHAPITRE 10

Impasse, guerre et Baker
août 1986-mars 1991

La gauche israélienne, travaillistes en tête, part en guerre contre Méir Kahana. Les analyses sociologiques montrent que le rabbin raciste réalise une réelle pénétration dans les couches les plus pauvres de la société israélienne. Il utilise efficacement la tribune qui lui offerte à la Knesset et ses théories mystico-politiques attirent un public de plus en plus nombreux. Un sondage lui donne même plus de trois députés au Parlement en cas d'élections. Les travaillistes décident de lui barrer le chemin du Parlement, et proposent au Likoud le vote d'une loi interdisant l'incitation au racisme. Le parti d'Yitzhak Shamir accepte, mais exige simultanément le vote d'un texte interdisant les contacts avec l'OLP. Shimon Pérès et Yitzhak Rabin sont d'accord. Après un long cheminement dans les commissions parlementaires, les deux projets de loi sont soumis au vote le 5 août 1986. Les partis religieux, notamment les formations orthodoxes, font deux reproches à l'interdiction du racisme : d'abord, cela reviendrait à admettre qu'il y a du racisme en Israël et fournirait une arme redoutable aux ennemis de l'État juif. Et certains rabbins craignent que la loi antiraciste ne serve de fer de lance à une offensive contre la religion juive, qui contient certains textes peu amènes pour les non-Juifs[1]. La loi est adoptée par 57 voix contre 22 et 7 abstentions. Méir Kahana vote pour, en signe de provocation.

L'opposition de gauche, qui estime que le texte n'est pas assez ferme, est contre, ainsi qu'Avraham Verdiger, du parti orthodoxe Morasha. Les autres députés orthodoxes s'abstiennent. Le Parti national religieux est pour. La loi interdisant les contacts avec les organisations terroristes, en

1. Simon Epstein, *Les Chemises jaunes*, *op. cit.*, pp. 142 à 147.

l'occurrence l'OLP, est approuvée par 47 voix contre 25. Ce texte est une victoire pour le Likoud et les formations d'extrême droite. Ils estiment que toute négociation avec l'organisation de Yasser Arafat est désormais impossible.

Les associations pour la paix avec les Palestiniens ne renoncent pas. Une cinquantaine de militants, conduits par Latif Dori, du Mapam, déclarent publiquement leur intention de participer à une rencontre avec des membres de l'OLP à Bucarest. C'est le scandale. Yitzhak Shamir demande au ministère des Affaires étrangères d'intervenir auprès du président roumain Nicolae Ceausescu, alors que le conseiller juridique du gouvernement lance un avertissement aux Israéliens qui ont l'intention de faire le voyage : ils risquent la prison, au terme de la loi qui vient d'être votée. Une délégation de vingt-neuf participants part finalement pour la Roumanie, où les attendent Abou Mazen et d'autres personnalités de l'OLP. La veille, la Knesset a tenu un débat orageux sur la question. Yossi Sarid, du mouvement Ratz, pour les droits civiques, pourtant de gauche, présente une motion déclarant qu'aucun espoir de paix ne peut venir de la rencontre de Bucarest. Il serait donc inutile d'enfreindre la loi par des contacts avec des terroristes.

A Nicosie, un communiqué de l'organisation d'Abou Nidal est envoyé à des agences de presse : «*Les Palestiniens qui participent à cette rencontre en Roumanie seront punis. Ce sera une leçon pour tous ceux qui jouent avec le destin de notre peuple*[1].» La délégation israélienne est accueillie à l'aéroport de Tel Aviv par la police, qui convoque quatre de ses membres pour un interrogatoire : Latif Dori, Yaël Lotan, du quotidien du Mapam *Al Hamishmar*, Adam Keller, de la Liste progressiste pour la paix, et Réouven Kaminer, du Parti de la gauche socialiste. Ils racontent à la presse qu'ils ont été déçus : au lieu d'Abou Mazen, ce sont le général Abdel Razak Yihya et Imad Shakour, un conseiller d'Arafat, qui ont dirigé la délégation de l'OLP. Les discussions ont duré plusieurs heures sans aboutir à un résultat concret. Yihya a répété à plusieurs reprises que son organisation ne pouvait pas renoncer à la lutte armée.

Dori et ses amis ne seront pas inquiétés, mais au cours des années suivantes, Abie Nathan et David Ish Shalom feront de la prison pour avoir rencontré Arafat et d'autres membres de l'OLP.

Shimon Pérès a tenu ses engagements. Il a transmis, le 20 octobre 1986, le pouvoir à Yitzhak Shamir qui n'est pas mécontent. Son calcul s'est révélé juste : la situation s'est considérablement améliorée en deux ans ; la crise économique s'estompe ; le taux d'inflation annuel

---

1. *Jerusalem Post*, 7 novembre 1986.

est tombé en dessous des 15%; la malheureuse affaire libanaise est presque oubliée. Shamir revient à la présidence du Conseil avec l'intention de gérer le pays en faisant le moins de vagues possible. Les élections sont prévues pour 1988 et il entend les gagner. Pas d'aventures superflues! Il naviguera en évitant les orages. Le public oubliera les deux années durant lesquelles Pérès était à la tête du gouvernement. Aucun élément nouveau n'indique un déblocage proche du processus de paix.

Pérès, à présent ministre des Affaires étrangères, maintient le contact avec Hussein de Jordanie avec qui il a rendez-vous à Londres. Il explique à Shamir, qui ne s'y oppose pas, que la discussion portera sur le projet de canal mer Rouge-mer Morte. Le leader travailliste part pour Rome où il doit participer à l'Internationale socialiste avant de se rendre à Londres. Depuis l'échec de l'accord entre la Jordanie et l'OLP les chances d'une conférence internationale paraissent minces.

L'ACCORD MORT-NÉ

La rencontre a lieu le 11 avril 1987 à Londres chez le médecin du roi. Pérès, qui est accompagné par Nimrod Novick et Yossi Beilin, a la surprise de découvrir que Hussein veut faire un pas en avant. Les Israéliens lui proposent de rédiger un texte. Après quelques heures de discussion un projet d'accord en trois parties est rédigé :

«A) *Le secrétaire général des Nations unies invitera les cinq membres permanents du Conseil de sécurité et les parties impliquées dans le conflit israélo-arabe pour négocier un règlement d'ensemble fondé sur les résolutions 242 et 338 afin de conduire à une paix globale dans la région, à la sécurité pour ses États et réaliser les droits légitimes du peuple palestinien.*

«B) *Les participants à la conférence décident que l'objectif des négociations est la solution pacifique du conflit israélo-arabe fondé sur les résolutions 242 et 338 et une solution pacifique au problème palestinien sous tous ses aspects. La conférence invite les parties à former des commissions bilatérales géographiques afin de négocier les problèmes mutuels.*

C) La Jordanie et Israël ont décidé que :

1) la conférence internationale n'imposera pas de solution ni de veto à un accord conclu entre les parties;

2) les négociations seront conduites directement dans le cadre des commissions bilatérales;

3) le problème palestinien sera examiné dans le cadre de la commission réunissant la délégation jordano-palestinienne et la délégation israélienne.

4) les représentants palestiniens seront inclus dans la délégation jordano-palestinienne.

5) la participation à la conférence sera fondée sur l'acceptation par les parties des résolutions 242 et 338 et la renonciation à la violence et au terrorisme.

6) chaque commission négociera indépendamment [...] »

[Cet accord] *sera soumis pour approbation aux gouvernements respectifs de la Jordanie et d'Israël. Ce document sera présenté et proposé aux États-Unis [...] »*

Il n'est pas question de l'OLP. Les deux hommes décident que leur accord sera transmis à George Shultz, qui devra le présenter à Hussein de Jordanie comme s'il s'agissait d'une proposition américaine, puis le soumettre au gouvernement israélien en annonçant : voici une initiative de l'administration Reagan déjà acceptée par le roi Hussein. La formule, alambiquée, est destinée avant tout à couvrir le souverain jordanien. Yitzhak Shamir est mis au courant dès le lendemain matin. Ephraïm Halévy, le responsable du Mossad chargé des contacts avec le royaume hachémite, avait assisté à l'entretien de Londres, pris des notes et envoyé son rapport à Jérusalem.

Mais Shamir ne veut pas d'une telle conférence internationale. De son point de vue, elle déboucherait nécessairement sur des concessions israéliennes qu'il refuse. Devant la presse, il accuse Pérès d'avoir négocié derrière son dos, il convoque ensuite Moshé Arens, l'ancien ambassadeur aux États-Unis, aujourd'hui ministre sans portefeuille, et lui demande de partir immédiatement pour Washington avec pour mission d'expliquer au Secrétaire d'État que le Premier ministre et le Likoud rejettent l'initiative de Pérès, et qu'il n'y a donc aucune raison pour qu'il se rende au Proche-Orient. Arens raconte qu'il ne lui a fallu que quelques minutes pour persuader George Shultz – qui, de toute manière, ne croyait pas aux chances de succès de cette initiative – d'enterrer l'accord de Londres[1]. Shimon Pérès et les travaillistes garderont de cet épisode un mauvais souvenir du chef de la diplomatie américaine. Lors de contacts secrets ultérieurs avec des interlocuteurs arabes, ils veilleront à garder leurs distances avec les États-Unis.

A Naplouse, Saïd Kna'an, un notable palestinien proche du Fatah, a la surprise de recevoir un appel d'Abba Eban. L'ancien ministre des Affaires étrangères lui demande de venir immédiatement à la Knesset à Jérusalem. Kna'an s'exécute. Ses interlocuteurs israéliens lui

---

1. Moshé Arens, *Broken Covenant*, Simon & Schuster, New York, 1995, p. 23.

demandent de partir pour Amman afin d'y rencontrer le roi Hussein et lui transmettre un message : «*Shamir n'a pas accepté l'accord. Nous sommes désolés. Nous espérons que vous n'informerez personne.*»

Dans la capitale jordanienne, le roi écoute patiemment cet émissaire palestinien. Il lui répond : «*Vous pouvez repartir, ma réponse sera envoyée demain.*» De retour en Israël, Kna'an téléphone à Abba Eban qui le remercie. Le 14 mai, Hussein effectue une visite officielle en Syrie, où il annonce un resserrement de ses liens avec le régime de Damas. Les dirigeants israéliens apprennent que, après l'échec de l'accord de Londres, le souverain jordanien avait organisé une rencontre secrète des présidents syrien et irakien sur son territoire. Abba Eban téléphone à Saïd Kna'an pour lui dire : «*Le roi a commis une erreur fondamentale!*» Le Palestinien n'éprouvera pas le besoin de transmettre ce message-là.

L'accord de Londres était-il viable sans le feu vert de l'OLP? Ce n'est pas certain. Pour montrer son rejet des initiatives diplomatiques en cours, Arafat avait conclu un accord avec les organisations du Front du refus. On voit mal comment, dans ces conditions, il aurait été possible de mettre sur pied une délégation conjointe jordano-palestinienne. A ses jeunes conseillers qui le lui ont fait remarquer – Beilin lui a même lancé au cours d'une discussion : «*Prenez un avion et allez voir Arafat!*» – Pérès a répondu : «*La Jordanie c'était le plus important, nous aurions réussi à avoir les autres!*» Le leader travailliste ne dit pas comment il aurait arraché l'accord de Shamir qui ne voulait pas de son option jordanienne.

George Shultz réalise que, dans ses efforts de paix au Proche-Orient, il doit compter d'abord sur le Premier ministre israélien. Des messages sont échangés entre Jérusalem et Washington. Les Américains répètent qu'ils sont opposés à toute participation de l'OLP si elle ne renonce pas au terrorisme et à la violence. Shamir n'est pas convaincu, il répond par un appel au roi Hussein pour «*qu'il accepte des négociations directes avec Israël au lieu des formules ambiguës des conférences internationales*». Le 29, le souverain claque la porte en annonçant que l'OLP aura un rôle central dans toute négociation sur la question palestinienne. Pour Shamir cela veut dire que les Jordaniens ne veulent pas négocier.

GRANDES MANŒUVRES

Nimrod Novick continue ses navettes secrètes pour le compte de Shimon Pérès. Ces négociations avec les Soviétiques aboutissent, le 24 avril 1987. Au cours d'une visite officielle à Moscou, Hafez el Assad s'entend dire par Mikhaïl Gorbatchev : «*Aujourd'hui, les réalités de l'âge nucléaire nous mettent face à la nécessité de coexister les uns avec les autres, que nous nous aimions ou pas, et cela quelles que soient nos différences de vues idéologiques ou de systèmes politiques ou socio-économiques. [...] Beaucoup a été dit récemment au sujet des relations entre l'Union soviétique et Israël, de nombreux mensonges ont été diffusés. Laissez-moi vous dire les choses franchement : l'absence de telles relations avec Israël ne peut être considérée comme normale. Elles ont été rompues par Israël. C'est arrivé à la suite de l'agression* [d'Israël] *contre les pays arabes. Nous reconnaissons sans réserve – et de la même manière que pour les autres pays – le droit à l'existence d'Israël dans la paix et la sécurité [...]*[1].»

A priori, cette déclaration devrait rendre furieux le président syrien, en fait, il n'en n'est rien. A Moscou, Assad a droit à une réception chaleureuse. Les Soviétiques acceptent de rééchelonner la dette syrienne, 15 milliards de dollars, et d'augmenter leurs livraisons de matériel militaire à la Syrie. Le communiqué conjoint signé solennellement par Gorbatchev et Assad réclame la réunion d'une conférence de paix internationale sur le Proche-Orient, sous l'égide des Nations unies et avec la participation de toutes les parties concernées, l'établissement d'un État palestinien indépendant et le droit au retour pour les Palestiniens. Pas un mot sur l'OLP !

Novick note que les Syriens ne réclament pas une délégation arabe unique à la conférence de paix. Cela veut dire que les Jordaniens ont le feu vert pour discuter avec les Américains et les Israéliens d'une délégation conjointe avec les Palestiniens. L'attitude, apparemment conciliante, d'Assad n'est certainement pas étrangère à l'absence de réaction d'Israël après le déploiement de son armée à Beyrouth-Ouest deux mois plus tôt. Les Israéliens lui ont fait savoir qu'il pouvait considérer le Liban comme sa chasse gardée.

Le 9 mai, à Washington, Shimon Pérès rencontre l'ambassadeur d'URSS aux États-Unis, Anatoly Dobrynine, dans l'appartement du président du Congrès juif mondial, Edgar Bronfman, à Washington. La décision est prise : une délégation consulaire soviétique se rendra en Israël au mois de juillet, officiellement pour réaliser l'inventaire des biens de l'Église orthodoxe russe. En fait, il s'agit d'une première étape vers la reprise des relations diplomatiques et, donc, la conférence internationale que préparent Shimon Pérès et les «blazers». Le Kremlin se met en position pour devenir un des parrains, avec les États-Unis, du processus de paix au Proche-Orient.

1. Itamar Rabinovich et Haïm Shaked, *Middle East, Contemporary Survey, op. cit.*, p. 55.

Les Américains parviennent à organiser une rencontre Hussein-Shamir en juillet à Londres. Le Premier ministre est accompagné d'Elyakim Rubinstein, le secrétaire du gouvernement et de Yossi Ben Aharon, son chef de cabinet. C'est un dialogue de sourds qui dure deux heures. Le roi et Zaïd el Rifaï, son chef de gouvernement, n'évoquent pas l'accord conclu avec Pérès, ils se contentent d'écouter Shamir tenter de les persuader que l'autonomie de la Cisjordanie permettra au royaume hachémite de garder un lien avec ce territoire. Israéliens et Jordaniens se quitteront avec l'impression qu'ils ne peuvent pas s'entendre. Désabusé, Shultz lance à ses conseillers : «*Laissons le Proche-Orient de côté!*» Dans cette région, l'administration américaine subit déception sur déception, et puis 1988 sera une année électorale aux États-Unis.

Le Likoud et l'OLP

Le 10 septembre, Moshé Amirav, un membre du comité central du Hérout, déclare qu'Israël devrait accepter l'idée d'une confédération avec la Jordanie. «*Les habitants de la Cisjordanie devraient se contenter d'une autonomie élargie dans leurs territoires, et d'exprimer leur volonté politique par la Jordanie, car, dit-il, la Jordanie est la Palestine*[1].» Quelques jours plus tard, Eliahou Ben Elissar, l'ancien directeur de la présidence du conseil de Menahem Begin, et ex-ambassadeur au Caire, devenu député, répond en écho que le Proche-Orient ferait un grand pas vers la paix si le roi Hussein de Jordanie se déclarait palestinien. Cette petite phrase passe presque inaperçue, jusqu'au 19 septembre. La presse de gauche israélienne, informée par les travaillistes, révèle que Moshé Amirav mène des discussions secrètes avec trois dirigeants palestiniens de Jérusalem-Est : Fayçal el Husseini, Sari Nousseibeh, et Salah Zouheykah, le rédacteur en chef du quotidien *A-Shaab* qui confirment avoir évoqué avec cet interlocuteur de la droite israélienne un arrangement intérimaire comprenant un autogouvernement élargi pour les Palestiniens.

Des rencontres secrètes ont eu lieu dès le mois de juillet, à Jérusalem-Est et au domicile d'Amirav à Ein Karem, un ancien quartier palestinien à l'ouest de Jérusalem, abandonné par sa population en 1948. Zouheykah avait un curieux sentiment en discutant de la paix, dans cette maison de style arabe, habitée par un israélien. Le député Ehoud Olmert, du Likoud, a eu deux entretiens avec Sari Nousseibeh, au

---

1. *Jerusalem Post*, 15 septembre 1987.

cours desquels il a été question d'élargir ces discussions à d'autres personnalités du Likoud, voir du gouvernement. Dan Méridor, un proche de Shamir, devait même rencontrer Nousseibeh, mais le rendez-vous a été annulé à la dernière minute en raison d'une fuite. A Tunis, Yasser Arafat et Abou Mazen comprennent que le Likoud veut, par ces contacts secrets, torpiller l'option jordanienne favorable à Shimon Pérès mais ils pensent que cela peut se transformer en initiative de paix de la droite israélienne, car les interlocuteurs des Palestiniens vont plus loin que les travaillistes comme le prouve le texte rédigé le 26 août par Amirav et el Husseini :

«Mémorandum. Reconnaissant que :

«1) Les droits nationaux à l'autodétermination des deux peuples dans ce pays sont inaliénables.

«2) L'OLP est le représentant légitime du peuple palestinien et a le mandat et l'autorité de négocier avec le gouvernement israélien alors que, d'autre part, l'État d'Israël a le droit légitime d'exister a l'intérieur de frontières sûres et reconnues et que :

«3) Toute tentative visant à aboutir à un règlement excluant le Likoud ou l'OLP ne saurait qu'échouer mais que :

«4) Les conditions actuelles ne sont pas propices à la conclusion d'un règlement définitif du conflit israélo-palestinien, nous acceptons :

«1) Qu'il y ait deux étapes séparées des négociations entre l'OLP et le gouvernement israélien. La phase préliminaire devant conduire à l'établissement d'un accord intérimaire et l'étape suivante à un règlement définitif.

«2) Les négociations sur l'étape intérimaire pourraient se faire secrètement en Roumanie ou en Egypte […] l'étape suivante commencerait à être discutée un an après l'application de l'accord intérimaire ce dernier devant durer trois à cinq ans. […]

« 3) Il est entendu que l'accord intérimaire inclura l'établissement d'une entité palestinienne dans les territoires tenus par Israël depuis 1967, avec une capitale administrative à Jérusalem-Est, les résidents palestiniens de ces territoires disposeront d'une autonomie. […]

« 4) Il est entendu que cette entité adoptera divers attributs nationaux comme : une monnaie, un drapeau, un hymne national, une radio et une télévision, le pouvoir d'émettre des cartes d'identité et des documents de voyage. […]

« Lorsque le moment sera venu, Israël reconnaîtra l'OLP comme le représentant légitime du peuple palestinien, l'OLP reconnaîtra l'État d'Israël. […]

« Israël proclamera un gel de toutes ses activités d'implantation durant la première étape des négociations et cessera tout acte de

violence contre le peuple palestinien […] l'OLP proclamera l'arrêt de tout acte de violence contre Israël et ses citoyens[1].»

Le soir même, après avoir envoyé le texte à Tunis, Fayçal el Husseini est à nouveau arrêté et placé en détention administrative sur l'ordre de Yitzhak Rabin, le ministre de la Défense qui, selon certaines sources, n'apprécie pas ces discussions secrètes entre le Likoud et les Palestiniens. Mais ce qui devait être une manœuvre contre les travaillistes s'est transformé en concession majeure à l'OLP. Entité palestinienne avec une capitale administrative à Jérusalem-Est, un drapeau, une monnaie, un arrêt des implantations israéliennes. On comprend l'enthousiasme de Yasser Arafat et d'Abou Mazen et la colère de Shamir après la divulgation des contacts d'Amirav.

Au sein du Likoud, c'est la tempête. Shamir dément formellement avoir été tenu au courant de ces contacts. Il fait publier un communiqué réaffirmant son opposition à tout dialogue avec l'organisation palestinienne. Husseini et Nousseibeh sont accusés d'avoir exploité la naïveté d'Amirav. Publiquement, ce dernier confirme que le Premier ministre n'avait pas été informé, mais maintient que ses discussions avec les dirigeants palestiniens ont permis de réels progrès. L'OLP se serait engagée à ne pas réclamer la création d'un État palestinien ni une conférence internationale durant l'étape intérimaire d'un règlement de la question palestinienne.

L'affaire suscite également un profond mécontentement au sein des militants du Fatah en Cisjordanie. Le 21 septembre, Sari Nousseibeh est passé à tabac par quatre étudiants après un cours à l'université de Bir Zet. Il est hospitalisé pendant quelques jours. Mohamed Hamam, le coordinateur du Fatah en Cisjordanie n'avait pas averti les chefs de réseau que les contacts avec le Likoud avaient la bénédiction du quartier général à Tunis. La direction de l'OLP prend la défense de la victime; dans une interview radiodiffusée, Abou Jihad déclare que Nousseibeh est un patriote.

Amirav et Charly Bitton, un député associé au Parti communiste, qui a servi d'intermédiaire avec l'OLP, racontent que Yossi Ahiméir, le porte-parole de Shamir, a reçu le 10 septembre un message de Yasser Arafat, qui se trouvait à l'époque à Genève. Nouveau démenti, édulcoré par Shamir forcé de reconnaître qu'Ehoud Olmert et Dan Méridor ont rencontré une fois ou deux Sari Nousseibeh, mais, dit-il, sans savoir qu'il s'agissait d'un militant de l'OLP. Amirav révèle qu'il a tenu au courant deux autres ministres du Likoud : Moshé Arens et Moshé Katsav.

---

1. Archives personnelles.

Curieusement, Abou Mazen accorde une grande importance à ces négociations secrètes. Il est persuadé qu'un accord aurait été possible si les travaillistes n'avaient pas fait échouer les négociations en les divulguant. Amirav a même eu un long entretien téléphonique avec le chef de l'OLP depuis le domicile du journaliste Amnon Kapéliouk. Ému, il a appelé Yasser Arafat : «*mon commandant*». En janvier 1988, Moshé Amirav déchirera sa carte de membre du Hérout. La commission de discipline du parti ayant décidé par trois voix contre deux de lui retirer son siège au comité central et de lui interdire l'accès à tout autre poste au sein du mouvement nationaliste. En compagnie de Rafi Malka, l'ancien responsable du Shin Beth, il rejoindra le Mouvement pour le changement, un parti centriste conduit par Amnon Rubinstein.

INTIFADA

Le 6 octobre 1987, à Gaza quatre militants du Jihad islamique, sur le point d'attaquer une position militaire, tombent dans une embuscade préparée par le Shin Beth. Ils sont abattus. Deux d'entre eux sont des personnages quasi mythiques pour la population de Gaza. Ils se sont échappés du quartier de haute sécurité de la prison en mai dernier, en compagnie de quatre autres camarades. Deux des évadés parmi lesquels Imad Sartaoui, le fils d'un compagnon de route de Yasser Arafat, avaient réussi à s'enfuir en Libye. Les hommes tués par les Israéliens étaient restés afin de poursuivre le combat. Leur mort suscite une vague d'agitation dans la bande de Gaza. Des milliers de manifestants descendent dans la rue, lancent des pierres sur les soldats israéliens. Le vendredi suivant le cheikh Abdelaziz Oudeh, un des leaders spirituels du Jihad islamique, prononce un prêche particulièrement violent. Il lance un appel pour que les morts du 6 octobre soient vengés.

L'administration militaire trouve que les bornes ont été dépassées et procède à un coup de filet dans les milieux islamistes. Le 18 novembre, le cheikh Oudeh est arrêté. Il doit être expulsé au Liban. Dès le lendemain des tracts circulent demandant au «peuple palestinien combattant et saint» de s'opposer par la force à son expulsion. Le 25 novembre, un Palestinien atterrit en Haute-Galilée à l'aide d'un ULM, s'introduit dans un camp militaire et, avant d'être abattu, tue six soldats. L'auteur de cette attaque spectaculaire devient un héros pour les habitants des territoires occupés. Le Jihad lance une nouvelle série d'attaques. Le 1er décembre, un commerçant israélien est poignardé à Gaza. Tsahal impose le couvre-feu sur la ville. Le 6, assassinat d'un nouvel Israélien qui était venu faire des achats chez les Palestiniens.

Le 8 décembre 1987, un semi-remorque, conduit par un Israélien, heurte de plein fouet un taxi transportant sept ouvriers du camp de Djebalyah au nord de Gaza. Quatre sont tués sur le coup. La rumeur – fausse –, veut que le conducteur soit le frère de l'Israélien poignardé deux jours plus tôt. Des manifestations éclatent à Djebalyah où se trouve une petite unité militaire qui, débordée par la foule, ouvre le feu. Il y a plusieurs morts. L'agitation fait tache d'huile sur l'ensemble de la bande de Gaza. Les journalistes étrangers se précipitent sur place et comprennent qu'il s'agit d'un mouvement différent de tout ce qu'ils avaient vu jusqu'à présent dans les territoires. Dès le 10, la presse parle d'un soulèvement populaire, qui, après quelques jours, est baptisé «Intifada», terme arabe employé pour désigner l'acte de s'ébrouer.

L'armée commet erreur sur erreur, envoie à Gaza des renforts insuffisants, qui ne sont ni équipés ni entraînés au maintien de l'ordre. Dépassés par les événements, les soldats ouvrent le feu. Le bilan s'alourdit au fil des jours, durcissant le mouvement palestinien qui s'amplifie. Les officiers supérieurs laissent faire, persuadés que la population va finir par se calmer. Les responsables de l'administration militaire sont persuadés que les commerçants palestiniens vont intervenir pour calmer la situation. Les grèves et les accrochages avec l'armée israélienne, les bouclages sont très mauvais pour l'économie palestinienne. Une fois de plus, les dirigeants israéliens se trompent et ne veulent pas voir la réalité sur le terrain. Yitzhak Rabin, le ministre de la Défense, considère qu'il peut partir pour les États-Unis le 10 octobre. Il a rendez-vous à Washington avec son homologue américain. C'est Shamir qui assure l'intérim, pas un ancien général dont le gouvernement regorge, pas Pérès qui est lui-même un ancien ministre de la Défense. Pour Rabin, Shamir est le remplaçant idéal : il ne prend aucune initiative intempestive ! Comme lui, le chef du gouvernement ne s'inquiète pas de l'ampleur du mouvement palestinien. Il fait confiance à l'armée et aux services de renseignements dont les experts affirment que le retour au calme est pour bientôt. Rabin, Shamir, son gouvernement, ses spécialistes, tous sont dans l'erreur.

Lorsque Rabin revient, onze jours plus tard, l'agitation s'est étendue à la Cisjordanie et Jérusalem-Est. L'Intifada est devenue un soulèvement en bonne et due forme. Shamir accuse l'OLP de fomenter les troubles à Gaza. Il se trompe, l'organisation d'Arafat est aussi surprise que les Israéliens. Le Shin Beth n'avait pas prévu l'événement. L'administration militaire israélienne, non plus. Pourtant, tous les signes précurseurs avaient été relevés par les spécialistes au fil des mois : le taux de chômage en hausse parmi les jeunes bacheliers et les universitaires palestiniens, le mécontentement croissant de la population face aux tracasseries de l'administration militaire, aux humiliations quotidiennes de l'occupation.

A Ramallah, la commission clandestine de coordination entre les diverses organisations palestiniennes tient plusieurs réunions. Les responsables du Fatah sont persuadés que l'Intifada va rapidement s'essouffler. Ils voudraient qu'elle dure au moins jusqu'au 31 décembre, pour l'anniversaire de la création de leur mouvement. Les responsables du Front populaire et du Front démocratique ont une analyse différente. Ils pensent que la population palestinienne a basculé et qu'il faut simplement lui donner des directives pour canaliser le soulèvement. Salah Zouheykah qui représente le Fatah fait imprimer et diffuser, après avoir reçu le feu vert du QG à Tunis, un appel à la poursuite des affrontements avec l'armée israélienne. Des drapeaux palestiniens et des portraits d'Arafat font leur apparition, brandis par des militants au cours des émeutes. Quelques jours plus tard, les patrons de toutes les organisations de l'OLP se réunissent à Amman et décide que le comité de coordination deviendra le Commandement unifié de l'Intifada qui, en accord avec l'extérieur, diffusera régulièrement des tracts destinés à maintenir la pression. Un émissaire arrive de Jordanie et remet le premier de ces textes à Mohamed Labadi, un responsable du Front populaire à El Bireh. Sans attendre, il l'apporte à une imprimerie d'Issaouieh, un faubourg de Jérusalem-Est. L'imprimeur est surpris en découvrant que le tract porte le numéro un. C'est lui qui a imprimé, quelques jours plus tôt, le tract du Fatah. Il suggère à Labadi de donner à son texte le numéro deux.

Les autorités israéliennes constatent que le calme ne revient pas, et de durcir la répression. Arrestations et jugements accélérés des jeunes Palestiniens arrêtés au cours des manifestations, ou pris en flagrant délit de jets de pierre. Les tribunaux militaires, la juridiction en vigueur dans les territoires occupés infligent condamnation sur condamnation. Le Shin Beth lance des coups de filet. Les militants connus pour leur appartenance aux diverses organisations sont placés en détention administrative. Des milliers de Palestiniens sont placés en détention. Le 22 décembre, le Conseil de sécurité des Nations unies lance un premier avertissement à Israël et adopte la résolution 605. Citant la charte de l'ONU et la Déclaration universelle des droits de l'homme, le Conseil répète ses accusations contre Israël et « *considère que la politique et les pratiques d'Israël, la puissance occupante, dans les territoires occupés, auront nécessairement des conséquences graves sur les efforts pour aboutir à une paix durable et juste au Proche-Orient, déplore l'usage des armes à feu par l'armée israélienne ayant pour consé-*

quence la mort de civils innocents [...] *et réaffirme que les conventions de Genève doivent être appliquées dans les territoires occupés. [...]* ».

Le 10, en revenant d'une réunion du comité de coordination à Ramallah, Sama'an Khoury, un dirigeant du Front démocratique de Naïef Hawatmeh, découvre des véhicules militaires devant son domicile et quelques civils israéliens. Il comprend qu'il est arrêté. Imprudemment, il transportait des documents essentiels : des listes de noms et le texte d'un tract à diffuser. Il n'a pas le temps de les cacher, et lance aux Israéliens : «*Je prends quelques affaires et je vous suis !*» Au moment où il pénètre dans sa maison, Khoury entend un soldat demander à son officier : «*On ne le fouille pas ?*» Le lieutenant répond : «*Ce n'est pas la peine, ces types n'ont jamais de papiers sur eux.*» Le Palestinien donne sa sacoche à son épouse et lui demande de la cacher immédiatement.

L'OLP décide de prendre l'initiative. Les exigences des Palestiniens seront présentées à la presse à Jérusalem-Est au cours d'une conférence de presse réunissant des personnalités de premier plan de Cisjordanie et de Gaza. Les responsables des diverses organisations dans les territoires occupés mettent la dernière main au texte. Le 13 janvier, Ibrahim Kariin, l'adjoint de Raymonda Tawil, reçoit, en compagnie de Salah Zouheykah, Mohamed Bassiouny, l'ambassadeur d'Égypte en Israël, qui leur donne des conseils : «*Vous avez les leaders ! Vous devez contrôler la rue, ne la laissez pas à ces gosses. Essayez de tirer bénéfice de cette affaire. Vous devez exiger l'application des conventions de Genève, la libération de tous les prisonniers, surtout les enfants arrêtés ces derniers jours, l'annulation des expulsions, des taxes de l'occupant, l'arrêt de la politique d'implantation. [...]* » Kariin et Zouheykah se regardent. Ce sont exactement les exigences qui doivent être présentées le lendemain par Hana Siniora, le directeur d'*Al Fajr*, le quotidien pro-OLP et Sari Nousseibeh. Ils lui présentent le texte. Zouheykah se rend ensuite chez Zyad Abou Zayad, un responsable du Fatah à Jérusalem-Est. Il parvient à son domicile à 2 heures du matin. Peu de temps après, il est arrêté et placé en détention administrative.

La police israélienne tente d'empêcher la réunion de la conférence de presse à au National Palace à Jérusalem-Est. Siniora est brièvement appréhendé. Rien n'y fait, Sari Nousseibeh présente le document à la presse internationale.

Shamir n'est que modérément surpris par l'Intifada, un terme qu'il n'aime pas. C'est, pour lui, la même expression du nationalisme arabe qu'il a connue en 1938, le même refus d'Israël. Son analyse du conflit n'a pas changé. Le mouvement national arabe palestinien continue de lutter contre le mouvement national juif, le sionisme. Il n'y a d'entente possible que si l'un cède à l'autre. Il a la même certitude intense que l'enjeu est la Terre d'Israël. Le problème n'est, selon lui, politique que dans la mesure où il concerne la position diplomatique d'Israël. Shamir considère toujours l'Organisation de libération de la Palestine comme le bras armé du mouvement palestinien dans son ensemble. L'ennemi qu'il faut combattre à tout prix car il représente les millions de Palestiniens de l'extérieur dont le retour représenterait une menace mortelle pour l'État d'Israël et sa souveraineté sur la Cisjordanie et Gaza.

ÉCHEC DE L'INITIATIVE SHULTZ

A Washington, George Shultz observe la situation avec inquiétude. Il examine avec intérêt la liste des quatorze exigences présentées le 14 janvier à Jérusalem par Sari Nousseibeh au nom des Palestiniens des territoires occupés et considère qu'il y a là des éléments méritant un intérêt approfondi, des demandes concrètes comme l'arrêt des restrictions à la construction dans les territoires occupés ; l'arrêt de toute restriction aux libertés politiques, etc. Il décide de lancer une nouvelle initiative diplomatique. Ces nouvelles négociations devraient conduire à un accord d'ici au mois de mars. Les éléments principaux étant la fin de l'Intifada et l'arrêt des implantations israéliennes dans les territoires occupées, au moins durant les négociations. Dès le mois d'avril, ouverture de pourparlers sur l'autonomie. En octobre, début d'une campagne électorale en Cisjordanie et à Gaza, conduisant à un scrutin fin décembre. Elyakim Rubinstein vient à Washington discuter avec Shultz le 26 janvier. Il examine les propositions américaines et les soumet à Shamir qui donne une réponse positive le lendemain.

Le même jour, le 27 janvier, Hana Siniora et Fayiz Abou Rahmeh, le président du syndicat des avocats de Gaza, sont reçus au département d'État. Ils remettent à Shultz le document en quatorze points des notables palestiniens ; le texte a, entre-temps, reçu officiellement l'imprimatur de l'OLP. Les deux Palestiniens évoquent le rôle essentiel que devrait, selon eux, jouer l'organisation palestinienne. «*Pas question!* répond le secrétaire d'État, *l'OLP n'a pas de place dans notre diplomatie. Aussi longtemps qu'elle ne reconnaît pas le droit à l'existence, la résolution 242 et renonce au terrorisme.*» Quelques jours plus tard, Hussein de Jordanie, contacté, fait savoir aux Américains qu'il accepte le principe de leur initiative.

Le Likoud subit une agitation interne croissante, après l'affaire Moshé Amirav. Le 16 janvier, le maire de Tel Aviv, Shlomo Lahat, un ancien général, déclare que le gouvernement devrait se débarrasser de la Cisjordanie et de Gaza, proposer au roi Hussein d'en reprendre la responsabilité. Le lendemain, six membres du Hérout écrivent à Yitzhak Shamir pour lui dire qu'il devrait faire preuve de plus de dynamisme dans la recherche de la paix, et que le *statu quo* n'est pas à l'avantage d'Israël.

Le nombre élevé de morts palestiniens conduit Tsahal à revoir ses méthodes de dispersion des manifestations. Les soldats utilisent trop fréquemment leurs armes à feu. Les consignes changent. Des matraques sont distribuées et Rabin, au cours d'une visite à Ramallah, lance aux militaires : «*Ne tirez qu'en état de légitime défense. Pour disperser une émeute, tapez, cassez des os!*» C'est le Rabin de 1975 qui parle. A l'époque, il avait dit au chef de la police qu'il devait casser les os des manifestants de Goush Emounim. Cette déclaration-là fait aussi scandale et le ministre de la Défense la dément après quelques jours. L'armée israélienne, refusant de mettre sur pied des unités spéciales antiémeutes, continuera d'utiliser les armes à feu dans les territoires occupés. Les balles en caoutchouc ou en plastique ne réduiront pas le nombre de victimes palestiniennes. Tirées à courte distance, elles tuent comme les balles réelles. Le 12 février, un groupe de médecins américains constate que mille Palestiniens souffrent de fractures diverses dues à des matraquages. A la fin du mois, le bilan de la répression de l'Intifada s'établira à 75 morts.

A la fin du mois de février 1988, le Secrétaire d'État George Shultz se rend en visite officielle en Israël. Il soumet de nouvelles propositions plus détaillées à Shamir. Mais les États-Unis et Israël vont entrer en période électorale. Personne ne veut prendre de risques. Les Palestiniens refusent de rencontrer Shultz qui, malgré tout, se rend à l'hôtel American Colony à Jérusalem-Est où il prononce un discours devant une salle vide. Aux journalistes, il dira : «*Tout processus qui sera mis sur pied devra tenir compte des besoins de sécurité d'Israël et satisfaire les droits légitimes du peuple palestinien.*» En mars, les responsables du judaïsme américain viennent à Jérusalem se rendre compte par eux-mêmes de la situation. La répression de l'Intifada est très mal perçue dans certains milieux juifs et l'opinion publique américaine. Shamir reçoit le Club des Présidents des organisations juives américaines. Il leur fait la leçon : «*La communauté juive américaine a toujours été*, dit-il, *considérée comme un bastion de la défense d'Israël.* [...] *Il est inconcevable que, Dieu nous en garde, les Juifs américains se laissent utiliser dans* [une] *campagne contre nous, même s'ils ont des doutes à l'égard de certaines politiques ou pratiques israéliennes. Les Juifs à l'étranger ont le devoir moral de soutenir le gouvernement d'Israël, jamais un* gouvernement étranger contre Israël. Il est absolument antijuif et dangereux de se joindre à un front anti-israélien avec des non-Juifs.» Pour Shamir, qui n'est pas pour Israël est contre.

L'ASSASSINAT D'ABOU JIHAD

Le 7 mars 1988, trois hommes armés franchissent la frontière israélo-égyptienne et prennent le contrôle d'un véhicule israélien. Ils parviennent au croisement de la route entre Yérouham et Dimona, dans le sud du Neguev, où, après un accrochage avec la police, ils interceptent un autobus transportant des employés du centre nucléaire de Dimona. Des unités de Tsahal arrêtent le véhicule quelques kilomètres plus loin. Les Palestiniens ont huit otages. Après deux heures de discussions, entrecoupées de rafales d'armes automatiques, une unité d'élite prend le véhicule d'assaut. Deux civils sont tués.

Le gouvernement israélien examine un nouveau plan de l'état-major antiterroriste. Cette fois, il s'agit ni plus ni moins que d'assassiner Abou Jihad, à son domicile à Tunis. Les renseignements militaires expliquent que le leader palestinien est à la tête de l'ensemble des réseaux du Fatah en Cisjordanie et à Gaza, qu'il a un contrôle croissant sur l'Intifada. Et puis, ajoute-t-il : «*Après l'opération contre l'autobus des employés du centre nucléaire, il faut envoyer une mise en garde aux organisations palestiniennes et au monde arabe : "Dimona, c'est sacré!"*»

L'opération est montée en coordination avec la marine, l'armée de l'air et le Mossad. Le 16 avril, un commando israélien pénètre au domicile d'Abou Jihad et le tue. L'unité appartenait à la «Sayéret Matkal», le commando d'élite de l'état-major. Avant de partir pour Tunis, plusieurs officiers ont déclaré avoir des problèmes de conscience et exigé un entretien avec des responsables de l'état-major. Après une longue discussion avec le général Ehoud Barak, ils ont obéi aux ordres. Le gouvernement israélien n'avoue pas sa responsabilité dans ce meurtre. Mais Ezer Weizman dit à plusieurs journalistes : «*Je ne sais pas qui a fait le coup, mais j'ai voté contre!*»

Le raid israélien s'est déroulé alors que, à Tunis, les dirigeants de l'OLP avaient reçu des conseils de prudence du bureau de Yasser Arafat et d'Abou Jihad lui-même. Les chefs de l'organisation palestinienne avaient-ils lu, quelques semaines plus tôt, dans le quotidien israélien *Davar*, des menaces proférées à leur encontre par un responsable militaire? L'article aurait attiré l'attention d'Arafat. Durant les semaines qui ont suivi l'assassinat, des rumeurs ont couru sur des mises en garde émanant des services spéciaux français, voire d'un personnalité israé-lienne. Rien ne permet de les confirmer.

Le 31 juillet, une bombe politique secoue la région. Hussein de Jordanie annonce officiellement son désengagement complet du pro-blème palestinien. Il n'a plus aucune revendication sur la Cisjordanie et coupe les ponts avec toutes les organisations et administrations des ter-ritoires occupés où quatre jours plus tard tous les employés qui rece-vaient un salaire d'Amman sont licenciés. Des dizaines de milliers d'enseignants et de fonctionnaires perdent ainsi une partie de leurs revenus. L'OLP déclare qu'elle assumera ses responsabilités en tant que représentant légitime du peuple palestinien. Hussein enfonce le clou en déclarant qu'il reconnaîtra un gouvernement palestinien en exil s'il est formé. Shimon Pérès comprend que cette fois son option jordanienne est bien morte. Les «blazers» lui conseillent d'entamer un dialogue avec Yasser Arafat

A Gaza, Ahmed Yassine a mis sur pied une organisation clandestine. Son premier tract signé «Hamas», acronyme de «Mouvement de résis-tance islamique» a été distribué quelques semaines après le début de l'Intifada sans susciter de réaction de la part des responsables militaires israéliens. Ils savent que les islamistes refusent toute coordination avec l'OLP et son «commandement unifié du soulèvement». Une vague d'arrestations n'a partiellement touché le Hamas qu'en mai 1988. L'importance de la charte de l'organisation, diffusée en août dans cer-taines mosquées, ne sera comprise des Israéliens qu'un an plus tard :

«[…] *Israël existera et continuera d'exister jusqu'à ce que l'islam le détruise, comme il en a détruit d'autres avant lui. […]*

« *Le Mouvement de résistance islamique est un mouvement palesti-nien qui a prêté allégeance à Dieu et dont le mode de vie est l'islam. Son but est de dresser l'étendard de l'islam sur chaque pouce de Palestine car, sous l'aile de l'islam, les fidèles de toutes les religions peuvent coexister dans la sécurité. […]*

« *Le Mouvement de résistance islamique est un élément de la chaîne de combats contre l'envahisseur sioniste qui remonte à 1939, à l'émer-gence du martyr Azzedine el Kassam et à ses frères combattants, membres de la confrérie des Frères musulmans. […] Le mouvement de résistance islamique aspire à réaliser la promesse de Dieu, quel que soit le temps nécessaire pour cela. Le Prophète, que Dieu le bénisse et lui accorde le salut, a dit : "Le jour du jugement ne viendra pas avant que les Musulmans ne combattent les Juifs, lorsque les Juifs se cacheront derrière des pierres et des arbres. Les pierres et les arbres diront : 'Ô Musulmans, […] il y a un Juif derrière moi, venez et tuez-le !'" […]* »

ÉLECTIONS

En Israël, la campagne électorale commence très tôt et dure des mois. Les travaillistes présentent un projet de retrait partiel des territoires occupés. D'anciens généraux, proches du parti, expliquent les dangers que ferait courir à Israël l'intégration d'une population hostile. Le Likoud sort l'artillerie lourde et accuse à nouveau Pérès de vouloir brader la Terre d'Israël. Deux jours avant le scrutin, à Jéricho, un cocktail Molotov est lancé par des Palestiniens dans un autobus israélien. Une mère de famille et ses trois enfants meurent brûlés vifs. Un soldat, qui tente de les sauver, est grièvement blessé et décédera quelques semaines plus tard. Rabin donne l'ordre d'interdire toute photographie du véhicule, mais rien n'y fait. Quelques dizaines de milliers d'électeurs indécis basculent dans le camp de la droite. Le 2 novembre au matin, après le décompte des voix, Shamir est satisfait. Le Likoud remporte 40 sièges, les travaillistes 39 seulement. Shimon Pérès a perdu sa quatrième élection d'affilée. La droite peut sérieusement envisager de former un cabinet à majorité restreinte avec ses partenaires idéologiques naturels : l'extrême droite et les religieux. Très vite il découvre que l'appétit des uns et des autres n'a pas de limites.

Les partis ultra-orthodoxes et le mouvement Renaissance du professeur Youval Neeman ont l'impression que leur heure est enfin venue. Les uns réclament des subventions supplémentaires pour les écoles talmudiques et surtout le vote d'une loi définissant la judaïté selon les interprétations les plus strictes de la loi religieuse, ce qui voudrait dire un affrontement avec la majorité de la communauté juive américaine ; les autres exigent un renforcement de la politique d'implantations en Cisjordanie et à Gaza. Cela entraînera une confrontation avec l'administration de Washington.

Shamir, effrayé par cet appétit, fait ses calculs. Un gouvernement, avec un tel handicap au départ, serait suicidaire. Le moindre mal ce serait une nouvelle alliance avec les travaillistes avec qui il négocie secrètement. Rabin est pour. Mais Shamir ne veut plus de Pérès et de ses initiatives intempestives aux Affaires étrangères. Il lui propose les Finances. Pérès n'a pas le choix. Yossi Beilin sera vice-ministre des Finances. Le second cabinet d'union nationale voit le jour. Il n'y aura pas d'alternance, Shamir restera à la présidence du Conseil jusqu'aux prochaines élections. Les travaillistes conservent la Défense, où Rabin a toujours la confiance du chef de gouvernement.

NÉGOCIATIONS SECRÈTES

La gauche israélienne poursuit des contacts discrets – et illégaux – avec l'OLP. Daddi Tzucker, qui est devenu député, a fait savoir à Nimer Hamad, le représentant de l'organisation palestinienne à Rome, qu'il voudrait entamer des discussions sérieuses. «*L'adresse, c'est à Prague!*» est la réponse qu'il obtient. Rendez-vous est pris. Il effectue quatre voyages dans la capitale tchécoslovaque où, avec Abou Mazen, il rédige un document intitulé «*Principes d'un accord entre Israël et l'OLP*». L'objectif de Ratz est de divulguer ce texte au cours d'une rencontre avec Yasser Arafat à Genève. Le parti de gauche reconnaîtrait le droit des Palestiniens à l'autodétermination et à un État. L'OLP accepterait publiquement le droit d'Israël à l'existence dans des frontières sûres et reconnues, à négocier dans le cadre d'une solution pacifique au conflit. Les négociations entre Ratz et l'OLP durent jusqu'en septembre 1989. Mais Yossi Sarid a des doutes croissants sur l'utilité et les résultats d'une telle initiative. Il craint une réaction violente du public israélien contre lui-même et son parti. Il part à Prague en compagnie de Tzucker pour une discussion avec Abdallah Horani et Hisham Mustafa, l'assistant d'Abou Mazen. Les Israéliens remettent en cause les éléments du document déjà acceptés. La rencontre se termine mal. Quatre jours avant le rendez-vous de Genève, Ratz annonce à l'OLP que tout est annulé. Les Palestiniens sont furieux.

Steve Cohen, lui, a repris ses navettes entre Jérusalem et Tunis. Il tente de négocier un cessez-le-feu entre Israël et l'OLP. Ses interlocuteurs sont Abou Iyad – qui, après la mort d'Abou Jihad, a repris certains de ses dossiers – et l'entourage de Yitzhak Rabin. Cette négociation échoue. Son plan de rechange est de faire entrer dans le processus des personnalités juives américaines de gauche, comme ce fut le cas lors des négociations de 1985 avec Saïd Kamal.

Le 16 septembre 1988, George Shultz fait une déclaration où il évoque les «*droits politiques légitimes des Palestiniens*». Une petite phrase qui fait penser à Sten Andersson, le ministre suédois des Affaires étrangères, qu'une initiative de paix est peut-être possible. Depuis une visite dans les territoires occupés en mars, il est persuadé qu'il devrait être possible d'organiser un dialogue entre des représentants de l'OLP et des personnalités juives américaines. Il maintient une correspondance régulière avec Yasser Arafat. Depuis la mi-août, Williams Quandt, un ancien conseiller de Jimmy Carter, responsable de l'institut de recherches Brookings à Washington et Mohammed Rabieh, un Palestinien américain proche d'Arafat, font la navette entre Tunis et le département d'État. La direction de l'OLP semble sur le point d'adopter un texte remplissant les conditions posées par les États-Unis à la reprise d'un dialogue avec l'organisation palestinienne : accepter la résolution 242 du Conseil de sécurité, renoncer à la violence et reconnaître le droit d'Israël à l'existence.

Le 3 octobre, le ministre des Affaires étrangères suédois invite officiellement l'OLP à participer à une rencontre avec une délégation juive américaine. A la fin du mois, Khaled el Hassan est nommé à la tête de la délégation palestinienne qui se rendra à Stockholm.

Le 15 novembre, le Conseil national palestinien se réunit à Alger et proclame un État indépendant en Palestine. Une initiative largement symbolique mais qui permet de mobiliser la population palestinienne. A Jérusalem le *Who's Who* des territoires occupés se rend à la mosquée Al Aksa signer la déclaration d'indépendance où on peut lire : «L'État de Palestine exprime sa croyance dans le règlement des conflits régionaux et internationaux par des moyens pacifiques.»

Six jours plus tard, à Stockholm, les Juifs américains et les représentants de l'OLP tiennent leur première réunion. Sten Andersson prononce le discours d'ouverture. Il déclare que ce dialogue devrait contribuer à dissiper la méfiance et promouvoir le respect mutuel. Une conférence internationale de paix sur le Proche-Orient devrait se dérouler sur la base des résolutions 242 et 338 du Conseil de sécurité et le droit à l'autodétermination du peuple palestinien. Rita Hauser, une avocate de New York, est là ainsi que Stanley Sheinbaum, un éditeur de Los Angeles, et Drora Kass, la représentante aux États-Unis du Centre international pour la paix au Proche-Orient de Tel Aviv. La délégation palestinienne, outre Khaled el Hassan, comprend Hisham Mustafa, un assistant d'Abou Mazen, Hafif Safieh, le représentant en Hollande de l'OLP et Eugène Mahlouf, le représentant de l'OLP en Suède.

Les Palestiniens expliquent à leurs interlocuteurs que les résolutions adoptées à Alger par le CNP signifient l'acceptation d'Israël en tant qu'État du Proche-Orient, la condamnation du terrorisme, et la volonté de participer à des négociations de paix dans le cadre d'une conférence internationale. Les délégués juifs déclarent qu'ils ont eu des contacts avec le département d'État à Washington. Ils espèrent que leurs discussions permettront une reprise du dialogue entre l'OLP et l'administration américaine. Un document commun est rédigé. Il est soumis le 25 novembre à George Shultz par un représentant du ministère suédois des Affaires étrangères. Le secrétaire d'État décide que c'est insuffisant. Il refuse d'accorder à Yasser Arafat un visa d'entrée aux États-Unis, ce qui lui aurait permis de participer à l'Assemblée générale des Nations unies.

Sten Andersson décide d'inviter le chef de l'OLP à Stockholm où il devrait rencontrer la délégation juive américaine. A Washington, Shultz et l'ambassadeur de Suède rédigent un texte énumérant les conditions que l'OLP devra remplir pour permettre la reprise d'un dialogue avec les États-Unis. La lettre est envoyée à Andersson. Le 6 décembre, Arafat arrive à Stockholm. Cette fois, la délégation juive qui l'attend comprend Menahem Rosensaft, le président du mouvement travailliste aux États-Unis, Abraham Udovitch, un professeur de Princeton, Rita Hauser, Drora Kass et Stanley Sheinbaum. Dès son arrivée en Suède, le chef de l'OLP examine la lettre de Shultz. Des négociations sont conduites par téléphone. Selon George Shultz, l'ambassadeur de Suède à Washington lui a remis le jour même un texte que Yasser Arafat devrait lire le lendemain au cours d'une conférence de presse. Le Secrétaire d'État annonce que cela satisferait les conditions américaines. Il en informe Ronald Reagan. Arafat a deux rencontres cordiales avec la délégation juive. Le document élaboré lors de la rencontre du 21 novembre est présenté à la presse, mais le dirigeant palestinien ne lit pas mot à mot le texte envoyé la veille par Shultz :

«*Secret*

«*Pour contribuer à la recherche d'une paix juste et durable au Proche-Orient, le Comité exécutif de l'Organisation de libération de la Palestine, assumant les fonctions de gouvernement provisoire de l'État de Palestine, souhaite publier la déclaration officielle suivante :*

«*1) Il est prêt à négocier avec Israël un règlement de paix globale du conflit israélo-arabe sur la base des résolutions 242 et 338 des Nations unies dans le cadre d'une conférence internationale.*

2) Il s'engage à vivre en paix avec Israël et ses autres voisins et à respecter leur droit à l'existence en paix dans des frontières sûres et reconnues comme le fera l'État démocratique palestinien qu'il cherche à établir sur les territoires palestiniens occupés depuis 1967.

3) Il condamne le terrorisme individuel, de groupe et d'État sous toutes ses formes et n'y aura pas recours [1].»

Arafat se contente de signer le document, le 7 décembre. Les Suédois l'expédient au secrétaire d'État qui continue d'exiger une déclaration publique. Andersson promet que ce sera chose faite le 13 décembre à Genève où le chef de l'OLP doit tenir une conférence de presse en marge de l'Assemblée générale de l'ONU qui se réunit dans la ville du bord du lac Léman pour y tenir son débat sur le problème palestinien. Le 12 décembre, Shultz informe les Israéliens que les conditions d'une

---

1. George Shultz, *Turmoil and Triumph*, *op. cit.*, 1993, p. 1042.

reprise du dialogue entre les États-Unis et l'OLP devraient être prochainement réunies. Shamir est furieux. Il demande au secrétaire d'État de ne pas rien faire avant d'entendre la réaction d'Israël. Il ajoute : «*Les relations israélo-américaines risquent de se heurter à des difficultés si les États-Unis entament un dialogue avec l'OLP.*»

A Tunis, Arafat affronte les «durs» du comité exécutif de l'OLP. Le FPLP de Georges Habache et le FDLP de Naïef Hawatmeh sont contre. Farouk Kadoumi du Fatah et chef du département politique de l'OLP s'abstient. Une forte majorité approuve cette nouvelle étape vers la paix. Arafat part pour Genève. Hawatmeh empêche Yasser Abed Rabo, qui représente le FDLP au comité exécutif, de faire le voyage. L'organisation est sur le point de se scinder. Abed Rabo finira par créer son propre mouvement et rejoindre le camp des modérés.

Le 13 décembre 1988, à Genève, Arafat prononce un discours devant l'Assemblée générale de l'ONU. Shultz l'analyse et dit à Andersson : «*C'est proche mais ça ne mérite pas de cigare!*» Le lendemain, le dirigeant palestinien prononce finalement les phrases magiques. Le secrétaire d'État écoute l'enregistrement. Cette fois, ça y est... Dans l'après-midi, il lit un communiqué devant la presse : «*L'Organisation de libération de la Palestine a publié aujourd'hui une déclaration dans laquelle elle accepte les résolutions 242 et 338 du Conseil de sécurité reconnaissant le droit à l'existence d'Israël dans la paix et la sécurité et renonçant au terrorisme. En conséquence, les États-Unis sont prêts à ouvrir un dialogue substantiel avec des représentants de l'OLP.*» Les discussions seront menées par l'ambassadeur américain à Tunis, Robert Pelletreau. Shultz ajoute : «*Les États-Unis ne reconnaissent pas la déclaration d'un État palestinien indépendant*[1].» Le 8 novembre 1988, George Bush est élu président des États-Unis. A Jérusalem, on sait qu'il est beaucoup moins pro-israélien que Ronald Reagan.

SEULE L'OLP...

Dans la première semaine de février 1989, Amnon Shahak, le chef des renseignements militaires, présente au gouvernement un rapport réalisé par le chef du département de l'évaluation, le général Dany Rothschild, qui décrit la modération croissante dont fait preuve l'OLP. Le dialogue entre l'organisation palestinienne et les États-Unis va

---

1. George Shultz, *Turmoil and Triumph, op. cit.*, pp. 1043-1044. Mohamed Rabie, The US-PLO. Dialogue : The Swedish Connection», *Journal of Palestine* Studies XXI, n° 4, pp. 54 à 66, 1992.

vraisemblablement continuer, et aucun Palestinien, de Cisjordanie ou de Gaza, n'acceptera de participer à des négociations contre l'avis de Yasser Arafat. En d'autres termes, l'armée annonce aux ministres affiliés au Likoud qu'il n'y a pas d'interlocuteurs dans les territoires palestiniens. C'est vers Tunis qu'il faut se tourner pour un arrangement politique. Ce n'est pas la première fois que les renseignements militaires jettent ainsi un pavé dans la mare. En décembre, le rapport précédent de Shahak et Rothschild, présenté au cabinet sous la responsabilité de Yitzhak Rabin, avait fait scandale après des fuites dans la presse. Shamir avait tout simplement déclaré n'avoir ni vu le texte, ni entendu Shahak. Les ministres travaillistes s'étaient empressés de démentir en ricanant.

Une rencontre importante a lieu à 20 heures, le 15 février 1989, dans une salle de l'hôtel Notre-Dame, installé sur l'ancienne ligne de démarcation entre les deux parties de Jérusalem. Pour la première fois, les principaux dirigeants politiques des territoires occupés vont discuter du conflit avec des responsables travaillistes. Fayçal el Husseini, libéré de prison deux jours plus tôt, conduit la délégation palestinienne, qui comprend notamment Sari Nousseibeh, Hanan Ashrawi, Zyad Abou Zayad, Mamdouh el Aker, Sama'an Khoury et Ghassan Khatib. En face, autour de Yossi Beilin et d'Ephraïm Sneh, le fils de Moshé Sneh et un ancien gouverneur militaire de la Cisjordanie, se trouvent Avraham Burg, Nimrod Novick et Yaïr Hirschfeld qui a préparé le rendez vous :

– Beilin : «*Nous sommes heureux de vous rencontrer et d'entamer ce dialogue. Nous nous connaissons personnellement depuis quelque temps, et nous n'avons donc pas besoin de démarrer par les questions fondamentales. […] Nous savons que nous finirons par devoir discuter avec l'OLP. Vous connaissez nos limites, nous connaissons vos limites. Nous appartenons tous au Parti travailliste. C'est là que nous avons de l'influence et que nous sommes efficaces. Nous ne sommes pas le parti et nous ne sommes pas le gouvernement. Mais nous en représentons un large segment. D'autres personnalités travaillistes comme Haïm Ramon et Ouzi Baram pensent comme nous et agissent de même. Notre objectif est de changer la plate-forme électorale du parti.*

«La situation a changé depuis le discours d'Arafat à Genève le 15 décembre 1988. L'OLP elle-même et ses partisans dans les territoires reçoivent plus de légitimité en Israël. Même Rabin et ses gens vous ont rencontrés. Mais, d'autre part, les choses réelles ont lieu à Tunis où le dialogue évolue. Nous sommes des observateurs, mais nous ne sommes pas neutres. La question pour nous, ici, est donc : comment pouvons-nous avoir un impact sur les Américains et sur l'OLP ? Je crois que vous êtes renforcés et que vous avez suscité un changement

dans la position de l'OLP [...] En Israël aussi, la majorité change d'opinion. Il y a le plan Rabin. Nous pouvons peut-être commencer à partir de là. La première étape serait des élections dans les territoires. Prenons le squelette du plan Rabin et tirons-en quelque chose qui nous va, à vous et à nous. Je veux être franc. Si l'OLP utilise la violence, le terrorisme, ce sera la fin de notre histoire. Cela minera, et tuera tout effort politique destiné à réaliser une entente, et portera atteinte à notre position, à notre influence et, tous deux, nous serons dans une phase difficile. [...] »*

– El Husseini : *«Nous avons le sentiment qu'il y a un changement dans la communauté israélienne. Il y en a également chez les Palestiniens. Vous devez avoir conscience de plusieurs faits : d'abord, l'OLP a fait son possible. Elle ne peut plus donner de nouvelles concessions politiques. Nous sommes une partie de l'OLP. Nous avons de nombreuses craintes et des questions sur la position israélienne. Nous voulons faire preuve d'ouverture et rencontrer de vastes secteurs de la société israélienne. Nous croyons que le contact avec le Parti travailliste est d'une importance fondamentale. [...] Au sujet des élections dans les territoires, nous ne pouvons en parler que si nous savons quel est votre objectif. Acceptez-vous nos exigences, la fin de l'occupation et le droit à l'autodétermination ?»*

– Burg : *«Je veux commencer par une note personnelle. J'appartiens à la huitième génération de ma famille, vivant en Palestine. La moitié de ma famille a été massacrée en 1929 à Hébron. L'autre moitié a été sauvée là-bas par des amis palestiniens. J'ai donc un sentiment très émotionnel envers ce contact, ce dialogue, mais c'est une rencontre politique. Nous devons donc examiner les questions pratiques et non pas les affaires idéologiques ou historiques.*

«La réalité change rapidement. Récemment, Rabin a accordé une certaine légitimité à des rencontres avec les responsables nationaux palestiniens. Autrefois, Sari Nousseibeh a été passé à tabac à l'université de Bir Zeit, après avoir discuté avec des Israéliens. Aujourd'hui, je crains que nous soyons attaqués par nos extrémistes [...] »

– Ashrawi : *«Le passage à tabac de Sari a été une aberration. Nous, les enseignants de Bir Zeit, l'avons immédiatement condamné. Cela dit, je ne crois pas que l'initiative de Rabin soit significative dans le cadre des développements dans la région. Dans tous les cas, parler d'élections chez les Palestiniens contredit la situation sur le terrain. Les universités sont fermées, il y a la répression. [...] Pour nous, Palestiniens, il est dangereux de parler de choses concrètes ou de solutions partielles, cela peut être nuisible. C'est comme les demi-vérités, elles sont parfois pires que les mensonges. [...] »*

– Sneh : «*D'abord, nous ne voulons pas vous brûler. Si vous êtes remplacés par d'autres responsables, ce sera un désastre pour nous. Et nous ne voulons pas créer un leadership alternatif. Nous croyons que, avec vous, nous pourrons conclure un accord.*»

– El Aker : «*Et pas avec l'OLP de l'extérieur ?*»

– Sneh : «*Je veux dire les Palestiniens ayant vos positions politiques, quel que soit l'endroit où ils se trouvent. La percée dans le processus politique doit être réalisée en suscitant un changement vers la modération au sein du peuple juif. Selon un sondage, 54 % des Israéliens estiment que des négociations devront avoir lieu avec l'OLP. Vos responsables ont commis l'erreur de croire que l'influence américaine sur Israël est puissante. Les Jordaniens également font un effort pour influencer les Américains. C'est une erreur. Toute mesure qui serait considérée par le public israélien comme une menace pour sa sécurité sera rejetée. Israël pourra faire face à une pression extérieure. La dernière interview de Zyad Abou Zayad à la télévision israélienne a été une étape dans la bonne direction. Dans le passé, l'OLP a été diabolisée. Certains de nos dirigeants en portent certainement la responsabilité. L'OLP n'est pas innocente non plus. Dans tous les cas, nous devons changer cela et effacer l'image diabolique de l'OLP qu'a le public israélien.*

Vous devez savoir de quoi les Israéliens ont peur. Je parle souvent avec des lycéens. Ils ont des craintes. Ils disent : "Si vous leur donnez – aux Palestiniens – une souveraineté, demain, ils seront dans les faubourgs de Tel Aviv." Aussi longtemps que les Israéliens craindront que vous allez leur prendre leurs maisons à Haïfa, ils ne donneront pas Hébron.

Cette crainte rend notre position à nous, les modérés israéliens, encore plus difficile. Le grand public craint que nous, les modérés, nous ne fassions partie de votre plan de duperie. Le Likoud utilise cette situation et poursuit le processus de diabolisation de l'OLP. Vous devez convaincre le public israélien que ce que déclare Bassam Abou Sharif est sincère et vrai.

Laissez-moi vous parler de nos élections. Nous devons remporter la majorité. Vous savez que les Arabes israéliens ne nous ont pas aidés. […].

Rien de mieux que le plan Rabin ne sortira de l'actuel gouvernement. Ce qu'Arafat a dit à Genève est le maximum de ce qu'il peut dire. Nous en avons conscience. Vous souffrez de votre côté, nous du nôtre. La question est donc : que pouvons-nous réaliser ? Nous donnons l'impression de vouloir vous vendre l'idée d'élections. Nous, le mouvement sioniste, nous avons agi de cette manière dans le passé. Prendre tout ce que nous pouvions recevoir. Vous ne devez pas saisir les élections et dire c'est ça ou rien. Vous devez accepter des mesures partielles qui ne bloquent pas la voie vers une solution à long terme.»

– Ashrawi : «*Nous ne devrions pas rejeter l'autonomie ?*»

– Sneh : «*Shamir veut vous donner le contrôle des égouts de Naplouse, et c'est tout. Malgré tout, vous devez envisager un lien entre les élections et d'autres mesures, et comprendre qu'en créant un tel processus, cela nous ferait avancer sur des kilomètres. […]* »

– Novick : «*[…] Je crois que les Palestiniens et les Israéliens qui se trouvent ici n'ont pas de grandes divergences d'opinion sur l'issue finale du processus de paix. Nous sommes divisés sur la manière d'y parvenir. Chaque Israélien est en partie un partisan des travaillistes et en partie du Likoud. Même ma mère, qui a toujours voté pour les travaillistes, a peur. Il faut aller par étapes. Nous devons entraîner le consensus national dans la bonne direction. Shimon Pérès l'a fait à propos de Gaza. Au début, tout le monde était contre un retrait israélien de cette région. Maintenant, 80 % du public sont pour. Les gens aiment bien la plate-forme travailliste, mais 15 % de ceux qui soutiennent la politique travailliste votent Likoud. Il croient que le Likoud les appliquera mieux et que Shamir renoncera à la Cisjordanie. Vous ne l'avez peut-être pas remarqué, mais le langage du Likoud a changé depuis les élections. Ils ne sont plus aussi modérés qu'avant. […] Je ne suis pas optimiste. Les accords de Camp David stipulent des élections après un règlement, pas avant. Shamir pourrait ne pas accepter un tel changement, mais vous devez le mettre au pied du mur. […] Si le public israélien découvre […] une délégation jordanienne et palestinienne qui négocie avec nos gens, toute l'atmosphère changera. […]* »

– Zyad : «*Vous êtes de bons occupants. Vous occupez cette rencontre pour nous parler d'élections, sous le couvert de choses concrètes. Nous soupçonnons tout ce qui vient du côté de Rabin. En nous offrant des élections, vous voulez nous transformer en front du refus.*»

– El Husseini : «*Nous parlons d'élections. Oui, nous trouverons peut-être une formule. Les élections en Israël sont importantes pour nous aussi. Peut-être parviendrons-nous à changer l'équilibre. Nous avons besoin de gens comme vous. Nous devons trouver une manière de nous aider l'un l'autre. Si nous sommes forts, vous serez forts.*

«*Des élections sous occupation […] personne ne peut [l'] accepter. Nous nous souvenons de 1936. Nous dépendions alors d'autres gouvernements arabes, et nous avons interrompu ce que nous appelons aujourd'hui l'Intifada de 1936. Et nous n'avions rien entre nos mains. Tout a recommencé en 1937 et en 1939. Nous avons perdu des gens, du sang et des chefs. C'est une des raisons pour lesquelles nous avons été détruits en 1948. Le prix payé a été trop élevé.»*

– Beilin : «*La question des élections n'est pas la seule possibilité pour progresser. A l'origine, je voulais rejeter cette idée, mais j'ai parlé à un ami palestinien qui m'a dit que ce serait une bonne base pour progresser s'il y a les conditions nécessaires. Si vous me dites que l'idée d'élections est totalement rejetée de votre côté, je n'en parlerai plus. […] »*

– Sneh : «*Nous ne sommes pas de bons occupants, et vous n'êtes pas bons sous occupation. En ne pensant qu'à des mesures importantes, vous n'arriverez nulle part. Vous devez avancer pas à pas. Vous devez créer des institutions semi-étatiques. […] »*

– Bourg : «*Il semble se dégager un accord sur plusieurs questions :*

«*1) les deux parties veulent mettre un terme à l'occupation, nous acceptons cela ;*

2) nous sommes d'accord sur la nécessité de réduire les craintes mutuelles ;

3) l'idée d'élections n'est ni acceptée ni rejetée. Nous voulons rechercher des idées et des actions communes acceptables pour vous et pour nous. »

– Nousseibeh : «*Au sujet des élections, la dernière proposition de Rabin n'est pas acceptable pour nous. Nous voulons encourager l'OLP et le gouvernement israélien à dialoguer.»*

– Novick : «*Il y a un autre point d'accord : nous devons procéder graduellement, mais cela peut être compris de deux manières différentes. Pour les Palestiniens, cela signifierait que nous allons commencer à éduquer le public et à progresser très lentement. Ainsi, mon fils commencera bientôt à patrouiller à Gaza. Pour nous, avancer progressivement signifie aller aussi vite que possible, pas à pas.»*

– Al Aker : «*Nous aussi, nous ressentons l'urgence.»*

– Zayad : «*Cette soirée a été très utile. Pendant quelque temps, trois personnes ont parlé simultanément et c'est un bon signe. Nous devons examiner ce qui a été discuté entre nous. Il est important de continuer ce dialogue. Laissez-nous mettre au point une entente sur la manière de continuer d'une manière effective.»*

– Beilin : «*Pour nous, ce sera Yaïr Hirschfeld qui sera responsable de la suite des événements. La question est de savoir si nous faisons quelque chose ensemble maintenant ou pas. Nous sommes tous très occupés, et n'avons pas de temps à perdre.*

«*Que se passera-t-il si ce gouvernement bouge, ou même si Arafat prend une initiative ? Je suis certain qu'il peut faire beaucoup mieux. Avons-nous un impact et pouvons-nous préparer le terrain pour des négociations ?*

«Nous n'avons pas les mêmes intentions, mais un dénominateur commun[1].»

La rencontre devait demeurer secrète mais la presse en a eu vent, et les participants auront la mauvaise surprise de découvrir des dizaines de journalistes devant l'hôtel. Les Palestiniens informent leurs dirigeants à Tunis de la teneur de la conversation pour éviter tout malentendu. Mamdouh el Aker fait par téléphone un compte rendu complet à Georges Habache. Le leader du FPLP n'est pas en faveur de genre de dialogue. La plupart des participants palestiniens à cette rencontre y accorderont beaucoup d'importance. Fayçal el Husseini dira qu'il a découvert ce soir-là qu'il y avait parmi les travaillistes des gens avec qui un accord était possible.

PLAN DE PAIX

Dans les territoires occupés, l'Intifada continue. Un jeune Norvégien visite Gaza, un matin de février 1989. Il découvre la peur dans les regards du lanceur de pierre palestinien et du soldat israélien qui lui fait face l'arme à la main. Les combattants ont souvent à peu près le même âge. Il s'appelle Terje Larsen, responsable d'un institut de sciences sociales appliquées, le Fafo, il avait accompagné son épouse Mona Juul au Caire où, diplomate, elle avait été nommée à l'ambassade de Norvège. Ne voulant pas être un époux au foyer, il s'était intéressé au Proche-Orient. Terje et Mona se lieront d'amitié avec de nombreux Israéliens et Palestiniens et deviendront les médiateurs des accords d'Oslo.

La politique israélienne suscite des réactions d'autant plus défavorables à l'étranger qu'Arafat adopte des positions dans lesquelles la communauté internationale reconnaît l'expression d'une modération. Il a renoncé au terrorisme et reconnu indirectement l'existence d'Israël. L'administration américaine, au grand dam des Israéliens, entame un dialogue avec l'OLP. A Jérusalem, Yitzhak Rabin et des proches de Shamir, dont deux ministres du Likoud, Dan Méridor et Ehoud Olmert, sont persuadés qu'Israël doit lancer une initiative diplomatique. Shamir accepte leur analyse. Les relations entre Jérusalem et Washington sont tendues. Il pose quelques principes : ne pas évoquer les résolutions 242 et 338 du Conseil de sécurité, n'établir aucun lien avec l'option jordanienne que propose Shimon Pérès. Rabin est d'accord. Les conseillers se mettent au travail.

---

1. Archives personnelles.

Un plan de paix israélien est mis en forme dont l'idée maîtresse est l'organisation d'élections en Cisjordanie et à Gaza. Les élus palestiniens négocieraient la mise en place des institutions de l'autonomie de ces territoires. Une formule intérimaire devant durer cinq ans, les négociations sur une solution définitive intervenant ensuite. Shamir dit à ses proches : «*Je ne serai plus là!*» Son objectif personnel est avant tout de ne pas être celui qui restituera ne serait-ce qu'une faible partie de la Terre d'Israël. Bien sûr, il y a des risques. A la présidence du Conseil on a parfaitement conscience du fait que les représentants palestiniens issus de ces élections seront intouchables et se présenteront comme les premiers élus de l'État palestinien.

Le 14 mai 1989, l'initiative de paix du cabinet d'union nationale est enfin formulée. Elle se fonde sur quatre principes : la poursuite du processus de paix par des négociations directes sur la base des accords de Camp David. L'opposition à la création d'un État palestinien à Gaza et «*dans la région située entre Israël et la Jordanie*». Pas de négociations avec l'OLP. Pas de changement au statut de la Judée, de la Samarie et de Gaza, si ce n'est en accord avec les principes de la plate-forme gouvernementale. «*Israël propose la tenue d'élections parmi les habitants arabes palestiniens de Judée, de Samarie et de Gaza dans une atmosphère dépourvue de violence, de menaces et de terreur. Par ces élections, des représentants* [de la population] *palestinienne seront choisis, qui mèneront des négociations pour* [la mise en place] *d'une période transitoire d'autogouvernement. Cette période constituera un test pour la coexistence et la coopération. A une étape ultérieure, des négociations seront menées en vue d'une solution permanente durant lesquelles toutes les options proposées pour un règlement négocié seront examinées, et la paix entre Israël et la Jordanie réalisée*[1].»

Trois jours plus tard, au cours d'une réunion du groupe parlementaire du Likoud, Shamir révèle l'importance qu'il accorde à cette initiative de paix israélienne : «*Nous ne donnerons pas un pouce de territoire. Jérusalem n'est pas la Judée-Samarie et il n'y aura pas de négociations avec l'OLP.* [N'importe quel Palestinien] *ne peut être élu ou se faire élire*[2].»

James Baker, après un nouveau discours dur de Shamir à la Knesset, et des menaces de Rabin qui laissent entendre que les Palestiniens des territoires pourraient perdre le privilège de travailler en Israël s'ils rejettent le plan de paix israélien, décide de taper du poing sur la table. Le

1. Http : WWW, Israel-mfa, gov, il/peace/may89, html
2. *Maariv*, 18 mai 1989.

22 mai, il est invité à prendre la parole lors de la réunion annuelle de l'American Israel Public Affairs Committee, le lobby juif. Il passe en revue la situation au Proche-Orient et lâche deux phrases que son public accueille bouche bée : «*Il est temps qu'Israël renonce une fois pour toutes à la vision irréaliste du Grand Israël. Israël devrait renoncer à l'annexion, cesser sa politique d'implantations, permettre la réouverture des écoles dans les territoires et tendre la main aux Palestiniens, ses voisins, qui méritent des droits politiques*[1].» Jamais un diplomate américain n'est allé aussi loin dans sa critique d'Israël. Shamir et Arens sont furieux et inquiets.

Mais Shamir a également des ennuis sur sa droite. Ariel Sharon a l'impression qu'il peut lancer un nouveau défi au Premier ministre. Il fait alliance avec David Lévy, un autre prétendant, et Yitzhak Modaï, l'ancien ministre des Finances. Les trois hommes réclament, au nom de l'idéologie du Likoud, des limites à l'initiative de paix gouvernementale : interdiction faite aux Palestiniens de l'étranger de participer aux négociations de paix, non à toute concession sur Jérusalem, refus de toute exigence arabe supplémentaire. Shamir accepte de réunir le Comité central du parti début juillet.

La réunion est orageuse. Les délégués du Likoud votent une résolution exigeant de leurs représentants au gouvernement qu'ils refusent le principe d'élections à Jérusalem-Est, et interdisent aux Palestiniens de choisir leurs délégués aux négociations préparatoires. L'initiative de paix israélienne semble à présent vidée de son contenu. Les Américains, sentant leur initiative se dissiper dans l'atmosphère de Jérusalem, veulent aller vite et réunir les parties dans les plus brefs délais au Caire. Le gouvernement se réunit dans les jours qui suivent. Les ministres travaillistes attendent avec impatience une déclaration de Shamir après la mésaventure du Comité central. C'est peut-être la fin du cabinet d'union nationale. Ils ont la surprise d'entendre le Premier ministre expliquer que seules comptent les décisions du gouvernement, pas celles d'un parti politique. Shamir enterre purement et simplement le vote des instances du Likoud et son accord avec Sharon. L'initiative de paix est inchangée. Rabin accepte l'explication.

Le 6 avril, Shamir est à Washington où il a un long entretien avec George Bush. Le président des États-Unis met l'accent sur le problème des implantations juives en Cisjordanie, qu'il considère comme un obstacle à la paix. Le Premier ministre israélien explique qu'il s'agit d'une affaire intérieure israélienne. Bush lui répond que, dans la mesure où l'aide américaine représente mille dollars par Israélien par an, l'affaire

---

1. James Baker, *The Politics of Diplomacy,* Putnam & Sons, New York, 1994, p. 121.

concerne les États-Unis. Shamir finit par promettre : «*Il y a des choses qui vous concernent, nous avons des choses qui nous concernent, que cela ne vous inquiète pas*[1].»

A Gaza, le cheikh Ahmed Yassine est arrêté le 18 mai 1989, une semaine après le meurtre d'un soldat enlevé par un commando du Hamas, le bras armé du mouvement intégriste et dont il est le chef. Son procès aura lieu en septembre, les juges militaires condamneront le cheikh infirme à quinze années de prison. Le Hamas est devenu l'organisation clandestine la plus dangereuse en Cisjordanie et surtout à Gaza. L'armée israélienne est bien obligée de s'y intéresser de près. Jusqu'à présent, la priorité dans la répression allait au démantèlement des comités populaires de l'OLP. L'organisation de Yasser Arafat était en effet considérée par les autorités comme celle qui peut retirer le plus de gains politiques de l'Intifada. L'erreur de calcul coûtera cher à Israël.

LES «BLAZERS» NÉGOCIENT

Yossi Beilin et Yaïr Hirschfeld se rendent le 26 juin 1989 à La Haye. Ils ont un rendez-vous avec des représentants de l'OLP. Il n'est pas question d'une rencontre en face à face en raison de la loi interdisant tout contact avec l'organisation palestinienne. C'est le ministre néerlandais des Affaires étrangères, Max Van Der Stoel, qui fait la navette entre les deux hôtels. Les Palestiniens sont représentés par Abdallah Horani et Afif Safieh. Beilin veut uniquement faire passer le message que les colombes du Parti travailliste sont désormais en faveur d'un accord avec l'OLP. Dans les questions qu'il pose à ses interlocuteurs, on trouve l'expression : «*Les territoires palestiniens occupés.*» Jamais un député travailliste n'est allé aussi loin.

Les Palestiniens de Cisjordanie renforcent leur dialogue avec le Parti travailliste. Fayçal el Husseini et Hanan Ashrawi ont un long entretien avec Yaïr Hirschfeld. Ils lui expliquent que les discussions de l'OLP avec des représentants américains vont de mal en pis. Il n'y a pas de progrès. Les Américains, disent-ils, ont une ligne politique identique à celle de Shamir. Ils ont même rejeté une proposition de l'organisation palestinienne de nommer une délégation qui négocierait la préparation d'élections en Cisjordanie et à Gaza et comprendrait des délégués venus des territoires occupés et de l'extérieur. L'OLP est prête à des négociations directes avec Israël, ce que les Américains ont rejeté. Arafat a envisagé brièvement de se rendre en Israël, mais la réponse de

---

1. James Baker, *The Politics of Diplomacy*, *op. cit.*, p. 123.

Shamir – «*il sera immédiatement mis en prison*» – a tué l'idée dans l'œuf. Fayçal Husseini demande à ses interlocuteurs de lui organiser une rencontre avec Arié Déry, du parti orthodoxe Shass, considéré comme un modéré : elle n'aura pas lieu.

Un matin du mois d'août, William Gray, un membre du Congrès américain, arrive à Jérusalem via Le Caire. Il remet à Moshé Arens, qui est assez surpris, un plan de paix égyptien en dix points. Sept concernent les préparatifs des élections en Cisjordanie et à Gaza, le huitième demande à Israël d'accepter le principe d'échanger des territoires contre la paix, le neuvième stipule qu'Israël devrait accepter la participation au scrutin des Palestiniens de Jérusalem-Est, le dixième propose un arrêt de l'établissement d'implantations dans les territoires occupés. Dans l'entourage de Yitzhak Shamir, on est furieux. Les trois derniers points du plan égyptien sont inadmissibles. Le Premier ministre israélien et son chef de diplomatie ne savent pas que ce texte vient en fait du cabinet de Shimon Pérès. Il a été rédigé par Nimrod Novick qui, à l'origine, n'avait prévu que neuf éléments. Le dixième, l'arrêt des implantations, est un ajout d'Avi Gil, le chef de cabinet de Pérès, ministre des Finances. Novick, avant de remettre cette proposition à son ami, Mohamed Bassiouny, l'ambassadeur d'Égypte, l'a soumise à Steve Cohen, de passage en Israël, et à Ephraïm Sneh. Le premier a estimé que les Égyptiens n'accepteront pas le projet, le second a répondu : «Peut-être.»

Bassiouny trouve l'idée intéressante, l'amène en Égypte, la soumet au président Husni Moubarak, qui décide de l'adopter. Un premier texte est arrivé à Jérusalem, mais traduit de l'anglais à l'arabe, puis de nouveau en anglais. Il contient des formules que Dan Méridor, le ministre de la Justice, trouve blessantes. Le diplomate égyptien est reparti au Caire afin de corriger cette proposition qui est donc revenue avec William Gray. James Baker l'adopte, lui aussi, déclarant à Arens que c'était une manière d'appliquer la proposition d'élection de Yitzhak Shamir. Le 12 septembre, le ministre des Affaires étrangères exprime sa surprise et sa colère devant la commission parlementaire de la Défense. Durant l'après-midi, il est convoqué à la présidence du Conseil où Shamir lui révèle que Yitzhak Rabin vient de rentrer des États-Unis où il a eu une rencontre imprévue avec Baker au sujet de l'initiative égyptienne. Arens et Shamir trouvent tout cela étrange.

Dès le lendemain, ils ont un entretien avec Pérès et Rabin, qui exigent une réponse positive et rapide à la proposition égyptienne, sinon, disent-ils, nous tirerons les conclusions qui s'imposent[1]. Shamir et

---

1. Moshé Arens, *Broken Covenant*, *op. cit.*, p. 75.

Arens ont des soupçons : Rabin et Pérès complotent-ils en secret avec les Égyptiens ? Il est question de négociations préliminaires au Caire avec des représentants palestiniens pour préparer les élections dans les territoires, alors que personne jusqu'à présent n'a informé la présidence du Conseil d'une telle éventualité. Novick et Avi Gil comprennent que tout cela est allé un peu trop loin. Ils appellent leur contact au département d'État. Dès le lendemain, Arens reçoit un appel de James Baker, qui lui dit combien il sera heureux de le rencontrer prochainement à New York, puis, dit-il : « *Avant que Rabin arrive à Washington, le président Bush a reçu cette lettre de Moubarak au sujet d'un dialogue israélo-palestinien au Caire. Je vous l'aurais fait parvenir, mais puisque Rabin se trouvait à Washington, je la lui ai donnée. J'espère que cela n'a pas suscité de problèmes.* […] » Arens répète à Baker qu'il n'est pas question d'accepter une participation quelconque de l'OLP à ces discussions.

Quarante-huit heures plus tard, nouvelle rencontre Shamir-Arens-Rabin-Pérès. Le ministre des Affaires étrangères évoque sa conversation téléphonique avec le secrétaire d'État. Les deux responsables travaillistes sont furieux. Ils accusent Shamir et son ministre de vouloir faire traîner les choses et exigent qu'Israël accepte immédiatement l'invitation du Caire. Durant la discussion, Rabin reçoit une note. Il révèle qu'il pourrait recevoir une invitation à se rendre au Caire. Peu de temps après, Arens apprend que Mohamed Bassiouny veut le rencontrer d'urgence. L'ambassadeur d'Égypte annonce au ministre israélien que le président Moubarak est prêt à inviter une délégation israélienne à discuter de l'organisation des élections dans les territoires avec une délégation palestinienne composée d'Arabes de Cisjordanie et de Gaza choisis par les Égyptiens et deux Palestiniens de l'étranger choisis en coordination avec Israël. Arens comprend que l'OLP approuvera la liste des délégués palestiniens. Il n'en est pas question.

Le 19 septembre, Arens est à nouveau aux États-Unis. Il a plusieurs entretiens avec James Baker, qui lui propose que les États-Unis, l'Égypte et Israël choisissent ensemble les membres de la délégation palestinienne. Le ministre israélien lui répond : « *C'est une idée ! mais elle devra être approuvée par le gouvernement à Jérusalem.* » L'ordre du jour de la réunion du Caire serait la proposition d'organiser des élections dans les territoires, en accord avec l'initiative de paix israélienne.

Arens rentre à Jérusalem le 4 octobre. Dès le lendemain, Bassiouny remet à Shamir, Pérès, Rabin et Arens, le « gang des quatre », comme les appelle la presse israélienne, une invitation à venir au Caire négocier avec une délégation palestinienne. Arens relève que le texte ne correspond pas à ce qui a été décidé au cours de ses entretiens aux États-Unis.

Il appelle James Baker au téléphone, et lui dicte un texte qu'il devra présenter aux Égyptiens. La commission ministérielle des Affaires étrangères et de la Défense se réunit le lendemain. Moshé Arens présente le bilan de son voyage et la proposition selon laquelle les États-Unis, l'Égypte et Israël décideront conjointement de la composition de la délégation palestinienne, chaque partie ayant un droit de veto, le tout selon les termes de l'initiative de paix israélienne.

Mais Yitzhak Shamir ne soutient pas son ministre des Affaires étrangères : «*En fait, il n'y a pas de proposition américaine, et il est inutile de passer au vote.*» Pérès et Rabin exigent une réponse claire aux Égyptiens, un vote. Arens comprend que la discussion ne mène nulle part. Les six ministres du Likoud voteront contre les six ministres travaillistes. Il lance un appel à l'union, à la réflexion. Pérès insiste, Shamir cède. Il n'y a pas de majorité. Les travaillistes sortent de la réunion en annonçant, devant les caméras, qu'une fois de plus, la droite a raté une occasion de paix.

LES CINQ POINTS DE BAKER

Le 7 octobre 1989, James Baker transmet à Moshé Arens une nouvelle proposition en cinq points :

«*1) Les États-Unis comprennent que, puisque l'Égypte et Israël ont fait de grands efforts en faveur du processus de paix, il existe un accord pour qu'une délégation israélienne mène des négociations avec une délégation palestinienne au Caire.*

2) Les États-Unis comprennent que l'Égypte ne peut se substituer aux Palestiniens, qu'elle consultera sur tous les aspects de ce dialogue. L'Égypte consultera Israël et les États-Unis.

3) Les États-Unis comprennent qu'Israël ne participera à ce dialogue qu'après la mise au point d'une liste satisfaisante de Palestiniens. […]

4) Les États-Unis comprennent qu'Israël participera à ce dialogue sur la base de son initiative du 14 mai. Les Palestiniens y participeront afin de discuter des élections et des négociations en accord avec l'initiative israélienne. Les États-Unis comprennent donc que les Palestiniens auront la liberté de soumettre les questions concernant la manière de faire réussir le scrutin.

5) Pour faciliter ce processus, les États-Unis proposent que les ministres des Affaires étrangères d'Israël, d'Égypte et des États-Unis se réunissent à Washington dans deux semaines[1].»

---

1. Moshé Arens, *Broken Covenant, op. cit.*, p. 89.

Les travaillistes décident immédiatement qu'il faut donner une réponse positive aux questions de Baker. Shamir est contre car, dit-il à Moshé Arens, pour lui, tout cela n'est qu'une tentative destinée à forcer Israël à négocier avec l'OLP. Finalement, les deux dirigeants du Likoud accepteront les cinq points de Baker en y ajoutant quelques conditions.

En novembre 1989, invité par une organisation juive, Shamir part pour les États-Unis. Dans le passé, un Premier ministre israélien de passage a toujours été invité à la Maison-Blanche, mais cette fois George Bush décide de manifester sa colère. L'invitation est remise à Shamir quarante-huit heures seulement avant la rencontre. Une véritable gifle protocolaire pour Shamir.

Ben Aharon, Pazner, Ahiméir et l'ambassadeur d'Israël aux États-Unis, Moshé Arad, assistent à l'entretien. Côté américain, James Baker, Lawrence Eagleburger, Brent Scrowcroft et Sanunu sont là. D'entrée de jeu, Bush se tourne vers Shamir et lui explique sèchement qu'il est en désaccord avec certains éléments de la politique israélienne : les implantations dans les territoires occupés qui constituent, dit-il, un obstacle à la paix. Le président des États-Unis rappelle les décisions prises par le Comité central du Likoud limitant la portée de l'initiative de paix israélienne. Shamir et ses conseillers sont surpris du ton tranchant de Bush. L'atmosphère est désagréable. Le Premier ministre israélien tente d'expliquer que les conditions du Likoud ne sont pas importantes, la preuve, dit-il : «*Les travaillistes n'ont toujours pas quitté le gouvernement!*» La discussion se termine abruptement, Shamir quitte la Maison-Blanche profondément choqué par l'attitude du chef de l'exécutif américain.

Les derniers mois de l'année 1989 sont marqués par un tournant dans les relations israélo-soviétiques. Le Kremlin a ouvert ses frontières aux Juifs désireux d'émigrer vers Israël. Le nombre des arrivées augmente de jour en jour à l'aéroport de Tel Aviv. Les spécialistes israéliens revoient leurs statistiques. A ce rythme, cent mille immigrants arriveront avant la fin de l'année, en 1990 deux cent mille à trois cent mille. L'équilibre démographique sera de nouveau favorable aux Juifs. Shamir est enthousiaste. Il déclare que «*pour une grande immigration il faut un grand pays*». Son rêve d'une grande nation sur la Terre d'Israël semble se réaliser sous ses yeux. Ses conseillers sont obligés de publier des mises au point. «*Le Premier ministre*, disent-ils, *n'a pas voulu évoquer l'aspect territorial du problème mais seulement parler d'un État fort.*» A Moscou, on accepte l'explication. Gorbatchev ne veut pas que les Juifs d'URSS s'installent dans les territoires occupés.

Fin novembre 1989. L'OLP refuse toujours de donner une réponse positive aux questions de James Baker et donc de laisser des Palestiniens de Cisjordanie et de Gaza participer à la rencontre du Caire. Ahmed Tibi et Ezer Weizman décident de tenter une médiation. Un soir, Shimon Pérès participe à une conférence économique à l'hôtel Laromme de Jérusalem. Tibi est au téléphone dans une chambre. Arafat est en ligne. Pérès attend dans une autre pièce au bout du couloir. Weizman fait la navette entre les deux. Finalement, les chefs de l'OLP demandent à Tibi de venir discuter de la question à Tunis.

Le médecin palestinien prend l'avion le lendemain. Dans la capitale tunisienne, il explique à ses interlocuteurs que Pérès et Weizman veulent mettre Shamir au pied du mur. La rencontre du Caire aura lieu ou le cabinet d'union nationale éclatera. Arafat et Abou Mazen finissent par dire oui. Ils conseillent à Tibi d'annoncer la bonne nouvelle par téléphone à Weizman, qui se trouve dans sa résidence à Césarée. Il parle à mots couverts : «*Vous pouvez dire à l'homme du Laromme que mes amis sont d'accord!*» Quelques semaines plus tard, le mot de code qu'utilisera le Shin Beth pour parler de Pérès sera «*L'homme du Laromme*». L'OLP est une véritable passoire. Les services israéliens écoutent toutes les communications qui en sortent.

En fait, la négociation secrète que mènent les travaillistes avec l'OLP se déroule par plusieurs canaux. Yitzhak Rabin a fini par admettre que sans l'organisation palestinienne il ne sera pas possible de faire avancer le processus de paix. Son intermédiaire avec Tunis n'est autre que Steve Cohen, qui lui remet les messages verbaux de Yasser Arafat et d'Abou Mazen, personnellement à son domicile, à Tel Aviv. Ministre de la Défense, il a accès aux transcriptions des écoutes, et se méfie. Il ne commettra pas les mêmes imprudences que Weizman.

Par le Mossad et le Shin Beth, Yitzhak Shamir surveille les contacts que mène Shimon Pérès avec l'OLP. Il décide d'y mettre un terme. L'occasion lui est donnée fin décembre 1989. Au cours d'une visite à Genève, Weizman a rencontré Nabil Ramlaoui, le représentant de l'OLP auprès des institutions internationales installées en Suisse. Les deux hommes ont eu un entretien dans une voiture. C'est contraire à la loi. Les services spéciaux israéliens ont mis la main sur un procès verbal de l'entretien. Apparemment, le Premier ministre dispose d'autres éléments d'accusation contre l'ancien ministre de la Défense. Le 31 décembre, à l'issue d'un Conseil des ministres, il annonce que Weizman, étant compromis avec une organisation terroriste, ne sera plus membre du cabinet de Défense. C'est le scandale. Pérès proteste modérément. Il sait que Yitzhak Shamir dispose également d'un dossier sur lui. Inutile d'envenimer la situation. Il lâche Weizman, qui est autorisé à rester au gouvernement en qualité de ministre sans portefeuille.

Dans les premières semaines de 1990, James Baker, le secrétaire d'État, revient à la charge. Fermement, il demande une réponse à ses cinq propositions d'octobre 1989. Pour faire avancer le processus de paix, Jérusalem et Washington négocient le texte des questions qui doivent être posées au gouvernement israélien : «*Israël accepterait-il que des Palestiniens expulsés des territoires fassent partie de la délégation palestinienne ? Israël accepterait-il que des habitants de Jérusalem-Est y participent ?*»

Shamir est au pied du mur. Les travaillistes exigent une décision dans les plus brefs délais. Mais, d'abord, le Comité central du Likoud doit se réunir. Sharon qui, de par ses fonctions, est le président de séance, prépare bien son affaire. Les mille délégués se retrouvent le 13 février 1990 dans le hall du parc des expositions de Tel Aviv. Les premiers rangs sont occupés par des partisans de Sharon. La séance s'ouvre dans les cris et le désordre. Sharon ouvre la séance en annonçant sa démission du gouvernement. «*Je ne veux pas*, dit-il, *assumer la responsabilité des dangers que cette politique fait courir à la Terre d'Israël.*» Shamir prend la parole. Son microphone ne fonctionne pas. Sharon l'interrompt et fait voter rapidement à main levée quelques motions que les secrétaires n'ont pas le temps d'enregistrer. Contre toute concession territoriale, contre des négociations avec l'OLP. Shamir humilié quitte l'estrade. Plus jamais il ne réunira le Comité central sans être certain, au préalable, d'en avoir le contrôle.

Le 25 février, après des entretiens avec James Baker à Washington, au cours desquels il a arraché une concession – le secrétaire d'État a accepté que tous les délégués palestiniens aux négociations soient des résidents de Cisjordanie et de Gaza –, Arens rencontre Yitzhak Shamir. Le ministre des Affaires étrangères présente ses acquis et déclare qu'il faudrait donner une réponse positive à Baker. Le chef du gouvernement ne lui répond pas.

Le 3 mars, Shamir réunit les ministres membres du Likoud. Arens prend la parole et dit qu'il faut accepter la proposition américaine : «*Une négociation avec des délégués palestiniens résidents de Judée-Samarie et Gaza, en l'absence de l'OLP, les suggestions de Baker, pour qui la délégation pourrait comprendre des Palestiniens expulsés, enregistrés en Cisjordanie ou à Gaza, et quelqu'un ayant une adresse en Cisjordanie et à Jérusalem, n'est pas contraire à notre proposition* […] » Le ministre des Affaires étrangères est critiqué par David Lévy, qui voit là une véritable reddition à l'OLP. Benjamin Netanyahu n'est pas le moins dur. «*Il ne faut surtout pas accepter la rencontre du*

Caire. Une délégation de l'OLP nous attend là-bas. Il faut recevoir au préalable des éclaircissements et des garanties américaines. Et puis, les travaillistes doivent s'engager à accepter une suspension de ces pourparlers si la délégation palestinienne devait outrepasser son mandat.»

Benjamin Netanyahu, le frère de Yoni, le héros mort à Entebbe, est vice-ministre. Considéré comme spécialiste de la politique américaine, pour avoir passé de longues années aux États-Unis dont il a même envisagé de prendre la nationalité sous le nom de Nitaï, il donne fréquemment son avis sur les relations avec Washington. James Baker relève une de ses déclarations : «*Il est surprenant qu'une superpuissance comme les États-Unis, qui est supposée être le symbole de l'impartialité et de l'honnêteté internationale, fonde sa politique sur la distorsion et le mensonge. […] J'ai trouvé au sein de l'administration Bush un manque de volonté de condamner la campagne terroriste que l'OLP mène dans les territoires. Je n'ai reçu aucune réponse lorsque j'ai présenté à de hauts fonctionnaires américains les faits concernant le terrorisme de l'OLP et les déclarations de cette organisation sur la destruction d'Israël. A Washington, on veut l'ignorer. […]* » Le chef de la diplomatie américaine pique une colère et interdit l'entrée du département d'État à Netanyahu. Les deux hommes se réconcilieront en 1994[1].

LES RELIGIEUX POUR SAUVER LA PAIX !

Shimon Pérès mène des pourparlers secrets avec les partis ultra-religieux, le Shass (orthodoxe oriental) et l'Agoudat Israël (orthodoxe européen). Il a l'intention de précipiter la crise si Yitzhak Shamir ne donne pas une réponse positive à James Baker. Le 11 mars, la réunion de la commission ministérielle des Affaires étrangères est orageuse. Arens essaie de négocier un compromis, les autres ministres du Likoud n'ont aucune intention de céder aux travaillistes. Ils accusent l'administration américaine d'avoir détourné l'initiative de paix israélienne de ses objectifs originaux. Shamir déclare : «*L'intervention et la participation des Américains a beaucoup changé. L'OLP est encouragée par les États-Unis.*

«*Un des débats les plus importants qui se soit jamais déroulé :* [la rencontre avec une délégation jordano-palestinienne au Caire], *qui doit se dérouler très bientôt. Tout doit être clair. […] Comment voulez-vous que nous ne réagissions pas à ces déclarations selon lesquelles*

---

1. James Baker, *The Politics of Diplomacy, op. cit.,* p. 129. *Davar*, 7 mars 1990.

Jérusalem fait partie de la Cisjordanie […]. Toute cette affaire de dialogue des Américains avec l'OLP s'est faite contre notre avis. Ce dialogue est presque devenu l'essentiel de nos échanges avec les Palestiniens habitant la Judée-Samarie. Cette future rencontre du Caire s'est déjà transformée. Pour nous, il ne s'agit pas d'un rendez-vous dramatique, une affaire pour la presse internationale. Il s'agit de discuter des élections en Judée-Samarie. Il n'y a donc pas matière à des discours d'ouverture et à tout ce bruit. Il serait possible d'organiser la rencontre discrètement, mais les Américains nous ont menés à une situation où il y aurait des candidats sortant de l'ordinaire et où l'on parlera de tout. Baker a subitement annoncé qu'il viendra […] y assister. En général, il n'a pas de temps [à nous consacrer], il est occupé à voyager dans le monde entier, et […] il dit à notre ministre des Affaires étrangères : "Venez également au Caire !" […] »

« *[…] A mon avis, il faut poursuivre le processus de paix. Le relancer dans une direction, là où il allait à l'origine. La décision du gouvernement du 14 mai 1989.*»

– Pérès : «*Il faut mettre notre proposition au vote. Chez les travaillistes, nous avons le cœur lourd. Nous vous considérons comme responsables de la perte de l'option jordanienne. Il ne faut pas que cela arrive de nouveau. La proposition de laisser participer des Palestiniens expulsés aux négociations a été déposée devant le cabinet depuis quelques mois. Elle est logique. Faire participer des expulsés à la place de Palestiniens de l'étranger. On parle aussi d'une double adresse pour [les candidats aux élections palestiniennes à Jérusalem]. Qu'est-ce qui n'est pas clair ? Aux termes de l'accord de coalition, je réclame une décision […]* »

– Shamir : «*Il ne serait pas logique de faire cela.*»

– Pérès : «*Je réclame un vote. L'absence de vote est en soi une décision.*»

– Shamir : «*Le débat n'est pas terminé.*»

– Pérès : «*Proposez de continuer, et mettez ma proposition aux voix.*»

– Shamir : «*Je ne le ferai pas !*»

– Pérès : «*C'est utiliser d'une manière abusive les pouvoirs de président de séance.*»

Le ministre des Finances se lève et quitte la salle.

Le cabinet se réunit à nouveau le 13 mars. Au Parlement, une motion de censure doit être mise aux voix le 15, or il faut un délai de quarante-huit heures pour que le limogeage d'un ministre entre en vigueur. En d'autres termes, si le gouvernement tombe, Shamir devra assurer l'intérim en gardant les ministres travaillistes responsables de sa chute. Il a tout intérêt à les limoger immédiatement. Rabin tente une dernière médiation. Shamir laisse entendre qu'il est prêt à répondre par l'affirmative à Baker, mais que la décision doit être prise après le vote de censure à la Knesset. Pérès refuse. Les choses vont très vite. Dès l'ouverture de la réunion, Shamir annonce : «*En vertu de mes pouvoirs et selon l'article 21a de la loi fondamentale sur le gouvernement, j'annonce au gouvernement que j'ai décidé d'enlever son portefeuille au ministre suivant : Shimon Pérès, Premier ministre par intérim et ministre des Finances. M. Pérès a agi constamment* [dans le but d'] *entraîner la chute du cabinet d'union nationale. Il accuse injustement le gouvernement de ne pas faire avancer le processus de paix* […] »

Pérès s'attendait à cette initiative de Shamir. Tous les ministres travaillistes annoncent leur démission.

Le ton monte. Roni Milo, du Likoud : «*Il est temps de retirer les masques. Ce n'est plus Pourim. Vous avez commencé par préparer une motion de censure. Vous agissez à l'encontre de ce qui est permis selon les règles du gouvernement. Vous voulez à la fois la censure et ne pas démissionner.*»

– Pérès, en colère : «*C'est de la diffamation! Sur quelle base dites-vous cela?*»

– Milo : «*Et que faisiez-vous la nuit dernière avec l'Agoudat Israël? Vous n'avez pas parlé de motion de censure?*»

Deux jours plus tard, le gouvernement est mis en minorité grâce à l'abstention des députés de Shass. Après les consultations d'usage, le président Herzog confie à Pérès le soin de constituer une nouvelle coalition gouvernementale. Les travaillistes sont persuadés que le pouvoir est à portée de leurs mains. Ils entament des négociations avec l'opposition de gauche et les ultra-religieux. Une atmosphère de fin de règne saisit la présidence du Conseil où Shamir assure l'intérim.

PAS D'ALLIANCE AVEC LES ÉLEVEURS DE PORCS ET DE LAPINS !

Le 27 mars, c'est le coup de théâtre. A Tel Aviv, dans un stade loué pour l'occasion, et devant des milliers de fidèles, le rabbin Eliezer Shakh, qui, à quatre-vingt-seize ans, est le mentor de la majorité des courants orthodoxes du pays, prononce un violent discours dirigé contre la gauche israélienne :

«[…] *Nous vivons une époque terrible.* […] *Chaque jour, chaque pays, l'arme à la main, se renforce avec des armes encore plus sophistiquées, et nous, le peuple d'Israël, que sommes-nous parmi les peuples, entourés de méchants ? Que pouvons-nous faire ? Mais il y a une chose qui me remplit de joie, qui me renforce, et qui renforce chaque juif, où qu'il soit – il doit être plus fort que celui qui a l'arme la plus importante, plus que l'Amérique, plus que la Russie, un Juif doit être plus fort.*

«*Nous ne présentons pas une simple théorie. Je vous le dis franchement : le peuple d'Israël, ce qu'il a subi, dispersion après dispersion, souffrance après souffrance, massacres, destruction, incendies, meurtres – des peuples forts ont voulu nous détruire. Ils ont disparu. Nous sommes seuls depuis deux mille ans, les mains vides, nous n'avons pas d'armes. Comment pouvions-nous faire face, et nous avons gagné ! Nous existons. Quel secret y a-t-il à cela ? Qu'y a-t-il d'exemplaire en cela ? La réponse est : je suis juif, je suis plus fort qu'eux. On me tuera, mais mes fils resteront en vie. […] Je vis et je vivrai si le lien avec mon père et mon grand-père n'est pas brisé, et si je ne cherche pas d'autre sagesse. […] Il y a des kibboutzim qui ne savent pas ce qu'est le jeûne de Kippour, ce qu'est le Shabbat, ce qu'est le bain rituel, et ils élèvent des lapins et des porcs ! Ont-ils un lien avec leurs pères ? Leurs pères mangeaient-ils aussi le jour de Kippour ? Un membre d'un kibboutz m'a raconté qu'il ne savait pas ce qu'était la prière "Écoute Israël", et une femme m'a dit qu'elle avait peur de pénétrer dans une synagogue. Cela s'appelle Juif ? A ceux-là, tu donnes l'argent des impôts, tu les fais vivre ! Ce sont des mendiants, et tu paies plus tard leurs dettes. Et s'il y a une guerre, que combattront-ils ?*

«*Dans la Torah, il est écrit qu'Israël a reçu le nom de peuple lorsqu'il a établi son alliance avec la Torah. Avant, ce n'était pas un peuple. Il n'est pas important qu'il y ait un territoire. Un territoire, ce n'est rien. A la conférence de San Remo, on a renoncé à la Terre d'Israël, même à la rive ouest du Jourdain. Que nous reste-t-il ? Quelques villes. Cela veut-il dire que nous sommes un peuple ? Qu'est-ce qui nous donne la certitude que nous resterons un peuple ? […] Les travaillistes ont coupé le lien. Ils se sont coupés de la Torah, du Shabbat et du passé. Les travaillistes ont une nouvelle théorie. En quoi sont-ils juifs ? Ils veulent être forts. Ils veulent surmonter les guerres, mais nous savons que dans les instants les plus difficiles, c'est l'Éternel qui nous aidera, ce n'est pas avec cette nouvelle théorie qu'il sera possible de faire face. Il y a des partis politiques qui ont un lien avec le judaïsme, certains plus, d'autres moins, mais ils ne connaissent pas le lien avec nos ancêtres […].*»

C'est la rupture. Le judaïsme orthodoxe passe définitivement dans le camp de la droite. Le processus de rapprochement entre ces rabbins non sionistes et le Likoud avait commencé dès l'arrivée au pouvoir de

Menahem Begin, qui avait su parler leur langage et se présenter comme le Premier ministre, pas seulement d'Israël, mais du peuple juif tout entier. Shimon Pérès ne savait pas que Shass, pourtant un parti de Juifs orthodoxes orientaux, dépendait de ce leader spirituel ashkénaze. Il est à Haïfa quand on lui annonce la nouvelle. Il restera de longues minutes silencieux dans sa voiture, les larmes aux yeux. Cet épisode n'empêchera pas les travaillistes d'imaginer un retour possible à l'alliance historique avec les religieux, nationalistes et orthodoxes. Ils commettront cette erreur régulièrement jusqu'en 1996.

Les députés du Shass obéissent et reviennent dans le giron de Shamir. Pérès ne s'avoue pas vaincu. Il parvient, au prix de concessions dans le domaine de la législation religieuse, à conclure des accords avec d'autres formations ultra-orthodoxes qui ne sont pas liées au rabbin Shakh. Une enseignante de l'université de Tel Aviv, pourtant très à gauche, déclare que, pour la paix, elle est prête à s'habiller en religieuse et à porter la perruque. Finalement le dirigeant travailliste annonce au Parlement qu'il a une majorité. La Knesset se réunit le 11 avril.

Certains conseillers de Shamir se préparent à faire leurs valises. Ils laissent entendre que leur patron devrait prendre l'initiative et partir en claquant la porte, refuser l'humiliation. Mais l'ancien chef du Groupe Stern ne cède pas, il considère que son rôle est de tenir, vaille que vaille. Tout n'est peut être pas perdu. Ses hésitations se transmutent en inertie, puis en persévérance. Il envisage tout, sauf l'abandon. Au Parlement, un coup de théâtre lui donne raison. A la dernière minute, Pérès est lâché par deux députés religieux. C'est l'échec. Les travaillistes passent à l'opposition. Shamir a gagné.

IMPASSE

Le 30 mai, le jour de la fête de shavouot, deux commandos du Front de libération de la Palestine tentent un débarquement sur deux plages, au sud de Tel Aviv. Ils sont interceptés par la marine et les garde-frontière. L'opération est signée Aboul Abbas, le chef du FLP pro-irakien, déjà responsable du détournement de l'*Achille-Lauro* en 1985. L'administration Bush demande à Yasser Arafat de l'expulser des instances de l'OLP. Le dirigeant palestinien, qui se trouve à Bagdad, refuse. Il affirme qu'Abbas a été démocratiquement élu. George Bush suspend le dialogue que les États-Unis mènent avec l'OLP depuis la déclaration d'Arafat à Genève, condamnant le terrorisme, en 1988.

Yitzhak Shamir présente un nouveau gouvernement le 11 juin à la Knesset. Il a verrouillé l'alliance avec les ultra-orthodoxes et conclu des accords avec l'extrême droite. Youval Neeman et Géoula Cohen deviennent respectivement ministre et vice-ministre. Ariel Sharon est de retour. Il a le portefeuille de la Construction et la responsabilité de l'intégration des immigrants d'URSS. Une position qu'il saura utiliser pour développer considérablement les implantations juives en Cisjordanie et à Gaza. A la Défense, Shamir a réinstallé Moshé Arens. David Lévy qui cherche à se donner une stature internationale est nommé aux Affaires étrangères. L'administration Bush met le processus de paix à la glacière.

Le nouveau gouvernement israélien semble barrer la voie à tout progrès vers la paix. Shamir annonce qu'il n'y aura pas de dialogue avec tout Palestinien refusant le plan d'autonomie israélien. C'est à prendre ou à laisser. La politique d'implantations dans les territoires occupés est renforcée. Excédé, Baker prononce à nouveau un de ces discours dont il a le secret. Devant la commission des Affaires étrangères de la Chambre des représentants, il lance : «*A moins que les parties ne renoncent à leurs positions intransigeantes, il n'y aura pas de dialogue, il n'y aura pas de paix, et les États-Unis ne peuven*t [faire de miracles] [...]. *Si vous ne comprenez pas*, dit-il à un représentant partisan d'Israël, [...] *quelqu'un là-bas devrait savoir que le numéro de téléphone est le 1.202.456.14.14. Lorsque vous serez sérieux au sujet de la paix, appelez-nous !*»

A la fin du mois de juin 1990, le Proche-Orient semble évoluer vers une nouvelle crise. Les experts israéliens commencent à réviser leurs analyses concernant la menace irakienne. Déjà, le 4 avril, Saddam Hussein avait menacé de détruire la moitié d'Israël. Depuis la fin de la guerre Iran-Irak en août 1988, ils estiment qu'il n'y a pas de danger à court terme : Saddam Hussein est occupé à reconstruire l'économie de son pays ; il doit créer des emplois pour les centaines de milliers de soldats démobilisés et puis, dit-on, l'Irak est fatiguée de la guerre. Yitzhak Rabin, ministre de la Défense à l'époque, est de cet avis. Mais il y a les Cassandre dont la principale est David Ivry. Ancien commandant en chef de l'armée de l'air, il est le directeur général de la Défense. Dès 1983, il a lancé des avertissements : les missiles à moyenne portée risquent de constituer une menace sérieuse pour Israël, il faut s'y préparer ainsi qu'à l'éventualité de l'utilisation d'armes non conventionnelles par des États arabes, notamment la Syrie.

LA GUERRE DU GOLFE

Le 2 août, c'est l'invasion du Koweit que les renseignements militaires avaient prévue sans en connaître la date. A l'état-major et au ministère de la Défense à Tel Aviv, on procède à un nouvel examen de la situation. Quel peut être le scénario du pire ? demandent les responsables. Les spécialistes répondent : une attaque de missiles contre Israël qui riposte ; la Jordanie intervient aux côtés de l'Irak suivie ensuite par la Syrie. Ce serait la création d'un front oriental contre Israël, dans les pires conditions possibles, l'État Juif étant obligé de mobiliser ses réserves durant des attaques de missiles. Ce genre de scénario avait fait l'objet d'un exercice d'état-major quelques années plus tôt, les chefs de l'armée l'avaient considéré comme peu crédible. L'aviation israélienne et la défense antiaérienne sont placées en état d'alerte renforcée.

Shamir a pris la mesure de la crise. Il a compris qu'au-delà du danger que représente la puissance militaire irakienne, Israël a une chance extraordinaire. Pour la première fois, les Américains semblent vouloir faire la guerre au Proche-Orient contre un État arabe. Tsahal n'est donc pas seul face aux forces de Saddam Hussein. Si les hostilités sont déclenchées, chaque objectif détruit par les pilotes américains sera une cible de moins pour l'aviation israélienne. L'OLP a choisi le mauvais côté et soutient l'Irak. Yasser Arafat commet une erreur d'analyse fondamentale. Il est persuadé qu'il n'y aura pas de guerre et que, après un arrangement politique quelconque, Saddam Hussein sortira grandi de la crise. Et puis, en Cisjordanie et à Gaza, les Palestiniens soutiennent le leader irakien qui a promis de les libérer de l'occupation israélienne. L'OLP sortira considérablement affaiblie de ce conflit.

Shamir sait que les Américains, qui tentent de mettre sur pied une coalition arabe anti-irakienne, ont besoin de sa modération. Il va la leur donner ; c'est l'occasion de resserrer les relations entre son gouvernement et l'administration Bush. Le président des États-Unis a repoussé toute tentative de Saddam Hussein visant à lier l'affaire koweitienne au conflit israélo-palestinien. Les Syriens rejoignent la coalition anti-irakienne. Hafez el Assad a compris qu'il n'y a plus qu'une seule grande puissance : les États-Unis. Il a été lâché par les Soviétiques et exécute un virage politique à cent quatre-vingts degrés. Cela n'empêchera pas Damas d'adopter des mesures d'alerte anti-israélienne. Apparemment les Syriens pourraient intervenir contre Tsahal en cas d'affrontement israélo-jordanien.

Yossi Beilin et Sari Nousseibeh poursuivent régulièrement leurs discussions à Notre-Dame, un hôtel pour pèlerins chrétiens à Jérusalem-Est. Ils parviennent à la rédaction d'un texte commun :

«*A une époque de conciliation entre les superpuissances, alors que le rideau de fer disparaît et que l'Europe s'unit après des guerres futiles, le conflit au Proche-Orient reste la plus longue confrontation politique qui n'ait pas été résolue depuis la Seconde Guerre mondiale.*

«*C'est un conflit entre peuples dont les racines proviennent de la même terre, et dont la culture et la langue se ressemblent, et pour qui une coopération dans tous les domaines pourrait sembler naturelle.*

«*Les milliers de jeunes qui ont sacrifié leur vie dans ce conflit depuis les années 1920, dans la croyance passionnée en leur cause, l'énorme importance de ressources accordées à l'achat d'armes mortelles, empêchant la croissance économique et le progrès social, ont engendré notre engagement à changer la direction du conflit au Proche-Orient pour avancer vers la paix.*

«*Au fil des ans, de nombreuses erreurs ont été commises par les deux peuples. Nous, qui représentons la troisième génération du conflit, prenons l'engagement d'accélérer le processus de paix pour la quatrième génération, l'avenir de nos peuples et l'intérêt national de chacun d'entre eux.*

«*Les longues et violentes années du conflit ont prouvé que la violence et le terrorisme enflammaient l'hostilité et n'apportaient pas de solution. Nous croyons que la véritable solution sera acquise uniquement par des moyens pacifiques sans utiliser la violence de quelque façon que ce soit.*

«*Toute solution au problème palestinien doit se fonder sur les principes suivants :*

«*1) Le conflit israélo-palestinien est au cœur des problèmes du Proche-Orient et doit donc être résolu en priorité.*

«*2) Les Palestiniens ont droit à l'autodétermination comme tout autre peuple, sur la base de la charte des Nations unies et de la résolution de l'Assemblée générale de l'ONU contre le colonialisme.*

«*3) Tout règlement doit être fondé sur les résolutions 242 et 338 […] appliquées en une ou plusieurs étapes, négociées directement entre le gouvernement d'Israël et le représentant légitime du peuple palestinien reconnu par la communauté internationale […].*

« *4) Aucune partie ne peut décider pour l'autre qui le représentera dans ces négociations […].* »

Ce document passera inaperçu. Au fil des semaines, la gauche israélienne – scandalisée par le soutien de l'OLP à Saddam Hussein et par l'attitude de la rue en Cisjordanie et à Gaza qui, ouvertement, souhaite une victoire du dictateur irakien – rompt ses liens avec la direction palestinienne dans les territoires occupés.

L'armée israélienne accélère ses préparatifs. L'aviation s'entraîne a des missions en Irak. Des plans d'attaque des sites de missiles sont mis au point. Des généraux laissent entendre qu'Israël «*n'aura pas le choix et devra intervenir si les Américains se dégonflent*». Des petites phrases qui parviennent aux oreilles des responsables à Washington. En septembre, Moshé Arens se rend dans la capitale fédérale où il a des entretiens avec Dick Cheney, le secrétaire à la Défense. On ne lui promet ni une coopération opérationnelle ni du renseignement sur l'Irak. Pas question d'offrir à Israël l'accès aux satellites espions ; le Pentagone a bien trop peur d'une opération préventive israélienne. Arens recevra pour 700 millions de dollars de matériel : des avions de combat F15, des hélicoptères et deux batteries de missiles antiaériens Patriot.

Le 8 octobre, une nouvelle catastrophe secoue la région. Sur l'esplanade des Mosquées du mont du Temple à Jérusalem, des policiers israéliens ouvrent le feu sur 3 000 musulmans. Il y a 17 tués et 200 blessés, deux autres Palestiniens ont été tués le même jour dans la vieille ville de Jérusalem, par un policier et par un guide touristique israélien. Au fil des jours, les préoccupations de l'administration Bush reviennent au golfe Persique. Le 6 octobre, Washington reconnaît qu'une attaque irakienne contre Israël n'est pas à exclure. Le lendemain, commence en Israël la distribution des kits antigaz. L'état-major a eu une mauvaise surprise en examinant le dossier de la protection civile : il manque des masques pour enfants. Le chef d'état-major adjoint, le général Ehoud Barak, invente un système qui permet d'utiliser les masques existants en y ajoutant un sac en plastique.

Le 8 novembre, 100 000 soldats américains supplémentaires sont envoyés en Arabie Saoudite. Le 12, à la suite d'informations non confirmées sur les risques d'une attaque-surprise irakienne contre Israël, les Américains lancent une mise en garde à Saddam Hussein. Le 29 novembre, le Conseil de sécurité adresse un ultimatum à l'Irak qui refuse de s'y plier. A Tunis, le 16 janvier 1991, tard dans la soirée, Yasser Abed Rabo et Abou Mazen font irruption dans le bureau de Yasser Arafat. Selon les informations qu'ils ont reçues au cours des dernières heures, l'aviation américaine est sur le point d'entrer en action contre l'Irak. Le chef de l'OLP leur répond : «*Non, c'est impossible, il n'y aura pas la guerre !*» Arafat est persuadé que la question du Koweit sera réglée par la voie diplomatique. Il ne veut pas perdre ce puissant allié qu'est Saddam Hussein et puis, dira un de ses proches, il n'a pas d'autre allié aussi puissant dans le monde arabe. L'OLP qui connaît de graves difficultés financières peut compter sur la générosité irakienne.

Dans les territoires palestiniens, où l'armée israélienne n'avait pas prévu de distribuer des masques à gaz, Saddam Hussein est populaire. Dans la rue, on apprécie son attitude machiste face aux États-Unis et à

Israël. Des Palestiniens applaudiront lorsque les Scud commenceront à tomber sur Tel Aviv et Haïfa. Pour une fois, disent-ils, ce sont les Israéliens qui écopent. Seuls les intellectuels sont inquiets. L'OLP est du mauvais côté alors qu'Israël est du côté du droit international et la victime d'une agression. Quelques rares personnalités expriment leur solidarité avec les Israéliens des villes bombardées.

Schwarzkopf déclenche son opération terrestre le 24 février. Elle est rapide. Quatre jours plus tard, George Bush annonce que la guerre est terminée. Le Koweit est libéré et le potentiel militaire irakien sérieusement endommagé. Après quelques jours, les renseignements militaires israéliens font leur bilan. Ils sont moins satisfaits que leurs collègues américains. Apparemment, Saddam Hussein, qui est toujours au pouvoir à Bagdad, a réussi à sauver une vingtaine de divisions opérationnelles, la moitié de son aviation, d'importants moyens antiaériens et une partie de ses installations non conventionnelles. 40 missiles sont tombés sur Israël faisant 4 morts, dont 3 personnes qui ont succombé à des crises cardiaques, près de 500 blessés, la plupart légèrement atteints. Des milliers de logements doivent être reconstruits.

BAKER AU PROCHE-ORIENT

James Baker, le secrétaire d'État américain, effectue sa première visite d'après-guerre le 8 mars à Riyad. Il rencontre le roi Fahd et lui explique qu'il a l'intention à présent de retrousser ses manches et de travailler aussi dur à une paix israélo-arabe qu'à la défaite de Saddam Hussein. Le souverain saoudien répond : «*Nous savons que l'État d'Israël existe, et personne ne doit et ne devrait le démentir, mais il ne prend aucun engagement sur la position éventuelle de son pays face à un processus de paix.*» Après une brève tournée dans le Golfe, le chef de la diplomatie américaine fait escale au Caire le 10. Moubarak est d'excellente humeur. Il soutient la politique des États-Unis dans la région et appelle Hafez el Assad à Damas pour lui annoncer la venue de Baker. Mais, ajoute-t-il, «*le problème, c'est Shamir. Il ne changera jamais, il ne veut pas la paix*».

Baker arrive le lendemain après-midi en Israël. Il se rend immédiatement au cimetière présenter ses respects aux quatre victimes israéliennes du dernier attentat. La veille, un intégriste palestinien avait poignardé ces femmes en hurlant : «*Allah ouakbar !*» Le secrétaire d'État effectue également une visite à Yad Vashem en compagnie de son épouse Susan, qui a les larmes aux yeux.

Les Baker dînent avec David Lévy, le ministre israélien des Affaires étrangères. Il lui explique par l'intermédiaire d'un traducteur – Lévy ne parle pas l'anglais – que certains pays arabes qui refusaient jusqu'à présent tout dialogue avec Israël sont prêts à parler de paix. Lévy a l'air enthousiaste. «*Nous voulons négocier, parler de paix avec n'importe qui*», dit-il. Aux journalistes qui attendaient dans la rue, le ministre israélien dira qu'Israël est sur la voie de la paix.

Le lendemain matin, le 12 mars 1991, Baker prend le petit déjeuner avec Shamir qui le remercie pour son attitude durant la guerre. Il caresse le Premier ministre israélien dans le sens du poil en réaffirmant l'engagement inébranlable des États-Unis à veiller à la sécurité d'Israël qui, dit-il, n'est pas négociable. Il ajoute qu'il y a aujourd'hui dans la région de nouvelles attitudes. «*Les Arabes, qui ont participé à notre coalition contre l'Irak, ont fait la preuve qu'ils peuvent être de réels partenaires, notamment l'Arabie Saoudite, mais pour faire des progrès avec eux, vous devez les aider sur la question palestinienne.*» Shamir a l'air sceptique. Il semble montrer quelque intérêt envers l'attitude saoudienne et réitère la proposition de paix de 1989. La notion de conférence régionale ne semble pas susciter son opposition. Elle doit réunir l'Égypte, la Jordanie, l'Arabie Saoudite, la Syrie et Israël, mais, pour y participer ou en être l'un des deux parrains, les Soviétiques doivent rétablir leurs relations diplomatiques avec Israël.

Les dirigeants israéliens font la grimace en apprenant que Baker a rendez-vous avec une délégation de Palestiniens des territoires occupés. L'entretien avait été précédé d'une curieuse négociation. Dès le début de son périple, Baker avait annoncé qu'il accepterait de rencontrer tout groupe de Palestiniens des territoires qui le désirerait. Fayçal el Husseini avait réagi publiquement en déclarant à des journalistes : «*Je suis certain que nos dirigeants reconsidèrent leur position à l'égard des États-Unis* […]. » Quelques heures plus tard, il reçoit un appel d'un journaliste américain agissant, croit-il, pour le compte de l'ambassade américaine à Tel Aviv : «*Baker, en fait, vous invite, alors répondez!*» Un autre correspondant américain lui dit, un peu plus tard : «*Inutile de prendre l'initiative! Baker n'est pas sérieux.*» Dans la soirée, Husseini décide d'en avoir le cœur net. Il appelle le consul italien et lui demande de poser franchement la question à son collègue américain, Willcox : «*Veulent-ils ou non un entretien avec les Palestiniens ?*»

Le consul américain lui téléphone à 23 heures. Baker est d'accord. Ils se rencontrent la nuit même.

– Willcox : «*Baker voudrait vous voir mais il a déjà un rendez-vous avec Elias Freij, le maire de Bethléem. Pourriez-vous y participer ?*»

– El Husseini : «*Nous ne travaillons pas ainsi. Ce ne seront ni moi, ni Freij qui déciderons qui rencontrera Baker mais nos dirigeants à Tunis et sans leur décision, il n'y aura pas de rencontre.»*

Le dirigeant palestinien se saisit de son téléphone et appelle Tunis par l'intermédiaire d'un numéro à l'étranger. Devant le consul américain il a une brève discussion avec Akram Anieh à qui il annonce qu'une délégation des territoires occupés pourrait rencontrer le secrétaire d'État. La réponse de Tunis parviendra le lendemain. Elle sera positive.

L'entretien se déroule au consulat des États-Unis à Jérusalem-Ouest. Quelques manifestants de l'extrême droite israélienne contenus par la police hurlent des slogans : *«Baker, go home!»* La délégation palestinienne est conduite par Fayçal el Husseini.

L'atmosphère est extrêmement tendue. Saeb Erekat présente aux diplomates américains une lettre qu'il a reçue par télécopie de l'OLP à Tunis autorisant la rencontre. Le secrétaire d'État américain fait mine de l'ignorer et explique aux neuf Palestiniens qui lui font face qu'il est heureux de les rencontrer, qu'il y a une occasion unique de faire la paix. *«L'intérêt des États-Unis*, dit-il, *est d'être un élément soutenant le processus de paix, mais pas de l'imposer. Notre crédibilité dans le monde a augmenté en raison de notre action sous le parapluie des Nations unies. Nous avons formé une coalition de vingt-huit pays pour appliquer la résolution de l'ONU sur le Koweit. La guerre du Golfe a extirpé la plus grande menace qui existait dans le golfe Persique, et aussi pour la sécurité d'Israël.»* Et de critiquer vertement le soutien des Palestiniens envers Saddam Hussein, *«ce criminel! Vous avez commis une erreur fondamentale».* Fayçal el Husseini lui demande s'il a terminé sa diatribe et enchaîne :

«Je voudrais vous rappeler que ce n'est pas nous qui avons fourni toutes ces armes à Saddam Hussein. Nous ne lui avons pas donné cette puissance, c'est vous, l'Occident [...]»

– Baker : *«Pas seulement nous! L'URSS aussi!»*

– Fayçal el Husseini : *«Pour nous, vous êtes tous l'Occident! Vous et l'URSS, vous êtes l'Occident. Nous sommes l'Orient! Regardez, vous avez construit ce bateau pour l'Irak et l'avez envoyé au large où nous étions en train de nous noyer. C'était le seul bateau dans les parages dont l'équipage nous a tendu la main en nous disant qu'il était prêt à nous sauver. Ce bateau que vous avez construit pour Saddam Hussein et vers lequel nous avons été obligés de tendre la main. [...]»*

– Baker : *«Mais les Irakiens ont essayé de vous utiliser. [...]»*

– El Husseini : *«Oui, j'ai tenté de l'utiliser, lui, et j'avais le droit de le faire parce que j'étais dans une position tellement difficile. Alors, si après cela, vous avez décidé de couler ce bateau, ne le faites pas sur notre compte. Coulez-le, mais ne me faites pas payer le prix parce que* vous l'avez bâti et que vous m'avez mis dans une position telle qu'il a été mon sauveur. […] »

– Baker : «*Je suis sensible à tout cela.*»

Quelques instants de silence. Les deux hommes ne se regardent pas. Ils semblent vouloir se tourner le dos, bien qu'ils soient assis face à face. Mostafa Nateh, le maire déchu de Hébron, intervient :

«*Monsieur Baker, vous avez toujours dit, avant et pendant la guerre, qu'il n'y aura pas de lien entre l'affaire du Golfe et le conflit au Proche-Orient. Vous devrez dialoguer avec l'OLP sur la base de sa position envers Israël et le conflit, et pas sur la guerre du Golfe. Pourquoi faites-vous un lien maintenant ? Monsieur Baker, pas de lien !*»

– Baker : «*OK, pas de lien ! Pas de lien ! Reprenons. Les États-Unis ont la volonté d'utiliser leur crédibilité pour faire la paix au Proche-Orient, d'une manière progressive et raisonnable. Vous, les Palestiniens, devez aller de l'avant et bénéficier de cette occasion unique. Nous utiliserons une formule bilatérale, c'est-à-dire des négociations entre les pays arabes et un dialogue israélo-palestinien. J'ai discuté des étapes possibles et des méthodes à utiliser avec le roi Fahd et le président Moubarak, tout cela se fera sur la base des résolutions 242 et 338 du Conseil de sécurité. Il est important d'ouvrir un dialogue entre vous et le gouvernement d'Israël qui, j'en suis satisfait, a renouvelé son initiative de paix.*»

– El Husseini : «*Je dois parler de nos prisonniers détenus par les Israéliens, et en particulier des prisonniers administratifs. Plusieurs ne peuvent pas assister à notre rencontre : Sari Nousseibeh, Redwan Abou Ayyash, Mamdoukh el Aker. Il est important que les États-Unis fassent pression pour que cessent ces détentions administratives. La question à présent est la suivante : nous, les Palestiniens, vivons-nous dans la légitimité internationale, ou dans la jungle ? Après le massacre de Rishon Letsion l'année dernière, nous avons réagi par la non-violence et décrété une grève de la faim. Nous vous avons envoyé des lettres avec l'espoir que les États-Unis n'utiliseraient pas leur veto au Conseil de sécurité. Mais pour l'opération d'Aboul Abbas, vous avez commencé par suspendre votre dialogue avec l'OLP. Nous avons besoin de lois qui nous guident dans le nouvel ordre mondial. Nous avons un cadre démocratique, le Conseil national palestinien. 166 membres viennent de Cisjordanie et de Gaza. Ils ont été choisis par des élections. Nous sommes fiers de notre organisation et de nos dirigeants. Ceux qui assistent à cette réunion souffrent, car ils sont palestiniens et fiers de l'être […].*»

– Haïdar Abdel Chafi évoque les implantations juives dans les territoires occupés : «*Cela renforce l'extrémisme chez les Palestiniens. Comptez-vous intervenir à ce sujet ? Vous pouvez faire pression sur Israël pour faire cesser la colonisation.*»

– Baker : «*Créer des faits accomplis est contraire à la paix. Les implantations sont des obstacles à la paix. […] Nous partageons votre opinion au sujet des implantations et nous avons une position claire à ce propos.*» […]

– Saeb Erekat : «*Y a-t-il des décisions du Conseil de sécurité destinées à être appliquées et d'autres votées uniquement pour les archives ? Que feront les États-Unis si M. Shamir refuse le principe des territoires contre la paix ? Cette rencontre ne peut se tenir sans une décision du comité exécutif de l'OLP et la volonté du président Yasser Arafat. […]* »

– Elias Freij : «*Nous voulons la paix pour tous les Palestiniens, pas seulement pour nous dans les territoires occupés. Nous représentons seulement 25 % du peuple palestinien. Que pouvons-nous faire pour que reprenne le dialogue entre les États-Unis et l'OLP ? Israël doit se retirer de Cisjordanie, de Gaza et de Jérusalem. Jérusalem-Est est arabe et très importante pour nous. Israël nous humilie constamment et viole nos droits de l'homme. Par exemple, il y a* [partout des] *barrages militaires […]* »

– Baker : «*Vous serez les gagnants si vous saisissez l'occasion actuelle d'aboutir à la paix. Les Saoudiens et les Égyptiens sont prêts à jouer un rôle plus actif dans le processus de paix. Il est très difficile pour nous d'avoir affaire à l'OLP après la guerre du Golfe et sa position en faveur de Saddam. Nous ne pourrons jamais comprendre pourquoi l'OLP a soutenu l'occupation irakienne du Koweït. Il vaut mieux ne pas mentionner l'OLP à chaque rencontre. Notre dialogue avec l'OLP n'est que suspendu, et pas interrompu définitivement. Hier, par erreur, j'ai dit au cours d'une rencontre avec David Lévy, devant les journalistes, qu'il était terminé. En fait, il n'est que suspendu. […]* »

– Maher el Masri : «*Sans l'OLP il est impossible de continuer le processus de paix.*»

– Baker : «*La meilleure chose que l'OLP puisse faire pour vous, c'est de vous laisser seuls à la table des négociations avec les Israéliens en présence des États-Unis. En l'état actuel des choses, vous devez être raisonnables.*»

La rencontre se termine sur la promesse d'un nouveau rendez-vous le mois suivant, lors de la prochaine navette du secrétaire d'État. Fayçal el Husseini envoie un rapport à Akram Anieh à Tunis, en omettant les critiques formulées par James Baker à l'encontre de l'OLP et de son chef Yasser Arafat. Chef du Fatah en Cisjordanie, Akram Anieh a été banni en 1986 sur décision de Yitzhak Rabin alors ministre de la Défense.

Conseiller du chef de l'OLP, il a la responsabilité de maintenir un contact permanent avec la délégation de Fayçal el Husseini. C'est lui qui doit présenter régulièrement des rapports sur l'état des négociations aux dirigeants palestiniens. Craignant parfois pour la vie des délégués palestiniens de l'intérieur, il fera des comptes rendus différents selon qu'ils seront soumis à Yasser Arafat – qui aura droit à la version intégrale – ou aux chefs des organisations d'opposition comme le FPLP de Georges Habache.

Dans la soirée, Baker et son épouse dînent chez les Shamir. Le Premier ministre israélien montre au chef de la diplomatie américaine les lettres envoyées par Gerald Ford au Premier ministre Yitzhak Rabin le 1ᵉʳ septembre 1975. Les États-Unis s'engageaient, dans le cadre d'un règlement de paix, à prendre en considération la position israélienne sur le fait que le plateau du Golan devrait rester sous contrôle israélien. Pour Shamir, les interlocuteurs palestiniens de Baker sont inacceptables : ce sont, dit-il, des membres de l'OLP. « *Oui*, répond le secrétaire d'État, en ajoutant : *aucun n'est un officiel de l'organisation.* »

Le lendemain, à Damas, Baker a sept heures d'entretien avec Hafez el Assad. Les discussions entre le chef de la diplomatie américaine et le président syrien seront toujours très longues. L'entourage du secrétaire d'État surnomme Assad : «*L'homme à la vessie d'acier*». Il n'interrompt jamais un entretien pour se rendre aux toilettes. Baker repart de Damas avec l'impression que la Syrie pourrait, à certaines conditions, participer au processus de paix.

Quelques jours après la visite de Baker à Jérusalem, le département d'État demande à Yitzhak Shamir d'envoyer un émissaire à Washington afin de rencontrer Dennis Ross, le coordinateur américain du processus de paix au Proche-Orient. Shamir charge Dan Méridor de cette mission. Il revient avec trois questions : «*Le gouvernement israélien est-il prêt à négocier un règlement permanent sur la base des résolutions 242 et 338 ? Est-il prêt à participer à une conférence régionale à l'invitation des États-Unis et de l'URSS ? Le gouvernement israélien accepterait-il sept Palestiniens qui ne seraient pas résidents de Jérusalem, ou qui ont été expulsés, comme membres de la délégation palestinienne à la conférence*[1] *?*»

---

1. Moshé Arens, *Broken Covenant, op, cit,* p. 223.

UN TABOU DE VINGT-TROIS ANS

Baker revient au Proche-Orient le 9 avril. Dans la matinée, il a un entretien avec Shamir, qui lui annonce son accord pour une participation israélienne à une conférence régionale. Il ne s'oppose plus au parrainage soviétique, mais refuse que cela se fasse sous les auspices des Nations unies. Israël accepte une représentation palestinienne, mais uniquement dans le cadre d'une délégation conjointe avec la Jordanie. Le Premier ministre israélien exige qu'il soit fait référence aux accords de Camp David dans le texte de l'invitation à la conférence. Le secrétaire d'État rencontre également Moshé Arens, le ministre de la Défense. Il lui demande de prendre des mesures permettant d'établir la confiance chez les Palestiniens, de cesser les détentions administratives, les expulsions, rouvrir les écoles, les universités. Arens lui répond que, lorsque la violence aura diminué en Cisjordanie, les mesures de protection seront également réduites. Baker lui rappelle que les expulsions de Palestiniens constituent une infraction à la convention de Genève.

Le secrétaire d'État lance ensuite un ballon d'essai : «*Si les États arabes annulaient le boycottage d'Israël, serait-il prêt à annoncer l'arrêt des implantations en Cisjordanie et à Gaza ?*»

A David Lévy, le secrétaire d'État explique que les États-Unis n'ont pas la possibilité d'empêcher les représentants palestiniens d'annoncer qu'ils participent au processus de paix avec l'accord de l'OLP. Shamir vient de lui dire qu'il exige un engagement écrit de l'administration Bush, que les délégués palestiniens ne prononceront pas le mot OLP. Il se rend ensuite au consulat américain à Jérusalem-Ouest. Fayçal el Husseini et cinq autres notables palestiniens l'attendent. Baker est accompagné par Dennis Ross, John Kelly et Dan Kurtzer :

– Baker : «*J'ai été heureux d'apprendre que vous vouliez me rencontrer en dépit du Ramadan.*»

– El Husseini : «*Pour ma part, j'ai également été satisfait lorsque votre consul général m'a appelé pour me proposer un rendez-vous avec vous. Nous espérons que vous avez quelque chose de nouveau à nous dire. Nous espérions des mesures israéliennes à notre égard, pour renforcer la confiance. Il n'y en a pas eu, au contraire : nous avons assisté à des expulsions et à des saisies de terres.*»

– Elias Freij : «*En fait, nous assistons à une extension des implantations et il y a des barrages militaires sur les routes de Bethléem à Jérusalem. Nous n'avons pas où vendre nos produits. Il y a une pénurie de nourriture et de vêtements à Bethléem.*»

– Baker : «*Pourquoi les routes sont-elles fermées ?*»

– Elias Freij : «*Pour des raisons militaires.*»

– Baker ˙ «*L'affaire des implantations suscite de l'émotion aux États-Unis. Je considère que c'est une annexion de fait. Quant aux expulsions de militants palestiniens, nous les condamnons de la manière la plus forte. Cette administration américaine est la première à condamner le comportement israélien dans les territoires. Nous sommes très heureux de vous rencontrer. Vous êtes ceux qui souffrent et qui font face à un problème très difficile. J'ai dit au Premier ministre Shamir et à son ministre des Affaires étrangères que nous n'avons pas besoin de faire durer les choses. Il nous faut des résultats concrets. […]*

Contrairement à la croyance populaire, nous ne pouvons pas faire pression du point de vue économique sur Israël qui a le soutient du Congrès. Nous pouvons utiliser des pressions politiques et diplomatiques sur Israël pour avancer vers la paix. […] Nous sommes émus pas les restrictions économiques imposées aux Palestiniens. Nous parlons au gouvernement israélien afin qu'il libéralise sa politique. Mais si vous le racontez à la presse, cela n'arrivera jamais.

Je tente de briser un tabou vieux de vingt-trois ans : que des Palestiniens négocient avec des Israéliens. J'ai proposé une conférence de paix régionale. Cela constituerait un grand pas en avant. Les Palestiniens doivent comprendre qu'une conférence internationale n'est pas viable à ce stade. Il faut qu'il y ait des négociations de paix directes et nous devons y parvenir. Monsieur Husseini, je crois que je peux mener Israël à la table des négociations si j'obtiens les éléments suivants :

Ils accepteraient de participer à une conférence régionale avec leurs voisins arabes et les Palestiniens des territoires. Il y aurait des négociations de paix avec Israël, sans que cela soit lié, des négociations avec les Palestiniens vers un règlement global basé sur les résolutions 242 et 338. Les Palestiniens viendraient des territoires et ne seraient pas membres de l'OLP. Il y aurait d'abord un autogouvernement puis, un règlement global. Y a-t-il des Palestiniens qui seraient intéressés à participer à une conférence parrainée par les États-Unis et l'Union soviétique afin d'en discuter ? Qui accepterait d'admettre le principe d'une paix avec Israël ? Je dois vous dire que, si la réponse est négative, il n'y aura pas de possibilité de progrès. Donnez-moi votre point de vue, honnêtement, mais ne me répondez pas maintenant. Posez-moi des questions.»

– Abdel Chafi : «*Une des conditions pourrait-elle être l'arrêt des implantations ?*»

–- Baker : «*Non ! Si vous continuez à vous opposer à de tels détails,* il n'y aura pas de règlement. *Nous vérifions si Israël utilise l'aide américaine pour financer la construction dans les territoires occupés. Nous nous y opposons.*» […]

– El Agha : «*Le problème ressemble à un cancer. Je pense en médecin. Les États-Unis traitent les symptômes avec de la morphine et ne soignent pas la maladie elle-même.*» […]

– El Husseini : «*Si nous devions accepter vos conditions qu'aucun négociateur palestinien ne soit membre de l'OLP, aucun Palestinien ne participerait aux négociations sans l'OLP, à l'exception peut-être de quelques fondamentalistes.*»

– Baker : «*Vous êtes tous membres de l'OLP ?*»

– El Husseini : «*Tous les Palestiniens sont membres de l'OLP. [Dès la] naissance.*»

– Baker : «*Bon... Je crois que nous pouvons accepter cette interprétation de la participation à l'OLP.* […] »

– El Husseini : «*Comment les Palestiniens des territoires occupés seront-ils représentés dans la conférence régionale que vous proposez ?*»

– Baker : «*Il y a trois options possibles. La première, qu'une délégation palestinienne séparée, qui ne soit pas membre de l'OLP, participe à la conférence au côté d'Israël, de la Syrie, de la Jordanie, de l'Égypte et peut-être du Liban et de l'Arabie Saoudite. La deuxième, que les Palestiniens fassent partie d'une délégation jordanienne. Enfin, qu'il y ait deux conférences : l'une qui examinerait le problème israélo-arabe et la seconde, le problème israélo-palestinien.*»

– Ross : «*La délégation palestinienne pourrait faire partie d'une délégation jordanienne ou d'une délégation générale arabe.*» […]

– El Husseini : «*Tout ce que vous nous présentez doit être transmis à l'OLP. Dans la deuxième option, les mêmes restrictions s'appliquent-elles aux membres de l'OLP ? Un membre de l'OLP peut-il participer à la délégation jordanienne ?*»

– Baker : «*Bonne question... Nous pensons que quelqu'un de très identifiable comme Yasser Arafat, par exemple, ne serait pas possible.* […] *Ce serait une étape majeure que de démarrer un tel processus. Pour une telle conférence, le président Bush pourrait décider de venir prononcer le discours d'ouverture et Shamir pourrait décider de participer à la cérémonie.* […] *Nous soutenons les droits légitimes du peuple palestinien mais nous ne sommes pas en faveur d'un État palestinien indépendant. En Turquie, nous disons que les Kurdes ont des droits politiques mais nous ne soutenons pas un État kurde indépendant.*»

– El Husseini : «*Vous nous présentez ces idées et nous allons y* réfléchir, mais nous n'avons rien sur le papier. Il y a une réunion du Comité central de l'OLP le 21 avril et nous devons leur fournir des informations détaillées sur l'autogouvernement que vous proposez. J'espère que vous pourrez nous donner un texte dans les prochains jours. [...] »

James Baker se tourne vers Willcox, son consul général à Jérusalem et lui lance : «*Pouvez-vous faire quelque chose ? – Oui, bien sûr !...* », répond l'intéressé. La tactique du chef de la diplomatie américaine apparaît clairement : expliquer aux dirigeants israéliens qu'ils ont obtenu satisfaction et qu'ils doivent accepter la conférence régionale tout en disant aux Palestiniens de ne pas laisser échapper une occasion historique d'obtenir des gains politiques.

Baker se rend à Damas le 11 avril. Il décrit à Assad la réaction de Shamir. Le président Syrien voudrait que la conférence de paix se déroule sous les auspices des Nations unies : «*Si cela a été le cas pour la guerre du Golfe, pourquoi pas ici, pour la paix ?*» Baker lui explique qu'il ne parviendra pas à persuader Shamir d'accepter une telle formule et que la conférence ne sera donc pas internationale.

Le chef de la diplomatie américaine rentre à Washington après un nouveau contact avec Shamir, qui lui répond : «*Puisque la conférence régionale ne constituera pas le cadre des négociations de paix, il est inutile de l'appeler "conférence de paix".*»

L'Intifada se poursuit en Cisjordanie et à Gaza. Des accrochages sporadiques opposent régulièrement des soldats israéliens à des jeunes Palestiniens. Le 11 mars, près du camp de Djebalia, un conducteur a renversé plusieurs militaires en patrouille. Il y a plusieurs blessés et deux morts, parmi lesquels Chahar Guinossar, le fils du dirigeant du Shin Beth qui, en 1985, avait participé aux premières négociations secrètes avec l'OLP. L'enquête ne permettra pas d'établir avec certitude s'il s'agissait d'un attentat ou d'un accident. Le même jour, Yossi Guinossar, qui avait dû quitter le service de renseignement après l'affaire de l'autobus d'Ashkelon, s'apprêtait à publier dans le quotidien *Hadashot* un article dans lequel il défendait les positions de Moshé Dayan à la fin des années 1970 : «*Si nous n'annulons pas l'administration militaire des territoires, nous devrons en fin de compte tirer à vue sur les Palestiniens. En cela, il avait prévu l'Intifada. Il faut accorder le maximum de liberté aux Palestiniens avec une présence militaire israélienne minimale. [...]* » Yossi Guinossar milite désormais au Parti travailliste. La mort de son fils l'a renforcé dans sa conviction qu'il faut parvenir à un accord avec l'OLP.

CHAPITRE 11

De Madrid à Oslo
avril 1991-juillet 1993

A Jérusalem, Fayçal el Husseini a renforcé son équipe en y intégrant Hanan Ashrawi. Brillante intellectuelle, au cours de ses études à Beyrouth elle avait dirigé l'organisation des femmes du Fatah. Enseignante à l'université de Bir Zeit près de Ramallah, elle apporte à la délégation palestinienne une connaissance de l'anglais et des sciences politiques qui faisait défaut et va devenir un des principaux négociateurs. A Tunis, le dossier des contacts avec Baker est tenu par Akram Anieh. Originaire de Ramallah, à quarante ans, ce conseiller de Yasser Arafat a été le coordinateur du Fatah en Cisjordanie et le rédacteur en chef du quotidien *A Shaab* où Salah Zouheykah lui a succédé après son bannissement en 1986. La sécurité de ses amis de la délégation palestinienne est une de ses principales préoccupations. Yasser Arafat, Farouk Kadoumi, Abou Mazen, Abou Ala et Hakam Balaoui, le chef de la sécurité de l'OLP, ont droit au texte original, non expurgé, les membres du comité central du Fatah à une version « courte » et les chefs de l'exécutif de l'OLP, au minimum nécessaire. Certains patrons d'organisations comme Hawatmeh et Habache ne voient pas les négociations d'un bon œil et, après une petite phrase menaçante de Habache, Akram Anieh lui annonce : « *Vous êtes personnellement responsable de la vie de Fayçal el Husseini et de Hanan Ashrawi, que rien ne leur arrive!* »

Le contact entre la délégation et Tunis se fait en langage codé, par téléphone et par l'intermédiaire de diplomates amis qui acceptent d'envoyer ou de transporter des messages destinés à l'OLP. Les Palestiniens de l'intérieur se savent surveillés, écoutés par les services spéciaux israéliens.

Yitzhak Shamir, qui a été informé par des fuites venant de l'administration Bush, sait que les Américains feront tout pour qu'il participe à la conférence de paix au Proche-Orient. En principe, il accepte une représentation palestinienne intégrée à une délégation commune avec la Jordanie. Le 10 avril, il a un nouvel entretien avec James Baker qui constate que le Premier ministre israélien n'exige plus que l'invitation à la conférence fasse référence aux accords de Camp David au lieu d'évoquer la résolution. Mais Shamir réclame à présent une lettre des délégués palestiniens dans laquelle ils s'engageraient à rejeter l'OLP et affirmeraient ne pas représenter Yasser Arafat. Patiemment, Baker lui explique que ce genre d'exigence est inacceptable. «*Je veux simplement que vous me disiez que vous ne négocierez pas avec les Palestiniens s'ils disent qu'ils représentent l'OLP*[1].» Shamir accepte.

Le 11 avril, le Secrétaire d'État est à Damas pour un nouvel entretien de six heures avec Hafez el Assad. Il ne parvient pas à le persuader d'accepter une présence et non pas un parrainage des Nations unies à la conférence. C'est à nouveau l'impasse.

Baker revient à Jérusalem le 18 avril. Ariel Sharon a construit Revava, une nouvelle implantation en Cisjordanie, visiblement pour irriter le chef de la diplomatie américaine : «*C'est un acte délibéré visant à saboter la paix. Si vous continuez à construire ainsi des implantations, vous n'aurez pas un cent de garanties bancaires!*» dit Baker à Shamir, qui se lance dans une longue explication sur la nature de cette implantation. Sa construction avait été décidée il y a de cela quelques années. En fait, dit-il, ce ne sont que quelques caravanes transférées d'une colline à une autre...

– Baker : «*Oh! arrêtez vos conneries*[2]*! Nous avons des photographies et nous savons exactement où en sont les choses, vous n'aurez pas un cent!*»

– Shamir qui commence également à s'énerver : «*Ne croyez pas que nous allons mendier pour obtenir ces garanties. Il y a des choses plus importantes.* [...]»

– Baker se calme : «*OK! Essayons de voir comment nous pouvons les faire avancer!*»

Les diplomates israéliens et américains qui assistent à la scène échangent des regards. Baker a perdu son sang-froid. La discussion dure deux heures. Pour les Israéliens, certaines propositions américaines sont absolument inacceptables. Pas question d'autoriser une participation européenne en qualité d'observateur ou de participant. De même, Israël rejette la présence d'un représentant des Nations unies,

---

1. James Baker, *The Politics of Diplomacy*, *op. cit.*, p. 446.
2. En anglais : «*Cut the bullshit!*»

alors que les Américains estiment ne pas pouvoir justifier l'exclusion totale de l'ONU et voudraient lui donner au moins un rôle d'observateur. Baker suggère que le terme de «conférence» soit adopté une fois pour toutes par les participants, étant entendu qu'elle pourrait se réunir de nouveau. Les Israéliens répondent par la négative. Le chef de la diplomatie américaine dit à ses interlocuteurs qu'il ne peut continuer ainsi : «*Sur le fond, j'ai construit un processus selon les spécifications israéliennes, et vous n'êtes pas contents. Si vous ne pouvez apporter votre contribution, je vais rentrer chez moi...*» Le ton de cette conversation filtre dans la presse israélienne. Shamir dément qu'il y ait une crise dans les relations avec les États-Unis.

L'ARGENT EST POREUX

Le fond de sa pensée, James Baker le dévoile aux Palestiniens. Avant de quitter Jérusalem, le 20 avril, il reçoit Fayçal el Husseini, Hanan Ashrawi et Zakariah el Agha, le chef du Fatah à Gaza. La rencontre se déroule dans le salon de Bill Willcox, le consul général des États-Unis à Jérusalem. Dennis Ross, le coordinateur des affaires du Proche-Orient au département d'État, y assiste.

Baker : «[...] *Nous avons besoin de décisions, certaines des Israéliens, d'autres des pays arabes, et je voudrais que vous m'apportiez des éclaircissements sur les décisions palestiniennes. [...] Vous avez besoin d'une sorte de processus conduisant à des négociations sur un statut permanent fondé sur les résolutions 242 et 338. Toutes les parties en ont chacune une interprétation différente. Israël dit que c'est Camp David, alors que les Arabes l'appellent des territoires contre la paix. La politique américaine tente d'éviter une discussion sur ces points. Peut-être le moment n'est-il pas venu d'en discuter, et je ne sais pas quand l'heure sera propice.*»
«*Shamir dit que les Palestiniens peuvent avoir leur propre ministère à l'exception de la Défense et des Affaires étrangères durant la période intérimaire. Pour moi cela signifie l'autogouvernement. [...]*»
«*Pendant quatorze mois, j'ai tourné autour du problème du représentant palestinien de Jérusalem-Est. Ce qui est plus important, c'est que vous soyez à la table des négociations et, à partir de là, vous pourrez faire vos déclarations politiques. [...] Les parrains ouvriraient la conférence qui éclaterait ensuite en groupes de travail plus réduits. Les États-Unis et l'Union soviétique sont acceptés comme les deux parrains, mais les États arabes et surtout la Syrie veulent que les Nations*

unies dirigent la conférence. Cela n'arrivera pas. Les Arabes veulent également accorder un rôle important à l'Union européenne. Il est possible que les Européens participent sous une forme ou une autre. Ils disent qu'ils ne veulent être que des observateurs si l'URSS est un des parrains. Ils pourraient être participants. Il est important qu'Israël participe, et les parties doivent discuter des modalités et du calendrier. Nous devons amener les gouvernements arabes à convaincre l'OLP de permettre aux Palestiniens des territoires d'aller de l'avant et de venir à la table des négociations. Israël ne siégera pas avec l'OLP et vous devez faire les choses discrètement. Si vous allez à une conférence de paix en criant : "Je suis de l'OLP, ils m'ont envoyé!" Eh bien, rien ne marchera, Israël quittera la salle des négociations! Alors, laissez l'OLP à Tunis et vous-mêmes, aussi, faites les choses discrètement et bouclez-la! Nous n'avons pas besoin de quelqu'un qui brandisse des drapeaux, ou des bannières, ou tape des pieds pour démarrer les choses. Ce dont nous avons besoin, c'est de l'accord tacite de l'OLP. Les responsables de l'OLP peuvent améliorer leurs relations avec l'Égypte, la Syrie et l'Arabie Saoudite s'ils font cela. Sinon, il n'y aura pas de processus de paix. […] J'espère que vous n'allez pas raconter tout cela à la presse parce que tout s'arrêterait. Nous avons besoin de Palestiniens des territoires acceptant une approche en deux phases :

«1) Une étape de transition démarrant par une phase d'autogouvernement pendant cinq ans.

2) Au début de la troisième année, des négociations de paix devront commencer avec Israël vers une solution définitive basée sur les résolutions 242 et 338.

Quant à la question des Palestiniens de Jérusalem-Est, nous devons adopter la même approche. Je ne sais pas vraiment comment vous répondre maintenant. Peut-être pourrez-vous m'aider. Les actions de l'OLP peuvent accélérer ou saboter le processus.

C'est une occasion en or, peut-être notre dernière chance. Je suis venu ici pour entendre ce que vous avez à dire. Je sais que vous avez beaucoup d'idées, et [j'aimerais] *les entendre.»*

– El Husseini : «*Soyez-en certains* [: nous savons qu'il faut] *faire quelque chose afin que cette occasion ne disparaisse pas. De notre part, nous avons une position après toutes ces années d'occupation et de souffrance. Nous avons besoin d'un processus de paix* […]. »

– Ross : «*Le processus pourrait créer de nouvelles réalités dans les territoires et en Israël. Les États-Unis seraient alors beaucoup plus fermes.*»

– Baker : «*Comme je vous l'ai dit, nous ne contrôlons pas le Congrès. Israël peut obtenir une assistance économique quand il le demande. Israël va bientôt demander des dollars "pour nos Juifs soviétiques". Et nous allons vérifier les détails : comment ils dépensent notre argent, si l'argent est destiné au logement et non aux implantations. Mais vous savez que l'argent est poreux. […] J'essaie également d'obtenir pour vous l'aide de gouvernements arabes afin qu'ils interviennent auprès de Tunis. Je vous promets d'œuvrer pour que l'OLP n'empêche rien. L'OLP également a beaucoup à gagner : potentiellement, une aide économique des États du Golfe, des Européens, améliorer ses relations avec l'Union soviétique, et peut-être même l'éventualité de reprendre les relations avec les États-Unis. Si l'OLP bloque, rien n'arrivera.»* […]

– El Husseini : «*Que se passera-t-il après trois ans ?*»

– Baker : «*Au début de la troisième année, vous pourrez ajouter la question des Palestiniens de l'extérieur et la question des Palestiniens de Jérusalem-Est. Je n'ai pas de réponse pour l'instant. L'élément important est que vous veniez à la conférence. L'élément important, c'est le territoire : plus vous attendrez, plus ils saisiront des terres. […]* »

– Ashrawi : «*L'OLP a une position plus souple que son public. Les gens sont plus bornés et se moquent de leurs dirigeants à l'étranger. En raison de l'intransigeance israélienne, c'est le public palestinien qui place des obstacles devant l'OLP et non pas le contraire. […] Avons-nous une garantie de participation de l'OLP au début de la troisième année ?*»

– Baker : «*Vous n'amènerez jamais Israël à siéger avec l'OLP ! Il leur faudra la certitude que les négociateurs palestiniens de la diaspora, il y en aura deux, ne soient pas membres du comité exécutif de l'OLP.*»

Américains et Palestiniens finissent par tomber d'accord sur une éventuelle participation de membres du Conseil national palestinien qui ne soient pas formellement inscrits à l'OLP.

– El Agha : «*C'est le plan Shamir que vous nous proposez. Ce n'est pas très différent de l'accord de Camp David, si ce n'est que nous parlons de l'autogouvernement et non pas de l'autonomie. […]*

« *Dans toutes ces discussions, je relève une certaine régression de votre position. Les Israéliens disaient qu'ils parleraient à n'importe quel Palestinien. A présent, nous cherchons à savoir si les membres de l'OLP venus des territoires sont éligibles ou non. Ils veulent choisir notre délégation.*»

– Ross : «*Nous avons parlé de cela aux Israéliens. Ils disent qu'ils ne passeront pas votre CV aux rayons X. Ils savent que les négociateurs reçoivent leurs ordres de Tunis, mais, aussi longtemps qu'ils le feront discrètement, ils ne creuseront pas en profondeur. Les Israéliens pensent que ce sont les Arabes qui examineront au microscope l'histoire de chacun.»*

– El Husseini : «*Les États-Unis affirment qu'ils ne soutiennent pas le concept d'un État palestinien. Puis-je avoir de vous une déclaration selon laquelle, sans être pour, vous n'êtes pas contre ?*»

– Baker : «*Nous ne disons pas que nous nous y opposons.*»

– Willcox : «*Nous ne disons pas que nous sommes pour. Notre position ne changera pas notre politique. Nous sommes pour la formule visant à échanger des territoires contre la paix, mais nous ne soutenons pas l'idée d'un État palestinien indépendant.*»

*«L*E LOBBY ISRAÉLIEN EST LE PLUS PUISSANT
ET LE PLUS RICHE D'AMÉRIQUE… »*

Le 23 avril 1991, James Baker revient à Damas s'entretenir longuement avec Hafez el Assad. Il repart avec l'impression que le président syrien pourrait faire preuve de souplesse. Trois jours plus tard, nouvelle séance de négociations avec Yitzhak Shamir qui, cette fois, annonce que le refus du roi Fahd d'Arabie Saoudite de participer à la conférence la rend inutile. A nouveau, le ton monte. La discussion est interrompue par l'annonce du décès de la mère du secrétaire d'État, qui repart immédiatement pour les États-Unis.

Le 3 mai, l'ambassadeur des États-Unis à Damas câble à Washington : «*Hafez el Assad renonce à ses deux exigences : un parrainage des Nations unies et la réunion de la conférence sur décision de la majorité, après la première séance. Le président syrien accepte la présence d'un observateur des Nations unies et une réunion de la conférence par consensus.*»

Baker se rend à Damas le 11 pour y subir une sérieuse déception : le président syrien a changé d'avis. Il réclame à nouveau un parrainage des Nations unies et demande aux Américains d'accepter le principe que la conférence pourrait se réunir à nouveau après la première séance, sans l'approbation de toutes les parties, c'est-à-dire sans l'accord d'Israël. Baker a l'impression d'aller à échec. Le lendemain au Caire, Moubarak tente de le calmer. Le président égyptien lui explique qu'il ne s'agit probablement que d'un marchandage oriental. Assad, dit-il finira par accepter. Le 14, Baker atterrit à Amman, où le roi Hussein lui promet d'utiliser ses canaux secrets pour rassurer les Israéliens. Il fera tout pour que la délégation palestinienne ne surprenne pas le cabinet Shamir. Dans l'après-midi, Baker retourne à Jérusalem par la route et, geste symbolique, franchit à pied le pont Allenby sur le Jourdain. Sa quatrième rencontre avec les Palestiniens se passe moins bien que les précédentes.

El Husseini décide d'entamer la discussion en arabe. Ashrawi traduit : «*Tout d'abord, je voudrais vous présenter les sincères condoléances du président Arafat après le décès de votre mère. Nous vous présentons également nos condoléances. A l'occasion de notre quatrième rencontre, je vous informe de la volonté du président Arafat de poursuivre ce processus et d'en assurer le succès. Les instructions qu'il nous a transmises sont de vous assister dans votre mission pour aboutir à une paix juste et globale*» […].

– Baker : «[…] *Mon espoir est que nous pourrions avoir une conférence réunissant tous ceux qui participent au jeu du Proche-Orient. Je suis un peu pessimiste quant à la Syrie. Après dix heures de rencontre* [avec Hafez el Assad], *je ne suis pas certain que la Syrie ait décidé d'avancer. Laissez-moi vous dire ce qui est sur la table :*

«*1) Une conférence coparrainée par les États-Unis et l'URSS et qui conduira à des négociations directes entre Israël et la Jordanie, ou entre Israël et une délégation conjointe jordano-palestinienne, ou avec une délégation palestinienne.*

2) La conférence conduira à des négociations directes entre Israël et les pays du Golfe membres du Conseil de coopération des États du Golfe, par la création de groupes de travail sur le développement économique, l'eau, le contrôle des armements... Il y aura une présence européenne mais, réellement, je ne sais pas ce qu'elle sera. […]

Personne n'a plus besoin d'un processus de négociations que vous. C'est vous qui êtes sous occupation. Chaque jour qui passe, il y a une implantation de plus sur votre terre. C'est une situation terrible. Je crois qu'il est possible de progresser, même en l'absence de la Syrie. Je voudrais que les Syriens participent. […] »

– Ashrawi : «*Pour Israël, ce sera une récompense. Ils pourront normaliser leurs relations avec les riches États arabes pétroliers. La question palestinienne devrait être la première des priorités avant les relations entre Israël et ses voisins.*»

– Baker : «*Avec la participation des Saoudiens, nous aurons tout le monde. Si nous utilisons une approche à deux voies dans les négociations, ils ne seront pas impliqués dans les négociations bilatérales politiques avec Israël mais participeront aux groupes de travail des multilatérales sur l'eau, le contrôle des armements, etc.* […].

Vous connaissez nos sentiments à propos des implantations. Chaque fois que je viens ici, ils m'en collent une! Vous savez que, lorsque Ariel Sharon est venu à Washington, nous avons refusé de le rencontrer. Cela a suscité un scandale. Jamais, une administration américaine n'a posé un lapin à un ministre israélien. Il n'est pas surprenant que AIPAC [le lobby juif] *critique Sharon. Cela veut dire que nous avons de l'influence sur eux! Mais vous devez amener les États arabes à faire quelque chose et, là, nous avons besoin de votre aide. Par exemple, nous pourrions amener les États arabes à suspendre le boycott d'Israël et l'état de guerre avec Israël. J'arriverai peut-être à amener les Israéliens à geler les implantations, ce qui est si important pour vous. Je ne peux pas vous le promettre.* [...]

Quant aux expulsions... Eh bien, je n'aime pas faire cette comparaison, j'ai dit aux Israéliens que "je croyais que Saddam Hussein était la seule personne qui expulsait des gens". Je veux dire que les choses ne vont pas s'améliorer. 65 % des territoires palestiniens ont été saisis. Si vous attendez encore quatre ou cinq ans, 85 % auront disparu et vous ne pourrez jamais amener le gouvernement israélien à négocier...»

Hanan Ashrawi intervient, rappelle au secrétaire d'État que, pour les États-Unis, ces implantations sont illégales et qu'il n'y a donc aucune raison de récompenser Israël s'il cesse la colonisation.

– Baker : «*Nous ne pouvons les arrêter parce que le Congrès donnera à Israël tout l'argent qu'il réclame. C'est une réalité de la vie politique aux États-Unis. Nous ne pouvons envoyer la 101ᵉ division aéroportée forcer Israël à arrêter les implantations. Nous ne pouvons le faire.*»

– Ashrawi : «*Utilisez le Conseil de sécurité!*»

– Baker : «*Qui applique les résolutions du Conseil de sécurité?*»

– Ashrawi : «*Les États membres!*»

– Baker : «*Il y avait un mandat pour utiliser la force uniquement dans le cas de Saddam Hussein. Spécifiquement : "Ou vous quittez* [le Koweit], *ou vous en êtes expulsés!" Quoi qu'il advienne, nous ne pourrons pas et n'utiliserons pas la force pour contraindre Israël à évacuer les territoires. Le Congrès à Washington ne soutient pas la politique d'implantation mais ne votera jamais contre Israël la réduction de son aide financière* [...]. *Je vais vous dire quelque chose de très secret : la raison pour laquelle, les membres du Congrès sont élus, c'est parce qu'ils votent pour Israël. Le lobby israélien est le plus riche et le plus puissant lobby politique d'Amérique. C'est là que les membres du Congrès obtiennent le budget de leurs réélections. Mais, considérez les cartes que vous avez en main...*»

– El Agha : «*Vous êtes une superpuissance!*»

– Baker : «*Nous n'intervenons pas à Chypre!*»

– Kelly : «*Et nous n'intervenons pas au Tibet ni en Lituanie!*» [...]

– Baker : «*Vous devez me mettre dans une position telle que je puisse faire pression sur Israël. Le président Assad dit non. S'il avait dit oui et vous aussi, il y aurait une formidable pression internationale sur Israël. Vous ne pouvez pas influencer les attitudes de certains membres du Congrès qui veulent être réélus dans leur petit district. Le lobby israélien paie pour cela. Ils sont très puissants.»*

– Ross : «*Nous voulons tous réussir. Plus nous avons de choses à montrer, plus nous pourrons accomplir. Vous devez nous aider.*»

– El Husseini : «*Pendant longtemps, on nous a dit, à nous les Palestiniens, ce que nous devions faire. Je déteste cela! Quand on essaie de nous diriger sans vouloir nous comprendre! J'ai passé un an peut-être à tenter de comprendre les craintes des Israéliens. Je voudrais qu'ils essaient de comprendre les nôtres. Vous avez vos problèmes avec le Congrès à Washington. J'ai pour ma part* [les miens avec] *le Conseil national palestinien et mon peuple. Vous devez parler aux gens qui ont à la fois de la crédibilité et de la souplesse. De ce point de vue, la crédibilité, pour nous les Palestiniens, c'est l'OLP. Le président Arafat a les deux : la crédibilité et la souplesse. Vous n'en acceptez pas l'idée mais il a la confiance du peuple!*»

– Baker : «*Si vous pouvez amener les pays arabes à déclarer la fin de l'état de guerre, je pourrais peut-être amener Israël à cesser les implantations. Ce serait un argument de taille à présenter au public israélien et au Congrès.*» […]

– Ashrawi : «*Que l'argent* [américain] *destiné à l'immigration juive en Israël dépende des progrès du processus de paix. Nous avons besoin d'une déclaration claire de votre part au sujet des implantations. Le camp de la paix libéral juif aux États-Unis et en Europe veut cela. Nous en avons parlé avec David Hauser et David Susskind[1].*» […]

– Willcox : «*La résolution 242 signifie l'évacuation par Israël des territoires occupés et la fin de l'occupation.*»

– El Husseini : «*Est-ce votre position?*»

– Baker : «*C'est notre position. Nous ne sommes pas en faveur d'un État palestinien jusqu'à ce que nous amenions Israël à la table des négociations. Je ne pense pas qu'il serait intelligent de publier une telle déclaration. Si j'annonçais que la résolution 242 signifie pour nous des territoires contre la paix, comme vous le dites, Israël répondrait non.*»

– El Agha : «*Mais Shamir déclare qu'il ne renoncera à aucun centimètre carré des territoires!*»

– Baker : «*J'ai entendu Shamir dire qu'il ne* [renoncerait au moindre centimètre carré des] *territoires aussi longtemps qu'il sera en vie. Ils essaient de m'avoir! Begin disait qu'il ne renoncerait jamais à Yamit*

---

1. David Susskind est un dirigeant juif belge proche du mouvement de la paix israélien.

juste avant de signer les accords de Camp David. Il disait que ce serait sa maison de campagne, juste avant de restituer le Sinaï!»

– Ashrawi : *«C'était une autre époque. Les choses ont changé.»*

Le lendemain, Baker a une séance de travail avec les Israéliens. Yitzhak Shamir refuse que le secrétaire d'État s'entretienne en premier lieu avec David Lévy. Il veut empêcher le ministre des Affaires étrangères de faire des déclarations intempestives à la presse. Lévy et Moshé Arens sont donc convoqués à la présidence du Conseil. Après de longues heures de discussion, un document de travail est rédigé, énumérant d'abord les points sur lesquels un accord a été réalisé :

«– Une approche à deux voies.

– Des négociations directes, bilatérales, précédées par une conférence coparrainée par les États-Unis et l'Union soviétique.

– Les résolutions 242 et 338 serviront de base à ces négociations.

– Israël n'aura pas à négocier avec une personne qu'il récuse.

– La conférence n'aura pas le pouvoir d'imposer des solutions ni un veto à des accords conclus par des parties. […]

– Les négociations concernant la question jordano-palestinienne se feront sur la base d'une approche par étapes […]. »

Aucun accord n'a pu être conclu sur trois points : la représentation des Nations unies et de l'Union européenne, la convocation de la conférence après la première séance[1].

ASSAD VEUT MANGER LES RAISINS

Baker commence sa sixième tournée au Proche-Orient le 18 juillet. Les choses s'annoncent bien. Il a reçu quelques jours plus tôt la réponse de Hafez el Assad : c'est fait! La Syrie accepte de participer à une conférence régionale. Les Israéliens savaient que le président syrien avait changé de position. Au cours d'une conférence de presse à Damas, à une question sur son exigence d'un parrainage des Nations unies, il avait répondu en citant un proverbe arabe : *«Voulez-vous vous battre avec les gardiens ou manger les raisins ? Je veux manger les raisins! […] Notre position ne sera pas celle de Sadate le défaitiste, mais pas aussi bornée que celle de Saddam Hussein!»* Le secrétaire d'État rencontre Assad afin d'avoir la certitude que sa réponse est bien positive. C'est le cas et il repart dans la soirée demander à Husni Moubarak de

---

1. «Diplomatic Developements To The Madrid Conference», Affaires étrangères israéliennes, archives personnelles.

publier un communiqué liant la fin du boycottage arabe d'Israël à l'arrêt de la construction des implantations dans les territoires occupés. Après une escale en Arabie Saoudite et à Amman, le chef de la diplomatie américaine se rend le 21 à Jérusalem, où l'attend Fayçal el Husseini et sa délégation.

Baker ouvre la discussion en expliquant à Fayçal Husseini, Hanan Ashrawi et à Zakarya el Agha : «*Le train de la paix est en route. Vous ne devez pas le rater parce qu'il ne repassera pas chez vous de sitôt.*» Les Palestiniens lui rétorquent que Yasser Arafat ne veut toujours pas d'une rencontre entre les délégués des territoires occupés et les dirigeants jordaniens. Ils lui demandent une lettre signée de sa main et donnant des assurances aux Palestiniens afin de persuader le chef de l'OLP de prendre une décision favorable au processus de paix. «*Les États-Unis ne fourniront de lettre d'assurance que lorsque nous discuterons de la délégation conjointe jordano-palestinienne*», leur répond le secrétaire d'État qui ajoute : «*Il n'y aura pas de représentants de Jérusalem-Est à la conférence régionale.*»

– Ashrawi : «*C'est totalement injuste ! Des Israéliens, qui ne sont là que depuis quelques années, pourront participer à la conférence, alors que des Palestiniens dont les familles habitent Jérusalem depuis des siècles, en seront exclus.*»

– Baker : «*[…] Ce n'est pas une question de justice, c'est une question de réalité […]*»

Fayçal el Husseini présente au secrétaire d'État des cartes du développement des implantations en Cisjordanie. Les terres saisies par les Israéliens sont marquées en jaune. Il explique que, au train où vont les choses, les Palestiniens n'auront plus que quelques enclaves, des bantoustans encerclés par des localités israéliennes. El Husseini, qui n'avait pas suivi de près les dernières opérations d'Ariel Sharon dans les territoires occupés, avait découvert leur ampleur, la veille, au cours d'une séance de travail avec Halil Toufakji, le cartographe palestinien. Baker l'interpelle : «*Fayçal, si vous n'allez pas à la table des négociations très vite, cette carte sera complètement jaune, et notre discussion aura été inutile !*» Et le secrétaire d'État, au nom du président Bush, d'offrir quelques promesses pour faire passer la pilule : les États-Unis soutiendront la participation d'habitants de Jérusalem-Est et de Palestiniens de la diaspora dans le cadre de toute délégation qui négociera le statut définitif des territoires. Washington et Moscou sont d'accord pour affirmer que l'exclusion de Palestiniens de Jérusalem-Est des négociations qui doivent s'ouvrir dans le cadre de la conférence régionale ne saurait constituer un précédent. George Bush est prêt à recevoir Fayçal el Husseini en tant que responsable des Palestiniens de l'intérieur. Mais, pour l'heure, il doit se contenter de la présence d'un Palestinien ayant un lien indirect avec Jérusalem au sein de la partie jordanienne de la délégation conjointe[1].

Hanan Ashrawi classe le procès-verbal de la rencontre et envoie un rapport plutôt encourageant à Tunis :

« Baker a reçu une réponse positive des Syriens, le processus avance vers un point décisif, et la conférence de paix pourrait se réunir bientôt.

Baker veut des résultats concrets, pas des symboles. Il est prêt à nous donner une lettre définissant la position et la politique américaines. Tout engagement envers une partie sera communiquée aux autres.

Au sujet des implantations, Baker fait de grands efforts pour obtenir des engagements des Égyptiens, des Saoudiens et des Jordaniens sur un arrêt du boycott arabe qui, en échange, permettrait l'arrêt des implantations. Nous lui avons dit que la politique d'implantations était illégale et devrait cesser immédiatement sans qu'Israël soit récompensé. C'est un message dangereux pour le monde que quiconque commet un acte illégal soit récompensé lorsqu'il y renonce.

Baker propose un plan en cinq points : il a réussi à contourner le veto israélien d'une participation de l'OLP. Cela devrait permettre le succès du processus.

Les États-Unis ne veulent pas créer un leadership palestinien alternatif. Nous avons le droit et la liberté de choisir nos responsables : c'est une affaire intérieure palestinienne, en dépit du fait que certains pays arabes tentent de mettre sur pied une nouvelle direction palestinienne. L'administration américaine n'est pas d'accord avec cela. Les Américains comprennent l'importance de l'unité du peuple palestinien à l'intérieur et à l'extérieur, et ne cherchent pas à les séparer ni à créer deux entités : les Palestiniens de l'intérieur et de l'extérieur. Baker connaît nos relations avec l'OLP. Il y a un accord discret à ce sujet, mais, sans agiter de drapeau ni le montrer publiquement. Sans cela, le processus irait à l'échec, et les Américains préfèrent une coordination discrète entre nous et l'OLP. »

Baker, après sa rencontre avec les Palestiniens, se rend à la présidence du Conseil. Yitzhak Shamir l'attend, de mauvaise humeur. Le Premier ministre est plus méfiant que jamais : *« Est-ce que les États-Unis ne cherchent pas à forcer Israël à évacuer la Judée-Samarie ? »* Baker lui répond : *« Il y a aux États-Unis de nombreuses personnes qui croient que vous ne cherchez pas sérieusement à négocier la paix. »*

1. James Baker, *The Politics of Diplomacy, op. cit.*, p. 492.

Shamir ne parvient pas à comprendre la décision de Hafez el Assad d'accepter le principe d'une conférence de paix. Quels sont ses objectifs ? Le président syrien ne mentionne jamais le mot paix… « *La conférence pourrait avoir lieu à l'automne. Le président Bush rencontrera Mikhaïl Gorbatchev à Moscou dans quelques jours, et il est temps que les hésitations israéliennes cessent.* » Shamir demande si la lettre d'engagement adressée par le président Gerald Ford au Premier ministre Yitzhak Rabin au sujet du Golan en 1975 est toujours valable. « *Nous ne voulons pas*, dit-il, *que vous souteniez l'exigence syrienne d'un retrait israélien du Golan.* » Le secrétaire d'État promet que la lettre d'assurance qui sera envoyée par George Bush au Premier ministre israélien rappellera les engagements pris par Ford. Moshé Arens, qui assiste à l'entretien en compagnie de David Lévy, demande s'il peut voir la lettre envoyée par Assad à Bush. Baker refuse. « *Ce serait*, dit-il, *contraire aux usages diplomatiques.* » Et le secrétaire d'État d'évoquer l'éventualité de garanties américaines dans le cadre d'un règlement israélo-syrien.

« NE LAISSEZ PAS LE CHAT MOURIR DEVANT LA PORTE PALESTINIENNE »

Le 27 juillet, Moshé Arens, qui a compris qu'Israël n'a plus le choix, tente de persuader Shamir de faire un pas en avant. La plupart des conditions israéliennes sont respectées. En effet, la conférence régionale qui prend forme devrait réunir Israël, la Syrie, l'Égypte, et une délégation jordano-palestinienne, cette dernière ne comprendrait pas de délégués palestiniens de Jérusalem-Est, ni de membres de l'OLP, ni de Palestiniens de la diaspora. Un observateur de l'Union européenne et un autre des Nations unies pourraient assister à la séance d'ouverture. Baker est d'accord sur le principe que, pour coparrainer la conférence, l'URSS devra d'abord rétablir ses relations diplomatiques avec Israël. A l'issue de la première réunion, s'ouvriraient des négociations bilatérales entre Israël et la Syrie, le Liban et la délégation jordano-palestinienne. Parallèlement, commencerait l'examen de questions régionales dans le cadre de réunions multilatérales consacrées au Proche-Orient. L'économie, le désarmement, l'eau, les réfugiés.

Arens suggère donc à Shamir de donner une réponse positive, tout en exigeant des engagements américains au sujet de la participation palestinienne. Le ministre de la Défense dit à son chef de gouvernement qu'il est temps de placer la balle dans le camp adverse.

Shamir appelle James Baker, à Moscou, où il prépare le sommet Bush-Gorbatchev et lui annonce qu'il a décidé de participer au processus de négociations sur la base de la proposition américaine. L'initiative américaine prend forme. Il se rend à Jérusalem le 1er août, avec une bonne nouvelle pour les Israéliens : Mikhaïl Gorbatchev a décidé la reprise des relations diplomatiques. Le chef de la diplomatie américaine a rendez-vous le lendemain au consulat des États-Unis à Jérusalem-Ouest. Il trouve Fayçal el Husseini et Hanan Ashrawi très inquiets.

El Husseini : «*Je suis persuadé que des extrémistes israéliens vont me tuer dans un mois ou deux, ou une semaine. Ne me laissez pas mourir sans avoir quelque chose dans ma poche.* […] »

James Baker demande des explications et décide que les services secrets américains fourniront un entraînement de sécurité à des gardes du corps palestiniens. El Husseini et Ashrawi lui demandent d'obtenir des garanties israéliennes pour qu'il puissent préparer les négociations dans la sérénité, à l'intérieur de locaux sûrs. Les Américains recevront la promesse de Moshé Arens qu'il n'y aura pas de perquisitions à l'intérieur d'Orient House, où se trouve la société d'études arabes de Fayçal el Husseini à Jérusalem-Est. Le bâtiment deviendra très vite le siège officieux de l'OLP.

Baker apostrophe ses interlocuteurs : «*Shamir a accepté notre proposition. Il est temps que vous fassiez un pas en avant et que vous acceptiez le principe de la délégation conjointe avec la Jordanie.*»

Ashrawi demande un changement dans la position américaine : «*Il faudrait que vous cessiez de vous opposer à l'idée de création d'un État palestinien.*»

Baker propose de donner aux Palestiniens une lettre signée par le président des États-Unis, qui n'évoquerait pas la notion d'un État palestinien indépendant, mais n'exclurait pas l'autodétermination dans le cadre d'une confédération avec la Jordanie. Les Palestiniens font grise mine. Le secrétaire d'État leur lance : «*Ne laissez pas Israël se cacher derrière des symboles. Ne laissez pas le chat mourir sur le pas de la porte palestinienne !*»

Baker part le jour même pour Amman, où il demande au roi Hussein d'intervenir… auprès des Israéliens. Les Américains savent que le souverain hachémite a repris ses contacts secrets avec le Mossad. Ephraïm Halévy, le responsable du département Jordanie au service de renseignements, effectue des visites régulières à Akaba. Baker ne s'en tient pas là. Avant de rentrer à Washington, il effectue des escales au Maroc, en Algérie, en Tunisie, dont les dirigeants sont priés de faire pression sur les Palestiniens. Le 4 août, le gouvernement israélien se réunit et approuve la participation israélienne à la conférence régionale par une majorité de 16 contre 3, celle de Rehavam Zeevi, de Youval Neeman, deux ministres d'extrême droite, et également d'Ariel Sharon, qui accusent David Lévy et Yitzhak Shamir d'avoir mené les négociations en amateurs et de faire courir des risques de guerre au pays. Shamir répond que ces attaques personnelles proviennent d'un désir de pouvoir incontrôlable, et qu'il s'unir face aux combats, aux difficultés ou aux dangers qui guettent le pays[1].

Le 19 août, un événement à la portée immense bouleverse la scène internationale : un coup d'État des communistes durs à Moscou. Mikhaïl Gorbatchev est sauvé par Boris Eltsine qui affronte les putschistes. C'est le début de la fin pour l'URSS. Les pays du Proche-Orient qui comptaient encore sur le soutien soviétique comprennent qu'il n'y a plus qu'une seule grande puissance sur le globe : les États-Unis.

LES GARANTIES BANCAIRES

Tout en suivant le développement de la situation à Moscou, l'administration Bush verrouille le dossier des garanties bancaires de dix milliards de dollars qu'Israël demande aux États-Unis pour financer l'intégration des immigrants d'URSS. Face à la pression du lobby juif, le président Bush tape du poing sur la table le 12 septembre. Au cours d'une conférence de presse, il explique les raisons pour lesquelles il a demandé au Congrès de suspendre pendant cent vingt jours l'examen de ces garanties bancaires : « *Un débat à ce sujet, maintenant, pourrait détruire notre capacité à amener les parties à la table des négociations. S'il le faut, j'utiliserai mon droit de veto. [...] Il y a seulement quelques mois, des hommes et des femmes en uniforme, des Américains ont risqué leur vie pour défendre Israël contre les Scud irakiens. L'opération "Tempête du désert", tout en gagnant une guerre contre un agresseur, a assuré la défaite du plus dangereux adversaire d'Israël. [...] Au cours de l'année écoulée, en dépit des difficultés économiques, les États-Unis ont fourni à Israël plus de quatre milliards de dollars d'aide, près de mille dollars par Israélien, homme, femme ou enfant.* »

Baker revient à Jérusalem pour sa huitième visite, le 16 septembre. La première question de Shamir concerne les garanties bancaires. Le Secrétaire d'État lui explique que tous les gouvernements arabes ont demandé aux États-Unis d'obtenir un gel des implantations israéliennes comme précondition aux pourparlers de paix. Il a refusé. Si ce dossier est approuvé sans condition à Washington, les Arabes refuseront d'aller à la conférence régionale, alors que s'il est lié au processus de paix, ce

---

1. Moshé Arens, *Broken Covenant, op. cit.*, pp. 241-242.

ne serait pas mieux, il ne faut donc pas en parler. Et d'ajouter, pour faire passer la pilule, que si le gouvernement Shamir se montre raisonnable, l'administration Bush pourrait réduire le prix qu'Israël devra payer ces garanties bancaires.

La discussion ne permet pas d'aboutir à un accord. Baker se rend au consulat des États-Unis pour un nouvel entretien avec Fayçal el Husseini, Hanan Ashrawi et Zakarya el Agha :

– Baker : «*Nous avons à présent un dialogue avec les Israéliens et nous sommes en droit de penser que vous pourrez saisir la dernière chance de paix.* [...] *Il n'y a pas, de notre point de vue, de rencontre plus importante que celle que nous avons actuellement. J'ai besoin de quelque chose de votre part pour le présenter au Congrès à Washington. Je dois lui dire que nous travaillons à la création d'une délégation jordano-palestinienne. Je vous respecte et j'admire votre courage. Je sais que vous êtes en danger, mais, et je n'aime pas le présenter de cette manière, si vous vous mettez en danger, tant qu'à faire, faites avancer le processus.* [...]

« *Nous avons entamé une bataille difficile avec le Congrès au sujet des garanties bancaires. Je le fais parce que je crois que c'est juste. C'est ce que j'ai dit au gouvernement arabe. Nous payons pour cela un certain prix politique. Nous espérons résoudre la question, mais vous allez devoir monter à bord.* [...]. *Je dois voir des Palestiniens des territoires occupés qui se rendent chez le roi Hussein. Cela ruinera le processus de paix si la délégation palestinienne est annoncée de Tunis.* [...] [Au sujet] *de la lettre d'assurances que vous recevrez, je dois vous dire trois choses :*

«*Nous ne changerons pas notre politique, ni pour vous, ni pour qui que ce soit d'autre.*

«*Nous ne changerons pas les termes de référence, c'est-à-dire des négociations pour un règlement global sur la base des résolutions 242 et 338. Il n'y aura pas de promesses secrètes. Tout sera divulgué à toutes les parties une fois que les négociations commenceront.*

«*La lettre d'assurances que vous recevrez comportera les points suivants :*

«*1) Elle réaffirmera la déclaration du président Bush du 6 mars au sujet du principe de territoires contre la paix en tant que réaffirmation des droits politiques du peuple palestinien.*

«*2) L'objectif central des négociations est la fin de l'occupation israélienne.*»

– Ashrawi : «*Pas le retrait ?*»

– Baker : «*Je répète : un règlement global fondé sur les résolutions 242 et 338.*

3) Nous n'accepterons pas de lien direct entre les négociations, mais nous ferons notre possible pour que les deux voies [bilatérales et multi- latérales] évoluent vers une paix globale le plus tôt possible.

4) Nous mettrons l'accent sur le rôle des Nations unies.»

– Ashrawi : «*De quelle manière ? Spécifiquement ?*»

– Baker : «*Bien... D'une manière cumulative, nous consulterons le secrétaire général de l'ONU, nous présenterons les textes pour appro- bation, etc.*

5) Nous déclarons fermement que seuls les Palestiniens peuvent choisir leurs représentants sans que quiconque ait le droit d'opposer son veto.

6) Au sujet de Jérusalem-Est, nous répéterons les assurances sub- stantielles que vous avez reçues. Pour nous, cela établit fortement votre revendication sur Jérusalem-Est. Le statut de Jérusalem-Est est un élé- ment des négociations. Nous utiliserons également la phrase que vous n'aimez pas sur la ville qui ne doit pas être divisée à nouveau. […] Nous ne pouvons vous offrir mieux […]

7) L'objectif des négociations pour un règlement intérimaire sera de faciliter un transfert de pouvoirs pacifique et ordonné à l'autorité palestinienne transitoire aussi rapidement que possible.

8) […] Nous nous engagerons à faire notre possible pour terminer les arrangements intérimaires en une année.

9) Nous réaffirmons que toutes les parties, y compris les Palestiniens, ont le droit à la liberté de présenter toute question au cours de leur décla- ration d'ouverture à la conférence et durant les négociations.

10) Nous accepterons toute issue retenue par les parties au cours de la conférence. Une confédération avec la Jordanie n'est pas exclue. Nous avons dit à Israël que nous ne soutenons pas la création d'un État palestinien.»

– El Husseini : «*Indépendant ou séparé ?*»

– Baker : «*Les États-Unis ne soutiennent pas l'idée d'un État pales- tinien indépendant. Cela n'inclut pas une confédération avec la Jordanie.*

11) Nous réaffirmerons notre opposition à la politique d'implanta- tions israélienne. […] Vous ne pouvez pas laisser Tunis annoncer la composition de la délégation. Cela devrait être publié ici, dans les ter- ritoires, dans des magazines, des journaux, dans les tracts de l'Intifada. Nous n'avons rien décidé quant au lieu où se réunira la conférence. Les Soviétiques voudraient qu'elle ait lieu à Washington, les Israéliens seraient d'accord. Nous avons pensé au Caire, mais les Israéliens ont refusé, je crois que vous comprenez pourquoi. Nous avons besoin d'un site neutre. On parle de la Suisse, de la Scandinavie.

L'idée de Prague a été soulevée, et tout le monde aime cela. Varsovie a été mentionnée. Curieusement, Shamir a dit oui alors que d'autres ministres sont contre. Il a dit que cela lui permettrait de pratiquer son polonais. […] »

– El Husseini : «*Je voudrais vous lire une lettre du président Arafat qui vous est adressée :*

"Le chef de la délégation palestinienne est autorisé à rencontrer M. James Baker le 16 septembre 1991. […]

"1) L'OLP réaffirme son soutien à la conférence de paix sur le Proche-Orient convoquée par les États-Unis et l'Union soviétique au cours du sommet Bush-Gorbatchev à Moscou.

"2) L'OLP considère que les assurances et les garanties américaines sur certaines questions, notamment l'autodétermination, Jérusalem, et le gel des implantations israéliennes, permettra de faciliter la réunion de la conférence, la participation palestinienne et son succès. […]

"3) Les représentants du peuple palestinien se réuniront au cours de la vingtième session du Conseil national palestinien, la plus haute autorité législative, le 23 de ce mois, pour examiner tous les aspects du processus de paix et étudier les assurances américaines afin de prendre une décision définitive." »

Baker écoute en silence et ne fait aucun commentaire. Il évoque de nouveau l'affaire des garanties bancaires qu'Israël réclame à l'administration Bush, et répète que c'est la première fois qu'une administration américaine s'oppose ainsi au lobby juif.

– Ashrawi : «*Hier, les dirigeants de l'OLP nous ont dit qu'ils ont renoncé à faire un commentaire public à ce sujet pour ne pas vous embarrasser.*»

– Baker : «*C'est très bien et je vous en remercie.*»

– Ashrawi : «*Ils l'ont fait parce qu'ils pensent qu'*[il fallait le faire]. *Nous pensons que c'est dans l'intérêt des États-Unis.*»

– Baker : «*Bien, je suis reconnaissant à l'OLP de n'avoir rien divulgué d'officiel. […] Je dois vous dire que ce n'est pas de la bonne politique aux États-Unis, demandez à mes représentants au Congrès. Mais comment puis-je dire la même chose à Assad dans quelques jours, lui répéter ce que je vous dis, cela rendrait les choses difficiles […] » […].*

– Ashrawi : «*Au sujet de l'équipe technique* [les conseillers palestiniens qui accompagneront la délégation à la conférence]. »

– Baker : «*D'où viennent-ils ?*»

– Ashrawi : «*L'un d'entre eux vient de Paris, l'autre du Caire, il s'agit de Nabil Shaath.*» […]

– El Husseini : «[…] *Nous avons fait un gros effort pour que le processus de paix avance, lorsque nous avons accepté de discuter ici avec vous et de laisser l'OLP derrière les rideaux. Ce fut très difficile de convaincre nos gens à l'intérieur et à l'extérieur. Nous devons encore nous battre pour continuer à vous rencontrer. Savez-vous que, selon un sondage que nous avons réalisé dans les territoires occupés, plus de 60 % des Palestiens sont contre nos rencontres. La plus forte opposition se trouve à Jérusalem-Est et à Ramallah, parce que les gens sont persuadés que les Israéliens ne pensent pas que Gaza est important. Lorsque vous retirez Jérusalem-Est de la première étape, ses habitants passent à l'opposition, car ils ont l'impression d'être laissés de côté, alors que les Israéliens continuent de transformer rapidement la ville avec les implantations. C'est la même chose en Cisjordanie. Les provocations augmentent de jour en jour. [...] Que restera-t-il après cinq années de négociations ? Lorsque nous demandons de cesser les implantations pendant les négociations, c'est une chose concrète. Vous nous demandez d'aller en Jordanie [pour mettre sur pied la délégation conjointe], OK, mais nous devons le faire d'égal à égal. Il faut reconnaître notre autodétermination, c'est la clé à notre voyage en Jordanie, sinon, cela n'arrivera pas. Lorsque nous vous demandons de reconnaître nos droits, ce n'est pas contre la politique américaine.»*

OLP-JORDANIE

Le 20 septembre, Hanan Ashrawi reçoit l'ordre de se rendre à Amman pour une rencontre avec James Baker. La décision a été prise par l'OLP à Tunis, après des conversations téléphoniques entre Fayçal el Husseini, qui se trouve à Londres, et Akram Anieh. La direction palestinienne, qui tient aux symboles, exige que la voiture officielle de l'ambassadeur de l'OLP en Jordanie emprunte le pont Allenby sur le Jourdain. Baker lui remet la dernière version de la lettre d'assurances à la délégation palestinienne qui demeure inacceptable du point de vue d'Ashrawi. Elle explique au secrétaire d'État que, en compagnie de Fayçal, elle doit se rendre à Alger pour assister à la réunion du Conseil national palestinien. Baker lui demande que cela se passe discrètement. Il lui conseille également de garder secret le texte qu'il vient de lui communiquer.

Ashrawi part pour Londres où elle retrouve el Husseini. Ils s'envolent ensemble pour Alger, via Paris, où la sécurité française assure leur transfert. Le CNP se réunit le 27. Hanan Ashrawi prononce le premier discours. La réunion se déroule à huis clos. Il ne faut pas que les deux Palestiniens venus de Jérusalem soient photographiés. Cela risque de torpiller le processus de paix. Après une rencontre avec Yasser Arafat, Mahmoud Darwich et Akram Anieh, ils repartent via Rome et Londres. Dans la capitale britannique, le département d'État les contacte. Baker veut savoir si l'OLP donne le feu vert à son initiative. La réponse est positive. Mais la presse israélienne publie des informations sur la visite à Alger d'el Husseini et d'Ashrawi. Nouvel appel de Dennis Ross, du département d'État. Il raconte que Yitzhak Shamir est furieux et menace de faire arrêter les deux dirigeants palestiniens. James Baker intervient personnellement auprès du Premier ministre israélien. Il conseille à Ashrawi et el Husseini de ne pas rentrer jusqu'à ce qu'il ait la certitude qu'ils ne seront pas arrêtés. Il préférerait qu'ils ne viennent pas directement à Washington. Ashrawi lui fait répondre : «*Si vous renoncez à la rencontre de Washington, nous ne vous verrons pas à Jérusalem !*»

Les deux Palestiniens rentrent le 6 octobre. La police israélienne les convoque dès le lendemain, dans un commissariat, près de Tel Aviv. L'interrogatoire est agité. Deux militants du mouvement Kach pénètrent dans les locaux et menacent les dirigeants palestiniens. Les enquêteurs décideront de ne pas poursuivre en justice el Husseini et Ashrawi.

Quarante-huit heures plus tard, ils arrivent à Washington pour des entretiens au département d'État en compagnie de Sari Nousseibeh et Zakhariah el Agha. James Baker leur annonce qu'ils ne pourront pas faire partie de la délégation jordano-palestinienne, car ils sont détenteurs de cartes d'identité de Jérusalem-Est. Lot de consolation, le président Bush les recevra à la Maison-Blanche et la lettre d'assurances américaine stipulera que tout cela n'est que temporaire. Ashrawi, qui s'est bien préparée, répond à Baker que même Jérusalem-Ouest n'est pas israélienne selon la loi internationale. En 1947, les Nations unies avaient déclaré l'ensemble de la ville «*corpus separatum*». Elle rappelle au secrétaire d'État que même les États-Unis n'ont pas transféré leur ambassade de Tel Aviv à Jérusalem. La discussion glisse de nouveau sur le rôle de l'OLP et s'achève sur une vague promesse de Baker d'aider la délégation palestinienne.

De Washington, el Husseini et Ashrawi se rendent à Tunis où se réunit l'exécutif de l'OLP. Le voyage est tenu secret. Aux chefs palestiniens, el Husseini explique qu'il est impossible d'imposer une solution satisfaisante pour eux mais seulement d'éviter un règlement défavorable. La délégation palestinienne a en fait un pouvoir négatif. Ashrawi ajoute que les conditions qui sont imposées par les Américains sont injustes, assez pour justifier une réponse négative si le peuple palestinien peut en supporter les conséquences. «*Mais, aussi, suffisantes pour justifier une réponse positive si nous pouvons transformer le processus lui-même en instrument de changement*[1].»

Il faut à présent coordonner avec la Jordanie. Arafat décide de jouer le jeu. Abou Mazen, Yasser Abed Rabo et Souleiman el Najab iront rencontrer le roi Hussein en compagnie d'el Husseini et d'Ashrawi qui, seuls, paraîtront devant la presse. L'entretien se déroule dans une bonne atmosphère. Les deux Palestiniens de l'intérieur ont l'impression que le souverain hachémite recherche sincèrement à établir des relations de confiance avec l'OLP. Quelques jours plus tard, David Kimhi, devenu ambassadeur extraordinaire aux Affaires étrangères israéliennes, arrive à Amman, envoyé par Yitzhak Shamir. Israël et la Jordanie coordonnent leurs positions avant la conférence de paix.

LE TAILLEUR DE FAYÇAL

James Baker arrive d'excellente humeur à Jérusalem le 16 octobre. Il ne lui reste plus qu'à boucler le dossier palestinien pour avoir le feu vert de Shamir. Il interpelle Fayçal el Husseini, Hanan Ashrawi, Sari Nousseibeh, Zakarya el Agha : «*Hello, vous savez que nous devons cesser de nous rencontrer comme ça, et si je n'ai pas la liste de vos représentants à la conférence, eh bien, je suppose que nous ne nous rencontrerons plus.*»

Fayçal el Husseini sait que la réunion risque d'être orageuse et ouvre la discussion avec une de ces paraboles dont il a le secret : «*Je voudrais tout d'abord vous raconter une petite histoire qui a une fin heureuse. Il s'agit d'un homme très bien qui a acheté du tissu et l'a amené à un autre homme pour qu'il lui fasse un complet. Lorsqu'il est allé chercher le vêtement, il a découvert qu'une manche était trop longue. Le tailleur lui a dit de lever le bras et que tout irait bien. L'autre manche était alors trop courte. Le tailleur lui a alors dit de baisser le bras. Que faire des épaules ? a demandé le client. Penchez-vous en arrière, a répondu le tailleur. Et voilà notre homme se promenant dans la rue d'une manière étrange, lorsque deux passants le croisent. L'un dit à l'autre : "Pauvre homme, il est dans un mauvais état, mais son complet lui va bien." Cette histoire, je voudrais l'utiliser plus tard.*»

– Baker : «*Quant à moi, je dois vous dire trois choses. Je ne pense pas que cette réunion doive durer, mais nous pouvons rester ici aussi longtemps que vous le voudrez. Nous parlerons d'abord de la liste de noms et comment nous allons travailler. Nous n'avons plus le temps*

1. Hanan Ashrawi, *This Side of Peace*, Simon & Schuster, New York, 1995, p. 121.

[pour d'ultimes tergiversations] *Demain, je dois voir le gouvernement israélien et vous devez me donner des noms.*

«*Je viens d'avoir douze heures de discussions tendues avec le président Assad, et je peux vous dire que les Syriens assisteront aux négociations bilatérales. Ils ne participeront probablement pas aux multilatérales; je ne sais pas, peut-être viendront-ils. En tout cas, je peux vous dire que je les ai mis au lit. La Jordanie est dans le lit. De même que le Liban. Israël n'est pas dans le lit. Cela dépendra pour beaucoup des Palestiniens. Si nous avons les Palestiniens et avec l'invitation que je leur ai donnée, il leur sera difficile de ne pas venir. La balle est dans votre camp et j'espère que vous ne raterez pas cette occasion de négocier.*

Il y a le problème des conseillers que vous demandez. Vous l'avez soulevé à Washington, et j'y ai réfléchi. Ce ne sera peut-être pas ce que vous voulez, mais je crois que j'ai quelque chose pour vous aider. Vous pouvez avoir quatorze délégués palestiniens et quatorze jordaniens, mais seulement sept à la fois de chaque côté dans la pièce. Vous pouvez amener des conseillers en plus des délégués accrédités, et nous ferons des réservations à l'hôtel pour eux. Ils ne seront pas sur la liste des membres de la délégation ni sur le site de la conférence, mais ils peuvent être à l'hôtel et rencontrer les délégués. Nous les rencontrerons, si bien entendu, il s'agit de gens que nous pouvons rencontrer, qui ne soient pas des types de l'OLP. Nous rencontrerons des gens comme vous par exemple. [...]

Le troisième élément concerne la protection de votre délégation. Que pouvons-nous faire pour vous aider ? Nous envisageons d'envoyer des Palestiniens suivre un entraînement à ce sujet en Jordanie, sans que cela vous coûte quoi que ce soit. Nous allons essayer de trouver le budget, mais je dois savoir si cela peut vous aider. Je peux soulever la question avec Shamir. Permettre à ces gardes du corps de s'entraîner en Jordanie, puisqu'ils ne l'ont jamais fait et n'ont jamais porté d'armes.»

– Ashrawi : «*Le problème est que toute personne entraînée au maniement des armes ne sera pas autorisée à revenir dans le pays.*»

– Baker : «*Eh bien, nous verrons ce que nous pouvons faire.*»

– El Agha : «*La sécurité n'est-elle pas de la responsabilité du pays hôte ?*»

– Ross : «*Nous ne parlons pas du pays hôte, nous parlons de la Cisjordanie.*»

– Baker : «*Continuons pendant que vous me donnerez des éclaircissements sur votre liste. Comment faut-il annoncer les noms ? Il faut être franc. Vous avez plus à gagner que quiconque, plus à perdre que quiconque. La balle est complètement dans votre camp ou, si vous voulez, dans le camp de Tunis. Dix noms, et ensuite vous me ferez part de ce que vous avez à me dire.»*

– Nousseibeh : «*Pourquoi ne pas entendre d'abord ce que Fayçal a à vous dire, et manger ensuite, à moins que vous préfériez manger d'abord, monsieur le Secrétaire ?*»

– Baker : «*Non, non, OK : nous allons commencer par entendre Fayçal.*»

– El Husseini : «*Durant nos longues discussions, nous avons fait de notre mieux pour faire progresser le processus de paix. Dès le début, il a été difficile pour nous de vous rencontrer, mais nous avons réussi à persuader nos chefs d'accepter le principe. Nous avons convaincu Alger. Vraiment, c'était une bataille très âpre, mais nous avons réussi. Nos chefs ont accepté le principe d'une délégation conjointe jordano-palestinienne. Les résultats de notre rencontre à Amman sont clairs.*»

– Baker : «*Oui. C'était bien, votre rencontre avec le roi ?*»

– El Husseini : «*Oui, et avec le Premier ministre. Les discussions ne concernaient pas seulement la délégation conjointe, mais aussi nos futures relations. Tunis a fait un excellent travail, difficile. Mais il y a deux choses que nous ne pouvons vendre à notre peuple. Un : justifier l'absence d'un représentant de Jérusalem, et deux :* [le fait qu'il n'y ait pas] *d'arrêt des implantations juives. Les gens se demandent s'ils pourront parler à des Israéliens qui posent des problèmes tous les jours et qui ne donnent rien ? J'ai essayé d'expliquer à mon public l'affaire de Jérusalem et je me suis retrouvé comme cet homme bizarre avec les manches de travers. Cela nous a mis dans une position très difficile. Les gens me disaient au début : aussi longtemps que vous rencontrez Baker, nous sommes satisfaits. Si vous êtes là, cela veut dire que Jérusalem l'est aussi. Maintenant, je ressemble au cheval de Troie. C'est très très difficile. C'est la même chose pour monsieur Agha. Lorsqu'il a téléphoné à sa fille aujourd'hui, elle lui a dit : "Reviens tout de suite à Gaza !" Elle ne peut affronter les étudiants. Elle ne peut aller à l'école.* […]

Mon second problème concerne les implantations en Cisjordanie et à Jérusalem-Est. Les Israéliens nous provoquent constamment. Lorsque vous nous dites que vous avez besoin de notre liste de délégués, que vous ne la donnerez pas à Shamir, que vous en avez besoin pour l'affronter, moi, j'ai besoin de quelque chose sur les implantations pour mon public. Je pourrai alors leur dire avec force que nous discutons des principes. Nous n'avons pas besoin d'entrer dans les détails. Au sujet des implantations, laissez-moi vous dire : Shamir va perdre. La majorité des Israéliens ne sait pas ce qui se passe en Cisjordanie. Si vous prenez une position ferme au sujet des implantations, vous aurez un soutien très important chez les Israéliens et total chez les Palestiniens. Même le Front du refus pourrait accepter certaines choses. Georges Habache! Il y a longtemps, nous avons travaillé ensemble. Tenter d'arrêter les implantations. C'est essentiel pour nous. Des gens d'ici ont demandé à Tunis de dire au Comité central de ne rien faire à cause de ces deux points. Nous vous remercions pour le travail sincère que vous avez fait pour le processus de paix, mais nous devons faire face à notre peuple qui nous dit : vous leur donnez tout. Ce n'est pas une question de procédure, c'est essentiel. »

James Baker explose. Il comprend que les Palestiniens n'ont pas la liste qu'il attend d'eux, et qu'ils soumettent de nouvelles demandes. Lui qui vient d'obtenir le feu vert de Hafez el Assad risque de perdre le plus grand succès de sa carrière en raison de l'attitude des Palestiniens :

« Vos clowns de Tunis vont vous mener à la catastrophe. Vous allez tout perdre. Shamir aura ses garanties bancaires et il va couvrir les territoires d'implantations. Vous n'aurez plus rien. Vous allez mener le processus à l'échec et vous en serez responsables. J'ai tout fait pour vous soutenir, et j'avais l'intention de continuer pendant tout le processus. L'actuelle administration américaine est la plus favorable à votre cause que vous ayez jamais eue. »

Les Palestiniens sont abasourdis de la violence de Baker qui les menace de ne plus jamais les soutenir. Le secrétaire d'État se lève, et lance à ses interlocuteurs : *« C'est malheureux, c'est malheureux. Allons manger. »* Il se dirige vers la salle à manger, suivi de ses conseillers, sans attendre les Palestiniens qui se retrouvent seuls. De la nourriture leur est servie un peu plus tard. Tout le monde s'est calmé lorsque Baker revient dans le salon où l'attendent les Palestiniens. Fayçal el Husseini tente de calmer le jeu : *« OK, cela, nous pouvons l'accepter, également qu'il y ait quelque chose dans la lettre d'invitation au sujet des élections à Jérusalem. Je voudrais évoquer votre manière de parler. Ce n'est pas la fin de nos discussions. Nous en aurons beaucoup d'autres à l'avenir, aussi longtemps que nous allons poursuivre le processus de paix. Mais nous n'acceptons pas la manière dont vous parlez de nos leaders. Ce ne sont pas des clowns, mais des dirigeants responsables que nous défendons. »*

Baker a compris que les choses vont s'arranger. Il s'excuse et promet de ne plus s'énerver. Les Palestiniens acceptent les propositions américaines. Un groupe de conseillers sera formé d'habitants de Jérusalem-Est et de la diaspora palestinienne. Ils n'appartiendront pas à l'OLP. Ils seront à l'intérieur du bâtiment de la conférence, mais pas dans la salle des négociations. Les Palestiniens devront remettre dans les plus brefs délais une lettre officielle contenant :

1) la liste des conseillers,

2) la liste des négociateurs officiels palestiniens,

3) un paragraphe citant les noms des délégués et des autres participants à la seconde étape des négociations,

4) un paragraphe évoquant les droits des Palestiniens, et la procédure de changement d'un délégué.

Baker répète qu'il ne montrera pas la liste aux Israéliens. Fayçal el Husseini recevra la lettre d'invitation à la conférence. Elle lui sera remise par le consul général des États-Unis à Jérusalem. Ailleurs, ce seront les ambassadeurs qui les remettront dans les pays concernés. Les Palestiniens ne pourront annoncer les noms des délégués palestiniens que lorsqu'ils auront le feu vert des autres parties. Les noms pourront être divulgués simultanément dans un tract du commandement unifié de l'Intifada, et dans les quotidiens de Jérusalem-Est. Baker accepte l'inclusion dans la lettre d'invitation de la phrase : «*Les Palestiniens de Jérusalem pourront participer aux élections*», au lieu de : «*Les Palestiniens de Jérusalem pourront voter.*»

Les Palestiniens quittent le consulat des États-Unis pour contacter Tunis. Hanan Ashrawi prépare un rapport dans lequel elle met en évidence les acquis et omet les insultes proférées par le secrétaire d'État à l'encontre de Yasser Arafat et des dirigeants de l'OLP. A Tunis, Akram Anieh comprend qu'il n'y a plus place pour des atermoiements et que l'organisation palestinienne doit à présent se lancer dans la tâche la plus difficile : choisir ses délégués. Il l'explique à Arafat. L'opération dure sans interruption près de quarante-huit heures. Les dirigeants de Cisjordanie sont pendus au téléphone, font intervenir des amis à l'OLP à Tunis et dans d'autres capitales arabes, présentent leurs candidats, soutiennent celle d'un autre ou, surtout, manœuvrent pour empêcher tel ou tel ennemi personnel d'être sur la liste. Radwan Abou Ayyash, originaire du camp de Djelazoune, près de Ramallah, pense représenter les réfugiés palestiniens. Il va se coucher à 2 heures du matin, après avoir reçu confirmation de sa nomination. En se réveillant quatre heures plus tard, il découvre qu'il n'est plus délégué, mais directeur adjoint du bureau de presse palestinien à la conférence.

Baker a sa liste. Elle répond aux conditions posées par les États Unis et Israël. Le processus de paix est placé sur ses rails. Le vendredi 18 octobre, au cours d'une conférence de presse à Jérusalem en compagnie de Boris Pankin, le chef de la diplomatie soviétique, il annonce que la conférence régionale sur le Proche-Orient se réunira le 30 octobre à Madrid.

Yitzhak Shamir décide de faire personnellement le voyage. Il n'a pas confiance en David Lévy qui, estime-t-il, pourrait faire des concessions. C'est lui qui prononcera les discours, assisté par Benjamin Netanyahu, qui s'occupera de la presse. Ainsi, il n'y aura pas de dérapage au cours de cette conférence. Lévy est furieux. Il a un long entretien avec Shimon Pérès, le numéro un travailliste, qui lui propose ni plus ni moins que de faire tomber le gouvernement en votant une motion de censure. Lévy, après quelques heures de réflexion, refuse. Le public israélien n'aurait pas apprécié.

MADRID

La délégation palestinienne est installée à l'hôtel Victoria à Madrid. La sécurité est stricte : les journalistes doivent montrer patte blanche pour pénétrer dans le hall. Ils n'ont pas le droit de monter dans les étages, pas par crainte d'un attentat terroriste, mais parce que l'OLP y est installée. Nabil Shaath dispose d'une suite dont une des chambres sert de salle d'opérations avec une liaison permanente avec Tunis. Akram Anieh, qui a piloté toutes les négociations préliminaires est là, lui aussi, ainsi qu'Ahmed Abdoul Rahman. Les Américains sont bien entendu au courant. Ils ont dit à Fayçal el Husseini : «*Faites ce que vous voulez, mais si le moindre lien avec l'OLP devient public, c'est la fin de la conférence!*»

Dans la soirée du 29 octobre, Albert Agazarian, le porte-parole de l'université de Bir Zeit près de Ramallah, va ouvrir le bureau de presse palestinien en compagnie de Radwan Abou Ayyash et de l'auteur de ces lignes. Trois pièces ont été mises à la disposition de la délégation jordano-palestinienne. Agazarian décide : «*Une pièce pour la Cisjordanie, une pour Gaza, une pour la Jordanie!*» Le lendemain, des télécopieurs et des ordinateurs seront installés grâce à la représentation de l'OLP en Espagne.

Le principal problème des Palestiniens concerne le discours que Haïdar Abdel Chafi doit prononcer le surlendemain. Un texte, rédigé par le poète Mahmoud Darwich, circule. Hanan Ashrawi le corrige et le renvoie à Tunis.

Le lendemain, premier jour de la conférence, Saeb Erekat se présente dans le hall de l'hôtel en portant un keffieh. Fayçal el Husseini tente de le dissuader d'arborer ce qui pourrait être considéré comme un symbole irritant par les Israéliens et les Américains. Il refuse. Quelques heures plus tard, dans la salle de conférence, un membre de la délégation américaine lui fera la remarque. Erekat lui répondra : «*Mais tous les représentants des pays du Golfe sont venus en portant des keffiehs!*» Le lendemain, le dirigeant palestinien aura la surprise de découvrir que les diplomates venus du golfe Persique ne portent plus de keffieh. Il conservera le sien.

Après les discours d'ouverture de Felipe Gonzalez, le Premier ministre espagnol, de George Bush, de Mikhaïl Gorbatchev, de la délégation européenne et d'Amr Moussa, le chef de la diplomatie égyptienne le 30 octobre, on passe, le 31, au vif du sujet. Le Premier ministre israélien prend la parole. Du Shamir à l'état pur. D'abord, la justification historique de l'État d'Israël. «*Le seul peuple*, dit-il, *qui a habité la Terre d'Israël sans interruption pendant quatre mille ans ; nous sommes le seul peuple qui, à l'exception de la courte période du royaume des Croisés, a bénéficié de la souveraineté et de l'indépendance sur cette terre, nous sommes le seul peuple pour qui Jérusalem a été une capitale. Nous sommes le seul peuple dont les Lieux saints se trouvent uniquement sur la Terre d'Israël.*» Shamir passe en revue les diverses guerres, évoque les huit cent mille réfugiés juifs venus en Israël des pays de l'Islam. «*Le rejet de l'existence d'Israël au Proche-Orient par les régimes arabes et la guerre continue qu'ils ont menée contre l'État juif font partie de l'histoire. Il y a des tentatives pour récrire cette histoire, et montrer les Arabes comme des victimes et Israël comme l'agresseur. Cela va échouer. […] Plusieurs centaines de milliers d'Arabes palestiniens vivent dans des taudis appelés camps de réfugiés à Gaza, en Judée et en Samarie. Toutes les tentatives faites par Israël pour améliorer leurs conditions de vie se sont heurtées au refus arabe. Leur sort n'est pas meilleur dans les pays arabes. Au contraire des réfugiés juifs venus en Israël du monde arabe, les réfugiés arabes n'ont pas été intégrés par leurs hôtes. Seul le royaume de Jordanie leur a accordé la citoyenneté. Leur souffrance a été utilisée comme une arme politique contre Israël. […]*

Nous comprenons que l'objectif des négociations bilatérales est de conclure des traités de paix entre Israël et ses voisins, et d'aboutir à un accord sur des arrangements d'autogouvernement intérimaire avec les Arabes palestiniens. […] Nous savons que nos partenaires, dans ces négociations vont demander des concessions territoriales à Israël. En fait, un examen de la longue histoire du conflit démontre clairement que sa nature n'est pas territoriale. Il faisait rage bien avant qu'Israël n'acquière la Judée, la Samarie, Gaza et le Golan au cours d'une guerre défensive. Il n'était pas question de reconnaissance de l'État d'Israël avant la guerre en 1967, alors que les territoires en question n'étaient pas encore sous le contrôle d'Israël.

Nous sommes une nation de quatre millions. Les nations arabes de l'Atlantique au golfe Persique comptent cent quarante millions d'âmes.

Nous ne contrôlons que vingt-huit mille kilomètres carrés. Les Arabes possèdent une masse terrestre de quatorze millions de kilomètres carrés. Le problème n'est pas le territoire, mais notre existence. […] »

Après le discours du ministre des Affaires étrangères jordanien, c'est au tour de Haïdar Abdel Chafi de prendre la parole. Il a reçu son texte corrigé par télécopie de Tunis, une demi-heure avant de quitter l'hôtel et n'a pas eu le temps de le relire. Les membres de la délégation palestinienne le regardent avec inquiétude. Pourvu qu'il ne bafouille pas. Ils ne sont pas déçus. Dans un salon de l'hôtel Victoria, Fayçal el Husseini et Hanan Ashrawi, assistent à la scène retransmise par la télévision espagnole. Ils ont les larmes aux yeux. Pour la première fois dans l'histoire, des représentants du peuple palestinien font face à Israël, à la table d'une conférence de paix. C'est la reconnaissance par la communauté internationale. Les données du conflit ont changé.

Abdel Chafi décrit les souffrances du peuple palestinien : «*Durant la plus grande partie de ce siècle, nous avons été les victimes du mythe d'un "pays sans peuple" et décrits comme les Palestiniens invisibles. Face à un tel aveuglement, nous avons refusé de disparaître ou d'accepter une identité distordue. Notre Intifada est la preuve de notre espérance dans un juste combat pour retrouver nos droits. […] Nous venons à vous d'un pays torturé et d'un peuple fier bien que captif, un peuple à qui on a demandé de négocier avec nos occupants. Nous avons laissé derrière nous les enfants de l'Intifada, un peuple sous occupation et sous couvre-feu, qui nous a demandé de ne pas faire acte de reddition, de ne pas oublier.*» Abdel Chafi décrit l'occupation israélienne et réclame l'arrêt immédiat des implantations juives : «*Au nom du peuple palestinien, nous voulons nous adresser directement au peuple israélien, avec qui nous avons eu un long échange de souffrances : échangeons plutôt l'espoir! Nous sommes prêts à vivre côte à côte sur cette terre. Partager implique toutefois deux partenaires désireux de le faire en tant qu'égaux. La réciprocité doit remplacer la domination et l'hostilité pour arriver à une véritable réconciliation, à une coexistence sous la légalité internationale. Votre sécurité et la nôtre dépendent l'une de l'autre, comme sont liés les peurs et les cauchemars de nos enfants.*

Nous avons connu le meilleur et le pire de vous, car l'occupant ne peut cacher sa vérité à l'occupé. Nous sommes les témoins du tribut que l'occupation vous a fait payer. Nous avons vu l'angoisse que vous ressentez en voyant vos fils et vos filles se transformer en instruments d'une occupation aveugle et violente, et nous sommes persuadés que, à aucun moment, vous n'avez envisagé d'accorder un tel rôle à ces enfants qui doivent forger votre futur. Nous vous avons vus regarder la tragédie de votre passé avec une profonde tristesse, et considérer l'avenir avec horreur en vous voyant, victime défigurée, devenue oppresseur. Ce n'est pas pour cela que vous avez cultivé vos espoirs, vos rêves et vos enfants. [...] » Abdel Chafi réclame la légitimité internationale, la justice pour son peuple, le droit à l'autodétermination. Il conclut en citant Yasser Arafat devant l'Assemblée générale de l'ONU en 1974 : «*Que la branche d'olivier de la paix ne tombe pas de mes mains... Que la branche d'olivier de la paix ne tombe pas des mains du peuple palestinien!*»

Farouk A-Charah, le ministre des Affaires étrangères syrien, utilise également la formidable tribune que lui apporte la conférence de Madrid, retransmise par toutes les télévisions du monde. Il justifie d'abord la politique de son pays, et se lance dans une longue critique d'Israël : «*Si l'orientation politique d'Israël depuis 1948 avait été humaine, des millions d'Arabes, de Palestiniens, de Syriens et de Libanais n'auraient pas été déracinés, n'auraient pas à affronter le refus du droit au retour. Si la politique d'Israël n'avait pas été colonialiste, les Palestiniens qui languissent sous l'occupation israélienne depuis 1967 ne se seraient pas vus dénier tous les droits fondamentaux, et d'abord le droit à l'autodétermination.* [...] *Israël a exploité la signature de son traité de paix avec l'Égypte en 1979 pour annexer Jérusalem en 1980, le Golan en 1981, et envahir le Liban en 1982.* [...] *La revendication invoquée par Israël pour faire émigrer le judaïsme mondial* [vers la Palestine] *aux dépens de la population arabe indigène n'est sanctionnée par aucun principe légal ou humanitaire. Si le monde entier devait adopter une telle revendication, il devrait encourager tous les chrétiens à émigrer vers le Vatican et les musulmans vers la Sainte Mecque* [...] *La position ferme de la Syrie, dont chaque élément est ancré dans des principes de légitimité internationale et des résolutions des Nations unies, exige impérativement qu'Israël se retire totalement du Golan syrien occupé, de la Cisjordanie, de Jérusalem, de la bande de Gaza et du Sud-Liban. Cette position exige impérativement que soient sauvegardés les droits légitimes, politiques et nationaux du peuple palestinien, et surtout son droit à l'autodétermination.*» Le chef de la diplomatie syrienne conclut en accusant Israël de ne pas vouloir appliquer les résolutions 242 et 338 du Conseil de sécurité sur le principe d'échanger les territoires pour la paix. «*Israël*, dit-il, *n'est intéressé que par des négociations sur une coopération économique avec les États de la région, tout en perpétuant son occupation de terres arabes, ce qui est contraire à l'objectif de cette conférence* [...]. *Si cette conférence de paix devait réussir, elle annoncerait une aube nouvelle dans notre région turbulente, le début d'une nouvelle ère de paix, de prospérité et de stabilité.*»

Les délégations se précipitent au centre de presse pour tenter de marquer le maximum de points dans l'opinion publique internationale. Les conférences de presse sont retransmises par des centaines de chaînes de télévision et de radios. Les Palestiniens sont ravis. Jamais ils n'ont eu une telle audience. Le discours d'Abdel Chafi suscite des commentaires élogieux. On est jeudi soir et Yitzhak Shamir n'a aucune intention de passer le week-end à Madrid. Il veut rentrer le lendemain, dès la fin de son discours pour arriver à Jérusalem, avant le début du Shabbat. Il a une discussion avec ses principaux conseillers. Il décide qu'une petite phrase d'excuse au début de son intervention devrait suffire. A quelques journalistes, il déclare : «*Cette conférence ne sert à rien. Les Arabes n'auront rien*[1]*!*» Pour lui, le plus important, c'est ce qui se passe sur le terrain. Il estime avoir le vent en poupe. Dans les sondages, sa popularité bat tous les records et si cette tendance se maintient, il gagnera les élections prévues pour l'année suivante. En attendant, la construction d'implantations va se poursuivre en Cisjordanie et à Gaza à un rythme accéléré. Pour lui, ce qui se passe à Madrid est un événement uniquement médiatique : la reconnaissance d'Israël par le monde arabe que constitue la conférence de paix est, au mieux, insignifiante, au pire mensongère. Il est persuadé que le monde arabe veut toujours la destruction de l'État juif.

Le vendredi matin, Shamir ouvre donc son discours par des excuses : «*Je dois rentrer pour arriver en Israël avant le coucher du soleil, avant l'heure de notre sainte journée de repos. J'espère que personne ne verra là un signe de manque de respect.*» Le Premier ministre israélien règle ensuite quelques comptes avec Farouk A-Charah. «*La Syrie*, dit-il, *n'est pas un modèle de liberté et de protection des droits de l'homme.*» Il rappelle le sort de la communauté juive en Syrie, le rôle que jouent les Syriens dans le terrorisme international et envoie un message de sympathie au peuple libanais, qui souffre sous l'occupation syrienne, puis propose un traité de paix à la Jordanie. Il répond à Haïdar Abdel Chafi en l'accusant de déformer l'histoire. Shamir évoque le pogrom de 1929 à Hébron, la collaboration de Hadj Amin el Husseini avec les nazis… «*Un Juif ne risque-t-il pas sa vie lorsqu'il se promène dans un village arabe, alors que des dizaines de milliers d'Arabes palestiniens viennent tous les jours librement travailler en Israël?* […] » Le Premier ministre israélien propose aux Palestiniens d'accepter sa proposition d'autogouvernement.

Abdel Chafi a l'occasion de prononcer son second discours. Il répond aux déclarations de Shamir puis, annonce : «*Nous avons déjà accepté*

---

1. Archives Yigal Goren, cassette vidéo du 31 octobre 1991.

des étapes de transition dans le processus de paix, à condition qu'elles aient une logique, une cohérence interne, et qu'elles soient liées dans le cadre d'un calendrier précis et sans préjugés du statut définitif. Durant cette phase de transition, les Palestiniens doivent avoir un réel contrôle sur les décisions concernant leur vie et leur destin.» Et de lancer un appel solennel aux parrains de la conférence pour que les territoires palestiniens occupés soient placés sous leur administration jusqu'à un règlement définitif.

Farouk A-Charah monte à la tribune, furieux. Il annonce qu'il ne lira pas le discours qu'il avait préparé, critique le départ prématuré de Yitzhak Shamir. «*Le Premier ministre israélien*, dit-il, *a complètement déformé l'histoire.*» Puis, après une longue diatribe, il agite la photographie d'une affiche britannique datant de 1946 : «*Shamir avait trente-deux ans... il était recherché. Il avait admis lui-même qu'il était terroriste. Il a reconnu qu'il a pratiqué le terrorisme et participé au meurtre du médiateur des Nations unies, le comte Bernadotte, en 1948 si je me souviens bien. Il tue des médiateurs de paix et parle du terrorisme de la Syrie et du Liban […][1].*»

La conférence se termine. Les premières rencontres des négociations bilatérales doivent avoir lieu le dimanche suivant. Dans la soirée, Fayçal el Husseini, Hanan Ashrawi et Ghassan Hatib quittent discrètement l'hôtel Victoria, avec l'aide de la sécurité espagnole. Les trois délégués se dirigent vers l'aéroport où les attend un avion de ligne marocain mis à leur disposition par Hassan II. L'appareil les amène à Tunis où ils rencontrent les responsables de l'OLP pendant quelques heures. Yasser Arafat est surpris. «*Je pensais*, dit-il, *que vous alliez venir avec l'ensemble de la délégation.*» Le lendemain, samedi, ce sont près de soixante-dix personnes, délégués, conseillers, invités, journalistes palestiniens, qui, dans deux autobus, les rideaux tirés, partent pour Alger cette fois. Dans le palais des Congrès de la capitale algérienne, Saeb Erekat explique à Yasser Arafat l'affaire du keffieh. Plusieurs délégués l'ont accusé de violer l'esprit d'équipe. Le chef de l'OLP répond : «*Dans chaque peuple, il y a un naïf. Pour les Palestiniens, Saeb et moi nous sommes les naïfs!*» Erekat lance : «*Monsieur le Président, par ce keffieh, c'est vous que j'avais sur les épaules!*» Mohamed Steyeh, le responsable de la logistique de la délégation prend la parole pour demander aux délégués de

---

1. Cette photographie se trouvait dans un article de l'hebdomadaire *Jeune Afrique* sur le livre de l'auteur, *Shamir, une biographie, op. cit.*

moins téléphoner à l'étranger. Il n'y a pas d'argent : «*On croirait qu'ils ne sont là que pour téléphoner à la maison!*» Arafat lui renvoie abruptement : «*Mohamed, c'est trop! Qu'ils téléphonent, ils sont là pour téléphoner à la maison!*» Jamil Tarifi interpelle publiquement Fayçal el Husseini : «*Cette délégation fait le jeu américain! – Nous sommes tous des joueurs dans le jeu américain!*» répond Husseini.

La plupart des Palestiniens présents rencontrent pour la première fois le chef de l'OLP. Aucune décision n'est prise au cours de la réunion, mais les services de renseignement américains et israéliens en prennent bonne note. Il ne fait pas de doute que Yasser Arafat est le véritable patron de la délégation palestinienne. Yitzhak Shamir et les membres de son gouvernement feindront toujours de l'ignorer.

Les premières négociations bilatérales ont lieu comme prévu le dimanche. Après quelques problèmes protocolaires, elles se déroulent sans incident. Israéliens et Palestiniens publient pour la première fois un communiqué conjoint. Le chef de la délégation israélienne, Elyakim Rubinstein, le ministre jordanien des Affaires étrangères, Abdel Salam el Majali, et Haïdar Abdel Chafi se serrent la main devant les caméras. Quelques heures plus tard, Israéliens et Syriens se rencontrent. A cette occasion, il n'y aura pas de poignée de main.

ISRAËL-PALESTINE ET L'HISTOIRE

La réunion suivante n'aura lieu que le 13 janvier 1992. Elle commence sous des auspices moins favorables. Pendant une semaine Abdel Chafi et Rubinstein ont discuté dans un couloir du département d'État à Washington, avant de tomber d'accord sur les modalités de la rencontre. Treize Israéliens font face à huit Palestiniens et onze Jordaniens. Une brève séance élargie à l'ensemble des deux délégations a d'abord lieu. Les choses sérieuses commencent dans la même salle du département d'État vingt minutes plus tard. Une partie des négociateurs jordaniens sont sortis. Il n'en reste plus que deux aux côtés des Palestiniens, pour sauver la face. Haïdar Abdel Chafi ouvre la discussion : «*J'ai préparé*, dit-il, *un discours inaugural. Notre problème est très simple à l'origine, mais il s'est compliqué. Il s'agit tout simplement de la violation par les Israéliens des droits des Palestiniens. Les complications que cette violation a engendrées ont rendu le règlement du conflit très difficile. On est aujourd'hui persuadé qu'il faut une étape transitoire comme base de toute paix juste et durable. Le problème réside dans le déni des droits du peuple palestinien. Vous trouverez tout* cela en détail dans la lettre que nous vous avons adressée. Elle décrit plusieurs aspects concernant les Palestiniens en tant que peuple et leur volonté d'arriver à une paix juste et durable. Nous espérons que vous allez y réfléchir pleinement car la paix ne durera pas sauf si elle est bâtie sur des fondements solides : la justice et l'équité. [...] »

Rubinstein a compris que le ton va monter : «*Je partage votre avis. Il est tout à fait inédit de nous retrouver autour d'une même table. Malgré tous les contacts qui ont eu lieu dans le passé, une telle rencontre ne s'est jamais produite. A cet effet, nous accueillons très favorablement cette réunion. Mais avant de lire votre lettre, je voudrais savoir si elle sera communiquée à la presse car, si c'est le cas, nous devrons l'étudier tout de suite afin d'y répondre.* [...] »

– Abdel Chafi : «*Nous ne l'avons pas encore communiquée à la presse et nous ne le ferons pas avant d'avoir votre réponse.*»

– Rubinstein : «*Vous vous êtes donné l'appellation de délégation palestinienne. Vous connaissez ma position à ce sujet. Pour moi, il n'y a qu'une délégation conjointe jordano-palestinienne. Mais je voudrais répondre à vos commentaires : vous avez dit que le conflit résultait de la violation des droits du peuple palestinien. Ce n'est pas ainsi que nous lisons l'histoire. Le mouvement sioniste est le prolongement d'une longue histoire qui date de plusieurs milliers d'années, et quand il a commencé son action pour retourner au pays, il ne l'a pas fait pour violer les droits de qui que ce soit. Nous étions prêts à négocier, mais pas ceux d'en face. Les Arabes et les Palestiniens ont rejeté le dialogue, et je suis content de constater aujourd'hui votre prédisposition à négocier.*

Vous avez parlé du peuple palestinien. Ce n'est pas ainsi que nous l'appelons. Nous n'avons pas de raisons d'être hostiles à l'égard de vos sentiments, mais, historiquement, la présence du peuple palestinien n'est pas évidente. L'indépendance ethnique ne doit pas nécessairement mener à une indépendance politique. [...] Nous avons besoin de temps pour que les plaies se cicatrisent. Il faut une étape transitoire, et je pense qu'il y a une possibilité de réussite.

Dans votre lettre, vous parlez des conventions de Genève, des droits de l'homme. Nous exposerons notre attitude en détail ultérieurement, mais je dois vous dire que, pour nous, les conventions de Genève ne s'appliquent pas aux territoires en question puisqu'ils ne sont pas occupés et qu'avant nous il n'y avait pas d'autorité souveraine. Malgré cela, nous avons annoncé que nous allions appliquer les clauses humanitaires de ces conventions, et nous le faisons.» [...]

Les deux hommes échangent des propositions de calendrier des négociations et affirment qu'il n'y a pas de conditions préalables.

– Rubinstein : «*Sur la question de Jérusalem, le peuple juif et les Israéliens sont unanimes à considérer la ville comme la capitale historique de notre État. Nous sommes le seul peuple à l'avoir eue pour capitale pendant des siècles. Pour être franc, je dois vous dire que cette question ne peut être discutée, mais que nous sommes prêts à garantir la liberté de culte à toutes les religions. Je suggère que nous définissions ce qui est possible et ce qui ne l'est pas dans ces négociations. La résolution 242 ne s'applique pas à ces pourparlers, à la voie israélo-palestinienne. Quant à l'autodétermination dont vous parlez dans votre lettre, sachez que nous considérons un État palestinien comme un danger mortel.*

La notion de retrait total. Ce ne peut être discuté que dans le cadre des négociations sur le statut définitif. Le fait que cette question figure dans votre calendrier contredit votre thèse sur les étapes.

La colonisation. Nous ne considérons pas que c'est une menace pour vous. Nous pensons que les Juifs ont la liberté d'habiter où ils veulent. L'application de la résolution 194 de l'Assemblée générale des Nations unies [sur le retour des réfugiés palestiniens] *serait un suicide pour nous. L'idée qui fut à la base de cette résolution est aujourd'hui morte. Des millions de Juifs ont également quitté les pays arabes malgré eux.* […] *Quand nous avons préparé notre proposition de calendrier, nous vous avons pris en considération. Vous n'en avez pas fait de même.* […]

La protection internationale. Nous ne laisserons personne s'occuper de notre sécurité. Nous ne voulons pas redevenir ce que nous étions sous l'islam, des sujets de second ordre […] »

– Abdel Chafi : «*Je suis abasourdi. Je ne comprends pas comment vous pouvez persister à nier l'identité et les droits des Palestiniens. Vous savez très bien que, historiquement, notre peuple vivait en Palestine avant que les pieds d'Abraham ne foulent sa terre. Nous appartenons aux tribus sémites qui y vivaient. Il est exact que les Juifs sont arrivés avec d'autres vagues d'immigrants et qu'ils y ont installé un royaume. Mais vous savez que, au début du siècle, il y avait moins d'un Juif pour dix Arabes. Alors, comment pouvez-vous dire que cette terre vous appartient exclusivement ? Si vous êtes religieux, vous devez savoir que la Torah dit que nous sommes comme vous descendants d'Abraham. Il est étrange que vous contestiez les droits des Palestiniens. En 1948, ils ont été expulsés par la force de leurs villes et de leurs villages pour aller vivre dans des camps. Les Juifs, eux, ont quitté les pays arabes de leur plein gré, à l'invitation du mouvement sioniste. Jérusalem a la même importance pour les musulmans, les chrétiens et les Juifs. Vous ne servirez pas les négociations en* négligeant autrui. *La politique de votre gouvernement ne conduira pas à l'établissement de la paix dans la région. Quant aux Juifs en Europe, nous aussi avons été affligés par les mauvais traitements qu'ils ont subis. Mais sous le règne de l'État islamique, ils avaient tous les droits.*

Vous dites que vous ne pouvez pas geler la colonisation parce que c'est une terre ouverte aux Juifs. La recherche d'un compromis signifie toujours un gel de la situation sur le terrain jusqu'à ce qu'un accord soit conclu. [...] C'est frustrant de vous voir entamer ces négociations avec des attitudes pareilles. Nous ne sommes pas venus ici pour vous supplier ni demander pardon. Nous avons nos droits. Il est exact que la balance des forces penche en votre faveur, mais nous sommes forts parce que nous avons raison.

Vous savez que les résolutions 242 et 338 sont à la base de ces négociations. Or elles ne reconnaissent pas l'annexion de Jérusalem. La grande injustice subie par les Palestiniens les a peut-être poussés à commettre [un certain genre d'] *opérations, mais il faut mettre à leur crédit qu'ils sont venus à Washington rechercher un compromis pacifique avec la société juive dans la région.*»

– Rubinstein : «*Je vous exhorte, lors de cette rencontre et des prochaines, à faire attention à votre langage car nous ne sommes pas d'accord sur certains faits historiques. Je fais un effort pour ne pas être agressif. Votre version de l'histoire suscite beaucoup d'interrogations. Quand le mot Palestine a-t-il été évoqué pour la première fois dans l'histoire ? Ce sont les Juifs qui ont subi une injustice. Ils ont été chassés des pays arabes. Nous discutons ici d'égal à égal et nous n'avons pas d'attitude orgueilleuse à votre égard [...]* » La discussion dure à peine une heure. La séance est levée. Les deux délégations ont échangé des propositions de calendrier des pourparlers. Un peu plus tard, débutent les bilatérales israélo-syriennes et israélo-libanaises qui, très vite, se transformeront en séminaire sur les origines du conflit et, comme les discussions avec les Palestiniens, ne formeront qu'un exercice diplomatique futile.

ÉLECTIONS

A la fin de l'année 1991, le cabinet Shamir dispose d'une majorité de 66 députés à la Knesset. Une coalition mal cimentée, où les partis d'extrême droite ruent dans les brancards. Tsomet, de Raphaël Eytan, n'est pas satisfait de l'opposition du Likoud à la loi sur l'élection du Premier ministre au suffrage universel, et quitte le gouvernement. Début janvier, ce sont les mouvements Renaissance et Patrie qui menacent de passer à l'opposition si les bilatérales de Washington ne sont pas immédiatement interrompues. Après quelques semaines de discussions, ces deux partis mettent leur menace à exécution, mais ne précipitent pas la chute de Shamir, qui n'a plus de majorité. Le Likoud accepte une proposition des travaillistes. L'autodissolution du Parlement est votée. Les élections auront lieu le 23 juin 1992.

Cette fois, le Parti travailliste décide de se présenter différemment devant les électeurs. Il organise des primaires. Début février, plus de cent six mille militants élisent à leur tête Yitzhak Rabin, avec 40,59 % des voix face à Shimon Pérès, qui obtient 34,8 %. Rabin met sur pied un état-major électoral et accueille quelques déserteurs du camp Pérès, notamment Haïm Ramon et Ephraïm Sneh. La campagne se prépare. Les travaillistes vont mettre l'accent sur les problèmes intérieurs. Le chômage atteint les 12 % en moyenne nationale, plus dans certaines régions en voie de développement. Sneh est chargé des contacts avec les Arabes israéliens. Il a été gouverneur militaire de la Cisjordanie, et puis, c'est le fils de Moshé Sneh, ancien chef d'état-major de la Hagannah et fondateur du parti communiste israélien. Les Palestiniens des territoires occupés l'apprécient.

Fin mars 1992, Saïd Kna'an, responsable du Fatah à Naplouse, est convoqué au Caire par Saïd Kamal, son cousin, qui lui fait rencontrer Abou Mazen. Les deux hommes lui annoncent que l'OLP a décidé d'établir un contact secret avec l'entourage de Yitzhak Rabin. Kna'an retourne à Naplouse et appelle Ephraïm Sneh, qu'il connaît personnellement. «*Nous devons nous rencontrer*, dit-il. *J'ai des choses à vous dire.*»

Rendez-vous est pris deux jours plus tard à l'hôtel Daniel à Herzliya. Sneh écoute et promet une réponse un peu plus tard. Début avril, il convoque Kna'an dans le même hôtel : «*Nous sommes disposés à établir un dialogue avec vous. La condition préalable est le secret absolu. Vos gens à Tunis ne sont pas crédibles de ce point de vue. A plusieurs reprises dans le passé, ils ont laissé filtrer des informations sur des contacts avec votre organisation. Si cela devait arriver, nous démentirions tout et ce serait la fin de notre dialogue. Je vais vous lire un texte. Vous prendrez des notes. Nous n'échangerons aucun document :*

«1) Veuillez éviter toute expression de sympathie ou de soutien au Parti travailliste ou à Meretz. N'exprimez aucun espoir "qu'avec le Parti travailliste, vous pourrez négocier".

2) Faites pression sur les députés [arabes israéliens] *Daraoucheh et Miari afin qu'ils forment une liste commune, mais ne les soutenez pas ouvertement. Cette liste commune devrait conclure un accord de transfert d'excédent des voix avec le Rakah* [le parti communiste]. *Il ne faut pas que des voix se perdent au Likoud. Chaque voix arabe compte.*

3) Encouragez les Arabes israéliens à voter. Surtout pas en faveur d'un parti qui soutient les implantations dans les territoires. Attention! Le Likoud et certains partis de droite achètent des votes chez les bédouins […]

4) N'interrompez pas les négociations de Washington et ne les présentez pas comme un succès de Yitzhak Shamir. Ne faites pas de provocations à Washington, ne soulevez pas maintenant la question de Jérusalem ni celle du statut final. Si vous parlez trop de Jérusalem et d'un État palestinien, cela encouragerait le Likoud qui aurait là une raison de ne pas continuer les pourparlers. Soulevez la question du gel des implantations en échange de la fin du boycottage arabe. Cela embarrassera le Likoud.»

Sneh rappelle à son interlocuteur que, en 1988, un attentat, à la veille du scrutin, avait fait perdre au moins deux sièges au Parti travailliste. Shamir avait conservé le poste de Premier ministre. «*Arafat doit être au Caire dans quelques jours. Transmettez-lui tout cela ainsi qu'à Abou Mazen, mais faites attention, il ne faut pas que les Égyptiens soient au courant, ils le diront aux Américains et il y aura des fuites… Ne parlez pas de tout cela dans un bureau, mais dans un lieu public, dans un jardin. Il y a des écoutes partout…*» Ephraïm Sneh craint-il également des écoutes israéliennes? Dans ce cas, Shamir serait informé de ce contact avec l'OLP.

Kna'an part immédiatement pour la capitale égyptienne où Abou Mazen l'attend. Fidèle aux instructions de Sneh, il propose au leader palestinien de discuter dans le jardin. Abou Mazen lui répond qu'il n'y a pas d'écoute clandestine dans son bureau. Saïd Kna'an lui chuchote le message des Israéliens, pendant que la radio diffuse de la musique. L'adjoint d'Arafat est enchanté: «*Les affaires commencent!*» Il répond à Ephraïm Sneh:

«*1) Yasser Arafat est au courant de ces contacts qu'il soutient.*

2) Nous avons bien reçu votre message et sommes d'accord avec vous [au sujet de la liste arabe unie]. *Au cours de sa visite à Genève, nous avons refusé de donner ne serait-ce qu'un penny à Daraoucheh* [qui dirige une liste arabe israélienne] *ou un soutien quelconque s'il n'accepte pas le principe d'une telle liste commune* [pour ne pas perdre de voix].

3) Nous considérons nos contacts avec vous avec le plus grand sérieux, dans le cadre du processus de paix.

4) Nous sommes engagés par la lettre d'assurances américaine, nous savons que vous la connaissez et espérons que votre position est la même.

5) Nous comprenons que vos déclarations sur la différence entre des implantations de sécurité et des implantations politiques sont destinées à la consommation locale. SVP confirmez.

6) Nous avons lu vos déclarations sur une confédération entre les Palestiniens, la Jordanie et Israël. Nous les prenons au sérieux et espérons en discuter après les élections.

7) Nous avons suivi votre déclaration sur la nécessité d'un dialogue avec les Palestiniens en vue de la mise en place de l'autonomie après une période de six à neuf mois. Nous considérons que c'est une position politique sérieuse et responsable.

8) Que pensez-vous des divergences entre Shamir et Lévy? A quoi cela peut-il mener, et est-il de votre intérêt que Lévy quitte le Likoud? Pouvons-nous faire quelque chose de ce point de vue, peut-être en faisant intervenir Hassan II?»

Le 14 avril, le jour même où il rentre du Caire, Saïd Kna'an est accueilli par des journalistes qui lui demandent si la nouvelle publiée par *Le Canard enchaîné* est exacte. Avec horreur, le Palestinien découvre que l'hebdomadaire satirique, citant une source à Tunis, a révélé l'existence de contacts secrets entre Rabin et Arafat par son intermédiaire. Dans la soirée, Sneh, furieux, l'appelle : «*C'est fini, on ne peut pas avoir confiance en vous!*»

Kna'an mettra plusieurs jours à calmer son interlocuteur. Finalement, ils se rencontrent à nouveau. L'Israélien lui donne le message suivant, destiné à Yasser Arafat :

«*1) Nous sommes furieux en raison de la publication de la nouvelle dans* Le Canard enchaîné.

2) Nous avons dit à plusieurs reprises que toute fuite entraînerait l'arrêt de notre dialogue. […]

3) La source de la fuite est à Tunis. Quelle peut en être la raison, si ce n'est la destruction du processus de paix?

4) Cela prouve que vous n'êtes pas intéressés par la paix et que vous n'êtes pas sérieux.

5) Nous avons une expérience exécrable avec vous en matière de secrets. Toutefois, nous avons décidé d'ouvrir une nouvelle page, et vous devez comprendre que c'est la dernière fois que nous permettons une fuite sur nos contacts.

6) Nous avons compris l'idée de "cuisine". De notre point de vue, nous ne sommes pas contre si vous êtes sérieux. Nous proposons trois représentants de votre côté et deux du nôtre : moi-même, Sneh et Rabin.

7) Le contact se fera exclusivement par l'intermédiaire de Saïd Kna'an. Nous voulons comprendre votre conception du fonctionnement des contacts de la cuisine. Quel serait le pouvoir des délégations? […]

8) Nous cesserons tous les autres contacts par Londres et Paris.

9) Nous n'évoquerons que la période intérimaire. Terminons cela d'abord. Nous parlerons ensuite de l'étape finale.

10) Quelles sont les mesures de confiance que vous demandez durant la période intérimaire ?

11) Nous sommes plus que sérieux et vous vous en rendrez compte par vous-mêmes. Nous voulons aller rapidement et espérons que vous nous répondrez.

12) J'espère que vous comprenez que nous sommes les otages de l'électeur israélien qui nous donnera une chance qui ne se répétera pas pour mettre en place l'autonomie. Cette chance doit être saisie. […]

13) L'option jordanienne est morte et personne n'y retournera.

14) Nous sommes déterminés à négocier avec vous pour tout ce qui concerne la question palestinienne. La délégation conjointe [à Washington] sera impliquée dans tout ce qui concerne la Jordanie et les questions communes.

15) La confédération dont nous avons parlé sera entre vous et la Jordanie. […]

16) Le problème des implantations est compliqué. Il se cristallisera après la visite de Rabin aux États-Unis.»

Ephraïm Sneh affirmera, en 1996, que, après la publication de l'article du *Canard enchaîné*, Yitzhak Rabin lui a donné l'ordre de rompre tous ses contacts avec les Palestiniens et qu'il a obtempéré. Selon lui, il n'y aurait pas eu, avant les élections israéliennes, de seconde rencontre avec Saïd Kna'an. Les documents de ses interlocuteurs de l'OLP semblent prouver le contraire.

Terje Larsen, le Norvégien, suit de près le processus de paix. Il a dirigé la rédaction d'une étude sur les conditions socioéconomiques en Cisjordanie et à Gaza par le FAFO, l'institut de recherche qu'il préside, et représente son pays aux négociations multilatérales qui se déroulent à Madrid et dans plusieurs grandes capitales. A Tel Aviv, il a un déjeuner avec Yossi Beilin, qui est resté le plus proche conseiller de Shimon Pérès. Larsen lui fait part de ses impressions sur les pourparlers : «*C'est devenu une conférence de presse permanente. Il n'y a pas de négociations sérieuses. Il faut mettre sur pied une seconde voie pour des négociations secrètes. Nous, la Norvège, nous pouvons vous aider. […]* » Beilin lui répond : «*Pourquoi pas, je vous soutiens! Mettez cela sur pied mais soyez très discrets. […]* »

Le terrorisme fait irruption dans la campagne électorale. Le 24 mai, un Palestinien de Gaza assassine à coups de couteau et en pleine rue une adolescente israélienne à Bat Yam, un faubourg de Tel Aviv. Le meurtre suscite de violentes manifestations antiarabes. Le Parti travailliste ne laisse pas passer l'occasion et lance le slogan : «*Avec le Likoud, pas de sécurité !*» Et aussi : «*Bat Yam aux Israéliens, Gaza aux Gazans !*» Les conseillers de Shamir et ses experts en sondages lui suggèrent d'annoncer qu'Israël devrait se débarrasser de Gaza. Il refuse. Pour lui, Gaza fait partie de la Terre d'Israël. Ce sera une des raisons de sa défaite électorale.

Le 20 juin, Larsen loue une chambre à l'hôtel American Colony à Jérusalem-Est. Fayçal el Husseini y rencontre Yossi Beilin. Les deux hommes parlent de la nécessité d'établir un cadre de négociations secrètes entre Israël et l'OLP, si le Parti travailliste gagne les prochaines élections et assume le pouvoir. Beilin évoque également le vote des Arabes israéliens qui, dit-il, devraient se prononcer massivement pour la gauche israélienne, contre le Likoud. La crainte des Israéliens est qu'ils ne puissent attirer suffisamment de votes centristes. Ils espèrent que le vote arabe fera pencher la balance en leur faveur.

La campagne électorale touche à sa fin. Les partis ultra-orthodoxes se lancent à l'assaut des quartiers défavorisés. Shass, le mouvement orthodoxe sépharade, entend conserver sa base électorale. Parmi les rabbins, les prêcheurs, qui participent aux meetings un des plus populaires est Ouri Zohar, ancien acteur, réalisateur de cinéma, enfant terrible de la bohème de Tel Aviv. Pour son public, il est l'exemple même du débauché retourné dans le droit chemin. Zohar est le porte-parole fidèle de ses guides spirituels, de l'entourage du vieux rabbin Shakh, un des fers de lance dans l'assaut que mène l'orthodoxie juive contre l'État d'Israël laïc, contre le sionisme de Theodor Herzl. Les discours du rabbin Zohar, leurs enregistrements sur cassettes, vidéo et audio, rencontrent un immense succès auprès d'une partie du public sépharade :

«[...] D'où vient la destruction, où commence le poison ? Que cela vous soit clair, messieurs, nous parlons ici de choses écrites au début, et contre lesquelles rabbi Shimon Bar Yohaï nous avait mis en garde... Sachez que je cite le fondateur de l'État laïc, Herzl : "Je crée un mouvement énorme entre les Juifs qui passeront naturellement au christianisme." C'est son écriture. Quelqu'un ici veut devenir chrétien ? Il l'a écrit un 24 décembre. Vous savez ce que c'est, le 24 décembre ? C'est leur sale Noël ! C'est ce qu'il a écrit dans son journal. "J'ai allumé les bougies du sapin de Noël pour mes enfants."

Juifs, voulez-vous allumer ce sale sapin, ce sapin au nom duquel on a assassiné des centaines de milliers, des millions de Juifs ? Il allume lui-même les bougies du sapin.

Vous direz qu'il s'agit d'un homme isolé. Mais pardonnez-moi, vous allez devoir souffrir pour découvrir comment ce poison circule dans nos veines jusqu'à nos jours. Qu'il vous soit clair, messieurs, nous ne devons pas nous tromper sur la nature de cette guerre. [Herzl] *avait un fils. Il lui a donné le nom de Hans. Papa Theodor et le fils Hans. Je ne l'accuse pas, celui-là, cette pauvre âme qui vit dans un foyer d'assimilés. [...] Je les connais, ils m'ont appris pendant quarante ans à renier le judaïsme, à rejeter la Torah, à croire en Staline le diable, que son nom et sa mémoire soient effacés [...]. Ce pauvre homme, le fils de* [Herzl], *le fondateur de l'État laïc, écoutez ce qu'il écrit :* "Je vous révèle que mon père avait un plan secret : convertir l'ensemble du peuple juif au christianisme." *Et sa photographie est pendue dans les écoles où nous envoyons nos enfants !* "Je veux que les Juifs sachent que mon père ne m'a pas fait circoncire." *Herzl n'a pas fait circoncire son fils ! En Russie, des Juifs, au péril de leur vie, ont maintenu cette tradition vieille de trois mille ans. Ce fils, pour le remercier, s'est converti, le jour de la mort de son père. Il est devenu un chrétien baptiste ! [...]*

Max Nordau, le président du Congrès sioniste, l'artisan du programme de Bâle, l'inventeur du terme "foyer national". *Pas foyer juif, foyer national ! Il écrit :* "Ma femme, chrétienne protestante, m'a demandé si je voulais qu'elle se convertisse au judaïsme. Je lui ai réppondu : pourquoi ?" [...]

Brenner, le père spirituel du mouvement travailliste israélien, écoutez bien, il craignait que des Juifs de diaspora n'arrivent ici : "Nos rues ne vont-elles pas être inondées de ces visages que l'on connaît des ghettos, déchets du genre humain ?" *Un homme qui se dit juif écrit cela sur des Juifs, et dont le grand-père du grand-père, des générations de Juifs justes, des martyrs, il écrit que ce sont des déchets du genre humain. La haine de soi, c'est la racine de la laïcité, une haine du judaïsme. Nous ne serons pas des Juifs, nous serons des goyim, nous aurons des gros muscles, nous ne serons pas juifs. [...] Toute notre culture passée n'est rien pour eux. Ils ont créé une nouvelle culture. Ils ont créé Brenner, à la place du prophète Isaïe, à la place de nos Sages. Et nous avons mené nos enfants comme du bétail à l'abattoir, et les avons placés* [dans des écoles de renégats], *où on renie Dieu, la Torah, la nature du judaïsme. Ils rejettent leurs grands-pères, leurs grands-mères, qui ont donné leur âme au judaïsme [...] et ils leur ont injecté ce poison [...]*[1].»

Les orthodoxes – qui, pour la plupart, avaient rejeté l'idée d'État juif lors des débuts du sionisme – sont partis en guerre contre la notion d'État laïc. Un règlement de comptes avec Theodor Herzl qui, dans son ouvrage précurseur *L'État des Juifs*, écrivait :

---

1. *Le Rabbin Ouri Zohar parle*, Karné Zohar, Jérusalem, cassette n° 2, archives personnelles.

«Aurons-nous une théocratie ? Non ! Si la foi maintient notre unité, la science nous libère. C'est pourquoi nous ne permettrons pas aux velléités théocratiques de nos chefs religieux d'émerger. Nous saurons les cantonner dans leur temples, de même que nous cantonnerons l'armée de métier dans les casernes. L'armée et le clergé ont droit aux honneurs que leur confèrent leurs nobles fonctions et leurs mérites. Ils n'ont pas à s'immiscer dans les affaires de l'État qui les distingue, car cette ingérence provoquerait des difficultés extérieures et intérieures.

Chacun est aussi libre dans sa foi ou son incroyance que dans sa nationalité. S'il se trouve parmi nous des fidèles appartenant à d'autres religions ou à d'autres nationalités, nous leur garantirons une protection honorable et l'égalité des droits[1].»

Ce débat fondamental sur la nature de l'État d'Israël n'aura pas d'incidence sur le résultat du scrutin. Le public israélien, excédé par la politique du Likoud et les attentats, votera pour Yitzhak Rabin qui promet de séparer Israël des Palestiniens. Pour cela, il entend mettre en place, rapidement, l'autonomie en Cisjordanie et à Gaza. Et puis, Meretz, le parti de gauche, et, à droite, Tsomet font de la conscription des religieux un de leurs arguments électoraux. L'orthodoxie juive ne s'exprimera pleinement que lors des élections de 1996. Les religieux voteront à près de 99 % pour le candidat du Likoud.

Mais, ce 23 juin 1992, c'est la gauche qui est victorieuse. Les travaillistes ont 33,8 % des suffrages, le Likoud 24,9 %, Meretz 9,2 %. Rabin a la majorité assurée. Les partis arabes lui accordent même une garantie de sécurité pour, le cas échéant, bloquer toute initiative de la droite.

Le soir de l'élection, Rabin annonce : «[...] *Nous voulons la participation de toutes les forces positives de la nation, qui s'identifient avec la voie que nous avons choisie. Faire avancer la paix en veillant à la sécurité. Ce n'est pas à nous que l'on apprendra ce qu'est la sécurité. Nous changerons l'ordre des priorités nationales afin d'assurer d'abord des emplois aux chômeurs, donner l'espoir à la jeune génération qui a grandi dans le pays.* [...] »

RABIN ET L'OLP

Quelques jours plus tard, Sneh et Kna'an reprennent contact. Abou Mazen fait ainsi parvenir à Sneh le message suivant :

---

1. Theodor Herzl, *L'Etat des Juifs,* traduction de Claude Klein, La Découverte, Paris, 1990, p. 104. La version originale a paru en février 1986.

« *1) Certaines personnes cuisinent, d'autres mangent, nous cuisinons.*

2) Un message de félicitations d'Ossama el Baz vous est envoyé par Bassiouny. Saïd Kamal en est à l'origine.

3) Inutile de maintenir des contacts par Londres et Paris, de même qu'il est inutile de poursuivre les contacts entre Fayçal el Husseini et Yossi Beilin.

4) Nous sommes le seul canal autorisé pour des contacts.

5) L'Égypte sera la pierre angulaire du processus.

6) A l'heure actuelle, nous ne parlons que de l'étape intérimaire. Il est inutile de perdre notre temps au sujet du statut définitif.

7) Nous voulons organiser une rencontre urgente avec Arafat ou Abou Mazen.

8) Pas de manœuvres derrière notre dos. Il faut discuter directement avec nous toute question concernant le problème palestinien. […] »

Ne connaissant pas l'histoire de la « cuisine » israélo-palestinienne de 1986, Saïd Kna'an mettra des années à comprendre ce message ; sur le moment, il ne peut savoir que l'OLP propose à Rabin une formule de négociations secrètes.

Le 13 juillet, Rabin présente son gouvernement à la Knesset. Son principal partenaire dans la nouvelle coalition est Meretz, l'alliance de la liste pour les droits civiques, Ratz, le Mapam, et le Mouvement pour le changement d'Amnon Rubinstein. Shass, le parti orthodoxe oriental, fait partie du cabinet. Seul mouvement religieux partenaire de Rabin, ses chefs espèrent tirer le maximum de leur présence parmi les ministres de gauche. Ils contrôlent le ministère de l'Intérieur, et les Affaires religieuses, ce qui leur permettra de développer leur système d'aide sociale, notamment les jardins d'enfants installés dans les quartiers défavorisés. Shimon Pérès est ministre des Affaires étrangères. Ce qu'il reste de l'équipe des « blazers » vient le rejoindre. Avi Gil est son chef de cabinet et Ouri Savir quitte le consulat général d'Israël à New York pour devenir le directeur général des Affaires étrangères.

Rabin prononce un discours qui restera dans les annales. Pour la première fois les Israéliens s'entendent dire par un Premier ministre qu'ils doivent se débarrasser du sentiment qui les habite depuis un siècle. Le monde n'est pas contre Israël. :

« […] *Au cours de la dernière décennie du vingtième siècle, les atlas, les manuels d'histoire et de géographie ne présentent plus une image fidèle de la situation. Des murs d'hostilité se sont abattus, des frontières ont été effacées, des grandes puissances se sont effondrées, des idéologies ont disparu, des pays sont nés avant de connaître leur fin. Les portes de l'alyah* [l'immigration juive] *se sont ouvertes. Notre devoir pour nous-mêmes et nos fils est de considérer ce nouveau monde tel qu'il* est aujourd'hui, mesurer les dangers, en vérifier les possibilités, et tout faire pour que l'État d'Israël s'intègre dans ce monde qui change de forme. Nous ne sommes plus nécessairement un peuple isolé, et il n'est pas vrai que le monde entier soit contre nous. Nous devons nous débarrasser de ce sentiment d'isolement qui nous habite depuis près d'un siècle. Nous devons participer à la marche de paix, de réconciliation et de coopération internationale qui survole le globe ces jours-ci. Si nous ne le faisons pas, nous resterons les derniers, seuls à la station de départ.

Le nouveau gouvernement s'est donc donné pour objectif central de faire progresser la paix en Israël et prendre des mesures énergiques afin de conduire à son terme le conflit israélo-arabe. Nous le ferons sur la base d'une reconnaissance par les États arabes et les Palestiniens, d'Israël en tant qu'État souverain ayant le droit d'exister dans la paix et la sécurité. […] Et je m'adresse à vous, Palestiniens des territoires. Le destin nous oblige à vivre ensemble, sur cette même terre. Notre vie se déroule aux côtés de et contre la vôtre. Vous avez échoué dans votre guerre contre nous. Un siècle d'effusions de sang et de terrorisme de votre part contre nous ne vous a causé que de la souffrance, de la douleur et des deuils. Vous avez perdu des milliers de vos fils et de vos filles et, constamment, vous avez fait marche arrière.

«Depuis quarante-quatre ans, vous vivez dans l'illusion. Vos responsables vous conduisent dans l'erreur. Ils ont raté toutes les occasions de paix. Ils ont rejeté toutes nos propositions de solutions et vous ont menés de catastrophe en catastrophe. […] Nous vous proposons l'autonomie, l'autogouvernement, avec ses avantages et ses défauts, car vous n'obtiendrez pas tout ce que vous voulez. Il est possible aussi que nous n'obtenions pas tout ce que nous voulons, prenez enfin votre destin en main […]. Si les Palestiniens devaient rejeter cette proposition, nous continuerions les pourparlers, mais nous nous conduirions dans les territoires comme s'il n'y avait pas eu de négociations, et au lieu de vous tendre une main amicale, nous ferions appel à tous les moyens afin d'empêcher la violence et le terrorisme. Le choix est entre les mains des Palestiniens des territoires […][1].»

Apprenant que Yitzhak Rabin va rencontrer le président égyptien Husni Moubarak, le 21 juillet au Caire, une semaine seulement après la formation de son gouvernement, Abou Mazen prépare le voyage à sa manière. Il envoie une longue lettre à Ephraïm Sneh, par l'intermédiaire de Saïd Kna'an : *«Le président Moubarak demandera à Rabin deux*

---

1. *Rodef Shalom*, Zmora Beitan, Tel Aviv, p. 16.

mesures destinées à améliorer la situation et à établir la confiance : la fermeture du camp de détention de Ktsiot (Ansar 3) et une réduction, voire une annulation de la taxation des habitants des territoires occupés. Le président Moubarak demandera à Rabin : "Au cours du débat télévisé avec Shamir, vous lui avez dit qu'il négociait pratiquement avec l'OLP. En conséquence, êtes-vous prêt à mettre votre parole en pratique et à négocier avec l'OLP, et quand ? Est-il possible de nous fournir votre position à notre égard, afin que nous puissions la comparer avec celle que nous transmettent les Égyptiens ? La vérité sert la paix. Nous envoyons une lettre avec nos demandes à Moubarak. [...]

Nous sommes soulagés car nous craignions un retour de M. Shamir au pouvoir et la fin du processus de paix. Nous sommes donc satisfaits du succès de M. Rabin, après avoir étudié la plate-forme du Parti travailliste et ses déclarations durant la campagne électorale. Bien que nous n'ayons pas réussi à unifier les listes arabes, nous pouvons dire que nos efforts ont contribué au résultat final des élections, à mettre un terme et à empêcher le retour au pouvoir de M. Shamir. M. Rabin peut empêcher Shamir de former un gouvernement grâce au bloc dont il dispose avec Meretz et les votes arabes. [...] Nous sommes absolument convaincus qu'il faut réduire les canaux de communication entre nous et les combiner en un seul. Simultanément, nous voudrions que la cuisine commence à fonctionner dès que cela vous conviendra, le plus tôt étant le mieux pour nous tous. [...]

Nous sommes en faveur d'une véritable et durable paix et, puisque nous avons décidé sans manœuvre ni malhonnêteté de coexister dans la même région, dans le même pays, nous devrons construire des ponts de confiance, éviter toute formalité ou autres jeux. Nous saluons le courage de M. Rabin qui a exprimé des idées positives en faveur d'une solution durant la campagne électorale face à la démagogie, à l'extrémisme et à l'intransigeance. Un courage qui [n'est surpassé], [que par celui] de la direction palestinienne qui a surmonté tous les obstacles pour déclarer franchement qu'il accepte la légitimité internationale ainsi que les idées du président Bush. [...]

La fin de l'option jordanienne dans l'esprit israélien est une indication saine. Également, le fait de comprendre que la négociation doit aboutir à une confédération avec la Jordanie est une autre indication positive quant à l'avenir de la région. [...] Lorsque nous nous prononçons pour une confédération à trois, comprenant Israël, nous voulons en fait renforcer les liens de coexistence et tendre la main à une paix réelle qui ne soit pas fondée sur la traîtrise. [...] Nos traditions nous demandent de respecter un ennemi courageux et intelligent. M. Rabin, jusqu'à présent, était classé dans la catégorie d'un ennemi qui a occupé notre terre et persécuté notre peuple. Malgré cela, nous le considérons comme un leader politique et militaire, qui comprend les changements de la scène internationale et a une vision globale et stratégique. Il est donc à même de comprendre la signification de la sécurité. C'est votre droit de réclamer la sécurité, mais nous en avons besoin bien plus que vous, en raison des grandes différences entre vos capacités et les nôtres. Jusqu'à ce que des mesures de confiance soient mises en place, la question de la sécurité sera en tête de nos préoccupations à tous. […]

Le gel des implantations [que vous avez décidé] *est une bonne chose, mais cela devrait concerner tous les territoires occupés depuis 1967, y compris Jérusalem. Nous ne sommes pas pressés de recevoir de vous une réponse maintenant au sujet du sort des implantations existantes. Mais nous attendons avec anxiété une réponse sur un gel des implantations pendant la période intérimaire.*

Nous sommes en état de guerre, que nous menons avec nos propres moyens aussi longtemps que l'occupation se poursuivra. Nous ne faisons pas la guerre et n'utilisons pas la violence pour autre chose que la réalisation de nos objectifs, approuvés par la légitimité internationale. […] Pour vous assurer que nous appliquons nos droits en pleine connaissance de cause et avec une réelle conscience politique, nous vous informons que nous avons fait pression sur d'autres afin qu'ils se maîtrisent à la veille des élections, pour ne pas donner des armes à M. Shamir contre vous. […] »

Et Abou Mazen de demander à Rabin douze mesures destinées à établir la confiance entre l'OLP et Israël :

« 1) La libération de tous les détenus politiques.

2) L'annulation de tous les décrets de détention administrative ainsi que des lois d'exception datant du mandat britannique.

3) La fermeture du camp de détention Ansar 3.

4) L'annulation de toutes les limites aux activités politiques.

5) Le retour des Palestiniens expulsés des territoires occupés en accord avec les résolutions du Conseil de sécurité.

6) L'annulation des taxes imposées dans les territoires occupés après 1967.

7) L'arrêt des réquisitions de terres et de propriétés, leur restitution à leurs propriétaires légitimes.

8) Faciliter le processus de réunification des familles.

9) Lever toute limite aux exportations de produits des territoires occupés et ne pas freiner les projets de développement économique.

10) Annuler toute limite à la construction dans les territoires occupés.

11) Annuler le système des cartes vertes et permettre l'entrée à Jérusalem.

12) Rouvrir les écoles et les universités palestiniennes, ne pas les fermer à nouveau.»

PAS DE CUISINE

Rabin ne réagira pas à cette missive. Il explique, le 21 juillet à Moubarak qu'il entend d'abord relancer les bilatérales de Washington en levant certains interdits posés par le gouvernement Shamir. Le Premier ministre semble surtout intéressé par les négociations avec la Syrie. Le principe d'échanger des territoires contre la paix s'applique également au Golan dit Rabin au président égyptien. En d'autres termes, Hafez el Assad peut comprendre qu'il y a matière à discussion. Moubarak est enchanté. Après les difficiles années Shamir, il déclare à qui veut l'entendre qu'il a enfin, en Israël, un partenaire pour la paix.

De retour à Jérusalem, Rabin termine la composition de son équipe à la présidence du conseil. Eytan Haber, ancien journaliste à *Yediot Aharonot*, qui fut son porte-parole au ministère de la Défense, devient chef de cabinet. Shimon Sheves, le responsable de sa campagne électorale, est directeur général de la présidence du conseil. Jacques Néria, ex-colonel des renseignements militaires et originaire du Liban, sera conseiller diplomatique. Rabin voudrait nommer Ephraïm Sneh coordinateur du processus de paix et Yossi Guinossar chef de la délégation dans les pourparlers avec la Syrie. Shimon Pérès s'y oppose formellement. Il en veut à Sneh d'être passé dans le camp Rabin et Guinossar est trop proche de son vieil adversaire. C'est le nouvel ambassadeur à Washington, le professeur Itamar Rabinovitch, un grand orientaliste proche du Parti travailliste, qui négociera avec les Syriens. Quant aux Palestiniens, ils conserveront, à leur grand dam, Elyakim Rubinstein comme interlocuteur. L'OLP fait passer le message à Rabin par l'intermédiaire de Kna'an : «*Nous sommes choqués. Cela reflète une ligne dure et du retard dans le processus de paix. [...] Nous espérons que cette nomination ne sera pas maintenue.*»

Steve Cohen reprend du service. Il réalise que Rabin ne veut pas d'une «cuisine» comme celle de 1986. Tout doit passer par les bilatérales de Washington. Il se lance dans de longues discussions avec Abou Mazen afin d'aboutir à une déclaration de principes israélo-palestinienne. Côté israélien, Rabin a décidé que ses interlocuteurs seront Nahoum Admoni, le chef du Mossad, et le général Dany Rothschild, le patron de l'administration israélienne des territoires occupés, qui est un des négociateurs israéliens dans les bilatérales de Washington.

Shimon Pérès n'a pas l'intention de laisser le processus de paix à la présidence du Conseil. Il a de longues réunions de stratégie avec ses conseillers. Leur principale conclusion est que toute leur action dépendra de la confiance que Rabin éprouvera à leur égard. L'équipe veillera donc à éviter tout accrochage avec la présidence du Conseil, elle ne répondra à aucune provocation d'où qu'elle vienne. Le 24 août se déroule à Washington le sixième round des négociations bilatérales. La discussion devient sérieuse. Rabin a fait des gestes : 800 détenus palestiniens ont été libérés ; 11 décrets de bannissements annulés mais, surtout, le Premier ministre israélien a annoncé l'arrêt de la construction d'«implantations politiques» dans les territoires et propose toujours la mise en place de l'autonomie palestinienne dans les neuf mois. Le 9 septembre, publiquement, il déclare que, en échange de la paix avec la Syrie, Israël devra faire des concessions territoriales. Le ministre syrien des Affaires étrangères, Farouk A-charah répondra quelques jours plus tard que son pays est prêt à une paix totale en échange d'un retrait israélien de l'intégralité du Golan.

A Washington, Itamar Rabinovitch, le nouvel ambassadeur aux États-Unis, a pris la tête de la délégation israélienne aux bilatérales avec la Syrie. Sa présence a changé du tout au tout l'atmosphère de ces négociations, stériles depuis leur début l'année précédente. Les Syriens disent publiquement qu'ils ont enfin un interlocuteur sérieux. Les rencontres avec la délégation conduite par Yossi Ben Aharon, le directeur général de la présidence du Conseil de Yitzhak Shamir, s'étaient transformées en séminaire sur les responsabilités de la guerre des Six Jours et de l'occupation du Golan. Selon Jacques Néria, qui y a assisté en qualité de délégué, les Israéliens ne s'y conduisaient pas toujours selon les normes de la politesse élémentaire. Au cours d'une réunion, pour empêcher les Syriens de prendre la parole, Ben Aharon a demandé à ses collègues de taper des mains[1]. Il n'y aucune négociation secrète entre Damas et Jérusalem. Toutes les tentatives destinées à établir un canal de communication discret ont échouées. A l'occasion, Syriens et Israéliens échangent des messages par l'intermédiaire de diplomates étrangers, surtout américains. C'est une constante de la politique de Hafez el Assad.

Le processus de paix marque une pause : Israéliens et Arabes attendent les élections aux États-Unis en novembre. Les Norvégiens continuent, pour leur part, à promouvoir leur idée de négociations secrètes

1. *Yediot Aharonot*, suppléments, septembre 1995.

israélo-palestiniennes à Oslo. Le 9 septembre également, Jan Egeland, le vice-ministre norvégien des Affaires étrangères en visite à Jérusalem, a une rencontre discrète avec son homologue israélien, Yossi Beilin, qui lui explique que cela sera peut-être possible dans un proche avenir, en effet, la loi interdisant les contacts avec l'OLP doit être amendée par la Knesset, il a lui-même déposé une proposition de loi en ce sens dès le lendemain des élections. Dans l'immédiat, Beilin est en faveur de discussions avec Fayçal el Husseini.

En octobre, dans le cadre d'un séminaire universitaire à Londres, Shlomo Gazit, devenu un des responsables du centre d'études stratégiques de Tel Aviv, rencontre, en compagnie de deux autres chercheurs et de Zeev Schiff, l'expert militaire du quotidien *Haaretz*, une délégation palestinienne dirigée par Nizar Amer, un proche d'Abou Mazen. Les discussions tournent autour des problèmes de sécurité et d'un retrait israélien éventuel de Gaza.

Le 16 novembre, Shimon Pérès est en visite officielle au Caire. Il demande à ses interlocuteurs égyptiens de transmettre à l'OLP le message qu'il est prêt à envisager des négociations sur l'option «*Autonomie à Gaza plus autre chose...*». L'idée est dans l'air. Steve Cohen, lui, n'a pas réussi à faire avancer les bilatérales de Washington. Il s'est fâché avec ses contacts israéliens du Mossad et Dany Rothschild qui l'accusent de manquer de crédibilité. Le document qu'il a mis au point au cours de ses discussions avec Abou Mazen et Nabil Shaath est torpillé par Elyakim Rubinstein qui, ignorant ce qui s'est passé en coulisse, débarque fou de colère à la présidence du Conseil à Jérusalem et demande qu'on le laisse travailler en paix. Pendant ce temps, Shimon Pérès et Yaïr Hirschfeld ont de longues séances de travail avec Fayçal el Husseini. Yossi Beilin y assiste, à l'occasion. Les procès-verbaux sont régulièrement remis à Yitzhak Rabin qui ne réagit pas et laisse faire.

En Cisjordanie, et surtout à Gaza, le commando Azzedine el Kassem, la branche armée du Hamas, multiplie les attaques anti-israéliennes. Les islamistes transforment l'Intifada en guérilla urbaine en bonne et due forme. Le mois d'octobre est particulièrement agité dans les territoires où plusieurs manifestants trouvent la mort au cours d'accrochages avec l'armée et la police israéliennes. Le 18 octobre, des jeunes masqués, armés de haches, défilent à Jabel Moukaber, un village au sud de Jérusalem. En novembre, des émeutes secouent Gaza. Le 8 décembre, trois soldats sont tués dans une embuscade à Gaza. Le 13, à l'occasion de l'anniversaire de la fondation du Hamas, des milliers de jeunes affrontent Tsahal, il y a un mort palestinien et une soixantaine de blessés. Rabin dit à qui veut l'entendre que le Hamas et le Jihad islamique, encouragés par l'Iran, ont lancé une offensive en règle contre son gouvernement et le processus de paix.

VERS OSLO

Yaïr Hirschfeld a rencontré Terje Larsen et les deux hommes ont sympathisé. L'Israélien qui travaille en étroite collaboration avec Yossi Beilin recherche le contact avec l'OLP. Au cours d'une discussion avec Hanan Ashrawi, le nom d'Abou Ala a été soulevé. Hirschfeld a été particulièrement impressionné par un texte présenté par le dirigeant palestinien lors d'une conférence internationale en novembre 1991 : «*Réflexions sur les dividendes prospectifs et la coopération économique régionale*». Abou Ala, de son vrai nom Ahmed Kouraïe, est originaire d'un faubourg de Jérusalem-Est, il dirige le département économique de l'OLP. Après la conclusion d'un règlement «*satisfaisant pour les Palestiniens, les Arabes et les Israéliens l'environnement politique et économique permettra la mise en place de relations économiques régionales et une coopération [...]* »[1].

Larsen pense également qu'Abou Ala serait l'interlocuteur idéal, il a eu l'occasion de le voir diriger en coulisse la délégation palestinienne aux négociations multilatérales sur les réfugiés et l'avait même présenté discrètement à un diplomate israélien. Tout le monde se retrouve le 3 décembre à Londres pour une nouvelle réunion des multilatérales sur la coopération économique. Larsen est envoyé par les Affaires étrangères norvégiennes, Abou Ala pilote la délégation palestinienne. Hanan Ashrawi est là ainsi que Yossi Beilin et Yaïr Hirschfeld.

Ashrawi propose à Hirschfeld un rendez-vous avec Abou Ala. L'universitaire israélien hésite. En principe, les contacts avec les membres de l'OLP sont toujours illégaux. Il demande l'avis de Larsen qui offre son aide pour organiser une rencontre pouvant paraître fortuite et, en début d'après midi, à l'hôtel Cavendish. Hirschfeld retrouve le Norvégien qui, après quelques minutes, le laisse seul. Abou Ala arrive en compagnie d'Afif Safieh, le représentant de l'OLP à Londres, qui avait participé aux discussions de proximité de La Haye avec Yossi Beilin et Hirschfeld. La discussion évolue rapidement vers la nécessité

1. Sur le processus d'Oslo dans son ensemble : interviews de l'auteur avec Yaïr Hirschfeld, Abou Ala, Yossi Beilin, Terje Larsen, Shimon Pérès et des sources israéliennes désirant garder l'anonymat. Archives Marek Halter : interview avec Hassan Asfour, Yoël Singer, Ouri Savir et Yasser Arafat. Ouvrages : Jane Corbin, *Gaza First*, Bloomsbury, Londres, 1994 ; David Makovsky, *Making Peace with the P.L.O.*, Westview, Washington, 1996 ; Abou Mazen, *Through Secret Channels*, Garnet, Reading, Grande-Bretagne, 1995.

de relancer le processus de paix. L'Israélien lance : «*Il faudrait que nous ayons une autre rencontre. Peut être à Oslo ? – Pourquoi Oslo ?*» répond Abou Ala. Rendez-vous est pris dans la soirée. Hirschfeld se précipite chez Beilin et lui raconte l'entretien qu'il vient d'avoir. Le vice-ministre israélien des Affaires étrangères lui donne le feu vert pour maintenir le contact à condition qu'il garde le secret absolu. Hirschfeld, dans l'hôtel, tombe sur Dan Kurtzer qui, au département d'État américain, suit les négociations multilatérales. Il l'informe des derniers développements et lui demande ce qu'il pense d'éventuelles discussions secrètes entre Israël et l'OLP. L'Américain lui répond qu'une telle initiative serait, à son avis, prématurée.

Dans la soirée, à l'hôtel Ritz, Hirschfeld annonce à Abou Ala qu'il a l'autorisation de poursuivre les discussions. Abou Ala comprend que l'initiative vient de Beilin c'est-à-dire, selon son analyse, de Shimon Pérès. De retour à Tunis, il fait son rapport à Abou Mazen qui comprend que, après les échecs de ses tentatives d'établir une cuisine secrète par l'intermédiaire d'Ephraïm Sneh et de Steve Cohen, une possibilité d'entamer des négociations secrètes avec l'équipe de Pérès vient enfin de se présenter. L'OLP a un gros dossier sur Hirschfeld qui a participé a des discussions avec les responsables palestiniens depuis le début des années 1980. Le nom de l'universitaire israélien apparaît souvent sur des procès-verbaux de rencontres aux côtés de Shimon Pérès et Yossi Beilin, et il est chaudement recommandé par Hanan Ashrawi et Fayçal el Husseini. Les deux seules questions seront de savoir quel est son véritable rôle dans la diplomatie israélienne est-il un agent des services spéciaux ? Et surtout, Yitzhak Rabin, est-il au courant de tout cela ? La Norvège encourage ces contacts et propose d'accueillir la négociation secrète. Abou Mazen est pour et le dit à Yasser Arafat.

Terje Larsen arrive quinze jours plus tard à Tunis. Pendant quatre heures, avec Abou Ala, il discute de la mise sur pied d'un canal secret de négociations à Oslo. Dans la soirée, il est reçu par Yasser Arafat qui lui dit : «*Monsieur Larsen, la Norvège doit jouer le rôle de la Suède. J'espère que vous transmettrez ce message à votre gouvernement. […]*» Rien ne peut être plus clair. En 1988, les Suédois ont permis les discussions entre l'OLP et les Juifs américains. Larsen regagne Oslo et, en compagnie de son épouse Mona Juul, et de Jan Egeland, a de longs entretiens téléphoniques avec Beilin. Le vice-ministre israélien confirme que Hirschfeld a sa bénédiction mais il faut, précise-t-il, que nous ayons à tout instant la possibilité de tout démentir. Le secret doit être total. Les Norvégiens devront assumer tous les frais, payer les billets d'avion, les notes d'hôtel. Il serait impossible de présenter de telles factures à une administration israélienne quelconque.

Le 13 décembre, en Israël, un garde-frontière israélien est enlevé par un commando du Hamas. L'organisation intégriste le présente comme un otage et réclame la libération du cheikh Ahmed Yassine. Mais, quarante-huit heures plus tard, le corps de l'Israélien est découvert dans le désert, près de la route Jérusalem-Jéricho. Yitzhak Rabin décide de frapper un grand coup. Il est persuadé que les islamistes vont renforcer leurs attaques. Il décide, à la grande suprise du Shin Beth qui avait préparé une liste d'une dizaine de candidats au bannissement, d'expulser au Liban 400 responsables intégristes, du Hamas et du Jihad islamique. L'opération qui devait se dérouler en secret est vite dévoilée par la presse. Le Liban refuse de recevoir les bannis qui, après un nouveau délai dû à un appel devant la Haute Cour de justice israélienne, s'installent dans des tentes à Marj Es Zouhour, à quelques kilomètres de la frontière israélienne, dans le froid, la neige et les intempéries. Leur sort émeut l'opinion publique internationale et Israël est à nouveau très critiqué. Cette expulsion est une erreur de calcul d'Yitzhak Rabin. Il est obligé d'annoncer que les bannis pourront revenir dans les territoires palestiniens après un an. Ce seront douze mois durant lesquels les dirigeants islamistes prépareront leur stratégie en collaboration avec le Hezbollah qui assurera leur besoins au Sud-Liban.

A Jérusalem, Shimon Pérès et son équipe ont décidé de jouer la carte OLP. Le ministre des Affaires étrangères en parle à Yitzhak Rabin dès le 8 janvier 1993. Les deux hommes sont seuls. Pérès dit à son chef du gouvernement que les négociations de Washington avec les Palestiniens n'ont mené nulle part. Il faut, dit-il, faire un grand pas en direction de l'OLP, permettre à ses chefs de venir à Gaza où ils pourraient se faire élire. Rabin écoute en silence. Il se contente de répondre qu'il réfléchira à tout cela et donnera sa réponse plus tard.

OSLO

Les premières négociations secrètes entre Israël et l'OLP depuis 1986 s'ouvrent le 20 janvier 1992 à Sarpsborg à 80 kilomètres d'Oslo dans «Borregaard», la résidence d'un groupe industriel norvégien dont Larsen connaît le président. A Jérusalem, la Knesset a annulé, la veille, l'article de la loi interdisant les contacts avec l'OLP. Yaïr Hirschfeld est accompagné par Ron Pundak, trente-huit ans, un de ses anciens étudiants qui vient de terminer son doctorat à Londres et qui est également membre du groupe Mashov du Parti travailliste. Abou Ala arrive dans la soirée. Il a deux assistants : Hassan Asfour, originaire de Gaza, marxiste, proche d'Abou Mazen, et Maher el Kourd, un économiste du bureau d'Abou Ala. La discussion commence le lendemain par ce que les Norvégiens appellent «Séminaire sur les conditions de vie en Cisjordanie et à Gaza». Israéliens et Palestiniens entendent une conférence de Marianne Heiberg sur le rapport préparé par au cours des deux années précédentes par la FAFO, l'institut de recherches sociales présidé par Larsen. Par politesse, Hirschfeld et Abou Ala posent des questions. Les choses sérieuses commencent au moment du repas. Le chef de la délégation palestinienne remercie Jan Egeland : «[…] *Vous avez combattu l'occupation, les nazis. Nous sommes dans une situation similaire.*»

Hirschfeld sursaute. La discussion débute très mal. Ce genre de comparaison ne passe pas chez lui dont la famille est originaire d'Autriche. Il répond au Palestinien : «*Nous les Juifs qui avons combattu les nazis, qui en avons été les victimes, reconnaissons l'importance du combat mené par la Norvège durant la Seconde Guerre mondiale.* […] » Abou Ala évitera, à l'avenir, d'évoquer la Seconde Guerre mondiale.

Vers 16 heures, Larsen pose les règles du jeu : «*Si voulez vivre ensemble, il faudra régler ce problème entre vous. Si vous avez besoin de notre aide, n'hésitez pas à la demander, nous pouvons fournir un peu d'argent, des lieux de rencontre, des services, nous pouvons servir d'intermédiaires. Allez dans la salle de réunion, je vous attendrais dehors à moins que vous ne commenciez à vous battre* […] ». Les cinq hommes sont seuls. Abou Ala lit un texte préparé par Abou Mazen. Hirschfeld et Pundak prennent des notes. Le Palestinien évoque la question de l'application des résolutions des Nations unies, la forme que devrait prendre l'autorité palestinienne autonome, les futures élections en Cisjordanie et à Gaza puis : «*Rabin et Pérès ont parlé d'un retrait de Gaza. Pourquoi Israël ne s'est-il pas retiré de Gaza si cette région lui donne une telle migraine ? Si cela se fait, cela marquera le début de la coopération avec Israël car Gaza a besoin d'un plan* [de développement] *Marshall. Il faut en faire une zone franche, si vous l'acceptez, elle pourrait même s'étendre jusqu'à Ashdod.* […] *Un retrait de Gaza ne saurait être effectué sur le compte d'un accord en Cisjordanie.*»

Hirschfeld est surpris. Il n'est pas au courant du message envoyé à l'OLP par Shimon Pérès en novembre lors de son voyage au Caire, il ne sait pas non plus que cette question a déjà été évoquée lors des négociations secrète de 1986. Pour lui, c'est une concession majeure. La discussion se poursuit tard dans la nuit. Les Palestiniens confirment que l'OLP n'exige pas la création d'un État palestinien à ce stade du processus de paix et qu'elle est prête à jouer un rôle direct mais discret Abou Ala confirme que la rencontre doit se terminer le 23 janvier. Hirschfeld et Pundak rentrent en Israël et se précipitent chez Beilin à qui ils présentent le procès verbal de la réunion en mettant l'accent sur la proposition palestinienne de commencer le processus par un retrait israélien de Gaza. Le vice-ministre est satisfait. Les deux universitaires lui demandent quoi présenter aux Palestiniens lors de leur prochaine rencontre. N'importe quoi, dit-il : «*Frish Mish!*» En argot des universités israéliennes cela signifie mélanger des papiers.

Hirschfeld regagne son domicile près de Haïfa et concocte un document de travail à partir de la dernière proposition d'autonomie soumise par Hanan Ashrawi avant la séance des bilatérales de Washington début juin et des idées qu'il avait lui-même discutées à plusieurs reprises avec les Palestiniens de l'intérieur. L'élément important de ce document est la notion d'étapes progressives dans les négociations. Beilin examine le texte et n'y trouve rien à redire. Pérès, qui officiellement n'a aucun lien avec les négociations d'Oslo, est mis au courant. Le 9 février, il a une nouvelle discussion avec Yitzhak Rabin :

– Pérès : «*La délégation palestinienne aux bilatérales n'est pas assez forte. Elle dépend directement de l'OLP. Nous devons choisir entre les Palestiniens et l'hégémonie jordanienne. Nous avons déjà raté une échéance. Je suis en faveur d'élections dans les territoires. Il faut transférer la direction de l'OLP de Tunis à Gaza. Abou Ala a remis un message au nom d'Abou Mazen et d'Arafat. Ils y sont prêts. Il faut mettre en place un véritable plan Marshall. Cela ne gênera pas la négociation sur l'avenir de la Cisjordanie.*»

– Rabin : «*Je ne suis pas contre l'option "Gaza d'abord", mais il faut attendre Christopher qui doit venir au Proche-Orient. Et que ferons-nous des habitants des implantations ?*»

– Pérès : «*Ils resteront sur place. Il ne faudra pas les évacuer.*»

Un scepticisme à peine bienveillant, ce sera l'attitude d'Yitzhak Rabin presque jusqu'à la conclusion de l'accord d'Oslo. Le Premier ministre, dont les propres contacts secrets avec l'OLP, par l'intermédiaire d'Ephraïm Sneh et de Steve Cohen n'ont mené à rien, laissera faire l'équipe de Pérès, étant entendu que la règle du jeu – la franchise absolue – est respectée. Rabin recevra personnellement tous les procès-verbaux, tous les compte rendus.

Deux jours plus tard, commence à Sarpsborg le deuxième round de discussions israélo-palestiniennes. Il durera quarante-huit heures. Les deux délégations travaillent à la rédaction du texte des «*Principes d'une entente israélo-palestinienne*». Pour la première fois, les Israéliens déclarent que le statut de Jérusalem-Est pourra être examiné dans le cadre de futures négociations sur le statut définitif des territoires palestiniens. Abou Ala note que c'est là une concession majeure et il exige d'en savoir plus sur le rôle véritable de ses interlocuteurs qùi répètent qu'ils ne sont que des universitaires proches de Yossi Beilin. Larsen passera des heures au téléphone avec Abou Ala pour le persuader qu'il a affaire à des négociateurs importants. «*Hirschfeld*, dira-t-il, *est l'homme de Pérès et Pundak est envoyé par Rabin […] vous savez, avec les Israéliens, on ne sait jamais […].* » La troisième rencontre, les 20 et 21 mars, aboutit à un texte qui sera la base des futures discussions. Les principes d'une «entente israélo-palestinienne» doivent comprendre trois documents : une déclaration de principe, un programme de travail et de coopération et les grandes lignes d'un plan Marshall.

«[…] Article 2. *Afin que le peuple palestinien en Cisjordanie et à Gaza puisse se gouverner selon des principes démocratiques. Des élections directes, libres et générales auront lieu sous une supervision internationale à décider pas plus tard que trois mois après la signature de cette déclaration de principe. […]*

Article 3. *Les élections pour le conseil intérimaire palestinien constitueront une étape intérimaire et préparatoire significative vers la réalisation des droits légitimes du peuple palestinien et leurs justes exigences.*

Article 4. *La jurisprudence du conseil intérimaire palestinien couvrira la Cisjordanie et la bande de Gaza […].* »

Le texte prévoit la mise sur pied d'une «Commission palestinienne de la terre» et d'une «Commission palestinienne de l'eau». Une police palestinienne forte doit être mise sur pied et un premier redéploiement des forces israéliennes devrait avoir lieu avant les élections palestiniennes. Une annexe définit les conditions du scrutin : «*Les Palestiniens de Jérusalem ont le droit de participer au vote en qualité d'électeurs et de candidats. Les bureaux de vote seront installés dans la mosquée El Aksa et dans la basilique du Saint-Sépulcre. Tous les Palestiniens déplacés, enregistrés avant le 4 juin 1967, auront le droit de participer au processus électoral […].* » Ce brouillon d'accord comprend des éléments inacceptables pour Israël à ce stade de la négociation. Lors de séances ultérieures en Norvège, les points de désaccord seront mis entre guillemets. Le plus sensible étant Jérusalem. Hirschfeld explique à Abou Ala que «*le gouvernement israélien a beaucoup de difficultés à mentionner le mot Jérusalem dans toute négociation avec vous. Mais nous pouvons travailler ensemble pour adopter des mesures favorables à votre égard car nous avons pleine conscience que nous devons aborder le problème. La principale indication étant de ce point de vue le maintien d'Orient House* [le siège officieux de l'OLP à Jérusalem-Est où Fayçal el Husseini a ses bureaux]».

Le 7 avril, Husni Moubarak, le président égyptien, effectue une visite officielle à Washington où il est reçu par Bill Clinton. Yasser Arafat lui a demandé de s'enquérir auprès des Américains s'ils sont au courant des négociations d'Oslo et ce qu'ils en pensent. Quelques jours plus tard, Abou Mazen reçoit la réponse d'Ossama el Baz : «*Nous n'en n'avons pas parlé officiellement, mais Dennis Ross et Dan Kurtzer m'ont dit, tous deux très sèchement : "Nous savons qu'il y a des contacts secrets mais c'est le jeu de Pérès. Il faut tout concentrer sur les bilatérales de Washington!"* » Et el Baz de conseiller aux Palestiniens : «*Ne mettez pas tous vos œufs dans le même panier! C'est le jeu de Pérès, je ne suis pas sûr que ce canal* [de négociations] *ait un sens!*»

GAZA PLUS QUELQUE CHOSE À JÉRICHO

Début avril Mohamed Bassiouny, l'ambassadeur d'Égypte en Israël, est reçu par Shimon Pérès. Comme de coutume, Nimrod Novick assiste à l'entretien au cours duquel le ministre des Affaires étrangères lance : «*Dites à Moubarak qu'il pense sérieusement à examiner l'idée de "Gaza d'abord". Et si Arafat a du mal à accepter Gaza seul, on pourrait penser à lui donner quelque chose à Jéricho* […]. » Pérès pense à un immeuble, une caserne, une position à Jéricho. Lorsqu'ils sont seuls, Novick et Bassiouny mettent la suggestion en forme et préparent un document en trois pages intitulé : «*Gaza-Jéricho d'abord*». L'ambassadeur regagne Alexandrie où il soumet ce texte à son président qui, trouvant l'idée intéressante, invite Yasser Arafat à venir le rencontrer. Le chef de l'OLP prend connaissance des suggestions que Bassiouny a amenées de Jérusalem et revient quelques jours plus tard avec une carte : Gaza et la province de Jéricho reliés par un corridor extraterritorial. Signe des temps, Arafat est accompagné par Fayçal el Husseini qui ne doit plus cacher ses attaches politiques. Le détail a son importance.

Yitzhak Rabin arrive le lendemain, 14 avril, à Ismaïlia pour un rendez-vous prévu de longue date avec Husni Moubarak. Le président égyptien lui montre la carte de Yasser Arafat. Rabin sursaute : «*Il est fou! Il peut avoir quelque chose en Cisjordanie mais pas la province de Jéricho!*»

– Moubarak le calme : «*Ce n'est qu'une position de départ. Ce qui est important c'est que l'OLP accepte le principe de Gaza d'abord. Sur Jéricho, il est possible de négocier* […]. »

Rabin explique qu'il accepterait en principe d'ajouter à l'autonomie à Gaza un «*truc à Jéricho*». Après la rencontre, au cours de la conférence de presse, Rabin annoncera son soutien à l'option «Gaza d'abord». Jusqu'à présent il ne croyait pas que l'OLP pouvait l'accepter, et puis c'était une proposition de Shimon Pérès, donc suspecte à ses yeux… Mais passable à présent, car présentée par Moubarak et Arafat…

Les négociations bilatérales de Washington reprennent le 27 avril. Elles avaient été interrompues en signe de protestation après l'expulsion des militants intégristes au Sud-Liban. Au cours des dernières discussions à Oslo, Abou Ala avait suggéré de ne pas reprendre ces pourparlers officiels et de maintenir uniquement le canal secret. Hirschfeld, sur les instructions de Beilin qui lui-même obéissait aux ordres de Rabin, avait expliqué au Palestinien qu'Israël préférait renoncer aux rencontres d'Oslo plutôt que d'annuler les bilatérales. Pour le Premier ministre, Abou Ala devait ainsi faire la preuve de sa crédibilité en faisant passer le message à Tunis et en obtenant une réponse positive.

A Washington, Israël fait une concession majeure en acceptant la participation de Fayçal el Husseini à la délégation palestinienne. Rabin a ainsi accepté une demande du secrétaire d'État Warren Christopher qui lui avait été présentée lors de son dernier voyage aux États-Unis, le 11 mars. Les diplomates américains sont persuadés que, pour faire avancer le processus de paix, il faut élever le niveau de la délégation palestinienne. Rabin a admis qu'il n'y aurait pas de progrès sans discussions avec l'OLP. Or Fayçal el Husseini est un membre de l'organisation palestinienne… En fait, la suggestion d'intégrer le fils d'Abdel Kader el Husseini aux bilatérales vient de Shimon Pérès qui, en février lors de la visite du secrétaire d'État à Jérusalem, lui a demandé d'intervenir en ce sens auprès de son chef de gouvernement.

«LE BÉBÉ VA MOURIR»

Les discussions peuvent donc reprendre, à Oslo comme prévu, le 29 avril. Cette fois, elles se déroulent dans le Park Hotel à Holmen Kollin, une station de ski au-dessus d'Oslo. La délégation palestinienne est toujours dirigée par Abou Ala assisté de Maher el Kourd et de Hassan Asfour. Côté israélien, Yaïr Hirschfeld et Ron Pundak que les service de sécurité norvégiens ont surnommés «Laurel et Hardy». Pendant les discussions, les négociateurs apprennent que quinze personnalités palestiniennes bannies de Cisjordanie et de Gaza, certaines depuis des décennies, ont été autorisées à regagner leurs foyers. Tous sont membres du Conseil national palestinien et ont droit à une réception triomphale à Jéricho, après leur passage sur le pont Allenby. Ce geste a été négocié par Ephraïm Sneh avec Zyad Abou Zayad, le militant du Fatah de Jérusalem qui maintient un canal de communication avec l'entourage de Rabin. Cela suscite encore plus de suspicion chez Abou Mazen et Abou Ala. Doivent-ils poursuivre leurs discussions avec les deux universitaires israéliens proches de Shimon Pérès alors que, visiblement, d'autres obtiennent des résultats concrets par des contacts avec l'entourage de Rabin. Durant une suspension de séance, le 1er mai, Terje Larsen prend Abou Ala à part. Ils sortent de l'hôtel. Le Norvégien montre de la main le tremplin de saut à skis et lui lance : «*C'est ce que vous devez faire : sauter! – Ce ne sera pas possible. Si vous ne parvenez pas à élever le niveau de la délégation israélienne, le bébé va mourir. Nous quitterons Oslo pour ne plus revenir. Je veux que Beilin vienne. Je suis en train de perdre toute crédibilité auprès d'Abou Mazen*», s'inquiète le Palestinien.

Larsen comprend que les négociations d'Oslo sont parvenues à la croisée des chemins. Après une discussion avec son épouse Mona et le ministre des Affaires étrangères Johan Holst, il téléphone à Yossi Beilin : «*Nous sommes à un point critique. Cette fois, les Palestiniens ne plaisantent pas. Je dois venir à Tel Aviv.*»

A l'issue de la rencontre, Larsen prend l'avion. Il est accueilli à l'aéroport par Ron Pundak, et débarque dans le bureau de Beilin. Par hasard, Steve Cohen était dans la pièce. C'est la première fois que les deux hommes se rencontrent. Ils ne parlent pas des négociations d'Oslo. L'universitaire américain n'est pas au courant de cette cuisine-là. Avant de commencer la discussion, après le départ de Cohen, le Norvégien se rend dans la salle de bains et se retrouve nez à nez avec Shimon Pérès. Le ministre israélien des Affaires étrangères comprend qu'il a en face de lui l'homme des contacts avec l'OLP et s'enfuit sans dire bonjour. Il doit absolument garder la possibilité de démentir tout lien avec les discussions d'Oslo.

Pérès et Beilin posent le problème à Rabin qui accepte le principe d'élever le niveau de la délégation israélienne à Oslo. Cette fois, il s'agit d'entrer dans la négociation sérieuse. Abou Ala, au nom de l'OLP, fait des concessions et Pérès propose d'aller personnellement en Norvège. Rabin refuse. Le 14 mai, les deux hommes décident d'envoyer Ouri Savir «coiffer» Hirschfeld et Pundak. Directeur général du ministère des Affaires étrangères, ce sera le premier haut fonctionnaire israélien d'un tel rang à mener des pourparlers avec l'OLP

Il part en visite d'inspection à l'ambassade d'Israël à Paris et, après quelques jours, annonce à l'ambassadeur qu'il s'accorde quarante-huit heures de vacances privées. Savir se rend discrètement à l'aéroport de Roissy où il prend un avion pour la Norvège. Cette fois, Larsen a loué un chalet de la municipalité d'Oslo à Holmenkollen Park. Il présente Abou Ala à Savir : «*Voici votre ennemi public numéro un!*», puis

Hassan Asfour : «*Votre ennemi numéro deux!*» Maher el Kourd est le numéro trois. Les Palestiniens ont étudié le dossier Savir dès qu'ils ont appris son arrivée à Oslo et savent qu'ils ont affaire à un excellent négociateur. Son séjour à New York en qualité de consul général d'Israël est pour eux un bon point. Ils le savent proche des personnalités américaines juives de gauche avec qui l'OLP a déjà eu de bons contacts. Le Norvégien sort de la pièce. Savir explique à ses interlocuteurs que ce canal secret d'Oslo ne saurait remplacer les bilatérales de Washington. Les dirigeants israéliens, dit-il, veulent parvenir rapidement à un accord avec les Palestiniens et décrit les mesures prises par le cabinet Rabin dans ce sens : «*La suspension de 90 % de la construction d'implantations, l'arrêt du soutien financier aux colonies. La libération des prisonniers palestiniens, le retour des bannis.*» Il insiste sur la volonté du gouvernement travailliste de résoudre le problème palestinien. «*Nous ne voulons pas contrôler*, dit-il, *le destin d'un autre peuple.*» Lorsqu'il évoque les craintes d'Israël pour sa sécurité, Abou Ala lui répond :

«*Le président Arafat nous a dit : quoi qu'ils vous disent sur la sécurité, répondez oui, car Israël est extrêmement sensible à ce sujet. Mais, dites-moi, vous êtes une superpuissance régionale. Selon la presse, vous avez l'arme nucléaire. Vous avez la meilleure armée, la meilleure marine. Nous sommes des guérilleros de second ordre. Pourquoi sommes-nous une menace pour vous ?*

– Parce que vous voulez vivre dans ma maison…», conclut Savir.

Le diplomate israélien, dont c'est la première rencontre avec des responsables de l'OLP, est très impressionné par leur sérieux. Son humour aidant il s'intègre au groupe que les Palestiniens et les deux universitaires israéliens ont formé au cours des mois précédents. Trois jours plus tard, il est de retour en Israël, via Paris, et dit à Pérès puis à Rabin que, à son avis, il est possible de parvenir à un accord à Oslo. Ses patrons font grise mine en découvrant sa contribution au projet de déclaration de principe. Savir n'a aucune notion juridique. Il faut lui adjoindre un juriste.

Un matin de mars 1993, Yoël Singer – qui, après dix-huit années passées à la branche «droit international» de Tsahal, exerçait à Washington dans un important cabinet d'avocats – reçoit un appel téléphonique de Shimon Pérès. Le ministre des Affaires étrangères lui demande si la perspective de devenir le conseiller juridique de son ministère l'intéresse. Singer répond que, ayant quitté la fonction publique israélienne, il n'avait pas envie d'y retourner, le salaire n'étant pour le moins pas attractif. Après tout, il a participé aux négociations du kilomètre 101 en Égypte après la guerre de 1973, à la rédaction des accords de Camp David, aux pourparlers sur l'autonomie en 1979… Fin mai, il reçoit un nouvel appel d'Israël : quelqu'un lui dit : «*Prenez le premier avion pour Tel Aviv. Nous parlons au nom du Premier ministre et du ministre des Affaires étrangères qui ont tous deux décidé d'étudier certains documents à propos desquels ils veulent votre opinion de juriste.*»

Singer arrive le lendemain à l'hôtel Hilton à Tel Aviv. Yaïr Hirschfeld l'attend. Il lui tend un papier en lui disant à voix basse : «*Vous savez, c'est un accord que nous avons mis au point avec l'OLP, si vous pouviez le lire.*» Une heure plus tard, il a un entretien avec Yossi Beilin et Ouri Savir qui revient d'Oslo. Il leur explique que le document est franchement mauvais et le répète dans la soirée à Shimon Pérès. Avant de regagner Washington, il rédige ses remarques sur du papier à en-tête de son hôtel. Il a à peine le temps de retrouver son bureau américain que le téléphone sonne à nouveau. C'est le cabinet de Pérès : «*Il faut que vous reveniez immédiatement !*»

De retour en Israël, Pérès l'amène chez Rabin qui décide d'envoyer Singer à Oslo. Avant de partir pour la Norvège, l'avocat étudie pendant un week-end les procès-verbaux de deux ans de discussions avec la délégation palestinienne. Il prépare des questions à poser à l'OLP.

La rencontre se déroule le 11 juin. Abou Ala et sa délégation comprennent rapidement que les pourparlers entrent dans une nouvelle phase. Larsen leur a expliqué que Singer est un proche de Rabin et qu'il est venu pour conclure l'accord. Singer explique que le projet de déclaration de principe n'est pas mauvais sur le fond, sa structure est bonne, mais beaucoup de choses ne sont pas claires, il faut redéfinir un certain nombre d'articles. Il critique les bilatérales de Washington qui, dit-il, sont décevantes. Évoquant des tentatives faites par certains Israéliens pour établir des canaux secrets avec l'OLP, Singer déclare qu'il s'agit d'initiatives personnelles de la part de gens qui veulent se donner de l'importance. Les choses fondamentales se déroulent ici, à Oslo, et ce sont des négociations officielles secrètes entre le gouvernement d'Israël et l'OLP. Pour la première fois au cours de ces négociations secrètes, les Palestiniens entendent officiellement de leurs interlocuteurs que Yitzhak Rabin en autorise le principe. Dorénavant, Yaïr Hirschfeld et Ron Pundak ne participent plus aux pourparlers. Ils ne sont là que pour prendre des notes.

Singer remet ensuite une liste de deux cents questions à Abou Ala. Il demande des définitions de termes, des réponses à des problèmes généraux, mais aussi des détails très techniques :

«[...] *Quel sera le statut de Gaza après le retrait d'Israël ? [...] Quelles seront les limites de la jurisprudence palestinienne en termes de sécurité, et les limites de la jurisprudence israélienne ? [...] Insistez-vous sur le déploiement d'une force multinationale à Jéricho ou à*

Gaza ? [...] Pouvez-vous vous engager à interdire et saisir toutes les armes à Gaza et en Cisjordanie ? [...] Pourrez-vous lancer un appel à la fin de l'Intifada après la signature de la déclaration de principe ? ».

La délégation palestinienne fournit des réponses. Singer prend des notes et annonce : « *Nous allons à présent soumettre tout cela à Rabin et à Pérès...* »

Nouvelle rencontre, la huitième, le 25 juin, à Oslo. Singer annonce qu'il a l'autorisation de Rabin de présenter des propositions afin d'aboutir à un texte définitif. « *Le Premier ministre israélien,* dit-il, *n'est pas encore persuadé de votre sincérité.* » Abou Ala lui répond que l'OLP doute également des Israéliens, quant aux textes, la négociation est pratiquement terminée, il est inutile d'y changer quoi que ce soit. Singer et Ouri Savir expliquent que, jusqu'à présent, les négociations d'Oslo n'engageaient pas le gouvernement israélien, que Yaïr Hirschfeld et Ron Pundak ne sont que des universitaires sans aucun rôle officiel. Il faut tout recommencer de zéro.

La discussion se poursuit, détail après détail. Singer est contre le déploiement de forces internationales dans la région. « *Jérusalem,* dit-il, *ne sera mentionnée dans l'accord que dans le cadre de l'article sur les élections palestiniennes. Son statut ne pourra être évoqué par les Palestiniens que dans le cadre des négociations sur un règlement définitif.* » Au sujet des implantations juives dans les territoires occupés, il annonce que le gouvernement israélien ne mettra pas en place une politique destinée à les évacuer ni à encourager leurs habitants au départ. Ceux-là pourront partir volontairement. Toutefois, le cabinet Rabin retirera son soutien économique aux implantations politiques, mais ne l'annoncera pas officiellement. L'approche du problème des implantations sera progressive. Il ne pourra être discuté que dans le cadre des négociations sur le statut définitif.

CHAPITRE 12

Accord et meurtre

juin 1993-juillet 1996

Ossama el Baz, le conseiller politique de Husny Moubarak, effectue une visite à Jérusalem fin juin 1993. A la présidence du Conseil, il a un entretien avec Yitzhak Rabin et ses conseillers. Il est question de la lutte contre le terrorisme au Proche-Orient, de l'influence de l'Iran sur les pays de la région. Après une heure de discussions, Yitzhak Rabin, qui doit présider une réunion de cabinet, remercie le diplomate égyptien et se lève. Ossama el Baz le suit et lui demande une rencontre à huis clos. Le Premier ministre israélien s'excuse et explique qu'il est pressé, que des ministres l'attendent dans la pièce attenante; el Baz insiste : «*Je dois vous voir seul à seul, un quart d'heure seulement.*»

– Rabin : «*Vraiment, on m'attend, je m'excuse...*»

– El Baz : «*Monsieur le Premier ministre, ce n'est pas moi qui ai décidé de la date de ce rendez-vous, c'est vous. Vous devez me donner ce quart d'heure!*»

Rabin accepte. Tout le monde sort de la pièce.

– El Baz : «*Êtes-vous au courant de ce qui se passe à Oslo?*»

– Rabin : «*Je suis informé par Shimon.*»

– El Baz : «*Jusqu'à quel point Shimon vous informe-t-il?*»

– Rabin : «*Que signifie cet interrogatoire? Je suis au courant!*»

– El Baz : «*Je dois savoir si vous savez qu'en ce moment même, on discute à Oslo des problèmes de jurisprudence, de la question des corridors entre Gaza et Jéricho...*»

– Rabin : «*Je suis au courant des lignes générales de la négociation, Ossama, que voulez-vous de moi?*»

– El Baz : «*Voici ce que je veux : Arafat m'a envoyé vous poser une seule question : les négociations d'Oslo engagent-elles le gouvernement d'Israël et vous-même personnellement? Si c'est le cas, il y aura une percée historique au Proche-Orient, sinon je dois vous dire que c'est de l'irresponsabilité et un ratage historique. En tout état de cause, Arafat doit savoir!»*

Rabin réfléchit quelques instants avant de répondre : «*Dites à Arafat que ce qui se passe à Oslo engage le gouvernement de l'État d'Israël et son Premier ministre.*»

– El Baz : «*OK! Alors, donnez-moi le nom d'un homme de liaison à votre cabinet, avec lequel je pourrais travailler...*»

– Rabin : «*Travaillez avec moi!*»

– El Baz : «*Je n'ai, bien entendu, aucun problème avec vous, mais je ne veux pas vous ennuyer par des appels trop fréquents. Il faudrait quelqu'un avec qui je puisse travailler au quotidien.*»

– Rabin : «*Laissez-moi réfléchir, je vous répondrai.*»

Ossama el Baz regagne Le Caire et informe Abou Mazen du résultat de sa visite : «*Rabin m'a dit qu'il était au courant pour Oslo. Il attend de voir s'il y aura des résultats et décidera si cela vaut la peine. Je l'ai senti très froid. Il est contre Oslo, j'en suis presque certain.*»

Le 16 juin 1993. A la Knesset, Yossi Sarid et Daddi Tzucker, qui ne sont pas au courant des négociations d'Oslo, discutent de la situation politique. Ils parviennent à la conclusion qu'il faut d'urgence entamer un dialogue avec l'OLP. Yitzhak Rabin se trouve au même moment dans son bureau au Parlement. Sarid va le voir et lui demande l'autorisation de se rendre au Caire pour y rencontrer Nabil Shaath, de l'OLP. Le Premier ministre, à la grande surprise de Sarid, lui donne le feu vert. Tzucker, qui connaît personnellement le dirigeant palestinien, le contacte par téléphone. Rendez-vous est pris pour la fin du mois. Avant de partir, Sarid rencontre Rabin qui, avant même qu'il ait le temps de prononcer quelques phrases, lui dit : «*Tout va bien, Daddi a parlé à Shaath, le rendez-vous est arrangé!*» Le député comprend que les services d'écoutes israéliens suivent de près les communications de Nabil Shaath. L'entretien a lieu à la fin du mois de juin. Sarid explique que Rabin voudrait un accord avec l'OLP, qu'il sait que l'organisation palestinienne accepte le principe d'un règlement par étapes. Le Palestinien confirme que son organisation veut parvenir à un accord avec Israël. Les deux Israéliens rentrent à Tel Aviv pour faire leur rapport à Yitzhak Rabin.

Neuvième rencontre, le 4 juillet, à Gressheim, au nord d'Oslo. Le projet de déclaration de principe prend forme. Israël accepte un retrait à définir de la ville de Jéricho et de la bande de Gaza, à l'exception du secteur des implantations, trois mois après la signature de la déclaration de principe. Les Palestiniens obtiennent la jurisprudence complète sur leurs territoires autonomes, à l'exception des colons, des colonies et des Israéliens de passage, ainsi que les positions militaires. La proposition de Hirschfeld – définie lors des réunions de Sarpsborg sur un redéploiement de l'armée israélienne à l'extérieur des centres urbains palestiniens en Cisjordanie après le retrait de Gaza – est maintenue. Menahem Begin l'avait déjà acceptée dans le cadre des accords de Camp David. Les Palestiniens proposent que leurs institutions à Jérusalem-Est soient placées sous leur jurisprudence. Singer refuse.

Abou Mazen note que les Israéliens demandent à Abou Ala de faire tout son possible pour maintenir le secret. Il ne faut surtout pas que les Américains soient avertis prématurément du développement des négociations d'Oslo. Ils pourraient les torpiller, disent-ils, comme ils l'ont fait pour l'accord Pérès-Hussein de 1987 à Londres[1]. Singer et Savir expliquent par ailleurs qu'il faudrait parvenir à un accord définitif qui serait signé en deux étapes : un paraphe à Oslo entre l'OLP et les représentants du gouvernement d'Israël, puis une cérémonie officielle à Washington pour une signature en bonne et due forme par Shimon Pérès et Fayçal el Husseini, sous les auspices des deux parrains de la conférence de Madrid : les Américains et les Soviétiques.

CRISE À OSLO

La réunion suivante a lieu le 10 juillet dans un hôtel à Halvorsbole dans un faubourg d'Oslo. Les Palestiniens arrivent avec vingt-six demandes de modification du projet de déclaration de principe. Ils veulent notamment que les points de passage entre Gaza et l'Égypte, d'une part, et Jéricho et la Jordanie, d'autre part, soient placés sous la responsabilité de l'autorité palestinienne, avec un contrôle international et en coopération avec Israël. «*C'est inacceptable!*» dit Ouri Savir à Abou Ala. Le directeur général des Affaires étrangères israéliennes est très dur : «*Ce que l'on dit des Palestiniens est vrai. Vous ne ratez jamais l'occasion de rater une occasion!*» Abou Ala se défend : «*Nous avions accepté le document d'Hirschfeld, et maintenant vous nous présentez une nouvelle proposition. Nous avons le droit de vous faire ce que vous nous avez fait!*» Savir n'est pas d'accord : «*Ce que vous dites est faux, car au cours des dernières séances, nous avons progressé.*» Les négociateurs se quittent dans une atmosphère de crise. Malgré cela, le 11 juillet, alors que les pourparlers se poursuivent à Halvorsbole, Ouri

---

1. Source palestinienne. En l'occurrence, l'argument des Israéliens est inexact.

Savir, qui a reçu l'autorisation de Rabin de les présenter à titre privé, évoque les conditions d'une reconnaissance mutuelle entre Israël et l'OLP.

Le 13 juillet 1993 Johan Holst, en compagnie de Terje Larsen et de Mona Juul rencontrent Yasser Arafat dans son QG à Tunis. L'entretien débute en présence d'Abou Ala et de plusieurs dirigeants palestiniens qui, visiblement, ne sont pas au courant des négociations d'Oslo. Le chef de l'OLP n'est pas content :

« Je suis très pessimiste au sujet des négociations de Washington depuis que les Américains nous ont soumis leurs dernières propositions. C'est à peine mieux que ce qu'ils nous ont soumis lors du précédent round de pourparlers, or le temps presse. » Arafat brandit le document qui a été colorié pour souligner la partie qui vient d'Israël : 65 %, des Palestiniens : 6 pour cent, et le reste des Américains. La dernière proposition américaine, dit-il, n'est pas meilleure que la précédente. Le temps presse. Yasser Arafat ne croit pas au succès des négociations de Washington. Il accuse l'administration américaine d'être revenue sur les promesses que James Baker lui a faites. Il affirme qu'Israël n'accepte de donner aux Palestiniens que ce qu'ils ont déjà.

Johan Holst, Terje Larsen et son épouse Mona Juul ont ensuite une discussion à huis clos avec le chef de l'OLP : *« J'ai alors rencontré un autre Arafat,* racontera Holst. *Mon impression est qu'il sait qu'il doit conclure un accord rapidement. A plusieurs reprises ; il a explicitement parlé de la nécessité d'une percée. De bons progrès ont été faits à Oslo […] Il a envoyé un message à Rabin afin de renforcer l'autorité de la délégation palestinienne aux discussions en Norvège. Plus de progrès ont été accomplis par le canal norvégien que par toute autre initiative arabe. Et Arafat d'annoncer à ses interlocuteurs qu'il a plus confiance en eux que dans les Égyptiens, car ils n'ont pas d'agenda secret et aucun intérêt propre quant au contenu des négociations. »*

Holst répète qu'il faut faire preuve de réalisme. *« Des progrès substantiels ont été accomplis dans les cinq versions de la* [déclaration commune] *mais les propositions soumises par les Palestiniens au cours de la dernière réunion en Norvège semblent dévier de la série de propositions réalistes et constituent une menace potentielle pour l'avenir des discussions. Au cours de ma récente visite officielle en Israël, j'ai examiné le processus de paix avec les principaux dirigeants israéliens, y compris Shimon Pérès, et je suis persuadé que l'actuel gouvernement en Israël recherche un règlement négocié, mais subit des contraintes. Le Parti travailliste n'a pas de majorité et doit veiller à ce que le Likoud ne mobilise pas une forte opposition. J'ai informé personnellement Warren Christopher du canal norvégien. Les États-Unis sont le principal allié de la Norvège, et nous avons d'excellentes relations avec Israël que nous voulons maintenir.»*

Le ministre norvégien demande à Arafat d'expliquer sa position au sujet de la question de Jéricho et des liens entre Gaza et l'enclave de Jéricho. Arafat montre des cartes et explique :

«L'OLP doit inclure une partie de la Cisjordanie dans tout accord intérimaire. Je ne peux pas présenter [aux Palestiniens] *un accord qui ne comprendrait que Gaza. Je serais accusé d'avoir trahi les Palestiniens de Cisjordanie.»* Le chef de l'OLP explique qu'il a tenté de trouver un arrangement qui refléterait la continuité des négociations de paix au Proche-Orient. Il évoque le plan Allon et les propositions de désengagement de Kissinger. *«Jéricho a été choisie parce que la région ne comprend pas d'implantation israélienne récente et qu'un important camp de réfugiés palestiniens s'y trouve. Ainsi il nous sera plus facile de contrôler l'Intifada. Mais la ville de Jéricho elle-même est insuffisante.»* Arafat montre sur la carte ce qu'il appelle la province de Jéricho. Holst comprend que le périmètre est assez limité et qu'il y a matière à négociation. Arafat insiste sur le fait qu'il propose un accord qui tiendrait compte des intérêts israéliens, en particulier au sujet des implantations et de l'Intifada. *«Je ne peux accepter ce qui serait une solution d'une double Palestine* [à Gaza et à Jéricho]. *Il faut que ces deux régions soient reliées. Je ne propose pas la création d'un corridor contrôlé par l'OLP ni par une autorité internationale et qui traverserait Israël. Il faudrait qu'Israël nous garantisse l'accès à une ou plusieurs routes qui seraient sous contrôle israélien au début. Je ne veux pas diviser Israël par un corridor. […]»*

– Holst : *«Pourrez-vous contrôler le Fatah, un accord conclu en Norvège pourrait-il être accepté par une majorité suffisante de l'OLP.»*

– Arafat : *«Je dois être honnête avec vous, il y aura une opposition, notamment de Georges Habache et des Syriens, mais je pourrai leur faire face, ils ne formeront qu'une petite minorité.»*

– Holst : *«Le Hamas n'a-t-il pas la possibilité de torpiller un accord ?»*

– Arafat : *«Je peux surmonter cette opposition. Dans le passé, j'ai personnellement réussi à diviser le Hezbollah en trois.»*

Holst répète qu'il faut absolument maintenir le secret sur les négociations, jusqu'à la conclusion d'un accord. C'est très important pour les Israéliens. Il y a des éléments en Israël qui pourraient utiliser des fuites pour torpiller tout accord avant même qu'il soit conclu, en embarrassant le gouvernement Rabin. Les deux hommes évoquent des fuites parues dans la presse, et décident de démentir ces informations en les attribuant à des contacts secondaires, en marge des négociations multilatérales sur les réfugiés qui s'étaient tenues à Oslo.

Le même jour, à Jérusalem, Yitzhak Rabin reçoit Dennis Ross. L'Américain lui décrit la conversation qu'il a eue deux jours plus tôt avec Hafez el Assad à Damas. Le président syrien veut que la diplomatie américaine serve de canal et d'«intermédiaire actif» entre lui et le Premier ministre israélien et refuse l'idée de contacts secrets directs. Rabin demande si les Syriens lient toujours les progrès dans leurs négociations avec Israël à une avancée dans les bilatérales avec les Palestiniens. Il comprend, par la réponse hésitante de Ross que c'est apparemment le cas et s'énerve : «*Cela veut dire que les Palestiniens ont un droit de veto sur l'ensemble du processus! [...] Cela ne fera pas avancer les choses! Si les Palestiniens bloquent le processus avec les Jordaniens et les Syriens, nous serons dans une impasse. Voici pourquoi il est important de parvenir à un accord intérimaire avec les Palestiniens, cela facilitera la réalisation d'un accord avec les Syriens.*» Sans évoquer les pourparlers secrets d'Oslo, Rabin exprime la déception que lui inspire l'attitude des Palestiniens dans les négociations : «*Je mène une politique entièrement différente de celle du Likoud. [...] Je ne veux pas annexer un million sept cent mille Palestiniens, en faire des citoyens d'Israël. Je suis contre ce que l'on appelle le "Grand Israël" [...] Entre un État binational et un État juif, je choisis l'État juif. [...]*»

LARSEN À JÉRUSALEM

Dans son rapport à Shimon Pérès daté du 16 juillet et envoyé de sa résidence estivale de Port El Kabtaiou en Tunisie, Holst écrit que le chef de l'OLP avec lequel il a discuté à huis clos était «*une personne déterminée, complexe et qui réfléchissait. Il semblait sûr de son autorité. Sa vanité est apparente, il paraît déterminé à jouer un rôle majeur lorsque la percée sera faite. Il veut être un acteur, pas seulement un spectateur*».

Deux jours plus tard, après avoir reçu la missive de Holst et un rapport verbal de Larsen, Shimon Pérès réunit le médiateur norvégien et son épouse ainsi que son équipe, Yossi Beilin, Avi Gil, Ouri Savir, Gour, Yaïr Hirschfeld et Ron Pundak. La rencontre se passe le soir à l'hôtel Laromme à Jérusalem :

– Shimon Pérès : «*Il y a trois points importants : Jérusalem, là nous ne pouvons pas faire de compromis car nous n'aurons pas de majorité à la Knesset après cela; la sécurité des Israéliens et d'Israël à Gaza; et la nécessité de conserver* [la jurisprudence sur les territoires]. *Il n'y a* pas de problème pour Gaza, au sujet de Jéricho, nous trouverons un compromis. Il y aura un lien entre Gaza et Jéricho et ils auront la possibilité d'obtenir des autorisations de libre passage. La manière de renforcer le lien entre Jéricho et Gaza serait d'installer les institutions du conseil de l'autonomie à Jéricho.»

– Terje Larsen : «*Le conseil de l'autonomie pourra-t-il se réunir à Jérusalem ?*»

– Shimon Pérès : «*Non, cela ne sera pas possible. Du point de vue géographique, nous ferons preuve de souplesse au sujet de la surface de l'enclave de Jéricho qui ne comprendra pas toutefois les ponts sur le Jourdain. Pour passer de Gaza à Jéricho, les Palestiniens qui voudront effectuer le trajet nous soumettront une liste et recevront automatiquement une autorisation. Nous assurerons leur sécurité durant le trajet, nous organiserons peut-être des convois. Je n'en ai pas parlé avec Rabin, mais c'est une possibilité. Arafat ne peut pas revenir à Gaza en qualité de président. Et s'il veut revenir, qu'il renonce au titre. Quant à ceux de ses boys qui resteront sans travail à Tunis, s'il y a un retour de l'OLP à Gaza, je suis prêt à entendre des propositions, par exemple qu'il reste là-bas deux cents à trois cents postes quelconques. Mais la plupart de leurs gens pourront revenir, y compris Arafat s'il renonce à son titre. Nous pourrons peut-être accepter que les soldats de l'Armée de libération de la Palestine se transforment en policiers et arrivent à Gaza, mais en aucun cas nous ne pourrons accepter le chiffre de dix mille qu'ils proposent.*

Nous voulons terminer ces négociations et parvenir à un accord. Il ne reste plus beaucoup de temps. Il faut repousser à plus tard les problèmes pour lesquels nous n'avons pas de solution immédiate, accepter ce qui est possible et l'appliquer. Quant aux [futures élections à Jérusalem], *nous en acceptons le principe, mais il y a le problème des élus. La question doit être repoussée à plus tard. Pour ma part, je n'envisage pas d'élections dans l'immédiat et il serait idiot de briser les pourparlers pour quelque chose qui n'aura peut-être pas lieu. Si l'OLP veut nommer un maire à Gaza ou un conseil, nous sommes d'accord. Ils peuvent le faire, de mon point de vue, demain matin s'ils veulent. Vous pouvez le leur proposer en votre nom, nous vous soutiendrons*, dit Pérès à Larsen. *Il faut terminer vite les négociations afin que les rencontres d'Oslo ne deviennent pas une sorte de chewing-gum comme les négociations de Washington.*»

– Terje Larsen : «*Comment voyez-vous le lien entre les négociations de Washington et celles d'Oslo ?*»

– Shimon Pérès : «*Pour l'instant, nous voulons que chaque canal fonctionne séparément. Nous les réunirons peut-être à l'avenir. Nous* commencerons une coordination entre ces deux négociations lorsque l'une d'entre elles réussira. Le seul problème est de savoir comment rendre cela public. Nous voulons que les Américains aient tout le crédit d'un succès éventuel, mais je crains qu'ils ne mènent cela très mal, comme ils avaient détruit l'accord de Londres avec Hussein en 1987, si nous le leur donnons trop tôt. Je n'ai aucun doute sur la bonne volonté des Américains, mais rendons-nous d'abord à la dernière étape. Nous devons être prudents, continuons à coordonner notre action. Nous vous avertirons avant d'informer les Américains, j'attends de vous la même chose. Il y a un autre partenaire qui veut tirer des bénéfices [spéciaux de ces négociations], c'est l'Égypte. Ils ont pris notre document qu'ils ont reçu de l'OLP, l'ont traduit et ajouté quelque chose qui a créé un problème entre la Syrie et l'OLP. Lorsque Kadoumi s'est rendu à Damas, il a dit aux Syriens que l'OLP rejetait la proposition américaine, mais ensuite, les Égyptiens ont montré le texte aux Syriens qui ont eu l'impression que l'OLP les avait trahis. Pour leur part, les chefs de l'OLP ont l'impression que les Égyptiens font pression sur eux, qu'ils font des concessions sur leur compte.

Au sujet du problème économique, je propose d'essayer de persuader la Communauté européenne et aussi les États-Unis et la Russie, tous les États qui ont un budget d'aide au développement d'envoyer un représentant, un ministre à une réunion à laquelle je participerai ainsi que Fayçal el Husseini. Nous leur demanderons de donner la priorité à Gaza dans le cadre des budgets existants. Nous pourrons peut-être réunir de cette manière plusieurs centaines de millions de dollars. Nous tenterons également d'aider Gaza par l'intermédiaire de la Banque mondiale et je vais rencontrer Jacques Delors pour lui demander d'intervenir. Nous voulons les aider. Dites-leur en mon nom que nous comprenons leurs problèmes financiers. Dans sa compétition avec l'OLP, le Hamas a deux avantages : la démagogie et un portefeuille bien garni. Nous ne voulons pas que l'OLP perde. Nous n'aimons pas l'OLP mais, considérant l'alternative, nous en devenons amoureux. J'ai pensé inviter quelqu'un de Singapour à Gaza. Ce qui est arrivé là-bas peut peut-être se passer dans la bande de Gaza.»

– Terje Larsen : «Comment s'effectuera la cérémonie de la signature de la déclaration de principe ?»

– Shimon Pérès : «Je n'exclus pas la possibilité d'une signature avec Fayçal el Husseini. Je n'en ai pas parlé avec Rabin. Il y a diverses possibilités : secrètes, c'est-à-dire eux, vous, nous; ou publiques, une grande cérémonie avec les cosponsors, un événement encore plus grand avec l'Égypte et les représentants de deux ou trois pays d'Afrique du Nord comme, le président tunisien, le roi du Maroc [...]. Je crois que *la formule restreinte est préférable car elle n'exclut pas la possibilité d'une grande cérémonie. Cette dernière nécessiterait un réalisateur célèbre comme Hitchcock, un scénario. Il vaut mieux commencer petit. Mais d'abord nous devons terminer les négociations sur la déclaration de principe. Ouri Savir et Abou Ala pourront la parapher.*

Arafat doit comprendre qu'il n'est pas possible de recommencer chaque fois les négociations par le début. Nous avons eu des problèmes difficiles et nous avons déjà fait des concessions que nous croyions impossibles dans le passé. Soyez prudents au sujet de Jérusalem. Dites-leur, s'il vous plaît, que de nombreuses personnes nous conseillent de ne pas parler avec Arafat, qu'on ne peut lui faire confiance, qu'il change fréquemment d'opinion. Il doit se donner une crédibilité, ce qui n'est pas vraiment le cas à l'heure actuelle. [Si les négociations d'Oslo échouent], nous serons très embarrassés, pas par l'échec lui-même, mais par ses conséquences. Nous avons effectué un trajet immense et pris de grands risques. Si tout cela est dévoilé, nous serons pour le moins dans une situation peu confortable. Si nous réussissons, ce ne sera pas grave, sinon on nous considérera comme des naïfs et des idiots. »

– Ouri Savir : « *Il est important qu'Abou Ala arrive à la prochaine rencontre à Oslo avec des positions qui permettront de terminer les négociations et ne mèneront pas à la poursuite des pourparlers.* »

– Shimon Pérès se tourne vers Terje Larsen : « *Dites à Arafat que nous voulons qu'il vienne ici, mais dans le cadre de l'accord intérimaire.* »

– Terje Larsen : « *Seriez-vous prêt à rencontrer Yasser Arafat ?* »

– Shimon Pérès : « *Cela m'est égal si, après la signature, Fayçal et Husseini déclare qu'il a signé au nom de son grand leader* [Arafat] *et, si nous sommes d'accord, je serais même prêt à le rencontrer, mais il n'est pas question d'une rencontre secrète qui pourrait être dévoilée.* »

HOLST CHEZ ARAFAT

Le 21 juillet 1993, de Paris, Holst envoie à Shimon Pérès un rapport sur sa rencontre de la veille avec Yasser Arafat. Le chef de la diplomatie norvégienne a informé le patron de l'OLP :

« *Il est clair qu'Israël va aboutir à un accord et qu'un tel accord est réalisable. Le canal norvégien semble être la voie préférée. [...] La Norvège n'est pas un médiateur. Une solution réalisée dans ce cadre constituerait un accord direct. J'ai l'impression que l'OLP ne pourra jamais réaliser un meilleur accord. [...] Il est réaliste de rechercher une percée historique maintenant. Pour conclure un accord, il faudra de l'autorité et la volonté de briser des consensus pour rendre possible ce qui est nécessaire. J'ai demandé à Arafat, en qualité de leader incontesté des Palestiniens, de jouer ce rôle.* [J'ai exprimé ma certitude] *que l'actuel gouvernement israélien a des leaders qui veulent et peuvent jouer le même rôle. Au sujet des principales questions négociées, une approche réaliste des deux parties devrait permettre de régler la question de Jéricho, y compris celle de l'accès à cette enclave. Plutôt que de parler de "corridors" nous devrions penser en termes de "libre passage" ou "accès garanti". Ce n'est pas tout. J'ai souligné que la sécurité était importante pour Israël, également pour assurer un soutien du public israélien. De nouveaux actes de terrorisme ou la poursuite de la répression de l'Intifada pourraient remettre en cause un accord. Il est nécessaire que l'OLP crée des structures qui assurent le contrôle de ses gens auxquelles des armes seraient confiées.*

Au sujet de Jérusalem, j'ai remarqué que les deux parties avaient de nombreuses lignes rouges. Mon opinion est toutefois qu'il est possible de laisser sans solution certaines questions, sans préjudice de l'accord définitif, et d'inclure quelques ambiguïtés constructives dans la déclaration de principe de la première étape. [...] *Arafat a été visiblement intrigué par le terme "percée historique" et a accepté la notion avec enthousiasme. Il a promis de faire tout son possible pour empêcher de nouvelles fuites à l'avenir, mais affirme qu'elles viennent à présent d'Israël. Comme lors de notre conversation de la semaine précédente, il a insisté sur l'importance de la formule de Gaza-Jéricho. Pour lui, aucune solution de Gaza seule n'est acceptable. Quant à une solution de Gaza d'abord, elle serait inadéquate, bien que dans la bonne direction.* [...] *Il s'attend à des difficultés dans les négociations* [à ce sujet] *mais déclare, avec confiance : "S'il y a une volonté, il y a une solution." Il faudrait, a-t-il dit, que dans le cadre de l'accord définitif Israël soit "obligé de nous laisser le* passage" [entre la Cisjordanie et Gaza]. [...]

A propos d'une récente déclaration du Premier ministre Rabin, [indiquant] *qu'il serait prêt à prendre une décision controversée au sujet de la Syrie, Arafat a estimé que les négociations entre Israël, le Liban, la Jordanie et même la Syrie seraient couronnées de succès en cas d'accord Israël-OLP sur la déclaration commune. Il a expliqué qu'il avait besoin de ses propres forces de sécurité sur le terrain, dans le cadre du transfert des pouvoirs civils. Il a confirmé qu'une force de police constituée de combattants de l'OLP était nécessaire à la fois pour contrôler l'Intifada et maintenir la discipline au sein de sa propre organisation. "J'avais réussi à le faire au Sud-Liban dans les années 1970, a-t-il dit. Il n'est pas question d'établir une armée mais plutôt de créer une force de police centrale semblable à celles qui existent en Égypte et qui dépendent du ministre de l'Intérieur."*

Yasser Arafat pense qu'une déclaration de principe devrait comprendre au moins "quelque chose de vague" au sujet de Jérusalem. Il comprend la sensibilité israélienne à ce sujet mais affirme qu'il a besoin de quelque chose afin de ne pas mettre l'OLP dans une position impossible face à son propre peuple. Il a relevé que Rabin avait laissé entendre que les Palestiniens de Jérusalem pourraient avoir le droit de vote. Il suggère également que la déclaration de principe comprenne quelque chose au sujet des sites religieux et [une garantie] *d'accès aux Juifs, aux musulmans et aux chrétiens. De tels arrangements constitueraient pour lui un assouplissement confortable des questions en litige.*

Il a répété qu'il était prêt à conclure [les négociations] *sur la déclaration de principe et à la signer dès maintenant. […] "Les conditions de vie se détériorent à Gaza. S'il y a de nouveaux retards, l'OLP et Israël perdront le contrôle de la situation à Gaza. Tous deux nous avons besoin de la paix, mais nous devons faire un compromis."*

J'ai fait la remarque, écrit Holst, *qu'une des conséquences des négociations semble être qu'Israël et l'OLP ont conscience qu'ils ont besoin l'un de l'autre et ne peuvent résoudre leurs propres problèmes qu'en commun. Arafat a approuvé et ajouté qu'Israéliens et Palestiniens doivent vivre ensemble. […]*

Au sujet de la charte palestinienne, il a répété avec force qu'elle était "caduque" et qu'il était prêt à le répéter. Il fait référence à sa déclaration au Caire en mars dernier. Il avait dit que l'OLP acceptait la solution de deux États en approuvant la résolution 242, et le fait même que les négociations sur la déclaration de principe aient lieu constitue la preuve que l'OLP n'a plus pour objectif la destruction d'Israël. Il entend œuvrer pour un arrangement à long terme dans la région. L'OLP, a-t-il dit, n'est pas antijuive et compte des Juifs dans ses rangs. […]

Yasser Arafat a confirmé la participation de l'OLP à ce qu'il espère être le dernier round de négociations à Oslo, le week-end prochain, du 24 au 26 juillet. »

RABIN-TIBI

Yitzhak Rabin ne se contente pas des rapports qu'il reçoit d'Oslo ni des informations secrètes que lui livrent les services spéciaux. Par l'intermédiaire de Haïm Ramon, il a fait transmettre, le 14 juillet, à Ahmed Tibi, quatre questions destinées à Yasser Arafat :

« 1) l'OLP accepte-t-elle en principe le concept d'une solution par étapes comprenant un arrangement intérimaire précédant un règlement définitif ?

2) L'OLP accepte-t-elle le principe selon lequel le statut définitif de Jérusalem sera discuté et déterminé dans le cadre du règlement définitif ?

3) L'OLP accepte-t-elle le principe que la responsabilité des implantations juives durant la période intérimaire sera aux mains d'Israël ?

4) L'OLP accepte-t-elle le fait que la sécurité d'ensemble dans les territoires durant la période intérimaire reste aux mains d'Israël ? »

Ahmed Tibi se rend à Tunis le 25 juillet. Il présente à Yasser Arafat et à Abou Mazen, outre les questions de Rabin, deux procès-verbaux de rencontres avec Haïm Ramon. Les deux hommes n'ont pas été informés des négociations d'Oslo. Ils ont rédigé ce texte ensemble, espérant faire avancer le processus de paix. Tibi repart le lendemain pour Israël avec les réponses de l'OLP :

« 1) Les deux étapes : nous acceptons les deux étapes, intérimaire et définitive. Les problèmes laissés aux négociations sur le statut définitif devront être énumérés dans la déclaration de principe, afin que les deux étapes soient liées. Ces problèmes sont : Jérusalem, les réfugiés, les implantations, les arrangements de sécurité, les frontières et d'autres questions.

2) Jérusalem : nous acceptons le principe que son statut définitif sera discuté dans le cadre d'un règlement définitif. Notre position à l'heure actuelle est que les candidats et les électeurs devraient pouvoir participer pleinement aux élections [palestiniennes]. Il devrait y avoir un lien entre les institutions [palestiniennes] à Jérusalem et l'autorité intérimaire qui les supervisera.

3) Implantations : nous acceptons le principe que leur statut définitif sera discuté dans le cadre des négociations sur le statut définitif. Notre position à l'heure actuelle est qu'elles restent sous la responsabilité de l'armée israélienne. En raison de la nature complexe des implantations, un accord spécial devrait être conclu à leur propos, pour la période intérimaire.

4) Sécurité : la sécurité extérieure sera sous la responsabilité d'Israël pendant la période intérimaire, alors que la sécurité intérieure sera sous la responsabilité de l'autorité palestinienne. Une commission de liaison et de coordination devrait être mise sur pied afin de régler les questions concernant la coordination, les problèmes d'intérêt commun.

5) Nous pensons que tout accord sur une déclaration de principe doit être accompagné d'un pas moral significatif, franchi par l'OLP et le gouvernement d'Israël, concernant l'annonce et la signature de la déclaration de principe.»

Le texte, en arabe est traduit par Jacques Néria, le conseiller diplomatique qui est ainsi un des premiers membres de la présidence du Conseil à apprendre qu'il se passe quelque chose. Rabin dira plus tard que, grâce à ces réponses de l'OLP, il a été convaincu qu'un accord était possible.

MANŒUVRES SYRIENNES

Le 21 juillet, Mostafa Halil, l'ancien Premier ministre égyptien, effectue une visite en Israël. L'ambassadeur Bassiouny avait averti la présidence du Conseil qu'il apportait un message important. Il est reçu par Yitzhak Rabin. Après une discussion sur la situation en Égypte, Halil demande s'il peut parler librement et annonce au Premier ministre israélien que ce qu'il va dire vient de la bouche même de Husny Moubarak *«Le président égyptien s'est rendu en Syrie où il a rencontré Hafez el Assad et il a l'impression que la Syrie acceptera une paix totale. Des frontières ouvertes, une normalisation, un échange d'ambassadeurs si Israël accepte un retrait total du Golan. […] Assad est prêt à tout cela si nous trouvons la manière d'appliquer ce principe.»*

Les Syriens indiquent qu'ils sont prêts au type de paix que réclame Israël. Halil réclame une réponse. Moubarak voudrait faire avancer les négociations avec la Syrie avant la venue du secrétaire d'État, Warren Christopher, à la fin du mois. Mais Rabin estime qu'il ne peut avancer simultanément sur deux fronts et il a décidé, quelques semaines plus tôt, de conclure un accord avec les Palestiniens qui aura l'avantage de ne pas nécessiter l'évacuation d'implantations. Un retrait du Golan impliquerait le démantèlement des colonies israéliennes qui y sont installées depuis 1967, ce serait un véritable traumatisme pour le public israélien qui, déjà, aura du mal à digérer les négociations avec l'OLP et l'autonomie palestinienne. Rabin répond donc aux Égyptiens que le message transmis par Halil est, pour lui, très important, encourageant mais qu'il faut le traduire dans les faits. Il propose l'ouverture de négociations secrètes entre Israël et la Syrie tout en sachant que Hafez el Assad a toujours refusé ce genre d'initiative.

Trois jours plus tard, Holst et Larsen, qui ont rencontré Arafat à Tunis le mardi, font leur rapport à Ron Pundak, qui continue à suivre les négociations et a été envoyé à Paris pour l'occasion. Pour ne pas alerter l'ambassade de Norvège, la discussion a lieu dans un appartement privé. Les médiateurs ont l'impression que le chef de l'OLP veut conclure un accord et place l'essentiel de ses espoirs dans le canal d'Oslo. L'accord qui se dessine sera pour lui un succès personnel. Holst se dit optimiste. Arafat, ajoute-t-il, aura besoin de «*quelque chose de symbolique à Jérusalem*». Il ne parle plus d'un corridor entre Gaza et la Cisjordanie, mais accepte une solution fonctionnelle et n'évoque plus l'étendue de Jéricho selon la définition jordanienne, c'est-à-dire une province mais moins que cela, note Pundak.

La position d'Arafat au sujet des ponts sur le Jourdain n'est pas claire. La question n'a pas fait l'objet d'une discussion dans le détail, de même que le problème du transfert du QG de l'OLP de Tunis à Gaza. Les deux Norvégiens ont le sentiment qu'Abou Ala est très proche d'Arafat dont il a la confiance, et qu'il manœuvre le chef de l'OLP, qu'il le persuade de considérer l'accord comme sa propre création. Larsen exprime à plusieurs reprises son désaccord. Il trouve Holst beaucoup trop optimiste. Lorsque Pundak fera son rapport à Ouri Savir, ce dernier appellera le négociateur norvégien pour lui dire que les choses ne semblent pas correspondre à la réalité. Larsen découvrira que l'universitaire israélien avait également forcé sur l'optimisme.

Au Sud-Liban, dans la zone de sécurité occupée par Israël le long de sa frontière, le Hezbollah multiplie ses attaques contre Tsahal et la milice d'obédience israélienne, l'Armée du Liban-Sud qui ripostent par des tirs d'artillerie sur des positions de l'organisation chiite. Régulièrement la Galilée subit des bombardements de roquettes de Katyoucha tirées du territoire libanais. Rabin décide d'approuver une opération de grande envergure proposée par le chef d'état-major Ehoud Barak : par des tirs d'artillerie massifs faire fuir la population libanaise vers Beyrouth afin d'amener le gouvernement Rafik Hariri à contrôler le Hezbollah. Il n'est pas question de déclencher une offensive terrestre au nord de la zone de sécurité.

L'artillerie israélienne ouvre le feu le 25 juillet à midi. L'heure et la date avaient été communiquées à la presse. Les généraux israéliens veulent qu'il y ait le moins possible de victimes libanaises. Le jour même, des dizaines de milliers d'habitants fuient le Sud-Liban. Les combattants chiites, en représailles, reprennent leurs tirs sur la Galilée. Une tension qui n'empêche pas les pourparlers avec l'OLP…

DÉBLOCAGE

A cours de la rencontre du 26 juillet à Halversbole, Ouri Savir a soumis à Abou Ala une série de propositions que l'OLP devrait accepter pour permettre à Israël de reconnaître l'organisation palestinienne : Le 29, Yoël Singer fait son rapport à Rabin, Pérès et Beilin, sur les dernières rencontres d'Oslo :

«Sur la base des rapports optimistes que nous avons reçus du ministre des Affaires étrangères norvégien, Johan Holst, après ses rencontres avec Arafat, nous pensions que l'OLP avait retiré les nouvelles propositions qu'elle avait soumises lors du précédent round de négociations, et que nous avions rejetées. Les représentants de l'OLP nous ont soumis une nouvelle proposition d'accord, nous avons découvert que, à l'exception d'un point où ils sont allés dans notre direction au sujet de la participation des habitants de Jérusalem aux élections palestiniennes, sur de nombreux autres points, ils sont revenus sur des sujets qui avaient déjà fait l'objet d'accords. Nous avons réagi avec force. Au lieu de tenter de réduire les fossés, ils durcissent leur position. Nous leur avons dit que face à ce comportement, nous avons des doutes sur le sérieux de leurs intentions, et que nous envisagions d'arrêter les discussions et d'arrêter complètement le canal d'Oslo. Nous leur avons expliqué que nous avions décidé malgré tout de poursuivre les conversations afin de vérifier s'ils sont prêts à renoncer à leurs nouvelles positions et d'aboutir à une formule acceptable sur la base de notre texte commun du 6 juillet.

Par la même occasion, nous leur avons transmis les nouvelles formulations que nous proposons au sujet de la sécurité et de la jurisprudence. Ils ont très mal reçu ces formulations et une atmosphère tendue a régné entre les délégations. Afin de progresser, nous avons décidé de préparer un nouveau texte en commun comprenant les points d'accord et entre guillemets les points de désaccord. […].

Les éléments de désaccord :

1) Le nom du Conseil d'autonomie. Nous voulons l'appeler conseil, alors qu'ils réclament le nom d'autorité. A ce propos, ils ont accepté notre position.

2) Rappel des résolutions 242 et 338 du Conseil de sécurité. Ils veulent que l'accord stipule que les négociations sur le statut définitif conduisent à l'application de ces résolutions, alors que nous ne sommes prêts qu'à une formule stipulant que l'accord définitif représente l'application de ces résolutions. A ce propos, ils ont durci leur position et réclament l'inclusion de la phrase : "dans tous ses aspects".

3) Évocation des "droits légitimes et justes du peuple palestinien". Nous voulons ajouter à cette phrase qu'ils seront réalisés dans le cadre de l'accord sur le statut définitif.

4) Les sujets à négocier dans le cadre de l'accord définitif. Ils veulent que nous acceptions dès à présent de discuter des sujets suivants : Jérusalem, les réfugiés, les implantations, les arrangements de sécurité, les frontières, les relations et la coopération avec les pays voisins. Nous voulons une formule stipulant que chaque partie annoncera quels seront les sujets qu'elle soulèvera dans le cadre des négociations sur le statut définitif. Ils nous soumettraient alors la liste ci-dessus, et nous leur proposerions de discuter des sujets définis dans le cadre des accords de Camp David (le statut définitif de la Judée-Samarie et de Gaza, et les relations entre ces régions et les pays voisins). A ce propos, l'attitude des représentants de l'OLP n'a pas changé.

5) La participation aux élections palestiniennes des habitants de Jérusalem. A ce sujet [les dirigeants de] *l'OLP* [ont] *fait un grand pas dans notre direction. Déjà, lors de notre rencontre précédente, ils avaient accepté de renoncer à leur exigence selon lequel l'accord donne le droit aux habitants de Jérusalem de voter et d'être élus. Ils ont accepté une formule vague précisant le droit des habitants de Jérusalem à participer aux élections. Lors de la précédente rencontre, nous avions même refusé cette formule et exigé que l'accord évoquât le droit des habitants de Jérusalem à participer aux élections dans le cadre de l'accord sur les élections.* [...] *L'OLP a également renoncé à son exigence selon laquelle les habitants de Jérusalem voteraient dans les Lieux saints.*

Nouveaux points de divergence :

1) L'OLP entend repousser le transfert des pouvoirs civils jusqu'au retrait de Tsahal de Gaza et de Jéricho. Ils nous ont expliqué que ces pouvoirs devaient être transférés à la direction de l'OLP Tunis lors de l'arrivée de la direction de l'OLP Tunis à Gaza et pas à des éléments palestiniens de l'intérieur.

2) A ce propos, ils voudraient que l'accord stipule que ces pouvoirs seront transférés à des représentants du peuple palestinien et non pas à de simples professionnels nommés par la délégation palestinienne à Washington.

3) Ils veulent une reconnaissance israélienne des droits politiques des Palestiniens dans l'introduction du texte de l'accord.

4) Ils veulent que la déclaration de principe stipule que, après sa signature, le Conseil d'autonomie reçoive tous les pouvoirs de l'administration civile et militaire, et que, après la création du Conseil d'autonomie, l'administration militaire et civile israélienne soit démantelée. Nous n'acceptons qu'un démantèlement de l'administration civile.

Le but de la mise sur pied de la commission de coordination israélo-palestino-jordano-égyptienne sera de préparer le retour des réfugiés de 1967. [...] *Les forces de Tsahal seront redéployées dans certains secteurs.*

Ils voudraient un article précisant des arrangements spéciaux au sujet des intérêts et des institutions palestiniens à Jérusalem.

Le retrait de Gaza et de Jéricho : à ce propos, les divergences d'opinion sont tellement importantes que nous n'avons même pas réussi à rédiger un texte en commun. [...]

Nous avons proposé que l'accord sur Gaza et Jéricho définisse la forme et l'ampleur du pouvoir palestinien à Gaza et à Jéricho après le retrait de Tsahal et jusqu'aux élections palestiniennes. Ils veulent un texte stipulant expressément que l'OLP aura le pouvoir dans ces régions jusqu'aux élections.

Ils veulent définir expressément que l'OLP déploiera à Gaza et à Jéricho sa police de sécurité, alors que nous ne sommes prêts qu'à stipuler qu'il sera possible de recruter hors de la région des policiers de nationalité jordanienne. Ils nous ont expliqué que la plupart des combattants de l'Armée de libération de la Palestine n'ont pas la nationalité jordanienne, mais disposent de cartes d'identité de Gaza fournies par les autorités égyptiennes. [...]

Ils réclament la liberté de mouvement entre Gaza et Jéricho pour tous les habitants de ces régions, alors que nous ne sommes prêts à accorder le libre passage qu'aux personnalités importantes.

Ils réclament le contrôle de l'accès aux ponts sur le Jourdain et des points de passage entre Gaza et l'Égypte (sous contrôle international et en coordination avec Israël), alors que nous avons déclaré fermement que la région de Jéricho ne comprendra pas les ponts et que les points de passage entre Gaza et l'Égypte resteront sous notre contrôle. Nous exigeons que Jéricho soit le siège du Conseil d'autonomie. Ils refusent.

Par ailleurs, il y a quelques éléments positifs dans leurs propositions. Ils suggèrent la création d'une commission conjointe pour coordonner les affaires de sécurité à Gaza et à Jéricho. Ils nous ont raconté qu'une réunion très importante de l'OLP a eu lieu sous la direction d'Arafat, au cours de laquelle il a été décidé que l'OLP remettra publiquement à Israël un engagement formel au sujet de l'arrêt du terrorisme, de l'annulation de la charte palestinienne, etc. Ils ne nous ont pas soumis de texte, mais nous avons compris qu'ils pensent à une déclaration bilatérale dans le cadre de laquelle chaque partie prendrait des engagements. Nous avons répondu que pour nous il n'y avait pas de place pour une telle déclaration, et que nous n'accepterons à ce propos qu'une déclaration unilatérale de l'OLP ne comprenant aucun rappel du statut définitif des territoires.

Accord global : A la suite de nos menaces d'arrêter les négociations d'Oslo, le chef de la délégation de l'OLP, Abou Ala, a démissionné avec pathos et il y a eu une courte rupture entre les deux délégations. Une demi-heure plus tard, il a demandé une nouvelle rencontre. Terje

Larsen nous a dit que, à son avis, il s'agissait d'une tactique de l'OLP pour améliorer ses positions et que les pourparlers seront sans fin si nous ne présentons pas à l'OLP une attitude dans le genre : "C'est à prendre ou à laisser." Notre délégation avait une opinion identique, qu'il fallait mettre l'OLP au pied du mur. Nous avons décidé de proposer un accord global liant chaque concession d'une partie à une concession de l'autre. Nous l'avons proposé à Abou Ala en insistant sur le fait que nous n'étions pas mandatés pour de telles concessions mais que nous espérions obtenir ultérieurement l'approbation de nos compromis en présentant leurs concessions. Nous avons transmis à Abou Ala cette proposition qui porte la date du 26 juillet 1993. Nous avons décidé de suspendre nos rencontres et qu'ils nous donneront leur réponse vendredi. Voici l'essentiel de cette proposition :

Nous acceptons de retarder le transfert des pouvoirs civils jusqu'au retrait de Gaza à condition que la période de cinq ans ne commence qu'à partir du retrait de Gaza. Ou alors, nous accepterons que la période cinq ans commence immédiatement si une partie des ministères [de l'administration civile en Cisjordanie et à Gaza] *passe entre leurs mains dès le début.*

Nous accepterons l'inclusion du terme : "droits politiques" s'ils renoncent au "transfert des pouvoirs aux représentants du peuple palestinien".

Au sujet des réfugiés [palestiniens] *de 1967 nous avons exigé qu'ils renoncent à leur formule selon laquelle la commission conjointe examinerait leur retour dans la région. Nous avons proposé la phrase suivante : "Il ne sera pas porté préjudice au statut futur des Palestiniens déplacés qui étaient enregistrés* [en Cisjordanie et à Gaza] *le 4 juin 1967 s'ils ne peuvent participer au processus d'élections pour des raisons pratiques."* […]

A propos de Jérusalem, nous avons maintenu notre exigence d'un article stipulant que la Cisjordanie ne comprend que les territoires sous administration militaire et nous leur avons demandé de renoncer à leur demande d'une article au sujet des institutions palestiniennes à Jérusalem. En échange, nous avons proposé un article définissant la liberté d'accès aux Lieux saints. Ils acceptent de renoncer à l'inclusion dans l'accord d'un article sur les institutions palestiniennes à Jérusalem si le ministre des Affaires étrangères [Shimon Pérès] *envoie une lettre à Fayçal el Husseini, assurant que nous ne porterons pas atteinte à la poursuite des activités de ces institutions.*

La jurisprudence : Selon les instructions du Premier ministre, nous n'avons cédé sur aucun changement que nous avons demandé et, en échange, nous avons accepté d'inclure la formule suivante : "Les deux parties considèrent que la Cisjordanie et la Bande de Gaza constituent une même unité territoriale[1]*"*

Ils renonceront à leur exigence d'un transfert de tous les pouvoirs de l'administration civile et militaire si nous leur remettons par écrit une lettre stipulant que l'administration militaire ne s'occupera pas des affaires transmises au Conseil d'autonomie.

Ils accepteront notre formule au sujet de la sécurité en échange de notre accord sur un redéploiement de Tsahal dans des régions définies au préalable. [...]

Au sujet de Gaza-Jéricho, nous avons maintenu nos formules en y incluant deux nouvelles douceurs : des arrangements spéciaux pour les personnalités [palestiniennes] *importantes en Cisjordanie et à Gaza et la possibilité pour les hommes de l'Armée de libération de la Palestine d'arriver en Cisjordanie par le biais d'un recrutement à l'étranger de policiers de nationalité jordanienne.*

A notre avis, l'OLP tentera de ne pas donner de réponse, positive ou négative, à cette proposition d'accord global mais essaiera de nous entraîner dans d'autres rencontres afin d'obtenir de nouvelles concessions de notre part. Afin de maintenir la pression sur l'OLP, nous suggérons de rester sur notre position, à savoir qu'il n'y aura pas de nouvelles séances de négociations et que nous attendons de leur part qu'ils acceptent la proposition d'accord global dans son ensemble.

Afin de renforcer cette pression, nous suggérons que le ministre des Affaires étrangères et le Premier ministre introduisent dans leurs interviews à la presse des expressions du genre : "A propos de la question palestinienne nous sommes arrivés à la limite de nos concessions", et aussi : "Les Palestiniens élargissent les divergences de vue avec nous au lieu de les réduire et nous n'accepterons pas une telle attitude." Nous avons l'impression que l'OLP lit la presse israélienne à la loupe et accueille avec sérieux les déclarations du Premier ministre et du ministre des Affaires étrangères.

La délégation palestinienne nous a informés que le ministre Yossi Sarid a rencontré récemment le représentant de l'OLP, Nabil Shaath et lui a dit qu'Israël acceptait un lien entre le Conseil d'autonomie et les institutions palestiniennes de Jérusalem. Il faut souligner à ce propos qu'aucune allusion sur un lien entre le Conseil d'autonomie et les institutions palestiniennes de Jérusalem n'apparaît dans toutes nos ébauches d'accord.

Ils nous ont également raconté que le ministre Haïm Ramon a transmis à l'OLP, par l'intermédiaire du docteur Ahmed Tibi, un

---

1. «The two sides view the West Bank and the Gaza strip as a single territorial unit.»

message aux termes duquel nous accepterions une rencontre avec Arafat si l'OLP accepte que les pouvoirs du Conseil d'autonomie ne s'étendent pas à Jérusalem, aux implantations, aux zones de sécurité. [En fait], l'OLP a accepté cela depuis longtemps.

Les autres rencontres avec l'OLP et les messages contradictoires qui lui sont transmis font que l'organisation palestinienne nous soumet de nouvelles demandes, ce qui nous gêne dans les négociations.»

Le même jour Shimon Pérès rencontre Fayçal el Husseini à Jérusalem. Les deux hommes participent à une émission de télévision et le ministre des Affaires étrangères profite de l'occasion pour envoyer des messages à l'OLP. Husseini, qui a rendez-vous avec Arafat au Caire le lendemain, ne comprend pas l'importance de ce que lui dit Pérès : *«L'affaire libanaise va se terminer demain. Les négociations avec la Syrie ont repris. Les Palestiniens doivent agir vite. Si les discussions avec la Syrie prennent de l'importance, les Américains pourraient abandonner le dossier palestinien.»* El Husseini fait son rapport par téléphone à Tunis, le soir même. Abou Mazen qui avait d'autres informations sur la possibilité d'un accord entre Israël et la Syrie décide qu'il faut faire vite. La manipulation israélienne a réussi.

MUTINERIE ?

En raison des risques d'escalade au Sud-Liban où l'opération israélienne se poursuit, Warren Christopher revient au Proche-Orient pour calmer le jeu. Il emmène également le dossier du processus de paix. Les Américains, qui ne sont toujours pas au courant des progrès réalisés pendant les négociations d'Oslo, font pression sur Yasser Arafat par l'intermédiaire des Égyptiens pour que les bilatérales de Washington progressent. Le secrétaire d'État doit se rendre à Damas, et peut-être même effectuer une courte navette. A Jérusalem, Christopher doit rencontrer la délégation palestinienne aux pourparlers de Washington. Fayçal el Husseini se rend au Caire pour recevoir ses instructions de Yasser Arafat, qui lui remet une réponse, un document de travail américain présenté aux bilatérales le 30 juin. El Husseini a la surprise de découvrir qu'il s'agit d'un texte déjà rejeté par les négociateurs palestiniens, car ils soupçonnaient qu'il avait été en partie rédigé par les Israéliens avant d'être remis aux Américains. Yasser Arafat prend son stylo et rature le dernier mot du titre du dernier paragraphe : au lieu de *«Gaza-Jericho option»*, il écrit : *«Gaza-Jericho first»*.

Christopher parvient à négocier un cessez-le-feu le 31 juillet. Les tirs cessent à la frontière israélo-libanaise, les habitants de Galilée qui n'avaient pas fui la région sortent des abris et les deux cent mille Sud-Libanais qui s'étaient réfugiés à Beyrouth commencent à regagner leurs foyers. L'opération israélienne a fait plus de cent vingt morts et des centaines de blessés libanais. Du côté de Tsahal, il y a deux tués et quelques dizaines de blessés.

El Husseini rentre à Jérusalem le 2 août et convoque ses collègues. Ils se réunissent à minuit chez Hanan Ashrawi à Ramallah. Ils prennent connaissance du texte et sont catastrophés. Saeb Erekat compte pas moins de trente-trois concessions, inadmissibles de son point de vue. Les négociateurs tombent d'accord : il n'est pas question de remettre ce document à Christopher le lendemain. Ils téléphonent à Yasser Arafat et lui disent : «*Nous ne pouvons pas donner cela au secrétaire d'État.*»

— Arafat : «*J'ai déjà promis à Moubarak que ce document sera remis aux Américains…*»

— Erekat : «*Monsieur le Président, c'est contre toutes les instructions que vous nous avez données dans le passé. Nous avons rendez-vous avec Christopher demain et aussi le 5. Laissez-nous apporter quelques amendements à ce texte, que nous vous enverrons avant de le remettre au secrétaire d'État.*»

— Arafat : «*Non ! Donnez le papier tel quel.*»

— Erekat : «*Tout le monde est d'accord avec moi, ce n'est pas possible dans l'État actuel* [des choses].»

— Arafat : «*C'est une mutinerie ! Il n'y a pas deux directions palestiniennes. Je vous donne l'ordre de donner ce papier…*»

Le lendemain, la délégation palestinienne se réunit à Orient House et, de nouveau, téléphone à Yasser Arafat, qui répète : «*Je vous le demande, remettez ce texte à Christopher !*»

— Erekat : «*Nous vous enverrons le texte amendé.*»

Durant l'après-midi, Fayçal el Husseini, Hanan Ashrawi et Saeb Erekat rencontrent le secrétaire d'État et sa suite :

— Christopher : «*Je crois que vous avez un document à me remettre !*»

— Erekat : «*En effet, nous avons un document pour vous, mais nous l'avons reçu tard hier soir et nous y travaillons encore. Vous l'aurez lors de notre prochaine rencontre.*»

— Christopher : «*Mais vos dirigeants ont décidé…*»

— Erekat : «*Pourquoi ne parlez-vous pas directement à nos responsables ? dialoguez avec l'OLP ! Ce sont eux qui prennent les décisions. Vous aurez le document et nous ne* [contredirons pas] *notre président, mais nous devons examiner certains points, et vous l'aurez la prochaine fois.*»

Après la rencontre, Erekat se rend à Orient House pour téléphoner à Arafat dont c'est l'anniversaire.

– Arafat ' «*Vous n'avez pas donné le papier aux Américains ?*»

– Erekat : «*Non.*»

– Arafat : «*Comment as-tu pu me faire cela, Saeb ?*»

– Erekat : «*Vous avez la version amendée, s'il vous plaît, regardez-la, Monsieur le Président.*»

La scène se déroule dans la salle de réunion d'Orient House. Gênés, les délégués palestiniens assistent à la conversation. Aucun n'est prêt à obéir au chef de l'OLP. Le texte est pour eux inacceptable. Erekat prend congé d'Arafat et raccroche le combiné. Il se tourne vers ses collègues et lance : «*Les gars, lorsqu'on désobéit au chef, il faut démissionner!*»

Fayçal el Husseini et Hanan Ashrawi remettront le document au secrétaire d'État vingt-quatre heures plus tard. En lisant le dernier paragraphe, Dennis Ross lâche : «*Il se passe peut-être quand même quelque chose à Oslo!*»

Le même jour, Yitzhak Rabin et ses conseillers ont un séance de travail avec Warren Christopher qui est accompagné de son équipe de spécialistes du Proche-Orient. Après une longue discussion sur les nouveaux arrangements de sécurité au Sud-Liban, la question est à nouveau posée : «*Avancer avec les Palestiniens, ou avec les Syriens ?*»

– Rabin : «*La question est de savoir dans quelle mesure la Syrie est prête* [à aller vers un accord]. *Il y a trois sujets fondamentaux : la profondeur de la paix, la profondeur du retrait* [israélien du plateau du Golan] *et les arrangements de sécurité. Le plus important est la profondeur de la paix. Les Syriens sont ils prêts à accepter le principe que la paix signifie des frontières ouvertes aux marchandises et aux hommes, des relations diplomatiques, une normalisation. Accepteront-ils de signer un traité de paix avec Israël, qui ne comporterait aucun lien avec les Palestiniens, les Jordaniens, les Libanais ? Accepteront-ils d'appliquer des éléments de la paix dès la première étape ? Tout retrait israélien du Golan devra se faire par étapes, étalées sur plusieurs années, le tracé des lignes n'étant pas important à ce stade, mais dès le début, il doit y avoir en parallèle des éléments de paix.* […]» Et d'expliquer que, de son point de vue, il est très difficile d'avancer «*à toute vitesse*» sur les deux fronts, syrien et palestinien.

Christopher va à Damas poser à Assad les questions de Rabin et revient à Jérusalem avec les réponses le 5 août. Il a un long entretien à huis clos avec Rabin qui, plus tard, racontera que le président syrien, en échange d'un engagement israélien d'un retrait total du Golan, a accepté l'établissement de relations diplomatique avec Israël, dès la première étape du retrait qui serait progressif. Il refuse toute relation touristique ou commerciale. Dans la soirée, après des consultations avec le chef d'état-major, Ehoud Barak, Shimon Pérès et l'ambassadeur à Washington,

Itamar Rabinovitch, qui dirige la délégation israélienne, Rabin annonce à Christopher qu'il peut dire à Assad : «*La profondeur du retrait israélien du Golan correspondra à la profondeur de la paix avec la Syrie.* […]» En d'autres termes, Hafez el Assad peut comprendre que, en échange d'une paix complète, d'une normalisation à tous les niveaux avec Israël, il recevra le plateau du Golan dans sa totalité, mais il faut que les arrangements de sécurité soient satisfaisants…

Le 7 août, Haïm Ramon invite Ahmed Tibi à venir le rencontrer à son domicile. Sur les instructions de Yitzhak Rabin, il demande au médecin palestinien de transmettre un message à l'OLP afin qu'elle renonce à son exigence de contrôler la sécurité dans son ensemble. Tibi appelle Abou Mazen à Tunis. L'OLP refuse. Une rencontre a lieu à Paris entre Yaïr Hirschfeld et Abou Ala. Yitzhak Rabin et Shimon Pérès avaient décidé d'envoyer l'universitaire plutôt qu'un des négociateurs officiels afin d'afficher leur mécontentement face à l'OLP et à ses vingt-six demandes de modification du projet de déclaration de principe. Hirschfeld revient en annonçant que les Palestiniens n'ont plus que deux ou trois exigences.

Fayçal el Husseini, Hanan Ashrawi et Saeb Erekat arrivent à Tunis le 10 août. Pour la première fois depuis le début des négociations avec Israël en 1991, ils sont en désaccord complet avec la direction de l'OLP. La presse affirme qu'ils vont présenter leur démission à Yasser Arafat. Dans les milieux palestiniens de la capitale tunisienne, on parle de crise, le parti du peuple publie des communiqués contre la délégation d'el Husseini. Erekat suggère de ne pas faire de déclaration à la presse, et pour être sûr qu'elle ne fera pas monter encore la tension, il demande à Hakam Balaoui, le chef de la sécurité de l'OLP, de débrancher le téléphone de Hanan Ashrawi.

Erekat se présente devant Arafat : «*Monsieur le Président, je sais que je vous ai désobéi. Voici ma démission. Je suis prêt à prendre mes responsabilités.*»

Fayçal Husseini et Hanan Ashrawi remettent également une lettre de démission. Arafat les saisit avec le sourire et convoque tout le monde devant le Comité central du Fatah. Les trois négociateurs palestiniens ne comprennent pas ce qui se passe. Ils ne savent rien des négociations d'Oslo.

ACCORD À OSLO

Le 13 août, les pourparlers recommencent à Oslo. Le texte de la déclaration de principe est mis au point. Plusieurs problèmes sont sans solution. Ils devront être réglés au cours d'autres négociations sur l'application de l'accord : le contrôle des points de passage entre la Jordanie et Jéricho et entre l'Égypte et Gaza, et la taille de l'enclave de Jéricho. Plus urgent, il reste également à définir les articles concernant Jérusalem, la jurisprudence et la responsabilité de la sécurité.

Le 16 août, Shimon Pérès est sur le point de partir pour une visite officielle en Suède. Il téléphone à Holst et lui propose de venir le retrouver à Stockholm. Le ministre des Affaires étrangères demande à Yoël Singer de partir avec lui et, le 18 août, après avoir longuement cherché à joindre Abou Ala au téléphone, à Tunis commence une longue négociation entre Singer et Avi Gil, le chef de cabinet de Shimon Pérès à Stockholm, et Yasser Arafat, Abou Ala, Abou Mazen, Hassan Asfour et Yasser Abed Rabo à Tunis. Pérès est allé se coucher. Holst est dans la pièce. Les Israéliens ne veulent absolument pas que le siège ou une administration quelconque de l'autorité autonome palestinienne soit à Jérusalem. Ils exigent qu'elle s'installe à Jéricho ou à Gaza. En raison d'un scandale secouant le parti Shass, un élément de la coalition gouvernementale, le cabinet Rabin n'a plus qu'une majorité très réduite au Parlement, et Shimon Pérès estime que toute concession sur Jérusalem risque de précipiter une crise. «*Nous aurons déjà assez de mal à faire accepter la présence de Yasser Arafat à Gaza, si cela doit être à Jérusalem, il n'y aura pas de gouvernement ou pas d'accord*», dit-il à Holst.

Finalement, avec l'accord de Rabin, Pérès accepte de donner aux Palestiniens une lettre stipulant qu'Israël n'interdira pas l'accès des Palestiniens aux Lieux saints chrétiens ou musulmans à Jérusalem ni ne fermera les institutions palestiniennes existantes dans la partie orientale de la ville qui devraient même être encouragées. Le ministre des Affaires étrangères, pour ne pas prendre le public israélien à rebrousse-poil, déclare qu'il n'enverra cette lettre qu'après le vote de la Knesset sur les accords d'Oslo. Il ne le fera qu'au mois d'octobre. L'existence de ce document ne sera divulguée qu'en juin 1994. Une seconde lettre de Pérès à Arafat sur les implantations israéliennes restera secrète.

Après consultation avec Shimon Pérès qu'ils réveillent à nouveau, Singer et Gil acceptent de réduire la responsabilité d'Israël en matière de sécurité au contrôle des frontières, cela s'appellera la sécurité extérieure. Le problème de la jurisprudence est également réglé. A 5 heures du matin, les derniers obstacles sont levés. Un accord historique entre Israël et l'OLP est sur le point d'être signé. Holst est enchanté : les Norvégiens ont joué le premier rôle, à Stockholm aussi, là où les Suédois avaient, en 1988, conduit Yasser Arafat à faire un pas en direction d'Israël. Il rappelle le conflit historique entre Suédois et Norvégiens :

«*La compétition entre nos deux peuples est tellement marquée que non seulement, nous avons pris leur place, mais nous le faisons chez eux, dans leur capitale, en les laissant payer la note de téléphone.*»

A Tunis, Yasser Arafat éclate en sanglots. Il convoque un photographe pour faire le cliché de tous ceux qui sont présents dans le bureau : «*C'est le début d'une nouvelle ère pour le peuple palestinien. Soixante-dix ans de lutte vont enfin s'achever !*» Israéliens et Palestiniens décident de se retrouver le lendemain à Oslo pour la cérémonie de signature.

De cette cérémonie historique à Oslo, il ne reste qu'une mauvaise cassette vidéo filmée par les services de sécurité norvégiens. Shimon Pérès, en visite officielle en Norvège, a faussé compagnie à ses gardes du corps. Il est 2 heures du matin. Pour l'occasion, les Norvégiens ont amené la table sur laquelle a été signé l'accord mettant fin à leur guerre avec la Suède. Les copies de la déclaration de principe et de ses annexes sont paraphées par Abou Ala et Ouri Savir, qui se donnent ensuite l'accolade. Holst prend la parole :

«[…] *Parfois* [sur la route] *de l'histoire, nous rencontrons des tournants. Ces tournants doivent être créés, et je crois que ici, ce soir, vous venez d'en créer un très important. Pour cela, il faut avoir le sens du risque, c'est-à-dire rendre possible ce qui est nécessaire, et c'est ce que vous avez fait. Vous avez vécu des années de confrontation. Vous entrez à présent dans une ère de coopération. La confrontation crée la méfiance.* […] *Les lignes naturelles de communication et les contacts sont coupés. Vous allez rétablir les liens naturels entre vos peuples respectifs, et ce sera une chance historique, pas seulement pour vous, mais pour le reste du monde. Le Proche-Orient a ressemblé pour beaucoup d'entre nous à un baril de poudre. A présent, je crois qu'il va se transformer en un laboratoire pour la création d'une région pacifique.* […] *Ce qui a été fait ici nous a permis à nous, Norvégiens, de vous connaître, de voir comment le caractère humain parvient à surmonter toutes les divisions, et cela donne une sorte de foi dans le caractère humain, d'observer comment les Palestiniens et les Israéliens parviennent à créer la sensation d'être sur le même bateau, de former un groupe ayant le même objectif. Je vous félicite.*»

Abou Ala : «*J'ai pleuré deux fois cette semaine. La première lorsque, à 5 heures du matin, j'ai parlé au téléphone de Stockholm. Tout était terminé et nous étions six : Abou Amar, Abou Mazen, Yasser Abed Rabo, Abou Khaled, Hassan Asfour et moi. Nous nous sommes félicités et nous avons dit : "Nous devons à présent commencer la véritable et grande bataille pour le développement, pour la construction, pour la coopération. Cela est une nouvelle histoire."*»

Abou Ala se tourne vers Shimon Pérès qui, l'air fatigué et tendu, ne quitte pas son canapé de l'autre côté de la pièce :

«*Monsieur Pérès, Votre Excellence, bienvenue. C'est un grand honneur ! Nous avons suivi de près vos déclarations, vos écrits qui nous ont confirmé à nous tous, le peuple palestinien, que vous vouliez une paix globale, juste et permanente. Au nom du peuple palestinien, de la délégation palestinienne et de son leader Yasser Arafat, je voudrais vous féliciter pour votre soixante-dixième anniversaire, vous souhaiter tous les succès dans la grande bataille de la paix, longue vie jusqu'à ce que vous voyiez la paix s'installer au Proche-Orient.*»

Le chef de la délégation palestinienne remercie tous ceux qui ont contribué au succès de ces négociations. Il poursuit : «*Nous ne voulons pas que les victimes des guerres deviennent les orphelins de la paix. Nous considérons la signature de cette déclaration de principe comme un nouveau chapitre d'espoir et une page importante de notre histoire. Notre monde est un petit village où notre dimension est bien connue. Nous pouvons grandir par la coopération. […] Notre peuple et votre peuple ont suffisamment de potentiel et de ressources humaines pour réussir si la vraie paix est instaurée, la coopération et la stabilisation se matérialisent. Nous sommes heureux de notre succès d'aujourd'hui mais, demain, nous ferons face au véritable défi de l'application de cet accord. Nous devons réussir à le vendre à notre peuple et à notre opinion publique. Nous devons [finaliser] l'accord sur la bande de Gaza et la région de Jéricho et l'accord intérimaire. Nous devons créer la base de la confiance pour préparer la voie vers le succès des négociations sur le statut définitif. […]*»

– Ouri Savir : «*[…] Nous entamons aujourd'hui un nouveau voyage en espérant, en priant et en œuvrant pour mettre un terme à la méfiance, à la violence, à la haine, à la peur, à la douleur et à la souffrance. Tout cela en une nuit, cette nuit, est devenu l'ennemi commun des Israéliens et des Palestiniens. C'est une nouvelle aube pour deux peuples qui ont souffert d'une tragédie historique. Le peuple juif a souffert pendant deux millénaires d'exil et de persécutions pour trouver un havre de sécurité dans sa patrie historique où il a toutefois fait face à la violence. […] Le peuple palestinien a souvent été au milieu d'un conflit plus large. Jamais il n'a pu exprimer la liberté qu'il apercevait et à laquelle il avait droit.*

La rencontre de ces deux histoires tragiques a créé un conflit difficile sur une petite terre imprégnée de mémoire historique. […] Alors que Palestiniens et Israéliens se libèrent de plus en plus des chaînes du conflit, ils doivent à présent, avec une nouvelle vigueur et une force communes, faire face à un monde qui change, un monde où les stratégies militaires et la géographie sont supplantées par le savoir et les valeurs, un monde avec de réelles frontières entre le succès et l'échec, le progrès économique, la recherche scientifique, les échanges culturels, l'intégration régionale, les investissements nationaux. Nous devons faire partie de ce monde en transformation. Vous et nous sommes un exemple pour le reste du Proche-Orient qui, je l'espère, nous imitera dans un proche avenir. Amis palestiniens, cette journée marque la fin de notre conflit. [...] Ici en Norvège, nous n'avons pas seulement créé un document commun, mais aussi un vocabulaire commun qui nous a permis de comprendre l'évidence qui nous échappait lors des précédentes rencontres entre nos deux peuples. Et le fait tout aussi évident que, en tant que peuples, nous avons des besoins communs, des problèmes communs à affronter. [...] Nous pouvons transformer une terre promise en une terre de promesses. Nous dédions ce document à nos enfants. C'est à eux et à leurs semblables, israéliens et palestiniens, que nous offrons cet avenir, un nouvel avenir de promesses et d'espoir. »

Terje Larsen a le droit de conclure : « [...] *En vous écoutant, une pensée m'a traversé l'esprit : comment est-ce arrivé ? Je me souviens très bien de ma première rencontre avec Yossi Beilin, lorsque nous avons commencé à parler de la possibilité de réunir des Israéliens et des Palestiniens ; comment Yossi m'a envoyé à un homme à la chevelure folle... Yaïr ! comment il nous a amené Ron, comment nous avons recommencé. [...] Je crois que le peuple palestinien et le peuple israélien ont de la chance, car ce processus a été* [concrétisé] *par des personnalités comme Hassan, Mohammed, Yoël, Ron, Yaïr, Ouri, qui ont une vision, le courage, la créativité et, le plus important de tout, la capacité de se faire des amis. [...]* »

ET LES AMÉRICAINS ?

Le 26 août, Rabin réunit les principaux négociateurs israéliens des bilatérales de Washington et les patrons des divers services de renseignements. Il ne prononce pas un seul mot sur l'accord qui vient d'être conclu à Oslo. Le général Ouri Saguy, le chef des renseignements militaires, présente un rapport sur l'état des pourparlers. «*Assad, dit-il, a franchi le Rubicon. Il a décidé de répondre positivement à l'exigence israélienne d'une paix totale dans le cadre d'un accord. Cela signifie également des relations diplomatiques avec Israël. La presse syrienne est de plus en plus modérée. [...]* »

Rabin révèle que les Américains l'ont informé qu'Assad réclame toujours un retrait total du Golan mais accepte un départ israélien échelonné sur cinq ans. Il demande à Saguy son avis sur l'importance relative d'un accord avec les Palestiniens ou avec la Syrie. Le général répond qu'un accord avec la Syrie serait préférable mais que cela forcerait Israël à payer un prix élevé. Rabin explique que de son point de vue un règlement avec la Syrie serait plus important du point de vue stratégique mais irréversible ce qui ne serait pas le cas avec les Palestiniens avec lesquels il s'agit de territoires où Israël conservera une possibilité d'intervention.

Le lendemain, un avion d'affaires norvégien atterrit sur l'aéroport de Genève. Il arrête ses réacteurs à proximité d'un appareil privé, plus grand. Trois hommes en sortent et montent en courant les marches de l'avion suisse. Shimon Pérès, Yoël Singer et Avi Gil espèrent que personne ne les a vus. Ils ont rejoint Johan Holst, Terje Larsen et son épouse Mona Juul, qui venaient d'arriver d'Oslo. A 4 heures du matin, ils décollent pour une mission extrêmement délicate pour les deux ministres des Affaires étrangères : ils partent informer Warren Christopher de l'accord conclu à Oslo. Ils sont très nerveux. Pour la Norvège comme pour Israël, l'amitié des États-Unis est fondamentale. Le secrétaire d'État américain les attend dans sa résidence de vacances, à Point Mugu, en Californie. Après quelques heures d'un mauvais sommeil, Singer, Larsen et Juul commencent à préparer la rencontre avec le chef de la diplomatie américaine. Avi Gil, épuisé, est étendu sur le sol entre les deux rangées de sièges, il ne s'est pas réveillé. Subitement, les passagers l'entendent crier dans son sommeil. Visiblement, dans son cauchemar, il imaginait ce que les Américains allaient lui dire :

«Pourquoi avez-vous utilisé ces imbéciles de Norvégiens ? Nous avons un très bon ambassadeur à Tel Aviv. Nous allons faire sauter cet accord imbécile ! […]»

Les passagers éclatent de rire. Avi Gil se réveille. Les préparatifs de la rencontre reprennent. Norvégiens et Israéliens décident de proposer à Warren Christopher d'annoncer que l'accord entre Israël et l'OLP n'a pas été négocié à Oslo, mais aux États-Unis, et que c'est en fait un succès diplomatique américain.

Le vol est très lent. Arrivés sur la base navale de Point Mugu, Norvégiens et Israéliens sont conduits dans le bureau de l'amiral, où les drapeaux des trois pays ont été déployés. Warren Christopher et Denis Ross les accueillent. Johan Holst prend la parole et raconte les négociations d'Oslo, le paraphe de la déclaration de principe la semaine précédente. Il rappelle à ses interlocuteurs que, à plusieurs reprises, au début de l'année, il les avait informés des négociations secrètes entre Israël et l'OLP. Shimon Pérès intervient et explique qu'un tournant historique vient d'avoir lieu au Proche-Orient, que, sans l'aide des États-Unis, cela n'aurait pas été possible. Pendant de longues minutes, il fait l'apologie de la politique américaine envers Israël et la Norvège. Christopher ne dit rien, prend des notes, impassible. Yoël Singer présente ensuite l'accord israélo-palestinien. Un instant de silence. Le secrétaire d'État se tourne vers Ross : «*Dennis, qu'en pensez-vous ?*

– *Je crois que c'est formidable !*» lui répond celui-ci, enthousiaste.

Pérès suggère d'annoncer que l'accord a été réalisé grâce à la médiation de l'administration Clinton. Christopher refuse. Ce n'est pas possible, dit-il. Et puis la vérité finira par faire surface. Les Américains examinent les textes que Singer leur a soumis et félicitent les Israéliens et les Norvégiens : «*Vous avez fait un excellent travail !*» En sortant de la pièce, Larsen se tourne vers Shimon Pérès et lui demande : «*Que pensez-vous de sa réaction ?*

– *Ah, Terje ! Il a été enthousiaste : il a souri deux fois et prononcé une phrase !*» souligne Pérès avec humour.

Norvégiens et Israéliens partent prendre une douche bien méritée. En fin de matinée, ils se retrouvent pour une réception offerte par le commandant de la base. Christopher prend Larsen à part et lui dit : «*Vous n'avez pas seulement écrit l'histoire, vous avez changé le monde.*»

Le moment est venu de lancer la nouvelle. Shimon Pérès passe quelques coups de téléphone. L'information fait le tour du monde : Israël et l'OLP ont conclu un accord ! En fin d'après-midi, Israéliens et Norvégiens vont dîner dans un restaurant de Santa Barbara. Les portraits de Shimon Pérès étaient déjà diffusés par toutes les chaînes de télévision. Plusieurs personnes le reconnaissent et réclament un autographe. Il repart pour Tel Aviv via Oslo dans la soirée.

Les bilatérales de Washington reprennent le 7 septembre. Les négociateurs palestiniens et les Israéliens qui leur font face décident qu'ils n'ont rien à se dire mais maintiennent leurs rencontres pour sauver la face. Avec les Syriens, le problème est plus épineux. Les Américains expliquent à Itamar Rabinovitch que, Rabin leur ayant promis la priorité dans le processus de paix, les Syriens ont l'impression d'avoir été manipulés. Warren Christopher et Dennis Ross craignent qu'Assad torpille l'accord israélo-palestinien. Le département d'État et Rabinovitch multiplient donc les promesses à la délégation syrienne que les choses vont progresser après une pause nécessaire de courte durée.

LA RECONNAISSANCE

La cérémonie solennelle de signature de la déclaration de principe doit avoir lieu le 13 septembre à Washington. Il faut absolument terminer d'ici là les négociations sur la reconnaissance mutuelle. Abou Ala répète à Singer qu'il n'est pas question d'accepter qu'un Palestinien de Gaza ou de Cisjordanie signe le document au nom du peuple palestinien. Cela doit être obligatoirement un responsable de Tunis, de préférence Yasser Arafat. Yoël Singer, après avoir repoussé trois propositions palestiniennes, rédige, à la demande d'Abou Ala, un texte qui sert de base aux négociations qui se déroulent à Oslo :

« L'OLP reconnaît le droit à l'existence d'Israël et s'engage à une coexistence pacifique avec l'État juif. L'OLP reconnaît les résolutions 242 et 338 du Conseil de sécurité, renonce à l'usage du terrorisme et à toute forme de violence, et condamne les actes terroristes, appellera le peuple palestinien à cesser l'Intifada dès que le Conseil d'autonomie assumera ses fonctions, et demandera aux pays arabes de suspendre le boycottage d'Israël. […] » Une proposition de Singer est à relever : *« L'OLP déclare qu'à la lumière de son engagement envers le processus de paix, elle considère que les articles de la charte palestinienne contredisant ce processus de paix sont désormais caduques et n'ont plus la moindre validité. »* Lorsque, sous la pression des événements, Arafat devra annuler la charte palestinienne, il le fera en faisant voter par le conseil élu de l'autonomie une motion reprenant mot à mot la proposition de Singer.

L'avocat est rappelé à Jérusalem pour participer à la réunion du gouvernement israélien. Ouri Savir et Abou Ala décident de se retrouver à Paris. Là encore, ce sont les Norvégiens qui organisent la rencontre. Elle a lieu le 8 septembre 1993, à l'hôtel Bristol. Afin que les Israéliens et les Palestiniens ne soient pas repérés, leurs chambres ont été louées au nom de Larsen, mais avec des prénoms différents. Ouri Savir s'appelle en l'occurrence Ulf Larsen. Le médiateur norvégien découvre rapidement qu'Abou Ala est furieux. Il trouve qu'à Oslo, Johan Holst a passé trop de temps avec les négociateurs israéliens. A la dernière minute, il refuse de venir à Paris. Larsen appelle Yasser Arafat qui donne l'ordre à Abou Ala de faire le voyage. Là encore, ni l'ambassade d'Israël, ni celle de Norvège, ni même le Quai d'Orsay ne sont informés que des négociations majeures se déroulent dans la capitale française. Singer est tenu au courant de l'État des négociations par télécopie. Savir apporte des documents à Jérusalem, puis repart pour la capitale française en compagnie du juriste. C'est l'impasse.

Larsen est réveillé tôt le matin par Yoël Singer qui lui annonce, l'air sombre : *« Nous n'avons pas réussi à conclure un accord, mais il reste peut-être une chance. »* Le Norvégien se douche rapidement et descend retrouver les Palestiniens. Abou Ala, en le voyant, lui lance : *« C'est fini, je vais appeler le président Arafat. »* Le Palestinien se dirige vers sa chambre, suivi par Larsen. Il répète : *« Trouvez-moi une voiture, je rentre ! Cette cérémonie de signature était une stupidité. Les Israéliens nous ont trahis !»* Larsen lui répète : *«Essayez encore»*, et suit Abou Ala dans les toilettes. Subitement, le Palestinien se tourne : *«Ils jouent ! ils jouent ! Je n'ai pas appelé le Président. C'était du cinéma. On va rester ici pour les laisser suer pendant une demi-heure !»* Pendant ce temps, la belle-fille d'Ouri Savir et le fils du dirigeant palestinien, qui ont fait connaissance trois jours plus tôt, donnent un bel exemple de fraternité israélo-palestinienne en visitant ensemble les boîtes de nuit parisiennes.

Le délai passé, Abou Ala regagne la salle des négociations. Les textes des deux lettres, celle d'Arafat à Rabin et celle de Rabin à Arafat, sont prêts. Les Palestiniens et les Norvégiens se précipitent vers l'aéroport pour se rendre à Tunis. On est le 9 au matin. Ils ont juste le temps de rencontrer Yasser Arafat, de lui faire signer son texte avant de repartir pour Israël où les attendent Ytzhak Rabin et Shimon Pérès.

Le chef de l'OLP écrit au Premier ministre de l'État d'Israël :

«La signature de la déclaration de principe marque une nouvelle ère dans l'histoire du Proche-Orient. Avec une ferme conviction, je voudrais donc confirmer les engagements suivants pris par l'OLP :

L'OLP reconnaît le droit de l'État d'Israël à l'existence dans la paix et la sécurité.

L'OLP accepte les résolutions 242 et 338 du Conseil de sécurité des Nations unies.

L'OLP est engagée dans le processus de paix au Proche-Orient et à aboutir à une solution pacifique du conflit entre les deux parties, et déclare que toutes les questions qui n'ont pas été résolues concernant le statut définitif devront l'être dans le cadre de négociations.

L'OLP considère que la signature de la déclaration de principe constitue un événement historique qui inaugure une nouvelle ère de coexistence pacifique, libre de toute violence et de tout autre acte pouvant mettre en danger la paix et la stabilité.

L'OLP renonce donc à l'usage du terrorisme et à tout autre acte de violence, et assumera la responsabilité de tous les éléments et personnels de l'OLP afin [de leur faire observer ce principe], *d'empêcher toute violation et de punir ceux qui le transgresseront.*

[...] L'OLP affirme que les articles de la charte palestinienne qui rejettent le droit d'Israël à l'existence et les articles de la charte contraires aux engagements de cette lettre sont désormais caduques. En conséquence, l'OLP s'engage à soumettre au Conseil national palestinien les modifications nécessaires de la charte palestinienne pour qu'il l'approuve formellement. Sincèrement. Yasser Arafat, Président. Organisation de Libération de la Palestine.»

Le lendemain, le 10 septembre, Rabin signe la lettre suivante adressée à «*Yasser Arafat, président, Organisation de Libération de la Palestine :*

Monsieur le Président,

En réponse à votre lettre du 9 septembre 1993, je voudrais vous confirmer qu'à la lumière des engagements de l'OLP décrits dans votre lettre le gouvernement d'Israël a décidé de reconnaître l'OLP comme le représentant du peuple palestinien, et de commencer des négociations avec l'OLP dans le cadre du processus de paix au Proche-Orient. Sincèrement. Yitzhak Rabin, Premier ministre d'Israël.»

Fin août 1993, la DST, a informé ses homologues tunisiens qu'un membre de l'OLP, Adnan Yassine, l'adjoint de Hakam Balaoui, le patron de la sécurité palestinienne, venait d'acheter une Renault d'occasion à Paris pour la rapatrier par bateau sur Tunis. Les services de sécurité français craignent qu'il ne s'agisse d'un véhicule piégé destiné à un attentat contre Arafat. Hani, le fils de Yassine doit faire sortir la voiture de la douane tunisienne. On lui répond que c'est impossible en raison de difficultés bureaucratiques. Arafat donne l'ordre de n'arrêter personne pour l'instant. Les Tunisiens démontent la Renault, ne trouvent pas d'explosifs mais des appareils d'écoute extrêmement sophistiqués. Les chefs de l'OLP comprennent qu'ils ont affaire à un espion. Le quartier général de l'organisation est passé au crible. La moisson la plus fructueuse est réalisée dans le bureau d'Abou Mazen. Un micro était caché dans une lampe, un autre dans le siège orthopédique qu'Adnan Yassine lui avait offert au début de l'année. Le dirigeant palestinien comprend que toutes ses conversations durant les négociations d'Oslo étaient écoutées par les Israéliens.

La famille Yassine est placée sous les verrous. Le père raconte que, en 1990, il avait emmené à Paris, pour un traitement son épouse qui souffrait d'un cancer. Au cours de son séjour au Méridien-Montparnasse, il s'est lié d'amitié avec un homme d'affaires égyptien du nom d'Abou Hilmi. Ce dernier s'est révèle être particulièrement généreux, il a financé le traitement médical de Mme Yassine. Après quelques semaines Hilmi a annoncé au palestinien qu'il travaillait pour l'OTAN et qu'il pouvait gagner des sommes importantes en fournissant des informations sur l'OLP. Yassine a accepté. Hilmi était en fait israélien. Visiblement le Mossad était à l'écoute de tout ce qui se disait dans le bureau d'Abou Mazen. Cet élément a-t-il contribué à persuader Rabin qu'il pouvait conclure un accord avec l'organisation palestinienne ? Peut-être.

Rendus furieux par les interviews qu'ils avaient accordées à la presse israélienne et étrangère, Shimon Pérès et Yitzhak Rabin décident de ne pas inviter Yaïr Hirschfeld et Ron Pundak à faire partie de la délégation officielle à Washington. Avi Gil, le chef de cabinet de Shimon Pérès, réglera le problème discrètement en les faisant assister à la cérémonie à titre privé. Israéliens et Palestiniens arrivent dans la capitale fédérale dans la nuit du 12 au 13. Les Norvégiens sont arrivés dans la soirée. Ils ont immédiatement un problème protocolaire, car Amr Moussa, le chef de la diplomatie égyptienne, veut être là lui aussi. L'Égypte estime avoir joué un rôle au moins aussi important que la Norvège, et réclame sa part des feux de la rampe. Les Américains craignent que tout cela ne détourne l'attention de leur président. Finalement, il est décidé que Holst et Moussa rejoindront côte à côte les autres personnalités importantes. Ce problème réglé, Terje Larsen reçoit un appel téléphonique d'Abou Ala, qui lui annonce : «*Nous ne signerons pas le texte si l'OLP n'est pas expressément mentionnée.*» Deux heures plus tard, Avi Gil est réveillé par Hassan Asfour, le négociateur palestinien : «*Le président Arafat ne veut pas signer. Il faut que les Israéliens acceptent de remplacer au stylo le terme "la délégation palestinienne" par "OLP", partout dans la déclaration de principe.*»

Arafat envoie Ahmed Tibi rencontrer Haïm Ramon et Shimon Pérès. Le ministre israélien des Affaires étrangères lui répond que le gouvernement israélien ayant approuvé la déclaration de principe sous sa forme originale, il n'est pas question d'y changer une virgule. Tibi répond que Yasser Arafat n'est pas d'accord et qu'il est prêt à partir. «*Dites-lui,* répond Shimon Pérès, *que nous venons d'arriver et que nous n'avons pas eu le temps de défaire nos valises. Nous pouvons donc repartir très vite !*»

Warren Christopher, le secrétaire d'État, a vent de la crise. Au cours d'un entretien à 9 heures du matin, il demande à Shimon Pérès de régler le problème. L'administration Clinton n'a pas besoin d'une catastrophe de ce genre au moment où le monde entier a les yeux tournés vers Washington. Vingt minutes avant la cérémonie de signature, Ahmed Tibi revient à la charge. Pérès lui répond : «*D'accord, vous pouvez inscrire le mot OLP à un seul endroit dans le texte.*» Le médecin appelle Yasser Arafat. La crise est surmontée.

Pour l'occasion l'administration Clinton a sorti la table sur laquelle Anouar el Sadate et Menahem Begin avaient signé les accords de Camp David en 1979. Plus qu'un symbole. Shimon Pérès et Abou Mazen apposent leurs signatures sur le document. Yasser Arafat tend la main à Rabin. Bill Clinton passe son bras sur l'épaule du Premier ministre israélien qui saisit la main du chef de l'OLP. Rabin se tourne vers Pérès et, en hébreu, lui lance : «*Et à présent, c'est ton tour!*» Cette poignée de main avec l'homme qui, pendant des décennies, symbolisait pour Israël le terrorisme palestinien, est pénible pour Yitzhak Rabin. Si la paix avec l'Égypte représentait, pour l'État juif le premier pas vers son intégration au Proche-Orient, une étape politique majeure, l'accord avec les Palestiniens marque le début d'un règlement du conflit. Israël se place sur le plan éthique, marque sa volonté de cesser l'occupation de la Cisjordanie et de Gaza, de ne plus contrôler le destin d'un autre peuple. C'est l'essence du discours d'Yitzhak Rabin :

«[...] *La signature de la déclaration de principe ici, aujourd'hui, n'est pas facile, ni pour moi, soldat des guerres d'Israël, ni pour le peuple d'Israël, ni pour le peuple juif dans la diaspora qui nous regardent en ce moment avec un grand espoir mêlé d'appréhension. [...] Laissez-moi vous dire, à vous les Palestiniens : notre destin nous force à vivre ensemble, sur le même sol, sur la même terre. Nous, les soldats qui sommes revenus des batailles tachés de sang, qui avons assisté à la mort de nos proches et de nos amis, qui avons participé à leurs funérailles et ne pouvons pas regarder leurs parents dans les yeux, qui venons d'une terre où les parents enterrent leurs enfants, à vous les Palestiniens que nous avons combattus, nous disons aujourd'hui, d'une voix forte et claire : assez!*

Nous n'avons aucun désir de vengeance. Nous n'avons aucune haine envers vous. Comme vous, nous sommes un peuple qui veut construire son foyer, planter un arbre, aimer, vivre côte à côte avec vous dans la dignité, en tant qu'humains, qu'hommes libres. Nous accordons aujourd'hui une chance à la paix et vous répétons : prions afin que le jour vienne où nous pourrons clamer : "Assez! Adieu aux armes!" [...] » Et Rabin de citer *L'Ecclésiaste* : «*Le temps de la paix est arrivé.*»

Yasser Arafat a préparé une allocution où le politique est, en filigrane, mêlé à l'angoisse du lendemain. Son objectif reste la création d'un État palestinien :

«*Mon peuple espère que cet accord que nous signons aujourd'hui marque le début de la fin d'un chapitre de douleur et de souffrance qui s'est poursuivi durant tout ce siècle.*

Mon peuple espère que cet accord nous fait entrer dans une ère de paix, de coexistence et d'égalité des droits. [...] Permettez-moi de m'adresser au peuple d'Israël et à ses leaders que nous rencontrons aujourd'hui pour la première fois et laissez-moi leur dire que la décision difficile que nous avons prise ensemble nécessitait un courage exceptionnel. Nous aurons besoin de plus de courage et de détermination afin de poursuivre sur cette voie de paix et coexistence. [...] Notre peuple ne considère pas que l'exercice de son droit à l'autodétermination puisse violer les droits de ses voisins ni porter atteint à leur sécurité. Au contraire, mettre un terme à [notre] sentiment d'injustice, d'avoir subi une injustice historique est la principale garantie pour la réalisation de la coexistence et de l'ouverture entre nos deux peuples et pour les futures générations. [...] »

Shimon Pérès, qui pendant plus vingt ans a été l'un des principaux partisans d'une solution jordanienne du problème palestinien, fait amende honorable en parlant de la réconciliation historique entre les deux peuples :

« Ce que nous réalisons aujourd'hui est plus que la signature d'un accord, c'est une révolution. Hier un rêve, aujourd'hui un engagement. Les peuples, israélien et palestinien, qui se sont combattus pendant presque un siècle ont accepté d'avancer avec fermeté sur la voie du dialogue, de l'entente et de la coopération. [...] Autant nos guerres ont été longues, autant notre guérison doit être rapide. [...]

Je veux dire à la délégation palestinienne que nous sommes sincères, que nous sommes sérieux. Nous ne cherchons pas à façonner votre vie ni à déterminer votre destin. Abandonnons les balles pour les bulletins de vote, les pistolets pour les pelles. Nous prierons avec vous. Nous vous offrirons notre aide pour rendre Gaza prospère et faire refleurir Jéricho. Comme nous l'avons promis, nous négocierons avec vous un règlement définitif et, avec nos voisins, une paix globale, une paix pour tous. [...] »

Abou Mazen prend la parole. Pour lui, cette cérémonie est l'aboutissement d'un long chemin commencé au début des années 1980. Ce fils de réfugiés dont la famille avait quitté Safed en 1948 est un des principaux artisans d'une entente historique avec les ennemis de son peuple. Sa brève allocution est tournée vers l'avenir :

« L'accord que nous signons reflète la décision que nous avons prise au sein de l'Organisation de libération de la Palestine de tourner une nouvelle page dans nos relations avec Israël. Nous savons parfaitement que cela n'est que le début d'un voyage parsemé d'innombrables dangers et difficultés ; et, malgré cela, notre détermination mutuelle à surmonter tous les obstacles sur la voie de la paix, notre croyance commune en la paix, le seul moyen d'aboutir à la sécurité et à la stabilité, notre aspiration commune vers une paix sûre caractérisée par la coopération, tout cela nous permettra de surmonter tous les obstacles avec le soutien de la communauté internationale. »

Bill Clinton fait l'historique des efforts de paix américains avant de promettre «*le soutien actif des États-Unis pour la tâche difficile qui nous attend. Les États-Unis s'engagent à veiller à ce que les peuples concernés par cet accord en tirent plus de sécurité, et à prendre la direction du monde pour réunir les ressources nécessaires à l'application des détails difficiles qui permettront la réalisation des principes que vous vous êtes engagés aujourd'hui à respecter*».

RENCONTRE AVEC HUSSEIN ET SOMMET AVEC ARAFAT

Le roi Hussein de Jordanie a été pris au dépourvu par l'accord entre Israël et l'OLP. Il comprend que les données du problème ont changé du tout au tout. Il peut lui aussi avancer vers un règlement avec l'État juif. Au cours de discussions avec Ephraïm Halévy, il décide de faire progresser les bilatérales israélo-jordaniennes de Washington. Le 14 septembre, un «*agenda commun*» définissant les éléments d'une paix entre les deux pays est signé dans la capitale américaine. Hussein a expliqué à son interlocuteur israélien qu'il ne pouvait pas aller trop vite en raison de l'opposition syrienne.

Le 27 septembre, Shimon Pérès et Yitzhak Rabin rencontrent le souverain hachémite sur son yacht dans le golfe d'Akaba. C'est le premier entretien entre les dirigeants israéliens et Hussein depuis l'accord avec l'OLP. Le roi, qui est accompagné de son frère, le prince Hassan, et de son Premier ministre, est furieux. Rabin et Pérès le calment et lui conseillent, à défaut de conclure un traité de paix en bonne et due forme, au moins de progresser dans ses relations avec Israël. Halévy et le prince Hassan poursuivront les contacts en vue d'une nouvelle rencontre secrète au sommet.

C'est à Washington, le jour même de la signature de la déclaration de principe que les principaux conseillers d'Yitzhak Rabin ont décidé de ramener les négociations avec les Palestiniens sous l'égide de la présidence du Conseil, de ne pas en laisser la conduite exclusive à Shimon Pérès et ses «blazers». Une tâche à laquelle Ahmed Tibi est prêt à collaborer. Il n'apprécie pas d'avoir été laissé sur la touche pendant les négociations d'Oslo et puis, en fin connaisseur de la scène politique israélienne, il sait que les décisions importantes sur l'application des accords ne peuvent être prises que par Yitzhak Rabin. Avec Haïm Ramon, il prépare une rencontre au sommet entre le Premier ministre israélien et le chef de l'OLP. Elle devrait avoir lieu en Égypte.

Le 5 octobre, Rabin et ses conseillers, Shimon Sheves, Eytan Haber et Jacques Néria, le général Yatom mais aussi Yoël Singer mettent la dernière main aux propositions qui seront soumises à Arafat. Les négociations se dérouleront à deux niveaux : la commission de liaison, la plus importante, sera présidée côté israélien par Shimon Pérès alors que la délégation aux pourparlers sur l'autonomie de Gaza et de Jéricho sera sous la responsabilité d'un militaire. Néria propose son ancien patron, le général Amnon Shahak. Rabin repousse la décision à plus tard. Haïm Ramon arrive et prend connaissance du dossier. Pendant ce temps, Ahmed Tibi attend devant le bureau de Sheves. C'est une grande première : un représentant d'Arafat se trouve à la présidence du Conseil israélienne ! Néria s'esclaffe : *« C'est la fin des temps, le Messie arrive ! Un membre de l'OLP dans le bureau de Rabin ! »* En compagnie de Sheves, Tibi et Ramon rencontrent Rabin. Le Palestinien doit prendre l'avion le soir même pour Le Caire où il doit transmettre au le chef de l'OLP les propositions israéliennes. C'est la première fois que l'équipe de Rabin participe directement aux pourparlers avec l'organisation palestinienne.

Eytan Haber part dans la soirée pour préparer le sommet. Il aura des discussions orageuses avec l'équipe de l'ambassade d'Israël. Les Égyptiens voudraient marquer l'événement en l'ouvrant le plus possible à la presse. Ils prévoient un repas de gala. Haber pousse des hurlements. Il veut le moins d'images possible de la rencontre tout au plus une « photo-op » avec Moubarak. Haber n'est pas un chaud supporter du processus de paix avec l'OLP.

L'avion Westwind de l'armée de l'air israélienne décolle le lendemain à 8 heures du matin. Le vol dure un peu plus d'une heure. Tout de suite après l'atterrissage et une brève cérémonie militaire, Rabin est conduit au palais Alitihadieh. Un petit déjeuner avec le président Moubarak et c'est la rencontre avec Yasser Arafat. Quelques minutes pour les photographes et les cameramen qui immortalisent l'instant. Trois hommes sur un canapé. Arafat et Rabin, l'air sombre, de chaque côté de Husni Moubarak qui, souriant, tente de détendre ses hôtes. L'image donnera pendant quelques heures l'impression d'une crise entre le chef du gouvernement israélien et le président de l'OLP.

Immédiatement après, la réunion des deux délégations se déroule dans une toute autre atmosphère. Rabin et Arafat pénètrent ensemble dans la salle de conférence de Moubarak, où se déroule le sommet. Tout le monde est assis autour d'une grande table ovale. Aucune photographie n'est prise ; Eytan Haber s'y est opposé. Il continue de pester contre l'accord avec l'OLP. Rabin prend immédiatement la parole :

« Monsieur le Président, nous avons signé à Washington la déclaration de principe et ses annexes mais, depuis, trois semaines ont passé et peu a été fait pour appliquer l'accord. Nous pensons que ce qui s'est

passé entre nous produit un élan formidable. L'Europe et les États-Unis se mobilisent pour trouver les sources de financement de projets économiques.

Nous avons pris une grande responsabilité en voulant résoudre un des conflits les plus difficiles au monde. Lorsque nous signons [un engagement*], nous respectons notre signature et nous voulons commencer à appliquer l'accord. Selon la déclaration de principe nous devons mettre sur pied avant le 13 octobre le Comité de liaison et deux commissions supplémentaires. La commission conjointe sur Gaza et Jéricho. Là, le calendrier est particulièrement serré et il faut commencer* [tout de suite]. *Les problèmes sur le terrain sont difficiles à résoudre. Sur le papier cela paraît simple mais l'application des accords nécessite beaucoup de travail. Comme vous le savez, il n'y a que deux mois avant le début du retrait et nous n'avons pas encore commencé... Il ne reste que quatre mois pour le réaliser. il faut également mettre sur pied une commission supplémentaire qui traitera de l'accord sur la période intérimaire et organisera en neuf mois les élections au Comité de l'autonomie, bien entendu si vous en voulez. Quant à la commission économique, je vous propose d'en discuter plus tard.»*

Et Rabin de répéter en regardant Arafat assis en face de lui : «*Nous observons nos engagements et je suis prêt à les appliquer, tout dépend de nous deux. Je propose que la seconde équipe se réunisse à Washington. Je ne tiens pas à donner l'impression que la formule de Madrid est morte. Ce ne serait pas bon pour vous ni pour nous car les Syriens, les Jordaniens et les Libanais réagiraient en disant que l'accord entre nous est un accord séparé dont ils ne veulent pas. La question de Gaza et de Jéricho est prioritaire ; c'est le premier calendrier. La seconde équipe traitera donc des sujets à plus longue échéance et on laissera cela à Washington. Entre autres, parce que le transfert anticipé des pouvoirs* [civils en Cisjordanie] *doit se faire après le retrait de Gaza et de Jéricho. Nous devons donc prendre des décisions au sujet du Comité de liaison, les commissions sur l'autonomie, sur la période intérimaire et sur l'économie. Je vous propose que les négociations sur Gaza et Jéricho se déroulent à Taba et El Arish, qu'elles se passent dans la région afin que les négociateurs puissent se rendre sur le terrain et voir d'eux-mêmes de quoi il est question. Sans cela ce resterait des négociations abstraites. C'est dans les accords. je ne dis rien de neuf. Je propose également que le Comité de liaison se réunisse, disons, le 13 octobre. Où vous voudrez, en Europe, en Égypte. personnellement je ne suis pas pour Washington.»*

Arafat, qui n'a toujours pas dit un mot, écoute, les yeux légèrement écarquillés. «*Il faut éviter le chaos sur le terrain*, poursuit Rabin, *sans regarder le papier qu'il a devant lui. Il y a de difficiles problèmes économiques. Toute l'électricité de Gaza vient d'Israël. Douze millions de mètres cubes d'eau viennent d'Israël. Vingt mille ouvriers vont tous les jours en Israël en plus des dix à quinze mille que nous employons sur place à des travaux destinés à lutter contre le chômage. Cette année nous avons investi 130 millions de dollars dans des projets de développement. Qui administrera tout cela ? Et s'il n'y a plus d'électricité ? Et les arrangements sur l'eau, l'électricité, le travail ? Installer une autre source d'électricité, cela prendra au moins deux ans. Nous savons de quoi nous parlons, nous devons nous mettre au travail et cesser de faire des conférences ! Quant à Jéricho, il faut déterminer la superficie de cette enclave. Il faut donc régler le problème de "Gaza-Jéricho" tout de suite. Nous avons étudié de près la déclaration de principe et les protocoles. Pour nous, il s'agit d'un seul document. Je pense qu'il y aura des différence d'interprétation mais si nous ne réglons pas cela par la négociation, il ne se passera rien.»* Et Rabin de conclure : *«Il s'agit d'un accord intérimaire. Le compte à rebours en vue de l'accord définitif commence avec l'application de "Gaza-Jéricho". Il y a donc beaucoup de travail. Il y aura des obstacles sur notre route. Des gens tenteront de torpiller* [les négociations], *des Palestiniens* [et] *j'ai en Israël une opposition très critique* [à l'égard de] *ce que nous faisons, mais en dépit de cela je suis déterminé à appliquer l'accord. Le problème n'est plus de faire encore un geste mais d'appliquer ce à quoi nous nous sommes engagés. Ce n'est que par la coopération que nous y parviendrons. Le Comité de liaison devrait comprendre six à sept Israéliens et du côté palestinien huit à dix personnalités de Tunis, de Gaza et de Jéricho, y compris un économiste, un juriste.»*

C'est au moment où il termine son long discours qu'Yitzhak Rabin se rend compte qu'il a oublié de présenter aux Palestiniens les membres de sa délégation, ce qu'il fait immédiatement en annonçant le nom et le titre de chacun sauf pour Jacques Néria qu'il présente à Arafat en disant : *«Jacques Néria... Il est du Liban.»*

Le chef de l'OLP veut en savoir plus et demande : *«D'où exactement ?*

– Du mont Liban, je suis venu en Israël en 1968..., explique le conseiller diplomatique de Rabin.

– Moi aussi j'étais au Liban à l'époque ! intervient Hanan Ashrawi qui raconte qu'elle étudiait à l'université américaine de Beyrouth.

– Bienvenue ! Bienvenue ! Cousins !» s'exclame Yasser Arafat.

Rabin l'interrompt. Visiblement il n'aime pas la tournure fraternelle que prend la rencontre : *«Nous voulons uniquement nous en tenir à ce que nous avons signé...»* Arafat reprend la parole :

«*Je vous remercie pour cette rencontre. J'espère que c'est le début, pas seulement de l'application de la déclaration de principe mais de nouvelles relations entre nous. La fin de nos souffrances. Nous sommes pour la paix, c'est une nécessité pour les Palestiniens mais aussi un intérêt israélien, arabe, international. Nous nous sommes totalement engagés à respecter la déclaration de principe. Effectivement de nombreux points doivent être discutés mais je suis persuadé que par la coopération et la coordination nous parviendrons à surmonter tous les obstacles. Je suis satisfait que cette rencontre se déroule au Caire. Nous avons tous les deux un lien avec Le Caire, avec le président Moubarak. Je connais vos bonnes relations avec lui.*»

Rabin intervient. Il pense peut-être comme certains des participants à la rencontre que la conversation est certainement enregistrée discrètement par les services égyptiens : «*Effectivement j'ai de bonnes relations avec Moubarak. Elles se fondent sur le fait que nous sommes toujours très francs l'un envers l'autre et que nous mettons* [toujours] *tout sur la table.*»

Et Arafat d'insister : «*J'ai toujours eu de très bonnes relations avec l'Égypte. J'ai été officier dans l'armée égyptienne !*»

Visiblement le Premier ministre israélien n'a pas fait ses devoirs à fond, il ne connaît pas la biographie de son interlocuteur palestinien. Étonné, il demande : «*Tiens ! Quand cela ?*

– *De 1951 à 1957*, répond Arafat. *Comme votre ambassadeur Soultan, j'ai grandi au Caire dans le quartier Matzar El Gdeida où d'ailleurs* [a vécu] *Fayçal el Husseini. Si nous étions tous restés au Caire nous nous serions rencontrés tôt ou tard.*» Et le chef de l'OLP de remercier à nouveau le président égyptien pour son hospitalité.

Rabin renchérit : «*Il nous a laissé sa salle de conférences…*» Certains participants sont sur le point d'éclater de rire. Arafat et Rabin donnent l'impression de parler à la lampe où devrait se trouver le micro.

– Arafat poursuit : «*Nous sommes profondément engagés à respecter la déclaration de principe. Elle ne couvre toutefois pas tous les points* [en litige] *qui nécessiteront un effort important. Il sera difficile de traduire ce qui existe sur le papier en réalités sur le terrain. Je n'avais pas l'intention de retarder la formation des commissions. J'ai commis une erreur ou j'ai été trompé au sujet de* [l'importance de la date limite] *du 13 octobre. Le Comité central de l'OLP se réunit le 10 octobre. Je suis absolument d'accord pour que le Comité de liaison soit* [instauré] *au niveau ministériel, je propose qu'il se réunisse dans quelques jours, même si ce n'est que par politesse.*»

– Rabin : «*Le 13 octobre nous devons prouver que nous avons commencé à travailler.*»

– Arafat : «*OK, où aura lieu la réunion ?*»

– Rabin : «*Où vous voudrez…*»

– Arafat : «*Le Caire ?*»

– Rabin : «*Peut-être Taba ?*»

– Arafat : «*Le Caire c'est mieux !*»

– Rabin : «*OK. Et les négociations sur Gaza-Jéricho ? Taba ou El Arish ?*»

– Arafat : «*Le 13 octobre réunion de la commission Gaza-Jéricho !*»

– Rabin : «*OK ! Êtes vous d'accord pour conserver la formule de Madrid ?*»

– Hanan Ashrawi intervient : «*Les Jordaniens ont annoncé qu'ils négocieront seuls. Il n'y a plus de délégation conjointe jordano-palestinienne.*»

– Arafat : «*Nous devons utiliser la formule de Madrid comme une plate-forme et continuer la discussion sur le projet d'arrangement intérimaire. Il est important de "coller" aux autres* [à Washington], *aux Syriens, aux Jordaniens, aux Libanais. Notre délégation sera indépendante de celle des Jordaniens qui l'ont de toute manière déjà annoncé. Il faut informer les Américains de cela. Cette commission* [qui se réunira à Washington] *pourrait discuter des élections, du transfert anticipé des pouvoirs civils et d'autres éléments de l'accord intérimaire.*»

Jacques Néria rappelle à Rabin qu'il faut parler également de la commission économique. Le Premier ministre israélien se tourne vers le chef de l'OLP et lui demande où elle devrait se réunir.

– Arafat : «*D'après ce que je sais, à Paris.*»

– Rabin : «*Je ne suis pas au courant et de toute manière il faut être prudent à ce sujet en raison des problèmes qui existent entre les Américains et les Européens au sujet de l'aide à l'OLP…*»

– Arafat : «*Je préfère malgré tout l'Europe.*»

– Rabin : «*Que le Comité de liaison décide. Au sujet du transfert des pouvoirs, il faudrait que vous envoyiez vos gens étudier les dossiers dans les bureaux de l'administration civile de Judée-Samarie ?*»

– Arafat : «*Je vous remercie. Je voudrais que nos employés qui travaillent chez le gouverneur égyptien de Gaza effectuent une tournée d'inspection à Gaza.*»

– Rabin : «*Le Comité de liaison décidera.*»

– Arafat : «*Je voudrais une faveur au sujet des* [islamistes] *expulsés au* [Sud-Liban].»

– Rabin : «*Je ne veux pas aborder ce sujet. Vous avez remarqué que je ne vous ai rien demandé à propos des soldats disparus à Soultan Yakoub.*»

– Arafat : «*Je vous aiderai pour ça aussi.*»

– Rabin : «*Laissons cela aux négociations […]. Ne discutons pas des* [détails]… »

– Arafat : «*S'il vous plaît! Libérez quelques prisonniers!*»

– Rabin : «*Je comprends votre position, mais comprenez-moi aussi. Le Hamas continue ses attaques et nous pourchassons ceux qui commettent des attaques terroristes et déclarent qu'ils tenteront de torpiller l'accord par la violence…*»

– Hanan Ashrawi : «*Chaque fois que nous soulevons un problème, vous dites que ce sera examiné dans le cadre des négociations.*»

Rabin qui commence à s'énerver : «*Nous avons une mission très lourde. Je ne veux pas m'occuper de deux ou trois noms. Mais enfin, nous venons de nous reconnaître mutuellement et nous devons discuter depuis une position différente. La période actuelle est très sensible.*» […]

– Rabin : «*D'accord! Nous ne les transférerons pas mais la question sera examinée dans le cadre des négociations. Il y a deux prisons à Gaza et nous devrons discuter de leur transfert. En attendant, le transfert sera interrompu.*»

– Arafat : «*Et à propos* [du bouclage] *de Jérusalem? S'il vous plaît!*»

– Rabin : «*C'est un autre sujet à négocier. Le bouclage a amené le calme et, paradoxalement, il y a moins de chômage chez les Palestiniens de Jérusalem. Écoutez, parlons des sujets importants, l'époque de Washington est révolue…*»

– Arafat : «*Mais Jérusalem, ce n'est pas un détail!*»

– Rabin : «*Vous savez que les opposants à l'accord feront tout pour troubler la vie quotidienne à Jérusalem.*»

– Fayçal el Husseini vient à la rescousse d'Arafat : «*Nous voulons comprendre. Vous êtes motivé par la politique ou par la sécurité?*»

– Rabin : «*Uniquement par la sécurité! Et la question de Jérusalem ne doit être discutée que lors des négociations sur le statut définitif.*»

– Husseini : «*Pourquoi ne pas faire l'inverse? Ouvrir Jérusalem à tous les Palestiniens à l'exception de ceux dont l'entrée est interdite pour des raisons de sécurité.*»

– Rabin : «*Grâce au bouclage, la voiture piégée de l'autre jour a explosé à Ramallah et pas à Jérusalem. Ces gens veulent torpiller l'accord. Je ne vous ai pas demandé et ne vous demande pas de les condamner. Tout le monde me pose la question de savoir pourquoi je ne le fais pas.*» […]

– Arafat : «*Je nomme Fayçal responsable en notre nom de ces discussions sur l'allégement du bouclage. Nous avons besoin d'une couverture, et pas seulement envers ceux qui nous attaquent.*»

– Rabin : «*Nous sommes aussi attaqués de l'intérieur. Je vous dirai d'ici vendredi qui négociera avec Fayçal* [un patron de] *la police ou le général Dany Rothschild.*»

– Arafat : «*Et la proposition d'autoriser les voitures palestiniennes à circuler entre Bethléem et Ramallah sans s'arrêter à Jérusalem ?*»

– Rabin : «*Je ne veux pas en parler maintenant.*»

– Arafat : «*Et la taxation, on me pose des questions à ce propos.*»

– Rabin : «*Je ne connais pas de pays au monde où les citoyens aiment payer des impôts. Nous prélevons chez les Palestiniens qui travaillent en Israël 200 à 300 millions de shekels. Je suis prêt à transférer ces impôts à l'autorité palestinienne. Je ne veux pas établir de barrières douanières entre nous. Nous avons promis de ne rien changer à nos budgets et à nos investissements dans les territoires. Le fait est que nous avons construit* [pour les Palestiniens] *plus d'unités de logements que les Européens qui ont promis beaucoup et réalisé très peu. Nous finançons même le transfert de familles de camps de réfugiés vers des logements définitifs.*» […]

– Arafat : «*Il y a autre chose, s'il vous plaît! A propos du cheikh Yassine. Libérez-le. Je veux diviser le Hamas.*»

Le Premier ministre se tourne vers ses conseillers et leur demande : «*J'ai oublié quelque chose ?*» Néria lui rappelle la question des implantations.

– Rabin : «*A Gaza les implantations restent en place. Nous devrons les défendre... Au sujet du retrait, il faudra étudier à fond trois documents. C'est très clair.*»

– Arafat : «*Oui, mais ne tracez pas des cercles concentriques de zones de sécurité autour de vos implantations. Il ne nous resterait plus qu'un tiers de la bande de Gaza!*»

– Rabin : «*En Cisjordanie, ce sera plus difficile.*»

– Arafat : «*Qu'allons-nous dire à la presse ?*»

– Rabin : «*Nous allons annoncer les diverses commissions...*»

La séance est levée. Arafat et Rabin se serrent la main. Après les conférences de presse, la délégation israélienne prend congé de Husny Moubarak et se dirige vers l'aéroport. Le convoi repasse par les rues du Caire ornées de drapeaux. C'est fête en Égypte. Vingt ans auparavant jour pour jour éclatait la guerre d'Octobre.

Les négociations sur l'autonomie de Gaza et de Jéricho s'ouvrent le 13 octobre en Égypte, à Taba, dans le sud du Sinaï, près de la frontière israélienne. La délégation israélienne est conduite par le général Amnon Shahak, le chef d'état-major adjoint. Tout un symbole. Il a participé en 1973 à l'opération «Printemps de jeunesse» au cours de laquelle plusieurs dirigeants de l'OLP ont été assassinés. Nabil Shaath est le patron de la délégation palestinienne. Un instant historique pour cet intellectuel qui, dans les années 1970, était le porte-étendard du Fatah contre l'idée d'un «*État palestinien croupion*» en Cisjordanie et à Gaza. A ses côtés se trouve Amin el Hindi, dont la présence suscite de nombreux commentaires en Israël. C'est un des organisateurs de l'attentat contre les sportifs israéliens aux jeux Olympiques de Munich. Shahak et Shaath ont rapidement d'excellentes relations personnelles, mais les négociations s'enlisent après quelques jours. Les Palestiniens veulent que l'enclave de Jéricho s'étende à l'ensemble de la province, de la mer Morte jusqu'au Jiftlik dans la vallée du Jourdain, et contrôler les points de passage aux frontières. Rabin donne l'ordre à Shahak de refuser.

SOUVENEZ-VOUS DU 3 NOVEMBRE

Le 2 novembre, Pérès, son chef de cabinet Avi Gil et Ephraïm Halévy du Mossad arrivent secrètement à Amman pour une rencontre avec Hussein de Jordanie. Le prince Hassan et le Premier ministre Majaly assistent à l'entretien. Il s'agit de conclure un accord sur un document de travail préparé au cours des semaines précédentes : «*L'objectif des négociations israélo-jordaniennes est d'aboutir à une paix globale. Il s'agit de conclure un accord complet. Deux ou trois personnes vont le préparer dans un délai court. A Washington, le groupe trilatéral se réunira au niveau ministériel et préparera des projets économiques régionaux notamment pour la région de la mer Rouge et de la mer Morte, une autoroute reliant les États. Les pays donateurs seront invités à faire un effort pour financer l'intégration des personnes déplacées en Jordanie et dans les territoires palestiniens. Le problème de la désertification sera examiné en commun. La sécurité et la lutte contre le terrorisme feront l'objet d'un accord. Israël ne soutiendra aucune atteinte à la position jordanienne au sujet des Lieux saints de Jérusalem. Les deux parties agiront de concert afin de promouvoir des activités œcuméniques […]*» Les Israéliens regagnent Jérusalem aux petites heures de la matinée, le lendemain. Ils sont enchantés. La paix avec la Jordanie pointe à l'horizon. Shimon Pérès ne résiste pas à la tentation de dire à des journalistes : «*Souvenez-vous du 3 novembre […] la date sera historique.*» Rabin est furieux. La presse israélienne publie des détails sur la rencontre. Par crainte des fuites, Hussein risque de faire marche arrière. Il décide d'écarter Pérès des négociations avec la Jordanie, désormais conduites à Washington par Elyakim Rubinstein et, secrètement, en Jordanie par Halévy.

CONTACTS SECRETS

Les pourparlers avec les Palestiniens piétinent et, le 22 novembre, Ahmed Tibi et Jacques Néria se rencontrent discrètement dans un restaurant de Jérusalem[1]. Le conseiller d'Arafat entend informer le cabinet de Rabin du mécontentement de l'OLP en raison du manque de progrès dans les négociations sur les aspects économique de l'autonomie à Paris. L'israélien explique que Rabin est furieux car Arafat n'a pas tenu parole, n'a pas fourni de renseignements sur les soldats disparus dans la bataille de Soultan Yaacoub en 1982. C'est très important, dit-il, pour le Premier ministre et le public israélien. Tibi promet de faire passer le message. Il propose à son interlocuteur de venir personnellement en discuter à Tunis. Néria répond qu'il doit obtenir l'autorisation de son patron ; sur un autre sujet, il rappelle l'avertissement lancé à Arafat par l'administration Clinton pour que l'OLP ne passe aucun contrat avec l'homme d'affaires saoudien, Khashoggi qui avait été impliqué dans le scandale de l'Irangate. Selon certaines informations, Khashoggi et son associé israélien, Nimrodi sont candidats pour l'installation d'un nouveau système téléphonique à Gaza.

Le 9 décembre, Jacques Néria part secrètement pour Genève, en compagnie du chef d'état-major adjoint, le général Amnon Shahak, et du patron du Shin Beth, Yaacov Péri. Ils ont rendez-vous avec les deux patrons du Fatah : Jibril Radjoub, le chef des réseaux en Cisjordanie, et Mohamed Dahlan, qui dirige de l'extérieur l'organisation à Gaza. Les Israéliens ne savent pas que ce dernier est un des organisateurs de l'attaque contre l'autobus transportant les employés du centre nucléaire de Dimona en 1988. Radjoub parle parfaitement l'hébreu, qu'il a appris au cours de dix-sept années passées dans les prisons israéliennes. Dahlan, avant son bannissement, a fait également un séjour dans les geôles de l'État juif. Tous deux connaissent l'histoire d'Israël. Péri, qui ne s'est pas présenté, lance à Jibril : «*Est-ce que vous savez qui je suis ?*»

Radjoub : «*Si vous êtes celui que je crois, je dois vous féliciter. Vous vous êtes marié il n'y a pas longtemps, et votre épouse s'appelle Edna. Quant à vous, Amnon, vous êtes également remarié avec Tali, et un second fils vous est né il n'y a pas longtemps.*» Le tout en hébreu. Péri en reste bouche bée.

La discussion, qui se déroule dans une suite de l'hôtel Noga Hilton, permet aux militaires des deux camps de décider d'un certain nombre

1. Le rendez-vous a été organisé par l'auteur, à la demande de Tibi.

de mesures destinées à faire baisser la tension à Gaza et en Cisjordanie. Radjoub et Dahlan seront autorisés à revenir dans les territoires palestiniens, ainsi que de nombreux militants du Fatah, expulsés au cours des années précédentes, ou qui avaient réussi à s'enfuir. Les clandestins pourront, après s'être présentés au siège de l'administration civile agir au grand jour. Il s'agit de donner à l'organisation d'Arafat les moyens de reprendre le contrôle de tous ses réseaux, et donc de la population qui vit encore à l'heure de l'Intifada dans certains secteurs. Les Israéliens demandent à leurs interlocuteurs palestiniens de neutraliser le Hamas. «*Donnez-nous le temps*, répondent-ils, *nous devons nous réorganiser!*» Cette coordination secrète des chefs militaires et responsables de services spéciaux se poursuivra jusqu'à l'arrivée de Yasser Arafat à Gaza. A plusieurs reprises les Israéliens feront appel à Radjoub et à Dahlan afin qu'ils calment, à distance, une situation explosive sur le terrain.

Les négociations proprement dites sont à nouveau de la responsabilité de Shimon Pérès et d'Ouri Savir. Ils retrouvent Yasser Arafat le 10 décembre à Grenade en Espagne, où se déroule une conférence internationale à laquelle Palestiniens et Israéliens ont été invités. La discussion est difficile. Arafat accuse les Israéliens de vouloir l'enfermer dans un bantoustan. Il exige toujours la responsabilité des postes frontières et affirme qu'il n'acceptera un accord que si l'enclave de Jéricho parvient jusqu'à la mer Morte. Pérès lui explique que cela ne sera pas possible. Le chef de l'OLP répond que sa position est de plus en plus difficile au sein de son organisation en raison de l'intransigeance israélienne.

Le 11 décembre, Jacques Néria part pour Tunis afin d'y rencontrer Yasser Arafat. Il s'agit de préparer un rendez-vous au sommet avec Yitzhak Rabin. Le conseiller du Premier ministre israélien explique au chef de l'OLP qu'il y a visiblement un malentendu. «*La déclaration de principe*, dit-il, *ne signifie pas la création d'un État palestinien. Nous ne pouvons vous empêcher de parler d'un État, mais ce n'est pas un projet réalisable actuellement. Actuellement, il est question d'une étape intermédiaire, au terme de laquelle nous ne savons pas ce qu'il y aura. Dans deux ans au plus tard, nous pourrons discuter du statut définitif des territoires.*» Nabil Shaath pose des questions sur la superficie de l'enclave de Jéricho. Néria rappelle aux Palestiniens qu'ils ont renoncé à trois éléments : la sécurité extérieure, c'est-à-dire les frontières, les relations extérieures, c'est-à-dire les points de passage, les implantations restent en place et la sécurité des Israéliens ne dépend que de Tsahal. Et puis, dit-il : «*Nous n'acceptons pas que des télécopies parviennent à la présidence du Conseil portant le titre "Président de Palestine" et une carte sur laquelle Israël n'apparaît même pas.*»

Arafat s'énerve : «*Je suis le président de l'État de Palestine! dit-il. Cent vingt-sept États du monde me reconnaissent, plus qu'Israël. Dernièrement, grâce à moi, de nombreux États ont établi des relations diplomatiques avec vous. Je suis le vice-président de la Conférence islamique. [...] De nombreux ennemis m'attendent au tournant : les Syriens, les Jordaniens, l'Iran, le Hamas, mon opposition, et de quoi parlez-vous : d'un kilomètre par-ci, un kilomètre à Jéricho. Vous voulez m'enfermer à Jéricho et faire de moi un maire! Vous voulez m'enfermer dans un bantoustan. Je n'accepterai pas! [...] Comprenez-moi : je veux la paix, mais je ne veux pas que vous me contrôliez. Je sais que vous avez des accords avec la Jordanie, et c'est pour cela que vous ne renoncez pas aux points de passage aux frontières, mais les Égyptiens et les Jordaniens me soutiennent!*»

Néria parvient à glisser quelques mots. Il rappelle à Arafat que l'accord de paix avec l'Égypte avait nécessité presque deux années de négociations. Il faut que les deux parties aient les nerfs solides.

CRISE, À NOUVEAU...

Pour la première fois, le lendemain, Néria fera le voyage Tunis- Le Caire à bord de l'avion du chef de l'OLP. Rabin venait d'arriver dans la capitale égyptienne. La négociation s'enlise. Israéliens et Palestiniens ne parviennent pas à s'entendre sur la question des frontières. Arafat refuse l'interprétation israélienne de la déclaration de principe. C'est la crise. Husni Moubarak a une discussion à huis clos avec le chef de l'OLP. Il lui dit que, avec de telles exigences, il perdra tout. «*Rabin est votre seule chance. Vous pourrez oublier vos rêves si le Likoud revient au pouvoir en Israël. Prenez dès maintenant ce que l'on vous donne!*» Israéliens et Palestiniens décident de reporter à une date ultérieure l'application de l'accord Gaza-Jéricho. Les Norvégiens entrent à nouveau dans la danse. Larsen organise une rencontre à Oslo entre Ouri Savir et Yasser Abed Rabo. Le contact n'est pas coupé.

Le 30 décembre, Nabil Shaath envoie un message par télécopie à Amnon Shahak. L'OLP réclame toujours la présence d'un officier palestinien devant la barrière du poste frontière des ponts sur le Jourdain et des points de passage entre Gaza et l'Égypte. Yasser Arafat exige que les habitants de Gaza et de Jéricho n'empruntent pas le passage israélien des postes frontières. Les Israéliens devraient pouvoir vérifier leur identité d'une manière invisible. Quant à la région de Jéricho, elle devrait comprendre Nebi Moussa, Al Maghtas et le Lido sur la mer Morte. Il faudrait que des zones de passage raccordent les postes frontières à la région de Jéricho. L'OLP accepte le principe d'une reprise des négociations à Taba le 3 janvier.

Le 2, le général Shahak répond à Nabil Shaath : «*Vous n'avez pas compris notre position. C'est particulièrement apparent dans les réserves émises par le président Arafat et que nous rejetons. Le Premier ministre m'a donc demandé de vous présenter sa position sur les problèmes principaux qui doivent être encore réglés* […] :

A) Sécurité extérieure : afin qu'Israël puisse exercer sa responsabilité en matière de sécurité extérieure, l'armée israélienne continuera d'être déployée tout le long du Jourdain et de la mer Morte, dans la bande de Gaza, le long de la frontière égyptienne.

B) Points de passage internationaux : les points de passage internationaux étant partie intégrante de la frontière, et en raison de la nécessité de contrôler, pour des raisons de sécurité, le trafic, Israël conservera la responsabilité globale de la frontière et de ses points de passage. La circulation des personnes de la frontière jusqu'au point d'entrée sur le territoire sous juridiction de l'autorité palestinienne se fera donc dans un secteur qui sera entièrement sous la responsabilité israélienne. Le poste frontière comprendra deux ailes. La première desservira les Israéliens et les touristes se rendant en Israël, et sera exclusivement sous la direction et le contrôle d'Israël. La seconde aile desservira les résidents palestiniens de la bande de Gaza et de Cisjordanie ainsi que les visiteurs s'y rendant.

Un policier palestinien et un drapeau palestinien seront placés à l'entrée de l'aile desservant les résidents palestiniens. Les personnes entrant par cette aile placeront leurs bagages sur un tapis roulant qui passera par la zone d'inspection palestinienne et la zone d'inspection israélienne. Chaque partie pourra inspecter les effets personnels et les bagages qui, si nécessaire, seront ouverts pour inspection en présence de leurs propriétaires. […]»

Shahak définit méticuleusement ces procédures, que les Palestiniens finiront par accepter. Il communique également à Shaath la définition de l'enclave de Jéricho telle que Rabin l'a décidée : pas de Nebi Moussa, pas d'accès à la mer Morte. A Gaza, le secteur des implantations et leur périmètre de sécurité, ainsi que les routes les rattachant à Israël restent entièrement sous la responsabilité israélienne.

Le même jour, Nabil Shaath envoie un message court à Shimon Pérès : «*Nous réaffirmons notre engagement total envers la déclaration de principe, à la lettre et dans son esprit. Nous estimons que les discussions que nous avons eues en Norvège, à Versailles et au Caire nous ont permis d'avancer vers un accord pour traduire la déclaration de principe en réalité sur le terrain. Une fois qu'un accord est conclu, il ne peut être changé unilatéralement. Nous respecterons à la lettre ce que nous avons signé.* […] »

La négociation revient à Shimon Pérès et à son équipe. Ouri Savir, Yoël Singer et le général Ouzi Dayan, de l'état-major de Tsahal, rencontrent Nabil Shaath et Abou Ala au Caire le 26 janvier. Ils préparent un autre rendez-vous à Davos, en Suisse, où Yasser Arafat et Shimon Pérès sont invités à participer au séminaire économique. Ces discussions permettent, le 31 janvier, d'aboutir à un accord sur la superficie de l'enclave de Jéricho, et sur la structure des points de passage. Les policiers israéliens aux postes frontières seraient installés derrière une glace sans tain. Un document de vingt et une pages définissant ces principes est signé au Caire le 10 février. Les pourparlers se poursuivent.

Les Américains poursuivent leurs efforts pour rapprocher Israël et la Syrie. Tard, le 16 janvier, après un sommet Clinton-Assad, à Genève, Dennis Ross et Martin Indyk du Conseil national de sécurité débarquent chez Rabin en criant victoire : « *Ça y est ! On a réussi ! Assad accepte la conception israélienne de la paix.* » Cette fois, il ne s'agit pas d'un message secret envoyé par l'intermédiaire de Husni Moubarak mais d'une véritable étape dans la négociation qui, indirectement, engage la diplomatie américaine. Le président syrien a dit à Clinton qu'il est prêt, en échange d'un retrait total du Golan, à une normalisation complète avec Israël, des frontières ouvertes, des relations diplomatiques, un échange d'ambassadeurs. Ce n'est pas tout, un traité de paix avec la Syrie ouvrira la voie à un règlement régional. La paix avec le Liban et la Jordanie. Assad a laissé entendre à ses interlocuteurs qu'il ne gênera pas les négociations israélo-palestiniennes. Au sujet des arrangements de sécurité avec Israël, il a expliqué aux Américains qu'ils devraient se faire sur un pied d'égalité. Ross et Indyk ne réaliseront l'importance du détail que plus tard.

Rabin est au pied du mur. Il pense qu'il ne pourra pas imposer au public israélien un retrait du Golan en plus de l'accord avec l'OLP et, le lendemain Mordehaï Gour, vice-ministre de la Défense, annonce à la Knesset, au nom du gouvernement qu'un référendum sera organisé en Israël dans le cas où un accord avec la Syrie impliquerait un retrait important. Les Syriens furieux, condamnent la manœuvre. Au cours des mois suivants, les négociations avec Damas, par l'intermédiaire de la diplomatie américaine, porteront presque exclusivement sur les arrangements de sécurité à mettre en place dans le cadre d'un accord de paix. Ni Rabin ni Pérès, plus tard, n'accepteront publiquement le principe d'un retrait total du Golan.

MASSACRE À HÉBRON

Le 25 février 1994, à 5 heures du matin, l'officier de sécurité de Kiryat Arba, l'implantation juive d'Hébron, reçoit un appel téléphonique du docteur Baroukh Goldstein. Il lui demande de venir à sa clinique. Goldstein, un immigrant venu des États-Unis, est considéré comme un excellent médecin. Spécialisé dans les urgences, il a donné les premiers soins à de nombreux habitants de l'implantation blessés au cours d'attentats, ces huit dernières années. Réserviste, il a le grade de capitaine, et effectue ses périodes à Hébron. Mordekhai Unger va rencontrer le médecin, qui lui demande de le transporter au caveau des Patriarches. Il porte un uniforme et un fusil-mitrailleur Galil à canon court. Les deux hommes quittent Kiryat Arba à bord d'une jeep. A 5 h 12, Myriam Goldstein, son épouse, appelle la salle d'opération. Elle demande où se trouve son mari. On lui répond qu'il est allé prier. Après quelques minutes, Mordekhai Unger annonce par radio qu'il a déposé son passager au caveau des Patriarches. « *Ce n'est pas possible, il n'est pas allé prier* », s'inquiète Mme Goldstein, qui a constaté que son époux n'avait pas emmené son châle ni son livre de prières. Unger explique que Goldstein lui a même remis les clés de sa voiture afin qu'il les dépose dans la boîte aux lettres de son épouse.

A 5 h 30, retentissent les premiers coups de feu dans le caveau des Patriarches. Militant du Kach, Baroukh Goldstein a décidé de commettre un acte qui, espère-t-il, va torpiller le processus de paix, empêcher tout dialogue entre Israël et les Palestiniens. Il s'est rendu au caveau des Patriarches afin de massacrer les fidèles musulmans en prières. Vidant chargeur sur chargeur, il sera tué par quelques survivants à l'aide d'un extincteur, après avoir tiré sa dernière balle. Il y a 29 morts et 125 blessés. Dans le secteur, c'est la panique. La ville s'embrase. L'armée israélienne intervient, maladroitement. De nouveaux Palestiniens sont tués par balles. Très vite, l'agitation fait tache d'huile sur l'ensemble de la Cisjordanie. La présidence du Conseil à Jérusalem met plusieurs heures à comprendre l'ampleur du drame.

A Jérusalem, Yitzhak Rabin réunit les responsables militaires avant de présider une réunion extraordinaire du gouvernement. Il envisage de libérer des centaines de détenus palestiniens. Un geste qui, pense-t-il, pourrait faire baisser la tension. Plusieurs participants estiment que le moment est mal choisi. Le Premier ministre israélien publie un communiqué condamnant l'assassin et son geste. Il tente d'entrer en contact avec Yasser Arafat. Le ministre de la Justice propose la mise sur pied d'une commission d'enquête judiciaire et le versement de dédommagements aux blessés et aux familles des victimes. Après plusieurs tentatives, la présidence du Conseil parvient à établir une liaison avec le QG de l'OLP à Tunis, en début d'après-midi. Rabin commence par présenter ses regrets à Yasser Arafat : «*Monsieur le Président, je dois vous dire que j'ai honte qu'un tel acte ait été possible, en tant que Juif et en tant qu'Israélien. […] Cela nous force tous deux à accélérer les négociations. Il faut parvenir à un accord rapidement. […]*» Arafat accuse l'armée israélienne d'avoir participé au massacre. Rabin dément. Le chef de l'OLP refuse la reprise des pourparlers. Une heure plus tard, c'est le secrétaire d'État américain Warren Christopher qui appelle Rabin. La Maison-Blanche craint une interruption du processus de paix pour une longue période. Il propose de faire venir à Washington tous les participants aux négociations.

Le lendemain, Rabin reçoit le corps diplomatique, puis une délégation d'Arabes israéliens qui réclame l'évacuation des colons juifs du centre d'hébron, et la confiscation des armes des colons.

A Tunis, Yasser Arafat décide de porter l'affaire devant le Conseil de sécurité des Nations unies. Il entend obtenir non seulement une condamnation d'Israël, mais aussi le déploiement d'une force internationale pour protéger la population des territoires occupés. Les Américains informent Rabin que, apparemment, l'OLP veut gagner du temps pour calmer les esprits en Cisjordanie et à Gaza. A Washington, avant de quitter la capitale fédérale, Saeb Erekat, le négociateur palestinien, a remis au général Dany Rothschild, son homologue israélien, une série de questions sur la position de Yitzhak Rabin au sujet du désarmement sur l'ensemble de la Cisjordanie, du démantèlement des implantations de Gaza, et de la mise en place d'une force internationale.

Le 6 mars, Jamil Tarifi est reçu par Jacques Néria dans son bureau à la présidence du Conseil. Le représentant de l'OLP et le conseiller de Rabin mettent au point un projet d'accord : augmentation du nombre de policiers palestiniens à 8 000, 6 000 venant de l'extérieur. Libération rapide des prisonniers palestiniens qui n'ont pas tué d'Israéliens. Déploiement d'observateurs internationaux en Cisjordanie. Transfert de l'implantation de Netsarim, du centre de la bande de Gaza vers le secteur de Goush Katif, dans le sud du territoire. Expulsion d'Hébron des colons appartenant au mouvement Kach.

PORTRAITS BRÛLÉS

Deux heures plus tard, Yasser Arafat téléphone à Rabin. Le chef de l'OLP propose d'envoyer un négociateur au Caire. Il explique qu'il faut trouver une solution. L'image diffusée par les télévisions du monde de son portrait brûlé par des manifestants dans certains pays arabes l'a profondément secoué. Rabin lui répond que lui aussi est violemment critiqué par son opposition. «*Mon portrait aussi est parfois brûlé en Israël! Monsieur le Président, nous avons tous deux un problème, il faut le régler.*»

Parallèlement, Terje Larsen, qui a été convoqué à Tunis, transmet une liste d'exigences palestiniennes à Ouri Savir. Le déploiement d'une force des Nations unies dans les territoires palestiniens, le démantèlement d'implantations à Gaza et dans le secteur d'Hébron. Que veut Arafat? Durant tout l'après-midi et la soirée, Rabin et Shimon Pérès examinent la question. Finalement, le Premier ministre décide que Néria ira au Caire pour un entretien avec Arafat en compagnie de l'ambassadeur d'Israël en Égypte. La rencontre a lieu le 7 mars. Saïd Kamal, Nabil Shaath et Jamil Tarifi sont assis aux côtés du président palestinien. L'émissaire israélien explique les mesures que compte prendre le cabinet Rabin à l'encontre des extrémistes juifs. Il ne faut pas donner une récompense à ceux qui, de part et d'autre, veulent détruire la paix. Saïd Kamal critique violemment la politique israélienne. «*Le président Arafat*, dit-il, *n'est plus sacré. On le brûle en effigie au Liban et en Jordanie.*» Nabil Shaath accuse certains éléments au sein de l'armée israélienne d'avoir préparé le massacre d'hébron. Jacques Néria dément. Arafat prend la parole. Il exige le déploiement d'une force internationale à Hébron, identique à la FINUL au Sud-Liban.

Le conseiller de Rabin regagne Jérusalem avec la promesse du chef de l'OLP d'une reprise prochaine des négociations. Les exigences présentées par Arafat ne sont pas des conditions préalables.

Le lendemain, nouvel entretien téléphonique entre Rabin et Arafat. Le Premier ministre israélien – qui, visiblement, ne se souvient pas de l'interdiction du Groupe Stern de Yitzhak Shamir en 1948 – annonce à son interlocuteur que pour la première fois depuis la création de l'État d'Israël, des mesures administratives vont être prises à l'encontre d'organisations subversives. Il révèle que, aux États-Unis, le mouvement Kach a produit un film dans lequel un des acteurs annonce qu'il faut tuer Rabin. «*Je n'ai pas peur, je suis décidé à poursuivre les négociations afin d'aboutir rapidement à un accord sur* [l'autonomie] *à Gaza et à Jéricho. Cela prouvera notre engagement. Je sais que vous êtes en colère. Moi aussi, j'ai des manifestations. Nous devons apprendre à faire face à ce genre de situation. C'est cela notre leadership.*» Arafat refuse une rencontre au sommet au Caire avec Shimon Pérès. Les pourparlers semblent déboucher sur une nouvelle impasse.

Pendant ce temps, à Tunis, Terje Larsen est convoqué chez Abou Mazen. Le dirigeant palestinien lui dit : «*Nous allons faire, pour sauver le processus de paix, trois propositions : Larsen 1, 2 et 3! N'en parlez pas à Arafat.»*

Le 16 mars, la première proposition Larsen est envoyée à Yitzhak Rabin, elle prévoit que :

«Une force de police palestinienne commencera son déploiement à Gaza et à Jéricho graduellement, une semaine après la reprise des négociations à Washington, et selon un calendrier à établir.

Les quarante-deux familles [juives qui habitent dans la ville d'Hébron] *seront évacuées.*

Une présence internationale sera constituée afin de patrouiller dans certains secteurs d'Hébron. La patrouille sera constituée par un officier de police palestinien, un officier de Tsahal, et deux membres de la présence internationale, désarmés.

La présence internationale n'excédera pas trois cents hommes. [...]»

Les Israéliens rejettent ce document. Ils refusent pour l'instant toute évacuation des colons d'Hébron, tout en sachant qu'ils n'auront peut-être pas le choix et que, pour sauver le processus de paix, ils devront faire un geste. L'état-major prépare plusieurs options : une évacuation complète de tous les colons juifs installés à l'intérieur de la ville d'Hébron, et une évacuation partielle, notamment des étudiants de l'école talmudique qui se trouve près du caveau des Patriarches. Yitzhak Rabin laisse entendre qu'il pourrait accepter cette dernière formule. Larsen et Abou Mazen envoient leur seconde proposition, qui ne comporte pas d'évacuation de colons.

La droite israélienne monte au créneau. Les informations sur une évacuation des colons juifs installés au cœur d'Hébron l'inquiètent. Le 15, place des Rois-d'Israël à Tel Aviv, 60 000 personnes manifestent contre la politique gouvernementale. Benjamin Netanyahu, le leader du Likoud, prend la parole : *«Si nous n'avons pas le droit de vivre à Hébron, nous n'avons le droit de vivre nulle part dans ce pays, nous n'avons pas de droit à Jaffa, à Acco, à Jérusalem et, bien entendu, à Tel Aviv! Nous n'aurons plus rien à faire ici. Mais ce droit, nous l'avons et nous devons nous battre exactement comme le fait tout peuple sain qui combat pour son pays, pour sa patrie. D'ici, je m'adresse aux mouvements de gauche et à leurs représentants au gouvernement : je note le dédain avec lequel vous parlez de la Judée, de la Samarie, et d'Hébron, la ville des Patriarches. Et bien entendu, bientôt, vous parlerez de Jérusalem-Est, et je me demande : n'avez-vous pas de liens avec les racines qui unissent notre peuple depuis des milliers d'années à cette terre? [...] Et je vous dis : cessez cela! Empêchez la déchirure qui s'approfondit dans la nation. [...]»*

677

Les Américains proposent une rencontre à Tunis avec Yasser Arafat. Dennis Ross lui-même doit se rendre dans la capitale tunisienne. Steve Cohen a persuadé le chef de l'OLP d'accepter le principe d'une entrevue avec Shimon Pérès. Yitzhak Rabin accepte mais, le 13 mars 1994, Ahmed Tibi reçoit un appel urgent de Tunis : le ministre des Affaires étrangères israélien doit arriver le lendemain, jour des élections en Tunisie, ce qui ne manquera pas d'embarrasser le président Ben Ali. Il faut contacter d'urgence Rabin et Pérès qui sont à Jérusalem chez le président Weizman. Tibi répond que c'est très difficile. Arafat prend le combiné et lui dit : *«Explique que c'est un malentendu et qu'ils envoient une délégation de niveau moins important.»* Le médecin finit par joindre Shimon Pérès et lui soumet le problème mais le ministre des Affaires étrangères ne réagit pas. Tibi rappelle Arafat, qui lui ordonne de parler à Rabin en personne. Il parvient à joindre le Premier ministre dans sa voiture. Rabin lui répond que tout a déjà été mis au point directement avec Yasser Arafat, en personne. Tibi insiste :

«C'est le président Arafat lui-même qui envoie le message. Il y a eu un malentendu. Il faut une délégation de niveau moins important...

— C'est nous qui déciderons du niveau de la délégation. Nous verrons», conclut Rabin.

Rabin et Pérès décident d'envoyer Ouri Savir accompagné de Jacques Néria et du général Ouzi Dayan, le chef des plans à l'état-major. Officiellement, ils discuteront de la proposition Larsen. Mais il y a un malentendu. Arafat est persuadé qu'il est question d'un retrait d'au moins une partie des colons d'Hébron. Rabin pense que cette exigence est oubliée. Il faut faire vite. Le Premier ministre israélien doit être à Washington deux jours plus tard. Les négociateurs israéliens doivent donc revenir en Israël avant son départ afin de lui faire un rapport sur leur conversation à Tunis.

TEL AVIV, ROME, TUNIS

Ouri Savir loue un avion d'affaires privé. Le vol devait être direct, Tel Aviv-Tunis, mais, au QG de l'OLP, Terje Larsen apprend que les Tunisiens ne veulent absolument pas qu'un appareil israélien atterrisse chez eux le jour des élections. Il fait parvenir un message en Israël, demandant à Savir d'atterrir à Fiumicino, l'aéroport international de Rome. Il contacte Denis Ross qui, à bord du Boeing du département d'État, se dirige également vers Tunis.

L'appareil israélien reçoit le message au moment où il s'approchait de l'espace aérien tunisien, et il fait demi-tour pour atterrir à Rome vers

3 heures du matin. Les pistes sont désertes. Personne n'attendait les Israéliens qui se mettent à la recherche d'un téléphone. La tâche est difficile. Ils n'ont pas d'agent italien et les banques sont fermées. Ils parviennent à appeler en Israël grâce à une carte de crédit internationale, et reçoivent pour instruction de repartir vers l'île italienne de Senegola où se trouve une base aérienne de l'OTAN où les attendra un avion américain. Ils reviennent sur la piste seuls, et «empruntent» un autobus que conduit Ouzi Dayan jusqu'à leur appareil. L'aventure se terminera vers 9 heures à Tunis où les attend l'équipe de diplomates américains conduite par Dennis Ross qui demande : «*Avez-vous apporté quelque chose de nouveau ?*» La réponse des Israéliens est négative. La rencontre avec Yasser Arafat a lieu une demi-heure plus tard. Yasser Abed Rabo, Abou Ala, Akram Anieh et Labib Terzi y assistent. Yasser Arafat a l'air fatigué, ses yeux sont rouges, ce qui fait dire à Ouri Savir que tout le monde a besoin de sommeil. Le directeur général des Affaires étrangères poursuit :

«*Tout d'abord, je dois vous présenter les salutations du Premier ministre Yitzhak Rabin et de Shimon Pérès. Comme vous devez le savoir grâce à vos rencontres avec Jacques Néria, les sentiments en Israël à l'égard du massacre d'hébron sont très dures. Je crois que nous faisons face à une situation grave car votre opinion publique et la nôtre perdent leur confiance envers le processus de paix et la déclaration de principe. Il n'y a pas de confiance mutuelle et notre mission est de trouver la voie pour reprendre le processus et restituer la confiance. [...] Il faut prendre des mesures qui permettront l'application rapide de la déclaration de principe. Nous voudrions savoir également comment vous voyez les prochains jours et notamment la décision du Conseil de sécurité. [...] Le problème est que des tierces parties ont présenté tellement d'idées que nous ne savons plus ce qu'il se passe. [...] Nous pensons que notre gouvernement a pris des mesures sérieuses contre les extrémistes qui, en Israël, veulent saboter le processus de paix. Hier, pour la première fois dans l'histoire d'Israël, le gouvernement a décrété illégales des organisations de ce genre. Ce fut difficile. Ils peuvent s'adresser à la Cour suprême. Rabin nous a demandé de le souligner devant vous. Toute organisation similaire sera décrétée illégale, de même que toute forme de soutien financier ou autre. Ce sont des organisations terroristes. Nous lutterons contre l'extrémisme sans concessions.*

Nous continuerons à prendre des mesures de ce genre. Nous sommes responsables de la sécurité. Nous voudrions reprendre immédiatement les négociations, demain ou après-demain, à tous les niveaux, le plus élevé sera le meilleur pour décider de mesures [conjointes]. Nous avons tous deux des problèmes de sécurité. Rabin et Pérès voudraient que nous vous présentions un ensemble de mesures dans divers domaines pour que nous en discutions, notamment [la mise en place de Gaza-Jéricho], *la police palestinienne, la présence internationale* [dans les territoires palestiniens], *la situation à Hébron, les frictions entre les colons israéliens et les Palestiniens. [...] Certaines choses peuvent trouver une solution grâce à une présence internationale, mais nous devons retrouver la situation où nous réglons les problèmes seuls, entre nous. [...] Malheureusement, nous ne voyons toujours pas la fin de la violence. Nous devons donc accélérer le processus, nous lancer dans un véritable marathon de négociations loin de la presse, si vous voulez à Washington, comme le propose Clinton. Nous comprenons que la situation sur le terrain ne peut changer qu'avec un retrait de Tsahal, dans le cadre de la déclaration de principe, avec votre arrivée et celle de l'OLP à Gaza et à Jéricho, le déploiement de la police palestinienne et les mesures économiques qui sont prévues. [...]»*

– Arafat : «*Bienvenue. Au début, nous avions pensé nous servir de l'avion utilisé par Steve Cohen, après ce sont les Norvégiens qui ont proposé un avion, mais finalement, nous avons dû faire appel à Denis Ross et à Larsen. Vous voyez comme Yasser Abed Rabo et Abou Ala sont reposés. Ici, c'est une pyramide à l'envers. Je travaille, ils se reposent. Nous avons souffert du massacre à tous les niveaux. Lorsque le Premier ministre Rabin m'a téléphoné, j'étais en ligne avec l'hôpital à Hébron et les responsables de la ville. J'ai une idée précise de ce qui est arrivé. Ce qui m'a profondément touché, c'est le fait que des unités de l'armée israélienne ont participé aux tirs sur la foule. Et voyez ce que l'enquête a établi au sujet du retard des sentinelles. Nous sommes des généraux et chacun d'entre nous ne peut quitter son poste sans être remplacé. Même une infirmière ne peut quitter son poste ainsi.*

Je dois vous rappeler aussi que depuis le massacre d'Hébron il y a seize jours, 39 Palestiniens ont été tués et 400 blessés par les tirs de votre armée qui, au lieu de calmer les esprits, durcit la situation. Je suis désolé de vous dire que Mostafa Natsheh [le maire déchu d'Hébron] m'a téléphoné pour me parler du couvre-feu imposé sur la ville et dans les territoires occupés depuis tout ce temps-là. Les gens doivent manger. C'est une nouvelle catastrophe pour les habitants d'Hébron. Les victimes sont doublement punies. Il y a eu des manifestations populaires à Amman, à Beyrouth, au Caire, en Indonésie, en Iran, en Turquie, en Égypte, en Tunisie, partout. Et voilà, nous sommes là et je dois dire que dans toutes ces manifestations, on accuse le processus de paix. [...] Le retard dans le vote de la résolution du Conseil de sécurité ne fait que compliquer les choses. Cela fait dix-sept jours que j'attends ce vote. C'est trop, pourtant cela donnera à nos gens l'impression qu'ils ne sont pas seuls. J'ai été attaqué par la Jordanie, le Liban, l'Iran, la Syrie. On me qualifie de traître dans la presse. Comment est-il possible de soutenir le processus de paix sans qu'il se passe quelque chose de concret sur le terrain ? La colère du peuple a été très intelligemment déviée à l'encontre de l'OLP, et du processus de paix. [...]. A mon avis, il faut donner à notre peuple des mesures concrètes. Nous en avons besoin. Je parle franchement. Vous pouvez le faire, cela apportera le calme et la sécurité. Notre peuple souffre trop. Tout le monde demande quand et où aura lieu le prochain massacre. Ils craignent les colons et l'armée. A Gaza, jeudi, l'armée a tiré des missiles et détruit six maisons pour capturer un militant du Fatah [...]»

– Ouri Savir : «*Nous apprécions beaucoup ce que vous nous dites. Nous avons le sentiment que le temps œuvre contre nous. Ces dix-sept jours n'ont pas amélioré la situation. Ce que vous avez décrit correspond à ce que nous entendons chez nous. Rabin est accusé. Je crains que nous ayons perdu le contact. Nous sommes venus changer les choses, et pas seulement du point de vue cosmétique. [...]»*

– Ouzi Dayan : «*C'est une rencontre triste. Je ressens la tristesse dans votre voix. Il y a de bonnes raisons à cela. Personnellement, je suis triste et en tant que représentant de Tsahal, j'ai honte de ce qui est arrivé. Je me sens humilié par un assassin israélien portant l'uniforme d'un officier de réserve. Nous ressentons une responsabilité à l'égard de cet événement. Une commission d'enquête a été mise sur pied pour déterminer l'implication de l'armée. Vous devez savoir qu'une telle commission est toujours très dure et constitue un problème pour l'armée. Tsahal n'a pas été complice dans cette affaire. Nous n'avons pas réussi à empêcher le massacre. [...] La commission d'enquête dévoilera tout.*

«Nous faisons notre possible pour empêcher [de nouveaux accrochages meurtriers]. *Le problème est que les gens sont extrêmement tendus. Certaines rumeurs font état de vengeance. Le public palestinien est en colère et les soldats sous tension. C'est la raison du couvre-feu, uniquement pour empêcher de nouveaux drames. Ce n'est pas un secret militaire. Des tirs ont été dirigés sur des Israéliens et il y a eu des morts par erreur, en raison de la situation. [...]»*

– Arafat : «*Oui, vos unités spéciales ont tiré sur des Israéliens!*»

– Ouzi Dayan ignore la remarque et poursuit : «*Il n'y a pas de couvre-feu partout, bien sûr il est en place à Hébron. Hier, plusieurs personnalités ont demandé de ne pas lever le couvre-feu complètement, mais progressivement. Nous avons besoin de temps pour appliquer les résolutions du gouvernement. [...]*»

– Akram Anieh : «*Comment appliquez-vous les décisions du gouvernement ?*»

– Ouzi Dayan : «*Les généraux commandant les régions militaires interdisent des organisations. […]*»

– Akram Anieh : «*Est-ce que les colons du mouvement Kach partiront ?*»

– Ouzi Dayan : «*L'armée applique les décisions du gouvernement au sujet de la Cisjordanie. Vous verrez bientôt que nous faisons tout pour faciliter la vie aux Palestiniens, au sujet du couvre-feu et de la sécurité. Dix-sept jours ont passé depuis cette affaire et c'est le dernier jour du Ramadan. Nous devons décider où nous allons. C'est entre nos mains à tous deux. La population a besoin d'espoir. […]*»

– Arafat : «*J'accepte le maintien de la déclaration de principe, mais vous devez comprendre qu'il y a ici beaucoup de pessimisme, et la question est de savoir comment rétablir la confiance, l'atmosphère qui régnait à Washington lors de la signature de la déclaration […]. Imaginez ce qui serait arrivé si j'avais été à Jéricho et que le massacre ait eu lieu dans cette ville. Ç'aurait été une catastrophe. […] Qui va donner la sécurité aux habitants d'Hébron ? Les ordres de tir de l'armée israélienne font peur. Il faut donc déployer en certains endroits une présence internationale. Est-il possible de transférer ailleurs certains colons et certaines implantations ? Il y a dans la ville d'Hébron quarante-deux familles juives et cent quarante étudiants de yeshiva. Est-il possible de les transférer à Kiryat Arba ? C'est plus sûr là-bas. Ce sera plus facile pour l'armée. Pouvez-vous annuler le couvre-feu ? Est-il possible d'ouvrir la mosquée du caveau des Patriarches ?*

Il n'y a même pas de cinémas à Hébron. Les habitants de la ville sont un peuple spécial, très religieux. Au lieu de faire du vin sur place, ils préfèrent vendre leurs vendanges. Il faut tenir compte de la réalité et au moins transférer à Kiryat Arba les étudiants de la yeshiva. […] Hébron m'inquiète énormément. Ce serait moins grave si cela s'était passé à Gaza, mais à Hébron, ce sont des fanatiques. Serait-il possible d'envoyer une partie de notre police, en coordination avec votre armée et la présence internationale. J'aurais ainsi une garantie à cent pour cent qu'il ne se passerait rien…»

– Jacques Néria : «*Lors de notre rencontre au Caire, je vous avais informé de l'intention du gouvernement d'interdire les organisations kahanistes. Je vous avais dit qu'Israël avait la ferme intention d'aboutir à un accord avec vous. La voie n'est pas longue, il reste quelques pas à faire. La plus grande récompense que nous puissions offrir à l'assassin d'hébron, c'est arrêter les négociations. Nous voulons trouver une solution à la crise, et vous aussi. Il faut faire vite si nous ne voulons pas risquer de faire face à une nouvelle tragédie provenant peut-être d'un Palestinien. Nous sommes des représentants d'Israël importants, mais pas assez pour conclure un accord. Vous devez rencontrer le ministre des Affaires étrangères Shimon Pérès. Vous feriez une erreur en imaginant que Pérès et Rabin ne sont pas d'accord au sujet du problème palestinien. Ne jouez pas la scène intérieure israélienne. Vous n'avez qu'une seule adresse. […]»*

– Arafat : «*En décembre, Rabin m'a dit au Caire qu'il me rencontrerait à nouveau dix jours plus tard, et il ne s'est rien passé. Nous nous rapprochons du retrait prévu dans un mois. Je pense à voix haute. Nous avons tous besoin de présenter quelque chose à nos peuples sinon, il n'y aura pas de confiance. Vous avez un gouvernement, une armée, et la confiance n'est pas le seul élément entre le peuple d'Israël et son gouvernement. Par contre, c'est tout ce qu'il existe entre moi et mon peuple. Si nous pouvons intégrer des mesures concrètes sur le terrain et appliquer rapidement la déclaration de principe, nous pourrons surmonter la crise. […] Je suis au pied du mur plus que vous…*»

Yasser Abed Rabo et Akram Anieh prennent la parole et critiquent violemment la politique israélienne. «*Rien n'a changé*, disent-ils. *Israël, en fait, veut tromper Arafat.*» Les Israéliens protestent vivement.

Savir, Dayan et Néria regagnent leur hôtel où ils rencontrent la délégation américaine et Terje Larsen. Denis Ross annonce qu'il n'aura pas le temps de se rendre en Israël avant de repartir pour Washington. Jacques Néria non plus. Il décide de partir dans la soirée pour la capitale fédérale en compagnie des Américains. Il y fera son rapport au Premier ministre. Dans l'après-midi, les Israéliens sont de nouveau convoqués chez Yasser Arafat qui interpelle Ouri Savir : «*Avez-vous dormi ?*»

– Savir : «*Nous avons téléphoné en Israël et discuté avec les Américains de la poursuite des négociations.*»

– Arafat : «*Moi aussi, j'ai parlé avec les Américains. La discussion a été bonne. Ils veulent faire avancer les choses.*»

– Ouri Savir : «*Nous avons informé Rabin et Pérès de notre conversation. Nous pensons que les choses doivent être discutées au niveau plus élevé et le plus vite possible. Denis Ross va vous faire des propositions. Nous proposons que la prochaine rencontre ait lieu au niveau des décideurs.*»

Jacques Néria propose une rencontre avec Shimon Pérès. Ouri Savir insiste sur le fait qu'il n'y a pas de tension entre Yitzhak Rabin et son ministre des Affaires étrangères.

– Arafat : «*Rappelez vous. Pérès m'a dit que Rabin était le patron. Il me l'a répété deux fois à Davos et au cours des dernières quatre heures de discussions lors de l'accord du Caire, j'ai compris comment votre système fonctionne. J'ai dit : "OK, vous avez la sécurité extérieure, mais donnez-moi [le poste frontière de Rafah]." La réponse de Pérès a été : "Je dois en discuter avec mon patron." Notre discussion de ce matin a été importante. Je ne pose aucune condition, je suis au pied du mur. Rabin doit comprendre ma situation. J'attends donc quelque chose de concret. [...] Personnellement, je préférerais que vous reveniez tous les trois et qu'ensuite nous reprenions les négociations à n'importe quel niveau. Nous avons besoin d'une poussée. Pérès le fera.»*

Les Israéliens comprennent que, en raison de l'imminence du vote au Conseil de sécurité et de la perspective d'un veto américain à une résolution condamnant Israël, Arafat ne veut pas reprendre les négociations immédiatement. Le chef de l'OLP veut attendre une situation plus favorable qui lui permettrait d'obtenir des concessions de Yitzhak Rabin.

SOLUTION

Les contacts se poursuivront par téléphone et par télécopie jusqu'au 20 mars. Une délégation israélienne conduite par le général Amnon Shahak, et comprenant Ouri Savir, Yoël Singer et Jacques Néria, part pour Tunis. Yasser Arafat réclame immédiatement le transfert à Kiryat Arba des colons juifs installés dans la ville d'hébron, notamment les étudiants de l'école talmudique. «*Sans cela, c'est très difficile pour nous. Vous connaissez nos préoccupations. Et nous avons des renseignements sur une participation de soldats au massacre. Il pourrait y avoir un nouveau bain de sang. Des officiers israéliens auraient participé à des réunions en Israël pour le préparer. Il ne faut plus parler de Gaza et de Jéricho, mais de Gaza et d'hébron. Je pense qu'il faut déployer la police palestinienne à Hébron, évacuer les quarante-deux familles juives, mettre en place des patrouilles conjointes, avec une présence internationale.*»

Amnon Shahak explique à nouveau au chef de l'OLP les mesures prises par les autorités israéliennes à l'encontre des extrémistes juifs. Ouri Savir explique brièvement la différence entre les deux propositions de Terje Larsen. Dans l'après-midi, les Israéliens ont un nouvel entretien avec Arafat et lui répètent que l'évacuation de colons juifs d'hébron est une affaire qui dépend exclusivement du gouvernement israélien. L'atmosphère de la rencontre semble plus cordiale. Le lendemain, après avoir reçu le feu vert de Yitzhak Rabin, Amnon Shahak demande à parler seul à seul avec Yasser Arafat. L'entretien dure une demi-heure. Les choses semblent s'arranger. Le général israélien propose la mise sur pied de deux équipes de négociations. La première examinera les problèmes de sécurité à Hébron, et la seconde la mise en place de l'autonomie à Gaza et à Jéricho. Les Palestiniens ont cédé. Ils n'exigent plus le départ des colons juifs de la ville. Des observateurs internationaux seront temporairement stationnés à Hébron. A Terje Larsen qui lui dira qu'il a finalement entériné celle qui parmi ses trois propositions était «favorable» aux Israéliens, Arafat répondra : «*Mais ce sont les Israéliens qui ont accepté!*»

Les pourparlers reprennent le 23 mars au Caire. Shahak et Néria rejoindront les négociateurs le 29 mars. Le 30, les Palestiniens renoncent définitivement au déploiement de policiers palestiniens à Hébron. L'accord sur l'autonomie de Gaza et de Jéricho est signé au Caire le 4 mai, après plusieurs jours de négociations intensives auxquelles participent Terje Larsen, les dirigeants égyptiens et le secrétaire d'État Warren Christopher, accouru en renfort. La date est bien choisie. C'est l'anniversaire de Husni Moubarak. La cérémonie se déroule au palais des Expositions, mais un incident vient la gâcher. Sous les regards médusés de centaines d'invités et de la presse internationale, et alors que les chefs de diplomatie russe et américaine, Shimon Pérès, Yitzhak Rabin et Husni Moubarak s'entretiennent avec le sourire sur l'estrade, Yasser Arafat refuse de signer les cartes annexes de l'accord. Jacques Néria et Yoël Singer le remarquent et en informent Rabin au moment où il doit signer. Le Premier ministre israélien remet son stylo dans la poche.

Warren Christopher et son collègue russe prononcent des discours, pendant qu'Israéliens et Égyptiens tentent de persuader le chef de l'OLP de signer. Tout le monde part en coulisse pour en revenir quelques minutes plus tard. Arafat reprend les documents et les signe en ajoutant quelques mots. Rabin retourne à la table où se trouve le texte de l'accord. Il fait venir Jacques Néria, qui explique : «*Arafat a écrit : "En fonction de la lettre annexe de cette carte."*» Il ne s'agit pas d'une condition, Rabin peut signer. Néria vérifie les quinze cartes sur lesquelles le chef de l'OLP a apposé sa signature. Tout va bien. L'accord entre Israël et l'OLP va être appliqué sur le terrain.

GAZA

Le 16 mai 1994, pour la première fois depuis 1987, le couvre-feu nocturne imposé à Gaza est levé. Les forces palestiniennes venues de l'étranger par le poste frontière de Rafah commencent à arriver et patrouillent, sans armes. Tsahal occupe encore trois positions importantes en plein centre de la ville de Gaza. Les soldats se font discrets. Les Gazans les ignorent. Ils sont occupés à fêter leur nouvelle liberté. Des militants du Fatah circulent, tirant des rafales de Kalachnikov en l'air. A minuit, une heure du matin, les rues sont noires de monde. Les marchands de glaces et de jus de fruits font des affaires. Cela s'appellera la «Nuit des glaces».

La tension montera à nouveau à 3 heures du matin la nuit suivante. Tsahal doit évacuer le quartier général de la division, le bâtiment de l'ancien parlement local égyptien. Le Hamas, mais aussi des milliers de jeunes de l'Intifada, ne veulent pas rater l'événement. Ils sont là pour, une dernière fois, lancer des pierres sur les militaires. Des militants du Fatah tentent de calmer la foule en organisant des danses et des chants. Deux officiers israéliens tirent quelques grenades lacrymogènes.

A 4 heures du matin, après une réunion de coordination avec le général Matan Vilnaï, le commandant de la région militaire sud israélienne, le général Zyad el Atrash, de l'Armée de libération de la Palestine, arrive avec ses hommes. Quelques brèves poignées de main. Les Israéliens sont pressés de partir mais les officiers palestiniens sont débordés par la foule. Une pluie de pierres s'abat sur la colonne israélienne qui part en courant. Pour détourner l'attention, et éviter l'émeute, un chef du Fatah lâche une rafale d'arme automatique en l'air. Il est imité par ses hommes qui tirent chargeur sur chargeur. Ce qui pouvait être un drame se transforme en fantasia qui durera jusqu'aux lueurs de l'aube. Pour la première fois, des combattants palestiniens ont protégé des soldats israéliens. Quelques kilomètres plus loin, Matan Vilnaï, entendant la fusillade, craint le pire. Il reçoit très vite un message : «*Tout va bien, on est tous sortis!*» Zyad el Atrash apparaît avec un grand sourire : «*On a tiré pour deux mois de réserve de munitions!*» Gaza est palestinienne. L'OLP contrôle les deux tiers de ce territoire. Le reste est toujours occupé par les implantations. Une tâche immense attend la nouvelle administration. Les Égyptiens avant 1967 et les Israéliens, durant vingt-sept années d'occupation, n'ont investi que le strict minimum dans l'infrastructure de la région. Près d'un million de Palestiniens n'ont aucune protection sociale.

Le 19 mai, Yitzhak Rabin rencontre Hussein de Jordanie secrètement à Londres. Le souverain jordanien a eu de longs entretiens avec Ephraïm Halévy qui, inlassablement, lui a répété qu'il pouvait à présent conclure la paix avec Israël, et sinon, avant un traité de paix en bonne et due forme, il était possible d'avancer vers une normalisation. Le Premier ministre israélien et le souverain jordanien tombent d'accord pour préparer une déclaration commune qui serait présentée publiquement à Washington, sous l'égide du président Clinton. Selon certaines sources, aux inquiétudes du roi face à la pression des Syriens qui lui demandent de ne pas signer de paix avec Israël avant un accord avec Damas, Rabin aurait répondu en offrant des garanties pour la sécurité du royaume hachémite.

Le 1er juillet 1994, Yasser Arafat revient à Gaza pour la première fois depuis 1967. Après avoir passé le poste frontière de Rafah, il embrasse la terre de Palestine et prononce une prière, puis, de la tribune de l'ancien parlement régional égyptien, il s'adresse à son peuple :

« [...] *Nous avons juré à nos martyrs que nous irons prier à Jérusalem, notre principal Lieu* [saint], *le Lieu du prophète Mohamed et le lieu de naissance de Jésus. Nous disons au public israélien que nous reconnaissons ses Lieux saints à Jérusalem et qu'ils doivent également reconnaître nos Lieux saints chrétiens et musulmans.*

Mes frères [ceux que j'aime], *je dis au public israélien avec qui nous avons signé par l'intermédiaire de Rabin, la paix courageuse, je leur dis que cette paix courageuse nécessite encore plus de courage de nous tous afin de la protéger. Nous avons signé et disons à nos braves* [morts au combat] *que la promesse est vivante. Nous avons une grande tâche devant nous pour bâtir notre Autorité nationale palestinienne puis, notre État indépendant.* [...] *D'ici, de la Terre de Palestine, je dis au monde, à mes frères les leaders arabes que nous tiendrons la promesse que nous avons faite au monde arabe, pour son avenir* [...].» Le texte du discours avait été communiqué aux Israéliens. Près de soixante-dix mille Gazans sont venus accueillir leur leader. Dans la foule, quelques jeunes Israéliens ne sont pas très rassurés, ce sont les journalistes et techniciens des chaînes de télévision et de radio israéliennes, parmi lesquelles Galé Tsahal, la station de l'armée israélienne, qui retransmettent l'événement en direct. Le Fatah veille à leur sécurité. Ces gardiens n'ont pas à intervenir. La foule n'est pas hostile. Quelques semaines plus tôt, la présence de ces Israéliens aurait entraîné de véritables émeutes.

AMALEK

La droite israélienne, militants religieux en tête, manifeste contre l'arrivée d'Arafat. Le 2 juillet, place de Sion à Jérusalem, des dizaines de milliers de manifestants brûlent l'effigie d'Arafat et celle de Yitzhak Rabin. Benjamin Netanyahu prend la parole d'un balcon où a été pendue une gigantesque banderole : «*Mort à Arafat !*» Il explique à son public que, à présent, c'est Jérusalem que la gauche veut donner aux terroristes. Des milliers de portraits de Rabin coiffé d'un keffieh sont collés sur les murs un peu partout en Israël, certains avec l'inscription : «*Rabin traître!*» Certains dirigeants du mouvement annexionniste expliquent que le Premier ministre est en fait Pétain et, Shimon Pérès, Laval.

Une nouvelle organisation d'extrême droite a vu le jour : Zo Artsénou, «Ceci est notre pays». Dirigée par Moshé Feiglin, un immigrant religieux originaire des États-Unis, elle donne un ton violent à toutes les manifestations contre l'accord avec les Palestiniens. Feiglin développe une théorie philosophique proche des thèses du défunt rabbin raciste Kahana : «*Personnellement, je pense que le Sionisme est arrivé à son terme, l'heure du Judaïsme est arrivée. Cette notion de Sionisme religieux est repoussante. Le Judaïsme arrive enfin à la prééminence qui lui revient. Le gouvernail nous revient à nous, les Juifs croyants. […] Rabin est devenu l'allié du nouveau nazi [Arafat]. Hitler aussi est arrivé au pouvoir par des élections démocratiques. […] Il y a des choses qui dépassent les notions de majorité et de minorité[1].*» Un discours dans la ligne de l'extrême droite religieuse qui déjà dans les années 1970 qualifiait Anouar el Sadate de «Hitler», le mal absolu. Une rhétorique développée ainsi par le rabbin Israël Hess, l'ancien rabbin de l'université Bar Ilan : «*Le jour viendra où nous devrons tous réaliser la commandement de la guerre divine pour détruire Amalek [le diable].*» Amalek, c'est l'ennemi qui déclare la guerre à Israël. L'Arabe devient synonyme de mal[2]. Arafat est Hitler, et Rabin le collaborateur Pétain…

PAIX ET TERRORISME

Le 25 juillet, pour la première fois, Yitzhak Rabin et Hussein de Jordanie se serrent la main en public. La scène se passe à la Maison-Blanche à Washington. Le Premier ministre israélien et le roi de Jordanie signent une déclaration qui marque la fin de l'état de belligérance entre leurs deux pays. Israël s'engage à préserver les intérêts hachémites dans les Lieux saints musulmans de Jérusalem. Ce n'est pas encore un traité de paix, mais les négociations qui doivent commencer incessamment, en alternance en Israël et en Jordanie, devraient permettre d'y parvenir rapidement. L'histoire qui avait commencé au début du siècle, lors des premiers contacts entre les hachémites et le mouvement sioniste, est à son apogée. Hussein, qui a eu des dizaines de

---

1. *Nekouda*, organe du Mouvement des implantations, juin 1995.
2. Cité par Yehoshafat Harkabi, *Israel's Fateful Decisions*, Tauris, Londres, 1988, p. 153.

rencontres avec tous les dirigeants israéliens, à l'exception de Menahem Begin, établit ouvertement des relations de bon voisinage avec ses voisins à l'ouest.

A Gaza et en Cisjordanie, les islamistes ont compris qu'ils risquent de perdre la partie. Le processus de paix, le réchauffement des relations entre les Palestiniens, les États arabes et Israël pourraient enterrer pour des générations leur rêve de Palestine islamique. Déjà, à Gaza, la population, très religieuse pendant l'Intifada, commence à goûter aux charmes d'une vie normale. De nombreux restaurants ont poussé sur la plage. On y chante, on y danse parfois la nuit. Les états-majors installés à l'étranger, à Damas, à Amman, à Beyrouth, à Téhéran, ont donné les ordres. Le 6 avril, une voiture piégée a fait 7 morts et 40 blessés israéliens. C'est la première d'une longue série d'attentats suicides. Le 13 avril, un kamikaze intégriste bardé d'explosifs s'est fait sauter à bord d'un autobus à Hadéra. Il y a 5 morts et 32 blessés.

Le 9 octobre, en plein cœur de Jérusalem-Ouest, deux terroristes du Hamas ouvrent le feu sur la foule des clients attablés aux terrasses des restaurants : 2 morts, 13 blessés. Le même jour, un soldat israélien est kidnappé, également par des membres du Hamas. Il est tué le 14, lorsqu'un commando de Tsahal tente de le libérer dans la maison où il était détenu à Jérusalem. Le 19, à nouveau un kamikaze se fait sauter dans un autobus, rue Dizengoff à Tel Aviv. Il y a 22 morts et plus de 50 blessés. L'insécurité s'installe dans les villes israéliennes. Le jour même, une violente manifestation se déroule sur les lieux de l'attentat. En présence de Benjamin Netanyahu, le leader du Likoud, les militants de droite scandent : « *Ce n'est pas la paix, c'est le terrorisme* » et « *Par le sang et par le feu, nous viderons Rabin* ». Le gouvernement israélien impose un bouclage complet des territoires aux Palestiniens.

Le traité de paix entre Israël et la Jordanie est signé le 26 octobre 1994 au point de passage d'Ein Evrona, à quelques kilomètres au nord d'Eilat et d'Akaba. La frontière entre les deux pays a été tracée. Israël restitue plus de trois cents kilomètres carrés à la Jordanie. Les agriculteurs israéliens pourront continuer de cultiver ces terrains pendant vingt-cinq ans. Le président américain Bill Clinton vient participer à la cérémonie, émouvante pour les citoyens des deux pays. La presse internationale se contente de noter une nouvelle étape vers la paix au Proche-Orient. Des relations diplomatiques entre Amman et Jérusalem sont établies un mois plus tard.

Avec les Syriens également, les négociations ont progressé. Les bilatérales de Washington ont permis, depuis le mois d'août, d'établir un certain nombre de principes : le retrait du Golan – sans en définir l'importance à ce stade – s'effectuerait en deux ou trois étapes, étant entendu que, dès la première, les deux pays échangeraient des représentants diplomatiques. Assad accepte la conception israélienne de la paix, une normalisation complète, les échanges économiques dépendant des lois des deux pays. Les discussions entre Itamar Rabinovitch et Walid Moualem, le chef de la délégation syrienne, se sont déroulées sous l'égide de Dennis Ross ou de Warren Christopher en personne. Les Syriens n'ont toujours pas reçu la promesse formelle d'Yitzhak Rabin qu'il est prêt à un retrait total du plateau du Golan même si les Américains laissent entendre aux Syriens que c'est le cas. Pour le Premier ministre israélien la «table» de la paix doit reposer sur «quatre pieds» : le tracé des frontières, les arrangements de sécurité, l'établissement de relations entre les deux pays et le calendrier d'application de l'accord liant les étapes du retrait du Golan à des mesures syriennes de normalisation avec Israël.

L'élément le plus épineux concerne les arrangements de sécurité. Les Syriens exigent, depuis le début des négociations bilatérales avec Israël, une parité dans les zones démilitarisées et de réduction des forces. En cas de démilitarisation du Golan cela amènerait l'armée israélienne à se déployer sur une ligne passant par Safed! Et puis, Hafez el Assad refuse d'entendre parler de stations d'alerte et de détection installées en territoire syrien, et pas question pour lui d'accepter une réduction du nombre de divisions de son armée. Pour tenter de résoudre le problème, les Américains proposent une rencontre entre le général Ehoud Barak, le chef d'état-major israélien, et son homologue syrien le général Hikmat el Chihabi. Elle aura lieu à la fin du mois à Washington et ne permettra pas de trouver une solution.

Le 10 décembre 1994, Yitzhak Rabin, Yasser Arafat et Shimon Pérès reçoivent le prix Nobel de la paix à Oslo. En dépit de l'impasse dans les négociations sur l'accord intérimaire, l'atmosphère entre les trois hommes est chaleureuse. Yasser Arafat s'adresse au public israélien : «*La paix permet à la conscience arabe une profonde compréhension de la tragédie qu'a connue le judaïsme européen. Elle permet également à la conscience juive de* [comprendre] *la souffrance du peuple palestinien résultant d'une croisée des chemins historique. Elle trouvera un écho dans l'âme juive torturée. Les peuples qui souffrent comprennent mieux qu'autrui la souffrance d'un autre peuple.* […]» Rabin et Pérès prononcent des discours très émouvants, évoquent leur passé, celui d'Israël et présentent le rêve d'un Proche-Orient de paix. Le même jour, un ambassadeur de Jordanie s'installe à Tel Aviv, Mohamed Bassiouny, n'est plus le seul représentant diplomatique arabe en Israël.

Mais les intégristes islamiques poursuivent leur offensive. Le 22 janvier 1995, c'est le Jihad qui réalise un double attentat à Beit Lid, à cinquante kilomètres au nord de Tel Aviv. Un premier kamikaze, venu de Gaza, se fait sauter avec quinze kilos d'explosifs dans une cafétéria bondée de jeunes soldats. Un second attend l'arrivée des secours pour, lui aussi, faire détoner la bombe qu'il porte. Il y a 23 morts et 60 blessés. Le bouclage des territoires palestiniens, qui avait été levé, est à nouveau imposé par l'armée.

Le Jihad lance une nouvelle attaque contre un autobus près de Kfar Darom, une implantation israélienne dans la bande de Gaza. L'explosion d'une voiture piégée, conduite par un intégriste, fait 6 morts et 40 blessés. Le 24 juillet, un kamikaze se fait sauter dans un autobus à Ramat Gan près de Tel Aviv. Il y a 6 morts et 30 blessés. Ces attaques sanglantes suscitent immédiatement de violentes manifestations antigouvernementales à Tel Aviv et à Jérusalem. Les slogans « *Rabin, Pérès, traîtres, assassins !* » sont, à nouveau, scandés par des milliers de manifestants qui, régulièrement, se heurtent à la police. Yasser Arafat, dont le pouvoir n'est pas encore fermement installé, tente, en vain, d'aboutir à un accord avec les mouvements intégristes. A deux reprises, des attentats contre sa personne sont déjoués.

RÊVES ET RÉALITÉS

Malgré tout, le Proche-Orient se transforme. La paix avec la Jordanie, les négociations avec les Palestiniens amènent les investisseurs dans la région, notamment les multinationales qui, par crainte du boycottage arabe et de l'instabilité, évitaient Israël où s'installe une prospérité sans précédent. Le chômage est en baisse constante et descend en dessous de 7 %. Diplomates et hommes d'affaires s'attellent à des grands projets touristiques et industriels dans le cadre des négociations multilatérales. Une riviera sur la mer Rouge, associant l'Égypte, Israël et la Jordanie. Des autoroutes reliant Amman à Jérusalem, Tel Aviv et Haïfa… Les rêves semblent devenir réalité.

A Washington, Rabinovitch et Moualem parviennent, en mai 1995, toujours sous la houlette de Dennis Ross, à la rédaction d'un document définissant certains éléments des arrangements de sécurité qui devraient être mis en place dans le cadre d'un accord entre les deux pays :

« *Objectifs :*

1) Réduire, sinon éliminer complètement, les risques d'attaques surprises.

2) Empêcher ou réduire les frictions quotidiennes le long de la frontière commune.

3) Réduire les risques d'attaque d'envergure, voire de guerre
Principes :
1) Reconnaissance de l'exigence légitime que toute revendication (ou demande de garantie) d'une partie dans le domaine de la sécurité ne soit pas acquise au détriment de l'autre.
2) Les arrangements de sécurité seront égaux et mutuels des deux côtés [de la frontière]. *S'il s'avère au cours de la négociation que l'application du principe d'égalité est impossible ou très difficile, des experts militaires des deux parties examineront les problèmes spécifiques et les résoudront [...] en y apportant toute solution acceptable par les parties. [...]*
3) Les arrangements de sécurité doivent être compatibles avec la souveraineté et l'intégrité territoriale de chaque partie.
4) Les arrangements de sécurité seront limités aux régions concernées des deux côtés de la frontière[1]. »

Ce texte ne sera, ni paraphé par les négociateurs, ni approuvé par l'une des deux parties. Il constituera néanmoins la base des futures discussions israélo-syriennes. Itamar Rabinovitch y voit une concession fondamentale des Syriens qui renoncent à la symétrie dans les arrangements de sécurité. Les deux chefs d'état-major se retrouvent à Washington le 30 juin 1995. Le général Amnon Lipkin Shahak, qui a remplacé Ehoud Barak à la tête de l'armée israélienne, propose à Hikmat el Chihabi une formule de démilitarisation qui tiendrait compte de la différence de profondeur des deux territoires. Pour dix kilomètres démilitarisés du côté syrien, Israël accepterait une démilitarisation de six kilomètres. Aucun accord n'est conclu. Les Syriens refusent toujours le principe de l'installation de stations d'alerte et de détection sur leur territoire et parlent d'un retrait israélien sur les lignes du 4 juin 1967 alors que Shahak évoque un déploiement israélien sur la ligne de crête surplombant le lac de Tibériade et la Haute-Galilée. Les négociations sont de nouveau interrompues.

L'exigence syrienne d'un retrait sur la ligne de cessez-le-feu d'avant la guerre des Six Jours signifierait la restitution par Israël de la région d'El Hama au sud du Golan et le retour des Syriens à dix mètres du lac de Tibériade. A plusieurs occasions, des dirigeants de la gauche israélienne ont parlé d'un retrait sur les lignes officielles de démarcation prévues par l'accord de 1949 qui laisse El Hama et des territoires à l'est du lac de Tibériade sous contrôle israélien. Cette question n'a été évoquée, ni durant les négociations de 1995, ni durant celle de 1996.

---

1. *Haaretz*, 14 janvier 1997.

Israéliens et Palestiniens poursuivent les négociations afin d'aboutir à la conclusion de l'accord intérimaire prévu par la déclaration de principe. Les discussions se déroulent alternativement en Israël et à Jéricho. Des progrès seront enregistrés après une rencontre entre Pérès et Arafat à Taba le 10 août. Après cinq semaines de pourparlers ininterrompus, Ouri Savir et Abou Ala réaliseront un accord historique, le 24 septembre, grâce notamment à la présence presque permanente de leurs patrons, le ministre des Affaires étrangères israélien et le chef de l'OLP qui, au fur et à mesure, prendront les décisions nécessaires.

L'autonomie sera élargie à l'ensemble de la Cisjordanie qui sera divisée en trois secteurs :

A. Les principales villes évacuées par l'armée israélienne, qui seront entièrement sous la responsabilité de l'autorité palestinienne.

B. 418 villages palestiniens où l'autorité autonome sera responsable de l'administration civile et qui seront, après trois retraits effectués en dix-huit mois, également évacués par Israël d'ici février 1997.

C. Les implantations et les zones militaires qui restent entièrement sous le contrôle israélien. Le conseil autonome palestinien doit être élu au suffrage universel, vingt-deux jours après la fin du premier retrait.

L'accord est solennellement signé à la Maison-Blanche à Washington le 28 septembre 1995 en présence de Hussein de Jordanie et du président égyptien Husny Moubarak. Au même moment, au palais de la Nation, à Jérusalem, les dirigeants de la droite israélienne, Benjamin Netanyahu en tête, signent un engagement solennel de préserver l'intégrité de la terre d'Israël. Pour les responsables du Mouvement des implantations un élément de l'accord intérimaire est totalement inadmissible : le retrait de la zone B qui transforme des localités juives en Cisjordanie en enclaves entourées de forces palestiniennes. Ils pourraient, à la rigueur, accepter une situation où l'OLP ne recevrait que les principales villes, où de toute manière Tsahal a de grandes difficultés à maintenir l'ordre.

TEMPÊTE

L'accord intérimaire est soumis au Parlement israélien le 5 octobre 1995. Les cartes sont disposées dans une salle, avec les textes. Le général Ouzi Dayan, qui a participé aux pourparlers, est là pour donner des explications aux députés. Yitzhak Shamir arrive en compagnie de Benjamin Netanyahu. L'ancien Premier ministre déclare : «*Cette carte est une recette sûre pour la création d'un État palestinien en Terre d'Israël.*» Le chef du Likoud renchérit : «*Nous ne les laisserons pas* diviser la Terre d'Israël. Nous combattrons ce gouvernement jusqu'à ce qu'il tombe!»

En séance plénière, Netanyahu tire à boulets rouges sur Rabin . «*Votre rupture avec la tradition d'Israël est la véritable origine du comportement de ce gouvernement, pour qui Hébron est une ville arabe, la Judée et la Samarie, la Cisjordanie, et le Golan une terre syrienne. Monsieur le Premier ministre, vous avez dit que la Bible n'est pas votre cadastre…*»

— Rabin : «*Soyez précis, ne mentez pas! C'est vous qui avez renoncé au Sinaï, où le peuple d'Israël a reçu la Torah!*»

— Netanyahu : «*Il n'est pas surprenant que vous ayez renoncé si facilement au cœur de la patrie. Un homme ne saurait renoncer aussi facilement et avec une telle joie à son pays et à son foyer. Seuls ceux qui se sentent des envahisseurs étrangers se comportent ainsi envers la terre de leurs ancêtres comme si c'était de l'immobilier, un fardeau dont il faut se débarrasser. Comment un peuple qui ne reconnaît pas son droit, qui perd son rêve, peut-il défendre son existence et se battre pour elle*[1]? […]»

Pendant que le débat se poursuit, dans la soirée, des dizaines de milliers de manifestants sont réunis place de Sion dans le centre ville. Des haut-parleurs diffusent des slogans contre «*la trahison du gouvernement satanique*». De jeunes militants religieux chantent : «*Par le feu et par le sang, nous expulserons Rabin*» et aussi : «*C'est un traître, c'est un traître, c'est un traître, a mort Rabin, à mort Rabin!*» Benjamin Kahana, le fils du défunt rabbin raciste, dont le mouvement est interdit, fait une apparition Il est porté en triomphe.

Netanyahu prend la parole d'un balcon. Il accuse le gouvernement de se fonder sur une majorité non sioniste : «*Cinq députés sont des Arabes, pro-OLP*, dont les enfants, dit-il, *ne font pas de service militaire.*» La foule hurle : «*Mort à Rabin!*» Un petit groupe brandit un portrait de Rabin déguisé en SS. Netanyahu ne réagit pas. A la fin de cette manifestation, des dizaines de milliers de manifestants se dirigent vers la Knesset qu'ils encerclent complètement vers minuit. Un ministre travailliste est chahuté. La police parviendra avec difficulté à l'extraire de la foule en colère. Le vote se déroule tard dans la nuit. L'accord intérimaire est approuvé par 61 voix contre 59.

La droite et l'extrême droite israéliennes poursuivent leur offensive. Yitzhak Rabin est insulté par des militants qui parviennent à l'approcher à plusieurs occasions, lors de l'inauguration d'un pont routier et d'un meeting d'immigrants Tous les vendredis, en regagnant son

---

1. Daniel Ben Simon, *Eretz Akheret*, Aryeh Nir Modan, 1997, Tel Aviv.

domicile il est accueilli par des jeunes militants du Likoud qui hurlent : « *Traître !* »

La gauche se ressaisit le 4 novembre. La plus importante manifestation jamais organisée pour la paix se déroule place des Rois-d'Israël à Tel Aviv. Plus de 100 000 personnes expriment leur soutien à Rabin et Pérès. La sécurité est sur les dents. Elle craint un attentat du Jihad islamique qui accuse le Mossad du meurtre de son chef, Fathi Chkaki abattu à Malte le 26 octobre. Les gardes du corps du Premier ministre n'imaginent pas une tentative d'assassinat par un Juif. Au moment où il monte dans sa voiture, Yitzhak Rabin est abattu par Yigal Amir, un jeune religieux de droite. Le combattant du Palmah, le jeune colonel de la guerre de 1948, le chef d'état-major de 1967, le Premier ministre qui, plus que tout autre, symbolisait l'identité israélienne que voulaient former les pères fondateurs de l'État, a été assassiné parce qu'il avançait vers la paix, qu'il allait à l'encontre des théories messianiques réveillées par la guerre des Six Jours dont il fut le vainqueur. Israël est en état de choc pendant quelques mois.

Les obsèques de Rabin se déroulent quarante-huit heures plus tard sur le mont Herzl à Jérusalem, en présence de dizaines de chefs d'État et de gouvernement. Hussein de Jordanie, Husni Moubarak sont là aux côtés de Bill Clinton. Un hommage au chef mort et à la voie qu'il avait tracée. Une formidable expression de soutien à Israël et au processus de paix. Shimon Pérès assure l'intérim, avant d'être confirmé dans ses fonctions par la Knesset. En décembre, il ordonne le retrait de l'armée israélienne des principales villes de Cisjordanie : Jenine, Toulkarem, Kalkilya, Naplouse, Ramallah, Bethléem, mais laisse le redéploiement d'Hébron à plus tard. Il ne veut pas de confrontation avec les rabbins qui le supplient d'attendre avant de confier la majeure partie de la ville des Patriarches à l'OLP.

L'immense soutien que lui accordent tous les sondages s'effrite au fil des mois. Le 5 janvier 1996, un des chefs de la branche armée du Hamas, Yihia Ayyash, surnommé l'« Ingénieur » est tué par l'explosion d'un téléphone portable piégé. Considéré par les Israéliens comme l'ennemi public numéro un, il se cachait chez un cousin à Gaza. La presse israélienne et étrangère racontera l'opération très sophistiquée qui a conduit à son exécution. L'opération Ayyash a réhabilité le Shin Beth, dont le patron, considéré par la commission d'enquête comme en partie responsable des erreurs de son service qui ont permis l'assassinat de Rabin, avait dû démissionner. Elle a aussi fourni au Hamas l'excuse d'une vengeance. Arafat tente, en vain, de négocier un cessez-le-feu. Il présente ses condoléances à la famille de l'« Ingénieur », autorise des obsèques quasi nationales à Gaza où des dizaines de milliers d'intégristes défilent.

En Israël, la droite ne se fait pas faute d'utiliser ces images. Pour elle, c'est la preuve qu'Arafat ne lutte pas contre le terrorisme.

Les négociations avec la Syrie reprennent le 28 décembre 1995 à Wye Plantation, dans le Maryland. Shimon Pérès a envoyé Ouri Savir diriger la délégation israélienne aux côtés d'Itamar Rabinovitch. Les Syriens ont accepté la présence d'experts militaires des deux pays. Warren Christopher a l'impression que cette fois un accord pointe à l'horizon. Ses derniers contacts avec Yitzhak Rabin, fin octobre avaient été orageux. Dennis Ross avait mis au point une proposition de compromis comportant un retrait total du Golan et la mise en place d'observateurs et de stations de détection américains des deux côtés de la frontière. Le Premier ministre israélien avait piqué une colère et appliqué son droit de veto : la proposition n'avait pas été soumise aux Syriens. Les pourparlers de Wye Plantation permettront quelques progrès mais, interrompus par les élections israéliennes du 29 mai, n'aboutiront pas à un accord. Savir dit à qui veut l'entendre qu'il aurait pu conclure un traité de paix avec la Syrie s'il en avait eu le temps.

Les premières élections palestiniennes ont lieu le 20 janvier sous le contrôle d'observateurs internationaux. Avec 89 % des voix, Arafat est plébiscité président du Conseil d'autonomie dont les 88 membres sont démocratiquement élus. Le chef de l'OLP voit sa légitimité confirmée. L'autorité autonome palestinienne contrôle 3 % du territoire de la Cisjordanie.

Le 25 février, un kamikaze du Hamas se fait sauter dans un autobus de Jérusalem. Il y a 26 morts et 46 blessés. L'horreur. Quelques heures plus tard, à une station d'auto-stop pour militaires, un autre volontaire au suicide se tue en faisant exploser sa ceinture d'explosifs : 1 mort et 32 blessés. Une semaine jour pour jour après ces attentats, nouvelle explosion dans un autobus de la même ligne à Jérusalem. Il y a 19 morts et une dizaine de blessés. Là encore, il s'agit d'un terroriste du Hamas. Le lendemain, c'est un volontaire du Jihad islamique qui se fait sauter avec sa charge devant le centre commercial Dizengoff à Tel Aviv : 14 tués et 157 blessés. A Gaza, les dirigeants de l'organisation islamiste sont surpris par cet attentat dirigé contre des civils. Au cours des années écoulées le Jihad veillait à n'attaquer que des cibles militaires. Ils contactent le QG à Damas et reçoivent comme réponse : «*Depuis l'assassinat de Fathi Chkaki, notre politique a changé!*» Arafat réalise que dans cette atmosphère, les travaillistes risquent de perdre les élections. Il interdit les mouvements intégristes. Des centaines de militants sont appréhendés. Les mosquées affiliées au Jihad et au Hamas sont placées sous la responsabilité de l'autorité palestinienne.

Bill Clinton et Husni Moubarak, très inquiets des conséquences de ces attentats sur le processus de paix, organisent un sommet des «Faiseurs de paix» à Charm El Cheikh, le 13 mars. Jamais une telle réunion ne s'était déroulée au Proche-Orient. Bill Clinton, le président russe Boris Eltsine, le président français Jacques Chirac, John Major, Helmut Kohl, Hassan II, les Premiers ministres tunisien, canadien, des émirs des pays du Golfe, les chefs des diplomaties saoudienne, algérienne… viennent apporter, sous la houlette du président égyptien, leur soutien au processus de paix et à Shimon Pérès. Mais l'événement, aussi symbolique soit-il, n'a aucun impact sur le public israélien. Après une campagne électorale inepte, Pérès perd les élections du 29 mai 1996. C'est Benjamin Netanyahu, le principal opposant aux accords avec les Palestiniens, qui prend les rênes du pays pour quatre ans. Le chef du Likoud a bénéficié du soutien de l'ensemble de la communauté orthodoxe, ainsi que de tous les mouvements de droite et d'extrême droite.

Pour le journaliste Daniel Ben Simon : «*Les principes fondamentaux de l'identité israélienne constituaient l'enjeu des élections de 1996. Bien que les deux candidats à la présidence du Conseil aient tenté d'en minimiser l'importance, tous savaient que les résultats auraient des conséquences fondamentales pour l'avenir du pays en accordant la victoire à l'une des deux grandes tendances qui font l'âme d'Israël : serat-il un État comme les autres ou bien un pays différent, qui refuse de s'intégrer à la communauté des nations ? Le résultat, si serré fût-il, a fait pencher la balance en faveur de ceux qui se définissent comme juifs, contre ceux qui se considèrent israéliens ; en faveur de ceux qui tirent leur identité du judaïsme et non de valeurs universelles alliées à la volonté d'appartenir à l'espace spirituel et culturel de l'Europe et des États-Unis*[1].»

L'assassinat de Rabin et la victoire de Netanyahu, pur produit de l'idéologie révisionniste du sionisme, constituent un tournant dans l'histoire d'Israël. Pour la première fois, un homme qui n'a pas vécu la guerre de 1948, qui n'a pas participé à la construction de l'État, en assume le pouvoir. Sa marge de manœuvre est limitée. Les accords d'Oslo, l'existence d'une autorité autonome palestinienne démocratiquement élue ont créé une nouvelle réalité qu'il ne peut changer. Après huit mois de tergiversations sous la pression américaine, et un affrontement sanglant entre Tsahal et les forces palestiniennes en septembre 1996, le nouveau Premier ministre a conclu, le 14 janvier 1997, un accord avec Yasser Arafat sur le redéploiement de l'armée israélienne

---

1. Daniel Ben Simon, *Eretz Akheret, op. cit.*, p. 263.

hors aes quatre cinquièmes d'Hébron et trois retraits supplémentaires de Cisjordanie.

Pour Abba Eban, l'ancien ministre des Affaires étrangères : «*L'accord d'Oslo est un des documents les plus surprenants de l'histoire de la diplomatie. Decrié par ses adversaires, il a fait son chemin vers le centre de la politique par la simple logique et le réalisme de ses principes.* [...]

«*L'autre voie à Oslo aurait été une nouvelle tentative visant à supprimer le nationalisme palestinien d'une manière anachronique, contraire à tous les courants politiques contemporains.* [...] *L'autre choix à l'accord sur Hébron et à l'accord d'Oslo aurait été, plus tôt que tard, une guerre au cours de laquelle Israël aurait fait face à un monde arabe unifié* [...][1].»

Cette menace n'a pas disparu de la région. L'avenir de la paix au Proche-Orient dépend de la solution définitive qui sera donnée au problème palestinien. État palestinien viable ou autonomie élargie, que Yasser Arafat et la communauté internationale rejettent? En cette fin de siècle, les dirigeants israéliens devront trancher, accepter ou refuser le compromis historique avec les Palestiniens dont tous les négociateurs de la région ont discuté depuis 1917: le partage de ce qui est pour les Arabes la Palestine historique et pour les Juifs la terre promise biblique.

1. *Jerusalem Post*, 17 janvier 1997.

Chronologie

1896 : Théodor Herzl publie *L'État des Juifs*.

février 1916 : Accords Sykes-Picot entre la France et la Grande-Bretagne sur le partage de la Terre sainte.

2 novembre 1917 : Déclaration du ministre britannique, Lord Balfour promettant aux sionistes la création d'un Foyer national juif en Palestine.

10 décembre 1917 : Conquête de Jérusalem par les Britanniques.

29 novembre 1947 : L'assemblée générale des Nations unies vote le partage de la Palestine en deux États, arabe et juif.

14 mai 1948 : David Ben Gourion proclame la création de l'État d'Israël

1er décembre 1948 : Le Congrès palestinien de Jéricho vote l'annexion de la Cisjordanie à la Transjordanie.

24 février 1949 : Signature de l'accord d'armistice entre Israël et l'Égypte à Rhodes.

23 mars 1949 : Signature de l'armistice entre Israël et le Liban.

3 avril 1949 : Signature de l'armistice entre Israël et la Jordanie après des négociations secrètes entre les dirigeants israéliens et Abdallah

20 juillet 1949 : Signature de l'armistice entre Israël et la Syrie.

1950 : L'UNRWA estime qu'il y a 957 000 réfugiés palestiniens.

21 juillet 1950 : Assassinat d'Abdallah par Moustafa Ashou, un militant palestinien

22 juillet 1952 . Révolution égyptienne, menée par les Officiers libres de Gamal Abdel Nasser.

2 mai 1953 : Hussein, couronné roi de Jordanie.

29 octobre 1956 : Opération israélienne contre l'Égypte dans le Sinaï, suivie d'une intervention britannique et française à Suez.

6 novembre1956 : Cessez-le-feu conclu sous la pression américaine et soviétique.

Mars 1957 : Israël évacue le Sinaï et Gaza.

13 janvier 1964 : Le sommet arabe du Caire décide la création de l'Organisation de libération de la Palestine.

1er février 1966 : Méir Amit, le chef du Mossad, est invité au Caire pour des négociations secrètes.

5 juin 1967 : Début de la guerre des Six Jours. Offensive israélienne contre l'Égypte.
7 juin 1967 : Conquête de la Cisjordanie et de Jérusalem-Est par Israël.
10 juin 1967 : Cessez-le-feu. Israël occupe le Sinaï, le Golan, la Cisjordanie, et Jérusalem-Est.
1er septembre 1967 : Le sommet arabe de Khartoum vote non à des négociations avec Israël, non à une reconnaissance.
22 novembre 1967 : Résolution 242 du Conseil de sécurité des Nations unies.

15 décembre 1969 : Golda Méir, Premier ministre en Israël après le décès de Lévy Eshkol.

Septembre 1970 : «Septembre noir» en Jordanie. Affrontements entre l'armée jordanienne et les organisations palestiniennes. Près de 4 000 morts.
28 Septembre 1970 : Mort de Nasser.

5 aout 1972 : Attentat des jeux Olympiques de Munich. 11 athlètes israéliens assassinés par un commando de l'organisation Septembre noir (OLP).

10 avril 1973 : Opération «Printemps de jeunesse». Assassinat de trois dirigeants palestiniens par des commandos israéliens.
6 octobre 1973 : Guerre d'Octobre déclenchée par les Égyptiens et les Syriens sur le canal de Suez et le Golan.
23 octobre 1973 : Premier cessez-le-feu entre Israël et l'Égypte. Encerclement de la 3e armée égyptienne à Suez.
24 octobre 1973 : Cessez-le-feu entre Israël et la Syrie.
25 octobre 1973 : Cessez-le-feu définitif entre Israël et l'Égypte.
21 décembre 1973 : Conférence de Genève sur la paix au Proche-Orient,

sous la présidence de Kurt Waldheim, le secrétaire général de l'ONU avec la participation de l'Égypte, de la Jordanie et d'Israël.

18 janvier 1974 : Accord de séparation des forces entre Israël et l'Égypte.

31 mai 1974 : Accord de séparation des forces entre Israël et la Syrie.

3 juin 1974 : Yitzhak Rabin, Premier ministre en Israël.

29 octobre 1974 : Sommet arabe de Rabat. L'OLP est le seul représentant légitime du peuple palestinien.

1er septembre 1975 : Accord intérimaire entre Israël et l'Égypte.

1977 : Les implantations juives en Cisjordanie et à Gaza comptent 20 000 habitants.

17 mai 1977 : Le Likoud de Menahem Begin remporte les élections en Israël.

19 novembre 1977 : Anouar el Sadate à Jérusalem.

4 janvier 1978 : assassinat de Saïd Hamami, représentant de l'OLP à Londres par un membre de l'organisation d'Abou Nidal.

17 septembre 1978 : Accords de Camp David entre Israël et l'Égypte.

10 décembre 1978 : Begin et Sadate, prix Nobel de la paix.

26 mars 1979 : Signature à Washington, par Menahem Begin et Anouar el Sadate, du traité de paix israélo-égyptien.

30 juillet 1980 : La Knesset proclame Jérusalem capitale réunifiée de l'État d'Israël.

6 octobre 1981 : Au Caire, assassinat d'Anouar el Sadate par un commando intégriste conduit par Shaouki el Islambouli.

6 juin 1982 : Opération «Paix en Galilée». Guerre au Liban destinée à détruire l'OLP.

14 septembre 1982 : Assassinat de Bachir Gemayel à Beyrouth.

16, 17 et 18 septembre 1982 : Massacres de Palestiniens par des phalangistes chrétiens dans les camps de Sabra et Chatila à Beyrouth. L'armée israélienne laisse faire.

10 avril 1983 : Assassinat, à Albufeira, au Portugal, d'Issam Sartaoui par un membre de l'organisation d'Abou Nidal.

29 aout 1983 : Démission de Menahem Begin. Yitzhak Shamir devient Premier ministre en Israël.

15 août 1984 : Gouvernement d'Union nationale. Shimon Pérès, Premier ministre. Shamir, ministre des Affaires étrangères. Rabin ministre de le Défense.

3 juin 1985 : Début des négociations secrètes entre Israël et l'OLP à New York.

1er octobre 1985 : Raid de l'aviation israélienne sur le QG de l'OLP à Tunis. 65 morts.

3 avril 1986 : Dernière rencontre secrète, à Paris, entre les négociateurs d'Israël et de l'OLP.

20 octobre 1986 : Union nationale en Israël. Yitzhak Shamir, Premier ministre. Shimon Pérès, ministre des Affaires étrangères. Rabin reste à la défense.

1987 : 69 000 colons vivent dans les implantations juives de Cisjordanie et de Gaza.

9 décembre 1987 : Début de l'Intifada, le soulèvement palestinien.

16 avril 1988 : Assassinat d'Abou Jihad à Tunis par un commando israélien.

14 mai 1989 : Initiative de paix du gouvernement d'union nationale en Israël, en faveur d'élections dans les territoires occupés.

1990 : 88 000 colons vivent dans les implantations juives de Cisjordanie et de Gaza.

15 mars 1990 : Chute du gouvernement d'union nationale en Israël.

11 juin 1990 : Nouveau cabinet Shamir s'appuyant sur une coalition de partis de droite et religieux.

15.janvier 1991 : Assassinat d'Abou Iyad par un membre de l'organisation d'Abou Nidal.

30 octobre 1991 : Ouverture de la conférence de paix de Madrid.

4 novembre 1991 : Madrid. Début des négociations bilatérales entre Israël et les délégations syrienne, libanaise et jordano-palestinienne.

Juin 1992 : 106 000 colons juifs vivent dans les implantations juives de Cisjordanie et de Gaza.

23 juin 1992 : Le Parti travailliste remporte les élections en Israël.

13 juillet 1992 : Yitzhak Rabin, Premier ministre. Shimon Pérès, ministre des Affaires étrangères.

19 janvier 1993 : Annulation de la loi interdisant aux Israéliens tout contact avec l'OLP.

20 janvier 1993 : Près d'Oslo, premières négociations secrètes entre une délégation palestinienne conduite par Abou Ala, Yaïr Hirschfeld et Ron Pundak, des universitaires israéliens.

20 août 1993 : A Oslo, la déclaration de principe entre Israël et l'OLP est paraphée au cours d'une cérémonie secrète à Oslo.

9 et 10 septembre 1993 : Reconnaissance mutuelle entre Israël et l'OLP

13 septembre 1993 : Signature à Washington de la déclaration de principe entre Israël et l'OLP.

25 février 1994 : Baroukh Goldstein, un terroriste juif ouvre le feu sur les fidèles musulmans dans le caveau des Patriarches à Hébron. 29 morts et 120 blessés.

4 mai 1994 : Signature au Caire de l'accord sur l'autonomie de Gaza et de Jéricho.

25 juillet 1994 : Signature à Washington de la déclaration commune israélo-jordanienne. Le roi Hussein apparaît en public aux côtés des dirigeants israéliens, pour la première fois.

29 août 1994 : Transfert des pouvoirs civils à l'autorité autonome dans l'ensemble des territoires palestiniens.

16 octobre 1994 : Signature à Ein Evrona, dans le désert de la Arava, du traité de paix israélo-jordanien, en présence du président des États-Unis, Bill Clinton.

10 décembre 1994 : Arafat, Rabin et Pérès, prix Nobel de la paix.

28 août 1995 : Accord intérimaire entre Israël et l'autorité palestinienne.

4 novembre 1995 : Yitzhak Rabin assassiné à Tel Aviv par un extrémiste nationaliste religieux.

1996 : 151 000 colons vivent dans les implantations juives de Cisjordanie et de Gaza.

20 janvier 1996 : Élections palestiniennes, en Cisjordanie, à Gaza et à Jérusalem-Est. Arafat élu président du Conseil d'autonomie avec 89 % des voix.

25 février 1996 : Attentat suicide du Hamas dans un autobus à Jérusalem : 26 morts et 46 blessés.

3 mars 1996 : Nouvel attentat suicide du Hamas dans un autobus à Jérusalem. 18 morts, 10 blessés.

4 mars 1996 : Attentat suicide du Jihad islamique devant un centre commercial, rue Dizengoff à Tel Aviv : 14 tués et 157 blessés.

13 mars 1996 : Sommet de Charm El Cheikh.

29 mai 1996 : Élections en Israël. Victoire de Benjamin Netanyahu, le candidat du Likoud. La droite revient au pouvoir.

14 janvier 1997 : Benjamin Netanyahu et Yasser Arafat tombent d'accord sur la poursuite du processus de paix. L'armée israélienne évacue les quatre cinquièmes de la ville de Hébron le 17.

Bibliographie

Mazen Abou, *Through Secret Channels* , Garnet, Reading, 1995.

Iyad Abou, *Palestinien sans patrie*, Fayolle, Paris, 1978.

Ali Kamal Hassan, *Warriors and Peacemakers*, Al Ahram, Le Caire, 1986.

Amitsour Ilan, *Bernadotte in Palestine, 1948*, Mac Millan, 1989.

Ashrawi Hanan, *This Side of Peace*, Simon & Schuster, New York, 1995.

Argaman Yossef, *Zé Aya Sodi Beyoter*, Bamahané, Tel Aviv, 1990.

Arens Moshé, *Broken Covenant*, Simon & Schuster, New York, 1995.

Avnéry Ouri, *Mon frère l'ennemi*, Scribe, Paris, 1986.

Baker James, *The Politics of Diplomacy,* Putnam & Sons, New York, 1994.

Bailey Sidney D., *Four Arab-Israeli Wars and the Peace Process,* Macmillan, Londres, 1990.

Baron Xavier, *Les Palestiniens, un peuple,* Le Sycomore, Paris, 1977.

Bar-On Mordechaï, *The Gates of Gaza*, Saint Martin's Press, New York, 1994.

Bar Zohar Michael, *Ben Gourion,* Am Oved, Tel Aviv, 1975, 3 tomes.

Bar Zohar Michael, *Ben Gourion*, Fayard, Paris, 1978.

Bar Zohar Michael, *Facing a Cruel Mirror*, Scribners, New York, 1990.

Bayle Pierre, *Les Relations secrètes israélo-palestiniennes*, Balland, Paris, 1983.

Beilin Yossi, *Mehiro shel Ihoud*, Revivim, Tel Aviv, 1985.

Ben Gourion David, *My Talks with Arab Leaders*, Keter, Jérusalem, 1972.

Ben Gourion, *Yoman Milhama*, Ministère de la Défense, Tel Aviv, 1983.

Ben Elissar Eliahou, *Lo Od Milhama*, Maariv, Tel Aviv, 1995.

Ben Simon Daniel, *Eretz Aheret*, Arieh Nir Modan, Tel Aviv, 1997.

Ben Tsour Avraham, *Gormim soviétim ve Milhémét Sheshet Hayamim*, Sifriat Hapoalim, Tel Aviv, 1975.

Benziman Ouzi, *Yeroushalaïm, Ir le Lo Houma*, Schocken, Tel Aviv, 1973.

Bitterlin Lucien, *Hafez el Assad*, Editions du Jaguar, Paris, 1986.

Black Ian et Benny Morris, *Israel's Secret Wars*, Hamish Hamilton, Londres, 1991.

Boltanski Christophe et Jihan el Tahri, *Les Sept Vies de Yasser Arafat*, Grasset, Paris, 1997.

Bowyer Bell J., *Terror out of Zion, The Fight for Israeli Independence, 1929-1949*, The Academy Press Dublin, 1977.

Braun Arié, *Moshé Dayan,* Idanim, Tel Aviv, 1992.

Carter Jimmy, *Keeping Faith*, Bantam, New York, 1982.

Cohen Yerouham, *Le Or Ha Yom*, Amikam, Tel Aviv, 1969.

Cohen-Shani Shmouel, *Mivtsa Paris*, Ramot, Université de Tel Aviv, 1994.

Copeland Miles, *The Game of Nations*, Weidenfeld & Nicholson, Londres, 1969.

Corbin Jane, *Gaza First*, Bloomsbury, Londres 1994.

Danine Ezra, *Tsioni Be Kol Tnaï*, Kidoum, Jérusalem, 1987.

Dayan Moshé, *Story of My Life*, Steimatzky, Jérusalem, 1976.

Dayan Moshé, *Halenetsah...*, Idanim, Tel Aviv, 1981.

Derogy Jacques et Hezi Carmel, *Le Siècle d'Israël*, Fayard, Paris, 1994.

Eban Abba, *Personal Witness*, Jonathan Cape, Londres, 1993.

Eliav Arié Loba, *Tabaot Edout*, Am Oved, Tel Aviv, 1983.

Elpeleg Zvi, *The Grand Mufti Hadj Amin El Husseini,* Frank Cass, Londres, 1995.

Enderlin Charles, *Shamir*, Olivier Orban, Paris, 1991.

Epstein Simon, *Les Chemises jaunes*, Calmann-Lévy, Paris, 1990.

Farid Abdel Magid, *Nasser, The Final Years*, Ithaca, Reading, G. B., 1994.

Fahmy Ismaïl, *Negotiating for Peace in the Middle East*, Croom Helm, Londres, 1983.

Le Gac Daniel, *La Syrie du général Assad*, Complexe, Paris, 1991.

Frank Gerald *The Deed*, trad. en hébreu par Aviva Beit Tsouri, édité par B. Gepner, Reshafim, Tel Aviv, 1963.

Friedman Robert I., *Zealots for Zion*, Random House, New York, 1992.

Fromkin David, *A Peace to end all Peace*, Penguin books, Londres, 1991.

El Gamasi Mohamed, *The October War*, The American University in Cairo Press, Le Caire, 1993.

Gazit Shlomo, *The Carrot and the Stick*, B'nai B'rith Books, Washington, 1995.

Golan Matti, *The Road to Peace*, Warner Books, New York, 1989.

Gresh Alain, *OLP, Histoire et Stratégie*, Papyrus, Paris, 1983.

Gross Yaacov, *Jerusalem 1917-18*, Koresh, Jérusalem, 1992.

Haber Eytan, *Hayom Tifrotz Milhamah*, Idanim, Tel Aviv, 1987.

Haber Eytan, Ehoud Yaari, Zeev Schiff, *Shnat Ha yona*, Zmora Beitan, Tel Aviv, 1980.

Halter Clara, *Les Palestiniens du silence*, Belfond, Paris, 1974.

Halter Marek, *Le Fou et les Rois*, Albin Michel, Paris, 1976.

Harkabi Yehoshafat, *The Bar Kokhba Syndrome,* Rossel Books, New York, 1982.

Harkabi Yehoshafat, *Israel's Faiteful Decisions* , Tauris, Londres, 1988.

Hart Alan, *Arafat,* Sidgwick & Jackson, New York, 1994.

Hassan II, *La Mémoire d'un roi*, entretiens avec Éric Laurent, Plon, Paris, 1993.

Heykal Mohamed H., *Suez,* Deutsch, Londres, 1986.

Heykal Mohamed H., *Le Sphinx et le Commissaire*, J. A, Paris, 1980.

Heykal Mohamed H., *The Cairo Documents*, Doubleday, New York, 1973.

Heykal Mohamed H., *The Road To Ramadan*, Collins, Londres, 1975.

Heykal Mohamed H., *L'Automne de la colère*, Ramsay, Paris, 1983.

Herzog Chaïm, *The Arab-Israeli Wars*, Arms and Armour Press, Londres, 1982.

Holden David, Richard Johns, *The House of Saoud*, Pan Books, Londres, 1982.

Hourani A., Houry P., Wilson M. C., *The Modern Middle East*, Tauris Reader, Londres, 1993;

Hurwitz, Harry Z, *Begin : A Portrait*, B'nai B'rith Books, Washington, 1994.

Isaacson Walter, *Kissinger*, Simon & Schuster, New York, 1992.

Jacques Moshé, *Hussein Osse Shalom*, Bar Ilan University Press, Tel Aviv, 1996.

Kalb Marvin et Bernard, *Kissinger*, Little Brown, Boston, 1974.

Kamel Mohamed Ibrahim, *The Camp David Accords*, K.P.I., Londres, 1986.

Kayyali A. W., *Histoire de la Palestine, 1896-1940*, L'Harmattan, Paris, 1985.

Kimche David, *After Nasser, Arafat § Saddam Hussein...*, Weidenfeld & Nicolson, Londres, 1991.

Kissinger Henry, *A la Maison-Blanche*, Fayard, 1979.

Kissinger Henry, *Les Années orageuses*, Fayard, Paris, 1982.

Lacouture Jean, *Nasser*, Le Seuil, Paris, 1971.

Lapidoth Ruth et Hirsch Moshé, *The Arab-Israel Conflict and its Resolution*, Martinus Nijhoff, Dordrecht, Pays-Bas, 1992.

Laqueur W., *A History of Zionism*, Schocken, New York, 1972.

Makovsky David, *Making Peace with the P.L.O.*, Westview, Washington, 1996.

Maoz Moshé, *Syria and Israel*, Oxford, New York, 1995.

Méir Golda, *My Life,* Dell, New York, 1975.

Melman Yossi et Dan Raviv, *The Imperfect Spies*, Sidgwick & Jackson, Londres, 1989.

Morris Benny, *The Birth of the Palestinian Refugee Problem, 1947-1949*, Cambridge University Press, édition hébraïque : Am Oved, 1991.

Nakdimon Shlomo, *Altalena*, Idanim, Jérusalem, 1978.

Naor Arieh, *Begin Bashilton*, Yédiot Aharonot, Tel Aviv, 1993.

Netanyahu Benjamin, *A Place among the Nations*, Bantam Books, New York, 1993.

Niv David, *Maarakhot ha Irgoun Tsvaï Léoumi*, Mossad Klauzner, Tel Aviv, 1981.

Odd Bull, *War and Peace in the Middle East*, Londres, 1976.

Oren Michael B., *The Origins of the Second Arab-Israeli War*, Frank Cass, Londres, 1981.

Pedatsour Réouven, *Nitsahon Hamevoukha*, Bitan, Tel Aviv, 1996.

Pérès Shimon, *David et sa Fronde*, Stock, Paris, 1971.

Pérès Shimon, *Battling for Peace*, Weidenfeld & Nicolson, Londres, 1995.

Perlmutter Amos, *The Life and Times of Menachem Begin*, Doubleday, New York, 1987.

Prittie Terence, *Eshkol of Israel*, Museum Press, Londres, 1969.

Quandt William B., *Peace Process,* Brookings, Berkeley, 1993.

Rabin Yitzhak, *Pinkas Shérout*, Maariv, Tel Aviv, 1979, 2 tomes.

Rabin Yitzhak, *Rodef Shalom*, recueil de discours, Zmora Beitan, Tel Aviv, 1996.

Rabinovitch Itamar, *The Road Not Taken*, Oxford University Press, New York, 1991.

Ran Yaron, *Shorshé Haoptsia hayardenit*, Citrin, Tel Aviv, 1991.

Riad Mahmoud, *The Struggle for Peace in the Middle East*, Quartet Books, Londres, 1981.

Saab Édouard, *La Syrie ou la Révolution dans la rancoeur*, Julliard, Paris, 1968.

El Sadate Anouar, *An Autobiography*, Collins, Londres, 1978.

Sachar Howard, *A History of Israel*, Knopf, New York, 1988.

Sachar Howard, *A History of Israel*, Oxford University Press, New York, 1987, tome 2.

St. John Robert, *The Boss*, McGraw-Hill, New York, 1960.

Sasson Eliahou, *Be Derekh le Shalom, Mihtavim ve Sihot,* Am Oved, Tel Aviv, 1978.

Scholem Gershom G., *Le Messianisme juif,* Calmann-Lévy, Paris, 1974.

Shafat Guershon, *Goush Emounim*, Sifriat Beit El, Beit El, 1995.

Shalev Arié, *The Israel-Syria armistice régime*, J.C.S.S. Studies, Tel Aviv, 1993.

Shalev Arié, *Chitouf Péoula Betsel Imout,* Maarakhot, Tel Aviv, 1989.

Sharett Moshé, *Yoman*, Maariv, Tel Aviv, 1978, 8 tomes.

Schiff Zeev et Ehoud Yaari, *Milhemet Cholal*, Schocken, Tel Aviv, 1984.

Schiff Zeev, *A History of The Israeli Army*, Sidgwick & Jackson, London, 1987.

Schattner Marius, *Histoire de la droite israélienne,* Paris, 1991.

Schiffer Shimon, *Kadour Sheleg*, Idanim, Tel Aviv, 1984.

Shemesh Moshé, *From War to Peace*, Sussex Academic Press, Brighton, 1994.

Shlaim Avi, *The Politics of Partition*, Oxford University Press, New York, 1990.

Shultz George P., *Turmoil and Triumph*, Scribners, New York, 1993.

Silberman Neil Asher, *A Prophet from Amongst You*, Addison-Wesley, New York, 1993.

Sobhani Sohrab, *The Pragmatic Entente, Israeli-Iranian relations*, Praeger, New York, 1989.

Sprinzak Ehud, *The Ascendance of Israel's Radical Right*, Oxford University Press, New York, 1991.

Tabin Elie, *Hazit HaShniah*, Yediot Aharonot, Tel Aviv, 1973.

Tamir Avraham, *A Soldier in Search of Peace*, Weidenfeld & Nicolson, Londres, 1988.

Trevor Daphné, *Under The White Paper*, The Jerusalem Press, Jérusalem, 1948.

Vaucher Georges, *Gamal Abdel Nasser et son Équipe*, Julliard, Paris, 1959.

Weizmann Ezer, *The Battle for Peace*, Bantam Books, New York, 1981.

Weizmann Ezer, *On Eagles' Wings*, Steimatzky, Tel Aviv, 1976.

Weizmann Haïm, *Masse Ve Maas,* Schocken, Jérusalem, 6ᵉ éd, 1962.

Weizmann : Mivrar Igrot, Am Oved, Tel Aviv, 1988.

Wilson R. D. Major, *Cordon and Search, with the 6th Airborne division in Palestine*, Aldershot, Gale and Polden, 1949.

Yacobi Gad, *Kekhout Hasearah*, Idanim, Tel Aviv, 1989.

AUTRES SOURCES

Middle East, Contemporary Survey, 1986, 1987, 1988, 1989, 1990, 1991, 1992, Vestview Press, Boulder, Etats-Unis.
Archives nationales israéliennes (ANI) : éditeur des «Israel Documents».
Archives sionistes, Jérusalem.
Arab Studies Society, Orient House, Jérusalem.
Encyclopedia Judaica, Keter, Jerusalem, 1971.
Recueils des archives diplomatiques américaines (FRUS)

Quotidiens

En hébreu : *Davar, Haaretz, Yediot Aharonot, Maariv.*
En anglais : *Jerusalem Post.*
En arabe : *Al Fajr.*

Périodiques

Journal of Palestine Studies.
Jerusalem Report.
Nekouda.
Weekly Edition, Al Fajr.

Internet

Gopher://israel-info.gov.il/
http://www.arts.mcgill.ca./MEPP/PRRN/prfront.html
http://WWW.birzit.edu/palarc/bp/index.html

Index

A

711

D

E

F

I

J

JABARI Mohamed Ali el, cheikh (1900-1980), notable palestinien, Hébron : 93, 220, 265, 270, 283, 284.

JABOTINSKY Zeev (Vladimir) (1880-1840), dirigeant sioniste, droite : 22, 26, 28, 30, 40, 44, 387, 698.

JACOBSON Charlotte, dirigeante, communauté juive américaine : 397.

JAOUDAT Salah : 345.

JARRING Gunnar (né en 1907), médiateur des Nations unies : 267, 292, 303-306, 311-315.

JDID Hassan, colonel syrien : 167, 168.

Jeunesses pionnières combattantes (organisation militaire israélienne, en hébreu NAHAL) : 353.

JIBRIL Ahmed (né en 1935?), palestinien, chef du FDLP, commandant général Front du refus : 480.

Jihad islamique : 516, 611, 614, 691, 695, 696.

JOHNSON Lyndon (1908-1973), président américain : 233, 236, 238, 253.

JOHNSTON Eric Allen (1913-1963), homme d'affaires américain : 173, 223.

JUUL Mona (née en 1960), diplomate norvégienne : 534, 613, 628, 652.

K

Kach (mouvement israélien d'extrême droite anti-arabe) : 582, 674-676, 682.

KADHAFI Mouamar (né en 1942), président libyen : 304, 383, 389.

Kadima (organisation d'évacuation des Juifs du Maroc) : 193, 195.

KADDOUMI Farouk (Abou Loutof) (né en 1931?), dirigeant palestinien, OLP : 207, 379, 383, 528, 563, 632.

KAHANA Karl, homme d'affaires autrichien : 389, 419, 436

KAHANA Méir (1932-1990), rabbin, fondateur du mouvement Kach : 317, 477, 507, 688, 694.

KAMAL Saïd (né en 1938), dirigeant palestinien, Fatah, Le Caire : 409, 456, 481, 483-485, 489, 492, 499-501, 503, 525, 598, 605, 676.

KAMEL Hassan, égyptien, chef de cabinet de Sadate : 400, 425.

KAMEL Mohamed Ibrahim, ministre des Affaires étrangères égyptiennes : 411, 414, 418-420.

KANEIZER Zoussia, officier israélien, renseignements militaires : 323.

KAPÉLIOUK Amnon (né en 1940), journaliste israélien : 301, 379, 454, 504, 516.

KARIIN IBRAHIM, dirigeant palestinien, OLP, Cisjordanie : 519.

KARMI Abdel Ghani el, jordanien, conseiller d'Abdallah : 92, 146, 156, 159.

KASSAM Azzedine el (mort en 1935), cheikh intégriste, Galilée : 37, 523.

KAUKJI Fawzi el (1890-1976), chef des irréguliers arabes en Palestine (1947-1948) : 39, 62, 76, 79, 92.

KELLY John (né en 1939), diplomate américain : 559.

KELMANN Herb, universitaire américain, Harvard : 350.

KENAN Amos, écrivain israélien, militant de gauche : 213, 300.

KENNEDY John Fitzgerald (1917-1963), président américain : 217, 228, 296.

KGB : 393, 497.

KHALAF Karim, maire de Ramallah, palestinien : 372-373, 436.

KHALAF Salah : voir Abou Iyad.

KHALED Laïla, militante palestinienne : 307.

KHALIL Essam el Din Mahmoud, colonel égyptien : 212, 225-227, 232, 371.

KHAYRI Khulusi, Premier ministre jordanien : 143, 144.

KHOMEINY, ayatollah (1902-1989), dirigeant iranien : 222, 429, 430.

M

Mostafa Abdel Monem, diplomate égyptien : 97, 102, 120, 126, 131, 151, 152.

Moubarak Husny (né en 1928), président égyptien : 14, 409, 412, 442, 539, 553, 556, 568, 572, 607, 609, 617-619, 625, 637, 645, 661, 664, 667, 671, 673, 685, 693, 695, 697.

Moulki Faouzi el (1910-1962), chef de la délégation jordanienne à Lausanne : 116, 120, 135, 141-146, 148-150, 153, 155.

Moussa Amr, ministre des Affaires étrangères égyptiennes : 589, 657.

Mouvement d'action pour la libération de la Palestine : 299.

Mouvement des implantations : 688, 693.

Mouvement pour une fédération Israël-Palestine : 272.

N

Naëf bin Abdallah : voir Hachémites.

Naguib Mohamed (1991-1984), général, président égyptien : 164-166, 169, 177.

Narkiss Ouzi (né en 1925), général israélien : 62.

Nasser Gamal Abdel (1918-1970), président égyptien : 41, 47, 88, 90-92, 95, 103, 164, 168-171, 177-185, 187-190, 200, 206-211, 213, 215-219, 223, 227, 230-233, 236, 238, 240, 242, 245, 251, 255, 260, 263, 276, 279, 289, 291, 294, 298, 300-302, 304-306, 310, 315, 319, 324, 340, 389, 423, 472.

Nathan Abie (né en 1927), militant pacifiste israélien : 228, 262.

Nations unies : 55, 58, 59, 61, 68, 73, 74, 77-83, 87, 93-96, 100, 105, 108, 112-114, 119, 121-124, 126-129, 131, 138, 139, 142, 145, 147, 152, 158, 167, 173, 190, 196, 201, 203-205, 228, 232, 236, 240, 243, 249, 253, 254, 258, 260, 266, 271, 291, 304, 312-315, 336, 340, 342, 343, 345, 360, 361, 367, 368, 406, 407, 409, 411, 418, 420, 479, 481, 486, 487, 491, 498, 504, 509, 512, 518, 527, 551, 555, 559, 562, 565, 568, 572, 575, 579, 582, 591, 593, 596, 615, 655, 675, 676. Voir également Conseil de sécurité.

Natsheh Hamzi, dirigeant palestinien, communiste, Cisjordanie : 373.

Natsheh Mostafa (né en 1930), maire de Hébron : 556, 680.

Navon Yitzhak (né en 1921), président israélien : 218, 378, 467.

Neeman Youval (né en 1925), militaire israélien, physicien nucléaire, député, ministre, extrême droite : 246, 524, 549, 576.

Néria (anc. Reinich) : Jacques (né en 1951), officier israélien, négociateur : 264, 356, 429, 609, 637, 661, 663, 665, 667, 669-671, 676, 679, 682-685.

Netanyahu Benjamin (né en 1949) : Premier ministre israélien : 15, 292, 317, 374, 543, 544, 588, 677, 687, 689, 693-694, 697, 698.

Nixon Richard (1913-1994), président américain : 291, 296, 304, 308, 311, 321, 339, 341, 349, 357, 442.

NKVD : 393.

Noumeiri Jaafar el (né en 1930), président soudanais : 406, 442.

Nousseibeh Anouar el (1913-1986), dirigeant jordanien, Jérusalem-Est : 87, 93, 155, 219, 286.

Nousseibeh Sari (né en 1946), fils d'Anouar, dirigeant palestinien, Fatah, Jérusalem-Est, 513-515, 520, 529, 533, 550, 556, 583, 585.

Novick Nimrod (né en 1946) : 477, 487, 497, 509, 512, 529, 533, 539, 618.

Novomeysky Moshé (1873-1961), industriel israélien : 135, 136.

O

Officiers libres (mouvement clandestin égyptien) : 42, 47, 165, 177, 210, 389.

OKACHA Saroite (né en 1920), officier et diplomate égyptien : 164, 188, 207-209.

OLMERT Ehoud (né en 1945), député israélien du Likoud : 367, 428, 513, 515, 534.

OLP (Organisation de libération de la Palestine) : 15, 43, 62, 77, 88, 207, 221, 222, 224, 226, 238, 246, 263, 281, 293, 296, 300, 306, 309, 316, 319, 348-350, 355, 358-360, 364, 366, 370-374, 376-381, 383, 387-391, 395, 409, 419, 421, 432, 437, 441, 443, 447-449, 453-456, 460, 466-468, 470-472, 476, 478-486, 488-490, 493, 497, 499-504, 506-520, 523, 525-531, 533-535, 537, 539, 541-545, 548, 550-553, 555-564, 567, 571, 573-576, 580-584, 586-588, 594, 599, 602, 605, 607-609, 611-623, 626-648, 652-658, 661, 663-665, 668-673, 676, 678, 681, 684-686, 693-696.

ONU : Voir Nations unies.

Organisation des travailleurs palestiniens : 255.

OTAN : 116, 486, 656, 679.

P

PAÏL Meir (né en 1926), député gauche, militaire israélien : 63, 370, 378.

Palmah (commando de la Hagannah) : 53, 58, 62-64, 74, 91, 368, 382, 695.

PANKIN Boris, ministre des Affaires étrangères soviétiques : 587.

Parti national religieux israélien : 237, 241, 365, 378, 382, 385, 388, 431, 465, 507.

Parti national syrien : 460.

Parti travailliste israélien : 15, 213, 228, 276, 301, 311, 345, 351, 368, 370, 379-381, 385, 388, 414, 418, 433, 437, 440, 454, 470, 472, 477, 504, 530, 537, 562, 599, 602, 607, 609, 614, 628.

PATIR Dan, haut fonctionnaire isaélien, conseiller de Rabin, puis Begin : 385, 398, 399.

PAZNER Avi, diplomate israélien : 541.

Peel commission : 39.

PELED Mattitiahou (1923-1995), général israélien, militant pour l'entente israélo-arabe : 88, 205, 370, 376-379, 467.

PÉRÈS Shimon (anc. Persky) (né en 1923), Premier ministre israélien : 13, 77, 187, 189, 200, 202, 218, 222, 278, 296, 351, 355-358, 363, 368, 370-374, 385, 414, 418, 428, 437-440, 454, 456, 469-472, 477, 482-484, 486-488, 493, 497, 500-514, 517, 524, 532, 534, 538-540, 542, 544-546, 548, 588, 598, 601, 605, 609-611, 612, 613-623, 628, 630-633, 638, 642, 644, 646-650, 653, 655, 657-661, 668, 670, 673, 676, 679, 683-685, 688, 691, 693, 695-697.

PÉRI Yaacov, chef du Shin Beth : 669.

Phalanges libanaises : Voir Forces libanaises.

PHILBY Sir John, diplomate et agent britannique : 45.

PINEAU Christian (1904-1995), ministre des Affaires étrangères françaises : 200, 202.

PODGORNY Nikolaï (1903-1983), dirigeant soviétique : 230, 255, 316.

PORAN Ephraïm, général israélien, aide de camp de Rabin, puis Begin : 375, 399, 401.

PORAT Hanan (né en 1943), militant Goush Emounim, député extrême droite : 355, 375.

PRIMAKOV Evguéni, responsable KGB, diplomate soviétique, puis russe : 393.

T

TABLE

Mise en pages : In Folio, Parıs

Achevé d'imprimer en avril 1997
sur presse Cameron
dans les ateliers de
Bussière Camedan Imprimeries
à Saint-Amand-Montrond (Cher)
pour le compte des Éditions Stock
23 rue du Sommerard, 75005 Paris

Imprimé en France

Dépôt légal : avril 1997.
N° d'Édition : 2135. N° d'Impression : 4/432.
54-31-4448-03/4

ISBN 2-234-04448-0